LAROUSSE

MINI
DICTIONNAIRE

FRANÇAIS-ANGLAIS
ANGLAIS-FRANÇAIS

S0-AGF-570

LAROUSSE

© **Larousse-Bordas, 1999**

21, rue du Montparnasse

75283 Paris Cedex 06, France

Toute représentation ou reproduction intégrale ou partielle, par
quelque procédé que ce soit, du texte et/ou de la nomenclature
contenus dans le présent ouvrage, et qui sont la propriété de
l'Éditeur, est strictement interdite.

ISBN 2-03-402083-9

Larousse-Bordas, Paris

Distributeur exclusif au Québec : Messageries ADP, 1751 Richardson,
Montréal (Québec)

ISBN 2-03-420913-3

Diffusion/Sales : Larousse Kingfisher Chambers Inc., New York

Library of Congress CIP Data has been applied for

Printed in Great Britain

LAROUSSE

MINI

FRENCH-ENGLISH
ENGLISH-FRENCH

DICTIONARY

06 - 64 - 1945 - 33

Tillman cell

LAROUSSE

Réalisé par / Produced by

LAROUSSE

Rédaction/Editors

PATRICK WHITE   LAURENCE LARROCHE
CÉCILE VANWALLEGHEM   CALLUM BRINES
SARA MONTGOMERY   JANE ROGOYSKA

La gamme MINI Larousse a été conçue pour répondre aux besoins du débutant et du voyageur.

Avec plus de 30.000 mots et expressions et plus de 40.000 traductions, ce nouveau dictionnaire présente non seulement le vocabulaire général, mais aussi de nombreuses expressions permettant de déchiffrer panneaux de signalisation ou cartes de restaurant.

Le vocabulaire essentiel est éclairé par de nombreux exemples et des indicateurs de sens précis, une présentation étudiée facilitant la consultation.

À la fois pratique et complet, cet ouvrage est une mine d'informations à emporter partout. "Good luck", et n'hésitez pas à nous faire part de vos suggestions.

L'ÉDITEUR

The Larousse MINI dictionary has been designed with beginners and travellers in mind.

With over 30,000 references and 40,000 translations, this new dictionary gives thorough coverage of general vocabulary plus extensive treatment of the language found on street signs and menus.

Clear sense markers are provided throughout, while special emphasis has been placed on basic words, with many examples of usage and a particularly user-friendly layout.

Easy to use and comprehensive, this handy book packs a lot of wordpower for users at school, at home and on the move. "Bonne chance", and don't hesitate to send us your comments.

THE PUBLISHER

ABBREVIATIONS

ABRÉVIATIONS

abbreviation	*abbr/abr*	abréviation
adjective	*adj*	adjectif
adverb	*adv*	adverbe
American English	*Am*	anglais américain
anatomy	*ANAT*	anatomie
article	*art*	article
automobile, cars	*AUT*	automobile
auxiliary	*aux*	auxiliaire
before noun	*avant n*	avant le nom
Belgian French	*Belg*	belgicisme
British English	*Br*	anglais britannique
Canadian French	*Can*	canadianisme
commerce, business	*COMM*	commerce
comparative	*compar*	comparatif
computers	*COMPUT*	informatique
conjunction	*conj*	conjonction
continuous	*cont*	progressif
culinary, cooking	*CULIN*	cuisine, art culinaire
exclamation	*excl*	interjection
feminine	*f*	féminin
informal	*fam*	familier
figurative	*fig*	figuré
finance, financial	*FIN*	finances
formal	*fml*	soutenu
inseparable	*fus*	non séparable
generally	*gen/gén*	généralement
grammar	*GRAM(M)*	grammaire
Swiss French	*Helv*	helvétisme
informal	*inf*	familier
computers	*INFORM*	informatique
interrogative	*interr*	interrogatif
invariable	*inv*	invariable
juridical, legal	*JUR*	juridique

masculine	*m*	masculin
mathematics	*MATH*	mathématiques
medicine	*MED/MÉD*	médecine
military	*MIL*	domaine militaire
music	*MUS*	musique
noun	*n*	nom
nautical, maritime	*NAVIG*	navigation
numeral	*num*	numéral
oneself	*o.s.*	
pejorative	*pej/péj*	péjoratif
plural	*pl*	pluriel
politics	*POL*	politique
past participle	*pp*	participe passé
present participle	*ppr*	participe présent
preposition	*prep/prép*	préposition
pronoun	*pron*	pronom
past tense	*pt*	passé
	qqch	quelque chose
	qqn	quelqu'un
registered trademark	®	nom déposé
religion	*RELIG*	religion
someone, somebody	*sb*	
school	*SCH/SCOL*	scolarité
Scottish English	*Scot*	anglais écossais
separable	*sep*	séparable
singular	*sg*	singulier
formal	*sout*	soutenu
something	*sthg*	
subject	*subj/suj*	sujet
superlative	*superl*	superlatif
technology	*TECH*	domaine technique
transport	*TRANSP*	transport
television	*TV*	télévision
verb	*v, vb*	verbe
intransitive verb	*vi*	verbe intransitif

impersonal verb	*v impers*	verbe impersonnel
pronominal verb	*vp*	verbe pronominal
transitive verb	*vt*	verbe transitif
vulgar	*vulg*	vulgaire
cultural equivalent	≃	équivalence culturelle

TRADEMARKS

Words considered to be trademarks have been designated in this dictionary by the symbol ®. However, neither the presence nor the absence of such designation should be regarded as affecting the legal status of any trademark.

NOMS DE MARQUE

Les noms de marque sont désignés dans ce dictionnaire par le symbole ®. Néanmoins, ni ce symbole ni son absence éventuelle ne peuvent être considérés comme susceptibles d'avoir une incidence quelconque sur le statut légal d'une marque.

ENGLISH COMPOUNDS

A compound is a word or expression which has a single meaning but is made up of more than one word, e.g. **point of view, kiss of life, virtual reality** and **West Indies**. It is a feature of this dictionary that English compounds appear in the A–Z list in strict alphabetical order. The compound **blood test** will therefore come after **bloodshot** which itself follows **blood pressure**.

MOTS COMPOSÉS ANGLAIS

On désigne par composés des entités lexicales ayant un sens autonome mais qui sont composées de plus d'un mot, par exemple **point of view, virtual reality** et **West Indies**. Nous avons pris le parti de faire figurer les composés anglais dans l'ordre alphabétique général. Le composé **blood test** est ainsi présenté après **bloodshot** qui suit **blood pressure**.

PHONETIC TRANSCRIPTION

TRANSCRIPTION PHONÉTIQUE

English vowels

- [ɪ] pit, big, rid
- [e] pet, tend
- [æ] pat, bag, mad
- [ʌ] run, cut
- [ɒ] pot, log
- [ʊ] put, full
- [ə] mother, suppose
- [iː] bean, weed
- [ɑː] barn, car, laugh
- [ɔː] born, lawn
- [uː] loop, loose
- [ɜː] burn, learn, bird

English diphthongs

- [eɪ] bay, late, great
- [aɪ] buy, light, aisle
- [ɔɪ] boy, foil
- [əʊ] no, road, blow
- [aʊ] now, shout, town
- [ɪə] peer, fierce, idea
- [eə] pair, bear, share
- [ʊə] poor, sure, tour

Semi-vowels

you, spaniel	[j]
wet, why, twin	[w]

Consonants

pop, people	[p]
bottle, bib	[b]
train, tip	[t]
dog, did	[d]
come, kitchen	[k]
gag, great	[g]
chain, wretched	[tʃ]

Voyelles françaises

- [i] fille, île
- [e] pays, année
- [ɛ] bec, aime
- [a] lac, papillon
- [ɑ] tas, âme
- [o] drôle, aube
- [u] outil, goût
- [y] usage, lune
- [ø] aveu, jeu
- [œ] peuple, bœuf
- [ə] le, je

Nasales françaises

- [ɛ̃] timbre, main
- [ɑ̃] champ, ennui
- [ɔ̃] ongle, mon
- [œ̃] parfum, brun

Semi-voyelles

yeux, lieu	
ouest, oui	[w]
lui, nuit	[ɥ]

Consonnes

prendre, grippe
bateau, rosbif
théâtre, temps
dalle, ronde
coq, quatre
garder, épilogue

jet, fri**dg**e	[dʒ]		
fib, **ph**ysical	[f]	**ph**ysique, fort	
vine, livid	[v]	voir, rive	
think, fif**th**	[θ]		
this, wi**th**	[ð]		
seal, peace	[s]	cela, savant	
zip, his	[z]	fraise, zéro	
sheep, ma**ch**ine	[ʃ]	charrue, schéma	
u**s**ual, mea**s**ure	[ʒ]	rouge, jeune	
how, per**h**aps	[h]		
metal, comb	[m]	mât, drame	
night, dinner	[n]	nager, trône	
su**ng**, parki**ng**	[ŋ]		
	[ɲ]	agneau, peigner	
little, help	[l]	halle, lit	
right, carry	[r]	arracher, sabre	

The symbol [ʼ] has been used to represent the French "h aspiré", e.g. **hachis** [ˈaʃi].

Le symbole [ʼ] représente le «h aspiré» français, par exemple **hachis** [ˈaʃi].

The symbol [ˈ] indicates that the following syllable carries primary stress and the symbol [ˌ] that the following syllable carries secondary stress.

Les symboles [ˈ] et [ˌ] indiquent respectivement un accent primaire et un accent secondaire sur la syllabe suivante.

The symbol [ʳ] in English phonetics indicates that the final "r" is pronounced only when followed by a word beginning with a vowel. Note that it is nearly always pronounced in American English.

Le symbole [ʳ] indique que le «r» final d'un mot anglais ne se prononce que lorsqu'il forme une liaison avec la voyelle du mot suivant; le «r» final est presque toujours prononcé en anglais américain.

FRENCH VERBS

Key: *ppr* = participe présent, *pp* = participe passé,
pr ind = présent de l'indicatif, *imp* = imparfait, *fut* = futur,
cond = conditionnel, *pr subj* = présent du subjonctif

acquérir: *pp* acquis, *pr ind* acquiers, acquérons, acquièrent, *imp*
acquérais, *fut* acquerrai, *pr subj* acquière

aller: *pp* allé, *pr ind* vais, vas, va, allons, allez, vont, *imp* allais, *fut*
irai, *cond* irais, *pr subj* aille

asseoir: *ppr* asseyant, *pp* assis, *pr ind* assieds, asseyons, *imp*
asseyais, *fut* assiérai, *pr subj* asseye

atteindre: *ppr* atteignant, *pp* atteint, *pr ind* atteins, atteignons, *imp*
atteignais, *pr subj* atteigne

avoir: *pp* ayant, *pp* eu, *pr ind* ai, as, a, avons, avez, ont, *imp* avais,
fut aurai, *cond* aurais, *pr subj* aie, aies, ait, ayons, ayez, aient

boire: *pp* buvant, *pp* bu, *pr ind* bois, buvons, boivent, *imp* buvais,
pr subj boive

conduire: *ppr* conduisant, *pp* conduit, *pr ind* conduis, conduisons,
imp conduisais, *pr subj* conduise

connaître: *ppr* connaissant, *pp* connu, *pr ind* connais, connaît,
connaissons, *imp* connaissais, *pr subj* connaisse

coudre: *ppr* cousant, *pp* cousu, *pr ind* couds, cousons, *imp* cousais,
pr subj couse

courir: *pp* couru, *pr ind* cours, courons, *imp* courais, *fut* courrai, *pr
subj* coure

couvrir: *pp* couvert, *pr ind* couvre, couvrons, *imp* couvrais, *pr subj*
couvre

craindre: *ppr* craignant, *pp* craint, *pr ind* crains, craignons, *imp*
craignais, *pr subj* craigne

croire: *ppr* croyant, *pp* cru, *pr ind* crois, croyons, croient, *imp*
croyais, *pr subj* croie

cueillir: *pp* cueilli, *pr ind* cueille, cueillons, *imp* cueillais, *fut*
cueillerai, *pr subj* cueille

devoir: *pp* dû, due, *pr ind* dois, devons, doivent, *imp* devais, *fut*
devrai, *pr subj* doive

dire: *ppr* disant, *pp* dit, *pr ind* dis, disons, dites, disent, *imp* disais,
pr subj dise

dormir: *pp* dormi, *pr ind* dors, dormons, *imp* dormais, *pr subj*
dorme

écrire: *ppr* écrivant, *pp* écrit, *pr ind* écris, écrivons, *imp* écrivais, *pr
subj* écrive

essuyer: *pp* essuyé, *pr ind* essuie, essuyons, essuient, *imp* essuyais, *fut* essuierai, *pr subj* essuie

être: *ppr* étant, *pp* été, *pr ind* suis, es, est, sommes, êtes, sont, *imp* étais, *fut* serai, *cond* serais, *pr subj* sois, sois, soit, soyons, soyez, soient

faire: *ppr* faisant, *pp* fait, *pr ind* fais, fais, fait, faisons, faites, font, *imp* faisais, *fut* ferai, *cond* ferais, *pr subj* fasse

falloir: *pp* fallu, *pr ind* faut, *imp* fallait, *fut* faudra, *pr subj* faille

FINIR: *ppr* finissant, *pp* fini, *pr ind* finis, finis, finit, finissons, finissez, finissent, *imp* finissais, finissais, finissait, finissions, finissiez, finissaient, *fut* finirai, finiras, finira, finirons, finirez, finiront, *cond* finirais, finirais, finirait, finirions, finiriez, finiraient, *pr subj* finisse, finisses, finisse, finissions, finissiez, finissent

fuir: *ppr* fuyant, *pp* fui, *pr ind* fuis, fuyons, fuient, *imp* fuyais, *pr subj* fuie

haïr: *ppr* haïssant, *pp* haï, *pr ind* hais, haïssons, *imp* haïssais, *pr subj* haïsse

joindre: *like* atteindre

lire: *ppr* lisant, *pp* lu, *pr ind* lis, lisons, *imp* lisais, *pr subj* lise

mentir: *ppr* menti, *pr ind* mens, mentons, *imp* mentais, *pr subj* mente

mettre: *ppr* mettant, *pp* mis, *pr ind* mets, mettons, *imp* mettais, *pr subj* mette

mourir: *pp* mort, *pr ind* meurs, mourons, meurent, *imp* mourais, *fut* mourrai, *pr subj* meure

naître: *ppr* naissant, *pp* né, *pr ind* nais, naît, naissons, *imp* naissais, *pr subj* naisse

offrir: *pp* offert, *pr ind* offre, offrons, *imp* offrais, *pr subj* offre

paraître: *like* connaître

PARLER: *ppr* parlant, *pp* parlé, *pr ind* parle, parles, parle, parlons, parlez, parlent, *imp* parlais, parlais, parlait, parlions, parliez, parlaient, *fut* parlerai, parleras, parlera, parlerons, parlerez, parleront, *cond* parlerais, parlerais, parlerait, parlerions, parleriez, parleraient, *pr subj* parle, parles, parle, parlions, parliez, parlent

partir: *pp* parti, *pr ind* pars, partons, *imp* partais, *pr subj* parte

plaire: *ppr* plaisant, *pp* plu, *pr ind* plais, plaît, plaisons, *imp* plaisais, *pr subj* plaise

pleuvoir: *pp* plu, *pr ind* pleut, *imp* pleuvait, *fut* pleuvra, *pr subj* pleuve

pouvoir: *pp* pu, *pr ind* peux, peux, peut, pouvons, pouvez, peuvent, *imp* pouvais, *fut* pourrai, *pr subj* puisse

prendre: *ppr* prenant, *pp* pris, *pr ind* prends, prenons, prennent, *imp* prenais, *pr subj* prenne

prévoir: *ppr* prévoyant, *pp* prévu, *pr ind* prévois, prévoyons, prévoient, *imp* prévoyais, *fut* prévoirai, *pr subj* prévoie

recevoir: *pp* reçu, *pr ind* reçois, recevons, reçoivent, *imp* recevais, *fut* recevrai, *pr subj* reçoive

RENDRE: *ppr* rendant, *pp* rendu, *pr ind* rends, rends, rend, rendons, rendez, rendent, *imp* rendais, rendais, rendait, rendions, rendiez, rendaient, *fut* rendrai, rendras, rendra, rendrons, rendrez, rendront, *cond* rendrais, rendrais, rendrait, rendrions, rendriez, rendraient, *pr subj* rende, rendes, rende, rendions, rendiez, rendent

résoudre: *ppr* résolvant, *pp* résolu, *pr ind* résous, résolvons, *imp* résolvais, *pr subj* résolve

rire: *ppr* riant, *pp* ri, *pr ind* ris, rions, *imp* riais, *pr subj* rie

savoir: *ppr* sachant, *pp* su, *pr ind* sais, savons, *imp* savais, *fut* saurai, *pr subj* sache

servir: *pp* servi, *pr ind* sers, servons, *imp* servais, *pr subj* serve

sortir: *like* partir

suffire: *ppr* suffisant, *pp* suffi, *pr ind* suffis, suffisons, *imp* suffisais, *pr subj* suffise

suivre: *ppr* suivant, *pp* suivi, *pr ind* suis, suivons, *imp* suivais, *pr subj* suive

taire: *ppr* taisant, *pp* tu, *pr ind* tais, taisons, *imp* taisais, *pr subj* taise

tenir: *pp* tenu, *pr ind* tiens, tenons, tiennent, *imp* tenais, *fut* tiendrai, *pr subj* tienne

vaincre: *ppr* vainquant, *pp* vaincu, *pr ind* vaincs, vainc, vainquons, *imp* vainquais, *pr subj* vainque

valoir: *pp* valu, *pr ind* vaux, valons, *imp* valais, *fut* vaudrai, *pr subj* vaille

venir: *like* tenir

vivre: *ppr* vivant, *pp* vécu, *pr ind* vis, vivons, *imp* vivais, *pr subj* vive

voir: *ppr* voyant, *pp* vu, *pr ind* vois, voyons, voient, *imp* voyais, *fut* verrai, *pr subj* voie

vouloir: *pp* voulu, *pr ind* veux, veux, veut, voulons, voulez, veulent, *imp* voulais, *fut* voudrai, *pr subj* veuille

VERBES IRRÉGULIERS ANGLAIS

Infinitive	Past Tense	Past Participle	Infinitive	Past Tense	Past Participle
arise	arose	arisen	creep	crept	crept
awake	awoke	awoken	cut	cut	cut
be	was/were	been	deal	dealt	dealt
			dig	dug	dug
bear	bore	born(e)	do	did	done
beat	beat	beaten	draw	drew	drawn
begin	began	begun	dream	dreamed/dreamt	dreamed/dreamt
bend	bent	bent			
bet	bet/betted	bet/betted	drink	drank	drunk
			drive	drove	driven
bid	bid	bid	eat	ate	eaten
bind	bound	bound	fall	fell	fallen
bite	bit	bitten	feed	fed	fed
bleed	bled	bled	feel	felt	felt
blow	blew	blown	fight	fought	fought
break	broke	broken	find	found	found
breed	bred	bred	fling	flung	flung
bring	brought	brought	fly	flew	flown
build	built	built	forget	forgot	forgotten
burn	burnt/burned	burnt/burned	freeze	froze	frozen
			get	got	got (Am gotten)
burst	burst	burst			
buy	bought	bought	give	gave	given
can	could	–	go	went	gone
cast	cast	cast	grind	ground	ground
catch	caught	caught	grow	grew	grown
choose	chose	chosen	hang	hung/hanged	hung/hanged
come	came	come			
cost	cost	cost	have	had	had

Infinitive	Past Tense	Past Participle	Infinitive	Past Tense	Past Participle
hear	heard	heard	pay	paid	paid
hide	hid	hidden	put	put	put
hit	hit	hit	quit	quit	quit
hold	held	held		/quitted	/quitted
hurt	hurt	hurt	read	read	read
keep	kept	kept	rid	rid	rid
kneel	knelt	knelt	ride	rode	ridden
	/kneeled	/kneeled	ring	rang	rung
know	knew	known	rise	rose	risen
lay	laid	laid	run	ran	run
lead	led	led	saw	sawed	sawn
lean	leant	leant	say	said	said
	/leaned	/leaned	see	saw	seen
leap	leapt	leapt	seek	sought	sought
	/leaped	/leaped	sell	sold	sold
learn	learnt	learnt	send	sent	sent
	/learned	/learned	set	set	set
leave	left	left	shake	shook	shaken
lend	lent	lent	shall	should	–
let	let	let	shed	shed	shed
lie	lay	lain	shine	shone	shone
light	lit	lit	shoot	shot	shot
	/lighted	/lighted	show	showed	shown
lose	lost	lost	shrink	shrank	shrunk
make	made	made	shut	shut	shut
may	might	–	sing	sang	sung
mean	meant	meant	sink	sank	sunk
meet	met	met	sit	sat	sat
mow	mowed	mown	sleep	slept	slept
		/mowed	slide	slid	slid

Infinitive	Past Tense	Past Participle	Infinitive	Past Tense	Past Participle
sling	slung	slung	strike	struck	struck /stricken
smell	smelt /smelled	smelt /smelled	swear	swore	sworn
sow	sowed	sown /sowed	sweep	swept	swept
			swell	swelled	swollen /swelled
speak	spoke	spoken			
speed	sped /speeded	sped /speeded	swim	swam	swum
spell	spelt /spelled	spelt /spelled	swing	swung	swung
			take	took	taken
spend	spent	spent	teach	taught	taught
spill	spilt /spilled	spilt /spilled	tear	tore	torn
			tell	told	told
spin	spun	spun	think	thought	thought
spit	spat	spat	throw	threw	thrown
split	split	split	tread	trod	trodden
spoil	spoiled /spoilt	spoiled /spoilt	wake	woke /waked	woken /waked
spread	spread	spread	wear	wore	worn
spring	sprang	sprung	weave	wove /weaved	woven /weaved
stand	stood	stood			
steal	stole	stolen	weep	wept	wept
stick	stuck	stuck	win	won	won
sting	stung	stung	wind	wound	wound
stink	stank	stunk	wring	wrung	wrung
			write	wrote	written

a → **avoir**.

à [a] *prép* **1.** *(introduit un complément d'objet indirect)* to); **penser à** to think about; **donner qqch à qqn** to give sb sthg.

2. *(indique le lieu où l'on est)* at; **à la campagne** in the country; **j'habite à Paris** I live in Paris; **rester à la maison** to stay home; **il y a une piscine à deux kilomètres du village** there is a swimming pool two kilometres from the village.

3. *(indique le lieu où l'on va)* to); **allons au théâtre** let's go to the theatre; **il est parti à la pêche** he went fishing.

4. *(introduit un complément de temps)* at; **embarquement à 21 h 30** boarding at nine thirty p.m.; **au mois d'août** in August; **le musée est à cinq minutes d'ici** the museum is five minutes from here; **à jeudi!** see you Thursday!

5. *(indique la manière, le moyen)* : **à deux** together; **à pied** on foot; **écrire au crayon** to write in pencil; **à la française** in the French style; **fait à la main** handmade, made by hand.

6. *(indique l'appartenance)* : **cet argent est à moi/à lui/à Isabelle** this money is mine/his/Isabelle's; **à qui sont ces lunettes?** whose are these glasses?; **une amie à moi** a friend of mine.

7. *(indique un prix)* : **une place à 40 F** a 40-franc seat.

8. *(indique une caractéristique)* with; **le garçon aux yeux bleus** the boy with the blue eyes; **du tissu à rayures** a striped fabric; **un bateau à vapeur** a steamboat.

9. *(indique un rapport)* by; **100 km à l'heure** 100 km an hour.

10. *(indique le but)* : **maison à vendre** house for sale; **le courrier à poster** the letters to be posted.

A *abr* = **autoroute**.

AB *(abr de assez bien)* fair *(assessment of schoolwork)*.

abaisser [abese] *vt (manette)* to lower.

abandon [abɑ̃dɔ̃] *nm* : **à l'~** neglected; **laisser qqch à l'~** to neglect sthg.

abandonné, -e [abɑ̃dɔne] *adj* abandoned; *(village)* deserted.

abandonner [abɑ̃dɔne] *vt* to abandon ♦ *vi* to give up.

abat-jour [abaʒur] *nm inv* lampshade.

abats [aba] *nmpl (de bœuf, de porc)* offal *(sg)*; *(de volaille)* giblets.

abattoir [abatwar] *nm*

abattre [abatr] vt (arbre) to chop down; (mur) to knock down; (tuer) to kill; (décourager) to demoralize.

abattu, -e [abaty] adj (découragé) dejected.

abbaye [abei] nf abbey.

abcès [apsɛ] nm abscess.

abeille [abɛj] nf bee.

aberrant, -e [aberɑ̃, ɑ̃t] adj absurd.

abîmer [abime] vt to damage ❑ **s'abîmer** vp (fruit) to spoil; (livre) to get damaged; **s'~ les yeux** to ruin one's eyesight.

aboiements [abwamɑ̃] nmpl barking (sg).

abolir [abɔlir] vt to abolish.

abominable [abɔminabl] adj awful.

abondant, -e [abɔ̃dɑ̃, ɑ̃t] adj plentiful; (pluie) heavy.

abonné, -e [abɔne] nm, f (à un magazine) subscriber; (au théâtre) season ticket holder ◆ adj: **être ~ à un journal** to subscribe to a newspaper.

abonnement [abɔnmɑ̃] nm (à un magazine) subscription; (de théâtre, de métro) season ticket.

abonner [abɔne] : **s'abonner à** vp + prép (journal) to subscribe to.

abord [abɔr] : **d'abord** adv first ❑ **abords** nmpl surrounding area (sg); (d'une ville) outskirts.

abordable [abɔrdabl] adj affordable.

aborder [abɔrde] vt (personne) to approach; (sujet) to touch on ◆ vi (NAVIG) to reach land.

aboutir [abutir] vi (réussir) to be successful; **~ à** (rue) to lead to; (*avoir pour résultat*) to result in.

aboyer [abwaje] vi to bark.

abrégé [abreʒe] nm: **en ~** in short.

abréger [abreʒe] vt to cut short.

abreuvoir [abrœvwar] nm trough.

abréviation [abrevjasjɔ̃] nf abbreviation.

abri [abri] nm shelter; **être à l'~ (de)** to be sheltered (from); **se mettre à l'~ (de)** to take shelter (from).

abricot [abriko] nm apricot.

abriter [abrite] : **s'abriter (de)** vp (+ prép) to shelter (from).

abrupt, -e [abrypt] adj (escarpé) steep.

abruti, -e [abryti] adj (fam: bête) thick; (assommé) dazed ◆ nm, f (fam) idiot.

abrutissant, -e [abrytisɑ̃, ɑ̃t] adj mind-numbing.

absence [apsɑ̃s] nf absence; (manque) lack.

absent, -e [apsɑ̃, ɑ̃t] adj (personne) absent ◆ nm, f absentee.

absenter [apsɑ̃te] : **s'absenter** vp to leave.

absolu, -e [apsɔly] adj absolute.

absolument [apsɔlymɑ̃] adv absolutely.

absorbant, -e [apsɔrbɑ̃, ɑ̃t] adj (papier, tissu) absorbent.

absorber [apsɔrbe] vt to absorb; (nourriture) to take.

abstenir [apstənir] : **s'abstenir** vp (de voter) to abstain; **s'~ de faire qqch** to refrain from doing sthg.

abstention [apstɑ̃sjɔ̃] nf abstention.

abstenu, -e [apstəny] pp → abstenir.

abstrait, -e [apstrɛ, et] *adj* abstract.

absurde [apsyrd] *adj* absurd.

abus [aby] *nm:* **évitez les ~** don't drink or eat too much.

abuser [abyze] *vi (exagérer)* to go too far; **~ de** *(force, autorité)* to abuse.

académie [akademi] *nf (zone administrative)* local education authority; **l'Académie française** the French Academy *(learned society of leading men and women of letters).*

acajou [akaʒu] *nm (bois)* mahogany.

accabler [akable] *vt:* **~ qqn (de)** to overwhelm sb (with).

accaparer [akapare] *vt (personne, conversation)* to monopolize.

accéder [aksede] **: accéder à** *vi + prép (lieu)* to reach.

accélérateur [akseleratœr] *nm* accelerator.

accélération [akselerasjɔ̃] *nf* acceleration.

accélérer [akselere] *vi (AUT)* to accelerate; *(se dépêcher)* to hurry.

accent [aksɑ̃] *nm* accent; **mettre l'~ sur** to stress; **~ aigu** acute (accent); **~ circonflexe** circumflex (accent); **~ grave** grave (accent).

accentuer [aksɑ̃tɥe] *vt (mot)* to stress □ **s'accentuer** *(augmenter)* to become more pronounced.

acceptable [akssɛptabl] *adj* acceptable.

accepter [aksɛpte] *vt* to accept; *(supporter)* to put up with; **~ de faire qqch** to agree to do sthg.

accès [aksɛ] *nm (entrée)* access; *(crise)* attack; **donner ~ à** (suj: *ticket)* to admit to; **«~ interdit»** "no

entry"; **«~ aux trains»** "to the trains".

accessible [aksesibl] *adj* accessible.

accessoire [akseswar] *nm* accessory.

accident [aksidɑ̃] *nm* accident; **~ de la route** road accident; **~ du travail** industrial accident; **~ de voiture** car crash.

accidenté, -e [aksidɑ̃te] *adj (voiture)* damaged; *(terrain)* bumpy.

accidentel, -elle [aksidɑ̃tɛl] *adj (mort)* accidental; *(rencontre, découverte)* chance.

accolade [akɔlad] *nf (signe graphique)* curly bracket.

accompagnateur, -trice [akɔ̃paɲatœr, tris] *nm, f (de voyages)* guide; *(MUS)* accompanist.

accompagnement [akɔ̃paɲmɑ̃] *nm (MUS)* accompaniment.

accompagner [akɔ̃paɲe] *vt* to accompany.

accomplir [akɔ̃plir] *vt* to carry out.

accord [akɔr] *nm* agreement; *(MUS)* chord; **d'~!** OK!, all right!; **se mettre d'~** to reach an agreement; **être d'~** to agree with; **être d'~ avec** to agree with; **être d'~ pour faire qqch** to agree to doing sthg.

accordéon [akɔrdeɔ̃] *nm* accordion.

accorder [akɔrde] *vt (MUS)* to tune; **~ qqch à qqn** to grant sb sthg □ **s'accorder** *vp* to agree; **s'~ bien** *(couleurs, vêtements)* to go together well.

accoster [akɔste] *vt (personne)* to go up to ♦ *vi (NAVIG)* to moor.

accotement [akɔtmɑ̃] *nm*

shoulder; **«~s non stabilisés»** "soft verges".

accouchement [akuʃmã] *nm* childbirth.

accoucher [akuʃe] *vi* : **~ (de)** to give birth (to).

accouder [akude] : **s'accouder** *vp* to lean.

accoudoir [akudwar] *nm* arm-rest.

accourir [akurir] *vi* to rush.

accouru, -e [akury] *pp* → accourir.

accoutumer [akutyme] : **s'accoutumer à** *vp* + *prép* to get used to.

accroc [akro] *nm* rip, tear.

accrochage [akroʃaʒ] *nm* (*accident*) collision; (*fam: dispute*) quarrel.

accrocher [akroʃe] *vt* (*tableau*) to hang (up); (*caravane*) to hook up; (*déchirer*) to snag; (*heurter*) to hit ❑ **s'accrocher** *vp* (*fam: persévérer*) to stick to it; **s'~ à** (*se tenir à*) to cling to.

accroupir [akrupir] : **s'accroupir** *vp* to squat (down).

accu [aky] *nm* (*fam*) battery.

accueil [akœj] *nm* (*bienvenue*) welcome; (*bureau*) reception.

accueillant, -e [akœjã, ãt] *adj* welcoming.

accueillir [akœjir] *vt* (*personne*) to welcome; (*nouvelle*) to receive.

accumuler [akymyle] *vt* to accumulate ❑ **s'accumuler** *vp* to build up.

accusation [akyzasjɔ̃] *nf* (*reproche*) accusation; (*JUR*) charge.

accusé, -e [akyze] *nm, f* accused ◆ *nm:* **~ de réception** acknowledg-

ment slip.

accuser [akyze] *vt* to accuse; **~ qqn de qqch** to accuse sb of sthg; **~ qqn de faire qqch** to accuse sb of doing sthg.

acéré, -e [asere] *adj* sharp.

acharnement [aʃarnəmã] *nm* relentlessness; **avec ~** relentlessly.

acharner [aʃarne] : **s'acharner** *vp:* **s'~ à faire qqch** to strive to do sthg; **s'~ sur qqn** to persecute sb.

achat [aʃa] *nm* (*acquisition*) buying; (*objet*) purchase; **faire des ~s** to go shopping.

acheter [aʃte] *vt* to buy; **~ qqch à qqn** (*pour soi*) to buy sthg from sb; (*en cadeau*) to buy sthg for sb.

acheteur, -euse [aʃtœr, øz] *nm, f* buyer.

achever [aʃve] *vt* (*terminer*) to finish; (*tuer*) to finish off ❑ **s'achever** *vp* to end.

acide [asid] *adj* (*aigre*) sour; (*corrosif*) acid ◆ *nm* acid.

acidulé [asidyle] *adj m* → bonbon.

acier [asje] *nm* steel; **~ inoxydable** stainless steel.

acné [akne] *nf* acne.

acompte [akɔ̃t] *nm* deposit.

à-coup, -s [aku] *nm* jerk; **par ~s** in fits and starts.

acoustique [akustik] *nf* (*d'une salle*) acoustics; (*sg*).

acquérir [akerir] *vt* (*acheter*) to buy; (*réputation, expérience*) to acquire.

acquis, -e [aki, iz] *pp* → acquérir.

acquisition [akizisjɔ̃] *nf* (*action*) acquisition; (*objet*) purchase; **faire l'~ de** to

acquitter [akite] *vt (JUR)* to acquit ❑ **s'acquitter de** *vp + prép (dette)* to pay off; *(travail)* to carry out.

âcre [akʀ] *adj (odeur)* acrid.

acrobate [akʀɔbat] *nmf* acrobat.

acrobatie [akʀɔbasi] *nf* acrobatics *(sg)*.

acrylique [akʀilik] *nm* acrylic.

acte [akt] *nm (action)* act, action; *(document)* certificate; *(d'une pièce de théâtre)* act.

acteur, -trice [aktœʀ, tʀis] *nm, f (comédien)* actor *(f* actress).

actif, -ive [aktif, iv] *adj* active.

action [aksjɔ̃] *nf (acte)* action; *(effet)* effect; *(FIN)* share.

actionnaire [aksjɔnɛʀ] *nmf* shareholder.

actionner [aksjɔne] *vt* to activate.

active → actif.

activer [aktive] *vt (feu)* to stoke ❑ **s'activer** *vp (se dépêcher)* to get a move on.

activité [aktivite] *nf* activity.

actrice → acteur.

actualité [aktɥalite] *nf*: **l'~** current events; **d'~** topical ❑ **actualités** *nfpl* news *(sg)*.

actuel, -elle [aktɥɛl] *adj* current, present.

actuellement [aktɥɛlmɑ̃] *adv* currently, at present.

acupuncture [akypɔ̃ktyʀ] *nf* acupuncture.

adaptateur [adaptatœʀ] *nm (pour prise de courant)* adaptor.

adaptation [adaptasjɔ̃] *nf* adaptation.

adapter [adapte] *vt (pour le cinéma, la télévision)* to adapt; **~ qqch à** *(ajuster)* to fit sthg to ❑ **s'adapter** *vp* to adapt; **s'~ à** to adapt to.

additif [aditif] *nm* additive; **«sans ~»** "additive-free".

addition [adisjɔ̃] *nf (calcul)* addition; *(note)* bill *(Br)*, check *(Am)*; **faire une ~** to do a sum; **payer l'~** to pay (the bill); **l'~, s'il vous plaît!** can I have the bill please!

additionner [adisjɔne] *vt* to add (up) ❑ **s'additionner** *vp (s'accumuler)* to build up.

adepte [adɛpt] *nmf (d'une théorie)* supporter; *(du ski, du jazz)* fan.

adéquat, -e [adekwa, at] *adj* suitable.

adhérent, -e [adeʀɑ̃, ɑ̃t] *nm, f* member.

adhérer [adeʀe] *vi*: **~ à** *(coller)* to stick to; *(participer)* to join.

adhésif, -ive [adezif, iv] *adj (pansement, ruban)* adhesive.

adieu, -x [adjø] *nm* goodbye; **~!** goodbye!; **faire ses ~x à qqn** to say goodbye to sb.

adjectif [adʒɛktif] *nm* adjective.

adjoint, -e [adʒwɛ̃, ɛ̃t] *nm, f* assistant.

admettre [admɛtʀ] *vt (reconnaître)* to admit; *(tolérer)* to allow; *(laisser entrer)* to allow in; **être admis (à un examen)** to pass (an exam).

administration [administʀasjɔ̃] *nf (gestion)* administration; **l'Administration** = the Civil Service *(Br)*.

admirable [admiʀabl] *adj* admirable.

admirateur, -trice [admiʀatœʀ, tʀis] *nm, f* admirer.

admiration [admiʀasjɔ̃] *nf* admiration.

admirer [admire] *vt* to admire.

admis, -e [admi, iz] *pp* → admettre.

admissible [admisibl] *adj (SCOL)* eligible to take the second part of an exam.

adolescence [adɔlesɑ̃s] *nf* adolescence.

adolescent, -e [adɔlesɑ̃, ɑ̃t] *nm, f* teenager.

adopter [adɔpte] *vt* to adopt.

adoptif, -ive [adɔptif, iv] *adj (enfant, pays)* adopted; *(famille)* adoptive.

adoption [adɔpsjɔ̃] *nf (d'un enfant)* adoption.

adorable [adɔrabl] *adj* delightful.

adorer [adɔre] *vt* to adore.

adosser [adose] : **s'adosser à** ou **contre** *vp* + *prép* to lean against.

adoucir [adusir] *vt* to soften.

adresse [adres] *nf (domicile)* address; *(habileté)* skill.

adresser [adrese] *vt* to address ❑ **s'adresser à** *vp* + *prép (parler à)* to speak to; *(concerner)* to be aimed at.

adroit, -e [adrwa, at] *adj* skilful.

adulte [adylt] *nmf* adult.

adverbe [adverb] *nm* adverb.

adversaire [adverser] *nmf* opponent.

adverse [advers] *adj* opposing.

aération [aerasjɔ̃] *nf* ventilation.

aérer [aere] *vt* to air.

aérien, -ienne [aerjɛ̃, jɛn] *adj (transport, base)* air.

aérodrome [aerɔdrom] *nm* aerodrome.

aérodynamique [aerɔdina-mik] *adj* aerodynamic.

aérogare [aerɔgar] *nf* (air) terminal.

aéroglisseur [aerɔglisœr] *nm* hovercraft.

aérogramme [aerɔgram] *nm* aerogramme.

aérophagie [aerɔfaʒi] *nf* wind.

aéroport [aerɔpɔr] *nm* airport.

aérosol [aerɔsɔl] *nm* aerosol.

affaiblir [afeblir] *vt* to weaken ❑ **s'affaiblir** *vp (personne)* to weaken; *(lumière, son)* to fade.

affaire [afer] *nf (entreprise)* business; *(question)* matter; *(marché)* deal; *(scandale)* affair; **avoir ~ à qqn** to deal with sb; **faire l'~ to** (do the trick) ❑ **affaires** *nfpl (objets)* belongings; **les ~s** *(FIN)* business *(sg)*; **occupe-toi de tes ~s!** mind your own business!

affaisser [afese] : **s'affaisser** *vp (personne)* to collapse; *(sol)* to sag.

affamé, -e [afame] *adj* starving.

affecter [afekte] *vt (toucher)* to affect; *(destiner)* to allocate.

affection [afeksjɔ̃] *nf* affection.

affectueusement [afektɥøz-mɑ̃] *adv* affectionately; *(dans une lettre)* best wishes.

affectueux, -euse [afektɥø, øz] *adj* affectionate.

affichage [afiʃaʒ] *nm (INFORM)* display; **«~ interdit»** "stick no bills".

affiche [afiʃ] *nf* poster.

afficher [afiʃe] *vt (placarder)* to post.

affilée [afile] : **d'affilée** *adv* : **il a mangé quatre hamburgers d'~** he ate four hamburgers one after the other; **j'ai travaillé huit heures d'~**

I worked eight hours without a break.

affirmation [afirmasjɔ̃] *nf* assertion.

affirmer [afirme] *vt* to assert □ **s'affirmer** *vp* (*personnalité*) to express itself.

affligeant, -e [afliʒɑ̃, ɑ̃t] *adj* appalling.

affluence [aflyɑ̃s] *nf* crowd.

affluent [aflyɑ̃] *nm* tributary.

affolement [afɔlmɑ̃] *nm* panic.

affoler [afɔle] *vt*: **~** qqn to throw sb into a panic □ **s'affoler** *vp* to panic.

affranchir [afrɑ̃ʃir] *vt* (*timbrer*) to put a stamp on.

affranchissement [afrɑ̃ʃismɑ̃] *nm* (*timbre*) stamp.

affreusement [afrøzmɑ̃] *adv* awfully.

affreux, -euse [afrø, øz] *adj* (*laid*) hideous; (*terrible*) awful.

affronter [afrɔ̃te] *vt* to confront; (*SPORT*) to meet □ **s'affronter** *vp* to clash; (*SPORT*) to meet.

affût [afy] *nm*: **être à l'~ (de)** to be on the lookout (for).

affûter [afyte] *vt* to sharpen.

afin [afɛ̃] : **afin de** *prép* in order to □ **afin que** *conj* so that.

africain, -e [afrikɛ̃, ɛn] *adj* African □ **Africain, -e** *nm, f* African.

Afrique [afrik] *nf*: **l'~** Africa; **l'~ du Sud** South Africa.

agaçant, -e [agasɑ̃, ɑ̃t] *adj* annoying.

agacer [agase] *vt* to annoy.

âge [aʒ] *nm* age; **quel ~ as-tu?** how old are you?; **une personne d'un certain ~** a middle-aged person.

âgé, -e [aʒe] *adj* old; **il est ~ de 12 ans** he's 12 years old.

agence [aʒɑ̃s] *nf* (*de publicité*) agency; (*de banque*) branch; **~ de voyages** travel agent's.

agenda [aʒɛ̃da] *nm* diary; **~ électronique** electronic pocket diary.

agenouiller [aʒnuje] : **s'agenouiller** *vp* to kneel (down).

agent [aʒɑ̃] *nm*: **~ (de police)** policeman (*f* policewoman); **~ de change** stockbroker.

agglomération [aglɔmerasjɔ̃] *nf* town; **l'~ parisienne** Paris and its suburbs.

aggraver [agrave] *vt* to aggravate □ **s'aggraver** *vp* to get worse.

agile [aʒil] *adj* agile.

agilité [aʒilite] *nf* agility.

agir [aʒir] *vi* to act □ **s'agir** *v impers*: **dans ce livre il s'agit de ...** this book is about ...; **il s'agit de faire des efforts** we/you must make an effort.

agitation [aʒitasjɔ̃] *nf* restlessness.

agité, -e [aʒite] *adj* restless; (*mer*) rough.

agiter [aʒite] *vt* (*bouteille*) to shake; (*main*) to wave □ **s'agiter** *vp* to fidget.

agneau, -x [aɲo] *nm* lamb.

agonie [agɔni] *nf* death throes (*pl*).

agrafe [agraf] *nf* (*de bureau*) staple; (*de vêtement*) hook.

agrafer [agrafe] *vt* to staple (together).

agrafeuse [agraføz] *nf* stapler.

agrandir [agrɑ̃dir] *vt* (*trou, mai-*

son) to enlarge; *(photo)* to enlarge ❑
s'agrandir *vp* to grow.

agrandissement [agrɑ̃dismɑ̃]
nm (photo) enlargement.

agréable [agreabl] *adj* pleasant.

agrès [agrɛ] *nmpl* (SPORT) apparatus *(sg)*.

agresser [agrese] *vt* to attack.

agresseur [agresœr] *nm* attacker.

agressif, -ive [agresif, iv] *adj* aggressive.

agression [agresjɔ̃] *nf* attack.

agricole [agrikɔl] *adj* agricultural.

agriculteur, -trice [agrikyltœr, tris] *nm, f* farmer.

agriculture [agrikyltyr] *nf* agriculture.

agripper [agripe] *vt* to grab ❑
s'agripper à *vp* + *prép* to cling to.

agrumes [agrym] *nmpl* citrus fruit *(sg)*.

ahuri, -e [ayri] *adj* stunned.

ahurissant, -e [ayrisɑ̃, ɑ̃t] *adj* stunning.

ai → **avoir**.

aide [ɛd] *nf* help; **appeler à l'~** to call for help; **à l'~!** help!; **à l'~ de** *(avec)* with the aid of.

aider [ede] *vt* to help; **~ qqn à faire qqch** to help sb (to) do sthg ❑
s'aider de *vp* + *prép* to use.

aie → **avoir**.

aïe [aj] *excl* ouch!

aigle [ɛgl] *nm* eagle.

aigre [ɛgr] *adj (goût)* sour; *(ton)* cutting.

aigre-doux, -douce [egradu, dus] *(mpl* aigres-doux, *fpl* aigres-douces) *adj (sauce, porc)* sweet-and-sour.

aigri, -e [egri] *adj* bitter.

aigu, -uë [egy] *adj (perçant)* high-pitched; *(pointu)* sharp; *(douleur, maladie)* acute.

aiguillage [egɥijaʒ] *nm (manœuvre)* switching; *(appareil)* points *(pl)*.

aiguille [egɥij] *nf (de couture, de seringue)* needle; *(de montre)* hand; **~ de pin** pine needle; **~ à tricoter** knitting needle.

aiguillette [egɥijɛt] *nf:* **~s de canard** strips of duck breast.

aiguiser [egize] *vt* to sharpen.

ail [aj] *nm* garlic.

aile [ɛl] *nf* wing.

ailier [elje] *nm (au foot)* winger; *(au rugby)* wing.

aille → **aller**.

ailleurs [ajœr] *adv* somewhere else; **d'~** *(du reste)* moreover; *(à propos)* by the way.

aimable [ɛmabl] *adj* kind.

aimant [ɛmɑ̃] *nm* magnet.

aimer [eme] *vt (d'amour)* to love; *(apprécier)* to like; **~ faire qqch** to like doing sthg; **~ bien qqch/faire qqch** to like sthg/doing sthg; **j'aimerais** I would like; **~ mieux** to prefer.

aine [ɛn] *nf* groin.

aîné, -e [ene] *adj (frère, sœur)* older, elder; *(fils, fille)* oldest, eldest ♦ *nm, f (frère)* older brother; *(sœur)* older sister; *(fils, fille)* oldest (child), eldest (child).

ainsi [ɛ̃si] *adv (de cette manière)* in this way; *(par conséquent)* so; **~ que** and; **et ~ de suite** and so on.

aïoli [ajɔli] *nm* garlic mayonnaise.

air [ɛr] *nm* air; *(apparence)* look; *(mélodie)* tune; *(vent)*: **il fait de**

aujourd'hui it's windy today; **avoir l'~ (d'être) malade** to look ill; **avoir l'~ d'un clown** to look like a clown; **il a l'~ de faire beau** it looks like being a nice day; **en l'~ (en haut)** in the air; **fiche qqch en l'~** *(fam: gâcher)* to mess sthg up; **prendre l'~** to get a breath of fresh air; **~ conditionné** air conditioning.

aire [ɛr] *nf* area; **~ de jeu** playground; **~ de repos** rest area, = lay-by *(Br)*; **~ de stationnement** parking area.

airelle [ɛrɛl] *nf* cranberry.

aisance [ɛzɑ̃s] *nf (assurance)* ease; *(richesse)* wealth.

aise [ɛz] *nf*: **à l'~** comfortable; **mal à l'~** uncomfortable.

aisé, -e [eze] *adj (riche)* well-off.

aisselle [ɛsɛl] *nf* armpit.

ajouter [aʒute] *vt*: **~ qqch (à)** to add sthg (to); **~ que** to add that.

ajuster [aʒyste] *vt (vêtement)* to alter.

alarmant, -e [alarmɑ̃, ɑ̃t] *adj* alarming.

alarme [alarm] *nf* alarm; **donner l'~** to raise the alarm.

album [albɔm] *nm* album; **~ (de) photos** photograph album.

alcool [alkɔl] *nm* alcohol; **sans ~** alcohol-free; **~ à 90°** surgical spirit; **~ à brûler** methylated spirits *(pl)*.

alcoolique [alkɔlik] *nmf* alcoholic.

alcoolisé, -e [alkɔlize] *adj* alcoholic; **non ~** nonalcoholic.

Alcootest® [alkɔtɛst] *nm* = Breathalyser®.

aléatoire [aleatwar] *adj* risky.

alentours [alɑ̃tur] *nmpl* sur-

roundings; **aux ~** nearby; **aux ~ de** *(environ)* around.

alerte [alɛrt] *adj & nf* alert; **donner l'~** to raise the alarm.

alerter [alɛrte] *vt (d'un danger)* to alert; *(informer)* to notify.

algèbre [alʒɛbr] *nf* algebra.

Alger [alʒe] *n* Algiers.

Algérie [alʒeri] *nf*: **l'~** Algeria.

Algérien, -ienne [alʒerjɛ̃, jɛn] *nm, f* Algerian.

algues [alg] *nfpl* seaweed *(sg)*.

alibi [alibi] *nm* alibi.

alignement [aliɲmɑ̃] *nm* line.

aligner [aliɲe] *vt* to line up □ **s'aligner** *vp* to line up.

aliment [alimɑ̃] *nm* food.

alimentation [alimɑ̃tasjɔ̃] *nf* *(nourriture)* diet; *(épicerie)* grocer's.

alimenter [alimɑ̃te] *vt* to feed; *(approvisionner)* to supply.

Allah [ala] *nm* Allah.

allaiter [alete] *vt* to breast-feed.

alléchant, -e [aleʃɑ̃, ɑ̃t] *adj* mouth-watering.

allée [ale] *nf* path; **~s et venues** comings and goings.

allégé, -e [aleʒe] *adj (aliment)* low-fat.

Allemagne [alman] *nf*: **l'~** Germany.

allemand, -e [almɑ̃, ɑ̃d] *adj* German ◆ *nm (langue)* German □ **Allemand, -e** *nm, f* German.

aller [ale] *nm* 1. *(parcours)* outward journey; **à l'~** on the way. 2. *(billet)*: **~ (simple)** single *(Br)*, one-way ticket *(Am)*; **~ et retour** return *(ticket)*.
◆ *vi* 1. *(se déplacer)* to go; **~ au Portugal** to go to Portugal; **pour ~ à la cathédrale, s'il vous plaît?**

could you tell me the way to the cathedral please?; **~ en vacances** to go on holiday (Br), to go on vacation (Am).

2. (suj: route) to go.

3. (exprime un état): **comment allez-vous?** how are you?; **(comment) ça va? - ça va** how are things? - fine; **~ bien/mal** (personne) to be well/unwell; (situation) to be well/badly.

4. (convenir): **ça ne va pas** (outil) it's not any good; **~ à qqn** (couleur) to suit sb; (en taille) to fit sb; **~ avec qqch** to go with sthg.

5. (suivi d'un infinitif, exprime le but): **j'irai le chercher à la gare** I'll go and fetch him from the station; **~ voir** to go and see.

6. (suivi d'un infinitif, exprime le futur proche): **~ faire qqch** to be going to do sthg.

7. (dans des expressions): **allez!** come on!; **allons!** come on!; **y ~** (partir) to be off; **vas-y!** go on! □ **s'en aller** vp (partir) to go away; (suj: tache, couleur) to disappear; **allez-vous en!** go away!

allergie [alɛrʒi] nf allergy.

allergique [alɛrʒik] adj: **être ~ à** to be allergic to.

aller-retour [alerətur] (pl allers-retours) nm (billet) return (ticket).

alliage [aljaʒ] nm alloy.

alliance [aljɑ̃s] nf (bague) wedding ring; (union) alliance.

allié, -e [alje] nm, f ally.

allô [alo] excl hello!

allocation [alɔkasjɔ̃] nf allocation; **~s familiales** family allowance (sg).

allonger [alɔ̃ʒe] vt (vêtement) to

lengthen; (bras, jambe) to stretch out □ **s'allonger** vp (augmenter) to get longer; (s'étendre) to lie down.

allumage [alymaʒ] nm (AUT) ignition.

allumer [alyme] vt (feu) to light; (lumière, radio) to turn on □ **s'allumer** vp (s'éclairer) to light up.

allumette [alymet] nf match.

allure [alyr] nf (apparence) appearance; (vitesse) speed; **à toute ~** at full speed.

allusion [alyzjɔ̃] nf allusion; **faire ~ à** to refer OU allude to.

alors [alɔr] adv (par conséquent) so, then; **~, tu viens?** are you coming, then?; **ça ~!** my goodness!; **et ~?** (et ensuite) and then what?; (pour défier) so what?; **~ que** (bien que) even though; (tandis que) whereas, while.

alourdir [alurdir] vt to weigh down.

aloyau, -x [alwajo] nm sirloin.

Alpes [alp] nfpl: **les ~** the Alps.

alphabet [alfabe] nm alphabet.

alphabétique [alfabetik] adj alphabetical; **par ordre ~** in alphabetical order.

alpin [alpɛ̃] adj m → **ski**.

alpinisme [alpinism] nm mountaineering.

alpiniste [alpinist] nmf mountaineer.

Alsace [alzas] nf: **l'~** Alsace.

alternatif [alternatif] adj m → **courant**.

alternativement [alternativmɑ̃] adv alternately.

alterner [alterne] vi to alternate.

altitude [altityd] nf altitude; **à**

2 000 m d'~ at an altitude of 2,000 m.

aluminium [alyminjɔm] *nm* aluminium.

amabilité [amabilite] *nf* kindness.

amadouer [amadwe] *vt (attirer)* to coax; *(calmer)* to mollify.

amaigrissant, -e [amegrisɑ̃, ɑ̃t] *adj* slimming *(Br)*, reducing *(Am)*.

amande [amɑ̃d] *nf* almond.

amant [amɑ̃] *nm* lover.

amarrer [amare] *vt (bateau)* to moor.

amas [ama] *nm* pile.

amasser [amase] *vt* to pile up; *(argent)* to amass.

amateur [amatœr] *adj & nm* amateur; **être ~ de** to be keen on.

ambassade [ɑ̃basad] *nf* embassy.

ambassadeur, -drice [ɑ̃basadœr, dris] *nm, f* ambassador.

ambiance [ɑ̃bjɑ̃s] *nf* atmosphere; **il y a de l'~!** it's pretty lively in here!; **d'~** *(musique, éclairage)* atmospheric.

ambigu, -uë [ɑ̃bigy] *adj (mot)* ambiguous; *(personnage)* dubious.

ambitieux, -ieuse [ɑ̃bisjø, jøz] *adj* ambitious.

ambition [ɑ̃bisjɔ̃] *nf* ambition.

ambulance [ɑ̃bylɑ̃s] *nf* ambulance.

ambulant [ɑ̃bylɑ̃] *adj m* → **marchand**.

âme [ɑm] *nf* soul.

amélioration [ameljɔrasjɔ̃] *nf* improvement.

améliorer [ameljɔre] *vt* to improve ◆ **s'améliorer** *vp* to

improve.

aménagé, -e [amenaʒe] *adj (cuisine, camping)* fully-equipped.

aménager [amenaʒe] *vt (pièce, appartement)* to fit out.

amende [amɑ̃d] *nf* fine.

amener [amne] *vt* to bring; *(causer)* to cause; **~ qqn à faire qqch** to lead sb to do sthg.

amer, -ère [amer] *adj* bitter.

américain, -e [amerikɛ̃, ɛn] *adj* American ◻ **Américain, -e** *nm, f* American.

Amérique [amerik] *nf*: **l'~** America; **l'~ centrale** Central America; **l'~ latine** Latin America; **l'~ du Sud** South America.

amertume [amertym] *nf* bitterness.

ameublement [amœbləmɑ̃] *nm* furniture.

ami, -e [ami] *nm, f* friend; *(amant)* boyfriend *(f* girlfriend*)*; **être (très) ~s** to be (close) friends.

amiable [amjabl] *adj* amicable; **à l'~** out of court.

amiante [amjɑ̃t] *nm* asbestos.

amical, -e, -aux [amikal, o] *adj* friendly.

amicalement [amikalmɑ̃] *adv* in a friendly way; *(dans une lettre)* kind regards.

amincir [amɛ̃sir] *vt (suj: régime)* to make thinner; **cette veste t'amincit** that jacket makes you look slimmer.

amitié [amitje] *nf* friendship; **~s** *(dans une lettre)* best wishes.

amnésique [amnezik] *adj* amnesic.

amonceler [amɔ̃sle] : **s'amonceler** *vp* to accumulate.

amont [amɔ̃] *nm*: aller vers l'~ to go upstream; **en ~ (de)** upstream (from).

amorcer [amɔrse] *vt (commencer)* to begin.

amortir [amɔrtir] *vt (choc)* to absorb; *(son)* to muffle; **mon abonnement est maintenant amorti** my season ticket is now paying for itself.

amortisseur [amɔrtisœr] *nm* shock absorber.

amour [amur] *nm* love; **faire l'~** to make love.

amoureux, -euse [amurø, øz] *adj* in love ♦ *nmpl* lovers; **être ~ de qqn** to be in love with sb.

amour-propre [amurprɔpr] *nm* pride.

amovible [amɔvibl] *adj* removable.

amphithéâtre [ɑ̃fiteatr] *nm* amphitheatre; *(salle de cours)* lecture hall.

ample [ɑ̃pl] *adj (jupe)* full; *(geste)* sweeping.

amplement [ɑ̃pləmɑ̃] *adv* fully; **c'est ~ suffisant** that's ample.

ampli [ɑ̃pli] *nm (fam)* amp.

amplificateur [ɑ̃plifikatœr] *nm (de chaîne hi-fi)* amplifier.

amplifier [ɑ̃plifje] *vt (son)* to amplify; *(phénomène)* to increase.

ampoule [ɑ̃pul] *nf (de lampe)* bulb; *(de médicament)* phial; *(cloque)* blister.

amputer [ɑ̃pyte] *vt* to amputate; *(texte)* to cut.

amusant, -e [amyzɑ̃, ɑ̃t] *adj (distrayant)* amusing; *(comique)* funny.

amuse-gueule [amyzgœl] *nm*

inv appetizer.

amuser [amyze] *vt (faire rire)*: ~ **qqn** to make sb laugh □ **s'amuser** *vp (se distraire)* to enjoy o.s.; *(jouer)* to play; **s'~ à faire qqch** to amuse o.s. doing sthg.

amygdales [amidal] *nfpl* tonsils.

an [ɑ̃] *nm* year; **il a neuf ~s** he's nine (years old); **en l'~ 2000** in the year 2000.

anachronique [anakrɔnik] *adj* anachronistic.

analogue [analɔg] *adj* similar.

analphabète [analfabɛt] *adj* illiterate.

analyse [analiz] *nf* analysis; ~ **de sang** blood test.

analyser [analize] *vt (texte, données)* to analyse.

ananas [anana] *nm* pineapple.

anarchie [anarʃi] *nf* anarchy.

anatomie [anatɔmi] *nf* anatomy.

ancêtre [ɑ̃sɛtr] *nmf* ancestor; *(version précédente)* forerunner.

anchois [ɑ̃ʃwa] *nm* anchovy.

ancien, -ienne [ɑ̃sjɛ̃, jɛn] *adj (du passé)* ancient; *(vieux)* old; *(ex-)* former.

ancienneté [ɑ̃sjɛnte] *nf (dans une entreprise)* seniority.

ancre [ɑ̃kr] *nf* anchor; **jeter l'~** to drop anchor; **lever l'~** to weigh anchor.

Andorre [ɑ̃dɔr] *nf*: **l'~** Andorra.

andouille [ɑ̃duj] *nf (CULIN)* type of sausage made of chitterlings *(pig's intestines)*, eaten cold; *(fam: imbécile)* twit.

andouillette [ɑ̃dujɛt] *nf* type of sausage made of chitterlings *(pig's intestines)*, eaten grilled.

âne [an] nm donkey; *(imbécile)* fool.

anéantir [aneɑ̃tir] vt to crush.

anecdote [anɛkdɔt] nf anecdote.

anémie [anemi] nf anaemia.

ânerie [anri] nf *(parole)* stupid remark; **faire des ~s** to do stupid things.

anesthésie [anɛstezi] nf anaesthetic; **être sous ~** to be under anaesthetic; **~ générale** general anaesthetic; **~ locale** local anaesthetic.

ange [ɑ̃ʒ] nm angel.

angine [ɑ̃ʒin] nf *(des amygdales)* tonsillitis; *(du pharynx)* pharyngitis; **~ de poitrine** angina.

anglais, -e [ɑ̃glɛ, ɛz] adj English ♦ nm *(langue)* English; **je ne parle pas ~** I don't speak English ❑ **Anglais, -e** nm, f Englishman (f Englishwoman); **les Anglais** the English.

angle [ɑ̃gl] nm *(coin)* corner; *(géométrique)* angle; **~ droit** right angle.

Angleterre [ɑ̃glətɛr] nf: **l'~** England.

Anglo-Normandes [ɑ̃glonɔrmɑ̃d] adj fpl → **île**.

angoisse [ɑ̃gwas] nf anguish.

angoissé, -e [ɑ̃gwase] adj anxious.

angora [ɑ̃gɔra] nm angora.

anguille [ɑ̃gij] nf eel; **~s au vert** eels cooked with white wine, cream, cress and herbs, a Belgian speciality.

animal, -aux [animal, o] nm animal; **~ domestique** pet.

animateur, -trice [animatœr, tris] nm, f *(de club, de groupe)* coordi-

nator; *(à la radio, la télévision)* presenter.

animation [animasjɔ̃] nf *(vivacité)* liveliness; *(dans la rue)* activity ❑ **animations** nfpl *(culturelles)* activities.

animé, -e [anime] adj lively.

animer [anime] vt *(jeu, émission)* to present; *(conversation)* to liven up ❑ **s'animer** vp *(visage)* to light up; *(rue)* to come to life; *(conversation)* to become animated.

anis [ani] nm aniseed.

ankyloser [ɑ̃kiloze] : **s'ankyloser** vp to go numb.

anneau, -x [ano] nm ring.

année [ane] nf year; **~ bissextile** leap year; **~ scolaire** school year.

annexe [anɛks] nf *(document)* appendix; *(bâtiment)* annex.

anniversaire [anivɛrsɛr] nm birthday; **~ de mariage** wedding anniversary.

annonce [anɔ̃s] nf announcement; *(dans un journal)* advertisement; **(petites) ~s** classified advertisements.

annoncer [anɔ̃se] vt to announce; *(être signe de)* to be a sign of ❑ **s'annoncer** vp: **s'~ bien** to look promising.

annuaire [anɥɛr] nm *(recueil)* yearbook; **~ (téléphonique)** telephone directory; **~ électronique** *electronic telephone directory on Minitel ®.*

annuel, -elle [anɥɛl] adj annual.

annulaire [anylɛr] nm ring finger.

annulation [anylasjɔ̃] nf cancellation.

annuler [anyle] vt to cancel.

anomalie [anɔmali] *nf* anomaly.

anonyme [anɔnim] *adj* anonymous.

anorak [anɔrak] *nm* anorak.

anormal, -e, -aux [anɔrmal, o] *adj* abnormal; (*péj: handicapé*) mentally retarded.

ANPE *nf* (*abr de Agence nationale pour l'emploi*) French national employment agency.

anse [ɑ̃s] *nf* (*poignée*) handle; (*crique*) cove.

Antarctique [ɑ̃tarktik] *nm:* **l'(océan) ~** the Antarctic (Ocean).

antenne [ɑ̃tɛn] *nf* (*de radio, de télévision*) aerial; (*d'animal*) antenna; **~ parabolique** dish aerial.

antérieur, -e [ɑ̃terjœr] *adj* (*précédent*) previous; (*de devant*) front.

antibiotique [ɑ̃tibjɔtik] *nm* antibiotic.

antibrouillard [ɑ̃tibrujar] *nm* fog lamp (*Br*), foglight (*Am*).

anticiper [ɑ̃tisipe] *vt* to anticipate.

antidote [ɑ̃tidɔt] *nm* antidote.

antigel [ɑ̃tiʒɛl] *nm* antifreeze.

antillais, -e [ɑ̃tije, ɛz] *adj* West Indian ◻ **Antillais, -e** *nm, f* West Indian.

Antilles [ɑ̃tij] *nfpl:* **les ~** the West Indies.

antimite [ɑ̃timit] *nm* moth repellent.

Antiope [ɑ̃tjɔp] *n* information system available via the French television network.

antipathique [ɑ̃tipatik] *adj* unpleasant.

antiquaire [ɑ̃tikɛr] *nmf* antiques dealer.

antique [ɑ̃tik] *adj* ancient.

antiquité [ɑ̃tikite] *nf* (*objet*) antique; **l'Antiquité** Antiquity.

antiseptique [ɑ̃tisɛptik] *adj* antiseptic.

antivol [ɑ̃tivɔl] *nm* anti-theft device.

anxiété [ɑ̃ksjete] *nf* anxiety.

anxieux, -ieuse [ɑ̃ksjø, jøz] *adj* anxious.

AOC (*abr de appellation d'origine contrôlée*) label guaranteeing the quality of a French wine.

août [ut] *nm* August, → **septembre**.

apaiser [apeze] *vt* (*personne, colère*) to calm; (*douleur*) to soothe.

apathique [apatik] *adj* apathetic.

apercevoir [apɛrsəvwar] *vt* to see ◻ **s'apercevoir** *vp:* **s'~ de** (*remarquer*) to notice; (*comprendre*) to realize; **s'~ que** (*remarquer*) to notice that; (*comprendre*) to realize that.

aperçu, -e [apɛrsy] *pp* → **apercevoir** ◆ *nm* general idea.

apéritif [aperitif] *nm* aperitif.

aphone [afɔn] *adj:* **être ~** to have lost one's voice.

aphte [aft] *nm* mouth ulcer.

apitoyer [apitwaje]: **s'apitoyer sur** *vp + prép* (*personne*) to feel sorry for.

ap. J-C (*abr de après Jésus-Christ*) AD.

aplanir [aplanir] *vt* to level (off); (*difficultés*) to smooth over.

aplatir [aplatir] *vt* to flatten.

aplomb [aplɔ̃] *nm* (*culot*) nerve; **d'~** (*vertical*) straight.

apostrophe [apɔstrɔf] *nf* apostrophe; s ~ "s" apostrophe.

apôtre [apotr] *nm* apostle.

apparaître [aparɛtr] *vi* to appear.

appareil [aparɛj] *nm* device; *(poste téléphonique)* telephone; **qui est à l'~?** who's speaking?; **~ ménager** household appliance; **~ photo** camera.

apparemment [aparamã] *adv* apparently.

apparence [aparãs] *nf* appearance.

apparent, -e [aparã, ãt] *adj (visible)* visible; *(superficiel)* apparent.

apparition [aparisjɔ̃] *nf (arrivée)* appearance; *(fantôme)* apparition.

appartement [apartəmã] *nm* flat *(Br)*, apartment *(Am)*.

appartenir [apartənir] *vi*: **~ à** to belong to.

appartenu [apartəny] *pp* → **appartenir.**

apparu, -e [apary] *pp* → **apparaître.**

appât [apa] *nm* bait.

appel [apɛl] *nm* call; **faire l'~** *(SCOL)* to call the register *(Br)*, to call (the) roll *(Am)*; **faire ~ à** to appeal to; **faire un ~ de phares** to flash one's headlights.

appeler [aple] *vt* to call; *(interpeller)* to call out to; **~ à l'aide** to call for help □ **s'appeler** *vp (se nommer)* to be called; *(se téléphoner)* to talk on the phone; **comment t'appelles-tu?** what's your name?; **je m'appelle ...** my name is ...

appendicite [apɛ̃disit] *nf* appendicitis.

appesantir [apəzɑ̃tir] : **s'appesantir sur** *vp + prép* to dwell on.

appétissant, -e [apetisɑ̃, ɑ̃t] *adj* appetizing.

appétit [apeti] *nm* appetite; **avoir de l'~** to have a good appetite; **bon ~!** enjoy your meal!

applaudir [aplodir] *vt & vi* to applaud.

applaudissements [aplodismɑ̃] *nmpl* applause *(sg)*.

application [aplikasjɔ̃] *nf* application.

applique [aplik] *nf* wall lamp.

appliqué, -e [aplike] *adj (élève)* hardworking; *(écriture)* careful.

appliquer [aplike] *vt* to apply; *(loi, tarif)* to enforce □ **s'appliquer** *vp (élève)* to apply o.s.

appoint [apwɛ̃] *nm*: **faire l'~** to give the exact money; **d'~** *(chauffage, lit)* extra.

apporter [aporte] *vt* to bring; *(fig: soin)* to exercise.

appréciation [apresjasjɔ̃] *nf (jugement)* judgment; *(évaluation)* estimate; *(SCOL)* assessment.

apprécier [apresje] *vt (aimer)* to appreciate, to like; *(évaluer)* to estimate.

appréhension [apreɑ̃sjɔ̃] *nf* apprehension.

apprendre [aprɑ̃dr] *vt (étudier)* to learn; *(nouvelle)* to learn of; **~ qqch à qqn** *(discipline)* to teach sb sthg; *(nouvelle)* to tell sb sthg; **~ à faire qqch** to learn (how) to do sthg.

apprenti, -e [aprɑ̃ti] *nm, f* apprentice.

apprentissage [aprɑ̃tisaʒ] *nm (d'un métier manuel)* apprenticeship; *(d'une langue, d'un art)* learning.

apprêter [aprete] : **s'apprêter**

vp: s'~ à faire qqch to be about to do sthg.

appris, -e [apri, iz] *pp* → **apprendre**.

apprivoiser [aprivwaze] *vt* to tame.

approcher [aprɔʃe] *vt* to move nearer ♦ *vi (dans l'espace)* to get nearer; *(dans le temps)* to approach; ~ qqch de to move sthg nearer (to); ~ de to approach □ s'approcher *vp* to approach; s'~ de to approach.

approfondir [aprɔfɔ̃dir] *vt* to go into more detail about.

approprié, -e [aprɔprije] *adj* appropriate.

approuver [apruve] *vt* to approve of.

approvisionner [aprɔvizjɔne] : s'approvisionner *vp (faire ses courses)* to shop; s'~ en to stock up on.

approximatif, -ive [aprɔksimatif, iv] *adj* approximate.

appt *abr* = **appartement**.

appui-tête [apɥitɛt] *(pl* appuis-tête) *nm* headrest.

appuyer [apɥije] *vt* to lean ♦ *vi:* ~ sur to press □ s'appuyer *vp:* s'~ à to lean against.

après [apre] *prép* after ♦ *adv* afterwards; ~ avoir fait qqch after having done sthg; ~ tout after all; l'année d'~ the following year; d'~ moi in my opinion.

après-demain [apredmɛ̃] *adv* the day after tomorrow.

après-midi [apremidi] *nm inv ou nf inv* afternoon; l'~ *(tous les jours)* in the afternoon.

après-rasage, -s [aprerazaʒ] *nm* aftershave.

après-shampooing [apreʃɑ̃pwɛ̃] *nm inv* conditioner.

a priori [aprijɔri] *adv* in principle ♦ *nm inv* preconception.

apte [apt] *adj:* ~ à qqch fit for sthg; ~ à faire qqch fit to do sthg.

aptitudes [aptityd] *nfpl* ability *(sg).*

aquarelle [akwarɛl] *nf* watercolour.

aquarium [akwarjɔm] *nm* aquarium.

aquatique [akwatik] *adj* aquatic.

aqueduc [akdyk] *nm* aqueduct.

Aquitaine [akitɛn] *nf:* l'~ Aquitaine *(region in southwest of France).*

AR *abr* = **accusé de réception, aller-retour.**

arabe [arab] *adj* Arab ♦ *nm (langue)* Arabic □ **Arabe** *nmf* Arab.

arachide [araʃid] *nf* groundnut.

araignée [arɛɲe] *nf* spider.

arbitraire [arbitrɛr] *adj* arbitrary.

arbitre [arbitr] *nm* referee; *(au tennis, cricket)* umpire.

arbitrer [arbitre] *vt* to referee; *(au tennis, cricket)* to umpire.

arbre [arbr] *nm* tree; ~ fruitier fruit tree; ~ généalogique family tree.

arbuste [arbyst] *nm* shrub.

arc [ark] *nm (arme)* bow; *(géométrique)* arc; *(voûte)* arch.

arcade [arkad] *nf* arch.

arc-bouter [arkbute] : s'arc-bouter *vp* to brace o.s.

arc-en-ciel [arkɑ̃sjɛl] *(pl* arcs-en-ciel) *nm* rainbow.

archaïque [arkaik] *adj* archaic.

arche [arʃ] nf arch.

archéologie [arkeɔlɔʒi] nf archaeology.

archéologue [arkeɔlɔg] nmf archaeologist.

archet [arʃɛ] nm bow.

archipel [arʃipɛl] nm archipelago.

architecte [arʃitɛkt] nmf architect.

architecture [arʃitɛktyr] nf architecture.

archives [arʃiv] nfpl records.

Arctique [arktik] nm: **l'(océan)** ~ the Arctic (Ocean).

ardent, -e [ardɑ̃, ɑ̃t] adj (soleil) blazing; (fig: défenseur, désir) fervent.

ardeur [ardœr] nf fervour.

ardoise [ardwaz] nf slate.

ardu, -e [ardy] adj difficult.

arènes [arɛn] nfpl (romaines) amphitheatre (sg); (pour corridas) bullring (sg).

arête [arɛt] nf (de poisson) bone; (angle) corner.

argent [arʒɑ̃] nm (métal) silver; (monnaie) money; ~ **liquide** cash; ~ **de poche** pocket money.

argenté, -e [arʒɑ̃te] adj silver.

argenterie [arʒɑ̃tri] nf silverware.

argile [arʒil] nf clay.

argot [argo] nm slang.

argument [argymɑ̃] nm argument.

aride [arid] adj arid.

aristocratie [aristɔkrasi] nf aristocracy.

arithmétique [aritmetik] nf arithmetic.

armature [armatyr] nf frame-work; (d'un soutien-gorge) under-wiring.

arme [arm] nf weapon; ~ **à feu** firearm.

armé, -e [arme] adj armed; **être ~ de** to be armed with.

armée [arme] nf army.

armement [armǝmɑ̃] nm arms (pl).

armer [arme] vt to arm; (appareil photo) to wind on.

armistice [armistis] nm armistice.

armoire [armwar] nf cupboard (Br), closet (Am); ~ **à pharmacie** medicine cabinet.

armoiries [armwari] nfpl coat of arms (sg).

armure [armyr] nf armour.

aromate [arɔmat] nm (épice) spice; (fine herbe) herb.

aromatique [arɔmatik] adj aromatic.

aromatisé, -e [arɔmatize] adj flavoured; ~ **à la vanille** vanilla-flavoured.

arôme [arom] nm (odeur) aroma; (goût) flavour.

arqué, -e [arke] adj arched.

arracher [araʃe] vt (feuille) to tear out; (mauvaises herbes, dent) to pull out; ~ **qqch à qqn** to snatch sthg from sb.

arrangement [arɑ̃ʒmɑ̃] nm arrangement; (accord) agreement.

arranger [arɑ̃ʒe] vt (organiser) to arrange; (résoudre) to settle; (réparer) to fix; **cela m'arrange** that suits me □ **s'arranger** vp (se mettre d'accord) to come to an agreement; (s'améliorer) to get better; **s'~ pour faire qqch** to arrange to do sthg.

arrestation [arɛstasjɔ̃] *nf* arrest.

arrêt [arɛ] *nm (interruption)* interruption; *(station)* stop; «ne pas descendre avant l'~ complet du train» "do not alight until the train has come to a complete stop"; "~ interdit" "no stopping"; ~ d'autobus bus stop; ~ de travail stoppage; sans ~ *(parler, travailler)* nonstop.

arrêter [arete] *vt* to stop; *(suspect)* to arrest ♦ *vi* to stop; ~ de faire qqch to stop doing sthg ♦ **s'arrêter** *vp* to stop; s'~ de faire qqch to stop doing sthg.

arrhes [ar] *nfpl* deposit *(sg)*.

arrière [arjer] *adj inv & nm* back; à l'~ de at the back of, in back of *(Am)*; en ~ *(rester, regarder)* behind; *(tomber)* backwards.

arriéré, -e [arjere] *adj* backward.

arrière-boutique, -s [arjerbutik] *nf* back of the shop.

arrière-grands-parents [arjergrɑ̃parɑ̃] *nmpl* great-grandparents.

arrière-pensée, -s [arjerpɑ̃se] *nf* ulterior motive.

arrière-plan, -s [arjerplɑ̃] *nm* à l'~ in the background.

arrière-saison, -s [arjersezɔ̃] *nf* late autumn.

arrivée [arive] *nf* arrival; *(d'une course)* finish; «~s» "arrivals".

arriver [arive] *vi* to arrive; *(se produire)* to happen ♦ *v impers:* il arrive qu'il soit en retard he is sometimes late; il m'arrive d'oublier son anniversaire sometimes I forget his birthday; que t'est-il arrivé? what happened to you?; ~

à qqch to reach sthg; ~ à faire qqch to succeed in doing sthg, to manage to do sthg.

arriviste [arivist] *nmf* social climber.

arrogant, -e [arɔgɑ̃, ɑ̃t] *adj* arrogant.

arrondir [arɔ̃dir] *vt (au chiffre supérieur)* to round up; *(au chiffre inférieur)* to round down.

arrondissement [arɔ̃dismɑ̃] *nm* district.

arrosage [arozaʒ] *nm* watering.

arroser [aroze] *vt* to water.

arrosoir [arozwar] *nm* watering can.

Arrt *abr* = **arrondissement**.

art [ar] *nm* art; ~s plastiques *(SCOL)* art.

artère [arter] *nf* artery.

artichaut [artiʃo] *nm* artichoke.

article [artikl] *nm* article.

articulation [artikylasjɔ̃] *nf* *(ANAT)* joint.

articulé, -e [artikyle] *adj (pantin)* jointed; *(lampe)* hinged.

articuler [artikyle] *vt (prononcer)* to articulate ♦ *vi* to speak clearly.

artifice [artifis] → **feu**.

artificiel, -ielle [artifisjel] *adj* artificial.

artisan [artizɑ̃] *nm* craftsman *(f* craftswoman).

artisanal, -e, -aux [artizanal, o] *adj (méthode)* traditional; objets artisanaux crafts.

artiste [artist] *nmf* artist.

artistique [artistik] *adj* artistic.

as¹ [a] → **avoir**.

as² [as] *nm* ace.

asc. *abr* = **ascenseur**.

ascenseur [asɑ̃sœr] *nm* lift *(Br)*,

elevator (Am).

ascension [asɑ̃sjɔ̃] nf ascent; (fig: progression) rise.

asiatique [azjatik] adj Asian ▫ **Asiatique** nmf Asian.

Asie [azi] nf: l'~ Asia.

asile [azil] nm (psychiatrique) asylum; (refuge) refuge.

aspect [aspɛ] nm appearance; (point de vue) aspect.

asperge [aspɛrʒ] nf asparagus; ~s à la flamande asparagus served with chopped hard-boiled egg and butter, a Belgian speciality.

asperger [aspɛrʒe] vt to spray.

aspérités [asperite] nfpl bumps.

asphyxier [asfiksje] : **s'asphyxier** vp to suffocate.

aspirante [aspirɑ̃t] adj f → hotte.

aspirateur [aspiratœr] nm vacuum cleaner.

aspirer [aspire] vt (air) to inhale; (poussière) to suck up.

aspirine [aspirin] nf aspirin.

assaillant, -e [asajɑ̃, ɑ̃t] nm, f attacker.

assaillir [asajir] vt to attack; ~ qqn de questions to bombard sb with questions.

assaisonnement [asɛzɔnmɑ̃] nm (sel et poivre) seasoning; (sauce) dressing.

assassin [asasɛ̃] nm murderer.

assassiner [asasine] vt to murder.

assaut [aso] nm assault.

assemblage [asɑ̃blaʒ] nm assembly.

assemblée [asɑ̃ble] nf meeting; l'Assemblée (nationale) lower house of the French parliament.

assembler [asɑ̃ble] vt to assemble.

asseoir [aswar] : **s'asseoir** vp to sit down.

assez [ase] adv (suffisamment) enough; (plutôt) quite; ~ de enough; en avoir ~ (de) to be fed up (with).

assidu, -e [asidy] adj diligent.

assiéger [asjeʒe] vt to besiege.

assiette [asjɛt] nf plate; ~ de crudités raw vegetables served as a starter; ~ creuse soup dish; ~ à dessert dessert plate; ~ plate dinner plate; ~ valaisanne cold meat, cheese and gherkins, a speciality of the Valais region of Switzerland.

assimiler [asimile] vt (comprendre) to assimilate; (comparer): ~ qqn/qqch à to compare sb/sthg with.

assis, -e [asi, iz] pp → asseoir ♦ adj: être ~ to be seated OU sitting.

assises [asiz] nfpl: (cour d') ~ crown court (Br), = circuit court (Am).

assistance [asistɑ̃s] nf (public) audience; (aide) assistance.

assistant, -e [asistɑ̃, ɑ̃t] nm, f assistant; ~e sociale social worker.

assister [asiste] vt (aider) to assist; ~ à (concert) to attend; (meurtre) to witness.

association [asɔsjasjɔ̃] nf association.

associer [asɔsje] vt to associate ▫ **s'associer (à OU avec)** vp (+ prép) to join forces (with).

assombrir [asɔ̃brir] vt to darken ▫ **s'assombrir** vp to darken.

assommer [asɔme] vt to knock out.

assorti, -e [asɔrti] adj (en har-

monie) matching; (*varié*) assorted.

assortiment [asɔrtimɑ̃] *nm* assortment.

assoupir [asupir] : **s'assoupir** *vp* to doze off.

assouplir [asuplir] *vt* (*muscles*) to loosen up.

assouplissant [asuplisɑ̃] *nm* fabric softener.

assouplissement [asuplismɑ̃] *nm* (*exercices*) limbering up.

assouplisseur [asuplisœr] = **assouplissant**.

assourdissant, -e [asurdisɑ̃, ɑ̃t] *adj* deafening.

assumer [asyme] *vt* (*conséquences, responsabilité*) to accept; (*fonction, rôle*) to carry out.

assurance [asyrɑ̃s] *nf* (*contrat*) insurance; (*aisance*) self-confidence; ~ **automobile** car insurance; ~ **tous risques** comprehensive insurance.

assuré, -e [asyre] *adj* (*certain*) certain; (*résolu*) determined.

assurer [asyre] *vt* (*maison, voiture*) to insure; (*fonction, tâche*) to carry out; **je t'assure que** I assure you (that) □ **s'assurer** *vp* (*par un contrat*) to take out insurance; **s'~ contre le vol** to insure o.s. against theft; **s'~ de** to make sure of; **s'~ que** to make sure (that).

astérisque [asterisk] *nm* asterisk.

asthmatique [asmatik] *adj* asthmatic.

asthme [asm] *nm* asthma.

asticot [astiko] *nm* maggot.

astiquer [astike] *vt* to polish.

astre [astr] *nm* star.

astreignant, -e [astrɛɲɑ̃, ɑ̃t] *adj* demanding.

astrologie [astrɔlɔʒi] *nf* astrology.

astronaute [astronot] *nm* astronaut.

astronomie [astronɔmi] *nf* astronomy.

astuce [astys] *nf* (*ingéniosité*) shrewdness; (*truc*) trick.

astucieux, -ieuse [astysjø, jøz] *adj* clever.

atelier [atəlje] *nm* workshop; (*de peintre*) studio.

athée [ate] *adj* atheist.

athénée [atene] *nm* (*Belg*) secondary school (*Br*), high school (*Am*).

athlète [atlɛt] *nmf* athlete.

athlétisme [atletism] *nm* athletics (*sg*).

Atlantique [atlɑ̃tik] *nm*: **l'(océan)** ~ the Atlantic (Ocean).

atlas [atlas] *nm* atlas.

atmosphère [atmɔsfɛr] *nf* atmosphere.

atome [atom] *nm* atom.

atomique [atɔmik] *adj* atomic.

atomiseur [atɔmizœr] *nm* spray.

atout [atu] *nm* trump; (*avantage*) asset; ~ **pique** clubs are trumps.

atroce [atrɔs] *adj* terrible.

atrocité [atrɔsite] *nf* atrocity.

attachant, -e [ataʃɑ̃, ɑ̃t] *adj* lovable.

attaché-case [ataʃekɛz] (*pl* **attachés-cases**) *nm* attaché case.

attachement [ataʃmɑ̃] *nm* attachment.

attacher [ataʃe] *vt* to tie (up) □ *vi* to stick; **attachez vos ceintures** fasten your seat belts □ **s'attacher** *vp* (*se nouer*) to fasten; **s'~ à**

qqn to become attached to sb.

attaquant [atakɑ̃] *nm* attacker.

attaque [atak] *nf* attack.

attaquer [atake] *vt* to attack
□ **s'attaquer à** *vp* + *prép (personne)* to attack; *(problème, tâche)* to tackle.

attarder [atarde] **: s'attarder** *vp* to stay (late).

atteindre [atɛ̃dʀ] *vt* to reach; *(émouvoir)* to affect; *(suj: balle)* to hit; **être atteint de** to suffer from.

atteint, -e [atɛ̃, ɛ̃t] *pp* → atteindre.

atteinte [atɛ̃t] *nf* → hors.

atteler [atle] *vt (chevaux)* to harness; *(remorque)* to hitch (up).

attelle [atɛl] *nf* splint.

attendre [atɑ̃dʀ] *vt* to wait for; *(espérer)* to expect ◆ *vi* to wait; **~ un enfant** to be expecting a baby; **~ qqn fasse qqch** to wait for sb to do sthg; **~ qqch de** to expect sthg from □ **s'attendre à** *vp* + *prép* to expect.

attendrir [atɑ̃dʀiʀ] *vt* to move.

attentat [atɑ̃ta] *nm* attack; **~ à la bombe** bombing.

attente [atɑ̃t] *nf* wait; **en ~** pending.

attentif, -ive [atɑ̃tif, iv] *adj* attentive.

attention [atɑ̃sjɔ̃] *nf* attention; **~!** watch out!; **faire ~ (à)** *(se concentrer)* to pay attention (to); *(être prudent)* to be careful (of).

atténuer [atenɥe] *vt (son)* to reduce; *(douleur)* to ease.

atterrir [ateʀiʀ] *vi* to land.

atterrissage [ateʀisaʒ] *nm* landing; **à l'~** on landing.

attestation [atɛstasjɔ̃] *nf* certificate.

attirant, -e [atiʀɑ̃, ɑ̃t] *adj* attractive.

attirer [atiʀe] *vt* to attract; **~ l'attention de qqn** to attract sb's attention □ **s'attirer** *vp*: **s'~ des ennuis** to get (o.s.) into trouble.

attiser [atize] *vt* to poke.

attitude [atityd] *nf (comportement)* attitude.

attraction [atʀaksjɔ̃] *nf* attraction.

attrait [atʀɛ] *nm (charme)* appeal.

attrape-nigaud, -s [atʀapnigo] *nm* con.

attraper [atʀape] *vt* to catch; *(gronder)* to tell off; **~ un coup de soleil** to get sunburned.

attrayant, -e [atʀejɑ̃, ɑ̃t] *adj* attractive.

◆ **attribuer** [atʀibɥe] *vt*: **~ qqch à qqn** to award sthg to sb.

attroupement [atʀupmɑ̃] *nm* crowd.

au [o] = à + le, → à.

aube [ob] *nf* dawn; **à l'~** at dawn.

auberge [obɛʀʒ] *nf* inn; **~ de jeunesse** youth hostel.

aubergine [obɛʀʒin] *nf* aubergine *(Br)*, eggplant *(Am)*.

aucun, -e [okœ̃, yn] *adj* no ◆ *pron* none; **~ train ne va à Bordeaux** none of the trains go to Bordeaux; **nous n'avons ~ dépliant** we haven't got any leaflets; **sans ~ doute** without doubt; **~e idée!** I've no idea!; **~ des deux** neither (of them); **~ d'entre nous** none of us.

audace [odas] *nf* boldness.

audacieux, -ieuse [odasjø,

jøz] *adj* bold.

au-delà [odla] *adv* beyond; **~ de** beyond.

au-dessous [odsu] *adv* below; *(à l'étage inférieur)* downstairs; **les enfants de 12 ans et ~** children aged 12 and under; **~ de** below; *(à l'étage inférieur)* downstairs from; **les enfants ~ de 16 ans** children under (the age of) 16.

au-dessus [odsy] *adv* above; *(à l'étage supérieur)* upstairs; **les gens de 50 ans et ~** people aged 50 and over; **~ de** over; *(à l'étage supérieur)* upstairs from; **~ de 1 000 F** over 1,000 francs.

audience [odjɑ̃s] *nf* audience.

audiovisuel, -elle [odjovizɥɛl] *adj* audio-visual.

auditeur, -trice [oditœr, tris] *nm, f* listener.

audition [odisjɔ̃] *nf (examen)* audition; *(sens)* hearing.

auditoire [oditwar] *nm* audience.

auditorium [oditɔrjɔm] *nm* auditorium.

augmentation [ogmɑ̃tasjɔ̃] *nf* increase; **~ (de salaire)** (pay) rise *(Br)*, raise *(Am)*; **en ~** on the increase.

augmenter [ogmɑ̃te] *vt* to raise, to increase ◆ *vi* to increase; *(devenir plus cher)* to go up.

aujourd'hui [oʒurdɥi] *adv* today.

auparavant [oparavɑ̃] *adv (d'abord)* first; *(avant)* before.

auprès [oprɛ] **~ de** *prép* near; *(en s'adressant à)* with.

auquel [okɛl] = **à + lequel**, → **lequel.**

aura *etc* → **avoir.**

auréole [oreɔl] *nf (tache)* ring.

aurore [orɔr] *nf* dawn.

ausculter [oskylte] *vt:* **~ qqn** to listen to sb's chest.

aussi [osi] *adv* 1. *(également)* also, too; **j'ai faim - moi ~!** I'm hungry - so am I!
2. *(introduit une comparaison):* **~ ... que as ...** as; **il n'est pas ~ intelligent que son frère** he's not as clever as his brother.
3. *(à ce point)* so; **je n'ai jamais rien vu d'~ beau** I've never seen anything so beautiful.
◆ *conj (par conséquent)* so.

aussitôt [osito] *adv* immediately; **~ que** as soon as.

austère [ostɛr] *adj* austere.

Australie [ostrali] *nf:* **l'~** Australia.

australien, -ienne [ostraljɛ̃, jɛn] *adj* Australian.

autant [otɑ̃] *adv* 1. *(exprime la comparaison):* **~ que** as much as; **l'aller simple coûte presque ~ que l'aller et retour** a single costs almost as much as a return; **~ de** ... **que** *(argent, patience)* as much ... as; *(amis, valises)* as many ... as.
2. *(exprime l'intensité)* so much; **je ne savais pas qu'il pleuvait ~ ici** I didn't know it rained so much here; **~ de** *(argent, patience)* so much; *(amis, valises)* so many.
3. *(il vaut mieux):* **~ partir demain** I/we may as well leave tomorrow.
4. *(dans des expressions):* **j'aime ~ ...** I'd rather ...; **d'~ que** especially since; **d'~ plus que** all the more so because; **pour ~ que je sache** as far as I know.

autel [otɛl] *nm* altar.

auteur [otœr] nm (d'une chanson) composer; (d'un livre) author; (d'un crime) person responsible.

authentique [otɑ̃tik] adj genuine.

auto [oto] nf car; ~s tamponneuses dodgems.

autobiographie [otobjɔgrafi] nf autobiography.

autobus [otobys] nm bus; ~ à impériale double-decker (bus).

autocar [otokar] nm coach.

autocollant [otokɔlɑ̃] nm sticker.

autocouchettes [otokuʃɛt] adj inv: train ~ = Motorail® train.

autocuiseur [otokɥizœr] nm pressure cooker.

auto-école, -s [otoekɔl] nf driving school.

autographe [otograf] nm autograph.

automate [otomat] nm (jouet) mechanical toy.

automatique [otomatik] adj (système) automatic; (geste, réaction) instinctive.

automne [otɔn] nm autumn (Br), fall (Am); en ~ in autumn (Br), in the fall (Am).

automobile [otomɔbil] adj car (avant n).

automobiliste [otomɔbilist] nmf motorist.

autonome [otonɔm] adj autonomous.

autonomie [otonɔmi] nf autonomy.

autopsie [otɔpsi] nf postmortem (examination).

autoradio [otoradjo] nm car radio.

autorisation [otorizasjɔ̃] nf permission; (document) permit.

autoriser [otorize] vt to authorize; ~ qqn à faire qqch to give sb permission to do sthg.

autoritaire [otoritɛr] adj authoritarian.

autorité [otorite] nf authority; les ~s the authorities.

autoroute [otorut] nf motorway (Br), freeway (Am); ~ à péage toll motorway (Br), turnpike (Am).

auto-stop [otostɔp] nm hitchhiking; faire de l'~ to hitch(hike).

autour [otur] adv around; tout ~ all around; ~ de around.

autre [otr] adj 1. (différent) other; j'aimerais essayer une ~ couleur I'd like to try another OU a different colour.

2. (supplémentaire): une ~ bouteille d'eau minérale, s'il vous plaît another bottle of mineral water, please; il n'y a rien d'~ à voir ici there's nothing else to see here; veux-tu quelque chose d'~? do you want anything else?

3. (restant) other; tous les ~s passagers sont maintenant priés d'embarquer could all remaining passengers now come forward for boarding.

4. (dans des expressions): ~ part somewhere else; d'~ part besides. ♦ pron: l'~ the other (one); un ~ another (one); il ne se soucie pas des ~s he doesn't think of others; d'une minute à l'~ any minute now; entre ~s among others, → un.

autrefois [otrəfwa] adv formerly.

autrement [otrəmɑ̃] adv (différemment) differently; (sinon) otherwise; ~ dit in other words.

Autriche [otriʃ] nf: l'~ Austria.

autrichien, -ienne [otriʃjɛ̃, jɛn] *adj* Austrian ❏ **Autrichien, -ienne** *nm, f* Austrian.

autruche [otryʃ] *nf* ostrich.

auvent [ovɑ̃] *nm* awning.

Auvergne [overɲ] *nf* → **bleu**.

aux [o] = **à** + **les**, → **à**.

auxiliaire [oksiljɛr] *nmf* assistant ◆ *nm* (GRAMM) auxiliary.

auxquelles [okɛl] = **à** + **lesquelles**, → **lequel**.

auxquels [okɛl] = **à** + **lesquels**, → **lequel**.

av. (abr de avenue) Ave.

avachi, -e [avaʃi] *adj* (canapé, chaussures) misshapen; (personne) lethargic.

aval [aval] *nm*: **aller vers l'~** to go downstream; **en ~ (de)** downstream (from).

avalanche [avalɑ̃ʃ] *nf* avalanche.

avaler [avale] *vt* to swallow.

avance [avɑ̃s] *nf* advance; **à l'~**, **d'~** in advance; **en ~** early.

avancer [avɑ̃se] *vt* to move forward; (main, assiette) to hold out; (anticiper) to bring forward; (prêter) to advance ◆ *vi* to move forward; (progresser) to make progress; (montre) to be fast; **~ de cinq minutes** to be five minutes fast ❏ **s'avancer** *vp* to move forward; (partir devant) to go ahead.

avant [avɑ̃] *prép* before ◆ *adv* earlier; (autrefois) formerly; (d'abord) first; (dans un classement) ahead ◆ *nm* front ◆ *adj inv* front; **~ de faire qqch** before doing sthg; **~ que** before; **tout** (surtout) above all; (d'abord) first of all; **l'année d'~** the year before; **en ~** (tomber) forward, forwards; **partir en ~** to go on ahead.

avantage [avɑ̃taʒ] *nm* advantage.

avantager [avɑ̃taʒe] *vt* to favour.

avantageux, -euse [avɑ̃taʒø, øz] *adj* (prix, offre) good.

avant-bras [avɑ̃brɑ] *nm inv* forearm.

avant-dernier, -ière, -s [avɑ̃dɛrnje, jɛr] *adj* penultimate ◆ *nm, f* last but one.

avant-hier [avɑ̃tjɛr] *adv* the day before yesterday.

avant-première, -s [avɑ̃prəmjɛr] *nf* preview.

avant-propos [avɑ̃prɔpo] *nm inv* foreword.

avare [avar] *adj* mean ◆ *nmf* miser.

avarice [avaris] *nf* avarice.

avarié, -e [avarje] *adj* bad.

avec [avɛk] *prép* with; **~ élégance** elegantly; **et ~ ça?** anything else?

avenir [avnir] *nm* future; **à l'~** in future; **d'~** (technique) promising; (métier) with a future.

aventure [avɑ̃tyr] *nf* adventure; (amoureuse) affair.

aventurer [avɑ̃tyre] : **s'aventurer** *vp* to venture.

aventurier, -ière [avɑ̃tyrje, jɛr] *nm, f* adventurer.

avenue [avny] *nf* avenue.

avérer [avere] : **s'avérer** *vp* (se révéler) to turn out to be.

averse [avɛrs] *nf* downpour.

avertir [avɛrtir] *vt* to inform; **~ qqn de qqch** to warn sb of sthg.

avertissement [avɛrtismɑ̃] *nm* warning.

aveu, -x [avø] *nm* confession.

aveugle [avœgl] *adj* blind ◆ *nmf*

blind person.

aveugler [avœgle] vt to blind.

aveuglette [avœglɛt] : **à l'aveuglette** adv: **avancer à l'~** to grope one's way.

aviateur [avjatœr] nm aviator.

aviation [avjasjɔ̃] nf (MIL) air-force.

avide [avid] adj greedy; **~ de** greedy for.

avion [avjɔ̃] nm (aero)plane (Br), (air)plane (Am); **~ à réaction** (plane); **«par ~»** "airmail".

aviron [avirɔ̃] nm (rame) oar; (sport) rowing.

avis [avi] nm (opinion) opinion; (information) notice; **changer d'~** to change one's mind; **à mon ~** in my opinion; **~ de réception** acknowledgment of receipt.

avisé, -e [avize] adj sensible.

av. J-C [abr de avant Jésus-Christ] BC.

avocat [avɔka] nm (homme de loi) lawyer; (fruit) avocado (pear).

avoine [avwan] nf oats (pl).

avoir [avwar] vt 1. (posséder) to have (got); **j'ai deux frères et une sœur** I've got two brothers and a sister.

2. (comme caractéristique) to have; **~ les cheveux bruns** to have brown hair; **~ de l'ambition** to be ambitious.

3. (être âgé de): **quel âge as-tu?** how old are you?; **j'ai 13 ans** I'm 13 (years old).

4. (obtenir) to get.

5. (éprouver) to feel; **~ du chagrin** to be sad.

6. (fam: duper): **je t'ai bien eu!** I really had you going!; **se faire ~** (se faire escroquer) to be conned;

(tomber dans le piège) to be caught out.

7. (exprime l'obligation): **~ à faire qqch** to have to do sthg; **vous n'avez qu'à remplir ce formulaire** you just need to fill in this form.

8. (dans des expressions): **vous en avez encore pour longtemps?** will it take much longer?; **nous en avons eu pour 200 F** it cost us 200 francs.

♦ **v aux** (to have): **j'ai terminé** I have finished; **hier nous avons visité le château** we visited the castle yesterday.

❑ **il y a** v impers 1. (il existe) there is/are; **il y a un problème** there's a problem; **y a-t-il des toilettes dans les environs?** are there any toilets nearby?; **qu'est-ce qu'il y a?** what is it?; **il n'y a qu'à revenir demain** we'll just have to come back tomorrow.

2. (temporel): **il y a trois ans** three years ago; **il y a plusieurs années que nous venons ici** we've been coming here for several years now.

avortement [avɔrtəmã] nm abortion.

avorter [avɔrte] vi (MÉD) to have an abortion; (fig: projet) to fail.

avouer [avwe] vt to admit.

avril [avril] nm April; **le premier ~** April Fools' Day, → **septembre**.

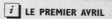

LE PREMIER AVRIL

In France it is traditional on April Fools' Day for children to stick cut-out paper fishes on the backs of their friends, or even passers-by in the street, without them knowing.

axe [aks] nm axis; (routier) major

road; *(ferroviaire)* main line; **~
rouge** *section of Paris road system
where parking is prohibited to avoid
congestion.*

ayant [ɛjɑ̃] *ppr* → **avoir**.

ayons → **avoir**.

azote [azɔt] *nm* nitrogen.

Azur [azyr] *n* → **côte**.

B

B *(abr de bien)* G.

baba [baba] *nm:* **~ au rhum** rum
baba.

babines [babin] *nfpl* chops.

babiole [babjɔl] *nf* trinket.

bâbord [babɔr] *nm* port; **à ~ to**
port.

baby-foot [babifut] *nm inv* table
football.

baby-sitter, -s [bebisitœr] *nmf*
baby-sitter.

bac [bak] *nm (récipient)* container;
(bateau) ferry; *(fam)* = **baccalauréat.**

baccalauréat [bakalɔrea] *nm* =
A levels *(Br)*, = SATs *(Am)*.

In France the "baccalauréat" is the
exam taken by students in their
final year at "lycée" who want to go
on to further education. It covers a
wide range of subjects but students
may select one major subject area

relevant to their chosen career,
eg arts, science, engineering or fine
art.

---

bâche [baʃ] *nf* tarpaulin.

bâcler [bakle] *vt (fam)* to botch.

bacon [bekɔn] *nm* bacon.

bactérie [bakteri] *nf* bacterium.

badge [badʒ] *nm* badge.

badigeonner [badiʒɔne] *vt
(mur)* to whitewash.

badminton [badmintɔn] *nm*
badminton.

baffe [baf] *nf (fam)* clip on the
ear.

baffle [bafl] *nm* speaker.

bafouiller [bafuje] *vi* to mumble.

bagage [bagaʒ] *nm* piece of luggage OU baggage; *(fig: connaissances)* knowledge; **~s** luggage
(sg), baggage *(sg)*; **~s à main** hand
luggage.

bagarre [bagar] *nf* fight.

bagarrer [bagare] **: se bagarrer** *vp* to fight.

bagarreur, -euse [bagarœr,
øz] *adj* violent.

bagnes [baɲ] *nm* hard strong
Swiss cheese made from cow's milk.

bagnole [baɲɔl] *nf (fam)* car.

bague [bag] *nf* ring.

baguette [bagɛt] *nf (tige)* stick;
(de chef d'orchestre) baton; *(chinoise)*
chopstick; *(pain)* French stick; **~
magique** magic wand.

baie [bɛ] *nf (fruit)* berry; *(golfe)*
bay; *(fenêtre)* bay window; **~ vitrée**
picture window.

baignade [bɛɲad] *nf* swim; **«~
interdite»** "no swimming".

baigner [beɲe] *vt* to bath; *(suj:*

sueur, larmes) to bathe ♦ *vi*: ~ **dans to be swimming in** □ **se baigner** *vp* (*dans la mer*) to go for a swim; (*dans une baignoire*) to have a bath.

baignoire [bɛɲwar] *nf* bath.

bail [baj] (*pl* **baux**) *nm* lease.

bâiller [baje] *vi* to yawn; (*être ouvert*) to gape.

bâillonner [bajɔne] *vt* to gag.

bain [bɛ̃] *nm* bath; **prendre un** ~ to have a bath; **prendre un** ~ **de soleil** to sunbathe; **grand** ~ main pool; **petit** ~ children's pool.

bain-marie [bɛ̃mari] *nm* cooking method in which a pan is placed inside a larger pan containing boiling water.

baïonnette [bajɔnet] *nf* (*arme*) bayonet; (*d'ampoule*) bayonet fitting.

baiser [beze] *nm* kiss.

baisse [bes] *nf* drop; **en** ~ falling.

baisser [bese] *vt* to lower; (*son*) to turn down ♦ *vi* (*descendre*) to go down; (*diminuer*) to drop □ **se baisser** *vp* to bend down.

bal [bal] *nm* ball.

balade [balad] *nf* (*à pied*) walk; (*en voiture*) drive; (*en vélo*) ride.

balader [balade] : **se balader** *vp* (*à pied*) to go for a walk; (*en voiture*) to go for a drive; (*en vélo*) to go for a ride.

baladeur [baladœr] *nm* Walkman®.

balafre [balafr] *nf* gash.

balai [bale] *nm* broom, brush; (*d'essuie-glace*) blade.

balance [balɑ̃s] *nf* scales (*pl*) □ **Balance** *nf* Libra.

balancer [balɑ̃se] *vt* to swing; (*fam: jeter*) to throw away □ **se balancer** *vp* (*sur une chaise*) to rock;

(*sur une balançoire*) to swing.

balancier [balɑ̃sje] *nm* (*de pendule*) pendulum.

balançoire [balɑ̃swar] *nf* (*bascule*) seesaw; (*suspendue*) swing.

balayer [baleje] *vt* to sweep.

balayeur [balejœr] *nm* road-sweeper.

balbutier [balbysje] *vi* to stammer.

balcon [balkɔ̃] *nm* balcony; (*au théâtre*) circle.

baleine [balen] *nf* (*animal*) whale; (*de parapluie*) rib.

balise [baliz] *nf* (NAVIG) marker (buoy); (*de randonnée*) marker.

ballant, -e [balɑ̃, ɑ̃t] *adj*: **les bras** ~**s** arms dangling.

balle [bal] *nf* (SPORT) ball; (*d'arme à feu*) bullet; (*fam: franc*) franc; ~ **à blanc** blank.

ballerine [balrin] *nf* (*chaussure*) ballet shoe; (*danseuse*) ballerina.

ballet [bale] *nm* ballet.

ballon [balɔ̃] *nm* (SPORT) ball; (*pour fête, montgolfière*) balloon; (*verre*) round wineglass.

ballonné, -e [balɔne] *adj* swollen.

ballotter [balɔte] *vi* to roll around.

balnéaire [balneer] *adj* → **station**.

balustrade [balystrad] *nf* balustrade.

bambin [bɑ̃bɛ̃] *nm* toddler.

bambou [bɑ̃bu] *nm* bamboo.

banal, -e [banal] *adj* banal.

banane [banan] *nf* banana; (*porte-monnaie*) bum bag (Br), fanny pack (Am).

banc [bɑ̃] *nm* bench; (*de poissons*)

shoal; **~ public** park bench; **~ de sable** sandbank.

bancaire [bɑ̃kɛʁ] *adj* bank (*avant n*), banking (*avant n*).

bancal, -e [bɑ̃kal] *adj* wobbly.

bandage [bɑ̃daʒ] *nm* bandage.

bande [bɑ̃d] *nf* (*de tissu, de papier*) strip; (*pansement*) bandage; (*groupe*) band; **~ d'arrêt d'urgence** hard shoulder (*Br*), shoulder (*Am*); **~ blanche** (*sur route*) white line; **~ dessinée** comic strip; **~ magnétique** tape; **~ originale** original soundtrack.

bandeau, -x [bɑ̃do] *nm* (*dans les cheveux*) headband; (*sur les yeux*) blindfold.

bander [bɑ̃de] *vt* (*yeux*) to blindfold; (*blessure*) to bandage.

banderole [bɑ̃dʁɔl] *nf* streamer.

bandit [bɑ̃di] *nm* bandit.

bandoulière [bɑ̃duljɛʁ] *nf* shoulder strap; **en ~** across the shoulder.

banjo [bɑ̃dʒo] *nm* banjo.

banlieue [bɑ̃ljø] *nf* suburbs (*pl*); **les ~s** the suburbs (*usually associated with social problems*).

banlieusard, -e [bɑ̃ljøzaʁ, aʁd] *nm, f* person living in the suburbs.

banque [bɑ̃k] *nf* bank.

banquet [bɑ̃kɛ] *nm* banquet.

banquette [bɑ̃kɛt] *nf* seat.

banquier [bɑ̃kje] *nm* banker.

banquise [bɑ̃kiz] *nf* ice field.

baptême [batɛm] *nm* baptism; **~ de l'air** maiden flight.

bar [baʁ] *nm* bar; **~ à café** (*Helv*) café.

baraque [baʁak] *nf* (*de jardin*) shed; (*de fête foraine*) stall; (*fam: maison*) house.

baratin [baʁatɛ̃] *nm* (*fam*) smooth talk.

barbare [baʁbaʁ] *adj* barbaric.

Barbarie [baʁbaʁi] *n* → **orgue**.

barbe [baʁb] *nf* beard; **~ à papa** candyfloss (*Br*), cotton candy (*Am*).

barbecue [baʁbəkju] *nm* barbecue.

barbelé [baʁbəle] *nm*: (**fil de fer**) **~** barbed wire.

barboter [baʁbɔte] *vi* to splash about.

barbouillé, -e [baʁbuje] *adj*: **être ~** to feel sick.

barbouiller [baʁbuje] *vt* (*feuille*) to daub.

barbu [baʁby] *adj m* bearded.

barème [baʁɛm] *nm* (*de prix*) list; (*de notes*) scale.

baril [baʁil] *nm* barrel.

bariolé, -e [baʁjɔle] *adj* multi-coloured.

barman [baʁman] *nm* barman.

baromètre [baʁɔmɛtʁ] *nm* barometer.

baron, -onne [baʁɔ̃, ɔn] *nm, f* baron (*f* baroness).

barque [baʁk] *nf* small boat.

barrage [baʁaʒ] *nm* (*sur une rivière*) dam; **~ de police** police roadblock.

barre [baʁ] *nf* (*de fer, de chocolat*) bar; (*trait*) stroke; (*NAVIG*) tiller.

barreau, -x [baʁo] *nm* bar.

barrer [baʁe] *vt* (*rue, route*) to block; (*mot, phrase*) to cross out; (*NAVIG*) to steer.

barrette [baʁɛt] *nf* (*à cheveux*) hair slide (*Br*), barrette (*Am*).

barricade [baʁikad] *nf* barricade.

battre

barricader [barikade] *vt* to barricade ❏ **se barricader** *vp* to barricade o.s.

barrière [barjɛr] *nf* barrier.

bar-tabac [bartaba] (*pl* **bars-tabacs**) *nm* bar also selling cigarettes and tobacco.

bas, basse [ba, bas] *adj* low ♦ *nm* bottom; (*vêtement*) stocking ♦ *adv* (*dans l'espace*) low; (*parler*) softly; **en ~** at the bottom; (*à l'étage inférieur*) downstairs; **en ~ de** at the bottom of; (*à l'étage inférieur*) downstairs from.

bas-côté, -s [bakote] *nm* (*de la route*) verge.

bascule [baskyl] *nf* (*pour peser*) weighing machine; (*jeu*) seesaw.

basculer [baskyle] *vt* to tip up ♦ *vi* to overbalance.

base [baz] *nf* (*partie inférieure*) base; (*origine, principe*) basis; **à ~ de whisky** whisky-based; **de ~** basic; **~ de données** database.

baser [baze] *vt*: **~ qqch sur** to base sthg on ❏ **se baser sur** *vp* + *prép* to base one's argument on.

basilic [bazilik] *nm* basil.

basilique [bazilik] *nf* basilica.

basket [baskɛt] *nm ou nf* (*chaussure*) trainer (*Br*), sneaker (*Am*).

basket(-ball) [baskɛt(bol)] *nm* basketball.

basquaise [baskɛz] *adj* → **poulet**.

basque [bask] *adj* Basque ♦ *nm* (*langue*) Basque ❏ **Basque** *nmf* Basque.

basse → **bas**.

basse-cour [baskur] (*pl* **basses-cours**) *nf* farmyard.

bassin [basɛ̃] *nm* (*plan d'eau*) pond; (*ANAT*) pelvis; **le Bassin parisien** the Paris Basin; **grand ~** (*de piscine*) main pool; **petit ~** (*de piscine*) children's pool.

bassine [basin] *nf* bowl.

Bastille [bastij] *nf*: **l'opéra ~** Paris opera house on the site of the former Bastille prison.

bataille [bataj] *nf* battle.

batailleur, -euse [batajœr, øz] *adj* aggressive.

bâtard, -e [batar, ard] *nm, f* (*chien*) mongrel.

bateau, -x [bato] *nm* boat; (*grand*) ship; (*sur le trottoir*) driveway entrance; **~ de pêche** fishing boat; **~ à voiles** sailing boat.

bateau-mouche [batomuʃ] (*pl* **bateaux-mouches**) *nm* pleasure boat on the Seine.

bâtiment [batimɑ̃] *nm* building; **le ~** (*activité*) the building trade.

bâtir [batir] *vt* to build.

bâton [batɔ̃] *nm* stick; **~ de rouge à lèvres** lipstick.

bâtonnet [batɔnɛ] *nm* stick.

battant [batɑ̃] *nm* door (*of double doors*).

battement [batmɑ̃] *nm* (*coup*) beat, beating; (*intervalle*) break.

batterie [batri] *nf* (*AUT*) battery; (*MUS*) drums (*pl*); **~ de cuisine** kitchen utensils (*pl*).

batteur, -euse [batœr, øz] *nm, f* (*MUS*) drummer ♦ *nm* (*mélangeur*) whisk.

battre [batr] *vt* to beat ♦ *vi* (*cœur*) to beat; (*porte, volet*) to bang; **~ des œufs en neige** to beat egg whites until stiff; **~ la mesure** to beat time; **~ des mains** to clap (one's hands) ❏ **se battre** *vp*: **se ~ (avec qqn)** to fight (with sb).

baume [bom] *nm* balm.

baux [bo] → **bail**.

bavard, -e [bavar, ard] *adj* talkative ◆ *nm, f* chatterbox.

bavardage [bavardaʒ] *nm* chattering.

bavarder [bavarde] *vi* to chat.

bavarois [bavarwa] *nm* (CULIN) cold dessert consisting of a sponge base and layers of fruit mousse, cream and custard.

bave [bav] *nf* dribble; (d'un animal) slaver.

baver [bave] *vi* to dribble; (animal) to slaver; **en ~** (fam) to have a rough time (of it).

bavette [bavɛt] *nf* (CULIN) lower part of sirloin.

baveux, -euse [bavø, øz] *adj* (omelette) runny.

bavoir [bavwar] *nm* bib.

bavure [bavyr] *nf* (tache) smudge; (erreur) mistake.

bazar [bazar] *nm* (magasin) general store; (fam: désordre) shambles (sg).

BCBG *adj* (abr de bon chic bon genre) term used to describe an upper-class lifestyle reflected especially in expensive, conservative clothes.

Bd *abr* = boulevard.

BD *nf* (fam) = bande dessinée.

beau, bel [bo, bɛl] (f **belle** [bɛl], mpl **beaux** [bo]) *adj* beautiful; (personne) good-looking; (agréable) lovely ◆ *adv* : **il fait ~** the weather is good; **j'ai un ~ essayer** ... try as I may ...; **~ travail!** (iron) well done!; **j'ai un ~ rhume** I've got a nasty cold; **un ~ jour** one fine day.

beaucoup [boku] *adv* a lot; **~ de** a lot of; **~ plus cher** much more

expensive; **il a ~ plus d'argent que moi** he's got much more money than me; **il y a ~ plus de choses à voir ici** there are many more things to see here.

beau-fils [bofis] (*pl* **beaux-fils**) *nm* (fils du conjoint) stepson; (gendre) son-in-law.

beau-frère [bofrɛr] (*pl* **beaux-frères**) *nm* brother-in-law.

beau-père [bopɛr] (*pl* **beaux-pères**) *nm* (père du conjoint) father-in-law; (conjoint de la mère) stepfather.

beauté [bote] *nf* beauty.

beaux-parents [boparɑ̃] *nmpl* in-laws.

bébé [bebe] *nm* baby.

bec [bɛk] *nm* beak; **~ verseur** spout.

béchamel [beʃamɛl] *nf*: (sauce) **~** béchamel sauce.

bêche [bɛʃ] *nf* spade.

bêcher [beʃe] *vt* to dig.

bée [be] *adj f*: **bouche ~** open-mouthed.

bégayer [begeje] *vi* to stammer.

bégonia [begɔnja] *nm* begonia.

beige [bɛʒ] *adj & nm* beige.

beigne [bɛɲ] *nm* (Can) ring doughnut.

beignet [bɛɲɛ] *nm* fritter.

bel → **beau**.

bêler [bele] *vi* to bleat.

belge [bɛlʒ] *adj* Belgian ❑ **Belge** *nmf* Belgian.

Belgique [bɛlʒik] *nf*: **la ~** Belgium.

bélier [belje] *nm* ram ❑ **Bélier** *nm* Aries.

belle-fille [bɛlfij] (*pl* **belles-filles**) *nf* (fille du conjoint) step-

bidon

daughter; *(conjointe du fils)* daughter-in-law.

Belle-Hélène [bɛlelɛn] *adj →* poire.

belle-mère [bɛlmɛʀ] *(pl* **belles-mères)** *nf (mère du conjoint)* mother-in-law; *(conjointe du père)* stepmother.

belle-sœur [bɛlsœʀ] *(pl* **belles-sœurs)** *nf* sister-in-law.

belote [bəlɔt] *nf* French card game.

bénéfice [benefis] *nm* (FIN) profit; *(avantage)* benefit.

bénéficier [benefisje] **: bénéficier de** *v + prép* to benefit from.

bénéfique [benefik] *adj* beneficial.

bénévole [benevɔl] *adj* voluntary.

bénin, -igne [benɛ̃, iɲ] *adj* benign.

bénir [beniʀ] *vt* to bless.

bénite [benit] *adj f →* eau.

bénitier [benitje] *nm* font.

benne [bɛn] *nf* skip.

BEP *nm* vocational school-leaver's diploma *(taken at age 18).*

béquille [bekij] *nf* crutch; *(de vélo, de moto)* stand.

berceau, -x [bɛʀso] *nm* cradle.

bercer [bɛʀse] *vt* to rock.

berceuse [bɛʀsøz] *nf* lullaby.

Bercy [bɛʀsi] *n*: **(le palais omnisports de Paris)~** *large sports and concert hall in Paris.*

béret [beʀɛ] *nm* beret.

berge [bɛʀʒ] *nf (d'un cours d'eau)* bank.

berger, -ère [bɛʀʒe, ɛʀ] *nm, f* shepherd *(f* shepherdess); **~ allemand** Alsatian.

bergerie [bɛʀʒəʀi] *nf* sheepfold.

berlingot [bɛʀlɛ̃go] *nm (bonbon)* boiled sweet; *(de lait, de Javel)* plastic bag.

bermuda [bɛʀmyda] *nm* Bermuda shorts *(pl).*

berner [bɛʀne] *vt* to fool.

besogne [bəzɔɲ] *nf* job.

besoin [bəzwɛ̃] *nm* need; **avoir ~ de qqch** to need sthg; **avoir ~ de faire qqch** to need to do sthg; **faire ses ~s** to relieve o.s.

bestiole [bɛstjɔl] *nf* creepy-crawly.

best-seller, -s [bɛstsɛlœʀ] *nm* best-seller.

bétail [betaj] *nm* cattle *(pl).*

bête [bɛt] *adj* stupid ♦ *nf* animal.

bêtement [bɛtmɑ̃] *adv* stupidly.

bêtise [betiz] *nf (acte, parole)* stupid thing; *(stupidité)* stupidity.

béton [betɔ̃] *nm* concrete.

bette [bɛt] *nf (Swiss)* chard.

betterave [bɛtʀav] *nf* beetroot.

beurre [bœʀ] *nm* butter.

beurrer [bœʀe] *vt* to butter.

biais [bjɛ] *nm (moyen)* way; **en ~ (couper)** diagonally.

bibelot [biblo] *nm* knick-knack.

biberon [bibʀɔ̃] *nm* baby's bottle; **donner le ~ à** to bottle-feed.

Bible [bibl] *nf*: **la ~** the Bible.

bibliothécaire [biblijɔtekɛʀ] *nmf* librarian.

bibliothèque [biblijɔtɛk] *nf* library; *(meuble)* bookcase.

biceps [bisɛps] *nm* biceps.

biche [biʃ] *nf* doe.

bicyclette [bisiklɛt] *nf* bicycle.

bidet [bidɛ] *nm* bidet.

bidon [bidɔ̃] *nm* can ♦ *adj inv (fam)* fake.

bidonville [bidɔ̃vil] *nm* shanty-town.

bien [bjɛ̃] (*compar & superl* **mieux**) *adv* 1. (*de façon satisfaisante*) well; **avez-vous ~ dormi?** did you sleep well?; **tu as ~ fait** you did the right thing.

2. (*très*) very; **une personne ~ sympathique** a very nice person; **mieux** much better; **j'espère ~ que ...** I do hope that ...

3. (*au moins*) at least; **cela fait ~ deux mois qu'il n'a pas plu** it hasn't rained for at least two months.

4. (*effectivement*): **c'est ~ ce qu'il me semblait** that's (exactly) what I thought; **c'est ~ lui** it really is him.

5. (*dans des expressions*): **~ des gens** a lot of people; **il a ~ de la chance** he's really lucky; **c'est ~ fait pour toi!** (it) serves you right!; **nous ferions ~ de réserver à l'avance** we would be wise to book in advance.

◆ *adj inv* 1. (*de bonne qualité*) good.

2. (*moralement*) decent, respectable; **c'est une fille ~** she's a decent person.

3. (*en bonne santé*) well; **être/se sentir ~** to be/feel well.

4. (*à l'aise*) comfortable.

5. (*joli*) nice; (*physiquement*) good-looking.

◆ *excl* right!

◆ *nm* 1. (*intérêt*) interest; **c'est pour ton ~** it's for your own good.

2. (*sens moral*) good.

3. (*dans des expressions*): **dire du ~ de** to praise; **faire du ~ à qqn** to do sb good.

❏ **biens** *nmpl* (*richesse*) property (*sg*).

bien-être [bjɛ̃nɛtr] *nm* well-being.

bienfaisant, -e [bjɛ̃fəzɑ̃, ɑ̃t] *adj* beneficial.

bientôt [bjɛ̃to] *adv* soon; **à ~!** see you soon!

bienveillant, -e [bjɛ̃vejɑ̃, ɑ̃t] *adj* kind.

bienvenu, -e [bjɛ̃vəny] *adj* welcome.

bienvenue [bjɛ̃vəny] *nf*: **~!** welcome!; **souhaiter la ~ à qqn** to welcome sb.

bière [bjɛr] *nf* beer.

bifteck [biftɛk] *nm* steak.

bifurquer [bifyrke] *vi* (*route*) to fork; (*voiture*) to turn off.

Bige® [biʒ] *adj inv*: **billet ~** discount rail ticket for students and young people under the age of 26 for travel in Europe.

bigorneau, -x [bigɔrno] *nm* winkle.

bigoudi [bigudi] *nm* roller.

bijou, -x [biʒu] *nm* jewel.

bijouterie [biʒutri] *nf* jeweller's (shop).

Bikini® [bikini] *nm* bikini.

bilan [bilɑ̃] *nm* (*en comptabilité*) balance sheet; (*résultat*) result; **faire le ~ (de)** to take stock (of).

bilingue [bilɛ̃g] *adj* bilingual.

billard [bijar] *nm* (*jeu*) billiards (*sg*); (*table*) billiard table; **~ américain** pool.

bille [bij] *nf* ball; (*pour jouer*) marble.

billet [bijɛ] *nm* (*de transport, de spectacle*) ticket; **~** (*de banque*) (bank) note; **~ aller et retour** return (ticket); **~ simple** single (ticket).

billetterie [bijɛtri] *nf* ticket office; **~ automatique** (*de billets de* *train)* ticket machine; *(de banque)* cash dispenser.

bimensuel, -elle [bimãsɥɛl] *adj* fortnightly.

biographie [bjɔgrafi] *nf* biography.

biologie [bjɔlɔʒi] *nf* biology.

biologique [bjɔlɔʒik] *adj* biological; *(culture, produit)* organic.

bis [bis] *excl* encore! ◆ *adv*: **6** ~ **6a.**

biscornu, -e [biskɔrny] *adj (objet)* misshapen; *(idée)* weird.

biscotte [biskɔt] *nf toasted bread sold in packets.*

biscuit [biskɥi] *nm* biscuit *(Br)*, cookie *(Am)*; ~ **salé** cracker.

bise [biz] *nf (baiser)* kiss; *(vent)* north wind; **faire une** ~ **à qqn** to kiss sb on the cheek; **grosses** ~**s** *(dans une lettre)* lots of love.

bison [bizɔ̃] *nm* bison; **Bison Futé** *French road traffic information organization.*

ℹ BISON FUTÉ

This organization was created in 1975 to provide information on traffic flow and road conditions at busy times of the year. It also suggests "itinéraires bis", less busy roads often through attractive countryside, which are indicated by green signposts.

---

bisou [bizu] *nm (fam)* kiss.

bisque [bisk] *nf thick soup made with shellfish and cream.*

bissextile [bisɛkstil] *adj* → **année.**

bistro(t) [bistro] *nm bar.*

bitume [bitym] *nm* asphalt.

bizarre [bizar] *adj* strange.

blafard, -e [blafar, ard] *adj* pale.

blague [blag] *nf (histoire drôle)* joke; *(farce)* trick; **sans** ~! no kidding!

blaguer [blage] *vi* to joke.

blâmer [blame] *vt* to blame.

blanc, blanche [blɑ̃, blɑ̃ʃ] *adj* white; *(vierge)* blank ◆ *nm (couleur)* white; *(vin)* white wine; *(espace)* blank; **à** ~ *(chauffer)* until white-hot; **tirer à** ~ to fire blanks; **cassé** off-white; ~ **d'œuf** egg white; ~ **de poulet** chicken breast *(Br)*, white meat *(Am)* ▫ **Blanc, Blanche** *nm, f* white (man) (f white (woman)).

blancheur [blɑ̃ʃœr] *nf* whiteness.

blanchir [blɑ̃ʃir] *vt (à l'eau de Javel)* to bleach; *(linge)* to launder ◆ *vi* to go white.

blanchisserie [blɑ̃ʃisri] *nf* laundry.

blanquette [blɑ̃kɛt] *nf (plat)* stew made with white wine; *(vin)* sparkling white wine from the south of France; ~ **de veau** veal stew made with white wine.

blasé, -e [blaze] *adj* blasé.

blazer [blazɛr] *nm* blazer.

blé [ble] *nm* wheat; ~ **d'Inde** *(Can)* corn.

blême [blɛm] *adj* pale.

blessant, -e [blesã, ɑ̃t] *adj* hurtful.

blessé, -e [blese] *nm, f* injured person.

blesser [blese] *vt* to injure; *(vexer)* to hurt ▫ **se blesser** *vp* to injure o.s.; **se** ~ **à la main** to injure one's hand.

blessure [blesyr] *nf* injury.

blette [blɛt] = **bette**.

bleu, -e [blø] *adj* blue; *(steak)* rare ♦ *nm (couleur)* blue; *(hématome)* bruise; ~ **(d'Auvergne)** blue cheese from the Auvergne; ~ **ciel** sky blue; ~ **marine** navy blue; ~ **de travail** overalls *(pl)* (Br), overall *(Am)*.

bleuet [bløɛ] *nm (fleur)* cornflower; *(Can: fruit)* blueberry.

blindé, -e [blɛ̃de] *adj (porte)* reinforced.

blizzard [blizar] *nm* blizzard.

bloc [blɔk] *nm* block; *(de papier)* pad; **à** ~ *(visser, serrer)* tight; **en** ~ as a whole.

blocage [blɔkaʒ] *nm (des prix, des salaires)* freeze; *(psychologique)* block.

bloc-notes [blɔknɔt] *(pl blocs-notes) nm* notepad.

blocus [blɔkys] *nm* blockade.

blond, -e [blɔ̃, blɔ̃d] *adj* blond.

blonde [blɔ̃d] *nf (cigarette)* Virginia cigarette; *(bière)* ~ lager.

bloquer [blɔke] *vt (route, passage)* to block; *(mécanisme)* to jam; *(prix, salaires)* to freeze.

blottir [blɔtir] **: se blottir** *vp* to snuggle up.

blouse [bluz] *nf (d'élève)* coat worn by schoolchildren; *(de médecin)* white coat; *(chemisier)* blouse.

blouson [bluzɔ̃] *nm* bomber jacket.

blues [bluz] *nm* blues.

bob [bɔb] *nm* sun hat.

bobine [bɔbin] *nf* reel.

bobsleigh [bɔbslɛg] *nm* bobsleigh.

bocal, -aux [bɔkal, o] *nm* jar; *(à poissons)* bowl.

body [bɔdi] *nm* body.

body-building [bɔdibildiŋ] *nm* body-building.

bœuf [bœf, *pl* bø] *nm* ox; *(CULIN)* beef; ~ **bourguignon** beef cooked in red wine sauce with bacon and onions.

bof [bɔf] *excl* term expressing lack of interest or enthusiasm; **comment tu as trouvé le film?** - ~! how did you like the film? - it was all right I suppose.

bohémien, -ienne [bɔemjɛ̃, jɛn] *nm, f* gipsy.

boire [bwar] *vt* to drink; *(absorber)* to soak up ♦ *vi* to drink; ~ **un coup** to have a drink.

bois [bwa] *nm* wood ♦ *nmpl (d'un cerf)* antlers.

boisé, -e [bwaze] *adj* wooded.

boiseries [bwazri] *nfpl* panelling *(sg)*.

boisson [bwasɔ̃] *nf* drink.

boîte [bwat] *nf* box; ~ **d'allumettes** box of matches; ~ **de conserve** tin *(Br)*, can; ~ **aux lettres** *(pour l'envoi)* postbox *(Br)*, mailbox *(Am)*; *(pour la réception)* letterbox *(Br)*, mailbox *(Am)*; ~ **(de nuit)** (night)club; ~ **à outils** toolbox; ~ **postale** post office box; ~ **de vitesses** gearbox.

boiter [bwate] *vi* to limp.

boiteux, -euse [bwatø, øz] *adj* lame.

boîtier [bwatje] *nm (de montre, de cassette)* case; *(d'appareil photo)* camera body.

bol [bɔl] *nm* bowl.

bolide [bɔlid] *nm* racing car.

bombardement [bɔ̃bardəmɑ̃] *nm* bombing.

bottine

bombarder [bɔ̃barde] *vt* to bomb; ~ **qqn de questions** to bombard sb with questions.

bombe [bɔ̃b] *nf (arme)* bomb; *(vaporisateur)* spraycan; ~ **atomique** nuclear bomb.

bon, bonne [bɔ̃, bɔn] *(compar & superl* **meilleur**) *adj* **1.** *(gén)* good; **nous avons passé de très bonnes vacances** we had a very good holiday; **être ~ en qqch** to be good at sthg.

2. *(correct)* right; **est-ce le ~ numéro?** is this the right number?

3. *(utile)*: **c'est ~ pour la santé** it's good for you; **il n'est ~ à rien** he's useless; **c'est ~ à savoir** that's worth knowing.

4. *(passeport, carte)* valid.

5. *(en intensif)*: **ça fait une bonne heure que j'attends** I've been waiting for a good hour.

6. *(dans l'expression des souhaits)*: **bonne année!** Happy New Year!; **bonnes vacances!** have a nice holiday!

7. *(dans des expressions)*: ~! right!; **ah ~?** really?; **c'est ~!** *(soit)* all right!; **pour de ~** for good.

◆ *adv*: **il fait ~** it's lovely; **sentir ~** to smell nice; **tenir ~** to hold out.

◆ *nm (formulaire)* form; *(en cadeau)* voucher.

bonbon [bɔ̃bɔ̃] *nm* sweet *(Br)*, candy *(Am)*.

bond [bɔ̃] *nm* leap.

bondé, -e [bɔ̃de] *adj* packed.

bondir [bɔ̃dir] *vi* to leap; **ça va le faire ~** he'll hit the roof.

bonheur [bɔnœr] *nm* happiness; *(chance, plaisir)* (good) luck.

bonhomme [bɔnɔm] *(pl* **bonshommes** [bɔ̃zɔm]) *nm (fam: homme)*

fellow; *(silhouette)* man; ~ **de neige** snowman.

bonjour [bɔ̃ʒur] *excl* hello!; **dire ~ à qqn** to say hello to sb.

bonne [bɔn] *nf* maid.

bonnet [bɔne] *nm* hat; ~ **de bain** swimming cap.

bonsoir [bɔ̃swar] *excl (en arrivant)* good evening!; *(en partant)* good night!; **dire ~ à qqn** *(en arrivant)* to say good evening to sb; *(en partant)* to say good night to sb.

bonté [bɔ̃te] *nf* kindness.

bord [bɔr] *nm* edge; **à ~ (de)** on board; **monter à ~ (de)** to board; **au ~ (de)** at the edge (of); **au ~ de la mer** at the seaside; **au ~ de la route** at the roadside.

bordelaise [bɔrdelɛz] *adj* → **entrecôte**.

border [bɔrde] *vt (entourer)* to line; *(enfant)* to tuck in; **bordé de** lined with.

bordure [bɔrdyr] *nf* edge; *(liseré)* border; **en ~ de** on the edge of.

borgne [bɔrɲ] *adj* one-eyed.

borne [bɔrn] *nf (sur la route)* = milestone; **dépasser les ~s** *(fig)* to go too far.

borné, -e [bɔrne] *adj* narrow-minded.

bosquet [bɔskɛ] *nm* copse.

bosse [bɔs] *nf* bump.

bossu, -e [bɔsy] *adj* hunch-backed.

botanique [bɔtanik] *adj* botanical ◆ *nf* botany.

botte [bɔt] *nf* boot; *(de légumes)* bunch; *(de foin)* bundle.

Bottin® [bɔtɛ̃] *nm* phone book.

bottine [bɔtin] *nf* ankle boot.

bouc [buk] nm (animal) (billy) goat; (barbe) goatee (beard).

bouche [buʃ] nf mouth; ~ d'égout manhole; ~ de métro metro entrance.

bouchée [buʃe] nf mouthful; (au chocolat) filled chocolate ; ~ à la reine chicken vol-au-vent.

boucher[1] [buʃe] vt (remplir) to fill up; (bouteille) to cork; (oreilles, passage) to block.

boucher[2], **-ère** [buʃe, ɛr] nm, f butcher.

boucherie [buʃri] nf butcher's (shop).

bouchon [buʃɔ̃] nm (à vis) top; (en liège) cork; (embouteillage) traffic jam; (de pêche) float.

boucle [bukl] nf loop; (de cheveux) curl; (de ceinture) buckle; ~ d'oreille earring.

bouclé, -e [bukle] adj curly.

boucler [bukle] vt (valise, ceinture) to buckle; (fam: enfermer) to lock up ♦ vi (cheveux) to curl.

bouclier [buklije] nm shield.

bouddhiste [budist] adj & nmf Buddhist.

bouder [bude] vi to sulk.

boudin [budɛ̃] nm (cylindre) roll; ~ blanc white pudding (Br), white sausage (Am); ~ noir black pudding (Br), blood sausage (Am).

boue [bu] nf mud.

bouée [bwe] nf (pour nager) rubber ring; (balise) buoy; ~ de sauvetage life belt.

boueux, -euse [buø, øz] adj muddy.

bouffant, -e [bufɑ̃, ɑ̃t] adj (pantalon) baggy; manches ~es puff sleeves.

bouffée [bufe] nf puff; (de colère, d'angoisse) fit; une ~ d'air frais a breath of fresh air.

bouffi, -e [bufi] adj puffy.

bougeotte [buʒɔt] nf: avoir la ~ (fam) to have itchy feet.

bouger [buʒe] vt to move ♦ vi to move; (changer) to change; j'ai une dent qui bouge I've got a loose tooth.

bougie [buʒi] nf candle; (TECH) spark plug.

bouillabaisse [bujabes] nf fish soup, a speciality of Provence.

bouillant, -e [bujɑ̃, ɑ̃t] adj boiling (hot).

bouillie [buji] nf puree; (pour bébé) baby food.

bouillir [bujir] vi to boil.

bouilloire [bujwar] nf kettle.

bouillon [bujɔ̃] nm stock.

bouillonner [bujɔne] vi to bubble.

bouillotte [bujɔt] nf hot-water bottle.

boulanger, -ère [bulɑ̃ʒe, ɛr] nm, f baker.

boulangerie [bulɑ̃ʒri] nf baker's (shop), bakery.

boule [bul] nf ball; (de pétanque) bowl; jouer aux ~s to play boules; ~ de Bâle (Helv) large sausage served with a vinaigrette.

bouledogue [buldɔg] nm bulldog.

boulet [bule] nm cannonball.

boulette [bulet] nf pellet; ~ de viande meatball.

boulevard [bulvar] nm boulevard; les grands ~s (à Paris) the main boulevards between la Madeleine and République.

bouleversement [bulversəmɑ̃] nm upheaval.

bouleverser [bulverse] vt (émouvoir) to move deeply; (modifier) to disrupt.

boulon [bulɔ̃] nm bolt.

boulot [bulo] nm (fam) (travail, lieu) work; (emploi) job.

boum [bum] nf (fam) party.

bouquet [buke] nm bunch; (crevette) prawn; (d'un vin) bouquet.

bouquin [bukɛ̃] nm (fam) book.

bourbeux, -euse [burbø, øz] adj muddy.

bourdon [burdɔ̃] nm bumblebee.

bourdonner [burdɔne] vi to buzz.

bourgeois, -e [burʒwa, waz] adj (quartier, intérieur) middle-class; (péj) bourgeois.

bourgeoisie [burʒwazi] nf bourgeoisie.

bourgeon [burʒɔ̃] nm bud.

bourgeonner [burʒɔne] vi to bud.

Bourgogne [burgɔɲ] nf: la ~ Burgundy.

bourguignon, -onne [burgiɲɔ̃, ɔn] adj → bœuf, fondue.

bourrasque [burask] nf gust of wind.

bourratif, -ive [buratif, iv] adj stodgy.

bourré, -e [bure] adj (plein) packed; (vulg: ivre) pissed (Br), bombed (Am); ~ de packed with.

bourreau, -x [buro] nm executioner.

bourrelet [burlɛ] nm (isolant) draught excluder; (de graisse) roll of fat.

bourru, -e [bury] adj surly.

bourse [burs] nf (d'études) grant; (porte-monnaie) purse; **la Bourse** the Stock Exchange.

boursier, -ière [bursje, jɛr] adj (étudiant) on a grant; (transaction) stock-market.

boursouflé, -e [bursufle] adj swollen.

bousculade [buskylad] nf scuffle.

bousculer [buskyle] vt to jostle; (fig: presser) to rush.

boussole [busɔl] nf compass.

bout [bu] nm (extrémité) end; (morceau) piece; **au ~ de** (après) after; **arriver au ~ de** to reach the end of; **être à ~** to be at the end of one's tether.

boute-en-train [butɑ̃trɛ̃] nm inv: **le ~ de la soirée** the life and soul of the party.

bouteille [butɛj] nf bottle; ~ **de gaz** gas cylinder; ~ **d'oxygène** oxygen cylinder.

boutique [butik] nf shop; ~ **franche** OU **hors taxes** duty-free shop.

bouton [butɔ̃] nm (de vêtement) button; (sur la peau) spot; (de réglage) knob; (de fleur) bud.

bouton-d'or [butɔ̃dɔr] (pl **boutons-d'or**) nm buttercup.

boutonner [butɔne] vt to button (up).

boutonnière [butɔnjɛr] nf buttonhole.

bowling [buliŋ] nm (jeu) ten-pin bowling; (salle) bowling alley.

box [bɔks] nm inv (garage) lock-up garage; (d'écurie) stall.

boxe [bɔks] nf boxing.

boxer [bɔksɛr] nm (chien) boxer.

boxeur [bɔksœr] nm boxer.

boyau, -x [bwajo] nm (de roue) inner tube ❏ **boyaux** nmpl (ANAT) guts.

boycotter [bɔjkɔte] vt to boycott.

BP (abr de boîte postale) P.O. Box.

bracelet [braslɛ] nm bracelet; (de montre) strap.

bracelet-montre [braslɛmɔ̃tr] (pl bracelets-montres) nm wristwatch.

braconnier [brakɔnje] nm poacher.

brader [brade] vt to sell off; «on brade» "clearance sale".

braderie [bradri] nf clearance sale.

braguette [bragɛt] nf flies (pl).

braille [braj] nm braille.

brailler [braje] vi (fam) to bawl.

braise [brɛz] nf embers (pl).

brancard [brɑ̃kar] nm stretcher.

branchages [brɑ̃ʃaʒ] nmpl branches.

branche [brɑ̃ʃ] nf branch; (de lunettes) arm.

branchement [brɑ̃ʃmɑ̃] nm connection.

brancher [brɑ̃ʃe] vt (appareil) to plug in; (prise) to put in.

brandade [brɑ̃dad] nf: ~ (de morue) salt cod puree.

brandir [brɑ̃dir] vt to brandish.

branlant, -e [brɑ̃lɑ̃, ɑ̃t] adj wobbly.

braquer [brake] vi (automobiliste) to turn (the wheel) ♦ vt: ~ qqch sur to aim sthg at ❏ **se braquer** vp (s'entêter) to dig one's heels in.

bras [bra] nm arm.

brassard [brasar] nm armband.

brasse [bras] nf (nage) breaststroke.

brasser [brase] vt (remuer) to stir; (bière) to brew; (fig: manipuler) to handle.

brasserie [brasri] nf (café) large café serving light meals; (usine) brewery.

brassière [brasjɛr] nf (pour bébé) baby's vest (Br), baby's undershirt (Am); (Can: soutien-gorge) bra.

brave [brav] adj (courageux) brave; (gentil) decent.

bravo [bravo] excl bravo!

bravoure [bravur] nf bravery.

break [brɛk] nm (voiture) estate (car) (Br), station wagon (Am).

brebis [brəbi] nf ewe.

brèche [brɛʃ] nf gap.

bredouiller [brəduje] vi to mumble.

bref, brève [brɛf, brɛv] adj brief ♦ adv in short.

Brésil [brezil] nm: le ~ Brazil.

Bretagne [brətaɲ] nf: la ~ Brittany.

bretelle [brətɛl] nf (de vêtement) shoulder strap; (d'autoroute) slip road (Br), access road ❏ **bretelles** nfpl braces (Br), suspenders (Am).

breton, -onne [brətɔ̃, ɔn] adj Breton ♦ nm (langue) Breton ❏ **Breton, -onne** nm, f Breton.

brève → **bref**.

brevet [brəvɛ] nm diploma; (d'invention) patent; ~ (des collèges) exam taken at the age of 15.

bribes [brib] nfpl snatches.

bricolage [brikɔlaʒ] nm do-it-yourself, DIY (Br); aimer faire du ~ to enjoy DIY.

brousse

bricole [brikɔl] nf trinket.

bricoler [brikɔle] vt to fix up ♦ vi to do odd jobs.

bricoleur, -euse [brikɔlœr, øz] nm, f DIY enthusiast.

bride [brid] nf bridle.

bridé, -e [bride] adj: **avoir les yeux ~s** to have slanting eyes.

bridge [bridʒ] nm bridge.

brie [bri] nm Brie.

brièvement [brijɛvmɑ̃] adv briefly.

brigade [brigad] nf brigade.

brigand [brigɑ̃] nm bandit.

brillamment [brijamɑ̃] adv brilliantly.

brillant, -e [brijɑ̃, ɑ̃t] adj shiny; (remarquable) brilliant ♦ nm brilliant.

briller [brije] vi to shine; **faire ~** (meuble) to polish.

brimer [brime] vt to bully.

brin [brɛ̃] nm (de laine) strand; ~ **d'herbe** blade of grass; ~ **de muguet** sprig of lily of the valley.

brindille [brɛ̃dij] nf twig.

brioche [brijɔʃ] nf round, sweet bread roll eaten for breakfast.

brique [brik] nf brick; (de lait, de jus de fruit) carton.

briquer [brike] vt to scrub.

briquet [brike] nm (cigarette) lighter.

brise [briz] nf breeze.

briser [brize] vt to break.

britannique [britanik] adj British ❑ **Britannique** nmf British person; **les Britanniques** the British.

brocante [brɔkɑ̃t] nf (magasin) second-hand shop.

brocanteur, -euse [brɔkɑ̃tœr,

øz] nm, f dealer in second-hand goods.

broche [brɔʃ] nf (bijou) brooch; (CULIN) spit.

brochet [brɔʃe] nm pike.

brochette [brɔʃet] nf (plat) kebab.

brochure [brɔʃyr] nf brochure.

brocoli [brɔkɔli] nm broccoli.

broder [brɔde] vt to embroider.

broderie [brɔdri] nf embroidery.

bronches [brɔ̃ʃ] nfpl bronchial tubes.

bronchite [brɔ̃ʃit] nf bronchitis.

bronzage [brɔ̃zaʒ] nm suntan.

bronze [brɔ̃z] nm bronze.

bronzer [brɔ̃ze] vi to tan; **se faire ~** to get a tan.

brosse [brɔs] nf brush; **avoir les cheveux en ~** to have a crewcut; ~ **à cheveux** hairbrush; ~ **à dents** toothbrush.

brosser [brɔse] vt to brush ❑ **se brosser** vp to brush o.s. (down); **se ~ les dents** to brush one's teeth.

brouette [bruet] nf wheelbarrow.

brouhaha [bruaa] nm hubbub.

brouillard [brujar] nm fog.

brouillé [bruje] adj m → **œuf**.

brouiller [bruje] vt (idées) to muddle (up); (liquide, vue) to cloud ❑ **se brouiller** vp (se fâcher) to quarrel; (idées) to get confused; (vue) to become blurred.

brouillon [brujɔ̃] nm (rough) draft.

broussailles [brusaj] nfpl undergrowth (sg).

brousse [brus] nf (zone): **la ~ the** bush.

brouter [brute] vt to graze on.

broyer [brwaje] vt to grind, to crush.

brucelles [brysɛl] nfpl (Helv) (pair of) tweezers.

brugnon [bryɲɔ̃] nm nectarine.

bruine [brɥin] nf drizzle.

bruit [brɥi] nm (son) noise, sound; (vacarme) noise; **faire du ~** to make a noise.

brûlant, -e [brylɑ̃, ɑ̃t] adj boiling (hot).

brûlé [bryle] nm: **ça sent le ~** there's a smell of burning.

brûle-pourpoint [brylpurpwɛ̃] **: à brûle-pourpoint** adv point-blank.

brûler [bryle] vt to burn ◆ vi (flamber) to burn; (chauffer) to be burning (hot); **la fumée me brûle les yeux** the smoke is making my eyes sting; **~ un feu rouge** to jump a red light ❑ **se brûler** vp to burn o.s.; **se ~ la main** to burn one's hand.

brûlure [brylyr] nf burn; (sensation) burning sensation; **~s d'esto-mac** heartburn.

brume [brym] nf mist.

brumeux, -euse [brymø, øz] adj misty.

brun, -e [brœ̃, bryn] adj dark.

brune [bryn] nf (cigarette) cigarette made with dark tobacco; (bière) ~ brown ale.

Brushing® [brœʃiŋ] nm blow-dry.

brusque [brysk] adj (personne, geste) brusque; (changement, arrêt) sudden.

brut, -e [bryt] adj (matière) raw; (pétrole) crude; (poids, salaire) gross;

(cidre, champagne) dry.

brutal, -e, -aux [brytal, o] adj (personne, geste) violent; (change-ment, arrêt) sudden.

brutaliser [brytalize] vt to mis-treat.

brute [bryt] nf bully.

Bruxelles [bry(k)sɛl] n Brussels.

bruyant, -e [brɥijɑ̃, ɑ̃t] adj noisy.

bruyère [brɥijɛr] nf heather.

BTS nm (abr de brevet de technicien supérieur) advanced vocational train-ing certificate.

bu, -e [by] pp → **boire**.

buanderie [bɥɑ̃dri] nf (Can: blanchisserie) laundry.

bûche [byʃ] nf log; **~ de Noël** Yule log.

bûcheron [byʃrɔ̃] nm lumber-jack.

budget [bydʒɛ] nm budget.

buée [bɥe] nf condensation.

buffet [byfɛ] nm (meuble) side-board; (repas, restaurant) buffet; **~ froid** cold buffet.

building [bildiŋ] nm skyscraper.

buisson [bɥisɔ̃] nm bush.

buissonnière [bɥisɔnjɛr] adj f → **école**.

Bulgarie [bylgari] nf: **la ~** Bulgaria.

bulldozer [byldozɛr] nm bulld-ozer.

bulle [byl] nf bubble; **faire des ~s** (avec un chewing-gum) to blow bub-bles; (savon) to lather.

bulletin [byltɛ̃] nm (papier) form; (d'informations) news bul-letin; (SCOL) report; **~ météorologi-que** weather forecast; **~ de salaire** pay slip; **~ de vote** ballot paper.

bungalow [bœ̃galo] *nm* chalet.

bureau [byro] *nm* office; *(meuble)* desk; ~ **de change** bureau de change; ~ **de poste** post office; ~ **de tabac** tobacconist's *(Br)*, tobacco shop *(Am)*.

burlesque [byʀlɛsk] *adj* funny.

bus [bys] *nm* bus.

buste [byst] *nm* chest; *(statue)* bust.

but [byt] *nm (intention)* aim; *(destination)* destination; *(SPORT: point)* goal; **les ~s** *(SPORT: zone)* the goal; **dans le ~ de** with the intention of.

butane [bytan] *nm* Calor® gas.

buté, -e [byte] *adj* stubborn.

buter [byte] *vi:* ~ **sur** OU **contre** *(objet)* to trip over; *(difficulté)* to come up against □ **se buter** *vp* to dig one's heels in.

butin [bytɛ̃] *nm* booty.

butte [byt] *nf* hillock.

buvard [byvaʀ] *nm* blotting paper.

buvette [byvɛt] *nf* refreshment stall.

C

c' → **ce**.

ça [sa] *pron* that; ~ **n'est pas facile** it's not easy; ~ **va?** - ~ **va!** how are you? - I'm fine!; **comment** ~? what?; **c'est** ~ *(c'est exact)* that's right.

cabane [kaban] *nf* hut.

cabaret [kabaʀɛ] *nm* nightclub.

cabillaud [kabijo] *nm* cod.

cabine [kabin] *nf (de bateau)* cabin; *(de téléphérique)* cable car; *(sur la plage)* hut; ~ **de douche** shower cubicle; ~ **d'essayage** fitting room; ~ **(de pilotage)** cockpit; ~ **(téléphonique)** phone box.

cabinet [kabinɛ] *nm (de médecin)* surgery *(Br)*, office *(Am)*; *(d'avocat)* office; ~ **de toilette** bathroom □ **cabinets** *nmpl* toilet *(sg)*.

câble [kabl] *nm* cable; **(télévision par)** ~ cable (television).

cabosser [kabɔse] *vt* to dent.

cabriole [kabʀijɔl] *nf* somersault.

caca [kaka] *nm:* **faire** ~ *(fam)* to do a poo.

cacah(o)uète [kakawɛt] *nf* peanut.

cacao [kakao] *nm* cocoa.

cache-cache [kaʃkaʃ] *nm inv:* **jouer à** ~ to play hide-and-seek.

cachemire [kaʃmiʀ] *nm* cashmere.

cache-nez [kaʃne] *nm inv* scarf.

cacher [kaʃe] *vt* to hide; *(vue, soleil)* to block □ **se cacher** *vp* to hide.

cachet [kaʃɛ] *nm (comprimé)* tablet; *(tampon)* stamp; *(allure)* style.

cachette [kaʃɛt] *nf* hiding place; **en** ~ secretly.

cachot [kaʃo] *nm* dungeon.

cacophonie [kakɔfɔni] *nf* cacophony.

cactus [kaktys] *nm* cactus.

cadavre [kadavʀ] *nm* corpse.

Caddie® [kadi] *nm* (supermarket) trolley *(Br)*, (grocery) cart *(Am)*.

cadeau, -x [kado] *nm* present;
faire un ~ à qqn to give sb a
present; **faire ~ de qqch à qqn** to
give sb sthg.

cadenas [kadna] *nm* padlock.

cadence [kadɑ̃s] *nf* rhythm; **en ~**
in time.

cadet, -ette [kade, ɛt] *adj &
nm, f (de deux)* younger; *(de plusieurs)* youngest.

cadran [kadrɑ̃] *nm* dial; **~ solaire**
sundial.

cadre [kadr] *nm* frame; *(tableau)*
painting; *(décor)* surroundings *(pl);*
(d'une entreprise) executive; **dans le
~ de** as part of.

cafard [kafar] *nm (insecte)*
cockroach; **avoir le ~** *(fam)* to feel
down.

café [kafe] *nm (établissement)* café;
(boisson, grains) coffee; **~ crème** OU
au lait white coffee; **~ épicé** *(Helv)*
black coffee flavoured with cinnamon
and cloves; **~ liégeois** coffee ice cream
topped with whipped cream; **~ noir**
black coffee.

CAFÉ

French cafés serve a wide range of
drinks and sometimes sandwiches or light meals. They often have
pavement seating areas or large
plate-glass windows looking directly
onto the street. Paris cafés have also
traditionally played an important
role in French political, cultural and
literary life.
Coffee served in French cafés comes
in various forms such as "hot coffee"
(served with frothy hot
milk), "grand crème" (a large "café
crème"), "café noisette" (with just a

tiny amount of milk) and "express"
or "expresso" (strong black coffee
served in small cups). The expression "café au lait" is used at home to
mean the same as a "grand crème".

---

cafétéria [kafeterja] *nf* cafeteria.

café-théâtre [kafeteatr] *(pl
cafés-théâtres)* *nm* café where theatre
performances take place.

cafetière [kaftjɛr] *nf (récipient)*
coffeepot; *(électrique)* coffee-
maker; *(à piston)* cafetière.

cage [kaʒ] *nf* cage; *(SPORT)* goal; **~
d'escalier** stairwell.

cagoule [kagul] *nf* balaclava.

cahier [kaje] *nm* exercise book;
~ de brouillon rough book; **~ de
textes** homework book.

caille [kaj] *nf* quail.

cailler [kaje] *vi (lait)* to curdle;
(sang) to coagulate.

caillot [kajo] *nm* clot.

caillou, x [kaju] *nm* stone.

caisse [kɛs] *nf* box; *(de magasin,
de cinéma)* cash desk; *(de supermarché)* checkout; *(de banque)* cashier's
desk; **~ (enregistreuse)** cash register; **~ d'épargne** savings bank; **~
rapide** express checkout.

caissier, -ière [kesje, jɛr] *nm, f*
cashier.

cajou [kaʒu] *nm → noix*.

cake [kɛk] *nm* fruit cake.

calamars [kalamar] *nmpl*
squid.

calcaire [kalkɛr] *nm* limestone ◆
adj (eau) hard; *(terrain)* chalky.

calciné, -e [kalsine] *adj* charred.

calcium [kalsjɔm] *nm* calcium.

calcul [kalkyl] *nm* calculation;
(arithmétique) arithmetic; *(MÉD)*

stone; ~ **mental** mental arithmetic.

calculatrice [kalkylatris] *nf* calculator.

calculer [kalkyle] *vt* to calculate; *(prévoir)* to plan.

cale [kal] *nf (pour stabiliser)* wedge.

calé, -e [kale] *adj (fam: doué)* clever.

caleçon [kalsɔ̃] *nm (sous-vêtement)* boxer shorts *(pl)*; *(pantalon)* leggings *(pl)*.

calembour [kalɑ̃bur] *nm* pun.

calendrier [kalɑ̃drije] *nm* calendar.

cale-pied, -s [kalpje] *nm* toe clip.

caler [kale] *vt* to wedge ♦ *vi (voiture, moteur)* to stall; *(fam: à table)* to be full up.

califourchon [kalifurʃɔ̃] : **à califourchon sur** *prép* astride.

câlin [kalɛ̃] *nm* cuddle; **faire un ~ à qqn** to give sb a cuddle.

calmant [kalmɑ̃] *nm* painkiller.

calmars [kalmar] = **calamars**.

calme [kalm] *adj & nm* calm; **du ~!** calm down!

calmer [kalme] *vt (douleur)* to soothe; *(personne)* to calm down ❏ **se calmer** *vp (personne)* to calm down; *(tempête, douleur)* to die down.

calorie [kalɔri] *nf* calorie.

calque [kalk] *nm*: **(papier-)~** tracing paper.

calvados [kalvados] *nm* calvados, apple brandy.

camarade [kamarad] *nmf* friend; **~ de classe** classmate.

cambouis [kɑ̃bwi] *nm* dirty

grease.

cambré, -e [kɑ̃bre] *adj (dos)* arched; *(personne)* with an arched back.

cambriolage [kɑ̃brijolaʒ] *nm* burglary.

cambrioler [kɑ̃brijole] *vt* to burgle *(Br)*, to burglarize *(Am)*.

cambrioleur [kɑ̃brijolœr] *nm* burglar.

camembert [kamɑ̃ber] *nm* Camembert (cheese).

caméra [kamera] *nf* camera.

Caméscope® [kameskɔp] *nm* camcorder.

camion [kamjɔ̃] *nm* lorry *(Br)*, truck *(Am)*.

camion-citerne [kamjɔ̃sitern] *(pl* **camions-citernes)** *nm* tanker *(Br)*, tank truck *(Am)*.

camionnette [kamjɔnet] *nf* van.

camionneur [kamjɔnœr] *nm (chauffeur)* lorry driver *(Br)*, truck driver *(Am)*.

camp [kɑ̃] *nm* camp; *(de joueurs, de sportifs)* side, team; **faire du ~** to go camping; **~ de vacances** holiday camp.

campagne [kɑ̃paɲ] *nf* country(side); *(électorale, publicitaire)* campaign.

camper [kɑ̃pe] *vi* to camp.

campeur, -euse [kɑ̃pœr, øz] *nm, f* camper.

camping [kɑ̃piŋ] *nm (terrain)* campsite; *(activité)* camping; **faire du ~** to go camping; **~ sauvage** camping not on a campsite.

camping-car, -s [kɑ̃piŋkar] *nm* camper-van *(Br)*, RV *(Am)*.

Camping-Gaz® [kɑ̃piŋgaz] *nm*

inv camping stove.

Canada [kanada] *nm*: le ~
Canada.

canadien, -ienne [kanadjɛ̃,
jɛn] *adj* Canadian ❑ **Canadien, -
ienne** *nm, f* Canadian.

canadienne [kanadjɛn] *nf (veste)*
fur-lined jacket; *(tente)* (ridge) tent.

canal, -aux [kanal, o] *nm* canal;
Canal + French TV pay channel.

canalisation [kanalizasjɔ̃] *nf*
pipe.

canapé [kanape] *nm (siège)* sofa;
(toast) canapé; ~ **convertible** sofa
bed.

canapé-lit [kanapeli] *(pl* **canapés-
lits)** *nm* sofa bed.

canard [kanar] *nm* duck; *(sucre)*
sugar lump *(dipped in coffee or
spirits)*; ~ **laqué** Peking duck; ~ **à
l'orange** duck in orange sauce.

canari [kanari] *nm* canary.

cancer [kɑ̃sɛr] *nm* cancer.

Cancer [kɑ̃sɛr] *nm* Cancer.

cancéreux, -euse [kɑ̃serø, øz]
adj (tumeur) malignant.

candidat, -e [kɑ̃dida, at] *nm, f*
candidate.

candidature [kɑ̃didatyr] *nf*
application; **poser sa ~ (à)** to
apply (for).

caneton [kantɔ̃] *nm* duckling.

canette [kanɛt] *nf (bouteille)*
bottle.

caniche [kaniʃ] *nm* poodle.

canicule [kanikyl] *nf* heatwave.

canif [kanif] *nm* penknife.

canine [kanin] *nf* canine (tooth).

caniveau [kanivo] *nm* gutter.

canne [kan] *nf* walking stick; ~ **à
pêche** fishing rod.

canneberge [kanbɛrʒ] *nf* cranberry.

cannelle [kanɛl] *nf* cinnamon.

cannelloni(s) [kanelɔni] *nmpl*
cannelloni *(sg)*.

cannette [kanɛt] = **canette**.

canoë [kanɔe] *nm* canoe; **faire du
~** to go canoeing.

canoë-kayak [kanɔekajak] *(pl*
canoës-kayaks) *nm* kayak; **faire du
~** to go canoeing.

canon [kanɔ̃] *nm (ancien)* cannon;
(d'une arme à feu) barrel; **chanter en
~** to sing in canon.

canot [kano] *nm* dinghy; ~ **pneumatique** inflatable dinghy; ~ **de
sauvetage** lifeboat.

cantal [kɑ̃tal] *nm* mild cheese from
the Auvergne, similar to cheddar.

cantatrice [kɑ̃tatris] *nf (opera)*
singer.

cantine [kɑ̃tin] *nf (restaurant)*
canteen.

cantique [kɑ̃tik] *nm* hymn.

canton [kɑ̃tɔ̃] *nm (en France)* division of an "arrondissement"; *(en
Suisse)* canton.

---

i CANTON

Switzerland is a confederation of
23 districts known as "cantons",
three of which are themselves divided into "demi-cantons". Although
they are to a large extent self-
governing, the federal government
reserves control over certain areas
such as foreign policy, the treasury,
customs and the postal service.

---

cantonais [kɑ̃tɔne] *adj m* → **riz**.

caoutchouc [kautʃu] *nm* rubber.

cap [kap] nm (pointe de terre) cape; (NAVIG) course; **mettre le ~ sur** to head for.

CAP nm vocational school-leaver's diploma (taken at age 16).

capable [kapabl] adj capable; **être ~ de faire qqch** to be capable of doing sthg.

capacités [kapasite] nfpl ability (sg).

cape [kap] nf cloak.

capitaine [kapitɛn] nm captain.

capital, -e, -aux [kapital, o] adj essential ♦ nm capital.

capitale [kapital] nf capital.

capot [kapo] nm (AUT) bonnet (Br), hood (Am).

capote [kapɔt] nf (AUT) hood (Br), top (Am).

capoter [kapɔte] vi (Can: fam: perdre la tête) to lose one's head.

câpre [kapr] nf caper.

caprice [kapris] nm (colère) tantrum; (envie) whim; **faire un ~** to throw a tantrum.

capricieux, -ieuse [kaprisjø, jøz] adj (personne) temperamental.

Capricorne [kaprikɔrn] nm Capricorn.

capsule [kapsyl] nf (de bouteille) top, cap; **~ spatiale** space capsule.

capter [kapte] vt (station de radio) to pick up.

captivité [kaptivite] nf captivity; **en ~** (animal) in captivity.

capturer [kaptyre] vt to catch.

capuche [kapyʃ] nf hood.

capuchon [kapyʃɔ̃] nm (d'une veste) hood; (d'un stylo) top.

caquelon [kaklɔ̃] nm (Helv) fondue pot.

car¹ [kar] conj because.

car² [kar] nm coach (Br), bus (Am).

carabine [karabin] nf rifle.

caractère [karaktɛr] nm character; (spécificité) characteristic; **avoir du ~** (personne) to have personality; (maison) to have character; **avoir bon ~** to be good-natured; **avoir mauvais ~** to be bad-tempered; **~s d'imprimerie** block letters.

caractéristique [karakteristik] nf characteristic ♦ adj: **~ de** characteristic of.

carafe [karaf] nf carafe.

Caraïbes [karaib] nfpl: **les ~** the Caribbean, the West Indies.

carambolage [karãbɔlaʒ] nm (fam) pile-up.

caramel [karamɛl] nm (sucre brûlé) caramel; (bonbon dur) toffee; (bonbon mou) fudge.

carapace [karapas] nf shell.

caravane [karavan] nf caravan.

carbonade [karbɔnad] nf: **~s flamandes** beef and onion stew, cooked with beer.

carbone [karbɔn] nm carbon; (papier) **~** carbon paper.

carburant [karbyrã] nm fuel.

carburateur [karbyratœr] nm carburettor.

carcasse [karkas] nf (d'animal) carcass; (de voiture) body.

cardiaque [kardjak] adj (maladie) heart; **être ~** to have a heart condition.

cardigan [kardigã] nm cardigan.

cardinaux [kardino] adj mpl → point.

cardiologue [kardjɔlɔg] nmf cardiologist.

caresse

caresse [kaʀɛs] nf caress.

caresser [kaʀese] vt to stroke.

cargaison [kaʀgɛzɔ̃] nf cargo.

cargo [kaʀgo] nm freighter.

caricature [kaʀikatyʀ] nf caricature.

carie [kaʀi] nf caries.

carillon [kaʀijɔ̃] nm chime.

carnage [kaʀnaʒ] nm slaughter.

carnaval [kaʀnaval] nm carnival.

CARNAVAL

During February in some French towns there are large processions of carnival floats and people in fancy dress. The most famous carnival is held in Nice and is known for its colourful floats decked with flowers. In Belgium the most famous carnival is held in the town of Binche where people dress up as giant characters called "gilles".

carnet [kaʀnɛ] nm notebook; (de tickets, de timbres) book; ~ **d'adresses** address book; ~ **de chèques** chequebook; ~ **de notes** report card.

carotte [kaʀɔt] nf carrot.

carpe [kaʀp] nf carp.

carpette [kaʀpɛt] nf rug.

carré, -e [kaʀe] adj square ♦ nm square; (d'agneau) rack; **deux mètres ~s** two metres squared; **deux au ~** two squared.

carreau, -x [kaʀo] nm (vitre) window pane; (sur le sol, les murs) tile; (carré) square; (aux cartes) diamonds (pl); **à ~x** checked.

carrefour [kaʀfuʀ] nm crossroads (sg).

carrelage [kaʀlaʒ] nm tiles (pl).

carrément [kaʀemɑ̃] adv (franchement) bluntly; (très) completely.

carrière [kaʀjɛʀ] nf (de pierre) quarry; (profession) career; **faire ~ dans qqch** to make a career (for o.s.) in sthg.

carrossable [kaʀɔsabl] adj suitable for motor vehicles.

carrosse [kaʀɔs] nm coach.

carrosserie [kaʀɔsʀi] nf body.

carrure [kaʀyʀ] nf build.

cartable [kaʀtabl] nm schoolbag.

carte [kaʀt] nf card; (plan) map; (de restaurant) menu; **à la ~** à la carte; ~ **bancaire** bank card for withdrawing cash and making purchases; **Carte Bleue®** = Visa® card; ~ **de crédit** credit card; ~ **d'embarquement** boarding card; ~ **grise** vehicle registration document; ~ **(nationale) d'identité** identity card; **Carte Orange** season ticket for use on public transport in Paris; ~ **postale** postcard; ~ **téléphonique** OU ~ **de téléphone** phonecard; ~ **des vins** wine list; ~ **de visite** visiting card (Br), calling card (Am).

CARTE (NATIONALE) D'IDENTITÉ

Official documents giving personal details (name, address, age, height etc) and a photograph of the holder, identity cards must be carried by all French citizens and presented to the police on request (at checks in the street or on public transport, for example). They can also be used instead of a passport for travel within the European Union and may be asked for as proof of identity when paying by cheque.

cartilage [kaʀtilaʒ] *nm* cartilage.

carton [kaʀtɔ̃] *nm* (*matière*) cardboard; (*boîte*) cardboard box; (*feuille*) card.

cartouche [kaʀtuʃ] *nf* cartridge; (*de cigarettes*) carton.

cas [ka] *nm* case; **au ~ où** in case; **dans ce ~** in that case; **en ~ de** in case of; **en ~ d'accident** in the event of an accident; **en tout ~** in any case.

cascade [kaskad] *nf* (*chute d'eau*) waterfall; (*au cinéma*) stunt.

cascadeur, -euse [kaskadœʀ, øz] *nm, f* stuntman (*f* stuntwoman).

case [kaz] *nf* (*de damier, de mots croisés*) square; (*compartiment*) compartment; (*hutte*) hut.

caserne [kazɛʀn] *nf* barracks (*sg ou pl*); **~ des pompiers** fire station.

casier [kazje] *nm* (*compartiment*) pigeonhole; **~ à bouteilles** bottle rack; **~ judiciaire** criminal record.

casino [kazino] *nm* casino.

casque [kask] *nm* helmet; (*d'ouvrier*) hard hat; (*écouteurs*) headphones (*pl*).

casquette [kaskɛt] *nf* cap.

casse-cou [kasku] *nmf inv* daredevil.

casse-croûte [kaskrut] *nm inv* snack.

casse-noix [kasnwa] *nm inv* nutcrackers (*pl*).

casser [kase] *vt* to break; **~ les oreilles à qqn** to deafen sb; **~ les pieds à qqn** (*fam*) to get on sb's nerves ❑ **se casser** *vp* to break; **se**

~ le bras to break one's arm; **se ~ la figure** (*fam: tomber*) to take a tumble.

casserole [kasʀɔl] *nf* saucepan.

casse-tête [kastɛt] *nm inv* puzzle; (*fig: problème*) headache.

cassette [kasɛt] *nf* (*de musique*) cassette, tape; **~ vidéo** video cassette.

cassis [kasis] *nm* blackcurrant.

cassoulet [kasulɛ] *nm* haricot bean stew with pork, lamb or duck.

catalogue [katalɔg] *nm* catalogue.

catastrophe [katastʀɔf] *nf* disaster.

catastrophique [katastʀɔfik] *adj* disastrous.

catch [katʃ] *nm* wrestling.

catéchisme [kateʃism] *nm* = Sunday school.

catégorie [kategɔʀi] *nf* category.

catégorique [kategɔʀik] *adj* categorical.

cathédrale [katedʀal] *nf* cathedral.

catholique [katɔlik] *adj & nmf* Catholic.

cauchemar [koʃmaʀ] *nm* nightmare.

cause [koz] *nf* cause, reason; «**fermé pour ~ de …**» "closed due to …"; **à ~ de** because of.

causer [koze] *vt* to cause ♦ *vi* to chat.

caution [kosjɔ̃] *nf* (*pour une location*) deposit; (*personne*) guarantor.

cavalier, -ière [kavalje, jɛʀ] *nm, f* (*à cheval*) rider; (*partenaire*) partner ♦ *nm* (*aux échecs*) knight.

cave [kav] *nf* cellar.

caverne [kavɛʀn] *nf* cave.

caviar [kavjar] *nm* caviar.

CB *abr* = **Carte Bleue**®.

CD *nm* (*abr de Compact Disc*®) CD.

CDI *nm* (*abr de centre de documentation et d'information*) school library.

CD-I *nm* (*abr de Compact Disc*® *interactif*) CDI.

CD-ROM [sederɔm] *nm* CD-ROM.

ce, cet [sə, sɛt] (*mpl* **ces** [se]) *adj* **1.** (*proche dans l'espace ou dans le temps*) this, these (*pl*); **cette plage** this beach; **cette nuit** (*passée*) last night; (*prochaine*) tonight.

2. (*éloigné dans l'espace ou dans le temps*) that, those (*pl*); **je n'aime pas cette chambre, je préfère celle-ci** I don't like that room, I prefer this one.

◆ *pron* **1.** (*pour mettre en valeur*): **c'est it is, this is**; ~ **sont they are, these are**; **c'est votre collègue qui m'a renseigné** it was your colleague who told me.

2. (*dans des interrogations*): **est-bien là?** is it the right place?; **qui est-~?** who is it?

3. (*avec un relatif*): ~ **que tu voudras** whatever you want; ~ **qui nous intéresse, ce sont les musées** the museums are what we're interested in; ~ **dont vous aurez besoin en camping** what you'll need when you're camping.

4. (*en intensif*): ~ **qu'il fait chaud!** it's so hot!

CE *nm* (*abr de cours élémentaire*): ~**1** second year of primary school; ~**2** third year of primary school.

ceci [səsi] *pron* this.

céder [sede] *vt* (*laisser*) to give up ◆ *vi* (*ne pas résister*) to give in; (*cas-*

ser) to give way; **«cédez le passage»** "give way" (*Br*), "yield" (*Am*); ~ **à** to give in to.

CEDEX [sedeks] *nm* code written after large companies' addresses, ensuring rapid delivery.

cédille [sedij] *nf* cedilla.

CEE *nf* (*abr de Communauté économique européenne*) EEC.

CEI *nf* (*abr de Communauté d'États indépendants*) CIS.

ceinture [sɛtyr] *nf* belt; (*d'un vêtement*) waist; ~ **de sécurité** seat belt.

cela [səla] *pron dém* that; **ne fait rien** it doesn't matter; **comment ~?** what?; **c'est ~** (*c'est exact*) that's right.

célèbre [selɛbr] *adj* famous.

célébrer [selebre] *vt* to celebrate.

célébrité [selebrite] *nf* (*gloire*) fame; (*star*) celebrity.

céleri [sɛlri] *nm* celery; ~ **rémoulade** grated celeriac, mixed with mustard mayonnaise, served cold.

célibataire [selibater] *adj* single ◆ *nmf* single man (*f* single woman).

celle → **celui**.

celle-ci → **celui-ci**.

celle-là → **celui-là**.

cellule [selyl] *nf* cell.

cellulite [selylit] *nf* cellulite.

celui [səlɥi] (*f* **celle** [sɛl], *mpl* **ceux** [sø]) *pron* the one; ~ **de devant** the one in front; ~ **de Pierre** Pierre's (one); ~ **qui part à 13 h 30** the one which leaves at 1.30 pm; **ceux dont je t'ai parlé** the ones I told you about.

celui-ci [səlɥisi] (*f* **celle-ci** [sɛlsi]

mpl **ceux-ci** [søsi]) *pron* this one; *(dont on vient de parler)* the latter.

celui-là [səlɥila] (*f* **celle-là** [sɛlla], *mpl* **ceux-là** [søla]) *pron* that one; *(dont on a parlé)* the former.

cendre [sɑ̃dr] *nf* ash.

cendrier [sɑ̃drije] *nm* ashtray.

censurer [sɑ̃syre] *vt* to censor.

cent [sɑ̃] *num* a hundred, → **six**.

centaine [sɑ̃tɛn] *nf*: **une ~ (de)** about a hundred.

centième [sɑ̃tjɛm] *num* hundredth, → **sixième**.

centime [sɑ̃tim] *nm* centime.

centimètre [sɑ̃timetr] *nm* centimetre.

central, -e, -aux [sɑ̃tral, o] *adj* central.

centrale [sɑ̃tral] *nf* (*électrique*) power station; **~ nucléaire** nuclear power station.

centre [sɑ̃tr] *nm* centre; (*point essentiel*) heart; **~ aéré** *holiday activity centre for children*; **~ commercial** shopping centre.

centre-ville [sɑ̃trəvil] *nm* (*pl* **centres-villes**) *nm* town centre.

cèpe [sɛp] *nm* *type of dark mushroom with a rich flavour*.

cependant [səpɑ̃dɑ̃] *conj* however.

céramique [seramik] *nf* (*matière*) ceramic; (*objet*) piece of pottery.

cercle [sɛrkl] *nm* circle.

cercueil [sɛrkœj] *nm* coffin (*Br*), casket (*Am*).

céréale [sereal] *nf* cereal; **des ~s** (*de petit déjeuner*) (*breakfast*) cereal.

cérémonie [seremɔni] *nf* ceremony.

cerf [sɛr] *nm* stag.

cerf-volant [sɛrvɔlɑ̃] (*pl* **cerfs-**

volants) *nm* kite.

cerise [səriz] *nf* cherry.

cerisier [sərizje] *nm* cherry tree.

cerner [sɛrne] *vt* to surround; (*fig: problème*) to define.

cernes [sɛrn] *nmpl* shadows.

certain, -e [sɛrtɛ̃, ɛn] *adj* certain; **être ~ de qqch** to be certain of sthg; **être ~ de faire qqch** to be certain to do sthg; **être ~ que** to be certain that; **un ~ temps** a while; **un ~** Jean someone called Jean ☐ **certains, certaines** *adj* some ♦ *pron* some (people).

certainement [sɛrtɛnmɑ̃] *adv* (*probablement*) probably; (*bien sûr*) certainly.

certes [sɛrt] *adv* of course.

certificat [sɛrtifika] *nm* certificate; **~ médical** doctor's certificate; **~ de scolarité** school attendance certificate.

certifier [sɛrtifje] *vt* to certify; **certifié conforme** certified.

certitude [sɛrtityd] *nf* certainty.

cerveau, -x [sɛrvo] *nm* brain.

cervelas [sɛrvəla] *nm* ≈ saveloy (*sausage*).

cervelle [sɛrvɛl] *nf* brains (*sg*).

ces → **ce**.

CES *nm* (*abr de collège d'enseignement secondaire*) secondary school.

cesse [sɛs] : **sans cesse** *adv* continually.

cesser [sese] *vi* to stop; **~ de faire qqch** to stop doing sthg.

c'est-à-dire [sɛtadir] *adv* in other words.

cet → **ce**.

cette → **ce**.

ceux → **celui**.

ceux-ci → **celui-ci**.

ceux-là → celui-là.

cf. *(abr de conferer)* cf.

chacun, -e [ʃakœ̃, yn] *pron (chaque personne)* each (one); *(tout le monde)* everyone; **~ à son tour** each person in turn.

chagrin [ʃagʀɛ̃] *nm* grief; **avoir du ~** to be very upset.

chahut [ʃay] *nm* rumpus; **faire du ~** to make a racket.

chahuter [ʃayte] *vt* to bait.

chaîne [ʃɛn] *nf (train; suite)* series; *(de télévision)* channel; **à la ~** *(travailler)* on a production line; **~ (hi-fi)** hi-fi (system); **~ laser** CD system; **~ de montagnes** mountain range □ **chaînes** *nfpl (de voiture)* (snow) chains.

chair [ʃɛʀ] *nf & adj* flesh; **~ à saucisse** sausage meat; **en ~ et en os** in the flesh; **avoir la ~ de poule** to have goose pimples.

chaise [ʃɛz] *nf* chair; **~ longue** deckchair.

châle [ʃal] *nm* shawl.

chalet [ʃalɛ] *nm* chalet; *(Can: maison de campagne)* (holiday) cottage.

chaleur [ʃalœʀ] *nf* heat; *(fig: enthousiasme)* warmth.

chaleureux, -euse [ʃalœʀø, øz] *adj* warm.

chaloupe [ʃalup] *nf (Can: barque)* rowing boat *(Br)*, rowboat *(Am)*.

chalumeau, -x [ʃalymo] *nm* blowlamp *(Br)*, blowtorch *(Am)*.

chalutier [ʃalytje] *nm* trawler.

chamailler [ʃamaje] **: se chamailler** *vp* to squabble.

chambre [ʃɑ̃bʀ] *nf:* **~ (à coucher)** bedroom; **~ à air** inner tube; **~**

d'amis spare room; **Chambre des députés** = House of Commons *(Br)*, = House of Representatives *(Am)*; **~ double** double room; **~ simple** single room.

chameau, -x [ʃamo] *nm* camel.

chamois [ʃamwa] *nm* **→ peau.**

champ [ʃɑ̃] *nm* field; **~ de bataille** battlefield; **~ de courses** racecourse.

champagne [ʃɑ̃paɲ] *nm* champagne.

ℹ CHAMPAGNE

The famous sparkling wine can properly speaking only be called champagne if it is made from grapes grown in the Champagne region in northeast France. It can be combined with blackcurrant liqueur to make the cocktail "kir royal."

---

champignon [ʃɑ̃piɲɔ̃] *nm* mushroom; **~s à la grecque** mushrooms served cold in a sauce of olive oil, lemon and herbs; **~ de Paris** button mushroom.

champion, -ionne [ʃɑ̃pjɔ̃, jɔn] *nm, f* champion.

championnat [ʃɑ̃pjɔna] *nm* championship.

chance [ʃɑ̃s] *nf (sort favorable)* luck; *(probabilité)* chance; **avoir de la ~** to be lucky; **avoir des ~s de faire qqch** to have a chance of doing sthg; **bonne ~!** good luck!

chanceler [ʃɑ̃sle] *vi* to wobble.

chandail [ʃɑ̃daj] *nm* sweater.

Chandeleur [ʃɑ̃dlœʀ] *nf:* **la ~** Candlemas.

CHANDELEUR

The French celebrate Candlemas, 2 February, by making pancakes which they toss in a frying pan held in one hand whilst holding a coin in the other hand. Tradition has it that you will have good luck in the coming year if you successfully catch the pancake.

chandelier [ʃɑ̃dəlje] *nm* candlestick; *(à plusieurs branches)* candelabra.

chandelle [ʃɑ̃dɛl] *nf* candle.

change [ʃɑ̃ʒ] *nm (taux)* exchange rate.

changement [ʃɑ̃ʒmɑ̃] *nm* change; ~ **de vitesse** gear lever *(Br)*, gear shift *(Am)*.

changer [ʃɑ̃ʒe] *vt & vi* to change; ~ **des francs en dollars** to change francs into dollars; ~ **de train/vitesse** to change trains/gear □ **se changer** *vp (s'habiller)* to get changed; **se ~ en** to change into.

chanson [ʃɑ̃sɔ̃] *nf* song.

chant [ʃɑ̃] *nm* song; *(art)* singing.

chantage [ʃɑ̃taʒ] *nm* blackmail.

chanter [ʃɑ̃te] *vt & vi* to sing.

chanteur, -euse [ʃɑ̃tœr, øz] *nm, f* singer.

chantier [ʃɑ̃tje] *nm (building)* site.

chantilly [ʃɑ̃tiji] *nf:* **(crème)** ~ whipped cream.

chantonner [ʃɑ̃tɔne] *vi* to hum.

chapeau, -x [ʃapo] *nm* hat; ~ **de paille** straw hat.

chapelet [ʃaplɛ] *nm* rosary beads; *(succession)* string.

chapelle [ʃapɛl] *nf* chapel.

chapelure [ʃaplyr] *nf* (dried) breadcrumbs *(pl).*

chapiteau, -x [ʃapito] *nm (de cirque)* big top.

chapitre [ʃapitr] *nm* chapter.

chapon [ʃapɔ̃] *nm* capon.

chaque [ʃak] *adj (un)* each; *(tout)* every.

char [ʃar] *nm (de carnaval)* float; *(Can: voiture)* car; ~ **(d'assaut)** tank; ~ **à voile** sand yacht.

charabia [ʃarabja] *nm (fam)* gibberish.

charade [ʃarad] *nf* charade.

charbon [ʃarbɔ̃] *nm* coal.

charcuterie [ʃarkytri] *nf (aliments)* cooked meats *(pl); (magasin)* delicatessen.

chardon [ʃardɔ̃] *nm* thistle.

charge [ʃarʒ] *nf (cargaison)* load; *(fig: gêne)* burden; *(responsabilité)* responsibility; **prendre qqch en ~** to take responsibility for sthg □ **charges** *nfpl (d'un appartement)* service charge *(sg).*

chargement [ʃarʒmɑ̃] *nm* load.

charger [ʃarʒe] *vt* to load; ~ **qqn de faire qqch** to put sb in charge of doing sthg □ **se charger de** *vp + prép* to take care of.

chariot [ʃarjo] *nm (charrette)* wagon; *(au supermarché)* trolley *(Br)*, cart *(Am); (de machine à écrire)* carriage.

charité [ʃarite] *nf* charity; **demander la ~** to beg.

charlotte [ʃarlɔt] *nf (cuite)* charlotte; *(froide)* cold dessert of chocolate or fruit mousse encased in sponge fingers.

charmant, -e [ʃarmɑ̃, ɑ̃t] *adj* charming.

charme [ʃarm] *nm* charm.

charmer [ʃarme] *vt* to charm.

charnière [ʃarnjɛr] *nf* hinge.

charpente [ʃarpɑ̃t] *nf* framework.

charpentier [ʃarpɑ̃tje] *nm* carpenter.

charrette [ʃarɛt] *nf* cart.

charrue [ʃary] *nf* plough.

charter [ʃarter] *nm*: **(vol)** ~ charter flight.

chas [ʃa] *nm* eye (of a needle).

chasse [ʃas] *nf* hunting; **aller à la** ~ to go hunting; **tirer la** ~ **(d'eau)** to flush the toilet.

chasselas [ʃasla] *nm* variety of Swiss white wine.

chasse-neige [ʃasnɛʒ] *nm inv* snowplough.

chasser [ʃase] *vt* (animal) to hunt; (personne) to drive away ♦ *vi* to hunt; ~ **qqn de** to throw sb out of.

chasseur [ʃasœr] *nm* hunter.

châssis [ʃasi] *nm* (de voiture) chassis; (de fenêtre) frame.

chat, chatte [ʃa, ʃat] *nm, f* cat; **avoir un** ~ **dans la gorge** to have a frog in one's throat.

châtaigne [ʃatɛɲ] *nf* chestnut.

châtaignier [ʃatɛɲe] *nm* chestnut (tree).

châtain [ʃatɛ̃] *adj* brown; **être** ~ to have brown hair.

château, -x [ʃato] *nm* castle; ~ **d'eau** water tower; ~ **fort** (fortified) castle.

i CHÂTEAUX DE LA LOIRE

The Renaissance "châteaux" found in the Loire valley in the west of France are royal or stately residences built in the 15th and 16th centuries. The best-known "châteaux" include the one at Chambord, which was built for François I; Chenonceaux, where the "château" stands on arches over the river Cher; and Azay-le-Rideau, where the "château" stands on a tiny island in the river Indre.

chaton [ʃatɔ̃] *nm* (chat) kitten.

chatouiller [ʃatuje] *vt* to tickle.

chatouilleux, -euse [ʃatujø, øz] *adj* ticklish.

chatte → **chat**.

chaud, -e [ʃo, ʃod] *adj* hot; (vêtement) warm ♦ *nm*: **rester au** ~ to stay in the warm; **il fait** ~ it's hot; **avoir** ~ to be hot; **cette veste me tient** ~ this is a warm jacket.

chaudière [ʃodjɛr] *nf* boiler.

chaudronnée [ʃodrɔne] *nf* (Can) various types of seafish cooked with onion in stock.

chauffage [ʃofaʒ] *nm* heating; ~ **central** central heating.

chauffante [ʃofɑ̃t] *adj* f → **plaque**.

chauffard [ʃofar] *nm* reckless driver.

chauffe-eau [ʃofo] *nm inv* water heater.

chauffer [ʃofe] *vt* to heat (up) ♦ *vi* (eau, aliment) to heat up; (radiateur) to give out heat; (soleil) to be hot; (surchauffer) to overheat.

cheville

chauffeur [ʃofœr] *nm* driver; ~ de taxi taxi driver.

chaumière [ʃomjɛr] *nf* thatched cottage.

chaussée [ʃose] *nf* road; «~ déformée» "uneven road surface".

chausse-pied, -s [ʃospje] *nm* shoehorn.

chausser [ʃose] *vi*: ~ du 38 to take a size 38 (shoe) ♦ **se chausser** *vp* to put one's shoes on.

chaussette [ʃosɛt] *nf* sock.

chausson [ʃosɔ̃] *nm* slipper; ~ aux pommes apple turnover; ~s de danse ballet shoes.

chaussure [ʃosyr] *nf* shoe; ~s de marche walking shoes.

chauve [ʃov] *adj* bald.

chauve-souris [ʃovsuri] (*pl* **chauves-souris**) *nf* bat.

chauvin, -e [ʃovɛ̃, in] *adj* chauvinistic.

chavirer [ʃavire] *vi* to capsize.

chef [ʃɛf] *nm* head; (*cuisinier*) chef; ~ d'entreprise company manager; ~ d'État head of state; ~ de gare station master; ~ d'orchestre conductor.

chef-d'œuvre [ʃɛdœvr] (*pl* **chefs-d'œuvre**) *nm* masterpiece.

chef-lieu [ʃɛfljø] (*pl* **chefs-lieux**) *nm* administrative centre of a region or district.

chemin [ʃəmɛ̃] *nm* path; (*parcours*) way; en ~ on the way.

chemin de fer [ʃəmɛ̃dəfɛr] (*pl* **chemins de fer**) *nm* railway (Br), railroad (Am).

cheminée [ʃəmine] *nf* chimney; (*dans un salon*) mantelpiece.

chemise [ʃəmiz] *nf* shirt; (*en carton*) folder; ~ de nuit nightdress.

chemisier [ʃəmizje] *nm* blouse.

chêne [ʃɛn] *nm* (*arbre*) oak (tree); (*bois*) oak.

chenil [ʃənil] *nm* kennels (*sg*); (Helv: *objets sans valeur*) junk.

chenille [ʃənij] *nf* caterpillar.

chèque [ʃɛk] *nm* cheque (Br), check (Am); ~ barré crossed cheque; ~ en blanc blank cheque; il a fait un ~ sans provision his cheque bounced; ~ de voyage traveller's cheque.

Chèque-Restaurant® [ʃɛkrɛstɔʁɑ̃] (*pl* **Chèques-Restaurant**) *nm* = luncheon voucher.

chéquier [ʃekje] *nm* chequebook (Br), checkbook (Am).

cher, chère [ʃɛr] *adj* expensive ♦ *adv*: coûter ~ to be expensive; ~ Monsieur/Laurent Dear Sir/Laurent.

chercher [ʃɛrʃe] *vt* to look for; aller ~ to fetch ♦ **chercher à** *v* + *prép*: ~ à faire qqch to try to do sthg.

chercheur, -euse [ʃɛrʃœr, øz] *nm, f* researcher.

chéri, -e [ʃeri] *adj* darling ♦ *nm, f*: mon ~ my darling.

cheval, -aux [ʃəval, o] *nm* horse; monter à ~ to ride (a horse); faire du ~ to go riding; être à ~ sur (chaise, branche) to be sitting astride; (*lieux, périodes*) to straddle.

chevalier [ʃəvalje] *nm* knight.

chevelure [ʃəvlyr] *nf* hair.

chevet [ʃəvɛ] *nm* → lampe, table.

cheveu, -x [ʃəvø] *nm* hair ❑ **cheveux** *nmpl* hair (*sg*).

cheville [ʃəvij] *nf* (ANAT) ankle; (*en plastique*) Rawlplug®.

chèvre [ʃɛvr] nf goat.

chevreuil [ʃəvrœj] nm (animal) roe deer; (CULIN) venison.

chewing-gum, -s [ʃwiŋɡɔm] nm chewing gum.

chez [ʃe] prép (sur une adresse) c/o; allons ~ les Marceau let's go to the Marceaus's (place); je reste ~ moi I'm staying (at) home; je rentre ~ moi I'm going home; ~ le dentiste at/to the dentist's; ce que j'aime ~ lui, c'est ... what I like about him is ...

chic [ʃik] adj smart.

chiche [ʃiʃ] adj m → pois.

chicon [ʃikɔ̃] nm (Belg) chicory.

chicorée [ʃikɔre] nf chicory.

chien, chienne [ʃjɛ̃, ʃjɛn] nm, f dog (f bitch).

chiffon [ʃifɔ̃] nm cloth; ~ (à poussière) duster.

chiffonner [ʃifɔne] vt to crumple.

chiffre [ʃifr] nm (MATH) figure; (montant) sum.

chignon [ʃiɲɔ̃] nm bun (in hair).

chimie [ʃimi] nf chemistry.

chimique [ʃimik] adj chemical.

Chine [ʃin] nf: la ~ China.

chinois, -e [ʃinwa, waz] adj Chinese ◆ nm (langue) Chinese □ Chinois, -e nm, f Chinese person.

chiot [ʃjo] nm puppy.

chipolata [ʃipɔlata] nf chipolata.

chips [ʃips] nfpl crisps (Br), chips (Am).

chirurgie [ʃiryrʒi] nf surgery; ~ esthétique cosmetic surgery.

chirurgien, -ienne [ʃiryrʒjɛ̃, jɛn] nm, f surgeon.

chlore [klɔr] nm chlorine.

choc [ʃɔk] nm (physique) impact; (émotion) shock.

chocolat [ʃɔkɔla] nm chocolate; ~ blanc white chocolate; ~ au lait milk chocolate; ~ liégeois chocolate ice cream topped with whipped cream; ~ noir plain chocolate.

chocolatier [ʃɔkɔlatje] nm confectioner's (selling chocolates).

choesels [tʃuzɛl] nmpl (Belg) meat, liver and heart stew, cooked with beer.

chœur [kœr] nm (chorale) choir; en ~ all together.

choisir [ʃwazir] vt to choose.

choix [ʃwa] nm choice; avoir le ~ to be able to choose; «fromage ou dessert au ~» "a choice of cheese or dessert"; de premier ~ top-quality; articles de second ~ seconds.

cholestérol [kɔlesterɔl] nm cholesterol.

chômage [ʃomaʒ] nm unemployment; être au ~ to be unemployed.

chômeur, -euse [ʃomœr, øz] nm, f unemployed person.

choquant, -e [ʃɔkɑ̃, ɑ̃t] adj shocking.

choquer [ʃɔke] vt to shock.

chorale [kɔral] nf choir.

chose [ʃoz] nf thing.

chou, -x [ʃu] nm cabbage; ~ de Bruxelles Brussels sprout; ~ à la crème cream puff; ~ rouge red cabbage.

chouchou, -oute [ʃuʃu, ut] nm, f (fam) favourite ◆ nm scrunchy.

choucroute [ʃukrut] nf: ~ (garnie) sauerkraut (with pork and sausage).

chouette [ʃwɛt] *nf* owl ◆ *adj (fam)* great.

chou-fleur [ʃuflœr] *(pl* **choux-fleurs)** *nm* cauliflower.

chrétien, -ienne [kretjɛ̃, jɛn] *adj & nm, f* Christian.

chromé, -e [krome] *adj* chrome-plated.

chromes [krom] *nmpl (d'une voiture)* chrome *(sg).*

chronique [krɔnik] *adj* chronic ◆ *nf (de journal)* column.

chronologique [krɔnɔlɔʒik] *adj* chronological.

chronomètre [krɔnɔmɛtr] *nm* stopwatch.

chronométrer [krɔnɔmetre] *vt* to time.

CHU *nm* teaching hospital.

chuchotement [ʃyʃɔtmã] *nm* whisper.

chuchoter [ʃyʃɔte] *vt & vi* to whisper.

chut [ʃyt] *excl* sh!

chute [ʃyt] *nf (fait de tomber)* fall; ~ **d'eau** waterfall; ~ **de neige** snowfall.

ci [si] *adv:* **ce livre-~** this book; **ces jours-~** these days.

cible [sibl] *nf* target.

ciboulette [sibulɛt] *nf* chives *(pl).*

cicatrice [sikatris] *nf* scar.

cicatriser [sikatrize] *vi* to heal.

cidre [sidr] *nm* cider *(Br),* hard cider *(Am).*

Cie *(abr de* compagnie) Co.

ciel [sjɛl] *nm* sky; *(paradis: pl* **cieux)** heaven.

cierge [sjɛrʒ] *nm* candle (in church).

cieux [sjø] → **ciel.**

cigale [sigal] *nf* cicada.

cigare [sigar] *nm* cigar.

cigarette [sigarɛt] *nf* cigarette; ~ **filtre** filter-tipped cigarette; ~ **russe** *cylindrical wafer.*

cigogne [sigɔɲ] *nf* stork.

ci-joint, -e [siʒwɛ̃, ɛt] *adj & adv* enclosed.

cil [sil] *nm* eyelash.

cime [sim] *nf* top.

ciment [simã] *nm* cement.

cimetière [simtjɛr] *nm* cemetery.

cinéaste [sineast] *nmf* filmmaker.

ciné-club, -s [sineklœb] *nm* film club.

cinéma [sinema] *nm* cinema.

cinémathèque [sinematɛk] *nf* art cinema *(showing old films).*

cinéphile [sinefil] *nmf* film lover.

cinq [sɛ̃k] *num* five, → **six.**

cinquantaine [sɛ̃kɑ̃tɛn] *nf:* **une ~ (de)** about fifty; **avoir la ~** to be middle-aged.

cinquante [sɛ̃kɑ̃t] *num* fifty, → **six.**

cinquantième [sɛ̃kɑ̃tjɛm] *num* fiftieth, → **sixième.**

cinquième [sɛ̃kjɛm] *num* fifth ◆ *nf (SCOL)* second year *(Br),* seventh grade *(Am); (vitesse)* fifth (gear), → **sixième.**

cintre [sɛ̃tr] *nm* coat hanger.

cintré, -e [sɛ̃tre] *adj (vêtement)* waisted.

cipâte [sipat] *nm (Can)* savoury tart consisting of many alternating layers of diced potato and meat *(usually beef and pork).*

cirage [siraʒ] *nm* shoe polish.

circonflexe [sirkɔ̃flɛks] adj → accent.

circonstances [sirkɔ̃stɑ̃s] nfpl circumstances.

circuit [sirkɥi] nm circuit; (trajet) tour; ~ **touristique** organized tour.

circulaire [sirkyler] adj & nf circular.

circulation [sirkylasjɔ̃] nf (routière) traffic; (du sang) circulation.

circuler [sirkyle] vi (piéton) to move; (voiture) to drive; (sang, électricité) to circulate.

cire [sir] nf (pour meubles) (wax) polish.

ciré [sire] nm oilskin.

cirer [sire] vt to polish.

cirque [sirk] nm circus.

ciseaux [sizo] nmpl: (**une paire de**) ~ a (pair of) scissors.

citadin, -e [sitadɛ̃, in] f city-dweller.

citation [sitasjɔ̃] nf quotation.

cité [site] nf (ville) city; (groupe d'immeubles) housing estate; ~ **universitaire** hall of residence.

citer [site] vt (phrase, auteur) to quote; (nommer) to mention.

citerne [sitɛrn] nf tank.

citoyen, -enne [sitwajɛ̃, jɛn] nm, f citizen.

citron [sitrɔ̃] nm lemon; ~ **vert** lime.

citronnade [sitrɔnad] nf lemon squash.

citrouille [sitruj] nf pumpkin.

civet [sive] nm rabbit or hare stew made with red wine, shallots and onion.

civière [sivjɛr] nf stretcher.

civil, -e [sivil] adj (non militaire) civilian; (non religieux) civil ♦ nm

(personne) civilian; **en** ~ in plain clothes.

civilisation [sivilizasjɔ̃] nf civilization.

cl (abr de centilitre) cl.

clafoutis [klafuti] nm flan made with cherries or other fruit.

clair, -e [klɛr] adj (lumineux) bright; (couleur) light; (teint) fair; (pur) clear; (compréhensible) clear ♦ adv clearly ♦ nm: ~ **de lune** moonlight; **il fait encore** ~ it's still light.

clairement [klɛrmɑ̃] adv clearly.

clairière [klɛrjɛr] nf clearing.

clairon [klɛrɔ̃] nm bugle.

clairsemé, -e [klɛrsəme] adj sparse.

clandestin, -e [klɑ̃dɛstɛ̃, in] adj clandestine.

claque [klak] nf slap.

claquement [klakmɑ̃] nm banging.

claquer [klake] vt (porte) to slam ♦ vi (volet, porte) to bang; **je claque des dents** my teeth are chattering; ~ **des doigts** to click one's fingers ❑ **se claquer** vpr: **se** ~ **un muscle** to pull a muscle.

claquettes [klakɛt] nfpl (chaussures) flip-flops; (danse) tap dancing (sg).

clarifier [klarifje] vt to clarify.

clarinette [klarinɛt] nf clarinet.

clarté [klarte] nf light; (d'un raisonnement) clarity.

classe [klas] nf class; (salle) classroom; **aller en** ~ to go to school; **première** ~ first class; ~ **affaires** business class; ~ **de mer** seaside trip (with school); ~ **de neige** skiing trip (with school); ~ **touriste** economy class; **~ verte** field trip *(with school)*.

CLASSE VERTE/DE MER/DE NEIGE

In France schools organize trips for one or two weeks to the country-side, to the seaside, or to go skiing. As well as offering sporting activities, they are intended to encourage children to explore their environment and mix with the local people.

classement [klasmã] *nm (rangement)* classification.

classer [klase] *vt (dossiers)* to file; *(grouper)* to classify □ **se classer** *vp*: **se ~ premier** *(élève, sportif)* to come first.

classeur [klasœr] *nm* folder.

classique [klasik] *adj (traditionnel)* classic; *(musique, auteur)* classical.

clavicule [klavikyl] *nf* collarbone.

clavier [klavje] *nm* keyboard.

clé [kle] *nf* key; *(outil)* spanner *(Br)*, wrench *(Am)*; **fermer qqch à ~** to lock sthg; **~ anglaise** monkey wrench; **~ à molette** adjustable spanner.

clef [kle] = **clé**.

clémentine [klemãtin] *nf* clementine.

cliché [kliʃe] *nm (photo)* photo; *(idée banale)* cliché.

client, -e [klijã, ãt] *nm, f (d'une boutique)* customer; *(d'un médecin)* patient.

clientèle [klijãtel] *nf (d'une boutique)* customers *(pl)*; *(de médecin)* patients *(pl)*.

cligner [kliɲe] *vi*: **~ des yeux** to blink.

clignotant [kliɲotã] *nm* indicator *(Br)*, turn signal *(Am)*.

clignoter [kliɲote] *vi* to blink.

climat [klima] *nm* climate.

climatisation [klimatizasjõ] *nf* air-conditioning.

climatisé, -e [klimatize] *adj* air-conditioned.

clin d'œil [klɛ̃dœj] *nm*: **faire un ~ à qqn** to wink at sb; **en un ~** in a flash.

clinique [klinik] *nf (private)* clinic.

clip [klip] *nm (boucle d'oreille)* clip-on earring; *(film)* video.

clochard, -e [klɔʃar, ard] *nm, f* tramp *(Br)*, bum *(Am)*.

cloche [klɔʃ] *nf* bell; **~ à fromage** cheese dish *(with cover)*.

cloche-pied [klɔʃpje] : **à cloche-pied** *adv*: **sauter à ~** to hop.

clocher [klɔʃe] *nm* church tower.

clochette [klɔʃet] *nf* small bell.

cloison [klwazõ] *nf* wall *(inside building)*.

cloître [klwatr] *nm* cloister.

cloque [klɔk] *nf* blister.

clôture [klotyr] *nf (barrière)* fence.

clôturer [klotyre] *vt (champ, jardin)* to enclose.

clou [klu] *nm* nail; **~ de girofle** clove ♦ **clous** *nmpl (passage piétons)* pedestrian crossing *(Br)*, crosswalk *(Am)*.

clouer [klue] *vt* to nail.

clouté [klute] *adj nm* → **passage**.

clown [klun] *nm* clown.

club [klœb] nm club.

cm (abr de centimètre) cm.

CM nm (abr de cours moyen): ~1 fourth year of primary school; ~2 fifth year of primary school.

coaguler [kɔagyle] vi to clot.

cobaye [kɔbaj] nm guinea pig.

Coca(-Cola)® [kɔka(kɔla)] nm inv Coke®, Coca-Cola®.

coccinelle [kɔksinɛl] nf ladybird (Br), ladybug (Am).

cocher [kɔʃe] vt to tick (off) (Br), to check (off) (Am).

cochon, -onne [kɔʃɔ̃, ɔn] nm, nm; (fam: personne sale) pig ♦ nm pig; ~ d'Inde guinea pig.

cocktail [kɔktɛl] nm (boisson) cocktail; (réception) cocktail party.

coco [kɔko] nm → **noix**.

cocotier [kɔkɔtje] nm coconut tree.

cocotte [kɔkɔt] nf (casserole) casserole dish; ~ en papier paper bird.

Cocotte-Minute® [kɔkɔtminyt] (pl Cocottes-Minute) nf pressure cooker.

code [kɔd] nm code; ~ confidentiel PIN number; ~ postal postcode (Br), zip code (Am); ~ de la route highway code □ **codes** nmpl (AUT) dipped headlights.

codé, -e [kɔde] adj coded.

code-barres [kɔdbar] (pl codes-barres) nm bar code.

cœur [kœr] nm heart; avoir bon ~ to be kind-hearted; de bon ~ willingly; par ~ by heart; ~ d'artichaut artichoke heart; ~ de palmier palm heart.

coffre [kɔfr] nm (de voiture) boot; (malle) chest.

coffre-fort [kɔfrəfɔr] (pl coffres-forts) nm safe.

coffret [kɔfrɛ] nm casket; (COMM: de parfums, de savons) boxed set.

cognac [kɔɲak] nm cognac.

cogner [kɔɲe] vi (frapper) to hit; (faire du bruit) to bang □ **se cogner** vp to knock o.s.; ~ la tête to bang one's head.

cohabiter [kɔabite] vi to live together; (idées) to coexist.

cohérent, -e [kɔerɑ̃, ɑ̃t] adj coherent.

cohue [kɔy] nf crowd.

coiffer [kwafe] vt: ~ qqn to do sb's hair; coiffé d'un chapeau wearing a hat □ **se coiffer** vp to do one's hair.

coiffeur, -euse [kwafœr, øz] nm, f hairdresser.

coiffure [kwafyr] nf hairstyle.

coin [kwɛ̃] nm corner; (fig: endroit) spot; au ~ de on the corner of; dans le ~ (dans les environs) in the area.

coincer [kwɛ̃se] vt (mécanisme, porte) to jam □ **se coincer** vp to jam; ~ le doigt to catch one's finger.

coïncidence [kɔɛ̃sidɑ̃s] nf coincidence.

coïncider [kɔɛ̃side] vi to coincide.

col [kɔl] nm (de vêtement) collar; (en montagne) pass; ~ roulé polo neck; ~ en pointe OU en V V-neck.

colère [kɔlɛr] nf anger; être en ~ (contre qqn) to be angry (with sb); se mettre en ~ to get angry.

colin [kɔlɛ̃] nm hake.

colique [kɔlik] nf diarrhoea.

colis [kɔli] nm : ~ **(postal)** parcel.

collaborer [kɔlabɔre] vi to collaborate; ~ **à qqch** to take part in sthg.

collant, -e [kɔlɑ̃, ɑ̃t] adj (adhésif) sticky; (étroit) skin-tight ♦ nm tights (pl) (Br), panty hose (Am).

colle [kɔl] nf glue; (devinette) tricky question; (SCOL: retenue) detention.

collecte [kɔlɛkt] nf collection.

collectif, -ive [kɔlɛktif, iv] adj collective.

collection [kɔlɛksjɔ̃] nf collection; **faire la ~ de** to collect.

collectionner [kɔlɛksjɔne] vt to collect.

collège [kɔlɛʒ] nm school.

collégien, -ienne [kɔleʒjɛ̃, jɛn] nm, f schoolboy (f schoolgirl).

collègue [kɔlɛg] nmf colleague.

coller [kɔle] vt to stick; (fam: donner) to give; (SCOL: punir) to keep in.

collier [kɔlje] nm necklace; (de chien) collar.

colline [kɔlin] nf hill.

collision [kɔlizjɔ̃] nf crash.

Cologne [kɔlɔɲ] n : **eau de ~**.

colombe [kɔlɔ̃b] nf dove.

colonie [kɔlɔni] nf (territoire) colony; ~ **de vacances** holiday camp.

colonne [kɔlɔn] nf column; ~ **vertébrale** spine.

colorant [kɔlɔrɑ̃] nm (alimentaire) (food) colouring; «**sans ~s**» "no artificial colourings".

colorier [kɔlɔrje] vt to colour in.

coloris [kɔlɔri] nm shade.

coma [kɔma] nm coma; **être dans le ~** to be in a coma.

combat [kɔ̃ba] nm fight.

combattant [kɔ̃batɑ̃] nm fighter; **ancien ~** veteran.

combattre [kɔ̃batr] vt to fight (against) ♦ vi to fight.

combien [kɔ̃bjɛ̃] adv (quantité) how much; (nombre) how many; ~ **d'argent te reste-t-il?** how much money have you got left?; ~ **de bagages désirez-vous enregistrer?** how many bags would you like to check in?; ~ **de temps?** how long?; ~ **ça coûte?** how much is it?

combinaison [kɔ̃binɛzɔ̃] nf (code) combination; (sous-vêtement) slip; (de skieur) suit; (de motard) leathers (pl); ~ **de plongée** wet suit.

combiné [kɔ̃bine] nm : ~ **(téléphonique)** receiver.

combiner [kɔ̃bine] vt to combine; (fam: préparer) to plan.

comble [kɔ̃bl] nm : **c'est un ~!** that's the limit!; **le ~ de** the height of.

combler [kɔ̃ble] vt (boucher) to fill in; (satisfaire) to fulfil.

combustible [kɔ̃bystibl] nm fuel.

comédie [kɔmedi] nf comedy; (fam: caprice) act; **jouer la ~** (faire semblant) to put on an act; ~ **musicale** musical.

comédien, -ienne [kɔmedjɛ̃, jɛn] nm, f (acteur) actor (f actress).

comestible [kɔmɛstibl] adj edible.

comique [kɔmik] adj (genre, acteur) comic; (drôle) comical.

comité [kɔmite] nm committee; ~ **d'entreprise** works council.

commandant [kɔmɑ̃dɑ̃] nm (MIL: gradé) = major; (d'un bateau) *d'un avion)* captain.

commande [kɔmɑ̃d] *nf* (COMM) order; *(TECH)* control mechanism; *(INFORM)* command; **les ~s** *(d'un avion)* the controls.

commander [kɔmɑ̃de] *vt* (diriger) to command; *(dans un bar, par correspondance)* to order; *(TECH)* to control; **~ à qqn de faire qqch** to order sb to do sthg.

comme [kɔm] *conj* **1.** *(introduit une comparaison)* like; **elle est blonde, ~ sa mère** she's blonde, like her mother; **~ si rien ne s'était passé** as if nothing had happened. **2.** *(de la manière que)* as; **~ vous voudrez** as you like; **~ il faut** *(correctement)* properly ◆ *adj (convenable)* respectable. **3.** *(par exemple)* like, such as; **les villes fortifiées ~ Carcassonne** fortified towns like Carcassonne. **4.** *(en tant que)* as; **qu'est-ce que vous avez ~ desserts?** what do you have in the way of dessert? **5.** *(étant donné que)* as, since; **~ vous n'arriviez pas, nous sommes passés à table** as you didn't arrive, we sat down to eat. **6.** *(dans des expressions)*: **~ ça** *(de cette façon)* like that; *(par conséquent)* that way; **fais ~ ça** do it this way; **~ ci ~ ça** *(fam)* so-so; **~ tout** *(fam: très)* really. ◆ *adv (marque l'intensité)*: **~ c'est grand!** it's so big!; **vous savez ~ il est difficile de se loger ici** you know how hard it is to find accommodation here.

commencement [kɔmɑ̃smɑ̃] *nm* beginning.

commencer [kɔmɑ̃se] *vt* to start ◆ *vi* to start, to begin; **~ à faire qqch** to start OU begin to do

comment [kɔmɑ̃] *adv* how; **~ tu t'appelles?** what's your name?; **~ allez-vous?** how are you?; **~?** *(pour faire répéter)* sorry?

commentaire [kɔmɑ̃tɛʀ] *nm* *(d'un documentaire, d'un match)* commentary; *(remarque)* comment; **~ de texte** commentary on a text.

commerçant, -e [kɔmɛʀsɑ̃, ɑ̃t] *adj (quartier, rue)* shopping ◆ *nm, f* shopkeeper.

commerce [kɔmɛʀs] *nm (activité)* trade; *(boutique)* business; **dans le ~** in the shops.

commercial, -e, -iaux [kɔmɛʀsjal, jo] *adj* commercial.

commettre [kɔmɛtʀ] *vt* to commit.

commis, -e [kɔmi, iz] *pp* → commettre.

commissaire [kɔmisɛʀ] *nm*: **~ (de police)** (police) superintendent *(Br)*, (police) captain *(Am)*.

commissariat [kɔmisaʀja] *nm*: **~ (de police)** police station.

commission [kɔmisjɔ̃] *nf* commission; *(message)* message ❑ **commissions** *nfpl (courses)* shopping *(sg)*; **faire les ~s** to do the shopping.

commode [kɔmɔd] *adj (facile)* convenient; *(pratique)* handy ◆ *nf* chest of drawers.

commun, -e [kɔmœ̃, yn] *adj* common; *(salle de bains, cuisine)* shared; **mettre qqch en ~** to share sthg.

communauté [kɔmynote] *nf* community; **la Communauté économique européenne** the European

Economic Community.

commune [kɔmyn] *nf* town.

communication [kɔmynika-sjɔ̃] *nf (message)* message; *(contact)* communication; **~ (téléphonique)** (phone) call.

communion [kɔmynjɔ̃] *nf* Communion.

communiqué [kɔmynike] *nm* communiqué.

communiquer [kɔmynike] *vt* to communicate ◆ *vi (dialoguer)* to communicate; *(pièces)* to interconnect; **~ avec** to communicate with.

communisme [kɔmynism] *nm* communism.

communiste [kɔmynist] *adj & nmf* communist.

compact, -e [kɔ̃pakt] *adj (dense)* dense; *(petit)* compact ◆ *nm:* **(disque) ~** compact disc, CD.

Compact Disc® -s [kɔ̃pakt-disk] *nm* compact disc.

compagne [kɔ̃paɲ] *nf (camarade)* companion; *(dans un couple)* partner.

compagnie [kɔ̃paɲi] *nf* company; **en ~ de** in the company of; **tenir ~ à qqn** to keep sb company; **~ aérienne** airline.

compagnon [kɔ̃paɲɔ̃] *nm (camarade)* companion; *(dans un couple)* partner.

comparable [kɔ̃parabl] *adj* comparable; **~ à** comparable with.

comparaison [kɔ̃parɛzɔ̃] *nf* comparison.

comparer [kɔ̃pare] *vt* to compare; **~ qqch à** OU **avec** to compare sthg to OU with.

compartiment [kɔ̃partimɑ̃]

nm compartment; **~ fumeurs** smoking compartment; **~ non-fumeurs** no smoking compartment.

compas [kɔ̃pa] *nm (MATH)* pair of compasses; *(boussole)* compass.

compatible [kɔ̃patibl] *adj* compatible.

compatriote [kɔ̃patrijɔt] *nmf* compatriot.

compensation [kɔ̃pɑ̃sasjɔ̃] *nf* compensation.

compenser [kɔ̃pɑ̃se] *vt* to compensate for.

compétence [kɔ̃petɑ̃s] *nf* skill.

compétent, -e [kɔ̃petɑ̃, ɑ̃t] *adj* competent.

compétitif, -ive [kɔ̃petitif, iv] *adj* competitive.

compétition [kɔ̃petisjɔ̃] *nf* competition.

complément [kɔ̃plemɑ̃] *nm (supplément)* supplement; *(différence)* rest; *(GRAMM)* complement; **~ d'objet** object.

complémentaire [kɔ̃plemɑ̃-tɛr] *adj (supplémentaire)* additional.

complet, -ète [kɔ̃plɛ, ɛt] *adj (entier)* complete; *(plein)* full; *(pain, farine)* wholemeal; **riz ~** brown rice; **«complet»** *(hôtel)* "no vacancies"; *(parking)* "full".

complètement [kɔ̃plɛtmɑ̃] *adv* completely.

compléter [kɔ̃plete] *vt* to complete ❑ **se compléter** *vp* to complement one another.

complexe [kɔ̃plɛks] *adj & nm* complex.

complice [kɔ̃plis] *adj* knowing ◆ *nmf* accomplice.

compliment [kɔ̃plimɑ̃] *nm* com-

pliment; **faire un ~ à qqn** to pay sb
a compliment.

compliqué, -e [kɔ̃plike] *adj*
complicated.

compliquer [kɔ̃plike] *vt* to
complicate ❑ **se compliquer** *vp*
to get complicated.

complot [kɔ̃plo] *nm* plot.

comportement [kɔ̃pɔrtəmɑ̃]
nm behaviour.

comporter [kɔ̃pɔrte] *vt* to consist of ❑ **se comporter** *vp* to
behave.

composer [kɔ̃poze] *vt (faire partie de)* to make up; *(assembler)* to
put together; *(MUS)* to compose;
(code, numéro) to dial; **composé de**
composed of ❑ **se composer de**
vp + prép to be made up of.

compositeur, -trice [kɔ̃po-
zitœr, tris] *nm, f* composer.

composition [kɔ̃pozisjɔ̃] *nf*
composition; *(SCOL)* essay.

composter [kɔ̃pɔste] *vt* to date-
stamp; **«compostez vos billets»**
"stamp your ticket here".

compote [kɔ̃pɔt] *nf* compote; **~
de pommes** stewed apple.

compréhensible [kɔ̃preɑ̃sibl]
adj comprehensible.

compréhensif, -ive [kɔ̃pre-
ɑ̃sif, iv] *adj* understanding.

comprendre [kɔ̃prɑ̃dr] *vt* to
understand; *(comporter)* to consist
of ❑ **se comprendre** *vp* to understand each other; **ça se comprend**
it's understandable.

compresse [kɔ̃pres] *nf* compress.

comprimé [kɔ̃prime] *nm* tablet.

comprimer [kɔ̃prime] *vt* to
compress.

compris, -e [kɔ̃pri, iz] *pp →*
comprendre ♦ *adj (inclus)* included; **non ~** not included; **tout ~** all
inclusive; **y ~** including.

compromettre [kɔ̃prɔmetr] *vt*
to compromise.

compromis, -e [kɔ̃prɔmi, iz]
pp → **compromettre ♦** *nm* compromise.

comptabilité [kɔ̃tabilite] *nf*
(science) accountancy; *(département,
calculs)* accounts *(pl)*.

comptable [kɔ̃tabl] *nmf* accountant.

comptant [kɔ̃tɑ̃] *adv*: **payer ~**
to pay cash.

compte [kɔ̃t] *nm (bancaire)* account; *(calcul)* calculation; **faire le
~ de** to count; **se rendre ~ de** to
realize; **se rendre ~ que** to realize
that; **~ postal** post office account;
en fin de ~, tout ~ fait all things
considered ❑ **comptes** *nmpl* accounts; **faire ses ~s** to do one's
accounts.

compte-gouttes [kɔ̃tgut] *nm
inv* dropper.

compter [kɔ̃te] *vt & vi* to count;
~ faire qqch *(avoir l'intention de)* to
intend to do sthg; *(s'attendre à)* to
expect to do sthg ❑ **compter sur**
v + prép to count on.

compte-rendu [kɔ̃trɑ̃dy] *(pl*
comptes-rendus) *nm* report.

compteur [kɔ̃tœr] *nm* meter; **~
(kilométrique) =** mileometer; **~
(de vitesse)** speedometer.

comptoir [kɔ̃twar] *nm (de bar)*
bar; *(de magasin)* counter.

comte, -esse [kɔ̃t, kɔ̃tes] *nm, f*
count *(f* countess).

con, conne [kɔ̃, kɔn] *adj (vulg)*
bloody stupid.

concentration [kɔ̃sɑ̃trasjɔ̃] *nf* concentration.

concentré, -e [kɔ̃sɑ̃tre] *adj* (*jus d'orange*) concentrated ♦ *nm:* ~ **de tomate** tomato puree; **être** ~ to concentrate (hard).

concentrer [kɔ̃sɑ̃tre] *vt* (*efforts, attention*) to concentrate ❑ **se concentrer (sur)** *vp* (+ *prép*) to concentrate (on).

conception [kɔ̃sɛpsjɔ̃] *nf* design; (*notion*) idea.

concerner [kɔ̃sɛrne] *vt* to concern.

concert [kɔ̃sɛr] *nm* concert.

concessionnaire [kɔ̃sesjɔner] *nm* (*automobile*) dealer.

concevoir [kɔ̃səvwar] *vt* (*objet*) to design; (*projet, idée*) to conceive.

concierge [kɔ̃sjɛrʒ] *nmf* caretaker, janitor (*Am*).

concis, -e [kɔ̃si, iz] *adj* concise.

conclure [kɔ̃klyr] *vt* to conclude.

conclusion [kɔ̃klyzjɔ̃] *nf* conclusion.

concombre [kɔ̃kɔ̃br] *nm* cucumber.

concorder [kɔ̃kɔrde] *vi* to agree.

concours [kɔ̃kur] *nm* (*examen*) competitive examination; (*jeu*) competition; ~ **de circonstances** combination of circumstances.

concret, -ète [kɔ̃krɛ, ɛt] *adj* concrete.

concrétiser [kɔ̃kretize] : **se concrétiser** *vp* to materialize.

concurrence [kɔ̃kyrɑ̃s] *nf* competition.

concurrent, -e [kɔ̃kyrɑ̃, ɑ̃t] *nm, f* competitor.

condamnation [kɔ̃danasjɔ̃] *nf* sentence.

condamner [kɔ̃dane] *vt* (*accusé*) to convict; (*porte, fenêtre*) to board up; ~ **qqn à** to sentence sb to.

condensation [kɔ̃dɑ̃sasjɔ̃] *nf* condensation.

condensé, -e [kɔ̃dɑ̃se] *adj* (*lait*) condensed.

condiment [kɔ̃dimɑ̃] *nm* condiment.

condition [kɔ̃disjɔ̃] *nf* condition; **à ~ de faire qqch** providing (that) I/we do sthg, provided (that) I/we do sthg; **à ~ qu'il fasse beau** providing (that) it's fine, provided (that) it's fine.

conditionné [kɔ̃disjɔne] *adj m* → **air**.

conditionnel [kɔ̃disjɔnel] *nm* conditional.

condoléances [kɔ̃dɔleɑ̃s] *nfpl:* **présenter ses ~ à qqn** to offer one's condolences to sb.

conducteur, -trice [kɔ̃dyktœr, tris] *nm, f* driver.

conduire [kɔ̃dɥir] *vt* (*véhicule*) to drive; (*accompagner*) to take; (*guider*) to lead ♦ *vi* to drive; ~ **à** (*chemin, couloir*) to lead to ❑ **se conduire** *vp* to behave.

conduit, -e [kɔ̃dɥi, it] *pp* → **conduire**.

conduite [kɔ̃dɥit] *nf* (*attitude*) behaviour; (*tuyau*) pipe; ~ **à gauche** left-hand drive.

cône [kon] *nm* cone.

confection [kɔ̃fɛksjɔ̃] *nf* (*couture*) clothing industry.

confectionner [kɔ̃fɛksjɔne] *vt* to make.

conférence [kɔ̃ferɑ̃s] *nf* (*réunion*) conference; (*discours*) lecture.

confesser [kɔ̃fese] : **se confesser** *vp* to go to confession.

confession [kɔ̃fesjɔ̃] *nf* confession.

confettis [kɔ̃feti] *nmpl* confetti *(sg)*.

confiance [kɔ̃fjɑ̃s] *nf* confidence; **avoir ~ en** to trust; **faire ~ à** to trust.

confiant, -e [kɔ̃fjɑ̃, jɑ̃t] *adj* trusting.

confidence [kɔ̃fidɑ̃s] *nf* confidence; **faire des ~s à qqn** to confide in sb.

confidentiel, -ielle [kɔ̃fidɑ̃sjɛl] *adj* confidential.

confier [kɔ̃fje] *vt* : **~ qqch à qqn** to entrust sb with sthg ❏ **se confier (à)** *vp* (+ *prép*) to confide (in).

confirmation [kɔ̃firmasjɔ̃] *nf* confirmation.

confirmer [kɔ̃firme] *vt* to confirm ❏ **se confirmer** *vp* to be confirmed.

confiserie [kɔ̃fizri] *nf* (*sucreries*) sweets *pl* (Br), candy (Am); (*magasin*) sweetshop (Br), candy store (Am).

confisquer [kɔ̃fiske] *vt* to confiscate.

confit [kɔ̃fi] *adj m* → **fruit** ◆ *nm* : **~ de canard/d'oie** *potted duck or goose*.

confiture [kɔ̃fityr] *nf* jam.

conflit [kɔ̃fli] *nm* conflict.

confondre [kɔ̃fɔ̃dr] *vt* (*mélanger*) to confuse.

conforme [kɔ̃fɔrm] *adj* : **~ à** in accordance with.

conformément [kɔ̃fɔrmemɑ̃] : **conformément à** *prép* in accordance with.

confort [kɔ̃fɔr] *nm* comfort; «**tout ~**» "all mod cons".

confortable [kɔ̃fɔrtabl] *adj* comfortable.

confrère [kɔ̃frɛr] *nm* colleague.

confronter [kɔ̃frɔ̃te] *vt* to compare.

confus, -e [kɔ̃fy, yz] *adj* (*compliqué*) confused; (*embarrassé*) embarrassed.

confusion [kɔ̃fyzjɔ̃] *nf* confusion; (*honte*) embarrassment.

congé [kɔ̃ʒe] *nm* holiday (Br), vacation (Am); **être en ~** to be on holiday (Br), to be on vacation (Am); **~ (de) maladie** sick leave; **~s payés** paid holidays (Br), paid vacation (Am).

congélateur [kɔ̃ʒelatœr] *nm* freezer.

congeler [kɔ̃ʒle] *vt* to freeze.

congestion [kɔ̃ʒestjɔ̃] *nf* (MÉD) congestion; **~ cérébrale** stroke.

congolais [kɔ̃ɡɔlɛ] *nm* coconut cake.

congrès [kɔ̃ɡrɛ] *nm* congress.

conjoint [kɔ̃ʒwɛ̃] *nm* spouse.

conjonction [kɔ̃ʒɔ̃ksjɔ̃] *nf* conjunction.

conjonctivite [kɔ̃ʒɔ̃ktivit] *nf* conjunctivitis.

conjoncture [kɔ̃ʒɔ̃ktyr] *nf* situation.

conjugaison [kɔ̃ʒyɡezɔ̃] *nf* conjugation.

conjuguer [kɔ̃ʒyɡe] *vt* (*verbe*) to conjugate.

connaissance [kɔnesɑ̃s] *nf* knowledge; (*relation*) acquaintance; **avoir des ~s en** to know something about; **faire la ~ de qqn**

to meet sb; **perdre ~** to lose consciousness.

connaisseur, -euse [kɔnesœr, øz] nm, f connoisseur.

connaître [kɔnetr] vt to know; (rencontrer) to meet □ **s'y connaître** en vp + prép to know about.

conne → con.

connecter [kɔnekte] vt to connect.

connu, -e [kɔny] pp → **connaître** ♦ adj well-known.

conquérir [kɔkerir] vt to conquer.

conquête [kɔket] nf conquest.

conquis, -e [kɔki, iz] pp → **conquérir**.

consacrer [kɔsakre] vt: **~ qqch à** to devote sthg to □ **se consacrer à** vp + prép to devote o.s. to.

consciemment [kɔsjamɑ] adv knowingly.

conscience [kɔsjɑs] nf (connaissance) consciousness; (moralité) conscience; **avoir ~ de qqch** to be aware of sthg; **prendre ~ de qqch** to become aware of sthg; **avoir mauvaise ~** to have a guilty conscience.

consciencieux, -ieuse [kɔsjɑsjø, jøz] adj conscientious.

conscient, -e [kɔsjɑ, ɑ̃t] adj (éveillé) conscious; **être ~ de** to be aware of.

consécutif, -ive [kɔsekytif, iv] adj consecutive; **~ à** resulting from.

conseil [kɔsej] nm (avis) piece of advice; (assemblée) council; **demander ~ à qqn** to ask sb's advice; **des ~s** advice (sg).

conseiller¹ [kɔseje] vt (personne) to advise; **~ qqch à qqn** to recommend sthg to sb; **~ à qqn de faire qqch** to advise sb to do sthg.

conseiller², -ère [kɔseje, ɛr] nm, f adviser; **~ d'orientation** careers adviser.

conséquence [kɔsekɑs] nf consequence.

conséquent [kɔsekɑ] : **par conséquent** adv consequently.

conservateur [kɔservatœr] nm (alimentaire) preservative.

conservatoire [kɔservatwar] nm (de musique) academy.

conserve [kɔserv] nf (boîte) tin (of food); **des ~s** tinned food.

conserver [kɔserve] vt to keep; (aliments) to preserve.

considérable [kɔsiderabl] adj considerable.

considération [kɔsiderasjɔ] nf: **prendre qqn/qqch en ~** to take sb/sthg into consideration.

considérer [kɔsidere] vt: **~ que** to consider that; **~ qqn/qqch comme** to look on sb/sthg as.

consigne [kɔsiɲ] nf (de gare) left-luggage office; (instructions) instructions (pl); **~ automatique** left-luggage lockers (pl).

consistance [kɔsistɑs] nf consistency.

consistant, -e [kɔsistɑ, ɑ̃t] adj (épais) thick; (nourrissant) substantial.

consister [kɔsiste] vi: **~ à faire qqch** to consist in doing sthg; **~ en** to consist of.

consœur [kɔsœr] nf (female) colleague.

consolation [kɔsɔlasjɔ] nf consolation.

console [kɔsɔl] nf (INFORM) console; ~ **de jeux** video game console.

consoler [kɔ̃sɔle] *vt* to comfort.

consommateur, -trice [kɔ̃sɔmatœr, tris] *nm, f* consumer; *(dans un bar)* customer.

consommation [kɔ̃sɔmasjɔ̃] *nf* consumption; *(boisson)* drink.

consommé [kɔ̃sɔme] *nm* clear soup.

consommer [kɔ̃sɔme] *vt* to consume; **"à ~ avant le ‹...»** "use before …".

consonne [kɔ̃sɔn] *nf* consonant.

constamment [kɔ̃stamɑ̃] *adv* constantly.

constant, -e [kɔ̃stɑ̃, ɑ̃t] *adj* constant.

constat [kɔ̃sta] *nm (d'accident)* report.

constater [kɔ̃state] *vt* to notice.

consterné, -e [kɔ̃stɛrne] *adj* dismayed.

constipé, -e [kɔ̃stipe] *adj* constipated.

constituer [kɔ̃stitɥe] *vt (former)* to make up; **être constitué de** to consist of.

construction [kɔ̃stryksjɔ̃] *nf* building.

construire [kɔ̃strɥir] *vt* to build.

construit, -e [kɔ̃strɥi, it] *pp* → **construire**

consulat [kɔ̃syla] *nm* consulate.

consultation [kɔ̃syltasjɔ̃] *nf* consultation.

consulter [kɔ̃sylte] *vt* to consult.

contact [kɔ̃takt] *nm (toucher)* feel; *(d'un moteur)* ignition; *(relation)* contact; **couper le ~** to switch

off the ignition; **mettre le ~** to switch on the ignition; **entrer en ~ avec** *(heurter)* to come into contact with; *(entrer en relation)* to contact.

contacter [kɔ̃takte] *vt* to contact.

contagieux, -ieuse [kɔ̃taʒjø, jøz] *adj* infectious.

contaminer [kɔ̃tamine] *vt (rivière, air)* to contaminate; *(personne)* to infect.

conte [kɔ̃t] *nm* story; ~ **de fées** fairy tale.

contempler [kɔ̃tɑ̃ple] *vt* to contemplate.

contemporain, -e [kɔ̃tɑ̃pɔrɛ̃, ɛn] *adj* contemporary.

contenir [kɔ̃tnir] *vt* to contain; *(un litre, deux cassettes, etc)* to hold.

content, -e [kɔ̃tɑ̃, ɑ̃t] *adj* happy; **être ~ de faire qqch** to be happy to do sthg; **être ~ de qqch** to be happy with sthg.

contenter [kɔ̃tɑ̃te] *vt* to satisfy ❑ **se contenter de** *vp + prép* to be happy with; **se ~ de faire qqch** to content o.s. with doing sthg.

contenu, -e [kɔ̃tny] *pp* → **contenir ♦** *nm* contents *(pl)*.

contester [kɔ̃tɛste] *vt* to dispute.

contexte [kɔ̃tɛkst] *nm* context.

continent [kɔ̃tinɑ̃] *nm* continent.

continu, -e [kɔ̃tiny] *adj* continuous.

continuel, -elle [kɔ̃tinɥɛl] *adj* constant.

continuellement [kɔ̃tinɥɛlmɑ̃] *adv* constantly.

continuer [kɔ̃tinɥe] *vt & vi* to continue; ~ **à** OU **de faire qqch** to continue doing OU to do sthg.

contour [kɔ̃tur] nm outline.

contourner [kɔ̃turne] vt to go round; (ville, montagne) to bypass.

contraceptif, -ive [kɔ̃traseptif, iv] adj & nm contraceptive.

contraception [kɔ̃trasɛpsjɔ̃] nf contraception.

contracter [kɔ̃trakte] vt to contract; (assurance) to take out.

contradictoire [kɔ̃tradiktwar] adj contradictory.

contraindre [kɔ̃trɛ̃dr] vt to force; ~ qqn à faire qqch to force sb to do sthg.

contraire [kɔ̃trer] adj & nm opposite; ~ à contrary to; au ~ on the contrary.

contrairement [kɔ̃trermɑ̃] : **contrairement à** prép contrary to.

contrarier [kɔ̃trarje] vt (ennuyer) to annoy.

contraste [kɔ̃trast] nm contrast.

contrat [kɔ̃tra] nm contract.

contravention [kɔ̃travɑ̃sjɔ̃] nf fine; (pour stationnement interdit) parking ticket.

contre [kɔ̃tr] prép against; (en échange de) (in exchange) for; **un sirop ~ la toux** some cough syrup; **par ~** on the other hand.

contre-attaque, -s [kɔ̃tratak] nf counterattack.

contrebande [kɔ̃trəbɑ̃d] nf smuggling; **passer qqch en ~** to smuggle sthg.

contrebasse [kɔ̃trəbas] nf (double) bass.

contrecœur [kɔ̃trəkœr] : **à contrecœur** adv reluctantly.

contrecoup [kɔ̃trəku] nm con-

sequence.

contredire [kɔ̃trədir] vt to contradict.

contre-indication, -s [kɔ̃trɛ̃dikasjɔ̃] nf contraindication.

contre-jour [kɔ̃trəʒur] : **à contre-jour** adv against the light.

contrepartie [kɔ̃trəparti] nf compensation; **en ~** in return.

contreplaqué [kɔ̃trəplake] nm plywood.

contrepoison [kɔ̃trəpwazɔ̃] nm antidote.

contresens [kɔ̃trəsɑ̃s] nm (dans une traduction) mistranslation; **à ~** the wrong way.

contretemps [kɔ̃trətɑ̃] nm delay.

contribuer [kɔ̃tribɥe] : **contribuer à** v + prép to contribute to.

contrôle [kɔ̃trol] nm (technique) check; (des billets, des papiers) inspection; (SCOL) test; **~ aérien** air traffic control; **~ d'identité** identity card check.

contrôler [kɔ̃trole] vt (vérifier) to check; (billets, papiers) to inspect.

contrôleur [kɔ̃trolœr] nm (dans les trains) ticket inspector; (dans les bus) conductor (f conductress).

contrordre [kɔ̃trɔrdr] nm countermand.

convaincre [kɔ̃vɛ̃kr] vt to convince; **~ qqn de faire qqch** to persuade sb to do sthg; **~ qqn de qqch** to convince sb of sthg.

convalescence [kɔ̃valesɑ̃s] nf convalescence.

convenable [kɔ̃vnabl] adj (adapté) suitable; (décent) proper.

convenir [kɔ̃vnir] : convenir à v + prép (satisfaire) to suit; (être adapté à) to be suitable for.

convenu, -e [kɔ̃vny] pp → convenir.

conversation [kɔ̃vɛrsasjɔ̃] nf conversation.

convertible [kɔ̃vɛrtibl] adj → canapé.

convocation [kɔ̃vɔkasjɔ̃] nf notification to attend.

convoi [kɔ̃vwa] nm convoy.

convoiter [kɔ̃vwate] vt to covet.

convoquer [kɔ̃vɔke] vt (salarié, suspect) to summon.

coopération [kɔɔperasjɔ̃] nf cooperation.

coopérer [kɔɔpere] vi to cooperate; ~ à qqch to cooperate in sthg.

coordonné, -e [kɔɔrdɔne] adj (assorti) matching.

coordonnées [kɔɔrdɔne] nfpl (adresse) address and telephone number.

coordonner [kɔɔrdɔne] vt to coordinate.

copain, copine [kɔpɛ̃, kɔpin] nm, f (fam) friend; (petit ami) boyfriend (f girlfriend).

copie [kɔpi] nf copy; (devoir) paper; (feuille) sheet (of paper).

copier [kɔpje] vt to copy; ~ (qqch) sur qqn to copy (sthg) from sb.

copieux, -ieuse [kɔpjø, jøz] adj large.

copilote [kɔpilɔt] nm copilot.

copine → copain.

coq [kɔk] nm cock, rooster; ~ au vin chicken cooked with red wine, bacon, mushrooms and shallots.

coque [kɔk] nf (de bateau) hull; (coquillage) shell.

coquelet [kɔklɛ] nm cockerel.

coquelicot [kɔkliko] nm poppy.

coqueluche [kɔklyʃ] nf (MÉD) whooping cough.

coquet, -ette [kɔkɛ, ɛt] adj (qui aime s'habiller) smart.

coquetier [kɔktje] nm eggcup.

coquillage [kɔkijaʒ] nm (mollusque) shellfish; (coquille) shell.

coquille [kɔkij] nf shell; ~ Saint-Jacques scallop.

coquillettes [kɔkijɛt] nfpl short macaroni.

coquin, -e [kɔkɛ̃, in] adj (enfant) mischievous.

cor [kɔr] nm (instrument) horn; (MÉD) corn.

corail, -aux [kɔraj, o] nm coral; (train) Corail = express train.

Coran [kɔrɑ̃] nm Koran.

corbeau, -x [kɔrbo] nm crow.

corbeille [kɔrbɛj] nf basket; ~ à papiers wastepaper basket.

corbillard [kɔrbijar] nm hearse.

corde [kɔrd] nf rope; (d'instrument de musique) string; ~ à linge clothesline; ~ à sauter skipping rope; ~s vocales vocal cords.

cordon [kɔrdɔ̃] nm string; (électrique) lead.

cordonnerie [kɔrdɔnri] nf shoe repair shop.

cordonnier [kɔrdɔnje] nm shoe repairer.

coriandre [kɔrjɑ̃dr] nf coriander.

corne [kɔrn] nf horn.

cornet [kɔrnɛ] nm (de glace) cornet; (de frites) bag.

cornettes [kɔrnɛt] nfpl (Helv)

short macaroni.

cornichon [kɔʀniʃɔ̃] *nm* gherkin.

corps [kɔʀ] *nm* body; **le ~ en-seignant** the teachers; **~ gras** fat.

correct, -e [kɔʀɛkt] *adj (juste)* correct; *(poli)* proper.

correction [kɔʀɛksjɔ̃] *nf (SCOL)* marking; *(rectification)* correction; *(punition)* beating.

correspondance [kɔʀɛspɔ̃-dɑ̃s] *nf (courrier)* correspondence; *(TRANSP)* connection; **cours par ~** correspondence course.

correspondant, -e [kɔʀɛspɔ̃-dɑ̃, ɑ̃t] *adj* corresponding ◆ *nm, f (à qui on écrit)* correspondent; *(au téléphone)* person making or receiving a call.

correspondre [kɔʀɛspɔ̃dʀ] *vi* to correspond; **~ à** to correspond to.

corrida [kɔʀida] *nf* bullfight.

corridor [kɔʀidɔʀ] *nm* corridor.

corriger [kɔʀiʒe] *vt* to correct; *(examen)* to mark □ **se corriger** *vp* to improve.

corrosif, -ive [kɔʀozif, iv] *adj* corrosive.

corsage [kɔʀsaʒ] *nm* blouse.

corse [kɔʀs] *adj* Corsican □ **Corse** *nmf* Corsican ◆ *nf*: **la Corse** Corsica.

cortège [kɔʀtɛʒ] *nm* procession.

corvée [kɔʀve] *nf* chore.

costaud [kɔsto] *adj (fam) (musclé)* beefy; *(solide)* sturdy.

costume [kɔstym] *nm (d'homme)* suit; *(de théâtre, de déguisement)* costume.

côte [kot] *nf (pente)* hill, slope; *(ANAT)* rib; *(d'agneau, de porc, etc)* chop; *(bord de mer)* coast; **~ à ~** side by side; **la Côte d'Azur** the

French Riviera.

côté [kote] *nm* side; **de quel ~ dois-je aller?** which way should I go?; **à ~** nearby; *(dans la maison voisine)* next door; **à ~ de** next to; *(comparé à)* compared with; **de l'autre ~ (de)** on the other side (of); **de ~** *(de travers)* sideways; **mettre qqch de ~** to put sthg aside.

Côte d'Ivoire [kotdivwaʀ] *nf*: **la ~** the Ivory Coast.

côtelé [kotle] *adj m* → **velours**.

côtelette [kotlɛt] *nf (de veau)* cutlet; *(d'agneau, de porc)* chop.

cotisation [kɔtizasjɔ̃] *nf (à un club)* subscription □ **cotisations** *nfpl (sociales)* contributions.

coton [kɔtɔ̃] *nm* cotton; **~ (hydrophile)** cotton wool.

Coton-Tige® [kɔtɔ̃tiʒ] *(pl* **Cotons-Tiges)** *nm* cotton bud.

cou [ku] *nm* neck.

couchage [kuʃaʒ] *nm* → **sac**.

couchant [kuʃɑ̃] *adj m* → **soleil**.

couche [kuʃ] *nf (épaisseur)* layer; *(de peinture)* coat; *(de bébé)* nappy *(Br)*, diaper *(Am)*.

couche-culotte [kuʃkylɔt] *(pl* **couches-culottes)** *nf* disposable nappy *(Br)*, disposable diaper *(Am)*.

coucher [kuʃe] *vt (mettre au lit)* to put to bed; *(étendre)* to lay down ◆ *vi (dormir)* to sleep; **être couché** *(être allongé)* to be lying down; *(être au lit)* to be in bed; **avec qqn** *(fam)* to sleep with sb □ **se coucher** *vp (personne)* to go to bed; *(soleil)* to set.

couchette [kuʃɛt] *nf (de train)* couchette; *(de bateau)* berth.

coucou [kuku] *nm (oiseau)*

cuckoo; *(horloge)* cuckoo clock ◆ *excl* peekaboo!

coude [kud] *nm* (ANAT) elbow; *(courbe)* bend.

coudre [kudʀ] *vt (bouton)* to sew on; *(réparer)* to sew up ◆ *vi* to sew.

couette [kwɛt] *nf (édredon)* du-vet □ **couettes** *nfpl* bunches.

cougnou [kuɲu] *nm* (Belg) large flat "brioche" eaten on St Nicholas' Day, 6 December, and shaped like the infant Jesus.

couler [kule] *vi* to flow; *(bateau)* to sink ◆ *vt (bateau)* to sink.

couleur [kulœʀ] *nf* colour; *(de cartes)* suit; **de quelle ~ est ...?** what colour is ...?

couleuvre [kulœvʀ] *nf* grass snake.

coulis [kuli] *nm* liquid puree of fruit, vegetables or shellfish.

coulisser [kulise] *vi* to slide.

coulisses [kulis] *nfpl* wings.

couloir [kulwaʀ] *nm* corridor; *(de bus)* lane.

coup [ku] *nm* 1. *(choc physique)* blow; **donner un ~ à qqn** to hit sb; **donner un ~ de coude à qqn** to nudge sb; **~ de feu** (gun)shot; **donner un ~ de pied à qqn/dans qqch** to kick sb/sthg; **donner un ~ de poing à qqn** to punch sb.

2. *(avec un instrument)*: **passer un ~ de balai** to give the floor a sweep; **passe un ~ de fer sur ta chemise** give your shirt a quick iron.

3. *(choc moral)* blow; **il m'est arrivé un ~ dur** *(fam)* something bad happened to me.

4. *(bruit)*: **~ de sifflet** whistle.

5. *(à la porte)* knock.

6. *(aux échecs)* move; *(au tennis)*

stroke; *(au foot)* kick; **~ franc** free kick.

7. *(action malhonnête)* trick; **faire un ~ à qqn** to play a trick on sb.

8. *(fam: fois)* time; **du premier ~** first time; **d'un (seul) ~ (en une fois)** in one go; *(soudainement)* all of a sudden.

9. *(dans des expressions)*: **~ de chance** stroke of luck; **~ de fil** OU **de téléphone** telephone call; **donner un ~ de main à qqn** to give sb a hand; **jeter un ~ d'œil (à)** to have a look (at); **prendre un ~ de soleil** to get sunburned; **boire un ~** *(fam)* to have a drink; **du ~ ... so ...; tenir le ~** to hold out.

coupable [kupabl] *adj* guilty ◆ *nmf* culprit; **~ de** guilty of.

coupe [kup] *nf (récipient)* bowl; (SPORT) cup; *(de vêtements)* cut; **à la ~** *(fromage, etc)* cut from a larger piece and sold by weight at a delicatessen counter; **~ à champagne** champagne glass; **~ (de cheveux)** haircut.

coupe-papier [kuppapje] *nm inv* paper knife.

couper [kupe] *vt* to cut; *(gâteau, viande)* to cut (up); *(gaz, électricité)* to cut off ◆ *vi (être tranchant)* to cut; *(prendre un raccourci)* to take a short cut; **~ la route à qqn** to cut across in front of sb □ **se couper** *vp* to cut o.s.; **se ~ le doigt** to cut one's finger.

couple [kupl] *nm* couple; *(d'animaux)* pair.

couplet [kuplɛ] *nm* verse.

coupure [kupyʀ] *nf* cut; *(arrêt)* break; **~ de courant** power cut; **~ de journal** (newspaper) cutting.

couque [kuk] *nf* (Belg) *(biscuit)* biscuit (Br), cookie (Am); *(pain* *d'épices)* gingerbread; *(brioche)* sweet bread roll.

cour [kur] *nf (d'immeuble)* courtyard; *(de ferme)* farmyard; *(d'un roi)* court; ~ *(tribunal, de récréation)* playground.

courage [kuraʒ] *nm* courage; **bon ~!** good luck!

courageux, -euse [kuraʒø, øz] *adj* brave.

couramment [kuramã] *adv (fréquemment)* commonly; *(parler)* fluently.

courant, -e [kurã, ãt] *adj (fréquent)* common ◆ *nm* current; **être au ~ (de)** to know (about); **tenir qqn au ~ (de)** to keep sb informed (of); **~ d'air** draught; **~ alternatif** alternating current; **~ continu** direct current.

courbatures [kurbatyr] *nfpl* aches and pains.

courbe [kurb] *adj* curved ◆ *nf* curve.

courber [kurbe] *vt* to bend.

coureur, -euse [kurœr, øz] *nm, f:* **~ automobile** racing driver; **~ cycliste** racing cyclist; **~ à pied** runner.

courgette [kurʒɛt] *nf* courgette *(Br),* zucchini *(Am).*

courir [kurir] *vi* to run; *(cycliste, coureur automobile)* to race ◆ *vt (épreuve sportive)* to run (in); *(risque, danger)* to run.

couronne [kurɔn] *nf* crown; *(de fleurs)* wreath.

courrier [kurje] *nm* letters *(pl),* post *(Br),* mail *(Am).*

courroie [kurwa] *nf* strap.

cours [kur] *nm (leçon)* lesson; *(d'une marchandise)* price; *(d'une monnaie)* rate; **au ~ de** during; **en ~**

in progress; **~ d'eau** waterway.

course [kurs] *nf (épreuve sportive)* race; *(démarche)* errand; *(en taxi)* journey ❏ **courses** *nfpl* shopping *(sg);* **faire les ~s** to go shopping.

court, -e [kur, kurt] *adj* short ◆ *nm (de tennis)* court ◆ *adv* short; **être à ~ de** to be short of.

court-bouillon [kurbujɔ̃] *(pl* **courts-bouillons)** *nm* highly flavoured stock used especially for cooking fish.

court-circuit [kursirkɥi] *(pl* **courts-circuits)** *nm* short circuit.

court-métrage [kurmetraʒ] *(pl* **courts-métrages)** *nm* short (film).

courtois, -e [kurtwa, waz] *adj* courteous.

couru, -e [kury] *pp* → **courir**.

couscous [kuskus] *nm* couscous, traditional North African dish of semolina served with a spicy stew of meat and vegetables.

cousin, -e [kuzɛ̃, in] *nm, f* cousin; **~ germain** first cousin.

coussin [kusɛ̃] *nm* cushion.

cousu, -e [kuzy] *pp* → **coudre**.

coût [ku] *nm* cost.

couteau, -x [kuto] *nm* knife.

coûter [kute] *vi & vt* to cost; **combien ça coûte?** how much is it?

coutume [kutym] *nf* custom.

couture [kutyr] *nf (sur un vêtement)* seam; *(activité)* sewing.

couturier, -ière [kutyrje, jɛr] *nm, f* tailor; **grand ~** fashion designer.

couvent [kuvã] *nm* convent.

couver [kuve] *vt (œufs)* to sit on ◆ *vi (poule)* to brood.

couvercle [kuvɛrkl] *nm (de*

casserole, de poubelle) lid; *(d'un bocal)*
top.

couvert, -e [kuvɛr, ɛrt] *pp* →
couvrir ♦ *nm (couteau, fourchette)*
place (setting) **♦** *adj (ciel)* overcast;
(marché, parking) covered; *(vêtu)*
bien ~ well wrapped up; **~ de** covered in OU with; **mettre le ~** to set
OU lay the table.

couverture [kuvɛrtyr] *nf* blanket; *(de livre)* cover.

couvrir [kuvrir] *vt* to cover; **~**
qqch de to cover sth with □ **se**
couvrir *vp (ciel)* to cloud over;
(s'habiller) to wrap up; **se ~ de** to
become covered in OU with.

cow-boy, -s [kɔbɔj] *nm* cow-
boy.

CP *nm (abr de cours préparatoire)*
first year of primary school.

crabe [krab] *nm* crab.

cracher [kraʃe] *vi* to spit **♦** *vt* to
spit out.

craie [krɛ] *nf* chalk.

craindre [krɛ̃dr] *vt* to fear, to be
afraid of; *(être sensible à)* to be sensitive to.

craint, -e [krɛ̃, ɛ̃t] *pp* → **craindre.**

crainte [krɛ̃t] *nf* fear; **de ~ que**
for fear that.

craintif, -ive [krɛ̃tif, iv] *adj*
timid.

cramique [kramik] *nm (Belg)*
"brioche" with raisins.

crampe [krɑ̃p] *nf* cramp.

cramponner (à) [krɑ̃pɔne] : **se**
cramponner (à) *vp (+ prép)* to
hang on (to).

crampons [krɑ̃pɔ̃] *nmpl (de foot,
de rugby)* studs.

cran [krɑ̃] *nm (de ceinture)* hole;

(entaille) notch; *(courage)* guts *(pl)*;
(couteau à) ~ d'arrêt flick knife.

crâne [krɑn] *nm* skull.

crapaud [krapo] *nm* toad.

craquement [krakmɑ̃] *nm* crack.

craquer [krake] *vi (faire un bruit)*
to crack; *(casser)* to split; *(nerveusement)* to crack up **♦** *vt (allumette)* to
strike.

crasse [kras] *nf* filth.

cravate [kravat] *nf* tie.

crawl [krol] *nm* crawl.

crayon [krɛjɔ̃] *nm* pencil; **~ de
couleur** crayon.

création [kreasjɔ̃] *nf* creation.

crèche [krɛʃ] *nf (garderie)* playgroup; *(RELIG)* crib.

crédit [kredi] *nm (argent emprun-
té)* loan; **acheter qqch à ~** to buy
sth on credit.

créditer [kredite] *vt (compte)* to
credit.

créer [kree] *vt* to create; *(fonder)*
to found.

crémaillère [kremajɛr] *nf* : **pendre la ~** to have a housewarming
party.

crème [krɛm] *nf (dessert)* cream
dessert; *(pour la peau)* cream; **~**
anglaise custard; **~ caramel** crème
caramel; **~ fraîche** fresh cream; **~**
glacée ice cream; **~ pâtissière** confectioner's custard.

crémerie [kremri] *nf* dairy.

crémeux, -euse [kremø, øz]
adj creamy.

créneau, -x [kreno] *nm*: **faire
un ~** to reverse into a parking
space □ **créneaux** *nmpl (de château)* battlements.

crêpe [krɛp] *nf* pancake; **~ bretonne** sweet or savoury pancake, often

made with buckwheat, a speciality of Brittany.

crêperie [kʀepʀi] *nf* pancake restaurant.

crépi [kʀepi] *nm* roughcast.

crépu, -e [kʀepy] *adj* frizzy.

cresson [kʀesɔ̃] *nm* watercress.

crête [kʀɛt] *nf (de montagne)* ridge; *(de coq)* crest.

cretons [kʀətɔ̃] *nmpl (Can)* potted pork.

creuser [kʀøze] *vt* to dig; *ça creuse! it gives you an appetite!* □ **se creuser** *vpr:* **se ~ la tête** OU **la cervelle** to rack one's brains.

creux, creuse [kʀø, kʀøz] *adj* hollow ♦ *nm (de la main)* hollow; *(sur la route)* dip.

crevaison [kʀəvɛzɔ̃] *nf* puncture.

crevant, -e [kʀəvɑ̃, ɑ̃t] *adj (fam: fatigant)* knackering.

crevasse [kʀəvas] *nf (en montagne)* crevasse.

crevé, -e [kʀəve] *adj (fam: fatigué)* knackered.

crever [kʀəve] *vt (percer)* to burst; *(fam: fatiguer)* to wear out ♦ *vi (exploser)* to burst; *(avoir une crevaison)* to have a puncture; *(fam: mourir)* to kick the bucket.

crevette [kʀəvɛt] *nf* prawn; **~ grise** shrimp; **~ rose** prawn.

cri [kʀi] *nm* shout; *(de joie, de douleur)* cry; *(d'animal)* call; **pousser un ~ cry** to cry (out).

cric [kʀik] *nm* jack.

cricket [kʀikɛt] *nm* cricket.

crier [kʀije] *vi* to shout; *(de douleur)* to cry (out) ♦ *vt* to shout.

crime [kʀim] *nm (meurtre)* mur-

der; *(faute grave)* crime.

criminel, -elle [kʀiminɛl] *nm, f* criminal.

crinière [kʀinjɛʀ] *nf* mane.

crise [kʀiz] *nf (économique)* crisis; *(de rire, de larmes)* fit; **~ cardiaque** heart attack; **~ de foie** bilious attack; **~ de nerfs** attack of nerves.

crispé, -e [kʀispe] *adj (personne, sourire)* tense; *(poing)* clenched.

cristal, -aux [kʀistal, o] *nm* crystal.

critère [kʀitɛʀ] *nm* criterion.

critique [kʀitik] *adj* critical ♦ *nmf* critic ♦ *nf (reproche)* criticism; *(article de presse)* review.

critiquer [kʀitike] *vt* to criticize.

croc [kʀo] *nm (canine)* fang.

croche-pied, -s [kʀɔʃpje] *nm:* **faire un ~ à qqn** to trip sb (up).

crochet [kʀɔʃɛ] *nm (de) hook; *(tricot)* crochet; *(fig: détour)* detour.

crocodile [kʀɔkɔdil] *nm* crocodile.

croire [kʀwaʀ] *vt* to believe; *(penser)* to think ♦ *vi:* **~ à** to believe in; **~ en** to believe in □ **se croire** *vpr:* **il se croit intelligent** he thinks he's clever; **on se croirait au Moyen Âge** you'd think you were (back) in the Middle Ages.

croisement [kʀwazmɑ̃] *nm (carrefour)* junction; *(de races)* crossbreeding.

croiser [kʀwaze] *vt* to cross; *(personne)* to pass; *(regard)* to meet □ **se croiser** *vp (voitures, personnes)* to pass each other; *(lettres)* to cross (in the post).

croisière [kʀwazjɛʀ] *nf* cruise.

croissance [kʀwasɑ̃s] *nf* growth.

croissant [krwasɑ̃] *nm (pâtisserie)* croissant; *(de lune)* crescent.

croix [krwa] *nf* cross; **en ~** in the shape of a cross; **les bras en ~** arms out.

Croix-Rouge [krwaruʒ] *nf:* **la ~** the Red Cross.

croque-madame [krɔkmadam] *nm inv* croque-monsieur with a fried egg.

croque-monsieur [krɔkməsjø] *nm inv* toasted cheese and ham sandwich.

croquer [krɔke] *vt* to crunch ♦ *vi* to be crunchy.

croquette [krɔkɛt] *nf* croquette; **~s pour chiens** dog meal *(sg)*.

cross [krɔs] *nm inv (course)* cross-country race; *(sport)* cross-country racing.

crotte [krɔt] *nf* dropping.

crottin [krɔtɛ̃] *nm* dung; *(fromage)* small round goat's cheese.

croustade [krustad] *nf* vol au vent.

croustillant, -e [krustijɑ̃, ɑ̃t] *adj* crunchy.

croûte [krut] *nf (de pain)* crust; *(de fromage)* rind; *(MÉD)* scab; **~ au fromage** *(Helv)* melted cheese with wine, served on toast.

croûton [krutɔ̃] *nm (pain frit)* crouton; *(extrémité du pain)* crust.

croyant, -e [krwajɑ̃, ɑ̃t] *adj:* **être ~** to be a believer.

CRS *nmpl* French riot police.

cru, -e [kry] *pp →* **croire** ♦ *adj* raw; *(choquant)* crude ♦ *nm (vin)* vintage.

crudités [krydite] *nfpl* raw vegetables.

crue [kry] *nf* flood; **être en ~** to be in spate.

cruel, -elle [kryɛl] *adj* cruel.

crustacés [krystase] *nmpl* shellfish.

cube [kyb] *nm* cube; **mètre ~** cubic metre.

cueillir [kœjir] *vt* to pick.

cuiller [kɥijɛr] = **cuillère**.

cuillère [kɥijɛr] *nf* spoon; **~ à café, petite ~** teaspoon; **~ à soupe** soup spoon.

cuillerée [kɥijere] *nf* spoonful.

cuir [kɥir] *nm (matériau)* leather.

cuire [kɥir] *vt & vi* to cooking; *(pain, gâteau)* to bake; **faire ~** to cook.

cuisine [kɥizin] *nf* kitchen; *(art)* cooking; **faire la ~** to cook.

cuisiner [kɥizine] *vt & vi* to cook.

cuisinier, -ière [kɥizinje, jɛr] *nm, f* cook.

cuisinière [kɥizinjɛr] *nf* cooker.

cuisse [kɥis] *nf (de) thigh; (de volaille)* leg; **~s de grenouille** frog's legs.

cuisson [kɥisɔ̃] *nf* cooking.

cuit, -e [kɥi, kɥit] *adj* cooked; **bien ~** well-done.

cuivre [kɥivr] *nm* copper.

cul [ky] *nm (vulg: fesses)* arse *(Br)*, ass *(Am)*.

culasse [kylas] *nf →* **joint**.

culotte [kylɔt] *nf (slip)* knickers *(pl)*; **~ de cheval** *(vêtement)* jodhpurs *(pl)*.

culte [kylt] *nm (adoration)* worship; *(religion)* religion.

cultivateur, -trice [kyltivatœr, tris] *nm, f* farmer.

cultiver [kyltive] *vt (terre, champ)* to cultivate; *(blé, maïs, etc)* to grow ❑ **se cultiver** *vp* to improve one's mind.

culture [kyltyr] *nf* (*agricole*) farming; (*connaissances*) knowledge; (*civilisation*) culture □ **cultures** *nfpl* cultivated land.

culturel, -elle [kyltyrɛl] *adj* cultural.

cumin [kymɛ̃] *nm* cumin.

curé [kyre] *nm* parish priest.

cure-dents [kyrdɑ̃] *nm inv* toothpick.

curieux, -ieuse [kyrjø, jøz] *adj* (*indiscret*) inquisitive; (*étrange*) curious ◆ *nm* onlookers.

curiosité [kyrjozite] *nf* curiosity □ **curiosités** *nfpl* (*touristiques*) unusual things to see.

curry [kyri] *nm* (*épice*) curry powder; (*plat*) curry.

cutanée [kytane] *adj f* → **éruption**.

cuvette [kyvet] *nf* basin.

CV *nm* (*abr de curriculum vitae*) CV; (*AUT: abr de cheval*) hp.

cyclable [siklabl] *adj* → **piste**.

cycle [sikl] *nm* cycle; (*de films*) season.

cyclisme [siklism] *nm* cycling.

cycliste [siklist] *nmf* cyclist ◆ *nm* (*short*) cycling shorts (*pl*) ◆ *adj*: **course** (*épreuve*) cycle race; (*activité*) cycling.

cyclone [siklon] *nm* cyclone.

cygne [siɲ] *nm* swan.

cylindre [silɛ̃dr] *nm* cylinder.

cynique [sinik] *adj* cynical.

cyprès [siprɛ] *nm* cypress.

D

DAB [dab] *nm* (*abr de distributeur automatique de billets*) ATM.

dactylo [daktilo] *nf* (*secrétaire*) typist.

daim [dɛ̃] *nm* (*animal*) (fallow) deer; (*peau*) suede.

dalle [dal] *nf* slab.

dame [dam] *nf* lady; (*aux cartes*) queen □ **dames** *nfpl* (*jeu*) draughts (*Br*), checkers (*Am*).

damier [damje] *nm* (*de dames*) draughtboard (*Br*), checkerboard (*Am*).

Danemark [danmark] *nm*: **le** ~ Denmark.

danger [dɑ̃ʒe] *nm* danger; **être en** ~ to be in danger.

dangereux, -euse [dɑ̃ʒrø, øz] *adj* dangerous.

danois, -e [danwa, waz] *adj* Danish ◆ *nm* (*langue*) Danish □ **Danois, -e** *nm, f* Dane.

dans [dɑ̃] *prép* **1.** (*indique la situation*) in; **je vis ~ le sud de la France** I live in the south of France.

2. (*indique la direction*) into; **vous allez ~ la mauvaise direction** you're going in the wrong direction.

3. (*indique la provenance*) from; **choisissez un dessert ~ le menu** choose a dessert from the menu.

4. (*indique le moment*) in; **~ combien de temps arrivons-nous?** how long before we get there?; **le spectacle commence ~ cinq minutes** the show begins in five minutes.

5. *(indique une approximation):* ça doit coûter ~ les **200 F** that must cost around 200 francs.

danse [dɑ̃s] *nf:* **la ~** dancing; **une ~ a dance;** *(classique)* ballet dancing; **~ moderne** modern dancing.

danser [dɑ̃se] *vt* & *vi* to dance.

danseur, -euse [dɑ̃sœr, øz] *nm, f (de salon)* dancer; *(classique)* ballet dancer.

darne [darn] *nf* steak *(of fish).*

date [dat] *nf* ~ **limite** deadline; **«~ limite de consommation»** "use-by date"; **«~ limite de vente»** "sell-by date"; **~ de naissance** date of birth.

dater [date] *vt* to date ♦ *vi (être vieux)* to be dated; **~ de** *(remonter à)* to date from.

datte [dat] *nf* date.

daube [dob] *nf:* **(bœuf en) ~** beef stew cooked with wine.

dauphin [dofɛ̃] *nm (animal)* dolphin.

dauphine [dofin] *nf →* **pomme.**

dauphinois [dofinwa] *adj m →* **gratin.**

daurade [dɔrad] *nf* sea bream.

davantage [davɑ̃taʒ] *adv* more; **~ de temps** more time.

de [də] *prép* **1.** *(indique l'appartenance)* of; **la porte du salon** the living room door; **le frère ~** Pierre Pierre's brother.

2. *(indique la provenance)* from; **d'où êtes-vous? ~ Bordeaux** where are you from? - Bordeaux.

3. *(avec à)* **~ Paris à Tokyo** from Paris to Tokyo; **~ la mi-août à début septembre** from mid-August to the beginning of September.

4. *(indique une caractéristique):* **une statue ~ pierre** a stone statue; **des**

billets **~ 100 F** 100-franc notes; **l'avion ~ 7 h 20** the seven o'clock plane; **un jeune homme ~ 25 ans** a young man of 25.

5. *(introduit un complément):* **parler ~ qqch** to talk about sthg; **arrêter ~ faire qqch** to stop doing sthg.

6. *(désigne le contenu)* of; **une bouteille d'eau minérale** a bottle of mineral water.

7. *(parmi)* of; **certaines ~ ces plages sont polluées** some of these beaches are polluted; **la moitié du temps/~ nos clients** half (of) the time/(of) our customers.

8. *(indique le moyen)* with; **saluer qqn d'un mouvement de tête** to greet sb with a nod.

9. *(indique la manière):* **d'un air distrait** absent-mindedly.

10. *(indique la cause):* **hurler ~ douleur** to scream with pain; **je meurs ~ faim!** I'm starving!

♦ *art some* **je voudrais du vin/du lait** I'd like some wine/some milk; **ils n'ont pas d'enfants** they don't have any children; **avez-vous du pain?** do you have any bread?

dé [de] *nm (à jouer)* dice; **~ (à coudre)** thimble.

déballer [debale] *vt (affaires)* to unpack; *(cadeau)* to unwrap.

débarbouiller [debarbuje] : **se débarbouiller** *vp* to wash one's face.

débardeur [debardœr] *nm (T-shirt)* vest top.

débarquer [debarke] *vt* to unload ♦ *vi* to disembark.

débarras [debara] *nm* junk room; **bon ~!** good riddance!

débarrasser [debarase] *vt* to clear up; *(table)* to clear; **~ qqn de** *(vêtement, paquets)* to relieve sb of

❏ **se débarrasser de** vp + prép (vêtement) to take off; (paquets) to put down; (personne) to get rid of.

débat [deba] nm debate.

débattre [debatr] vt to discuss ♦ vi to debate; **~ (de) qqch** to debate sthg ❏ **se débattre** vp to struggle.

débit [debi] nm (d'eau) flow; (bancaire) debit.

débiter [debite] vt (compte) to debit; (couper) to cut up; (péj: dire) to spout.

déblayer [debleje] vt to clear.

débloquer [deblɔke] vt to un-jam; (crédits) to unfreeze.

déboîter [debwate] vt (objet) to dislodge; (os) to dislocate ♦ vi (voiture) to pull out ❏ **se déboîter** vp: **se ~ l'épaule** to dislocate one's shoulder.

débordé, -e [debɔrde] adj: **être ~ (de travail)** to be snowed under (with work).

déborder [debɔrde] vi to over-flow.

débouché [debuʃe] nm (de vente) outlet; (de travail) opening.

déboucher [debuʃe] vt (bou-teille) to open; (nez, tuyau) to unblock ❏ **déboucher sur** v + prép to lead to.

débourser [deburse] vt to pay out.

debout [dəbu] adv (sur ses pieds) standing (up); (verticalement) up-right; **être ~ (réveillé)** to be up; **se mettre ~** to stand up; **tenir ~** to stand up.

déboutonner [debutɔne] vt to unbutton.

débraillé, -e [debraje] adj di-shevelled.

débrancher [debrɑ̃ʃe] vt (appa-reil) to unplug; (prise) to remove.

débrayer [debreje] vi to de-clutch.

débris [debri] nmpl pieces.

débrouiller [debruje] : **se dé-brouiller** vp to get by; **se ~ pour faire qqch** to manage to do sthg.

début [deby] nm start; **au ~ (de)** at the start (of).

débutant, -e [debytɑ̃, ɑ̃t] nm, f beginner.

débuter [debyte] vi to start; (dans une carrière) to start out.

décaféiné, -e [dekafeine] adj decaffeinated.

décalage [dekalaʒ] nm gap; **~ horaire** time difference.

décalcomanie [dekalkɔmani] nf transfer.

décaler [dekale] vt (déplacer) to move; (avancer dans le temps) to bring forward; (retarder) to put back.

décalquer [dekalke] vt to trace.

décapant [dekapɑ̃] nm stripper.

décaper [dekape] vt to strip.

décapiter [dekapite] vt to be-head.

décapotable [dekapɔtabl] adj & nf convertible.

décapsuler [dekapsyle] vt to open.

décapsuleur [dekapsylœr] nm bottle opener.

décéder [desede] vi (sout) to pass away.

décembre [desɑ̃br] nm Decem-ber, → septembre.

décent, -e [desɑ̃, ɑ̃t] adj decent.

déception [desɛpsjɔ̃] nf disap-pointment.

décerner [deserne] vt (prix) to award.

décès [dese] nm death.

décevant, -e [desvã, ãt] adj disappointing.

décevoir [desvwar] vt to disappoint.

déchaîner [desene] vt (colère, rires) to spark off □ **se déchaîner** vp (personne) to fly into a rage; (tempête) to break.

décharge [desarʒ] nf (d'ordures) rubbish dump (Br), garbage dump (Am); (électrique) electric shock.

décharger [desarʒe] vt to unload; (tirer avec) to fire.

déchausser [desose] : **se déchausser** vp to take one's shoes off.

déchets [dese] nmpl waste (sg).

déchiffrer [disifre] vt (lire) to decipher; (décoder) to decode.

déchiqueter [desikte] vt to shred.

déchirer [desire] vt (lettre, page) to tear up; (vêtement, nappe) to tear □ **se déchirer** vp to tear.

déchirure [desiryr] nf tear; ~ musculaire torn muscle.

déci [desi] nm (Helv) small glass of wine.

décidé, -e [deside] adj determined; **c'est ~** it's settled.

décidément [desidemã] adv really.

décider [deside] vt to decide; ~ qqn (à faire qqch) to persuade sb (to do sthg); ~ de faire qqch to decide to do sthg □ **se décider** vp: **se ~ (à faire qqch)** to make up one's mind to do sthg.

décimal, -e, -aux [desimal, o]

adj decimal.

décisif, -ive [desizif, iv] adj decisive.

décision [desizjɔ̃] nf decision; (fermeté) decisiveness.

déclaration [deklarasjɔ̃] nf announcement; ~ **d'impôts** tax return; **faire une ~ de vol** to report a theft.

déclarer [deklare] vt to declare; (vol) to report; **rien à ~** nothing to declare □ **se déclarer** vp (épidémie, incendie) to break out.

déclencher [deklɑ̃se] vt (mécanisme) to set off; (guerre) to trigger off.

déclic [deklik] nm click; **j'ai eu un ~** (fig) it suddenly clicked.

décoiffer [dekwafe] vt: ~ **qqn** to mess up sb's hair.

décollage [dekɔlaʒ] nm take-off.

décoller [dekɔle] vt to unstick; (papier peint) to strip ♦ vi (avion) to take off □ **se décoller** vp to come unstuck.

décolleté, -e [dekɔlte] adj low-cut ♦ nm neckline.

décolorer [dekɔlɔre] vt to bleach.

décombres [dekɔ̃br] nmpl debris (sg).

décommander [dekɔmɑ̃de] vt to cancel □ **se décommander** vp to cancel.

décomposer [dekɔ̃poze] vt: ~ **qqch en** to break sthg down into □ **se décomposer** vp (pourrir) to decompose.

déconcentrer [dekɔ̃sɑ̃tre] : **se déconcentrer** vp to lose one's concentration.

déconcerter [dekɔ̃sɛrte] vt to disconcert.

déconseiller [dekɔ̃seje] *vt* : ~ qqch à qqn to advise sb against sthg; ~ à qqn de faire qqch to advise sb against doing sthg.

décontracté, -e [dekɔ̃trakte] *adj* relaxed.

décor [dekɔr] *nm* scenery; *(d'une pièce)* décor.

décorateur, -trice [dekɔratœr, tris] *nm, f (d'intérieurs)* (interior) decorator; *(de théâtre)* designer.

décoration [dekɔrasjɔ̃] *nf* decoration.

décorer [dekɔre] *vt* to decorate.

décortiquer [dekɔrtike] *vt* to shell; *(fig: texte)* to dissect.

découdre [dekudr] *vt* to unpick ❑ **se découdre** *vp* to come unstitched.

découler [dekule] : **découler de** *v + prép* to follow from.

découper [dekupe] *vt (gâteau)* to cut (up); *(viande)* to carve; *(images, photos)* to cut out.

découragé, -e [dekuraʒe] *adj* dismayed.

décourager [dekuraʒe] *vt* to discourage ❑ **se décourager** *vp* to lose heart.

décousu, -e [dekuzy] *adj* undone; *(raisonnement, conversation)* disjointed.

découvert, -e [dekuvɛr, ɛrt] *pp* → **découvrir** ♦ *nm (bancaire)* overdraft.

découverte [dekuvɛrt] *nf* discovery.

découvrir [dekuvrir] *vt* to discover; *(ôter ce qui couvre)* to uncover ❑ **se découvrir** *vp (ôter son chapeau)* to take off one's hat; *(au lit)* to throw back the bedclothes.

décrire [dekrir] *vt* to describe.

décrocher [dekrɔʃe] *vt (tableau)* to take down; ~ (le téléphone) *(pour répondre)* to pick up the phone ❑ **se décrocher** *vp* to fall down.

déçu, -e [desy] *pp* → **décevoir** ♦ *adj* disappointed.

dédaigner [dedeɲe] *vt* to despise.

dédaigneux, -euse [dedeɲø, øz] *adj* disdainful.

dédain [dedɛ̃] *nm* disdain.

dedans [dədɑ̃] *adv & nm* inside; en ~ inside.

dédicacer [dedikase] *vt* : ~ qqch à qqn to autograph sthg for sb.

dédier [dedje] *vt* : ~ qqch à qqn to dedicate sthg to sb.

dédommager [dedɔmaʒe] *vt* to compensate.

déduction [dedyksjɔ̃] *nf* deduction.

déduire [dedɥir] *vt* : ~ qqch (de) *(soustraire)* to deduct sthg (from); *(conclure)* to deduce sthg (from).

déduit, -e [dedɥi, ɥit] *pp* → **déduire**.

déesse [dees] *nf* goddess.

défaillant, -e [defajɑ̃, ɑ̃t] *adj (vue)* failing.

défaire [defer] *vt (nœud)* to undo; *(valise)* to unpack; *(lit)* to strip ❑ **se défaire** *vp (nœud, coiffure)* to come undone.

défait, -e [defe, ɛt] *pp* → **défaire**.

défaite [defet] *nf* defeat.

défaut [defo] *nm (de caractère)* fault; *(imperfection)* flaw; à ~ de for lack of.

défavorable [defavɔrabl] *adj* unfavourable.

défavoriser [defavɔrize] vt to penalize.

défectueux, -euse [defɛktɥø, øz] adj defective.

défendre [defɑ̃dr] vt to defend; ~ qqch à qqn to forbid sb sthg; ~ à qqn de faire qqch to forbid sb to do sthg ❑ **se défendre** vp to defend o.s.

défense [defɑ̃s] nf defence; (d'éléphant) tusk; **prendre la ~ de qqn** to stand up for sb; «~ **de déposer des ordures**» "no dumping"; «~ **d'entrer**» "no entry".

i LA DÉFENSE

This business district to the west of Paris was started during the 1960s and 70s. It consists mainly of ultramodern glass skyscrapers and its most recognizable landmark is the "Grande Arche", a huge office building shaped like a square archway.

défi [defi] nm challenge; **lancer un ~ à qqn** to challenge sb.

déficit [defisit] nm deficit.

déficitaire [defisiter] adj in deficit.

défier [defje] vt to challenge; ~ qqn de faire qqch to challenge sb to do sthg.

défigurer [defigyre] vt to disfigure.

défilé [defile] nm (militaire) parade; (gorges) defile; ~ de mode fashion show.

défiler [defile] vi (manifestants, soldats) to march past.

définir [definir] vt to define.

définitif, -ive [definitif, iv] adj definitive; **en définitive** when all is said and done.

définition [definisjɔ̃] nf definition.

définitivement [definitivmɑ̃] adv permanently.

défoncer [defɔ̃se] vt (porte, voiture) to smash in; (terrain, route) to break up.

déformé, -e [defɔrme] adj (vêtement) shapeless; (route) uneven.

déformer [defɔrme] vt to deform; (fig: réalité) to distort.

défouler [defule] : **se défouler** vp to unwind.

défricher [defriʃe] vt to clear.

dégager [degaʒe] vt (déblayer) to clear; (fumée, odeur) to give off; ~ qqn/qqch de to free sb/sthg from ❑ **se dégager** vp to free o.s.; (ciel) to clear; **se ~ de** (se libérer de) to free o.s. from; (suj: fumée, odeur) to be given off from.

dégainer [degene] vt & vi to draw.

dégarni, -e [degarni] adj (crâne, personne) balding.

dégâts [dega] nmpl damage; **faire des ~** to cause damage.

dégel [deʒɛl] nm thaw.

dégeler [deʒle] vt to de-ice; (atmosphère) to warm up ♦ vi to thaw.

dégénérer [deʒenere] vi to degenerate.

dégivrage [deʒivraʒ] nm (AUT) de-icing.

dégivrer [deʒivre] vt (pare-brise) to de-ice; (réfrigérateur) to defrost.

dégonfler [degɔ̃fle] vt to let down ❑ **se dégonfler** vp to go down; (fam: renoncer) to chicken out.

dégouliner [deguline] *vi* to trickle.

dégourdi, -e [degurdi] *adj* smart.

dégourdir [degurdir] : se dégourdir *vp*: se ~ les jambes to stretch one's legs.

dégoût [degu] *nm* disgust.

dégoûtant, -e [degutɑ̃, ɑ̃t] *adj* disgusting.

dégoûter [degute] *vt* to disgust; ~ qqn de qqch to put sb off sthg.

dégrafer [degrafe] *vt (papiers)* to unstaple; *(vêtement)* to undo.

degré [dəgre] *nm* degree; du vin à 12 ~s 12% proof wine.

dégressif, -ive [degresif, iv] *adj* decreasing.

dégringoler [degrɛ̃gɔle] *vi* to tumble.

dégueulasse [degœlas] *adj (fam)* filthy.

déguisement [degizmɑ̃] *nm (pour bal masqué)* fancy dress.

déguiser [degize] *vt* to disguise ❑ se déguiser *vp*: se ~ (en) *(à un bal masqué)* to dress up (as).

dégustation [degystasjɔ̃] *nf* tasting.

déguster [degyste] *vt (goûter)* to taste.

dehors [dəɔr] *adv & nm* outside; jeter OU mettre qqn ~ to throw sb out; se pencher en ~ to lean out; en ~ de outside; *(sauf)* apart from.

déjà [deʒa] *adv* already; es-tu allé à Bordeaux? have you ever been to Bordeaux?

déjeuner [deʒœne] *nm* lunch; *(petit déjeuner)* breakfast ❖ *vi* to have lunch; *(le matin)* to have

breakfast.

délabré, -e [delabre] *adj* ruined.

délacer [delase] *vt* to undo.

délai [delɛ] *nm (durée)* deadline; *(temps supplémentaire)* extension; dans un ~ de trois jours within three days.

délasser [delase] *vt* to refresh.

délavé, -e [delave] *adj* faded.

délayer [deleje] *vt* to mix.

Delco® [delko] *nm* distributor.

délégué, -e [delege] *nm, f* delegate.

délibérément [deliberemɑ̃] *adv* deliberately.

délicat, -e [delika, at] *adj* delicate; *(plein de tact)* sensitive; *(exigeant)* fussy.

délicatement [delikatmɑ̃] *adv* delicately.

délicieux, -ieuse [delisjø, jøz] *adj* delicious.

délimiter [delimite] *vt (terrain)* to demarcate.

délinquant, -e [delɛ̃kɑ̃, ɑ̃t] *nm, f* delinquent.

délirer [delire] *vi* to be delirious.

délit [deli] *nm* offence *(Br)*, misdemeanor *(Am)*.

délivrer [delivre] *vt (prisonnier)* to release; *(autorisation, reçu)* to issue.

déloyal, -e, -aux [delwajal, jo] *adj* unfair.

delta [delta] *nm* delta.

deltaplane [deltaplan] *nm* hang-glider.

déluge [delyʒ] *nm (pluie)* downpour.

demain [dəmɛ̃] *adv* tomorrow; à ~! see you tomorrow!; ~ matin/

soir tomorrow morning/evening.

demande [dəmɑ̃d] nf (réclamation) application; (formulaire) application form; «~s d'emploi» "situations wanted".

demander [dəmɑ̃de] vt to ask for; (heure) to ask; (nécessiter) to require; ~ qqch à qqn (interroger) to ask sb sthg; (exiger) to ask for sthg; ~ à qqn de faire qqch to ask sb to do sthg ❏ se demander vp to wonder.

demandeur, -euse [dəmɑ̃dœr, øz] nm, f: ~ d'emploi job-seeker.

démangeaison [demɑ̃ʒɛzɔ̃] nf itch; avoir des ~s to itch.

démanger [demɑ̃ʒe] vt: mon bras me démange my arm is itchy.

démaquillant [demakijɑ̃] nm cleanser.

démarche [demarʃ] nf (allure) bearing; (administrative) step.

démarrage [demaraʒ] nm start.

démarrer [demare] vi to start.

démarreur [demarœr] nm starter.

démasquer [demaske] vt (identifier) to expose.

démêler [demele] vt to untangle.

déménagement [demenaʒmɑ̃] nm removal.

déménager [demenaʒe] vi to move (house) ♦ vt to move.

démener [demne] : se démener vp (bouger) to struggle; (faire des efforts) to exert o.s.

dément, -e [demɑ̃, ɑ̃t] adj demented; (fam: incroyable) crazy.

démentir [demɑ̃tir] vt to deny.

démesuré, -e [demezyre] adj enormous.

démettre [demetr] : se démettre vp: se ~ l'épaule to dislocate one's shoulder.

demeure [dəmœr] nf (manoir) mansion.

demeurer [dəmœre] vi (sout) (habiter) to live; (rester) to remain.

demi, -e [dəmi] adj half ♦ nm (bière) = half-pint; cinq heures et ~ half past five; un ~-kilo de half a kilo of; à ~ fermé half-closed.

demi-finale, -s [dəmifinal] nf semifinal.

demi-frère, -s [dəmifrɛr] nm half-brother.

demi-heure, -s [dəmijœr] nf: une ~ half an hour; toutes les ~ every half hour.

demi-pension, -s [dəmipɑ̃sjɔ̃] nf (à l'hôtel) half board; (à l'école): être en ~ to have school dinners.

demi-pensionnaire, -s [dəmipɑ̃sjɔner] nmf child who has school dinners.

démis, -e [demi, iz] pp → démettre.

demi-saison, -s [dəmisezɔ̃] nf: de ~ (vêtement) mid-season.

demi-sœur, -s [dəmisœr] nf half-sister.

démission [demisjɔ̃] nf resignation; donner sa ~ to hand in one's notice.

démissionner [demisjɔne] vi to resign.

demi-tarif, -s [dəmitarif] nm half price.

demi-tour, -s [dəmitur] nm (à pied) about-turn; (en voiture) U-turn; faire ~ to turn back.

démocratie [demɔkrasi] nf democracy.

démocratique [demɔkratik] adj democratic.

démodé, -e [demɔde] adj old-fashioned.

demoiselle [dəmwazɛl] nf young lady; ~ **d'honneur** (à un mariage) bridesmaid.

démolir [demɔlir] vt to demolish.

démon [demɔ̃] nm devil.

démonstratif, -ive [demɔ̃stratif, iv] adj demonstrative.

démonstration [demɔ̃strasjɔ̃] nf demonstration.

démonter [demɔ̃te] vt to take apart.

démontrer [demɔ̃tre] vt to demonstrate.

démoraliser [demɔralize] vt to demoralize.

démouler [demule] vt (gâteau) to turn out of a mould.

démuni, -e [demyni] adj (pauvre) destitute.

dénicher [deniʃe] vt (trouver) to unearth.

dénivellation [denivelasjɔ̃] nf dip.

dénoncer [denɔ̃se] vt to denounce.

dénouement [denumɑ̃] nm (d'intrigue) outcome; (d'une pièce de théâtre) denouement.

dénouer [denwe] vt to untie.

dénoyauter [denwajote] vt (olives) to pit.

denrée [dɑ̃re] nf commodity.

dense [dɑ̃s] adj dense.

dent [dɑ̃] nf tooth; (d'une fourchette) prong; ~ **de lait** milk tooth; ~ **de sagesse** wisdom tooth.

dentelle [dɑ̃tɛl] nf lace.

dentier [dɑ̃tje] nm dentures (pl).

dentifrice [dɑ̃tifris] nm toothpaste.

dentiste [dɑ̃tist] nm dentist.

Denver [dɑ̃ver] n → **sabot**.

déodorant [deɔdɔrɑ̃] nm deodorant.

dépannage [depanaʒ] nm repair; **service de ~** (AUT) breakdown service.

dépanner [depane] vt to repair; (fig: aider) to bail out.

dépanneur [depanœr] nm repairman; (Can: épicerie) corner shop (Br), convenience store (Am).

dépanneuse [depanøz] nf (breakdown) recovery vehicle.

dépareillé, -e [depareje] adj (service) incomplete; (gant, chaussette) odd.

départ [depar] nm departure; (d'une course) start; **au ~** (au début) at first; «~s» "departures".

départager [departaʒe] vt to decide between.

département [departəmɑ̃] nm (division administrative) territorial and administrative division of France; (service) department.

départementale [departəmɑ̃tal] nf: (route) ~ ≃ B road (Br), secondary road.

dépassement [depasmɑ̃] nm (sur la route) overtaking (Br), passing.

dépasser [depase] vt (passer devant) to pass; (doubler) to overtake (Br), to pass; (en taille) to be taller than; (somme, limite) to exceed ♦ vi (déborder) to stick out.

dépaysement [depeizmɑ̃] nm

change of scenery.

dépêcher [depeʃe] : **se dépêcher** vp to hurry (up); **se ~ de faire qqch** to hurry to do sthg.

dépendre [depɑ̃dr] vi : **~ de** to depend on; **ça dépend** it depends.

dépens [depɑ̃] : **aux dépens de** prép at the expense of.

dépense [depɑ̃s] nf expense.

dépenser [depɑ̃se] vt to spend; **se dépenser** vp (physiquement) to exert o.s.

dépensier, -ière [depɑ̃sje, jɛr] adj extravagant.

dépêtrer [depetre] : **se dépêtrer de** vp + prép to get out of.

dépit [depi] nm spite; **en ~ de** in spite of.

déplacement [deplasmɑ̃] nm (voyage) trip; **en ~** away on business.

déplacer [deplase] vt to move; **se déplacer** vp to move; (voyager) to travel.

déplaire [depler] : **déplaire à** v + prép : **ça me déplaît** I don't like it.

déplaisant, -e [deplezɑ̃, ɑ̃t] adj unpleasant.

dépliant [deplijɑ̃] nm leaflet.

déplier [deplije] vt to unfold; **se déplier** vp (chaise) to unfold; (canapé) to fold down.

déplorable [deplɔrabl] adj deplorable.

déployer [deplwaje] vt (ailes) to spread; (carte) to open out.

déporter [depɔrte] vt (prisonnier) to deport; (voiture) to cause to swerve.

déposer [depoze] vt (poser) to put down; (laisser) to leave; (argent) to deposit; (en voiture) to

drop (off) □ **se déposer** vp to settle.

dépôt [depo] nm deposit; (de marchandises) warehouse; (de bus) depot.

dépotoir [depɔtwar] nm rubbish dump, garbage dump (Am).

dépouiller [depuje] vt (voler) to rob.

dépourvu, -e [depurvy] adj : **~ de** without; **prendre qqn au ~** to catch sb unawares.

dépression [depresjɔ̃] nf (atmosphérique) low; **~ (nerveuse)** (nervous) breakdown.

déprimer [deprime] vt to depress ♦ vi to be depressed.

depuis [dəpɥi] prép & adv since; **je travaille ici ~ trois ans** I've been working here for three years; **~ quand est-il marié?** how long has he been married?; **~ que nous sommes ici** since we've been here.

député [depyte] nm Member of Parliament (Br), Representative (Am).

déraciner [derasine] vt to uproot.

dérailler [deraje] vi (train) to be derailed.

dérailleur [derajœr] nm derailleur.

dérangement [derɑ̃ʒmɑ̃] nm (gêne) trouble; **en ~** out of order.

déranger [derɑ̃ʒe] vt (gêner) to bother; (objets, affaires) to disturb; **ça vous dérange si ...?** do you mind if ...? □ **se déranger** vp (se déplacer) to move.

dérapage [derapaʒ] nm skid.

déraper [derape] vi (voiture, personne) to skid; (lame) to slip.

dérégler [deregle] vt to put out

of order □ **se dérégler** *vp* to go wrong.

dérive [deriv] *nf (NAVIG)* centre-board; **aller à ~** to drift.

dériver [derive] *vi (bateau)* to drift.

dermatologue [dermatolog] *nmf* dermatologist.

dernier, -ière [dɛrnje, jɛr] *adj* last; *(récent)* latest ♦ *nm, f* last; **le ~ étage** the top floor; **la semaine dernière** last week; **en ~** lastly; *(arriver)* last.

dernièrement [dɛrnjɛrmɑ̃] *adv* lately.

dérouler [derule] *vt (fil)* to unwind; *(papier)* to unroll □ **se dérouler** *vp (avoir lieu)* to take place.

dérouter [derute] *vt (surprendre)* to disconcert; *(dévier)* to divert.

derrière [dɛrjɛr] *prép* behind ♦ *adv* behind; *(dans une voiture)* in the back ♦ *nm (partie arrière)* back; *(fesses)* bottom.

des [de] = **de + les**, → **de, un**.

dès [de] *prép*: **~ demain** from tomorrow; **~ notre arrivée** as soon as we arrive/arrived; **~ que** as soon as; **~ que tu seras prêt** as soon as you're ready.

désaccord [dezakɔr] *nm* disagreement; **être en ~ avec** to disagree with.

désaffecté, -e [dezafɛkte] *adj* disused.

désagréable [dezagreabl] *adj* unpleasant.

désaltérer [dezaltere]: **se désaltérer** *vp* to quench one's thirst.

désappointé, -e [dezapwɛ̃te] *adj* disappointed.

désapprouver [dezapruve] *vt*

to disapprove of.

désarçonner [dezarsɔne] *vt* to throw.

désarmant, -e [dezarmɑ̃, ɑ̃t] *adj* disarming.

désarmer [dezarme] *vt* to disarm.

désastre [dezastr] *nm* disaster.

désastreux, -euse [dezastrø, øz] *adj* disastrous.

désavantage [dezavɑ̃taʒ] *nm* disadvantage.

désavantager [dezavɑ̃taʒe] *vt* to put at a disadvantage.

descendant, -e [desɑ̃dɑ̃, ɑ̃t] *nm, f* descendant.

descendre [desɑ̃dr] *vt (aux avoir) (rue, escalier)* to go/come down; *(transporter)* to bring/take down ♦ *vi (aux être)* to go/come down; *(être en pente)* to slope down; *(baisser)* to fall; **~ les escaliers en courant** to run down the stairs; **~ de** *(voiture, train)* to get out of; *(vélo)* to get off; *(ancêtres)* to be descended from.

descente [desɑ̃t] *nf (en avion)* descent; *(pente)* slope; **~ de lit** bedside rug.

description [dɛskripsjɔ̃] *nf* description.

désemparé, -e [dezɑ̃pare] *adj* helpless.

déséquilibre [dezekilibr] *nm (différence)* imbalance; **en ~** *(instable)* unsteady.

déséquilibré, -e [dezekilibre] *nm, f* unbalanced person.

déséquilibrer [dezekilibre] *vt* to throw off balance.

désert, -e [dezer, ɛrt] *adj* deserted ♦ *nm* desert.

déserter [dezɛrte] *vi* to desert.

désertique [dezɛrtik] *adj* desert.

désespéré, -e [dezɛspere] *adj* desperate.

désespoir [dezɛspwar] *nm* despair.

déshabiller [dezabije] *vt (personne)* to undress ❑ **se déshabiller** *vp* to get undressed.

désherbant [dezɛrbã] *nm* weed-killer.

désherber [dezɛrbe] *vt* to weed.

déshonorer [dezɔnɔre] *vt* to disgrace.

déshydraté, -e [dezidrate] *adj (aliment)* dried; *(fig: assoiffé)* dehydrated.

déshydrater [dezidrate] *vt* to dehydrate ❑ **se déshydrater** *vp* to become dehydrated.

désigner [dezine] *vt (montrer)* to point out; *(choisir)* to appoint.

désillusion [dezilyzjɔ̃] *nf* disillusion.

désinfectant [dezɛ̃fɛktã] *nm* disinfectant.

désinfecter [dezɛ̃fɛkte] *vt* to disinfect.

désintéressé, -e [dezɛ̃terese] *adj* disinterested.

désintéresser [dezɛ̃terese] **: se désintéresser de** *vp + prép* to lose interest in.

désinvolte [dezɛ̃vɔlt] *adj* care-free.

désir [dezir] *nm* desire.

désirer [dezire] *vt* to want; **vous désirez?** can I help you?; **laisser à ~** to leave something to be desired.

désobéir [dezɔbeir] *vi* to disobey; **~ à** to disobey.

désobéissant, -e [dezɔbeisã,

ãt] *adj* disobedient.

désodorisant [dezɔdɔrizã] *nm* air freshener.

désolant, -e [dezɔlã, ãt] *adj* shocking.

désolé, -e [dezɔle] *adj (personne)* distressed; *(paysage)* desolate; **je suis ~ (de)** I'm sorry (to).

désordonné, -e [dezɔrdɔne] *adj* untidy; *(gestes)* wild.

désordre [dezɔrdr] *nm* mess; *(agitation)* disorder; **être en ~** to be untidy.

désorienté, -e [dezɔrjãte] *adj* disorientated.

désormais [dezɔrmɛ] *adv* from now on.

desquelles [dekɛl] = **de + lesquelles**, → **lequel**.

desquels [dekɛl] = **de + lesquels**, → **lequel**.

dessécher [desefe] *vt* to dry out ❑ **se dessécher** *vp (peau)* to dry out; *(plante)* to wither.

desserrer [desere] *vt (vis, ceinture)* to loosen; *(dents, poing)* to unclench; *(frein)* to release.

dessert [desɛr] *nm* dessert.

desservir [desɛrvir] *vt (ville, gare)* to serve; *(table)* to clear; *(nuire à)* to be harmful to.

dessin [desɛ̃] *nm* drawing; **~ animé** cartoon.

dessinateur, -trice [desinatœr, tris] *nm, f (artiste)* artist; *(technicien)* draughtsman (f draughtswoman).

dessiner [desine] *vt (portrait, paysage)* to draw; *(vêtement, voiture)* to design.

dessous [dəsu] *adv* underneath ◆ *nm (d'une table)* bottom; *(d'un* *carte, d'une feuille)* other side; **les voisins du ~** the downstairs neighbours; **en ~** underneath; **en ~ de** *(valeur, prévisions)* below.

dessous-de-plat [dəsudpla] *nm inv* place mat.

dessus [dəsy] *adv* on top ♦ *nm* top; **il a écrit ~** he wrote on it; **les voisins du ~** the upstairs neighbours; **avoir le ~** to have the upper hand.

dessus-de-lit [dəsydli] *nm inv* bedspread.

destin [destẽ] *nm* destiny; **le ~** fate.

destinataire [destinatɛr] *nmf* addressee.

destination [destinasjɔ̃] *nf* destination; **arriver à ~** to reach one's destination; **vol 392 à ~ de Londres** flight 392 to London.

destiné, -e [destine] *adj:* **être ~ à qqn** *(adressé à)* to be addressed to sb; **être ~ à qqn/qqch** *(conçu pour)* to be meant for sb/sthg; **être ~ à faire qqch** to be meant to do sthg.

destruction [destryksjɔ̃] *nf* destruction.

détachant [detaʃɑ̃] *nm* stain remover.

détacher [detaʃe] *vt (untie; (ceinture)* to undo; *(découper)* to detach; *(nettoyer)* to remove stains from ❑ **se détacher** *vp (se défaire)* to come undone; *(se séparer)* to come off.

détail [detaj] *nm (d'une histoire, d'un tableau)* detail; **au ~** retail; **en ~** in detail.

détaillant [detajɑ̃] *nm* retailer.

détaillé, -e [detaje] *adj* detailed; *(facture)* itemized.

détartrant [detartrɑ̃] *nm* de-

scaler.

détaxé, -e [detakse] *adj* duty-free.

détecter [detɛkte] *vt* to detect.

détective [detɛktiv] *nm* detective.

déteindre [detɛ̃dr] *vi* to fade; **~ sur** *(vêtement)* to discolour.

déteint, -e [detɛ̃, ɛ̃t] *pp →* déteindre.

détendre [detɑ̃dr] *vt (corde, élastique)* to slacken; *(personne, atmosphère)* to relax ❑ **se détendre** *vp (corde, élastique)* to slacken; *(se décontracter)* to relax.

détendu, -e [detɑ̃dy] *adj (décontracté)* relaxed.

détenir [detnir] *vt (fortune, secret)* to have; *(record)* to hold.

détenu, -e [detny] *pp →* détenir ♦ *nm, f* prisoner.

détergent [detɛrʒɑ̃] *nm* detergent.

détériorer [deterjɔre] *vt* to damage ❑ **se détériorer** *vp* to deteriorate.

déterminé, -e [detɛrmine] *adj (précis)* specific; *(décidé)* determined.

déterminer [detɛrmine] *vt (préciser)* to specify; **~ qqn à faire qqch** to make sb decide to do sthg.

déterrer [detɛre] *vt* to dig up.

détester [detɛste] *vt* to detest.

détonation [detɔnasjɔ̃] *nf* detonation.

détour [detur] *nm:* **faire un ~** *(voyageur)* to make a detour.

détourner [deturne] *vt (circulation, attention)* to divert; *(argent)* to embezzle; **~ qqn de** to distract sb from ❑ **se détourner** *vp* to turn away; **se ~ de** to move away from.

détraqué, -e [detrake] *adj* broken; *(fam: fou)* cracked.

détritus [detrity(s)] *nmpl* rubbish *(Br)(sg)*, garbage *(Am)(sg)*.

détroit [detrwa] *nm* strait.

détruire [detrɥir] *vt* to destroy.

détruit, -e [detrɥi, ɥit] *pp →* **détruire**.

dette [dɛt] *nf* debt.

DEUG [dœg] *nm* university diploma taken after two years.

deuil [dœj] *nm (décès)* death; **être en ~** to be in mourning.

deux [dø] *num* two; **à ~** together; **~ points** *(signe de ponctuation)* colon, *→* **six**.

deuxième [døzjɛm] *num* second, *→* **sixième**.

deux-pièces [døpjɛs] *nm (maillot de bain)* two-piece *(costume)*; *(appartement)* two-room flat *(Br)*, two-room apartment *(Am)*.

deux-roues [døru] *nm* two-wheeled vehicle.

dévaliser [devalize] *vt* to rob.

devancer [dəvɑ̃se] *vt (arriver avant)* to arrive before.

devant [dəvɑ̃] *prép* in front of; *(avant)* before ♦ *adv* in front; *(en avant)* ahead ♦ *nm (pattes, roues)* front; *(sens)* **~ derrière** back to front.

devanture [dəvɑ̃tyr] *nf* shop window.

dévaster [devaste] *vt* to devastate.

développement [devlɔpmɑ̃] *nm* development; *(de photos)* developing.

développer [devlɔpe] *vt* to de-

velop; **faire ~ des photos** to have some photos developed ❏ **se développer** *vp (grandir)* to grow.

devenir [dəvnir] *vi* to become.

devenu, -e [dəvny] *pp →* **devenir**.

déviation [devjasjɔ̃] *nf* diversion.

dévier [devje] *vt (trafic)* to divert; *(balle)* to deflect.

deviner [dəvine] *vt* to guess; *(apercevoir)* to make out.

devinette [dəvinɛt] *nf* riddle; **jouer aux ~s** to play guessing games.

devis [dəvi] *nm* estimate.

dévisager [devizaʒe] *vt* to stare at.

devise [dəviz] *nf (slogan)* motto; *(argent)* currency.

deviser [dəvize] *vt (Helv)* to estimate.

dévisser [devise] *vt* to unscrew.

dévoiler [devwale] *vt (secret, intentions)* to reveal.

devoir [dəvwar] *vt* **1.** *(argent, explications):* **~ qqch à qqn** to owe sb sthg.

2. *(exprime l'obligation):* **~ faire qqch** to have to do sthg; **je dois y aller, maintenant** I have to or go now.

3. *(pour suggérer):* **vous devriez essayer le rafting** you should try whitewater rafting.

4. *(exprime le regret):* **j'aurais dû/je n'aurais pas dû l'écouter** I should have/shouldn't have listened to him.

5. *(exprime la probabilité):* **ça doit coûter cher** that must cost a lot; **le temps devrait s'améliorer cette semaine** the weather should im-

prove this week.
6. *(exprime l'intention):* **nous devions partir hier, mais ... ** we were due to leave yesterday, but ...
♦ **devons** *nm* 1. *(obligation)* duty.
2. *(SCOL):* ~ **(à la maison)** homework exercise; ~ **(sur table)** classroom test.
❏ **devoirs** *nmpl (SCOL)* homework *(sg)*; ~**s de vacances** holiday homework *(Br)*, vacation homework *(Am)*.

dévorer [devɔre] *vt* to devour.

dévoué, -e [devwe] *adj* devoted.

dévouer [devwe] : **se dévouer** *vp* to make a sacrifice; **se ~ pour faire qqch** to sacrifice o.s. to do sthg.

devra *etc* → **devoir**.

diabète [djabɛt] *nm* diabetes.

diabétique [djabetik] *adj* diabetic.

diable [djabl] *nm* devil.

diabolo [djabɔlo] *nm (boisson)* fruit cordial and lemonade; ~ **menthe** mint (cordial) and lemonade.

diagnostic [djagnɔstik] *nm* diagnosis.

diagonale [djagɔnal] *nf* diagonal; **en ~ (traverser)** diagonally; **lire en ~** to skim.

dialecte [djalɛkt] *nm* dialect.

dialogue [djalɔg] *nm* dialogue.

diamant [djamɑ̃] *nm* diamond; *(d'un électrophone)* needle.

diamètre [djamɛtr] *nm* diameter.

diapositive [djapozitiv] *nf* slide.

diarrhée [djare] *nf* diarrhoea.

dictateur [diktatœr] *nm* dictator.

---

dictature [diktatyr] *nf* dictatorship.

dictée [dikte] *nf* dictation.

dicter [dikte] *vt* to dictate.

dictionnaire [diksjɔnɛr] *nm* dictionary.

dicton [diktɔ̃] *nm* saying.

diesel [djezɛl] *nm (moteur)* diesel engine; *(voiture)* diesel ♦ *adj* diesel.

diététique [djetetik] *adj*: **produits ~s** health foods.

dieu, -x [djø] *nm* god ❏ **Dieu** *nm* God; **mon Dieu!** my God!

différence [diferɑ̃s] *nf* difference; *(MATH)* result.

différent, -e [diferɑ̃, ɑ̃t] *adj* different; ~ **de** different from ❏ **différents, -es** *adj (divers)* various.

différer [difere] *vt* to postpone ♦ *vi* to differ; ~ **de** to differ from.

difficile [difisil] *adj* difficult; *(exigeant)* fussy.

difficulté [difikylte] *nf* difficulty; **avoir des ~s à faire qqch** to have difficulty in doing sthg; **en ~** in difficulties.

diffuser [difyze] *vt (RADIO)* to broadcast; *(chaleur, lumière, parfum)* to give off.

digérer [diʒere] *vt* to digest; **ne pas ~ qqch** *(ne pas supporter)* to object to sthg.

digeste [diʒɛst] *adj* (easily) digestible.

digestif, -ive [diʒɛstif, iv] *adj* digestive ♦ *nm* liqueur.

digestion [diʒɛstjɔ̃] *nf* digestion.

Digicode® [diʒikɔd] *nm* code number *(for entry system)*.

digital, -e, -aux [diʒital, o] *adj* digital.

digne [diɲ] *adj* dignified; **~ de** *(qui mérite)* worthy of; *(qui correspond à)* befitting.

digue [dig] *nf* dike.

dilater [dilate] *vt* to expand ❑ **se dilater** *vp* to dilate.

diluer [dilɥe] *vt* to dilute.

dimanche [dimɑ̃ʃ] *nm* Sunday, → **samedi**.

dimension [dimɑ̃sjɔ̃] *nf* dimension.

diminuer [diminɥe] *vt* to reduce; *(physiquement)* to weaken ◆ *vi* to fall.

diminutif [diminytif] *nm* diminutive.

dinde [dɛ̃d] *nf* turkey; **~ aux marrons** roast turkey with chestnuts, traditionally eaten at Christmas.

dîner [dine] *nm* dinner; *(repas du midi)* lunch ◆ *vi* to have dinner; *(le midi)* to have lunch.

diplomate [diplɔmat] *adj* diplomatic ◆ *nmf* diplomat ◆ *nm* (*CULIN*) = trifle.

diplomatie [diplɔmasi] *nf* diplomacy.

diplôme [diplom] *nm* diploma.

dire [dir] *vt* **1.** *(prononcer)* to say. **2.** *(exprimer)* to say; **~ la vérité** to tell the truth; **~ à qqn que/ pourquoi** to tell sb that/why; **comment dit-on «de rien» en anglais?** how do you say "de rien" in English? **3.** *(prétendre)* to say; **on dit que ...** people say that ... **4.** *(ordonner)*: **~ à qqn de faire qqch** to tell sb to do sthg. **5.** *(penser)* to think; **qu'est-ce que vous en dites?** what do you think?; **que dirais-tu de ...?** what would you say to ...?; **on dirait qu'il va**

pleuvoir it looks like it's going to rain. **6.** *(dans des expressions)*: **ça ne me dit rien** it doesn't do much for me; **cela dit ...** having said that ...; **disons ... let's say ...** ❑ **se dire** *vp (penser)* to say to o.s.

direct, -e [dirɛkt] *adj* direct ◆ *nm*: **en ~ (de)** live (from).

directement [dirɛktəmɑ̃] *adv* directly.

directeur, -trice [dirɛktœr, tris] *nm, f* director; *(d'une école)* headmaster (*f* headmistress).

direction [dirɛksjɔ̃] *nf* (*gestion, dirigeants*) management; *(sens)* direction; (*AUT*) steering; **un train en ~ de Paris** a train for Paris; **«toutes ~s»** "all routes".

dirigeant, -e [diriʒɑ̃, ɑ̃t] *nm, f* (*POL*) leader; *(d'une entreprise, d'un club)* manager.

diriger [diriʒe] *vt* to manage; *(véhicule)* to steer; *(orchestre)* to conduct; **~ qqch sur** to point sthg at ❑ **se diriger vers** *vp + prép* to go towards.

dis → **dire**.

discipline [disiplin] *nf* discipline.

discipliné, -e [disipline] *adj* disciplined.

disc-jockey, -s [diskʒɔkɛ] *nm* disc jockey.

disco [disko] *nf (fam: discothèque)* disco.

discothèque [diskɔtɛk] *nf (boîte de nuit)* discotheque; *(de prêt)* record library.

discours [diskur] *nm* speech.

discret, -ète [diskrɛ, ɛt] *adj* discreet.

discrétion [diskresjɔ̃] *nf* discretion.

discrimination [diskriminasjɔ̃] nf discrimination.

discussion [diskysjɔ̃] nf discussion.

discuter [diskyte] vi to talk; (protester) to argue; ~ **de qqch (avec qqn)** to discuss sthg (with sb).

dise → **dire**.

disjoncteur [disʒɔ̃ktœr] nm circuit breaker.

disons → **dire**.

disparaître [disparɛtr] vi to disappear; (mourir) to die.

disparition [disparisjɔ̃] nf disappearance.

disparu, -e [dispary] pp → **disparaître** ♦ nm, f missing person.

dispensaire [dispɑ̃sɛr] nm clinic.

dispenser [dispɑ̃se] vt: ~ **qqn de qqch** to excuse sb from sthg.

disperser [disperse] vt to scatter.

disponible [disponibl] adj available.

disposé, -e [dispoze] adj: **être ~ à faire qqch** to be willing to do sthg.

disposer [dispoze] vt to arrange ❑ **disposer de** v + prép to have (at one's disposal); **se disposer à** vp + prép to prepare to.

dispositif [dispozitif] nm device.

disposition [dispozisjɔ̃] nf (ordre) arrangement; **prendre ses ~s** to make arrangements; **à la ~ de qqn** at sb's disposal.

disproportionné, -e [disproporsjone] adj (énorme) unusually large.

dispute [dispyt] nf argument.

disputer [dispyte] vt (match) to contest; (épreuve) to compete in ❑ **se disputer** vp to fight.

disquaire [diskɛr] nmf record dealer.

disqualifier [diskalifje] vt to disqualify.

disque [disk] nm (enregistrement) record; (objet rond) disc; (INFORM) disk; (SPORT) discus; ~ **laser** compact disc; ~ **dur** hard disk.

disquette [diskɛt] nf floppy disk.

dissertation [disɛrtasjɔ̃] nf essay.

dissimuler [disimyle] vt to conceal.

dissipé, -e [disipe] adj badly behaved.

dissiper [disipe] : **se dissiper** vp (brouillard) to clear; (élève) to misbehave.

dissolvant [disɔlvɑ̃] nm solvent; (à ongles) nail varnish remover.

dissoudre [disudr] vt to dissolve.

dissous, -oute [disu, ut] pp → **dissoudre**.

dissuader [disɥade] vt: ~ **qqn de faire qqch** to persuade sb not to do sthg.

distance [distɑ̃s] nf distance; **à une ~ de 20 km, à 20 km de ~** 20 km away; **à ~ (commander)** by remote control.

distancer [distɑ̃se] vt to outstrip.

distinct, -e [distɛ̃, ɛ̃kt] adj distinct.

distinction [distɛ̃ksjɔ̃] nf: **faire une ~ entre** to make a distinction between.

distingué, -e [distɛ̃ge] adj distinguished.

distinguer [distɛ̃ge] vt to distinguish; (voir) to make out ❏ **se distinguer de** vp + prép to stand out from.

distraction [distraksjɔ̃] nf (étourderie) absent-mindedness; (loisir) source of entertainment.

distraire [distrɛr] vt (amuser) to amuse; (déconcentrer) to distract ❏ **se distraire** vp to amuse o.s.

distrait, -e [distrɛ, ɛt] pp → **distraire ♦** adj absent-minded.

distribuer [distribɥe] vt to distribute; (cartes) to deal; (courrier) to deliver.

distributeur [distribytœr] nm (de billets de train) ticket machine; (de boissons) drinks machine; ~ (automatique) de billets (FIN) cash dispenser.

distribution [distribysjɔ̃] nf distribution; (du courrier) delivery; (dans un film) cast; **~ des prix** prizegiving.

dit, -e [di, dit] pp → **dire**.

dites → **dire**.

divan [divɑ̃] nm couch.

divers, -es [divɛr, ɛrs] adj various.

divertir [divɛrtir] vt to entertain ❏ **se divertir** vp to entertain o.s.

divertissement [divɛrtismɑ̃] nm (distraction) pastime.

divin, -e [divɛ̃, in] adj divine.

diviser [divize] vt to divide.

division [divizjɔ̃] nf division.

divorce [divɔrs] nm divorce.

divorcé, -e [divɔrse] adj divorced ♦ nm, f divorced person.

divorcer [divɔrse] vi to divorce.

dix [dis] num ten, → **six**.

dix-huit [dizɥit] num eighteen, → **six**.

dix-huitième [dizɥitjɛm] num eighteenth, → **sixième**.

dixième [dizjɛm] num tenth, → **sixième**.

dix-neuf [diznœf] num nineteen, → **six**.

dix-neuvième [diznœvjɛm] num nineteenth, → **sixième**.

dix-sept [disɛt] num seventeen, → **six**.

dix-septième [disɛtjɛm] num seventeenth, → **sixième**.

dizaine [dizɛn] nf: **une ~ (de)** about ten.

DJ [didʒe] nm (abr de disc-jockey) DJ.

docile [dɔsil] adj docile.

docks [dɔk] nmpl docks.

docteur [dɔktœr] nm doctor.

document [dɔkymɑ̃] nm document.

documentaire [dɔkymɑ̃tɛr] nm documentary.

documentaliste [dɔkymɑ̃talist] nmf (SCOL) librarian.

documentation [dɔkymɑ̃tasjɔ̃] nf (documents) literature.

documenter [dɔkymɑ̃te] : **se documenter** vp to do some research.

doigt [dwa] nm finger; (petite quantité) drop; **~ de pied** toe; **à deux ~s de** within inches of.

dois → **devoir**.

doive → **devoir**.

dollar [dɔlar] nm dollar.

domaine [dɔmɛn] nm (propriété) estate; (secteur) field.

dôme [dom] nm dome.

domestique [dɔmɛstik] *adj (tâche)* domestic ◆ *nmf* servant.

domicile [dɔmisil] *nm* residence; **à ~** *ou* **at OU** from home; **livrer à ~** to do deliveries.

dominer [dɔmine] *vt (être plus fort que)* to dominate; *(être plus haut que)* to overlook; *(colère, émotion)* to control ◆ *vi (face à un adversaire)* to dominate; *(être important)* to predominate.

dominos [dɔmino] *nmpl* dominoes.

dommage [dɔmaʒ] *nm:* **(quel) ~!** what a shame!; **c'est ~ de ...** it's a shame to ...; **c'est ~ que ...** it's a shame that ... □ **dommages** *nmpl* damage *(sg)*.

dompter [dɔ̃(p)te] *vt* to tame.

dompteur, -euse [dɔ̃(p)tœr, øz] *nm, f* tamer.

DOM-TOM [dɔmtɔm] *nmpl* French overseas *départements* and territories.

---

don [dɔ̃] *nm (aptitude)* gift.

donc [dɔ̃k] *conj* so; **viens ~!** come on!

donjon [dɔ̃ʒɔ̃] *nm* keep.

données [dɔne] *nfpl* data.

donner [dɔne] *vt* to give; **~ qqch à qqn** to give sb sthg; **~ un coup à qqn** to hit sb; **~ à manger à qqn** to feed sb; **ce pull me donne chaud** this jumper is making me hot; **ça donne soif** it makes you feel thirsty □ **donner sur** *v + prép (suj: fenêtre)* to look out onto; *(suj: porte)* to lead to.

dont [dɔ̃] *pron relatif* **1.** *(complément du verbe, de l'adjectif):* **la façon ~ ça s'est passé** the way (in which) it happened; **la région ~ je viens** the region I come from; **c'est le camping ~ on nous a parlé** this is the campsite we were told about; **l'établissement ~ ils sont responsables** the establishment for which they are responsible. **2.** *(complément d'un nom d'objet)* of which; *(complément d'un nom de personne)* whose; **le parti ~ il est le chef** the party of which he is the leader; **celui ~ les parents sont divorcés** the one whose parents are divorced; **une région ~ le vin est très réputé** a region famous for its wine. **3.** *(parmi lesquels):* **certaines personnes, ~ moi, pensent que ...** some people, including me, think that ...; **deux piscines, ~ l'une couverte** two swimming pools, one of which is indoors.

dopage [dɔpaʒ] *nm* doping.

doré, -e [dɔre] *adj (métal, bouton)* gilt; *(lumière, peau)* golden; *(aliment)* golden brown ◆ *nm* walleyed pike.

dorénavant [dɔrenavɑ̃] *adv*

from now on.

dorin [dɔʀɛ̃] *nm (Helv) collective name for white wines from the Vaud region of Switzerland.*

dormir [dɔʀmiʀ] *vi* to sleep.

dorin [dɔʀɛ̃] *nm (Helv) collective name for white wines from the vaud region.*

dortoir [dɔʀtwaʀ] *nm* dormitory.

dos [do] *nm* back; **au ~** (de) on the back (of); **de ~** from behind; **de ~ à** with one's back to.

dose [doz] *nf* dose.

dossier [dosje] *nm (d'un siège)* back; *(documents)* file.

douane [dwan] *nf* customs *(pl)*.

douanier [dwanje] *nm* customs officer.

doublage [dublaʒ] *nm (d'un film)* dubbing.

double [dubl] *adj & adv* double ◆ *nm (copie)* copy; *(partie de tennis)* doubles *(pl)*; **le ~ du prix normal** twice the normal price; **avoir qqch en ~** to have two of sthg; **mettre qqch en ~** to fold sthg in half.

doubler [duble] *vt (a)* to double; *(vêtement)* to line; *(AUT)* to overtake (Br), to pass; *(film)* to dub ◆ *vi* to double; *(AUT)* to overtake (Br), to pass.

doublure [dublyʀ] *nf (d'un vêtement)* lining.

douce → doux.

doucement [dusmɑ̃] *adv (bas)* softly; *(lentement)* slowly.

douceur [dusœʀ] *nf (gentillesse)* gentleness; *(au toucher)* softness; *(du climat)* mildness; **en ~** smoothly.

douche [duʃ] *nf* shower; **prendre une ~** to take OU have a shower; *(fig: sous la pluie)* to get soaked.

doucher [duʃe] **: se doucher** *vp* to take OU have a shower.

doué, -e [dwe] *adj* gifted; **être ~ pour** OU **en qqch** to have a gift for sthg.

douillet, -ette [duje, ɛt] *adj (délicat)* soft; *(confortable)* cosy.

douleur [dulœʀ] *nf (physique)* pain; *(morale)* sorrow.

douloureux, -euse [duluʀø, øz] *adj* painful.

doute [dut] *nm* doubt; **avoir un ~ sur** to have doubts about; **sans ~** no doubt.

douter [dute] *vt:* **~ que** to doubt that ◻ **douter de** *v + prép* to doubt; **se douter** *vp:* **se ~ de** to suspect; **se ~ que** to suspect that.

Douvres [duvʀ] *n* Dover.

doux, douce [du, dus] *adj (aliment, temps)* mild; *(au toucher)* soft; *(personne)* gentle.

douzaine [duzɛn] *nf:* **une ~ (de)** *(douze)* a dozen; *(environ douze)* about twelve.

douze [duz] *num* twelve, → **six.**

douzième [duzjɛm] *num* twelfth, → **sixième.**

dragée [dʀaʒe] *nf* sugared almond.

dragon [dʀagɔ̃] *nm* dragon.

draguer [dʀage] *vt (fam: personne)* to chat up (Br), to hit on (Am).

dramatique [dʀamatik] *adj (de théâtre)* dramatic; *(grave)* tragic ◆ *nf* TV drama.

drame [dʀam] *nm (pièce de théâtre)* drama; *(catastrophe)* tragedy.

drap [dʀa] *nm* sheet.

drapeau, -x [dʀapo] *nm* flag.

drap-housse [draus] *(pl* **draps-housses)** *nm* fitted sheet.

dresser [drese] *vt (mettre debout)* to put up; *(animal)* to train; *(plan)* to draw up; *(procès-verbal)* to make out* □ **se dresser** *vp (se mettre debout)* to stand up; *(arbre, obstacle)* to stand.

drogue [drɔg] *nf:* **la ~** drugs *(pl)*.

drogué, -e [drɔge] *nm, f* drug addict.

droguer [drɔge] : **se droguer** *vp* to take drugs.

droguerie [drɔgri] *nf* hardware shop.

droit, -e [drwa, drwat] *adj & adv* straight; *(côté, main)* right ♦ *nm (autorisation)* right; *(taxe)* duty; **tout ~** straight ahead; **le ~** *(JUR)* law; **avoir le ~ de faire qqch** to have the right to do sthg; **avoir ~ à qqch** to be entitled to sthg; **~s d'inscription** registration fee.

droite [drwat] *nf:* **la ~** *(POL)* the right (wing); **à ~ (de)** on the right (of); **de ~** *(du côté droit)* right-hand.

droitier, -ière [drwatje, jɛr] *adj* right-handed.

drôle [drol] *adj* funny; **un ~ de bonhomme** an odd fellow.

drôlement [drolmɑ̃] *adv (fam: très)* tremendously.

drugstore [drœgstɔr] *nm* drug-store.

du [dy] = **de + le,** → **de.**

dû, due [dy] *pp* → **devoir.**

duc, duchesse [dyk, dyʃɛs] *nm, f* duke *(f* duchess).

duel [dɥɛl] *nm* duel.

duffle-coat, -s [dœfœlkot] *nm* duffel coat.

dune [dyn] *nf* dune.

duo [dyo] *nm (MUS)* duet; *(d'artistes)* duo.

duplex [dyplɛks] *nm (appartement)* maisonette *(Br),* duplex *(Am).*

duplicata [dyplikata] *nm* duplicate.

duquel [dykɛl] = **de + lequel,** → **lequel.**

dur, -e [dyr] *adj & adv* hard; *(viande)* tough.

durant [dyrɑ̃] *prép* during.

durcir [dyrsir] *vi* to harden □ **se durcir** *vp* to harden.

durée [dyre] *nf (longueur)* length; *(période)* period.

durer [dyre] *vi* to last.

dureté [dyrte] *nf (résistance)* hardness; *(manque de pitié)* harshness.

duvet [dyvɛ] *nm (plumes)* down; *(sac de couchage)* sleeping bag.

dynamique [dinamik] *adj* dynamic.

dynamite [dinamit] *nf* dynamite.

dynamo [dinamo] *nf* dynamo.

dyslexique [disleksik] *adj* dyslexic.

E

E *(abr de* est*)* E.

eau, -x [o] *nf* water; **~ bénite** holy water; **~ de Cologne** eau de Cologne; **~ douce** fresh water; **~ gazeuse** fizzy water; **~ minérale**

mineral water; **~ oxygénée** hydrogen peroxide; **~ potable** drinking water; **~ non potable** water not fit for drinking; **~ plate** still water; **~ du robinet** tap water; **~ salée** salt water; **~ de toilette** toilet water.

eau-de-vie [odvi] (pl **eaux-de-vie**) nf brandy.

ébéniste [ebenist] nm cabinet-maker.

éblouir [ebluir] vt to dazzle.

éblouissant, -e [ebluisɑ̃, ɑ̃t] adj dazzling.

éboueur [ebwœr] nm dustman (Br), garbage collector (Am).

ébouillanter [ebujɑ̃te] vt to scald.

éboulement [ebulmɑ̃] nm rock slide.

ébouriffé, -e [eburife] adj dishevelled.

ébrécher [ebreʃe] vt to chip.

ébrouer [ebrue] : **s'ébrouer** vp to shake o.s.

ébruiter [ebrɥite] vt to spread.

ébullition [ebylisjɔ̃] nf: **porter qqch à ~** to bring sthg to the boil.

écaille [ekaj] nf (de poisson) scale; (d'huître) shell; (matière) tortoiseshell.

écailler [ekaje] vt (poisson) to scale □ **s'écailler** vp to peel off.

écarlate [ekarlat] adj scarlet.

écarquiller [ekarkije] vt: **~ les yeux** to stare (wide-eyed).

écart [ekar] nm (distance) gap; (différence) difference; **faire un ~** (véhicule) to swerve; **à l'~ (de)** out of the way (of); **faire le grand ~** to do the splits.

écarter [ekarte] vt (ouvrir) to

spread; (éloigner) to move away; (fig: exclure) to exclude.

échafaudage [eʃafodaʒ] nm scaffolding.

échalote [eʃalɔt] nf shallot.

échancré, -e [eʃɑ̃kre] adj (robe) low-necked; (maillot de bain) high-cut.

échange [eʃɑ̃ʒ] nm exchange; (au tennis) rally; **en ~ (de)** in exchange (for).

échanger [eʃɑ̃ʒe] vt to exchange; **~ qqch contre** to exchange sthg for.

échangeur [eʃɑ̃ʒœr] nm (d'autoroute) interchange.

échantillon [eʃɑ̃tijɔ̃] nm sample.

échappement [eʃapmɑ̃] nm → pot, tuyau.

échapper [eʃape] : **échapper à** v + prép (mort) to escape; (corvée) to avoid; (personne) to escape from; **son nom m'échappe** his name escapes me; **ça m'a échappé** (paroles) it just slipped out; **ça m'a échappé des mains** it slipped out of my hands □ **s'échapper** vp to escape; **s'~ de** to escape from; (sortir) to come out from.

écharde [eʃard] nf splinter.

écharpe [eʃarp] nf (cache-nez) scarf; **en ~** in a sling.

échauffement [eʃofmɑ̃] nm (sportif) warm-up.

échauffer [eʃofe] : **s'échauffer** vp (sportif) to warm up.

échec [eʃek] nm failure; **~!** check!; **~ et mat!** checkmate! □ **échecs** nmpl chess (sg); **jouer aux ~s** to play chess.

échelle [eʃɛl] nf ladder; (sur une carte) scale; **faire la courte ~ à qqn**

to give sb a leg-up.

échelon [eʃlɔ̃] nm (d'échelle) rung; (grade) grade.

échevelé, -e [eʃəvle] adj dishevelled.

échine [eʃin] nf (CULIN) cut of meat taken from pig's back.

échiquier [eʃikje] nm chessboard.

écho [eko] nm echo.

échographie [ekɔgrafi] nf (ultrasound) scan.

échouer [eʃwe] vi to fail □ **s'échouer** vp to run aground.

éclabousser [eklabuse] vt to splash.

éclaboussure [eklabusyr] nf splash.

éclair [eklɛr] nm flash of lightning; (gâteau) éclair.

éclairage [eklɛraʒ] nm lighting.

éclaircie [eklɛrsi] nf sunny spell.

éclaircir [eklɛrsir] vt to make lighter □ **s'éclaircir** vp (ciel) to brighten (up); (fig: mystère) to be solved.

éclaircissement [eklɛrsismɑ̃] nm (explication) explanation.

éclairer [eklere] vt (pièce) to light; (fig: personne) to enlighten □ **s'éclairer** vp (visage) to light up; (fig: mystère) to become clear.

éclaireur, -euse [eklɛrœr, øz] nm, f (scout) Scout (f Guide); **partir en ~** to scout around.

éclat [ekla] nm (de verre) splinter; (d'une lumière) brightness; **~s de rire** bursts of laughter; **~s de voix** loud voices.

éclatant, -e [eklatɑ̃, ɑ̃t] adj brilliant.

éclater [eklate] vi (bombe) to

explode; (pneu, ballon) to burst; (guerre, scandale) to break out; **~ de rire** to burst out laughing; **~ en sanglots** to burst into tears.

éclipse [eklips] nf eclipse.

éclosion [eklozjɔ̃] nf (d'œufs) hatching.

écluse [eklyz] nf lock.

écœurant, -e [ekœrɑ̃, ɑ̃t] adj disgusting.

écœurer [ekœre] vt to disgust.

école [ekɔl] nf school; **aller à l'~** to go to school; **faire l'~ buissonnière** to play truant (Br), to play hooky (Am).

écolier, -ière [ekɔlje, jɛr] nm, f schoolboy (f schoolgirl).

écologie [ekɔlɔʒi] nf ecology.

écologique [ekɔlɔʒik] adj ecological.

écologiste [ekɔlɔʒist] nmf: **les ~s** the Greens.

économie [ekɔnɔmi] nf (d'un pays) economy; (science) economics (sg) □ **économies** nfpl savings; **faire des ~s** to save money.

économique [ekɔnɔmik] adj (peu coûteux) economical; (crise, développement) economic.

économiser [ekɔnɔmize] vt to save.

écorce [ekɔrs] nf (d'arbre) bark; (d'orange) peel.

écorcher [ekɔrʃe] : **s'écorcher** vp to scratch o.s.; **s'~ le genou** to scrape one's knee.

écorchure [ekɔrʃyr] nf graze.

écossais, -e [ekɔsɛ, ɛz] adj Scottish; (tissu) tartan □ **Écossais, -e** nm, f Scotsman (f Scotswoman); **les Écossais** the Scots.

Écosse [ekɔs] nf: l'~ Scotland.

écouler [ekule] s'**écouler** vp (temps) to pass; (liquide) to flow (out).

écouter [ekute] vt to listen to.

écouteur [ekutœr] nm (de téléphone) earpiece; ~**s** (casque) headphones.

écran [ekrɑ̃] nm screen; (crème) ~ **total** sun block; **le grand** ~ (le cinéma) the big screen; **le petit** ~ (la télévision) television.

écrasant, -e [ekrazɑ̃, ɑ̃t] adj overwhelming.

écraser [ekraze] vt to crush; (cigarette) to stub out; (en voiture) to run over; **se faire** ~ (par une voiture) to be run over □ s'**écraser** vp (avion) to crash.

écrémé, -e [ekreme] adj skimmed; **demi-**~ semi-skimmed.

écrevisse [ekravis] nf crayfish.

écrier [ekrije]: s'**écrier** vp to cry out.

écrin [ekrɛ̃] nm box.

écrire [ekrir] vt & vi to write; ~ à **qqn** to write to sb (Br), to write sb (Am) □ s'**écrire** vp (correspondre) to write to (each other); (s'épeler) to be spelled.

écrit, -e [ekri, it] pp → **écrire** ♦ nm: **par** ~ in writing.

écriteau, -x [ekrito] nm notice.

écriture [ekrityr] nf writing.

écrivain [ekrivɛ̃] nm writer.

écrou [ekru] nm nut.

écrouler [ekrule]: s'**écrouler** vp to collapse.

écru, -e [ekry] adj (couleur) ecru.

ÉCU [eky] nm (monnaie européenne) ECU.

écume [ekym] nf foam.

écumoire [ekymwar] nf strainer.

écureuil [ekyrœj] nm squirrel.

écurie [ekyri] nf stable.

écusson [ekysɔ̃] nm (sur un vêtement) badge.

eczéma [ɛgzema] nm eczema.

édenté, -e [edɑ̃te] adj toothless.

édifice [edifis] nm building.

Édimbourg [edɛ̃bur] n Edinburgh.

éditer [edite] vt to publish.

édition [edisjɔ̃] nf (exemplaires) edition; (industrie) publishing.

édredon [edradɔ̃] nm eiderdown.

éducatif, -ive [edykatif, iv] adj educational.

éducation [edykasjɔ̃] nf education; (politesse) good manners (pl); ~ **physique** PE.

éduquer [edyke] vt to bring up.

effacer [efase] vt (mot) to rub out; (tableau) to wipe; (bande magnétique, chanson) to erase; (INFORM) to delete □ s'**effacer** vp (disparaître) to fade (away).

effaceur [efasœr] nm rubber (Br), eraser (Am).

effectif [efektif] nm (d'une classe) size; (d'une armée) strength.

effectivement [efɛktivmɑ̃] adv (réellement) really; (en effet) indeed.

effectuer [efɛktɥe] vt (travail) to carry out; (trajet) to make.

efféminé, -e [efemine] adj effeminate.

effervescent, -e [efervesɑ̃, ɑ̃t] adj effervescent.

effet [efɛ] nm (résultat) effect; (impression) impression; **faire de l'**~ (être efficace) to be effective; **en** >

indeed.

efficace [efikas] adj (médicament, mesure) effective; (personne, travail) efficient.

efficacité [efikasite] nf effectiveness.

effilé, -e [efile] adj (frange) thinned; (lame) sharp.

effilocher [efilɔʃe] : **s'effilocher** vp to fray.

effleurer [eflœre] vt to brush (against).

effondrer [efɔ̃dre] : **s'effondrer** vp to collapse.

efforcer [efɔrse] : **s'efforcer de** vp + prép: **s'~ de faire qqch** to try to do sthg.

effort [efɔr] nm effort; **faire de ~s (pour faire qqch)** to make an effort (to do sthg).

effrayant, -e [efrejɑ̃, ɑ̃t] adj frightening.

effrayer [efreje] vt to frighten.

effriter [efrite] : **s'effriter** vp to crumble.

effroyable [efrwajabl] adj terrible.

égal, -e, -aux [egal, o] adj (identique) equal; (régulier) even; **ça m'est ~** I don't care; **~ à** equal to.

également [egalmɑ̃] adv (aussi) also, as well.

égaliser [egalize] vt (cheveux) to trim; (sol) to level (out) ◆ vi (SPORT) to equalize.

égalité [egalite] nf equality; (au tennis) deuce; **être à ~** (SPORT) to be drawing.

égard [egar] nm: **à l'~ de** towards.

égarer [egare] vt to lose ❑ **s'égarer** vp to get lost; (sortir du sujet)

to stray from the point.

égayer [egeje] vt to brighten up.

église [egliz] nf church; **l'Église** the Church.

égoïste [egɔist] adj selfish ◆ nmf selfish person.

égorger [egɔrʒe] vt: **~ qqn** to cut sb's throat.

égouts [egu] nmpl sewers.

égoutter [egute] vt to drain.

égouttoir [egutwar] nm (à légumes) colander; (pour la vaisselle) draining board.

égratigner [egratiɲe] vt to graze ❑ **s'égratigner** vpr: **s'~ le genou** to graze one's knee.

égratignure [egratiɲyr] nf graze.

égrener [egrəne] vt (maïs, pois) to shell.

Égypte [eʒipt] nf: **l'~** Egypt.

égyptien, -ienne [eʒipsjɛ̃, jɛn] adj Egyptian.

eh [e] excl hey!; **~ bien!** well!

Eiffel [efɛl] n → **tour**.

élan [elɑ̃] nm (pour sauter) run-up; (de tendresse) rush; **prendre de l'~** to take a run-up.

élancer [elɑ̃se] : **s'élancer** vp (pour sauter) to take a run-up.

élargir [elarʒir] vt (route) to widen; (vêtement) to let out; (débat, connaissances) to broaden ❑ **s'élargir** vp (route) to widen; (vêtement) to stretch.

élastique [elastik] adj elastic ◆ nm rubber band.

électeur, -trice [elɛktœr, tris] nm, f voter.

élections [elɛksjɔ̃] nfpl elections.

électricien [elɛktrisjɛ̃] nm électrician.

électricité [elektrisite] nf electricity; **~ statique** static electricity.

électrique [elektrik] adj electric.

électrocuter [elektrokyte] : **s'électrocuter** vp to electrocute o.s.

électroménager [elektromenaʒe] nm household electrical appliances.

électronique [elektronik] adj electronic ◆ nf electronics (sg).

électrophone [elektrofon] nm record player.

électuaire [elektɥer] nm (Helv) jam.

élégance [elegɑ̃s] nf elegance.

élégant, -e [elegɑ̃, ɑ̃t] adj smart.

élément [elemɑ̃] nm element; (de meuble, de cuisine) unit.

élémentaire [elemɑ̃ter] adj basic.

éléphant [elefɑ̃] nm elephant.

élevage [elvaʒ] nm breeding; (troupeau de moutons) flock; (troupeau de vaches) herd.

élève [elɛv] nmf pupil.

élevé, -e [elve] adj high; **bien ~** well brought-up; **mal ~** ill-mannered.

élever [elve] vt (enfant) to bring up; (animaux) to breed; (niveau, voix) to raise □ **s'élever** vp to rise; **s'~ à** to add up to.

éleveur, -euse [elvœr, øz] nm, f stock breeder.

éliminatoire [eliminatwar] adj qualifying ◆ nf qualifying round.

éliminer [elimine] vt to eliminate ◆ vi (en transpirant) to detoxify one's system.

élire [elir] vt to elect.

elle [ɛl] pron (personne, animal) she; (chose) it; (après prép ou comparaison) her; **~-même** herself □ **elles** pron (sujet) they; (après prép ou comparaison) them; **~-mêmes** themselves.

éloigné, -e [elwaɲe] adj distant; **~ de** far from.

éloigner [elwaɲe] vt to move away □ **s'éloigner (de)** vp (+ prép) to move away (from).

élongation [elɔ̃gasjɔ̃] nf pulled muscle.

élu, -e [ely] pp → **élire** ◆ nm, f elected representative.

Élysée [elize] nm: **le (palais de) l'~** the official residence of the French President and, by extension, the President himself.

émail, -aux [emaj, o] nm enamel □ **émaux** nmpl (objet) enamel ornament.

emballage [ɑ̃balaʒ] nm packaging.

emballer [ɑ̃bale] vt to wrap (up); (fam) enthousiasmer) to thrill.

embarcadère [ɑ̃barkader] nm landing stage.

embarcation [ɑ̃barkasjɔ̃] nf small boat.

embarquement [ɑ̃barkəmɑ̃] nm boarding; **«~ immédiat»** "now boarding".

embarquer [ɑ̃barke] vt (marchandises) to load; (passagers) to board; (fam: prendre) to cart off ◆ vi to board □ **s'embarquer** vp to board; **s'~ dans** (affaire, aventure) to embark on.

embarras [ɑ̃bara] nm embarrassment; **mettre qqn dans l'~** to put sb in an awkward position.

embarrassant, -e [ɑ̃barasɑ̃,

émotif

āt] *adj* embarrassing.

embarrasser [ābarase] *vt (gêner)* to embarrass; *(encombrer):* ~ **qqn** to be in sb's way □ **s'embarrasser de** *vp* + *prép* to burden o.s. with.

embaucher [āboʃe] *vt* to recruit.

embellir [ābelir] *vt* to make prettier; *(histoire, vérité)* to embellish ◆ *vi* to grow more attractive.

embêtant, -e [ābetā, āt] *adj* annoying.

embêter [ābete] *vt* to annoy □ **s'embêter** *vp (s'ennuyer)* to be bored.

emblème [āblɛm] *nm* emblem.

emboîter [ābwate] *vt* to fit together □ **s'emboîter** *vp* to fit together.

embouchure [ābuʃyr] *nf (d'un fleuve)* mouth.

embourber [āburbe] : **s'embourber** *vp* to get stuck in the mud.

embout [ābu] *nm* tip.

embouteillage [ābuteja3] *nm* traffic jam.

embranchement [ābrāʃmā] *nm (carrefour)* junction.

embrasser [ābrase] *vt* to kiss □ **s'embrasser** *vp* to kiss (each other).

embrayage [ābreja3] *nm* clutch.

embrayer [ābreje] *vi* to engage the clutch.

embrouiller [ābruje] *vt (fil, cheveux)* to tangle (up); *(histoire, personne)* to muddle (up) □ **s'embrouiller** *vp* to get muddled (up).

embruns [ābrœ̃] *nmpl* (sea) spray *(sg)*.

embuscade [ābyskad] *nf* ambush.

éméché, -e [emeʃe] *adj* tipsy.

émeraude [emrod] *nf* emerald ◆ *adj* emerald green.

émerger [emɛrʒe] *vi* to emerge.

émerveillé, -e [emɛrveje] *adj* filled with wonder.

émetteur [emetœr] *nm* transmitter.

émettre [emɛtr] *vt (sons, lumière)* to emit; *(billets, chèque)* to issue ◆ *vi* to broadcast.

émeute [emøt] *nf* riot.

émietter [emjete] *vt* to crumble.

émigrer [emigre] *vi* to emigrate.

émincé [emɛ̃se] *nm* thin slices of meat in a sauce; ~ **de veau à la zurichoise** veal and kidneys cooked in a cream, mushroom and white wine sauce.

émis, -e [emi, iz] *pp* → **émettre**.

émission [emisjɔ̃] *nf* programme.

emmagasiner [āmagazine] *vt* to store up.

emmanchure [āmāʃyr] *nf* armhole.

emmêler [āmele] *vt (fil, cheveux)* to tangle (up) □ **s'emmêler** *vp (fil, cheveux)* to get tangled (up); *(souvenirs, dates)* to get mixed up.

emménager [āmenaʒe] *vi* to move in.

emmener [āmne] *vt* to take along.

emmental [emɛtal] *nm* Emmental (cheese).

emmitoufler [āmitufle] : **s'emmitoufler** *vp* to wrap up (well).

émotif, -ive [emɔtif, iv] *adj*

emotional.

émotion [emosjɔ̃] nf emotion.

émouvant, -e [emuvɑ̃, ɑ̃t] adj moving.

émouvoir [emuvwar] vt to move.

empaillé, -e [ɑ̃paje] adj stuffed.

empaqueter [ɑ̃pakte] vt to package.

emparer [ɑ̃pare] : **s'emparer de** vp + prép (prendre vivement) to grab (hold of).

empêchement [ɑ̃pɛʃmɑ̃] nm obstacle; **j'ai un ~** something has come up.

empêcher [ɑ̃peʃe] vt to prevent; **~ qqn/qqch de faire qqch** to prevent sb/sthg from doing sthg; **(il) n'empêche que** nevertheless **s'empêcher de** vp + prép: **je n'ai pas pu m'~ de rire** I couldn't stop myself from laughing.

empereur [ɑ̃prœr] nm emperor.

empester [ɑ̃pɛste] vt (sentir) to stink of ♦ vi to stink.

empêtrer [ɑ̃petre] : **s'empêtrer dans** vp + prép (fils) to get tangled up in; (mensonges) to get caught up in.

empiffrer [ɑ̃pifre] : **s'empiffrer (de)** vp (+ prép) (fam) to stuff o.s. (with).

empiler [ɑ̃pile] vt to pile up ❑ **s'empiler** vp to pile up.

empire [ɑ̃pir] nm empire.

empirer [ɑ̃pire] vi to get worse.

emplacement [ɑ̃plasmɑ̃] nm site; (de parking) parking space; **«~ réservé»** "reserved parking space".

emploi [ɑ̃plwa] nm (poste) job; (d'un objet, d'un mot) use; **l'~** (en économie) employment; **~ du temps** timetable.

employé, -e [ɑ̃plwaje] nm, f employee; **~ de bureau** office worker.

employer [ɑ̃plwaje] vt (salarié) to employ; (objet, mot) to use.

employeur, -euse [ɑ̃plwajœr, øz] nm, f employer.

empoigner [ɑ̃pwaɲe] vt to grasp.

empoisonnement [ɑ̃pwazɔnmɑ̃] nm poisoning.

empoisonner [ɑ̃pwazɔne] vt to poison.

emporter [ɑ̃pɔrte] vt to take; (suj: vent, rivière) to carry away; **à ~** (plats) to take away (Br), to go (Am); **l'~ sur** to get the better of ❑ **s'emporter** vp to lose one's temper.

empreinte [ɑ̃prɛ̃t] nf (d'un corps) imprint; **~s digitales** fingerprints; **~ de pas** footprint.

empresser [ɑ̃prese] : **s'empresser** vp: **s'~ de faire qqch** to hurry to do sthg.

emprisonner [ɑ̃prizɔne] vt to imprison.

emprunt [ɑ̃prœ̃] nm loan.

emprunter [ɑ̃prœ̃te] vt to borrow; (itinéraire) to take; **~ qqch à qqn** to borrow sthg from sb.

ému, -e [emy] pp → **émouvoir** ♦ adj moved.

en [ɑ̃] 1. (indique le moment) in; **~ été/1995** in summer/1995.

2. (indique le lieu où l'on est) in; **être ~ classe** to be in class; **habiter ~ Angleterre** to live in England.

3. (indique le lieu où l'on va) to; **aller ~ ville/~ Dordogne** to go into town/to the Dordogne.

4. (désigne la matière) made of; **un**

pull ~ laine a woollen jumper.

5. (*indique la durée*) in; ~ **dix minutes** in ten minutes.

6. (*indique l'état*): **être ~ vacances** to be on holiday; **s'habiller ~ noir** to dress in black; **combien ça fait ~ francs?** how much is that in francs?; **ça se dit «custard» ~ anglais** it's called "custard" in English.

7. (*indique le moyen*) by; **voyager ~ avion/voiture** to travel by plane/car.

8. (*pour désigner la taille*) in; **auriez-vous celles-ci ~ 38/~ plus petit?** do you have these in a 38/a smaller size?

9. (*devant un participe présent*): ~ **arrivant à Paris** on arriving in Paris; ~ **faisant un effort** by making an effort; **partir ~ courant** to run off.

◆ *pron* **1.** (*objet indirect*): **n'~ parlons plus** let's not say any more about it; **il s'~ souvient** he remembered it.

2. (*avec un indéfini*): ~ **reprendrez-vous?** will you have some more?; **je n'~ ai plus** I haven't got any left; **il y ~ a plusieurs** there are several of them.

3. (*indique la provenance*) from there; **j'~ viens** I've just been there.

4. (*complément du nom*) of it, of them (*pl*); **j'~ garde un excellent souvenir** I have excellent memories of it.

5. (*complément de l'adjectif*): **il ~ est fou** he's mad about it.

encadrer [ɑ̃kadre] *vt* (*tableau*) to frame.

encaisser [ɑ̃kese] *vt* (*argent*) to cash.

encastré, -e [ɑ̃kastre] *adj* built-in.

enceinte [ɑ̃sɛ̃t] *adj f* pregnant ◆ *nf* (*haut-parleur*) speaker; (*d'une ville*) walls (*pl*).

encens [ɑ̃sɑ̃] *nm* incense.

encercler [ɑ̃serkle] *vt* (*personne, ville*) to surround; (*mot*) to circle.

enchaîner [ɑ̃ʃene] *vt* (*attacher*) to chain together; (*idées, phrases*) to string together ❑ **s'enchaîner** *vp* (*se suivre*) to follow one another.

enchanté, -e [ɑ̃ʃɑ̃te] *adj* delighted; ~ (**de faire votre connaissance**)! pleased to meet you!

enchères [ɑ̃ʃer] *nfpl* auction (*sg*); **vendre qqch aux ~** to sell sthg at auction.

enclencher [ɑ̃klɑ̃ʃe] *vt* (*mécanisme*) to engage; (*guerre, processus*) to begin.

enclos [ɑ̃klo] *nm* enclosure.

encoche [ɑ̃kɔʃ] *nf* notch.

encolure [ɑ̃kɔlyr] *nf* (*de vêtement*) neck.

encombrant, -e [ɑ̃kɔ̃brɑ̃, ɑ̃t] *adj* (*paquet*) bulky.

encombrements [ɑ̃kɔ̃brəmɑ̃] *nmpl* (*embouteillage*) hold-up.

encombrer [ɑ̃kɔ̃bre] *vt*: ~ **qqn** to be in sb's way; **encombré de** (*pièce, table*) cluttered with.

encore [ɑ̃kɔr] *adv* **1.** (*toujours*) still; **il reste ~ une centaine de kilomètres** there are still about a hundred kilometres to go; **pas ~** not yet.

2. (*de nouveau*) again; **j'ai ~ oublié mes clefs!** I've forgotten my keys again!; ~ **une fois** once more.

3. (*en plus*): ~ **un peu de légumes?** a few more vegetables?; **reste un**

peu stay a bit longer; ~ **un jour** another day.

4. (en intensif) even; **c'est ~ plus cher ici** it's even more expensive here.

encourager [ɑ̃kuraʒe] vt to encourage; ~ **qqn à faire qqch** to encourage sb to do sthg.

encrasser [ɑ̃krase] vt to clog up.

encre [ɑ̃kr] nf ink; ~ **de Chine** Indian ink.

encyclopédie [ɑ̃siklɔpedi] nf encyclopedia.

endetter [ɑ̃dete] : **s'endetter** vp to get into debt.

endive [ɑ̃div] nf chicory.

endommager [ɑ̃dɔmaʒe] vt to damage.

endormi, -e [ɑ̃dɔrmi] adj sleeping.

endormir [ɑ̃dɔrmir] vt (enfant) to send to sleep; (anesthésier) to put to sleep □ **s'endormir** vp to fall asleep.

endroit [ɑ̃drwa] nm place; (côté) right side; **à l'~** the right way round.

endurant, -e [ɑ̃dyrɑ̃, ɑ̃t] adj resistant.

endurcir [ɑ̃dyrsir] : **s'endurcir** vp to become hardened.

énergie [enerʒi] nf energy.

énergique [enerʒik] adj energetic.

énerver [enerve] vt to annoy □ **s'énerver** vp to get annoyed.

enfance [ɑ̃fɑ̃s] nf childhood.

enfant [ɑ̃fɑ̃] nmf child; ~ **de chœur** altar boy.

enfantin, -e [ɑ̃fɑ̃tɛ̃, in] adj (sourire) childlike; (péj: attitude) childish.

enfer [ɑ̃fɛr] nm hell.

enfermer [ɑ̃ferme] vt to lock away.

enfiler [ɑ̃file] vt (aiguille, perles) to thread; (vêtement) to slip on.

enfin [ɑ̃fɛ̃] adv (finalement) finally, at last; (en dernier) finally, lastly.

enflammer [ɑ̃flame] : **s'enflammer** vp (prendre feu) to catch fire; (MÉD) to get inflamed.

enfler [ɑ̃fle] vi to swell.

enfoncer [ɑ̃fɔ̃se] vt (clou) to drive in; (porte) to break down; (aile de voiture) to dent; ~ **qqch dans** to drive something into □ **s'enfoncer** vp (s'enliser) to sink (in); (s'effondrer) to give way.

enfouir [ɑ̃fwir] vt to hide.

enfreindre [ɑ̃frɛdr] vt to infringe.

enfreint, -e [ɑ̃frɛ̃, ɛ̃t] pp → **enfreindre**.

enfuir [ɑ̃fɥir] : **s'enfuir** vp to run away.

enfumé, -e [ɑ̃fyme] adj smoky.

engagement [ɑ̃gaʒmɑ̃] nm (promesse) commitment; (SPORT) kick-off.

engager [ɑ̃gaʒe] vt (salarié) to take on; (conversation, négociations) to start □ **s'engager** vp (dans l'armée) to enlist; **s'~ à faire qqch** to undertake to do sthg; **s'~ dans** (lieu) to enter.

engelure [ɑ̃ʒlyr] nf chilblain.

engin [ɑ̃ʒɛ̃] nm machine.

engloutir [ɑ̃glutir] vt (nourriture) to gobble up; (submerger) to swallow up.

engouffrer [ɑ̃gufre] : **s'engouffrer dans** vp + prép to rush into.

engourdi, -e [ɑ̃gurdi] adj

numb.

engrais [ãgrɛ] *nm* fertilizer.

engraisser [ãgrese] *vt* to fatten ♦ *vi* to put on weight.

engrenage [ãgrənaʒ] *nm (mécanique)* gears (pl).

énigmatique [enigmatik] *adj* enigmatic.

énigme [enigm] *nf (devinette)* riddle; *(mystère)* enigma.

enjamber [ãʒãbe] *vt (flaque, fossé)* to step over; *(suj: pont)* to cross.

enjoliveur [ãʒɔlivœr] *nm* hubcap.

enlaidir [ãledir] *vt* to make ugly.

enlèvement [ãlɛvmã] *nm (kidnapping)* abduction.

enlever [ãlve] *vt* to remove, to take off; *(kidnapper)* to abduct □ **s'enlever** *vp (tache)* to come off.

enliser [ãlize] : **s'enliser** *vp* to get stuck.

enneigé, -e [ãneʒe] *adj* snow-covered.

ennemi, -e [ɛnmi] *nm, f* enemy.

ennui [ãnɥi] *nm (lassitude)* boredom; *(problème)* problem; **avoir des ~s** to have problems.

ennuyé, -e [ãnɥije] *adj (contrarié)* annoyed.

ennuyer [ãnɥije] *vt (lasser)* to bore; *(contrarier)* to annoy □ **s'ennuyer** *vp* to be bored.

ennuyeux, -euse [ãnɥijø, øz] *adj (lassant)* boring; *(contrariant)* annoying.

énorme [enɔrm] *adj* enormous.

énormément [enɔrmemã] *adv* enormously; **~ de** an awful lot of.

enquête [ãkɛt] *nf (policière)* investigation; *(sondage)* survey.

enquêter [ãkɛte] *vi:* **~ (sur)** to

inquire (into).

enragé, -e [ãraʒe] *adj (chien)* rabid; *(fanatique)* fanatical.

enrayer [ãreje] *vt (maladie, crise)* to check □ **s'enrayer** *vp (arme)* to jam.

enregistrement [ãrəʒistrəmã] *nm (musical)* recording; **~ des bagages** baggage check-in.

enregistrer [ãrəʒistre] *vt* to record; *(INFORM)* to store; *(bagages)* to check in.

enregistreuse [ãrəʒistrøz] *adj f* → **caisse**.

enrhumé, -e [ãryme] *adj:* **être ~** to have a cold.

enrhumer [ãryme] : **s'enrhumer** *vp* to catch a cold.

enrichir [ãriʃir] *vt* to make rich; *(collection)* to enrich □ **s'enrichir** *vp* to become rich.

enrobé, -e [ãrɔbe] *adj:* **~ de** coated with.

enroué, -e [ãrwe] *adj* hoarse.

enrouler [ãrule] *vt* to roll up □ **s'enrouler** *vp:* **s'~ autour de qqch** to wind around sthg.

enseignant, -e [ãsɛɲã, ãt] *nm, f* teacher.

enseigne [ãsɛɲ] *nf* sign; **~ lumineuse** neon sign.

enseignement [ãsɛɲmã] *nm (éducation)* education; *(métier)* teaching.

enseigner [ãsɛɲe] *vt & vi* to teach; **~ qqch à qqn** to teach sb sthg.

ensemble [ãsãbl] *adv* together ♦ *nm* set; *(vêtement)* suit; **l'~ du groupe** the whole group; **l'~ des touristes** all the tourists; **dans l'~** on the whole.

ensevelir [ɑ̃səvlir] vt to bury.

ensoleillé, -e [ɑ̃sɔleje] adj sunny.

ensuite [ɑ̃sɥit] adv then.

entaille [ɑ̃taj] nf notch; (blessure) cut.

entamer [ɑ̃tame] vt to start; (bouteille) to open.

entasser [ɑ̃tase] vt (mettre en tas) to pile up; (serrer) to squeeze in ❑ **s'entasser** vp (voyageurs) to pile in.

entendre [ɑ̃tɑ̃dr] vt to hear; ~ **dire que** to hear that; ~ **parler de** to hear about ❑ **s'entendre** vp (sympathiser) to get on; **s'~ bien avec qqn** to get on well with sb.

entendu, -e [ɑ̃tɑ̃dy] adj (convenu) agreed; (c'est) ~! OK then!; **bien ~** of course.

enterrement [ɑ̃tɛrmɑ̃] nm funeral.

enterrer [ɑ̃tere] vt to bury.

en-tête, -s [ɑ̃tɛt] nm heading.

entêter [ɑ̃tete] : **s'entêter** vp to persist; **s'~ à faire qqch** to persist in doing sthg.

enthousiasme [ɑ̃tuzjasm] nm enthusiasm.

enthousiasmer [ɑ̃tuzjasme] vt to fill with enthusiasm ❑ **s'enthousiasmer pour** vp + prép to be enthusiastic about.

enthousiaste [ɑ̃tuzjast] adj enthusiastic.

entier, -ière [ɑ̃tje, jɛr] adj (intact) whole, entire; (total) complete; (lait) full-fat; **dans le monde ~** in the whole world; **pendant des journées entières** for days on end; **en ~** in its entirety.

entièrement [ɑ̃tjɛrmɑ̃] adv completely.

entonnoir [ɑ̃tɔnwar] nm funnel.

entorse [ɑ̃tɔrs] nf (MÉD) sprain; **se faire une ~ à la cheville** to sprain one's ankle.

entortiller [ɑ̃tɔrtije] vt to twist.

entourage [ɑ̃turaʒ] nm (famille) family; (amis) circle of friends.

entourer [ɑ̃ture] vt (cerner) to surround; (mot, phrase) to circle; **entouré de** surrounded by.

entracte [ɑ̃trakt] nm interval.

entraider [ɑ̃trede] : **s'entraider** vp to help one another.

entrain [ɑ̃trɛ̃] nm: **avec ~** with gusto; **plein d'~** full of energy.

entraînant, -e [ɑ̃trɛnɑ̃, ɑ̃t] adj catchy.

entraînement [ɑ̃trɛnmɑ̃] nm (sportif) training; (pratique) practice.

entraîner [ɑ̃trene] vt (emporter) to carry away; (emmener) to drag along; (provoquer) to lead to, to cause; (SPORT) to coach ❑ **s'entraîner** vp (sportif) to train; **s'~ à faire qqch** to practise doing sthg.

entraîneur, -euse [ɑ̃trɛnœr, øz] nm, f (SPORT) coach.

entraver [ɑ̃trave] vt (mouvements) to hinder; (circulation) to hold up.

entre [ɑ̃tr] prép between; ~ **amis** between friends; **l'un d'~ nous** one of us.

entrebâiller [ɑ̃trəbaje] vt to open slightly.

entrechoquer [ɑ̃trəʃɔke] : **s'entrechoquer** vp (verres) to chink.

entrecôte [ɑ̃trəkot] nf entrecôte (steak); ~ **à la bordelaise** grilled entrecote steak served with a red wine and shallot sauce.

entrée [ɑ̃tre] *nf* (*accès*) entry, entrance; (*pièce*) (entrance) hall; (*CULIN*) starter; **~ gratuite** "admission free"; **~ interdite** "no entry"; **~ libre** (*dans un musée*) "admission free"; (*dans une boutique*) "browsers welcome".

entremets [ɑ̃trəme] *nm* dessert.

entreposer [ɑ̃trəpoze] *vt* to store.

entrepôt [ɑ̃trəpo] *nm* warehouse.

entreprendre [ɑ̃trəprɑ̃dr] *vt* to undertake.

entrepreneur [ɑ̃trəprənœr] *nm* (*en bâtiment*) contractor.

entrepris, -e [ɑ̃trəpri, iz] *pp →* entreprendre.

entreprise [ɑ̃trəpriz] *nf* (*société*) company.

entrer [ɑ̃tre] *vi* (*aux être*) to enter, to go/come in ♦ *vt* (*aux avoir*) (*INFORM*) to enter; **entrez!** come in!; **~ dans** to enter, to go/come into; (*foncer dans*) to bang into.

entre-temps [ɑ̃trətɑ̃] *adv* meanwhile.

entretenir [ɑ̃trətnir] *vt* (*maison, plante*) to look after; **s'entretenir** *vp*: **s'~** (*de qqch*) **avec qqn** to talk (about sthg) with sb.

entretenu, -e [ɑ̃trətny] *pp →* entretenir.

entretien [ɑ̃trətjɛ̃] *nm* (*d'un jardin, d'une machine*) upkeep; (*d'un vêtement*) care; (*conversation*) discussion; (*interview*) interview.

entrevue [ɑ̃trəvy] *nf* meeting.

entrouvert, -e [ɑ̃truvɛr, ɛrt] *adj* half-open.

énumération [enymerasjɔ̃] *nf* list.

énumérer [enymere] *vt* to list.

envahir [ɑ̃vair] *vt* to invade; (*suj: herbes*) to overrun; (*fig: suj: sentiment*) to seize.

envahissant, -e [ɑ̃vaisɑ̃, ɑ̃t] *adj* (*personne*) intrusive.

enveloppe [ɑ̃vlɔp] *nf* envelope.

envelopper [ɑ̃vlɔpe] *vt* to wrap (up).

envers [ɑ̃vɛr] *prép* towards ♦ *nm*: **l'~** the back; **à l'~** (*devant derrière*) back to front; (*en sens inverse*) backwards.

envie [ɑ̃vi] *nf* (*désir*) desire; (*jalousie*) envy; **avoir ~ de qqch** to feel like sthg; **avoir ~ de faire qqch** to feel like doing sthg.

envier [ɑ̃vje] *vt* to envy.

environ [ɑ̃virɔ̃] *adv* about ❑

environs *nmpl* surrounding area (sg); **aux ~s de** (*heure, nombre*) round about; (*lieu*) near; **dans les ~s** in the surrounding area.

environnant, -e [ɑ̃virɔnɑ̃, ɑ̃t] *adj* surrounding.

environnement [ɑ̃virɔnmɑ̃] *nm* (*milieu*) background; (*nature*) environment.

envisager [ɑ̃vizaʒe] *vt* to consider; **~ de faire qqch** to consider doing sthg.

envoi [ɑ̃vwa] *nm* (*colis*) parcel.

envoler [ɑ̃vɔle] : **s'envoler** *vp* (*avion*) to take off; (*oiseau*) to fly away; (*feuilles*) to blow away.

envoyé, -e [ɑ̃vwaje] *nm, f* envoy; **~ spécial** special correspondent.

envoyer [ɑ̃vwaje] *vt* to send; (*balle, objet*) to throw; **~ qqch à qqn** to send sb sthg.

épagneul [epaɲœl] *nm* spaniel.

épais, -aisse [epɛ, ɛs] *adj* thick.

épaisseur [epɛsœr] *nf* thickness.

épaissir [epesir] *vi* (*CULIN*) to thicken □ **s'épaissir** *vp* to thicken.

épanouir [epanwir] : **s'épanouir** *vp* (*fleur*) to bloom; (*visage*) to light up.

épargner [eparɲe] *vt* (*argent*) to save; (*ennemi, amour-propre*) to spare; (*magasin*) grocer's (shop); **~ qqch à qqn** to spare sb sthg.

éparpiller [eparpije] *vt* to scatter □ **s'éparpiller** *vp* to scatter.

épatant, -e [epatɑ̃, ɑ̃t] *adj* splendid.

épater [epate] *vt* to amaze.

épaule [epol] *nf* shoulder; **~ d'agneau** shoulder of lamb.

épaulette [epolet] *nf* (*décoration*) epaulet; (*rembourrage*) shoulder pad.

épave [epav] *nf* wreck.

épée [epe] *nf* sword.

épeler [eple] *vt* to spell.

éperon [eprɔ̃] *nm* spur.

épi [epi] *nm* (*de blé*) ear; (*de maïs*) cob; (*de cheveux*) tuft.

épice [epis] *nf* spice.

épicé, -e [epise] *adj* spicy.

épicerie [episri] *nf* (*denrées*) groceries (*pl*); (*magasin*) grocer's (shop); **~ fine** delicatessen.

épicier, -ière [episje, jɛr] *nm, f* grocer.

épidémie [epidemi] *nf* epidemic.

épier [epje] *vt* to spy on.

épilepsie [epilɛpsi] *nf* epilepsy.

épiler [epile] *vt* (*jambes*) to remove unwanted hair from; (*sour-*

**cils*) to pluck.

épinards [epinar] *nmpl* spinach (*sg*).

épine [epin] *nf* thorn.

épingle [epɛ̃gl] *nf* pin; **~ à cheveux** hairpin; **~ de nourrice** safety pin.

épingler [epɛ̃gle] *vt* to pin.

épinière [epinjɛr] *adj f* → **moelle**.

épisode [epizɔd] *nm* episode.

éplucher [eplyʃe] *vt* to peel.

épluchures [eplyʃyr] *nfpl* peelings.

éponge [epɔ̃ʒ] *nf* sponge; (*tissu*) towelling.

éponger [epɔ̃ʒe] *vt* (*liquide*) to mop (up); (*visage*) to wipe.

époque [epɔk] *nf* period.

épouse → **époux**.

épouser [epuze] *vt* to marry.

épousseter [epuste] *vt* to dust.

épouvantable [epuvɑ̃tabl] *adj* awful.

épouvantail [epuvɑ̃taj] *nm* scarecrow.

épouvante [epuvɑ̃t] *nf* → **film**.

épouvanter [epuvɑ̃te] *vt* to terrify.

époux, épouse [epu, epuz] *nm, f* spouse.

épreuve [eprœv] *nf* (*difficulté, malheur*) ordeal; (*sportive*) event; (*examen*) paper.

éprouvant, -e [epruvɑ̃, ɑ̃t] *adj* trying.

éprouver [epruve] *vt* (*ressentir*) to feel; (*faire souffrir*) to distress.

éprouvette [epruvet] *nf* test tube.

EPS *nf* (*abr de éducation physique et sportive*) PE.

épuisant, -e [epɥizɑ̃, ɑ̃t] *adj* exhausting.

épuisé, -e [epɥize] *adj* exhausted; *(article)* sold out; *(livre)* out of print.

épuiser [epɥize] *vt* to exhaust.

épuisette [epɥizɛt] *nf* landing net.

équateur [ekwatœr] *nm* equator.

équation [ekwasjɔ̃] *nf* equation.

équerre [ekɛr] *nf* set square; *(en T)* T-square.

équilibre [ekilibr] *nm* balance; **en ~ stable; perdre l'~** to lose one's balance.

équilibré, -e [ekilibre] *adj (mentalement)* well-balanced; *(nourriture, repas)* balanced.

équilibriste [ekilibrist] *nmf* tightrope walker.

équipage [ekipaʒ] *nm* crew.

équipe [ekip] *nf* team.

équipement [ekipmɑ̃] *nm* equipment.

équiper [ekipe] *vt* to equip ▫ **s'équiper (de)** *vp (+ prép)* to equip o.s. (with).

équipier, -ière [ekipje, jɛr], *f (SPORT)* team member; *(NAVIG)* crew member.

équitable [ekitabl] *adj* fair.

équitation [ekitasjɔ̃] *nf* (horse-) riding; **faire de l'~** to go (horse-) riding.

équivalent, -e [ekivalɑ̃, ɑ̃t] *adj & nm* equivalent.

équivaloir [ekivalwar] *vi*: **ça équivaut à (faire) ...** that is equivalent to (doing) ...

équivalu [ekivaly] *pp* → **équivaloir.**

érable [erabl] *nm* maple.

érafler [erafle] *vt* to scratch.

éraflure [eraflyr] *nf* scratch.

érotique [erɔtik] *adj* erotic.

erreur [erœr] *nf* mistake; **faire une ~** to make a mistake.

éruption [erypsjɔ̃] *nf (de volcan)* eruption; **~ cutanée** rash.

es → **être.**

escabeau, -x [eskabo] *nm* stepladder.

escalade [eskalad] *nf* climbing.

escalader [eskalade] *vt* to climb.

Escalator® [eskalatɔr] *nm* escalator.

escale [eskal] *nf* stop; **faire ~ (à)** *(bateau)* to put in (at); *(avion)* to make a stopover (at); **vol sans ~** direct flight.

escalier [eskalje] *nm* (flight of) stairs; **les ~s** the stairs; **~ roulant** escalator.

escalope [eskalɔp] *nf* escalope.

escargot [eskargo] *nm* snail.

escarpé, -e [eskarpe] *adj* steep.

escarpin [eskarpɛ̃] *nm* court shoe.

escavèches [eskavɛʃ] *nfpl (Belg)* jellied eels, eaten with French fries.

esclaffer [esklafe] : **s'esclaffer** *vp* to burst out laughing.

esclavage [esklavaʒ] *nm* slavery.

esclave [esklav] *nmf* slave.

escorte [eskɔrt] *nf* escort.

escrime [eskrim] *nf* fencing.

escroc [eskro] *nm* swindler.

escroquerie [eskrɔkri] *nf* swindle.

espace [espas] *nm* space; **en l'~ de** in the space of; **~ fumeurs** smoking area; **~ non-fumeurs** nonsmoking area; **~s verts** open spaces.

espacer [ɛspase] *vt* to space out.

espadrille [ɛspadrij] *nf* espadrille.

Espagne [ɛspaɲ] *nf:* **l'~** Spain.

espagnol, -e [ɛspaɲɔl] *adj* Spanish ♦ *nm* (*langue*) Spanish □ **Espagnol, -e** *nm, f* Spaniard; **les Espagnols** the Spanish.

espèce [ɛspɛs] *nf* (*race*) species; **une ~ de** a kind of; **~ d'imbécile!** you stupid idiot! □ **espèces** *nfpl* cash (*sg*); **en ~s** in cash.

espérer [ɛspere] *vt* to hope for; **~ faire qqch** to hope to do sthg; **~ que** to hope (that); **j'espère (bien)!** I hope so!

espion, -ionne [ɛspjɔ̃, jɔn] *nm, f* spy.

espionnage [ɛspjɔnaʒ] *nm* spying; **film/roman d'~** spy film/ novel.

espionner [ɛspjɔne] *vt* to spy on.

esplanade [ɛsplanad] *nf* esplanade.

espoir [ɛspwaʀ] *nm* hope.

esprit [ɛspʀi] *nm* (*pensée*) mind; (*humour*) wit; (*caractère, fantôme*) spirit.

Esquimau, -aude, -x [ɛskimo, od] *nm, f* Eskimo; **Esquimau®** (*glace*) choc-ice on a stick (*Br*), Eskimo (*Am*).

esquisser [ɛskise] *vt* (*dessin*) to sketch; **~ un sourire** to half-smile.

esquiver [ɛskive] *vt* to dodge □ **s'esquiver** *vp* to slip away.

essai [ɛse] *nm* (*test*) test; (*tentative*) attempt; (*littéraire*) essay; (*SPORT*) try.

essaim [ɛsɛ̃] *nm* swarm.

essayage [ɛsɛjaʒ] *nm* → **cabine.**

essayer [ɛsɛje] *vt* (*vêtement, chaussures*) to try on; (*tester*) to try out; (*tenter*) to try; **~ de faire qqch** to try to do sthg.

essence [ɛsɑ̃s] *nf* petrol (*Br*), gas (*Am*); **~ sans plomb** unleaded (petrol).

essentiel, -ielle [ɛsɑ̃sjɛl] *adj* essential ♦ *nm:* **l'~** (*le plus important*) the main thing; (*le minimum*) the essentials (*pl*).

essieu, -x [ɛsjø] *nm* axle.

essorage [ɛsɔʀaʒ] *nm* (*sur un lave-linge*) spin cycle.

essorer [ɛsɔʀe] *vt* to spin-dry.

essoufflé, -e [ɛsufle] *adj* out of breath.

essuie-glace, -s [ɛsɥiglas] *nm* windscreen wiper (*Br*), windshield wiper (*Am*).

essuie-mains [ɛsɥimɛ̃] *nm inv* hand towel.

essuyer [ɛsɥije] *vt* (*sécher*) to dry; (*enlever*) to wipe up □ **s'essuyer** *vp* to dry o.s.; **s'~ les mains** to dry one's hands.

est¹ [ɛ] → **être.**

est² [ɛst] *adj inv* east, eastern ♦ *nm* east; **à l'~** in the east; **à l'~ de** east of; **l'Est** (*l'est de la France*) the East (*of France*); (*l'Alsace et la Lorraine*) north-eastern part of France.

est-ce que [ɛskə] *adv:* **est-ce qu'il est là?** is he there?; **~ tu as mangé?** have you eaten?; **comment ~ ça s'est passé?** how did it go?

esthéticienne [ɛstetisjɛn] *nf* beautician.

esthétique [ɛstetik] *adj* (*beau*) attractive.

estimation [ɛstimasjɔ̃] *nf* (*de dégâts*) estimate; (*d'un objet d'art*) valuation.

estimer [estime] *vt (dégâts)* to estimate; *(objet d'art)* to value; *(respecter)* to respect; ~ **que** to think that.

estivant, -e [εstivã, ãt] *nm, nf* holidaymaker *(Br)*, vacationer *(Am)*.

estomac [εstɔma] *nm* stomach.

estrade [εstrad] *nf* platform.

estragon [εstragɔ̃] *nm* tarragon.

estuaire [εstɥεr] *nm* estuary.

et [e] *conj* and; ~ **après?** *(pour défier)* so what?; **je l'aime bien, ~ toi?** I like him, what about you?; **vingt ~ un** twenty-one.

étable [etabl] *nf* cowshed.

établi [etabli] *nm* workbench.

établir [etablir] *vt (commerce, entreprise)* to set up; *(liste, devis)* to draw up; *(contacts)* to establish ☐ **s'établir** *vp (emménager)* to settle; *(professionnellement)* to set o.s. up *(in business)*; *(se créer)* to build up.

établissement [etablismã] *nm* establishment; ~ **scolaire** school.

étage [etaʒ] *nm* floor; *(couche)* tier; **au premier ~** on the first floor *(Br)*, on the second floor *(Am)*; **à l'~** upstairs.

étagère [etaʒεr] *nf* shelf; *(meuble)* (set of) shelves.

étain [etɛ̃] *nm* tin.

étais [etε] → **être**.

étal [etal] *nm (sur les marchés)* stall.

étalage [etalaʒ] *nm (vitrine)* display.

étaler [etale] *vt* to spread (out); *(beurre, confiture)* to spread; *(connaissance, richesse)* to show off ☐ **s'étaler** *vp (se répartir)* to

spread.

étanche [etɑ̃ʃ] *adj (montre)* waterproof; *(joint)* watertight.

étang [etɑ̃] *nm* pond.

étant [etɑ̃] *ppr* → **être**.

étape [etap] *nf (période)* stage; *(lieu)* stop; **faire ~ à** to stop off at.

état [eta] *nm* state, condition; **en ~ (de marche)** in working order; **en bon ~** in good condition; **en mauvais ~** in poor condition; ~ **civil** *(d'une personne)* personal details; ~ **d'esprit** state of mind ☐ **État** *nm* (POL.) state.

États-Unis [etazyni] *nmpl:* **les ~** the United States.

etc *(abr de et cetera)* etc.

et cetera [εtsetera] *adv* et cetera.

été¹ [ete] *pp* → **être**.

été² [ete] *nm* summer; **en ~** in (the) summer.

éteindre [etɛ̃dr] *vt (lumière, appareil)* to turn off; *(cigarette, incendie)* to put out ☐ **s'éteindre** *vp* to go out.

éteint, -e [etɛ̃, ɛ̃t] *pp* → **éteindre**.

étendre [etɑ̃dr] *vt (nappe, carte)* to spread (out); *(linge)* to hang out; *(jambe, personne)* to stretch (out) ☐ **s'étendre** *vp (se coucher)* to lie down; *(être situé)* to stretch; *(se propager)* to spread.

étendu, -e [etɑ̃dy] *adj (grand)* extensive.

étendue [etɑ̃dy] *nf* area; *(fig: importance)* extent.

éternel, -elle [etεrnεl] *adj* eternal.

éternité [etεrnite] *nf* eternity; **cela fait une ~ que ...** it's been ages since ...

éternuement [etɛrnymã] *nm* sneeze.

éternuer [etɛrnɥe] *vi* to sneeze.

êtes → **être**.

étinceler [etɛ̃sle] *vi* to sparkle.

étincelle [etɛ̃sɛl] *nf* spark.

étiquette [etiket] *nf* label.

étirer [etire] *vt* to stretch (out) □ **s'étirer** *vp* to stretch.

étoffe [etɔf] *nf* material.

étoile [etwal] *nf* star; **hôtel deux/trois ~s** two-/three-star hotel; **dormir à la belle ~** to sleep out in the open; **~ de mer** starfish.

étonnant, -e [etɔnã, ãt] *adj* amazing.

étonné, -e [etɔne] *adj* surprised.

étonner [etɔne] *vt* to surprise; **ça m'étonnerait (que)** I would be surprised (if); **tu m'étonnes!** *(fam)* I'm not surprised! □ **s'étonner** *vp*: **s'~ que** to be surprised that.

étouffant, -e [etufã, ãt] *adj* stifling.

étouffer [etufe] *vt* to suffocate; *(bruit)* to muffle ◆ *vi (manquer d'air)* to choke; *(avoir chaud)* to suffocate □ **s'étouffer** *vp* to choke; *(mourir)* to choke to death.

étourderie [eturdəri] *nf (caractère)* thoughtlessness; **faire une ~** to make a careless mistake.

étourdi, -e [eturdi] *adj (distrait)* scatterbrained.

étourdir [eturdir] *vt (assommer)* to daze; *(donner le vertige à)* to make dizzy.

étourdissement [eturdismã] *nm* dizzy spell.

étrange [etrãʒ] *adj* strange.

étranger, -ère [etrãʒe, ɛr] *adj (ville, coutume)* foreign; *(inconnu)* unfamiliar ◆ *nm, f (d'un autre pays)* foreigner; *(inconnu)* stranger ◆ *nm*: **à l'~** abroad.

étrangler [etrãgle] *vt* to strangle □ **s'étrangler** *vp* to choke.

être [etr] *vi* **1.** *(pour décrire)* to be; **~ content** to be happy; **je suis architecte** I'm an architect.

2. *(pour désigner le lieu, l'origine)* to be; **nous serons à Naples/à la maison à partir de demain** we will be in Naples/at home from tomorrow onwards; **d'où êtes-vous?** where are you from?

3. *(pour donner la date):* **quel jour sommes-nous?** what day is it?; **c'est jeudi** it's Thursday.

4. *(aller):* **j'ai été trois fois en Écosse** I've been to Scotland three times.

5. *(pour exprimer l'appartenance):* **~ à qqn** to belong to sb; **cette voiture est à vous?** is this your car?; **c'est à Daniel** it's Daniel's.

◆ *v impers* **1.** *(pour désigner le moment):* **il est huit heures/tard** it's eight o'clock/late.

2. *(avec un adjectif ou un participe passé):* **il est difficile de savoir si ...** it is difficult to know whether ...; **il est recommandé de réserver à l'avance** advance booking is recommended.

◆ *v aux* **1.** *(pour former le passé composé)* to have/to be; **nous sommes partis hier** we left yesterday; **je suis née en 1976** I was born in 1976; **tu t'es coiffé?** have you brushed your hair?

2. *(pour former le passif)* to be; **le train a été retardé** the train was delayed.

◆ *nm (créature)* being; **~ humain**

human being.

étrenner [etrene] *vt* to use for the first time.

étrennes [etren] *nfpl* = Christmas bonus.

étrier [etrije] *nm* stirrup.

étroit, -e [etrwa, at] *adj (rue, siège)* narrow; *(vêtement)* tight; **~ d'esprit** narrow-minded; **on est à l'~ ici** it's cramped in here.

étude [etyd] *nf* study; *(salle d'école)* study room; *(de notaire)* office □ **études** *nfpl* studies; **faire des ~s (de)** to study.

étudiant, -e [etydjã, ãt] *adj & nm, f* student.

étudier [etydje] *vt & vi* to study.

étui [etɥi] *nm* case.

eu, -e [y] *pp* → **avoir**.

euh [ø] *excl* er.

eurochèque [ørɔʃɛk] *nm* Eurocheque.

Europe [ørɔp] *nf*: **l'~** Europe; **l'~ de l'Est** Eastern Europe.

européen, -enne [ørɔpeɛ̃, ɛn] *adj* European □ **Européen, -enne** *nm, f* European.

eux [ø] *pron (après prép ou comparaison)* them; *(pour insister)* they; **~-mêmes** themselves.

évacuer [evakɥe] *vt* to evacuate; *(liquide)* to drain.

évader [evade]: **s'évader** *vp* to escape.

évaluer [evalɥe] *vt (dégâts)* to estimate; *(tableau)* to value.

Évangile [evãʒil] *nm (livre)* Gospel.

évanouir [evanwir]: **s'évanouir** *vp* to faint; *(disparaître)* to vanish.

évaporer [evapɔre]: **s'évapo-**

rer *vp* to evaporate.

évasé, -e [evaze] *adj* flared.

évasion [evazjɔ̃] *nf* escape.

éveillé, -e [eveje] *adj (vif)* alert.

éveiller [eveje] *vt (soupçons, attention)* to arouse; *(intelligence, imagination)* to awaken □ **s'éveiller** *vp (sensibilité, curiosité)* to be aroused.

événement [evenmã] *nm* event.

éventail [evãtaj] *nm* fan; *(variété)* range.

éventrer [evãtre] *vt* to disembowel; *(ouvrir)* to rip open.

éventuel, -elle [evãtɥɛl] *adj* possible.

éventuellement [evãtɥɛlmã] *adv* possibly.

évêque [evek] *nm* bishop.

évidemment [evidamã] *adv* obviously.

évident, -e [evidã, ãt] *adj* obvious; **c'est pas ~!** *(pas facile)* it's not (that) easy!

évier [evje] *nm* sink.

évitement [evitmã] *nm (Belg: déviation)* diversion.

éviter [evite] *vt* to avoid; **~ qqch à qqn** to spare sb sthg; **~ de faire qqch** to avoid doing sthg.

évolué, -e [evolɥe] *adj (pays)* advanced; *(personne)* broad-minded.

évoluer [evolɥe] *vi* to change; *(maladie)* to develop.

évolution [evolysjɔ̃] *nf* development.

évoquer [evoke] *vt (faire penser à)* to evoke; *(mentionner)* to mention; **~ qqch à qqn** to remind sb of sthg.

ex- [ɛks] *préf (ancien)* ex-.

exact, -e [ɛgzakt] *adj (correct)*
correct; *(précis)* exact; *(ponctuel)*
punctual; **c'est ~** *(c'est vrai)* that's
right.

exactement [ɛgzaktəmɑ̃] *adv*
exactly.

exactitude [ɛgzaktityd] *nf* accuracy; *(ponctualité)* punctuality.

ex aequo [ɛgzeko] *adj inv* level.

exagérer [ɛgzaʒere] *vt & vi* to
exaggerate.

examen [ɛgzamɛ̃] *nm (médical)*
examination; *(SCOL)* exam; **~ blanc**
mock exam *(Br)*, practise test
(Am).

examinateur, -trice [ɛgzaminatœr, tris] *nm, f* examiner.

examiner [ɛgzamine] *vt* to examine.

exaspérer [ɛgzaspere] *vt* to exasperate.

excédent [ɛksedɑ̃] *nm* surplus;
~ de bagages excess baggage.

excéder [ɛksede] *vt (dépasser)* to
exceed; *(énerver)* to exasperate.

excellent, -e [ɛkselɑ̃, ɑ̃t] *adj*
excellent.

excentrique [ɛksɑ̃trik] *adj (extravagant)* eccentric.

excepté [ɛksɛpte] *prép* except.

exception [ɛksɛpsjɔ̃] *nf* exception; **faire une ~** to make an exception; **à l'~ de** with the exception of; **sans ~** without exception.

exceptionnel, -elle [ɛksɛpsjɔnɛl] *adj* exceptional.

excès [ɛksɛ] *nm* excess ♦ *nmpl*:
faire des ~ to eat and drink too
much; **~ de vitesse** speeding *(sg)*.

excessif, -ive [ɛksesif, iv] *adj*
excessive; *(personne, caractère)* extreme.

excitant, -e [ɛksitɑ̃, ɑ̃t] *adj*
exciting ♦ *nm* stimulant.

excitation [ɛksitasjɔ̃] *nf* excitement.

exciter [ɛksite] *vt* to excite.

exclamation [ɛksklamasjɔ̃] *nf*
exclamation.

exclamer [ɛksklame] : **s'exclamer** *vp* to exclaim.

exclure [ɛksklyr] *vt (ne pas
compter)* to exclude; *(renvoyer)* to
expel.

exclusif, -ive [ɛksklyzif, iv] *adj*
(droit, interview) exclusive; *(personne)* possessive.

exclusivité [ɛksklyzivite] *nf*
(d'un film, d'une interview) exclusive
rights *(pl)*; **en ~** *(film)* on general
release.

excursion [ɛkskyrsjɔ̃] *nf* excursion.

excuse [ɛkskyz] *nf* excuse ❑
excuses *nfpl*: **faire des ~ à qqn** to
apologize to sb.

excuser [ɛkskyze] *vt* to excuse;
excusez-moi *(pour exprimer ses regrets)* I'm sorry; *(pour interrompre)*
excuse me ❑ **s'excuser** *vp* to
apologize; **s'~ de faire qqch** to
apologize for doing sthg.

exécuter [ɛgzekyte] *vt (travail,
ordre)* to carry out; *(œuvre musicale)*
to perform; *(personne)* to execute.

exécution [ɛgzekysjɔ̃] *nf* execution.

exemplaire [ɛgzɑ̃plɛr] *nm* copy.

exemple [ɛgzɑ̃pl] *nm* example;
par ~ for example.

exercer [ɛgzerse] *vt* to exercise;
(voix, mémoire) to train; **le métier
d'infirmière** to work as a nurse ❑
s'exercer *vp (s'entraîner)* to practise; **s'~ à faire qqch** to

exercice [ɛgzɛrsis] nm exercise; **faire de l'~** to exercise.

exhiber [ɛgzibe] vt (péj) to show off □ **s'exhiber** vp (péj) to make an exhibition of o.s.

exigeant, -e [ɛgziʒɑ̃, ɑ̃t] adj demanding.

exigence [ɛgziʒɑ̃s] nf (demande) demand.

exiger [ɛgziʒe] vt to demand; (avoir besoin de) to require.

exiler [ɛgzile] : **s'exiler** vp to go into exile.

existence [ɛgzistɑ̃s] nf existence.

exister [ɛgziste] vi to exist; **il existe** (il y a) there is/are.

exorbitant, -e [ɛgzɔrbitɑ̃, ɑ̃t] adj exorbitant.

exotique [ɛgzɔtik] adj exotic.

expatrier [ɛkspatrije] : **s'expatrier** vp to leave one's country.

expédier [ɛkspedje] vt to send; (péj: bâcler) to dash off.

expéditeur, -trice [ɛkspeditœr, tris] nm, f sender.

expédition [ɛkspedisjɔ̃] nf (voyage) expedition; (envoi) dispatch.

expérience [ɛksperjɑ̃s] nf experience; (scientifique) experiment; **~ (professionnelle)** experience.

expérimenté, -e [ɛksperimɑ̃te] adj experienced.

expert [ɛkspɛr] nm expert; **~ en vins** wine expert.

expertiser [ɛkspertize] vt to value.

expirer [ɛkspire] vi (souffler) to breathe out; (finir) to expire.

explication [ɛksplikasjɔ̃] nf ex-

planation; (discussion) discussion; **~ de texte** commentary on a text.

expliquer [ɛksplike] vt to explain; **~ qqch à qqn** to explain sthg to sb □ **s'expliquer** vp to explain o.s.; (se disputer) to have it out.

exploit [ɛksplwa] nm exploit.

exploitation [ɛksplwatasjɔ̃] nf (d'une terre, d'une mine) working; (de personnes) exploitation; **~ (agricole)** farm.

exploiter [ɛksplwate] vt (terre, mine) to work; (personnes, naïveté) to exploit.

exploration [ɛksplɔrasjɔ̃] nf exploration.

explorer [ɛksplɔre] vt to explore.

exploser [ɛksploze] vi to explode.

explosif, -ive [ɛksplozif, iv] adj & nm explosive.

explosion [ɛksplozjɔ̃] nf explosion; (fig: de colère, de joie) outburst.

exportation [ɛkspɔrtasjɔ̃] nf export.

exporter [ɛkspɔrte] vt to export.

exposé, -e [ɛkspoze] adj (en danger) exposed ♦ nm account; (SCOL) presentation; **~ au sud** south-facing; **une maison bien ~e** a house which gets a lot of sun.

exposer [ɛkspoze] vt (tableaux) to exhibit; (théorie, motifs) to explain; **~ qqn/qqch à qqch** to expose sb/sthg to sthg □ **s'exposer à** vp + prép (danger, critiques) to lay o.s. open to.

exposition [ɛkspozisjɔ̃] nf exhibition; (d'une maison) aspect.

exprès¹ [ɛksprɛs] adj inv (lettre) special delivery ♦ nm: **par ~** (by) special delivery.

exprès[2] [ɛksprɛ] adv (volontairement) on purpose, deliberately; (spécialement) specially; **faire ~ de faire qqch** to do sthg deliberately OU on purpose.

express [ɛksprɛs] nm (café) = **expresso**; (train) ~ express (train).

expression [ɛkspresjɔ̃] nf expression; ~ **écrite** written language; ~ **orale** oral language.

expresso [ɛkspreso] nm expresso.

exprimer [ɛksprime] vt (idée, sentiment) to express □ **s'exprimer** vp (parler) to express o.s.

expulser [ɛkspylse] vt to expel.

exquis, -e [ɛkski, iz] adj exquisite.

extensible [ɛkstɑ̃sibl] adj (vêtement) stretchy.

exténué, -e [ɛkstenɥe] adj exhausted.

extérieur, -e [ɛksterjœr] adj (escalier, poche) outside; (surface) outer; (commerce, politique) foreign; (gentillesse, calme) outward ◆ nm outside; (apparence) exterior; **à l'~** outside; **jouer à l'~** (SPORT) to play away; **à l'~ de** outside.

exterminer [ɛkstɛrmine] vt to exterminate.

externe [ɛkstɛrn] adj external ◆ nmf (élève) day pupil.

extincteur [ɛkstɛ̃ktœr] nm (fire) extinguisher.

extinction [ɛkstɛ̃ksjɔ̃] nf: ~ **de voix** loss of voice.

extra [ɛkstra] adj inv (qualité) first-class; (fam: formidable) great ◆ préf (très) extra.

extraire [ɛkstrɛr] vt to extract; ~ **qqn/qqch de** to extract sb/

sthg from.

extrait [ɛkstrɛ] nm extract.

extraordinaire [ɛkstraɔrdinɛr] adj (incroyable) incredible; (excellent) wonderful.

extravagant, -e [ɛkstravagɑ̃, ɑ̃t] adj extravagant.

extrême [ɛkstrɛm] adj & nm extreme; **l'Extrême-Orient** the Far East.

extrêmement [ɛkstrɛmmɑ̃] adv extremely.

extrémité [ɛkstremite] nf end.

F

F (abr de franc, Fahrenheit) F.

fable [fabl] nf fable.

fabricant [fabrikɑ̃] nm manufacturer.

fabrication [fabrikasjɔ̃] nf manufacture.

fabriquer [fabrike] vt to make; (produit) to manufacture; **mais qu'est-ce que tu fabriques?** (fam) what are you up to?

fabuleux, -euse [fabylø, øz] adj (énorme) enormous; (excellent) tremendous.

fac [fak] nf (fam) college.

façade [fasad] nf facade.

face [fas] nf (côté) side; (d'une pièce) heads (sg); (visage) face; **faire ~ à** (être devant) to face; (affronter) to face up to; **de ~** from the front; **en ~ (de)** opposite; ~ **à** ~ face to face.

fâché, -e [faʃe] *adj* angry; *(brouillé)* on bad terms.

fâcher [faʃe] **: se fâcher** *vp* to get angry; *(se brouiller)* to quarrel.

facile [fasil] *adj* easy; *(aimable)* easygoing.

facilement [fasilmɑ̃] *adv* easily.

facilité [fasilite] *nf (aisance)* ease.

faciliter [fasilite] *vt* to make easier.

façon [fasɔ̃] *nf* way; **de ~ (à ce) que** so that; **de toute ~** anyway; **non merci, sans ~** no thank you □ **façons** *nfpl (comportement)* manners; **faire des ~s** *(être maniéré)* to put on airs.

facteur, -trice [faktœr, tris] *nm, f* postman *(f* postwoman) (Br), mailman *(f* mailwoman) (Am) ◆ *nm* factor.

facture [faktyr] *nf* bill.

facturer [faktyre] *vt* to invoice.

facturette [faktyrɛt] *nf (credit card sales)* receipt.

facultatif, -ive [fakyltatif, iv] *adj* optional.

faculté [fakylte] *nf (université)* faculty; *(possibilité)* right.

fade [fad] *adj (aliment)* bland; *(couleur)* dull.

fagot [fago] *nm* bundle of sticks.

faible [fɛbl] *adj* weak; *(son, lumière)* faint; *(revenus, teneur)* low; *(quantité, volume)* small ◆ *nm*: **avoir un ~ pour qqch** to have a weakness for sthg; **avoir un ~ pour qqun** to have a soft spot for sb.

faiblement [fɛblmɑ̃] *adv* weakly; *(augmenter)* slightly.

faiblesse [fɛbles] *nf* weakness.

faiblir [feblir] *vi (physiquement)* to

faire

get weaker; *(son)* to get fainter; *(lumière)* to fade.

faïence [fajɑ̃s] *nf* earthenware.

faille [faj] *nf (du terrain)* fault; *(défaut)* flaw.

faillir [fajir] *vi*: **il a failli tomber** he nearly fell over.

faillite [fajit] *nf* bankruptcy; **~ to go bankrupt.

faim [fɛ̃] *nf* hunger; **avoir ~** to be hungry.

fainéant, -e [feneɑ̃, ɑ̃t] *adj* lazy ◆ *nm, f* layabout.

faire [fɛr] *vt* 1. *(fabriquer, préparer)* to make.

2. *(effectuer)* to do; **~ une promenade** to go for a walk.

3. *(arranger, nettoyer)*: **~ son lit** to make one's bed; **~ la vaisselle** to wash up; **~ ses valises** to pack (one's bags).

4. *(s'occuper à)* to do; **que faites-vous comme métier?** what do you do for a living?

5. *(sport, musique, discipline)* to do; **~ des études** to study; **~ du piano** to play the piano.

6. *(provoquer)*: **~ du bruit** to make a noise; **~ mal à qqn** to hurt sb; **~ de la peine à qqn** to upset sb.

7. *(imiter)*: **~ l'imbécile** to act the fool.

8. *(parcourir)* to do; **nous avons fait 150 km en deux heures** we did 100 miles in two hours; **~ du 80 (à l'heure)** to do 50 (miles an hour).

9. *(avec des mesures)* to be; **je fais 1,68 m** I'm 1.68 m tall; **je fais du 40** I take a size 40.

10. *(maths)*: **10 et 3 font 13** 10 and 3 are OU make 13.

11. *(dire)* to say.

12. *(dans des expressions)*: **ça ne fait rien** never mind; **il ne fait que**

pleuvoir it's always raining; **qu'est-ce que ça peut te ~?** what's it to do with you; **qu'est-ce que j'ai fait de mes clefs?** what have I done with my keys?

◆ vi **1.** (agir): **vas-y, mais fais vite** go on, but be quick; **vous feriez mieux de ...** you'd better ...; **faites comme chez vous** make yourself at home.

2. (avoir l'air): **~ jeune/vieux** to look young/old.

◆ v impers **1.** (climat, température): **il fait chaud/-2° C** it's hot/-2° C.

2. (exprime la durée): **ça fait trois jours que nous avons quitté Rouen** it's three days since we left Rouen; **ça fait dix ans que j'habite ici** I've lived here for ten years.

◆ v aux **1.** (indique que l'on provoque une action) to make; **~ cuire qqch** to cook sthg; **~ tomber qqch** to make sthg fall.

2. (indique que l'on commande une action): **~ faire qqch (par qqn)** to have ou get sthg done (by sb); **~ nettoyer un vêtement** to have a garment cleaned.

◆ v substitut to do; **on lui a conseillé de réserver mais il ne l'a pas fait** he was advised to book, but he didn't.

❑ **se faire** vp **1.** (être convenable, à la mode): **ça se fait** (c'est convenable) it's polite; (c'est à la mode) it's fashionable; **ça ne se fait pas** (ce n'est pas convenable) it's not done; (ce n'est pas à la mode) it's not fashionable.

2. (avoir, provoquer): **se ~ des amis** to make friends; **se ~ mal** to hurt o.s.

3. (avec un infinitif): **se ~ couper les cheveux** to have one's hair cut; **se ~ opérer** to have an operation; **je**

me suis fait arrêter par la police I was stopped by the police.

4. (devenir): **se ~ vieux** to get old; **il se fait tard** it's getting late.

5. (dans des expressions): **comment se fait-il que ...?** how come ...?; **ne t'en fais pas** don't worry; **se faire à** vp + prép (s'habituer à) to get used to.

faire-part [fɛʀpaʀ] nm inv announcement.

fais → **faire**.

faisable [fəzabl] adj feasible.

faisan [fəzɑ̃] nm pheasant.

faisant [fəzɑ̃] ppr → **faire**.

faisons → **faire**.

fait, -e [fɛ, fɛt] pp → **faire** ◆ adj (tâche) done; (objet, lit) made; (fromage) ripe ◆ nm fact; **(c'est) bien ~!** it serves you/him right!; **~s divers** minor news stories; **au ~** (à propos) by the way; **du ~ de** because of; **en ~** in fact; **prendre qqn sur le ~** to catch sb in the act.

faites → **faire**.

fait-tout [fetu] nm inv cooking pot.

falaise [falɛz] nf cliff.

falloir [falwaʀ] v impers: **il faut du courage pour faire ça** you need courage to do that; **il faut y aller** ou **que nous y allions** we must go; **il me faut 2 kilos d'oranges** I want 2 kilos of oranges; **il me faut y retourner** I have to go back there.

fallu [faly] pp → **falloir**.

falsifier [falsifje] vt (document, écriture) to forge.

fameux, -euse [famø, øz] adj (célèbre) famous; (très bon) great.

familial, -e, -iaux [familjal, jo] adj (voiture, ennuis) family.

familiarité [familjaʀite] nf fa-

faveur

familier, -ière [familje, jɛr] *adj* familiar; *(langage, mot)* colloquial.

famille [famij] *nf* family; **en ~** with one's family; **j'ai de la ~ à Paris** I have relatives in Paris.

fan [fan] *nmf (fam)* fan.

fanatique [fanatik] *adj* fanatical ◆ *nmf* fanatic.

fané, -e [fane] *adj (fleur)* withered; *(couleur, tissu)* faded.

faner [fane] : **se faner** *vp (fleur)* to wither.

fanfare [fɑ̃far] *nf* brass band.

fanfaron, -onne [fɑ̃farɔ̃, ɔn] *adj* boastful.

fantaisie [fɑ̃tezi] *nf (imagination)* imagination; *(caprice)* whim; **bijoux ~** costume jewellery.

fantastique [fɑ̃tastik] *adj* fantastic; *(littérature, film)* fantasy.

fantôme [fɑ̃tom] *nm* ghost.

far [far] *nm*: **~ breton** Breton custard tart with prunes.

farce [fars] *nf (plaisanterie)* practical joke; *(CULIN)* stuffing; **faire une ~ à qqn** to play a trick on sb.

farceur, -euse [farsœr, øz] *nm, f* practical joker.

farci, -e [farsi] *adj* stuffed.

fard [far] *nm*: **~ à joues** blusher; **~ à paupières** eyeshadow.

farfelu, -e [farfəly] *adj* weird.

farine [farin] *nf* flour.

farouche [faruʃ] *adj (animal)* wild; *(enfant)* shy; *(haine, lutte)* fierce.

fascinant, -e [fasinɑ̃, ɑ̃t] *adj* fascinating.

fasciner [fasine] *vt* to fascinate.

fasse *etc* → **faire**.

fatal, -e [fatal] *adj (mortel)* fatal;

(inévitable) inevitable.

fatalement [fatalmɑ̃] *adv* inevitably.

fataliste [fatalist] *adj* fatalistic.

fatigant, -e [fatigɑ̃, ɑ̃t] *adj* tiring; *(agaçant)* tiresome.

fatigue [fatig] *nf* tiredness.

fatigué, -e [fatige] *adj* tired; **être ~ de faire qqch** to be tired of doing sthg.

fatiguer [fatige] *vt* to tire (out); *(agacer)* to annoy □ **se fatiguer** *vp* to get tired; **se ~ à faire qqch** to wear o.s. out doing sthg.

faubourg [fobur] *nm* suburb.

faucher [foʃe] *vt (blé)* to cut; *(piéton, cycliste)* to run down; *(fam: voler)* to pinch.

faudra → **falloir**.

faufiler [fofile] : **se faufiler** *vp* to slip in.

faune [fon] *nf* fauna.

fausse → **faux**.

fausser [fose] *vt (résultat)* to distort; *(clef)* to bend; *(mécanisme)* to damage.

faut → **falloir**.

faute [fot] *nf* mistake; *(responsabilité)* fault; **c'est (de) ma ~** it's my fault; **~ de** for lack of.

fauteuil [fotœj] *nm* armchair; *(de cinéma, de théâtre)* seat; **~ à bascule** rocking chair; **~ roulant** wheelchair.

fauve [fov] *nm* big cat.

faux, fausse [fo, fos] *adj (incorrect)* wrong; *(artificiel)* false; *(billet)* fake ◆ *adv (chanter, jouer)* out of tune; **fausse note** wrong note; **~ numéro** wrong number.

faux-filet, -s [fofile] *nm* sirloin.

faveur [favœr] *nf (service)* favour;

en ~ de in favour of.

favorable [favɔrabl] adj favourable; être ~ à to be favourable to.

favori, -ite [favɔri, it] adj favourite.

favoriser [favɔrize] vt (personne) to favour; (situation) to help.

fax [faks] nm fax.

faxer [fakse] vt to fax.

féculent [fekylɑ̃] nm starchy food.

fédéral, -e, -aux [federal, o] adj federal.

fédération [federasjɔ̃] nf federation.

fée [fe] nf fairy.

feignant, -e [fɛɲɑ̃, ɑ̃t] adj (fam) lazy.

feinte [fɛ̃t] nf (ruse) ruse; (SPORT) dummy.

fêler [fele] : se fêler vp to crack.

félicitations [felisitasjɔ̃] nfpl congratulations.

féliciter [felisite] vt to congratulate.

félin [felɛ̃] nm cat.

femelle [fəmɛl] nf female.

féminin, -e [feminɛ̃, in] adj feminine; (mode, travail) women's.

femme [fam] nf woman; (épouse) wife; ~ de chambre chambermaid; ~ de ménage cleaning woman; bonne ~ (inf) woman.

fendant [fɑ̃dɑ̃] nm white wine from the Valais region of Switzerland.

fendre [fɑ̃dr] vt (vase, plat) to crack; (bois) to split.

fenêtre [fənɛtr] nf window.

fenouil [fənuj] nm fennel.

fente [fɑ̃t] nf (fissure) crack; (de tirelire, de distributeur) slot.

fer [fɛr] nm iron; ~ à cheval

horseshoe; ~ forgé wrought iron; ~ à repasser iron.

fera etc → **faire**.

féra [fera] nf fish from Lake Geneva.

fer-blanc [fɛrblɑ̃] nm tin.

férié [ferje] adj m → **jour**.

ferme [fɛrm] adj firm ♦ nf farm; ~ auberge farm providing holiday accommodation.

fermé, -e [fɛrme] adj closed; (caractère) introverted.

fermement [fɛrməmɑ̃] adv firmly.

fermenter [fɛrmɑ̃te] vi to ferment.

fermer [fɛrme] vt to shut, to close; (magasin, société) to close down; (électricité, radio) to turn off, to switch off ♦ vi to close, to shut; ~ qqch à clef to lock sthg; ça ne ferme pas (porte, boîte) it won't shut ❑ se fermer vp to shut, to close; (vêtement) to do up.

fermeté [fɛrməte] nf firmness.

fermeture [fɛrmətyr] nf closing; (mécanisme) fastener; «~ annuelle» "annual closing"; ~ Éclair® zip (Br), zipper (Am).

fermier, -ière [fɛrmje, jɛr] nm, f farmer.

fermoir [fɛrmwar] nm clasp.

féroce [ferɔs] adj ferocious.

ferraille [feraj] nf scrap iron.

ferrée [fere] adj f → **voie**.

ferroviaire [fɛrɔvjɛr] adj rail.

ferry [feri] (pl **ferries**) nm ferry.

fertile [fɛrtil] adj fertile.

fesse [fɛs] nf buttock ❑ **fesses** nfpl bottom (sg).

fessée [fese] nf spanking.

festin [fɛstɛ̃] nm feast.

festival [fɛstival] nm festival.

FESTIVAL D'AVIGNON

Founded in 1947 by Jean Vilar, a leading French theatre director, this festival takes place each year in and around the town of Avignon in southeast France. As well as important new plays and dance pieces performed here for the first time before touring France, more informal street performances take place throughout the town.

 FESTIVAL DE CANNES

During this international film festival held each year in May in this fashionable seaside resort in the south of France, prizes are awarded for acting, directing etc. The most sought-after prize is the Palme d'Or, given to the best film in the festival.

fête [fɛt] *nf* (congé) holiday; (réception) party; (kermesse) fair; (jour du saint) saint's day; **faire la ~ to** party; **bonne ~!** Happy Saint's Day!; **~ foraine** funfair; **~ des Mères** Mother's Day; **~ des Pères** Father's day; **la ~ de la Musique** annual music festival which takes place in the streets; **~ nationale** national holiday ▫ **fêtes** *nfpl*: **les ~s (de fin d'année)** the Christmas holidays.

 BONNE FÊTE!

In France each day is associated with a certain saint. It is traditional to wish "bonne fête" (Happy

Saint's Day) to people whose Christian name is the same as the saint for that day.

 FÊTE DE LA MUSIQUE

This public event was started at the beginning of the 1980s to promote music in France. It takes place every year on 21 June when both professional and amateur musicians play for free in the streets in the evening.

fêter [fete] *vt* to celebrate.

feu, -x [fø] *nm* fire; (lumière) light; **avez-vous du ~?** have you got a light?; **faire du ~** to make a fire; **mettre le ~ à** to set fire to; **à ~ doux** on a low flame; **~ d'artifice** firework; **~ de camp** campfire; **~ rouge** red light; **~x de signalisation** OU **tricolores** traffic lights; **~x arrière** rear lights; **~x de croisement** dipped headlights; **~x de recul** reversing lights; **au ~!** fire!; **en ~** (forêt, maison) on fire.

feuillage [fœjaʒ] *nm* foliage.

feuille [fœj] *nf* (d'arbre) leaf; (de papier) sheet; **~ morte** dead leaf.

feuilleté, -e [fœjte] *adj → pâte* ◆ *nm* dessert or savoury dish made from puff pastry.

feuilleter [fœjte] *vt* to flick through.

feuilleton [fœjtɔ̃] *nm* serial.

feutre [føtr] *nm* (stylo) felt-tip pen; (chapeau) felt hat.

fève [fɛv] *nf* broad bean; (de galette) charm put in a "galette des Rois".

février [fevrije] *nm* February, →

septembre.

FF (abr de franc français) FF.

fiable [fjabl] adj reliable.

fiançailles [fjãsaj] nfpl engagement (sg).

fiancé, -e [fjãse] nm, f fiancé (f fiancée).

fiancer [fjãse] : **se fiancer** vp to get engaged.

fibre [fibr] nf fibre.

ficeler [fisle] vt to tie up.

ficelle [fisɛl] nf string; (pain) thin French stick.

fiche [fiʃ] nf (de carton, de papier) card; (TECH) pin; ~ **de paie** payslip.

ficher [fiʃe] vt (planter) to drive in; (fam: faire) to do; (fam: mettre) to stick; **mais qu'est-ce qu'il fiche?** (fam) what on earth is he doing?; **fiche-moi la paix!** (fam) leave me alone!; **fiche le camp!** (fam) get lost! □ **se ficher de** vp + prép (fam: ridiculiser) to make fun of; **je m'en fiche** (fam: ça m'est égal) I don't give a damn.

fichier [fiʃje] nm (boîte) card-index box; (INFORM) file.

fichu, -e [fiʃy] adj (fam): **c'est ~** (raté) that's blown it; (cassé, abîmé) it's had it; **être bien ~** (beau) to have a good body; **être mal ~** (malade) to feel rotten.

fidèle [fidɛl] adj loyal.

fidélité [fidelite] nf loyalty.

fier¹ [fje] : **se fier à** vp + prép (personne, instinct) to rely on.

fier², fière [fjɛr] adj proud; **être ~ de** to be proud of.

fierté [fjɛrte] nf pride.

fièvre [fjɛvr] nf fever; **avoir de la ~** to have a (high) temperature.

fiévreux, -euse [fjɛvrø, øz] adj feverish.

fig. (abr de figure) fig.

figé, -e [fiʒe] adj (sauce) congealed; (personne) motionless.

figer [fiʒe] : **se figer** vp (sauce) to congeal.

figue [fig] nf fig.

figure [figyr] nf (visage) face; (schéma) figure.

figurer [figyre] vi to appear □ **se figurer** vp: **se ~ que** to think that.

fil [fil] nm (à coudre) thread; (du téléphone) wire; ~ **de fer** wire.

file [fil] nf line; (sur la route) lane; **à la ~** in a row; **en ~ (indienne)** in single file.

filer [file] vt (collant) to ladder (Br), to put a run in (Am) ♦ vi (aller vite) to fly; (fam: partir) to dash off; ~ **qqch à qqn** (fam) to slip sb sthg.

filet [filɛ] nm net; (de poisson, de bœuf) fillet; (d'eau) trickle; ~ **américain** (Belg) steak tartare; ~ **à bagages** luggage rack; ~ **mignon** filet mignon, small good-quality cut of beef.

filiale [filjal] nf subsidiary.

filière [filjɛr] nf (SCOL): ~ **scientifique** science subjects.

fille [fij] nf girl; (descendante) daughter.

fillette [fijɛt] nf little girl.

filleul, -e [fijœl] nm, f godchild.

film [film] nm film; ~ **d'horreur** OU **d'épouvante** horror film; ~ **vidéo** video.

filmer [filme] vt to film.

fils [fis] nm son.

filtre [filtr] nm filter.

filtrer [filtre] vt to filter.

fin, -e [fɛ̃, fin] adj (couche, tranche)

thin; (sable, cheveux) fine; (délicat) delicate; (subtil) shrewd ♦ nf end; ~ juillet at the end of July; à la ~ (de) at the end (of).

final, -e, -als OU **-aux** [final, o] adj final.

finale [final] nf final.

finalement [finalmɑ̃] adv finally.

finaliste [finalist] nmf finalist.

finance [finɑ̃s] nf: la ~ (profession) finance; les ~s (publiques) public funds; (fam: d'un particulier) finances.

financement [finɑ̃smɑ̃] nm funding.

financer [finɑ̃se] vt to finance.

financier, -ière [finɑ̃sje, jɛr] adj financial ♦ nm (gâteau) small cake made with almonds and candied fruit; **sauce financière** sauce flavoured with Madeira and truffles.

finesse [fines] nf subtlety.

finir [finir] vt to finish ♦ vi to end; ~ bien to have a happy ending; ~ de faire qqch to finish doing sthg; ~ par faire qqch to end up doing sthg.

finlandais, -e [fɛ̃lɑ̃dɛ, ɛz] adj Finnish ♦ nm = **finnois** ❑ Finlandais, -e nm, f Finn.

Finlande [fɛ̃lɑ̃d] nf: la ~ Finland.

finnois [finwa] nm Finnish.

fioul [fjul] nm fuel.

fisc [fisk] nm = Inland Revenue (Br), = Internal Revenue (Am).

fiscal, -e, -aux [fiskal, o] adj tax.

fissure [fisyr] nf crack.

fissurer [fisyre] : **se fissurer** vp to crack.

fixation [fiksasjɔ̃] nf (de ski)

binding; **faire une ~ sur qqch** to have a fixation about sthg.

fixe [fiks] adj fixed.

fixer [fikse] vt (attacher) to fix; (regarder) to stare at.

flacon [flakɔ̃] nm small bottle.

flageolet [flaʒɔlɛ] nm flageolet bean.

flagrant, -e [flagrɑ̃, ɑ̃t] adj blatant; **en ~ délit** in the act.

flair [flɛr] nm sense of smell; **avoir du ~** (fig) to have flair.

flairer [flɛre] vt to smell; (fig: deviner) to scent.

flamand, -e [flamɑ̃, ɑ̃d] adj Flemish ♦ nm (langue) Flemish.

flambé, -e [flɑ̃be] adj served in alcohol which has been set on fire.

flamber [flɑ̃be] vi to burn.

flamiche [flamiʃ] nf savoury tart.

flamme [flam] nf flame; **en ~s** in flames.

flan [flɑ̃] nm flan.

flanc [flɑ̃] nm flank.

flâner [flɑne] vi to stroll.

flanquer [flɑ̃ke] vt (entourer) to flank; (fam: mettre) to stick.

flaque [flak] nf puddle.

flash, -s OU **-es** [flaʃ] nm (d'appareil photo) flash; (d'information) newsflash.

flatter [flate] vt to flatter.

fléau, -x [fleo] nm (catastrophe) natural disaster.

flèche [flɛʃ] nf arrow.

fléchette [fleʃɛt] nf dart.

fléchir [fleʃir] vt & vi to bend.

flemme [flɛm] nf (fam): **j'ai la ~ (de faire qqch)** I can't be bothered (to do sthg).

flétri, -e [fletri] adj withered.

fleur [flœr] nf flower; (d'arbre) blossom; ~ **d'oranger** (CULIN) orange blossom essence; **à** ~s flowered; **en** ~(s) (plante) in flower; (arbre) in blossom.

fleuri, -e [flœri] adj (tissu, motif) flowered; (jardin) in flower.

fleurir [flœrir] vi to flower.

fleuriste [flœrist] nmf florist.

fleuve [flœv] nm river.

flexible [fleksibl] adj flexible.

flic [flik] nm (fam) cop.

flipper [flipœr] nm pin-ball machine.

flirter [flœrte] vi to flirt.

flocon [flɔkɔ̃] nm: ~ **de neige** snowflake; ~s **d'avoine** oatmeal.

flore [flɔr] nf flora; (livre) guide to flowers.

flot [flo] nm stream.

flottante [flɔtɑ̃t] adj f → **île**.

flotte [flɔt] nf (de navires) fleet; (fam: pluie) rain; (fam: eau) water.

flotter [flɔte] vi to float.

flotteur [flɔtœr] nm float.

flou, -e [flu] adj (photo) blurred; (idée, souvenir) vague.

fluide [flɥid] adj fluid; (circulation) flowing freely ♦ nm fluid.

fluo [flyo] adj inv fluorescent.

fluor [flyɔr] nm fluorine.

fluorescent, -e [flyɔresɑ̃, ɑ̃t] adj fluorescent.

flûte [flyt] nf (pain) French stick; (verre) flute ♦ excl bother!; ~ (**à bec**) recorder.

FM nf FM.

FNAC [fnak] nf chain of large stores selling books, records, audio and video equipment etc.

foi [fwa] nf faith; **être de bonne** ~ to be sincere; **être de mauvaise** ~

to be insincere.

foie [fwa] nm liver; ~ **gras** foie gras, duck or goose liver; ~ **de veau** calf's liver.

foin [fwɛ̃] nm hay.

foire [fwar] nf (marché) fair; (exposition) trade fair.

fois [fwa] nf time; **une** ~ once; **deux** ~ twice; **trois** ~ three times; **3** ~ **2** 3 times 2; **à la** ~ at the same time; **des** ~ (parfois) sometimes; **une** ~ **que tu auras mangé** once you have eaten; **une** ~ **pour toutes** once and for all.

folie [fɔli] nf madness; **faire une** ~ (dépenser) to be extravagant.

folklore [fɔlklɔr] nm folklore.

folklorique [fɔlklɔrik] adj folk.

folle → **fou**.

foncé, -e [fɔ̃se] adj dark.

foncer [fɔ̃se] vi (s'assombrir) to darken; (fam: aller vite) to get a move on; ~ **dans** to crash into; ~ **sur** to rush towards.

fonction [fɔ̃ksjɔ̃] nf function; (métier) post; **la** ~ **publique** the civil service; **en** ~ **de** according to.

fonctionnaire [fɔ̃ksjɔnɛr] nmf civil servant.

fonctionnel, -elle [fɔ̃ksjɔnɛl] adj functional.

fonctionnement [fɔ̃ksjɔnmɑ̃] nm working.

fonctionner [fɔ̃ksjɔne] vi to work; **faire** ~ **qqch** to make sthg work.

fond [fɔ̃] nm (d'un puits, d'une boîte) bottom; (d'une salle) far end; (d'une photo, d'un tableau) background; **au** ~, **dans le** ~ (en réalité) in fact; **au** ~ **de** (salle) at the back of; (valise) at the bottom of; **à** ~ (respirer) deeply; (pousser) all the way; *(rouler)* at top speed; ~ **d'artichaut** artichoke heart; ~ **de teint** foundation.

fondamental, -e, -aux [fɔ̃damɑ̃tal, o] *adj* basic.

fondant, -e [fɔ̃dɑ̃, ɑ̃t] *adj* which melts in the mouth ◆ *nm:* ~ **au chocolat** *chocolate cake that melts in the mouth.*

fondation [fɔ̃dasjɔ̃] *nf* foundation □ **fondations** *nfpl (d'une maison)* foundations.

fonder [fɔ̃de] *vt (société)* to found; *(famille)* to start □ **se fonder sur** *vp + prép (suj: personne)* to base one's opinion on; *(suj: raisonnement)* to be based on.

fondre [fɔ̃dr] *vi* to melt; ~ **en larmes** to burst into tears.

fonds [fɔ̃] *nmpl (argent)* funds.

fondue [fɔ̃dy] *nf:* ~ **bourguignonne** meat fondue; ~ **parmesan** *(Can)* soft cheese containing Parmesan, coated in breadcrumbs, eaten hot; ~ **savoyarde** cheese fondue.

font → **faire**.

fontaine [fɔ̃tɛn] *nf* fountain.

fonte [fɔ̃t] *nf (métal)* cast iron; *(des neiges)* thaw.

foot(ball) [fut(bol)] *nm* football.

footballeur [futbolœr] *nm* footballer.

footing [futiŋ] *nm* jogging; **faire un ~** to go jogging.

forain, -e [fɔrɛ̃, ɛn] *adj* → **fête** ◆ *nm* fairground worker.

force [fɔrs] *nf (strength)*; *(violence)* force; ~**s** *(physiques)* strength; **de** ~ by force; **à** ~ **de faire qqch** through doing sthg.

forcément [fɔrsemɑ̃] *adv*

inevitably; **pas** ~ not necessarily.

forcer [fɔrse] *vt (porte)* to force ◆ *vi (faire un effort physique)* to strain o.s.; ~ **qqn à faire qqch** to force sb to do sthg □ **se forcer** *vp:* **se** ~ **(à faire qqch)** to force o.s. (to do sthg).

forêt [fɔrɛ] *nf* forest.

forêt-noire [fɔrɛnwar] *(pl* **forêts-noires)** *nf* Black Forest gâteau.

forfait [fɔrfɛ] *nm (abonnement)* season ticket; *(de ski)* ski pass; *(de location de voiture)* basic rate; **déclarer** ~ to withdraw.

forfaitaire [fɔrfɛtɛr] *adj* inclusive.

forgé [fɔrʒe] *adj m* → **fer**.

forger [fɔrʒe] *vt (fer)* to forge.

formalités [fɔrmalite] *nfpl* formalities.

format [fɔrma] *nm* size.

formater [fɔrmate] *vt* to format.

formation [fɔrmasjɔ̃] *nf (apprentissage)* training; *(de roches, de mots)* formation.

forme [fɔrm] *nf* shape, form; **en** ~ **de T** T-shaped; **être en (pleine)** ~ to be on (top) form.

former [fɔrme] *vt (créer)* to form; *(éduquer)* to train □ **se former** *vp (naître)* to form; *(s'éduquer)* to train o.s.

formidable [fɔrmidabl] *adj* great.

formulaire [fɔrmylɛr] *nm* form.

formule [fɔrmyl] *nf* formula; *(de restaurant)* menu.

fort, -e [fɔr, fɔrt] *adj* strong; *(gros)* large; *(doué)* bright ◆ *adv (parler)* loudly; *(sentir)* strongly; *(pousser)* hard; ~ **en maths** good at maths.

forteresse [fɔrtəɛs] nf fortress.

fortifications [fɔrtifikasjɔ̃] nfpl fortifications.

fortifier [fɔrtifje] vt to fortify.

fortune [fɔrtyn] nf fortune; **faire ~** to make one's fortune.

fosse [fos] nf pit.

fossé [fose] nm ditch.

fossette [fosɛt] nf dimple.

fossile [fosil] nm fossil.

fou, folle [fu, fɔl] adj mad; (extraordinaire) amazing ♦ nm, f madman (f madwoman) ♦ nm (aux échecs) bishop; **(avoir le) ~ rire** (to be in fits of) uncontrollable laughter.

foudre [fudr] nf lightning.

foudroyant, -e [fudrwajɑ̃, ɑ̃t] adj (poison, maladie) lethal.

foudroyer [fudrwaje] vt to strike.

fouet [fwɛ] nm whip; (CULIN) whisk; **de plein ~** head-on.

fouetter [fwete] vt to whip; (CULIN) to whisk.

fougère [fuʒɛr] nf fern.

fouiller [fuje] vt to search.

fouillis [fuji] nm muddle.

foulard [fular] nm scarf.

foule [ful] nf crowd.

fouler [fule] : **se fouler** vp: **se ~ la cheville** to sprain one's ankle.

foulure [fulyr] nf sprain.

four [fur] nm (de cuisinière, de boulanger) oven.

fourche [furʃ] nf pitchfork; (carrefour) fork; (Belg: heure libre) free period.

fourchette [furʃɛt] nf fork; (de prix) range.

fourchu, -e [furʃy] adj: **avoir les cheveux ~s** to have split ends.

fourgon [furgɔ̃] nm small van.

fourgonnette [furgɔnɛt] nf small van.

fourmi [furmi] nf ant; **avoir des ~s dans les jambes** to have pins and needles in one's legs.

fourmilière [furmiljɛr] nf anthill.

fourneau, -x [furno] nm stove.

fournir [furnir] vt (effort) to make; **~ qqch à qqn** (marchandises) to supply sb with sthg; (preuve, argument) to provide sb with sthg; **~ qqn en qqch** to supply sb with sthg.

fournisseur, -euse [furnisœr, øz] nm, f supplier.

fournitures [furnityr] nfpl supplies.

fourré, -e [fure] adj (vêtement) lined; (crêpe) filled; **bonbon ~ à la fraise** sweet with a strawberry-flavoured centre.

fourrer [fure] vt (crêpe) to fill; (fam: mettre) to stick ❑ **se fourrer** vp (fam: se mettre) to put o.s.

fourre-tout [furtu] nm inv (sac) holdall.

fourrière [furjɛr] nf pound.

fourrure [furyr] nf fur.

foyer [fwaje] nm (d'une cheminée) hearth; (domicile) home; (pour délinquants) hostel; **femme/mère au ~** housewife.

fracasser [frakase] : **se fracasser** vp to smash.

fraction [fraksjɔ̃] nf fraction.

fracture [fraktyr] nf fracture.

fracturer [fraktyre] vt (porte, coffre) to break open ❑ **se fracturer**

vp: se ~ le crâne to fracture one's skull.

fragile [fraʒil] *adj* fragile; *(santé)* delicate.

fragment [fragmã] *nm* fragment.

fraîche → frais.

fraîcheur [frɛʃœr] *nf* coolness; *(d'un aliment)* freshness.

frais, fraîche [frɛ, frɛʃ] *adj* *(froid)* cool; *(aliment)* fresh ♦ *nmpl* *(dépenses)* expenses, costs ♦ *nm:* mettre qqch au ~ to put sthg in a cool place; prendre le ~ to take a breath of fresh air; il fait ~ it's cool; «servir ~» "serve chilled".

fraise [frɛz] *nf* strawberry.

fraisier [frɛzje] *nm* strawberry plant; *(gâteau)* strawberry sponge.

framboise [frãbwaz] *nf* raspberry.

franc, franche [frã, frãʃ] *adj* frank ♦ *nm* franc; ~ belge Belgian franc; ~ suisse Swiss franc.

français, -e [frãsɛ, ɛz] *adj* French ♦ *nm* *(langue)* French; **Français, -e** *nm, f* Frenchman *(f* Frenchwoman); les Français the French.

France [frãs] *nf:* la ~ France; ~ 2 state-owned television channel; ~ 3 state-owned television channel; ~ Télécom French state-owned telecommunications organization.

franche → franc.

franchement [frãʃmã] *adv* frankly; *(très)* completely.

franchir [frãʃir] *vt* *(frontière)* to cross; *(limite)* to exceed.

franchise [frãʃiz] *nf* frankness; *(d'assurance)* excess; *(de location automobile)* collision damage waiver.

francophone [frãkɔfɔn] *adj* French-speaking.

frange [frãʒ] *nf* fringe; à ~s fringed.

frangipane [frãʒipan] *nf* *(crème)* almond paste; *(gâteau)* cake consisting of layers of puff pastry and almond paste.

frappant, -e [frapã, ãt] *adj* striking.

frappé, -e [frape] *adj* *(frais)* chilled.

frapper [frape] *vt* to hit; *(impressionner, affecter)* to strike ♦ *vi* to strike; ~ un coup to knock; ~ (à la porte) to knock (at the door); ~ dans ses mains to clap one's hands.

fraude [frod] *nf* fraud; passer qqch en ~ to smuggle sthg through customs.

frayer [freje] *: se frayer* *vp:* se ~ un chemin to force one's way.

frayeur [frejœr] *nf* fright.

fredonner [frədɔne] *vt* to hum.

freezer [frizœr] *nm* freezer compartment.

frein [frɛ̃] *nm* brake; ~ à main handbrake *(Br)*, parking brake *(Am)*.

freiner [frene] *vt* *(élan, personne)* to restrain ♦ *vi* to brake.

frémir [fremir] *vi* to tremble.

fréquence [frekãs] *nf* frequency.

fréquent, -e [frekã, ãt] *adj* frequent.

fréquenter [frekãte] *vt* *(personnes)* to mix with; *(endroit)* to visit.

frère [frɛr] *nm* brother.

fresque [frɛsk] *nf* fresco.

friand [frijã] *nm* savoury tartlet.

friandise [frijɑ̃diz] *nf* delicacy.

fric [frik] *nm (fam)* cash.

fricassée [frikase] *nf* fricassee.

frictionner [friksjɔne] *vt* to rub.

Frigidaire® [friʒidɛr] *nm* fridge.

frigo [frigo] *nm (fam)* fridge.

frileux, -euse [frilø, øz] *adj* sensitive to the cold.

frimer [frime] *vi (fam)* to show off.

fripé, -e [fripe] *adj* wrinkled.

frire [frir] *vt & vi* to fry; **faire ~** to fry.

frisé, -e [frize] *adj (personne)* curly-haired; *(cheveux)* curly.

frisée [frize] *nf* curly endive.

friser [frize] *vi* to curl.

frisson [frisɔ̃] *nm* shiver; **avoir des ~s** to have the shivers.

frissonner [frisɔne] *vi* to shiver.

frit, -e [fri, frit] *pp → frire ♦ adj* fried.

frites [frit] *nfpl:* **(pommes) ~** chips *(Br)*, French fries *(Am)*.

friteuse [fritøz] *nf* deep fat fryer.

friture [frityr] *nf* oil; *(poissons)* fried fish; *(parasites)* interference.

froid, -e [frwa, frwad] *adj & nm* cold ♦ *adv:* **avoir ~** to be cold; **il fait ~** it's cold; **prendre ~** to catch cold.

froidement [frwadmɑ̃] *adv* coldly.

froisser [frwase] *vt* to crumple; *(fig: vexer)* to offend ▫ **se froisser** *vp* to crease; *(fig: se vexer)* to take offence.

frôler [frole] *vt* to brush against.

fromage [frɔmaʒ] *nm* cheese; **~ blanc** fromage frais; **~ de tête** brawn *(Br)*, headcheese *(Am)*.

 FROMAGE

There are about 350 types of French cheese, which can be divided into soft cheeses (such as Camembert, Brie and Pont-l'Évêque), hard cheeses (such as Tomme and Comté) and blue cheeses (such as Bleu d'Auvergne), all made from cow's milk. There are also many cheeses made from goat's milk and sheep's milk. In France cheese is eaten with bread before dessert.

---

fronce [frɔ̃s] *nf* gather.

froncer [frɔ̃se] *vt (vêtement)* to gather; **~ les sourcils** to frown.

fronde [frɔ̃d] *nf* sling.

front [frɔ̃] *nm* forehead; *(des combats)* front; **de ~** *(de face)* head-on; *(côte à côte)* abreast; *(en même temps)* at the same time.

frontière [frɔ̃tjer] *nf* border.

frottement [frɔtmɑ̃] *nm* friction.

frotter [frɔte] *vt (tache)* to rub; *(meuble)* to polish; *(allumette)* to strike ♦ *vi* to rub.

fruit [frɥi] *nm* fruit; **~ de la passion** passion fruit; **~s confits** candied fruit *(sg)*; **~ de mer** seafood *(sg)*; **~s secs** dried fruit *(sg)*.

fruitier [frɥitje] *adj m → arbre*.

fugue [fyg] *nf:* **faire une ~** to run away.

fuir [fɥir] *vi* to flee; *(robinet, eau)* to leak.

fuite [fɥit] *nf* flight; *(d'eau, de gaz)* leak; **être en ~** to be on the run; **prendre la ~** to take flight.

fumé, -e [fyme] *adj* smoked.

fumée [fyme] *nf* smoke; *(vapeur)* steam.

fumer [fyme] *vt* to smoke ◆ *vi (personne)* to smoke; *(liquide)* to steam.

fumeur, -euse [fymœr, øz] *nm, f* smoker.

fumier [fymje] *nm* manure.

funambule [fynɑ̃byl] *nmf* tightrope walker.

funèbre [fynebr] *adj* → **pompe**.

funérailles [fyneraj] *nfpl (sout)* funeral *(sg)*.

funiculaire [fynikyler] *nm* funicular railway.

fur [fyr] : **au fur et à mesure** *adv* as I/you etc go along; **au ~ et à mesure que** as.

fureur [fyrœr] *nf* fury; **faire ~** to be all the rage.

furieux, -ieuse [fyrjø, jøz] *adj* furious.

furoncle [fyrɔ̃kl] *nm* boil.

fuseau, -x [fyzo] *nm (pantalon)* ski-pants *(pl)*; **~ horaire** time zone.

fusée [fyze] *nf* rocket.

fusible [fyzibl] *nm* fuse.

fusil [fyzi] *nm* gun.

fusillade [fyzijad] *nf* gunfire.

fusiller [fyzije] *vt* to shoot; **~ qqn du regard** to look daggers at sb.

futé, -e [fyte] *adj* smart.

futile [fytil] *adj* frivolous.

futur, -e [fytyr] *adj* future ◆ *nm (avenir)* future; *(GRAMM)* future (tense).

G

gâcher [gaʃe] *vt (détruire)* to spoil; *(gaspiller)* to waste.

gâchette [gaʃet] *nf* trigger.

gâchis [gaʃi] *nm* waste.

gadget [gadʒet] *nm* gadget.

gaffe [gaf] *nf*: **faire une ~** to put one's foot in it; **faire ~ (à qqch)** *(fam)* to be careful (of sthg).

gag [gag] *nm* gag.

gage [gaʒ] *nm (dans un jeu)* forfeit; *(assurance, preuve)* proof.

gagnant, -e [gaɲɑ̃, ɑ̃t] *adj* winning ◆ *nm, f* winner.

gagner [gaɲe] *vt (concours, course, prix)* to win; *(argent)* to earn; *(temps, place)* to save; *(atteindre)* to reach ◆ *vi* to win; **~ sa place** to take one's seat; **(bien) ~ sa vie** to earn a (good) living.

gai, -e [ge] *adj* cheerful; *(couleur, pièce)* bright.

gaiement [gemɑ̃] *adv* cheerfully.

gaieté [gete] *nf* cheerfulness.

gain [gɛ̃] *nm (de temps, d'espace)* saving ❑ **gains** *nmpl (salaire)* earnings; *(au jeu)* winnings.

gaine [gen] *nf (étui)* sheath; *(sous-vêtement)* girdle.

gala [gala] *nm* gala.

galant [galɑ̃] *adj m* gallant.

galerie [galri] *nf (passage couvert)* gallery; *(à bagages)* roof rack; **~ (d'art)** art gallery; **~ marchande** shopping centre *(Br)*, shopping mall *(Am)*.

galet

galet [galɛ] *nm* pebble.

galette [galɛt] *nf* (*gâteau*) flat cake; (*crêpe*) pancake; ~ **bretonne** (*biscuit*) all-butter shortcake biscuit, speciality of Brittany; ~ **des Rois** cake traditionally eaten on Twelfth Night.

GALETTE DES ROIS

This large round pastry, often filled with almond paste, is traditionally eaten on Twelfth Night, 6 January. It contains a small porcelain figurine (the "fève"). The cake is shared out and the person who finds the "fève" becomes the king or queen and is given a cardboard crown to wear.

Galles [gal] *n* → **pays**.

gallois, -e [galwa, waz] *adj* Welsh ◆ **Gallois, -e** *nm, f* Welshman (*f* Welshwoman); **les Gallois** the Welsh.

galon [galɔ̃] *nm* (*ruban*) braid; (*MIL*) stripe.

galop [galo] *nm*: **aller/partir au ~** (*cheval*) to gallop along/off.

galoper [galɔpe] *vi* (*cheval*) to gallop; (*personne*) to run about.

gambader [gɑ̃bade] *vi* to leap about.

gambas [gɑ̃bas] *nfpl* large prawns.

gamelle [gamɛl] *nf* mess tin (*Br*), kit (*Am*).

gamin, -e [gamɛ̃, in] *nm, f* (*fam*) kid.

gamme [gam] *nf* (*MUS*) scale; (*choix*) range.

ganglion [gɑ̃gliɔ̃] *nm*: **avoir des ~s** to have swollen glands.

gangster [gɑ̃gstɛr] *nm* gangster.

gant [gɑ̃] *nm* (*de laine, de boxe, de cuisine*) glove; ~ **de toilette** = flannel (*Br*), facecloth (*Am*).

garage [garaʒ] *nm* garage.

garagiste [garaʒist] *nm* (*propriétaire*) garage owner; (*mécanicien*) mechanic.

garantie [garɑ̃ti] *nf* guarantee; (*bon de*) ~ guarantee; **appareil sous** ~ appliance under guarantee.

garantir [garɑ̃tir] *vt* to guarantee; ~ **qqch à qqn** to guarantee sb sthg; ~ **à qqn que** to guarantee sb that.

garçon [garsɔ̃] *nm* boy; (*homme*) young man; ~ **(de café)** waiter.

garde¹ [gard] *nm* guard; ~ **du corps** bodyguard.

garde² [gard] *nf* (*d'un endroit*) guarding; (*d'enfants*) care; (*soldats*) guard; **monter la** ~ to stand guard; **mettre qqn en** ~ **(contre)** to put sb on their guard (against); **prendre** ~ **(à qqch)** to be careful (of sthg); **prendre** ~ **de ne pas faire qqch** to take care not to do sthg; **de** ~ (*médecin*) on duty; **pharmacie de** ~ duty chemist's.

garde-barrière [gardabarjɛr] (*pl* **gardes-barrière(s)**) *nmf* level crossing keeper (*Br*), grade crossing keeper (*Am*).

garde-boue [gardabu] *nm inv* mudguard.

garde-chasse [gardaʃas] (*pl* **gardes-chasse(s)**) *nmm* gamekeeper.

garde-fou, -s [gardafu] *nmm* railing.

garder [garde] *vt* to keep; (*vêtement*) to keep on; (*enfant, malade*) to look after; (*lieu, prisonnier*) to guard; (*souvenir, impression*) to have ◆ **se garder** *vp* (*aliment*) to keep.

garderie [gardəri] *nf* (day) nursery (Br), day-care center (Am); (d'entreprise) crèche.

garde-robe, -s [gardərɔb] *nf* wardrobe.

gardien, -ienne [gardjɛ̃, jɛn] *nm, f* (de musée) attendant; (de prison) warder (Br), guard (Am); (d'immeuble) caretaker (Br), janitor (Am); **~ de but** goalkeeper; **~ de nuit** nightwatchman.

gare [gar] *nf* station ♦ *excl*: **~ à toi!** (menace) watch it!; **entrer en ~** to pull into the station; **~ routière** bus station.

garer [gare] *vt* to park ❑ **se garer** *vp* (dans un parking) to park.

gargouille [garguj] *nf* gargoyle.

gargouiller [garguje] *vi* (tuyau) to gurgle; (estomac) to rumble.

garnement [garnəmɑ̃] *nm* rascal.

garni, -e [garni] *adj* (plat) served with vegetables.

garnir [garnir] *vt*: **~ qqch de qqch** (équiper) to fit sthg out with sthg; (décorer) to decorate sthg with sthg.

garniture [garnityr] *nf* (légumes) vegetables (accompanying main dish); (décoration) trimming.

gars [ga] *nm* (fam) guy.

gas-oil [gazɔjl, gazwal] *nm* = gazole.

gaspillage [gaspijaʒ] *nm* waste.

gaspiller [gaspije] *vt* to waste.

gastronomique [gastrɔnɔmik] *adj* (guide) gastronomic; (restaurant) gourmet.

gâté, -e [gate] *adj* (fruit, dent) rotten.

gâteau, -x [gato] *nm* cake; **~**

marbré marble cake; **~ sec** biscuit (Br), cookie (Am).

gâter [gate] *vt* (enfant) to spoil ❑ **se gâter** *vp* (fruit) to go bad; (dent) to decay; (temps, situation) to get worse.

gâteux, -euse [gatø, øz] *adj* senile.

gauche [goʃ] *adj* left; (maladroit) awkward ♦ *nf*: **la ~** the left; (POL) the left (wing); **à ~ (de)** on the left (of); **de ~** (du côté gauche) left-hand.

gaucher, -ère [goʃe, ɛr] *adj* left-handed.

gaufre [gofr] *nf* waffle.

gaufrette [gofrɛt] *nf* wafer.

gaver [gave] *vt*: **~ qqn de qqch** (aliments) to fill sb full of sthg ❑ **se gaver de** *vp + prép* (aliments) to fill o.s. up with.

gaz [gaz] *nm inv* gas.

gaze [gaz] *nf* gauze.

gazeux, -euse [gazø, øz] *adj* (boisson, eau) fizzy.

gazinière [gazinjɛr] *nf* gas stove.

gazole [gazɔl] *nm* diesel (oil).

gazon [gazɔ̃] *nm* (herbe) grass; (terrain) lawn.

GB (abr de Grande-Bretagne) GB.

géant, -e [ʒeɑ̃, ɑ̃t] *adj* (grand) gigantic; (COMM: paquet) giant ♦ *nm, f* giant.

gel [ʒɛl] *nm* (gelée) frost; (à cheveux, dentifrice) gel.

gélatine [ʒelatin] *nf* (CULIN) gelatine.

gelée [ʒəle] *nf* (glace) frost; (de fruits) jelly (Br), Jello® (Am); **en ~** jelly (Br).

geler [ʒəle] *vt* to freeze ♦ *vi* to freeze; (avoir froid) to be freezing;

il **gèle** it's freezing.
gélule [ʒelyl] nf capsule.
Gémeaux [ʒemo] nmpl Gemini (sg).
gémir [ʒemir] vi to moan.
gênant, -e [ʒenɑ̃, ɑ̃t] adj (encombrant) in the way; (embarrassant) embarrassing.
gencive [ʒɑ̃siv] nf gum.
gendarme [ʒɑ̃darm] nm policeman.
gendarmerie [ʒɑ̃darməri] nf (gendarmes) ≃ police force; (bureau) ≃ police station.
gendre [ʒɑ̃dr] nm son-in-law.
gêne [ʒen] nf (physique) discomfort; (embarras) embarrassment.
généalogique [ʒenealɔʒik] adj → arbre.
gêner [ʒene] vt (déranger) to bother; (embarrasser) to embarrass; (encombrer): ~ qqn to be in sb's way; ça vous gêne si ...? do you mind if ...? □ se gêner vpr: ne te gêne pas don't mind me.
général, -e, -aux [ʒeneral, o] adj & nm general; en ~ (dans l'ensemble) in general; (d'habitude) generally.
généralement [ʒeneralmɑ̃] adv generally.
généraliste [ʒeneralist] nm: (médecin) ~ GP.
génération [ʒenerasjɔ̃] nf generation.
généreux, -euse [ʒenerø, øz] adj generous.
générique [ʒenerik] nm credits (pl).
générosité [ʒenerozite] nf generosity.
genêt [ʒəne] nm broom (plant).

génétique [ʒenetik] adj genetic.
Genève [ʒənɛv] n Geneva.
génial, -e, -iaux [ʒenjal, jo] adj brilliant.
génie [ʒeni] nm genius.
génoise [ʒenwaz] nf sponge.
genou, -x [ʒənu] nm knee; être/se mettre à ~x to be on/to get down on one's knees.
genre [ʒɑ̃r] nm kind, type; (GRAMM) gender; un ~ de a kind of.
gens [ʒɑ̃] nmpl people.
gentil, -ille [ʒɑ̃ti, ij] adj nice; (serviable) kind; (sage) good.
gentillesse [ʒɑ̃tijes] nf kindness.
gentiment [ʒɑ̃timɑ̃] adv kindly; (sagement) nicely; (Helv: tranquillement) quietly.
géographie [ʒeɔgrafi] nf geography.
géométrie [ʒeɔmetri] nf geometry.
géranium [ʒeranjɔm] nm geranium.
gérant, -e [ʒerɑ̃, ɑ̃t] nm, f manager (f manageress).
gerbe [ʒerb] nf (de blé) sheaf; (de fleurs) wreath; (d'étincelles) shower.
gercé, -e [ʒerse] adj chapped.
gérer [ʒere] vt to manage.
germain, -e [ʒermɛ̃, en] adj → cousin.
germe [ʒerm] nm (de plante) sprout; (de maladie) germ.
germer [ʒerme] vi to sprout.
gésier [ʒezje] nm gizzard.
geste [ʒest] nm movement; (acte) gesture.
gesticuler [ʒestikyle] vi to gesticulate.
gestion [ʒestjɔ̃] nf management.

gibelotte [ʒiblɔt] *nf rabbit stew with white wine, bacon, shallots and mushrooms.*

gibier [ʒibje] *nm game.*

giboulée [ʒibule] *nf sudden shower.*

gicler [ʒikle] *vi to spurt.*

gifle [ʒifl] *nf slap.*

gifler [ʒifle] *vt to slap.*

gigantesque [ʒigɑ̃tɛsk] *adj gigantic; (extraordinaire) enormous.*

gigot [ʒigo] *nm:* ~ **d'agneau/de mouton** *leg of lamb/of mutton.*

gigoter [ʒigɔte] *vi to wriggle about.*

gilet [ʒile] *nm (pull) cardigan; (sans manches) waistcoat (Br), vest (Am);* ~ **de sauvetage** *life jacket.*

gin [dʒin] *nm gin.*

gingembre [ʒɛ̃ʒɑ̃br] *nm ginger.*

girafe [ʒiraf] *nf giraffe.*

giratoire [ʒiratwar] *adj* → **sens.**

girofle [ʒirɔfl] *nm* → **clou.**

girouette [ʒirwɛt] *nf weathercock.*

gisement [ʒizmɑ̃] *nm deposit.*

gitan, -e [ʒitɑ̃, an] *nm, f gipsy.*

gîte [ʒit] *nm (de bœuf) shin (Br), shank (Am);* ~ **d'étape** *halt;* ~ **(rural)** *gîte (self-catering accommodation in the country).*

GÎTE RURAL

Often quite large converted farmhouses or outbuildings, "gîtes" can be rented out as self-catering accommodation by holidaymakers. They are classified according to the level of comfort and amenities provided.

---

givre [ʒivr] *nm frost.*

givré, -e [ʒivre] *adj covered with frost;* **orange** ~ *e orange sorbet served in a scooped-out orange.*

glace [glas] *nf (à) (crème glacée) ice cream; (miroir) mirror; (vitre) pane; (de voiture) window.*

glacé, -e [glase] *adj (couvert de glace) frozen; (froid) freezing cold.*

glacer [glase] *vt to chill.*

glacial, -e, -s ou **-iaux** [glasjal, jo] *adj icy.*

glacier [glasje] *nm (de montagne) glacier; (marchand) ice-cream seller.*

glacière [glasjer] *nf cool box.*

glaçon [glasɔ̃] *nm ice cube.*

gland [glɑ̃] *nm acorn.*

glande [glɑ̃d] *nf gland.*

glissade [glisad] *nf slip.*

glissant, -e [glisɑ̃, ɑ̃t] *adj slippery.*

glisser [glise] *vt to slip* ♦ *vi (en patinant) to slide; (déraper) to slip; (être glissant) to be slippery* ❑ **se glisser** *vp to slip.*

global, -e, -aux [glɔbal, o] *adj global.*

globalement [glɔbalmɑ̃] *adv on the whole.*

globe [glɔb] *nm globe; le* ~ **(terrestre)** *the Earth.*

gloire [glwar] *nf fame.*

glorieux, -ieuse [glɔrjø, jøz] *adj glorious.*

glossaire [glɔsɛr] *nm glossary.*

gloussement [glusmɑ̃] *nm (de poule) clucking; (rire) chuckle.*

glouton, -onne [glutɔ̃, ɔn] *adj greedy.*

gluant, -e [glyɑ̃, ɑ̃t] *adj sticky.*

GO *(abr de grandes ondes) LW.*

gobelet [gɔblɛ] *nm* (à boire) tumbler; (à dés) shaker.

gober [gɔbe] *vt* to swallow.

goéland [gɔelã] *nm* seagull.

goinfre [gwɛ̃fr] *nmf* pig.

golf [gɔlf] *nm* golf; (terrain) golf course; ~ miniature crazy golf.

golfe [gɔlf] *nm* gulf.

gomme [gɔm] *nf* (à effacer) rubber (Br), eraser (Am).

gommer [gɔme] *vt* (effacer) to rub out (Br), to erase (Am).

gond [gɔ̃] *nm* hinge.

gondoler [gɔ̃dɔle] : se gondoler *vp* (bois) to warp; (papier) to wrinkle.

gonflé, -e [gɔ̃fle] *adj* swollen; (fam: audacieux) cheeky.

gonfler [gɔ̃fle] *vt* to blow up ♦ *vi* (partie du corps) to swell (up); (pâte) to rise.

gorge [gɔrʒ] *nf* throat; (gouffre) gorge.

gorgée [gɔrʒe] *nf* mouthful.

gorille [gɔrij] *nm* gorilla.

gosette [gɔsɛt] *nf* (Belg) apricot or apple turnover.

gosse [gɔs] *nmf* (fam) kid.

gothique [gɔtik] *adj* Gothic.

gouache [gwaʃ] *nf* gouache.

goudron [gudrɔ̃] *nm* tar.

goudronner [gudrɔne] *vt* to tar.

gouffre [gufr] *nm* abyss.

goulot [gulo] *nm* neck; boire au ~ to drink straight from the bottle.

gourde [gurd] *nf* flask.

gourmand, -e [gurmã, ãd] *adj* greedy.

gourmandise [gurmãdiz] *nf* greed; des ~s sweets.

gourmet [gurmɛ] *nm* gourmet.

gourmette [gurmɛt] *nf* chain bracelet.

gousse [gus] *nf:* ~ d'ail clove of garlic; ~ de vanille vanilla pod.

goût [gu] *nm* taste; avoir bon ~ (aliment) to taste good; (personne) to have good taste.

goûter [gute] *nm* afternoon snack ♦ *vt* to taste ♦ *vi* to have an afternoon snack; (goûter à qqch to taste sthg.

goutte [gut] *nf* drop; tomber ~ à ~ to drip □ gouttes *nfpl* (médicament) drops.

gouttelette [gutlɛt] *nf* droplet.

gouttière [gutjɛr] *nf* gutter.

gouvernail [guvɛrnaj] *nm* rudder.

gouvernement [guvɛrnəmã] *nm* government.

gouverner [guvɛrne] *vt* to govern.

grâce [gras] *nf* grace □ grâce à *prép* thanks to.

gracieux, -ieuse [grasjø, jøz] *adj* graceful.

grade [grad] *nm* rank.

gradins [gradɛ̃] *nmpl* terraces.

gradué, -e [gradɥe] *adj* (règle) graduated; (Belg: diplômé) holding a technical diploma just below university level; verre ~ measuring glass.

graduel, -elle [gradɥɛl] *adj* gradual.

graffiti(s) [grafiti] *nmpl* graffiti (sg).

grain [grɛ̃] *nm* grain; (de poussière) speck; (de café) bean; ~ de beauté beauty spot; ~ de raisin grape.

graine [grɛn] *nf* seed.

gré

graisse [grɛs] nf fat; (lubrifiant) grease.

graisser [grese] vt to grease.

graisseux, -euse [gresø, øz] adj greasy.

grammaire [gramɛr] nf grammar.

grammatical, -e, -aux [gramatikal, o] adj grammatical.

gramme [gram] nm gram.

grand, -e [grɑ̃, grɑ̃d] adj (ville, différence) big; (personne, immeuble) tall; (en durée) long; (important, glorieux) great ◆ adv: ~ ouvert wide open; il est ~ temps de partir it's high time we left; ~ frère older brother; ~ magasin department store; ~e surface hypermarket; les ~es vacances the summer holidays (Br), the summer vacation (sg) (Am).

grand-chose [grɑ̃ʃoz] pron: pas ~ not much.

Grande-Bretagne [grɑ̃dbrətaɲ] nf: la ~ Great Britain.

grandeur [grɑ̃dœr] nf size; (importance) greatness; ~ nature life-size.

grandir [grɑ̃dir] vi to grow.

grand-mère [grɑ̃mɛr] (pl grands-mères) nf grandmother.

grand-père [grɑ̃pɛr] (pl grands-pères) nm grandfather.

grand-rue, -s [grɑ̃ry] nf high street (Br), main street (Am).

grands-parents [grɑ̃parɑ̃] nmpl grandparents.

grange [grɑ̃ʒ] nf barn.

granit(e), -s [granit] nm granite.

granulé [granyle] nm (médicament) tablet.

graphique [grafik] nm diagram.

grappe [grap] nf (de raisin) bunch; (de lilas) flower.

gras, grasse [gra, gras] adj greasy; (aliment) fatty; (gros) fat ◆ nm fat; (caractères d'imprimerie) bold (type); faire la grasse matinée to have a lie-in.

gras-double, -s [gradubl] nm (ox) tripe.

gratin [gratɛ̃] nm gratin (dish with a topping of toasted breadcrumbs or cheese); ~ dauphinois sliced potatoes baked with cream and browned on top.

gratinée [gratine] nf French onion soup.

gratiner [gratine] vi: faire ~ qqch to brown sthg.

gratis [gratis] adv free (of charge).

gratitude [gratityd] nf gratitude.

gratte-ciel [gratsjɛl] nm inv skyscraper.

gratter [grate] vt (peau) to scratch; (peinture, tache) to scrape off □ se gratter vp to scratch o.s.

gratuit, -e [gratɥi, ɥit] adj free.

gravats [grava] nmpl rubble (sg).

grave [grav] adj (maladie, accident, visage) serious; (voix, note) deep.

gravement [gravmɑ̃] adv seriously.

graver [grave] vt to carve.

gravier [gravje] nm gravel.

gravillon [gravijɔ̃] nm fine gravel.

gravir [gravir] vt to climb.

gravité [gravite] nf (attraction terrestre) gravity; (d'une maladie, d'une remarque) seriousness.

gravure [gravyr] nf engraving.

gré [gre] nm: de mon plein ~ of

my own free will; **de ~ ou de force** whether you/they *etc* like it or not; **bon ~ mal ~** willy-nilly.

grec, grecque [grɛk] *adj* Greek ✦ *nm (langue)* Greek ❑ **Grec, Grecque** *nm, f* Greek.

Grèce [grɛs] *nf*: **la ~** Greece.

greffe [grɛf] *nf (d'organe)* transplant; *(de peau)* graft.

greffer [grefe] *vt (organe)* to transplant; *(peau)* to graft.

grêle [grɛl] *nf* hail.

grêler [grele] *v impers*: **il grêle** it's hailing.

grêlon [grɛlɔ̃] *nm* hailstone.

grelot [grəlo] *nm* bell.

grelotter [grələte] *vi* to shiver.

grenade [grənad] *nf (fruit)* pomegranate; *(arme)* grenade.

grenadine [grənadin] *nf* grenadine.

grenat [grəna] *adj inv* dark red.

grenier [grənje] *nm* attic.

grenouille [grənuj] *nf* frog.

grésiller [grezije] *vi (huile)* to sizzle; *(radio)* to crackle.

grève [grɛv] *nf (arrêt de travail)* strike; **être/se mettre en ~** to be/go on strike; **~ de la faim** hunger strike.

gréviste [grevist] *nmf* striker.

gribouillage [gribujaʒ] *nm* doodle.

gribouiller [gribuje] *vt* to scribble.

grièvement [grijɛvmɑ̃] *adv* seriously.

griffe [grif] *nf* claw; *(Belg: éraflure)* scratch.

griffer [grife] *vt* to scratch.

griffonner [grifɔne] *vt* to scribble.

grignoter [griɲɔte] *vt* to nibble (at OU on).

gril [gril] *nm* grill.

grillade [grijad] *nf* grilled meat.

grillage [grijaʒ] *nm (clôture)* wire fence.

grille [grij] *nf (de four)* shelf; *(de radiateur)* grill; *(d'un jardin)* gate; *(de mots croisés, de loto)* grid; *(tableau)* table.

grillé, -e [grije] *adj (ampoule)* blown.

grille-pain [grijpɛ̃] *nm inv* toaster.

griller [grije] *vt (aliment)* to grill *(Br)*, to broil *(Am)*; *(fam)*: **~ un feu rouge** to go through a red light.

grillon [grijɔ̃] *nm* cricket.

grimace [grimas] *nf* grimace; **faire des ~s** to pull faces.

grimpant, -e [grɛ̃pɑ̃, ɑ̃t] *adj* climbing.

grimper [grɛ̃pe] *vt* to climb ✦ *vi (chemin, alpiniste)* to climb; *(prix)* to soar; **~ aux arbres** to climb trees.

grincement [grɛ̃smɑ̃] *nm* creaking.

grincer [grɛ̃se] *vi* to creak.

grincheux, -euse [grɛ̃ʃø, øz] *adj* grumpy.

griotte [grijɔt] *nf* morello (cherry).

grippe [grip] *nf* flu; **avoir la ~** to have (the) flu.

grippé, -e [gripe] *adj (malade)*: **être ~** to have (the) flu.

gris, -e [gri, griz] *adj & nm* grey.

grivois, -e [grivwa, waz] *adj* saucy.

grognement [grɔɲmɑ̃] *nm* growl.

grogner [grɔɲe] *vi* to growl;

(protester) to grumble.

grognon, -onne [grɔɲɔ̃, ɔn] *adj* grumpy.

grondement [grɔ̃dmã] *nm* (*de tonnerre*) rumble.

gronder [grɔ̃de] *vt* to scold ◆ *vi* (*tonnerre*) to rumble; **se faire ~** to get a telling-off.

groom [grum] *nm* bellboy.

gros, grosse [gro, gros] *adj* big ◆ *adv* (*écrire*) in big letters; (*gagner*) a lot ◆ *nm* (*environ*) roughly; (*COMM*) wholesale; **~ lot** big prize; **~ mot** swearword; **~ titres** headlines.

groseille [grozɛj] *nf* redcurrant; **~ à maquereau** gooseberry.

grosse → **gros**.

grossesse [grosɛs] *nf* pregnancy.

grosseur [grosœr] *nf* size; (*MÉD*) lump.

grossier, -ière [grosje, jɛr] *adj* rude; (*approximatif*) rough; (*erreur*) crass.

grossièreté [grosjɛrte] *nf* rudeness; (*parole*) rude remark.

grossir [grosir] *vt* (*suj: jumelles*) to magnify; (*exagérer*) to exaggerate ◆ *vi* (*prendre du poids*) to put on weight.

grosso modo [grosomɔdo] *adv* roughly.

grotesque [grɔtɛsk] *adj* ridiculous.

grotte [grɔt] *nf* cave.

grouiller [gruje] : **grouiller de** *v + prép* to be swarming with.

groupe [grup] *nm* group; **en ~** in a group; **~ sanguin** blood group.

grouper [grupe] *vt* to group together □ **se grouper** *vp* to gather.

gruau [gryo] *nm* (*Can*) porridge.

grue [gry] *nf* crane.

grumeau, -x [grymo] *nm* lump.

gruyère [gryjɛr] *nm* Gruyère (cheese) (*hard strong cheese made from cow's milk*).

Guadeloupe [gwadlup] *nf*: **la ~** Guadeloupe.

guadeloupéen, -enne [gwadlupeɛ̃, ɛn] *adj* of Guadeloupe.

guédille [gedij] *nf* (*Can*) bread roll filled with egg or chicken.

guêpe [gɛp] *nf* wasp.

guère [gɛr] *adv*: **elle ne mange ~** she hardly eats anything.

guérir [gerir] *vt* to cure ◆ *vi* (*personne*) to recover; (*blessure*) to heal.

guérison [gerizɔ̃] *nf* recovery.

guerre [gɛr] *nf* war; **être en ~** to be at war; **~ mondiale** world war.

guerrier [gɛrje] *nm* warrior.

guet [gɛ] *nm*: **faire le ~** to be on the lookout.

guetter [gete] *vt* (*attendre*) to be on the lookout for; (*menacer*) to threaten.

gueule [gœl] *nf* (*d'animal*) mouth; (*vulg: visage*) mug; **avoir la ~ de bois** (*fam*) to have a hangover.

gueuler [gœle] *vi* (*vulg: crier*) to yell (one's head off).

gueuze [gøz] *nf* (*Belg*) strong beer which has been fermented twice.

gui [gi] *nm* mistletoe.

guichet [giʃɛ] *nm* (*de gare, de poste*) window; (*de banque*) cash dispenser; **~ automatique (de banque)** cash dispenser.

guichetier, -ière [giʃtje, jɛr] *nm, f* counter clerk.

guide [gid] *nmf* guide ◆ *nm* (*routier, gastronomique*) guide book; **~**

touristique tourist guide.

guider [gide] vt to guide.

guidon [gidɔ̃] nm handlebars (pl).

guignol [giɲɔl] nm (spectacle) = Punch and Judy show.

guillemets [gijme] nmpl inverted commas; **entre ~** (mot) in inverted commas; (fig: soi-disant) so-called.

guimauve [gimov] nf marshmallow.

guirlande [girlɑ̃d] nf garland.

guise [giz] nf: **en ~ de** by way of.

guitare [gitar] nf guitar; **~ électrique** electric guitar.

guitariste [gitarist] nmf guitarist.

Guyane [gɥijan] nf: **la ~ (française)** French Guiana.

gymnase [ʒimnaz] nm gymnasium.

gymnastique [ʒimnastik] nf gymnastics (sg).

gynécologue [ʒinekɔlɔg] nmf gynaecologist.

habile [abil] adj (manuellement) skilful; (intellectuellement) clever.

habileté [abilte] nf (manuelle) skill; (intellectuelle) cleverness.

habillé, -e [abije] adj dressed; (tenue) smart.

habillement [abijmɑ̃] nm (couture) clothing trade (Br), garment industry (Am).

habiller [abije] vt to dress; (meuble) to cover ❑ **s'habiller** vp to get dressed; (élégamment) to dress up; **s'~ bien/mal** to dress well/badly.

habitant, -e [abitɑ̃, ɑ̃t] nm, f inhabitant; (Can: paysan) farmer; **loger chez l'~** to stay with a family.

habitation [abitasjɔ̃] nf residence.

habiter [abite] vt to live in ◆ vi to live.

habits [abi] nmpl clothes.

habitude [abityd] nf habit; **avoir l'~ de faire qqch** to be in the habit of doing sthg; **d'~** usually; **comme d'~** as usual.

habituel, -elle [abityɛl] adj usual.

habituellement [abityɛlmɑ̃] adv usually.

habituer [abitye] vt: **~ qqn à faire qqch** to get sb used to doing sthg; **être habitué à faire qqch** to be used to doing sthg ❑ **s'habituer** à vp + prép: **s'~ à faire qqch** to get used to doing sthg.

hache [ʾaʃ] nf axe.

hacher [ʾaʃe] vt (viande) to mince (Br), to grind (Am); (oignon) to chop finely.

hachis [ʾaʃi] nm mince (Br), ground meat (Am); **~ Parmentier** = shepherd's pie.

hachoir [ʾaʃwar] nm (lame) chopping knife.

hachures [ʾaʃyr] nfpl hatching (sg).

haddock [ʾadɔk] nm smoked haddock.

haie [ʾɛ] nf hedge; (SPORT) hurdle.

haine [ˈɛn] *nf* hatred.

haïr [ˈaiʁ] *vt* to hate.

Haïti [aiti] *n* Haiti.

hâle [ˈal] *nm* (sun)tan.

haleine [alɛn] *nf* breath.

haleter [ˈalte] *vi* to pant.

hall [ˈol] *nm* (d'un hôtel) lobby; (d'une gare) concourse.

halle [ˈal] *nf* (covered) market.

hallucination [alysinasjɔ̃] *nf* hallucination.

halogène [alɔʒɛn] *nm*: **(lampe) ~** halogen lamp.

halte [ˈalt] *nf* (arrêt) stop; (lieu) stopping place; **faire ~** to stop.

haltère [altɛʁ] *nm* dumbbell.

hamac [ˈamak] *nm* hammock.

hamburger [ˈãburgœr] *nm* burger.

hameçon [amsɔ̃] *nm* fish-hook.

hamster [ˈamstɛʁ] *nm* hamster.

hanche [ˈãʃ] *nf* hip.

handball [ˈãdbal] *nm* handball.

handicap [ˈãdikap] *nm* handicap.

handicapé, -e [ˈãdikape] *adj* handicapped ◆ *nm, f* handicapped person.

hangar [ˈãgaʁ] *nm* shed.

hanté, -e [ˈãte] *adj* haunted.

happer [ˈape] *vt* (saisir) to grab; (suj: animal) to snap up; (suj: voiture) to knock down.

harceler [ˈaʁsəle] *vt* to pester.

hardi, -e [ˈaʁdi] *adj* bold.

hareng [ˈaʁɑ̃] *nm* herring; **~ saur** kipper.

hargneux, -euse [ˈaʁɲø, øz] *adj* aggressive; (chien) vicious.

haricot [ˈaʁiko] *nm* bean; **~ blanc** white (haricot) bean; **~ vert** green bean.

harmonica [aʁmɔnika] *nm* harmonica.

harmonie [aʁmɔni] *nf* harmony.

harmonieux, -ieuse [aʁmɔnjø, jøz] *adj* harmonious.

harmoniser [aʁmɔnize] *vt* to harmonize.

harnais [ˈaʁne] *nm* harness.

harpe [ˈaʁp] *nf* harp.

hasard [ˈazaʁ] *nm*: **le ~ chance**, fate; **un ~** a coincidence; **au ~** at random; **à tout ~** just in case; **par ~** by chance.

hasarder [ˈazaʁde] *vt* to venture
□ **se hasarder** *vp* to venture; **se à faire qqch** to risk doing sthg.

hasardeux, -euse [ˈazaʁdø, øz] *adj* dangerous.

hâte [ˈat] *nf* haste; **à la ~, en ~** hurriedly; **sans ~** at a leisurely pace; **avoir ~ de faire qqch** to be looking forward to doing sthg.

hâter [ˈate] : **se hâter** *vp* to hurry.

hausse [ˈos] *nf* rise; **être en ~** to be on the increase.

hausser [ˈose] *vt* (prix, ton) to raise; **~ les épaules** to shrug (one's shoulders).

haut, -e [ˈo, ˈot] *adj & adv* high ◆ *nm* top; **tout ~** aloud; **~ la main** hands down; **de ~ en bas** from top to bottom; **en ~** at the top; (à l'étage) upstairs; **en ~ de** at the top of; **la pièce fait 3 m de ~** the room is 3 m high; **avoir des ~s et des bas** to have one's ups and downs.

hautain, -e [ˈotɛ̃, ɛn] *adj* haughty.

haute-fidélité [ˈotfidelite] *nf* hi-fi.

hauteur ['otœr] *nf* height; *(colline)* hill; **être à la ~** to be up to it.

haut-le-cœur ['olkœr] *nm inv:* **avoir un ~** to retch.

haut-parleur, -s ['oparlœr] *nm* loudspeaker.

hebdomadaire [ɛbdɔmadɛr] *adj & nm* weekly.

hébergement [ebɛrʒəmɑ̃] *nm* lodging.

héberger [ebɛrʒe] *vt* to put up.

hectare [ɛktar] *nm* hectare.

hein ['ɛ̃] *excl (fam):* **tu ne lui diras pas, ~?** you won't tell him/her, will you?; **~?** what?

hélas [elas] *excl* unfortunately.

hélice [elis] *nf* propeller.

hélicoptère [elikɔptɛr] *nm* helicopter.

hématome [ematom] *nm* bruise.

hémorragie [emɔraʒi] *nf* hemorrhage.

hennissement ['enismɑ̃] *nm* neigh.

hépatite [epatit] *nf* hepatitis.

herbe [ɛrb] *nf* grass; **fines ~s** herbs; **mauvaises ~s** weeds.

héréditaire [ereditɛr] *adj* hereditary.

hérisser ['erise] : **se hérisser** *vp* to stand on end.

hérisson ['erisɔ̃] *nm* hedgehog.

héritage [eritaʒ] *nm* inheritance.

hériter [erite] *vt* to inherit ❑ **hériter de** *v + prép* to inherit.

héritier, -ière [eritje, jɛr] *nm, f* heir *(f* heiress).

hermétique [ermetik] *adj* airtight; *(fig: incompréhensible)* abstruse.

hernie ['ɛrni] *nf* hernia.

héroïne [erɔin] *nf (drogue)* heroin, → **héros**.

héroïsme [erɔism] *nm* heroism.

héros, héroïne ['ero, erɔin] *nm, f* hero *(f* heroine).

herve [ɛrv] *nm* soft cheese from the Liège region of Belgium, made from cow's milk.

hésitation [ezitasjɔ̃] *nf* hesitation.

hésiter [ezite] *vi* to hesitate; **~ à faire qqch** to hesitate to do sthg.

hêtre ['ɛtr] *nm* beech.

heure [œr] *nf* hour; *(moment)* time; **quelle ~ est-il? - il est quatre ~s** what time is it? - it's four o'clock; **il est trois ~s vingt** it's twenty past three *(Br)*, it's twenty after three *(Am)*; **à quelle ~ part le train? - à deux ~s** what time does the train leave? - at two o'clock; **c'est l'~ de ...** it's time to ...; **à l'~** on time; **de bonne ~** early; **~s de bureau** office hours; **~s d'ouverture** opening hours; **~s de pointe** rush hour *(sg).*

heureusement [ørøzmɑ̃] *adv* luckily, fortunately.

heureux, -euse [ørø, øz] *adj* happy; *(favorable)* fortunate.

heurter [œrte] *vt* to bump into; *(en voiture)* to hit; *(vexer)* to offend ❑ **se heurter à** *vp + prép (obstacle, refus)* to come up against.

hexagone [ɛgzagɔn] *nm* hexagon; **l'Hexagone** (mainland) France.

hibou, -x ['ibu] *nm* owl.

hier [jɛr] *adv* yesterday; **~ après-midi** yesterday afternoon.

hiérarchie ['jerarʃi] *nf* hierarchy.

hiéroglyphes [jeʀɔglif] *nmpl* hieroglyphics.

hi-fi [ifi] *nf inv* hi-fi.

hilarant, -e [ilaʀɑ̃, ɑ̃t] *adj* hilarious.

hindou, -e [ɛ̃du] *adj & nm, f* Hindu.

hippodrome [ipɔdʀom] *nm* racecourse.

hippopotame [ipɔpɔtam] *nm* hippopotamus.

hirondelle [iʀɔ̃dɛl] *nf* swallow.

hisser ['ise] *vt* to lift; *(drapeau, voile)* to hoist.

histoire [istwaʀ] *nf* story; *(passé)* history; **faire des ~s** to make a fuss; **~ drôle** joke.

historique [istɔʀik] *adj* historical; *(important)* historic.

hit-parade, -s ['itparad] *nm* charts *(pl)*.

hiver [ivɛʀ] *nm* winter; **en ~** in winter.

HLM *nm inv ou nf inv* = council house/flat (Br), = public housing unit (Am).

hobby ['ɔbi] *(pl* -s *ou* **hobbies**) *nm* hobby.

hochepot ['ɔʃpo] *nm* Flemish stew of beef, mutton and vegetables.

hocher ['ɔʃe] *vt*: **~ la tête** *(pour accepter)* to nod; *(pour refuser)* to shake one's head.

hochet ['ɔʃɛ] *nm* rattle.

hockey ['ɔkɛ] *nm* hockey; **~ sur glace** ice hockey.

hold-up ['ɔldœp] *nm inv* hold-up.

hollandais, -e ['ɔlɑ̃dɛ, ɛz] *adj* Dutch ♦ *nm (langue)* Dutch ❑ **Hollandais, -e** *nm, f* Dutchman *(f* Dutchwoman).

hollande ['ɔlɑ̃d] *nm (fromage)* Dutch cheese.

Hollande ['ɔlɑ̃d] *nf*: **la ~** Holland.

homard ['ɔmaʀ] *nm* lobster; **~ à l'américaine** *lobster cooked in a sauce of white wine, brandy, herbs and tomatoes*; **~ Thermidor** *lobster Thermidor (grilled and served in its shell with a mustard sauce and grated cheese)*.

homéopathie [ɔmeɔpati] *nf* homeopathy.

hommage [ɔmaʒ] *nm*: **en ~ à** in tribute to; **rendre ~ à** to pay tribute to.

homme [ɔm] *nm* man; *(mâle)* man; **~ d'affaires** businessman; **~ politique** politician.

homogène [ɔmɔʒɛn] *adj (classe)* of the same level.

homosexuel, -elle [ɔmɔsɛksɥɛl] *adj & nm, f* homosexual.

Hongrie ['ɔgʀi] *nf*: **la ~** Hungary.

honnête [ɔnɛt] *adj* honest; *(salaire, résultats)* decent.

honnêteté [ɔnɛtte] *nf* honesty.

honneur [ɔnœʀ] *nm* honour; **en l'~ de** in honour of; **faire ~ à** *(famille)* to do credit to; *(repas)* to do justice to.

honorable [ɔnɔʀabl] *adj* honourable; *(résultat)* respectable.

honoraires [ɔnɔʀɛʀ] *nmpl* fee(s).

honte ['ɔt] *nf* shame; **avoir ~ (de)** to be ashamed (of); **faire ~ à qqn** *(embarrasser)* to put sb to shame; *(gronder)* to make sb feel ashamed.

honteux, -euse ['ɔtø, øz] *adj* ashamed; *(scandaleux)* shameful.

hôpital, -aux [ɔpital, o] *nm* hospital.

hoquet

hoquet [ɔkɛ] *nm*: avoir le ~ to have hiccups.

horaire [ɔrɛr] *nm* timetable; «~s d'ouverture» "opening hours".

horizon [ɔrizɔ̃] *nm* horizon; à l'~ on the horizon.

horizontal, -e, -aux [ɔrizɔ̃tal, o] *adj* horizontal.

horloge [ɔrlɔʒ] *nf* clock; l'~ parlante the speaking clock.

horloger, -ère [ɔrlɔʒe, ɛr] *nm, f* watchmaker.

horlogerie [ɔrlɔʒri] *nf* watchmaker's (shop).

horoscope [ɔrɔskɔp] *nm* horoscope.

horreur [ɔrœr] *nf* horror; quelle ~! how awful!; avoir ~ de qqch to hate sthg.

horrible [ɔribl] *adj (effrayant)* horrible; *(laid)* hideous.

horriblement [ɔribləmɑ̃] *adv* terribly.

horrifié, -e [ɔrifje] *adj* horrified.

hors [ɔr] *prép*: ~ de outside, out of; ~ jeu offside; ~ saison out of season; «~ service» "out of order"; ~ sujet irrelevant; ~ taxes *(prix)* excluding tax; *(boutique)* duty-free; ~ d'atteinte, ~ de portée out of reach; ~ d'haleine out of breath; ~ de prix ridiculously expensive; ~ de question out of the question; être ~ de soi to be beside o.s.; ~ d'usage out of service.

hors-bord [ɔrbɔr] *nm inv* speedboat.

hors-d'œuvre [ɔrdœvr] *nm inv* starter.

hortensia [ɔrtɑ̃sja] *nm* hydrangea.

horticulture [ɔrtikyltyr] *nf* horticulture.

hospice [ɔspis] *nm (de vieillards)* home.

hospitaliser [ɔspitalize] *vt* to hospitalize.

hospitalité [ɔspitalite] *nf* hospitality.

hostie [ɔsti] *nf* host.

hostile [ɔstil] *adj* hostile.

hostilité [ɔstilite] *nf* hostility.

hot dog, -s [ɔtdɔg] *nm* hot dog.

hôte, hôtesse [ot, otɛs] *nm, f (qui reçoit)* host (f hostess) ♦ *nm (invité)* guest.

hôtel [otɛl] *nm* hotel; *(château)* mansion; ~ de ville town hall.

hôtellerie [otɛlri] *nf (hôtel)* hotel; *(activité)* hotel trade.

hôtesse [otɛs] *nf (d'accueil)* receptionist; ~ de l'air air hostess, → hôte.

hotte [ɔt] *nf (panier)* basket; *(aspirante)* extractor hood.

houle [ul] *nf* swell.

hourra [ura] *excl* hurrah.

housse [us] *nf* cover; ~ de couette duvet cover.

houx [u] *nm* holly.

hovercraft [ɔvœrkraft] *nm* hovercraft.

HT *abr* = hors taxes.

hublot [yblo] *nm* porthole.

huer [ɥe] *vt* to boo.

huile [ɥil] *nf* oil; ~ d'arachide groundnut oil; ~ d'olive olive oil; ~ solaire suntan oil.

huiler [ɥile] *vt (mécanisme)* to oil; *(moule)* to grease.

huileux, -euse [ɥilø, øz] *adj* oily.

huissier [ɥisje] *nm (JUR)* bailiff.

huit ['ɥit] *num* eight, → **six**.

huitaine ['ɥitɛn] *nf:* une ~ (de jours) about a week.

huitième ['ɥitjɛm] *num* eighth, → **sixième**.

huître [ɥitr] *nf* oyster.

humain, -e [ymɛ̃, ɛn] *adj* human; *(compréhensif)* humane ◆ *nm* human (being).

humanitaire [ymanitɛr] *adj* humanitarian.

humanité [ymanite] *nf* humanity.

humble [œbl] *adj* humble.

humecter [ymɛkte] *vt* to moisten.

humeur [ymœr] *nf (momentanée)* mood; *(caractère)* temper; **être de bonne/mauvaise ~** to be in a good/bad mood.

humide [ymid] *adj* damp; *(pluvieux)* humid.

humidité [ymidite] *nf (du climat)* humidity; *(d'une pièce)* dampness.

humiliant, -e [ymiljã, ãt] *adj* humiliating.

humilier [ymilje] *vt* to humiliate.

humoristique [ymɔristik] *adj* humorous.

humour [ymur] *nm* humour; **avoir de l'~** to have a sense of humour.

hurlement ['yrləmã] *nm* howl.

hurler ['yrle] *vi* to howl.

hutte ['yt] *nf* hut.

hydratant, -e [idratã, ãt] *adj* moisturizing.

hydrophile [idrɔfil] *adj* → **coton**.

hygiène [iʒjɛn] *nf* hygiene.

hygiénique [iʒjenik] *adj* hygienic.

hymne [imn] *nm (religieux)* hymn; **~ national** national anthem.

hyper- [iper] *préf (fam: très):* **~chouette** dead brilliant.

hypermarché [ipermarʃe] *nm* hypermarket.

hypertension [ipertãsjã] *nf* high blood pressure.

hypnotiser [ipnɔtize] *vt* to hypnotize; *(fasciner)* to fascinate.

hypocrisie [ipɔkrizi] *nf* hypocrisy.

hypocrite [ipɔkrit] *adj* hypocritical ◆ *nmf* hypocrite.

hypothèse [ipɔtɛz] *nf* hypothesis.

hystérique [isterik] *adj* hysterical.

I

iceberg [ajsbɛrg] *nm* iceberg.

ici [isi] *adv* here; **d'~ là** by then; **d'~ peu** before long; **par ~** *(de ce côté)* this way; *(dans les environs)* around here.

icône [ikon] *nf* icon.

idéal, -e, -aux [ideal, o] *adj & nm* ideal; **l'~, ce serait ...** the ideal thing would be ...

idéaliste [idealist] *adj* idealistic ◆ *nmf* idealist.

idée [ide] *nf* idea; **as-tu une ~ du temps qu'il faut?** do you have any idea how long it takes?

identifier [idɑ̃tifje] vt to identi-fy ☐ **s'identifier à** vp + prép to identify with.

identique [idɑ̃tik] adj: ~ (à) identical (to).

identité [idɑ̃tite] nf identity.

idiot, -e [idjo, ɔt] adj stupid ◆ nm, f idiot.

idiotie [idjɔsi] nf (acte, parole) stupid thing.

idole [idɔl] nf idol.

igloo [iglu] nm igloo.

ignoble [iɲɔbl] adj (choquant) dis-graceful; (laid, mauvais) vile.

ignorant, -e [iɲɔrɑ̃, ɑ̃t] adj ignorant ◆ nm, f ignoramus.

ignorer [iɲɔre] vt (personne, aver-tissement) to ignore; **j'ignore son adresse/où il est** I don't know his address/where he is.

il [il] pron (personne, animal) he; (chose) it; (sujet de v impers) it; ~ **pleut** it's raining ☐ **ils** pron they.

île [il] nf island; ~ **flottante** cold dessert of beaten egg whites served on custard; **l'~ Maurice** Mauritius; **les ~s Anglo-Normandes** the Channel Islands.

Île-de-France [ildəfrɑ̃s] nf administrative region centred on Paris.

illégal, -e, -aux [ilegal, o] adj illegal.

illettré, -e [iletre] adj & nm, f illiterate.

illimité, -e [ilimite] adj unlimit-ed.

illisible [ilizibl] adj illegible.

illuminer [ilymine] vt to light up ☐ **s'illuminer** vp (monument, ville) to be lit up; (visage) to light up.

illusion [ilyzjɔ̃] nf illusion; **se**

faire des ~s to delude o.s.

illusionniste [ilyzjɔnist] nmf conjurer.

illustration [ilystrasjɔ̃] nf illus-tration.

illustré, -e [ilystre] adj illustrat-ed ◆ nm illustrated magazine.

illustrer [ilystre] vt to illustrate.

îlot [ilo] nm small island.

ils → **il**.

image [imaʒ] nf picture; (com-paraison) image.

imaginaire [imaʒinɛr] adj imaginary.

imagination [imaʒinasjɔ̃] nf imagination; **avoir de l'~** to be imaginative.

imaginer [imaʒine] vt (penser) to imagine; (inventer) to think up ☐ **s'imaginer** vp (soi-même) to pic-ture o.s.; (scène, personne) to pic-ture; **s'~ que** to imagine that.

imbattable [ɛ̃batabl] adj un-beatable.

imbécile [ɛ̃besil] nmf idiot.

imbiber [ɛ̃bibe] vt: ~ **qqch de** to soak sthg in.

imbuvable [ɛ̃byvabl] adj un-drinkable.

imitateur, -trice [imitatœr, tris] nm, f impersonator.

imitation [imitasjɔ̃] nf imita-tion; (d'une personnalité) imper-sonation; ~ **cuir** imitation leather.

imiter [imite] vt to imitate; (per-sonnalité) to impersonate.

immangeable [ɛ̃mɑ̃ʒabl] adj inedible.

immatriculation [imatri-kylasjɔ̃] nf (inscription) registration; (numéro) registration (number).

immédiat, -e [imedja, jat] adj

immediate.

immédiatement [imedjatmã] *adv* immediately.

immense [imãs] *adj* huge.

immergé, -e [imɛrʒe] *adj* submerged.

immeuble [imœbl] *nm* block of flats.

immigration [imigrasjɔ̃] *nf* immigration.

immigré, -e [imigre] *adj & nm, f* immigrant.

immobile [imɔbil] *adj* still.

immobilier, -ière [imɔbilje, jɛr] *adj* property (Br), real estate (Am) ♦ *nm*: **l'~** the property business (Br), the real-estate business (Am).

immobiliser [imɔbilize] *vt* to immobilize.

immonde [imɔ̃d] *adj* vile.

immoral, -e, -aux [imɔral, o] *adj* immoral.

immortel, -elle [imɔrtɛl] *adj* immortal.

immuniser [imynize] *vt* to immunize.

impact [ɛ̃pakt] *nm* impact.

impair, -e [ɛ̃pɛr] *adj* uneven.

impardonnable [ɛ̃pardɔnabl] *adj* unforgivable.

imparfait, -e [ɛ̃parfɛ, ɛt] *adj* imperfect ♦ *nm* (GRAMM) imperfect (tense).

impartial, -e, -iaux [ɛ̃parsjal, jo] *adj* impartial.

impasse [ɛ̃pas] *nf* dead end; **faire une ~ sur qqch** (SCOL) to skip (over) sthg in one's revision.

impassible [ɛ̃pasibl] *adj* impassive.

impatience [ɛ̃pasjãs] *nf* impatience.

impatient, -e [ɛ̃pasjã, jãt] *adj* impatient; **être ~ de faire qqch** to be impatient to do sthg.

impatienter [ɛ̃pasjãte] **: s'impatienter** *vp* to get impatient.

impeccable [ɛ̃pekabl] *adj* impeccable.

imper [ɛ̃pɛr] *nm* raincoat.

impératif, -ive [ɛ̃peratif, iv] *adj* imperative ♦ *nm* (GRAMM) imperative (mood).

impératrice [ɛ̃peratris] *nf* empress.

imperceptible [ɛ̃pɛrsɛptibl] *adj* imperceptible.

imperfection [ɛ̃pɛrfɛksjɔ̃] *nf* imperfection.

impérial, -e, -iaux [ɛ̃perjal, jo] *adj* imperial.

impériale [ɛ̃perjal] *nf → autobus.

imperméable [ɛ̃pɛrmeabl] *adj* waterproof ♦ *nm* raincoat.

impersonnel, -elle [ɛ̃pɛrsɔnɛl] *adj* impersonal.

impertinent, -e [ɛ̃pɛrtinã, ãt] *adj* impertinent.

impitoyable [ɛ̃pitwajabl] *adj* pitiless.

implanter [ɛ̃plãte] *vt* (mode) to introduce; (entreprise) to set up ▪ **s'implanter** *vp* (entreprise) to be set up; (peuple) to settle.

impliquer [ɛ̃plike] *vt* (entraîner) to imply; **~ qqn dans** to implicate sb in ▪ **s'impliquer dans** *vp* + *prép* to get involved in.

impoli, -e [ɛ̃pɔli] *adj* rude.

import [ɛ̃pɔr] *nm* (Belg: montant) amount.

importance [ɛ̃pɔrtãs] *nf* importance; *(taille)* size.

important, -e [ɛ̃pɔrtɑ̃, ɑ̃t] *adj* important; *(gros)* large.

importation [ɛ̃pɔrtasjɔ̃] *nf* import.

importer [ɛ̃pɔrte] *vt* to import ◆ *vi (être important)* to matter, to be important; **peu importe** it doesn't matter; **n'importe comment** *(mal)* any *(old)* how; **n'importe quel** any; **n'importe qui** anyone.

importuner [ɛ̃pɔrtyne] *vt* to bother.

imposable [ɛ̃pozabl] *adj* taxable.

imposant, -e [ɛ̃pozɑ̃, ɑ̃t] *adj* imposing.

imposer [ɛ̃poze] *vt (taxer)* to tax; ~ **qqch à qqn** to impose sthg on sb ❑ **s'imposer** *vp (être nécessaire)* to be essential.

impossible [ɛ̃posibl] *adj* impossible; **il est ~ de/que** it's impossible to/that.

impôt [ɛ̃po] *nm* tax.

impraticable [ɛ̃pratikabl] *adj (chemin)* impassable.

imprégner [ɛ̃preɲe] *vt* to soak; ~ **qqch de** to soak sthg in a liquid ❑ **s'imprégner de** *vp* to soak up.

impression [ɛ̃presjɔ̃] *nf (sentiment)* impression; *(d'un livre)* printing; **avoir l'~** **que** to have the feeling that; **avoir l'~ de faire qqch** to feel as if one is doing sthg.

impressionnant, -e [ɛ̃presjɔnɑ̃, ɑ̃t] *adj* impressive.

impressionner [ɛ̃presjɔne] *vt* to impress.

imprévisible [ɛ̃previzibl] *adj* unpredictable.

imprévu, -e [ɛ̃prevy] *adj* unexpected ◆ *nm:* aimer l'~ to like

surprises.

imprimante [ɛ̃primɑ̃t] *nf* printer.

imprimé, -e [ɛ̃prime] *adj (tissu)* printed ◆ *nm (publicitaire)* booklet.

imprimer [ɛ̃prime] *vt* to print.

imprimerie [ɛ̃primri] *nf (métier)* printing; *(lieu)* printing works.

imprononçable [ɛ̃prɔnɔ̃sabl] *adj* unpronounceable.

improviser [ɛ̃prɔvize] *vt & vi* to improvise.

improviste [ɛ̃prɔvist] : **à l'improviste** *adv* unexpectedly.

imprudence [ɛ̃prydɑ̃s] *nf* recklessness.

imprudent, -e [ɛ̃prydɑ̃, ɑ̃t] *adj* reckless.

impuissant, -e [ɛ̃pɥisɑ̃, ɑ̃t] *adj (sans recours)* powerless.

impulsif, -ive [ɛ̃pylsif, iv] *adj* impulsive.

impureté [ɛ̃pyrte] *nf (saleté)* impurity.

inabordable [inabɔrdabl] *adj (prix)* prohibitive.

inacceptable [inaksɛptabl] *adj* unacceptable.

inaccessible [inaksesibl] *adj* inaccessible.

inachevé, -e [inaʃve] *adj* unfinished.

inactif, -ive [inaktif, iv] *adj* idle.

inadapté, -e [inadapte] *adj* unsuitable.

inadmissible [inadmisibl] *adj* unacceptable.

inanimé, -e [inanime] *adj (sans connaissance)* unconscious; *(mort)* lifeless.

inaperçu, -e [inapersy] *adj:* passer ~ to go unnoticed.

inapte [inapt] *adj:* **être ~ à** qqch to be unfit for sthg.

inattendu, -e [inatɑ̃dy] *adj* unexpected.

inattention [inatɑ̃sjɔ̃] *nf* lack of concentration; **faute d'~** careless mistake.

inaudible [inodibl] *adj* inaudible.

inauguration [inogyrasjɔ̃] *nf (d'un monument)* inauguration; *(d'une exposition)* opening.

inaugurer [inogyre] *vt (monument)* to inaugurate; *(exposition)* to open.

incalculable [ɛ̃kalkylabl] *adj* incalculable.

incandescent, -e [ɛ̃kɑ̃desɑ̃, ɑ̃t] *adj* red-hot.

incapable [ɛ̃kapabl] *nmf* incompetent person ♦ *adj:* **être ~ de faire** qqch to be unable to do sthg.

incapacité [ɛ̃kapasite] *nf* inability; **être dans l'~ de faire** qqch to be unable to do sthg.

incarner [ɛ̃karne] *vt (personnage)* to play.

incassable [ɛ̃kasabl] *adj* unbreakable.

incendie [ɛ̃sɑ̃di] *nm* fire.

incendier [ɛ̃sɑ̃dje] *vt* to set alight.

incertain, -e [ɛ̃sɛrtɛ̃, ɛn] *adj (couleur, nombre)* indefinite; *(temps)* unsettled; *(avenir)* uncertain.

incertitude [ɛ̃sɛrtityd] *nf* uncertainty.

incessamment [ɛ̃sesamɑ̃] *adv* at any moment.

incessant, -e [ɛ̃sesɑ̃, ɑ̃t] *adj* constant.

incident [ɛ̃sidɑ̃] *nm* incident.

incisive [ɛ̃siziv] *nf* incisor.

inciter [ɛ̃site] *vt:* **~** qqn **à faire** qqch to incite sb to do sthg.

incliné, -e [ɛ̃kline] *adj (siège, surface)* at an angle.

incliner [ɛ̃kline] *vt* to lean □ **s'incliner** *vp* to lean; **s'~ devant** *(adversaire)* to give in to.

inclure [ɛ̃klyr] *vt* to include.

inclus, -e [ɛ̃kly, yz] *pp* → **inclure** ♦ *adj* included; **jusqu'au 15 ~** up to and including the 15th.

incohérent, -e [ɛ̃kɔerɑ̃, ɑ̃t] *adj* incoherent.

incollable [ɛ̃kɔlabl] *adj (riz)* nonstick; *(fam: qui sait tout)* unbeatable.

incolore [ɛ̃kɔlɔr] *adj* colourless.

incommoder [ɛ̃kɔmɔde] *vt* to trouble.

incomparable [ɛ̃kɔparabl] *adj* incomparable.

incompatible [ɛ̃kɔpatibl] *adj* incompatible.

incompétent, -e [ɛ̃kɔpetɑ̃, ɑ̃t] *adj* incompetent.

incomplet, -ète [ɛ̃kɔple, ɛt] *adj* incomplete.

incompréhensible [ɛ̃kɔpreɑ̃sibl] *adj* incomprehensible.

inconditionnel, -elle [ɛ̃kɔdisjɔnɛl] *nm, f:* **un ~ de** a great fan of.

incongru, -e [ɛ̃kɔ̃gry] *adj* incongruous.

inconnu, -e [ɛ̃kɔny] *adj* unknown ♦ *nm, f (étranger)* stranger; *(non célèbre)* unknown (person) ♦ *nm:* **l'~** the unknown.

inconsciemment [ɛ̃kɔsjamɑ̃] *adv* unconsciously.

inconscient, -e [ɛ̃kɔsjɑ̃, ɑ̃t] *adj*

(évanoui) unconscious; *(imprudent)* thoughtless ♦ *nm:* **l'~** the unconscious.

inconsolable [ɛ̃kɔ̃sɔlabl] *adj* inconsolable.

incontestable [ɛ̃kɔ̃tɛstabl] *adj* indisputable.

inconvénient [ɛ̃kɔ̃venjɑ̃] *nm* disadvantage.

incorporer [ɛ̃kɔrpɔre] *vt (ingrédients)* to mix in; **~ qqch à** *(mélanger)* to mix sthg into.

incorrect, -e [ɛ̃kɔrɛkt] *adj* incorrect; *(impoli)* rude.

incorrigible [ɛ̃kɔriʒibl] *adj* incorrigible.

incrédule [ɛ̃kredyl] *adj* sceptical.

incroyable [ɛ̃krwajabl] *adj* incredible.

incrusté, -e [ɛ̃kryste] *adj:* **~ de** *(décoré de)* inlaid with.

incruster [ɛ̃kryste] **: s'incruster** *vp (tache, saleté)* to become ground in.

inculpé, -e [ɛ̃kylpe] *nm, f:* **l'~** the accused.

inculper [ɛ̃kylpe] *vt* to charge; **~ qqn de qqch** to charge sb with sthg.

inculte [ɛ̃kylt] *adj (terre)* uncultivated; *(personne)* uneducated.

incurable [ɛ̃kyrabl] *adj* incurable.

Inde [ɛ̃d] *nf:* **l'~** India.

indécent, -e [ɛ̃desɑ̃, ɑ̃t] *adj* indecent.

indécis, -e [ɛ̃desi, iz] *adj* undecided; *(vague)* vague.

indéfini, -e [ɛ̃defini] *adj* indeterminate.

indéfiniment [ɛ̃definimɑ̃] *adv* indefinitely.

indélébile [ɛ̃delebil] *adj* indelible.

indemne [ɛ̃dɛmn] *adj* unharmed; **sortir ~ de** to emerge unscathed from.

indemniser [ɛ̃dɛmnize] *vt* to compensate.

indemnité [ɛ̃dɛmnite] *nf* compensation.

indépendamment [ɛ̃depɑ̃damɑ̃] **: indépendamment de** *prép (à part)* apart from.

indépendance [ɛ̃depɑ̃dɑ̃s] *nf* independence.

indépendant, -e [ɛ̃depɑ̃dɑ̃, ɑ̃t] *adj* independent; *(travailleur)* self-employed; *(logement)* self-contained; **être ~ de** *(sans relation avec)* to be independent of.

indescriptible [ɛ̃deskriptibl] *adj* indescribable.

index [ɛ̃dɛks] *nm (doigt)* index finger; *(d'un livre)* index.

indicateur [ɛ̃dikatœr] *adj m* **~ poteau**.

indicatif [ɛ̃dikatif] *nm (téléphonique)* dialling code *(Br)*, dial code *(Am)*; *(d'une émission)* signature tune; *(GRAMM)* indicative ♦ *adj m:* **à titre ~** for information.

indication [ɛ̃dikasjɔ̃] *nf (renseignement)* (piece of) information; **«~: ...»** *(sur un médicament)* "suitable for ...".

indice [ɛ̃dis] *nm (signe)* sign; *(dans une enquête)* clue.

indien, -ienne [ɛ̃djɛ̃, jɛn] *adj* Indian ❑ **Indien, -ienne** *nm, f* Indian.

indifféremment [ɛ̃diferamɑ̃] *adv* indifferently.

indifférence [ɛ̃diferɑ̃s] *nf* indifference.

indifférent, -e [ɛ̃diferɑ̃, ɑ̃t] adj
(froid) indifferent; **ça m'est ~** it's
all the same to me.

indigène [ɛ̃diʒɛn] nmf native.

indigeste [ɛ̃diʒɛst] adj indi-
gestible.

indigestion [ɛ̃diʒɛstjɔ̃] nf stomach upset.

indignation [ɛ̃diɲasjɔ̃] nf indignation.

indigner [ɛ̃diɲe] : **s'indigner**
vp: **s'~ de qqch** to take exception
to sthg.

indiquer [ɛ̃dike] vt (révéler) to
show; **~ qqn/qqch à qqn** (montrer)
to point sb/sthg out to sb; (médecin, boulangerie) to recommend
sb/sthg to sb; **pouvez-vous m'~ le
chemin d'Oxford?** can you tell me
the way to Oxford?

indirect, -e [ɛ̃dirɛkt] adj indirect.

indirectement [ɛ̃dirɛktəmɑ̃]
adv indirectly.

indiscipliné, -e [ɛ̃disipline] adj
undisciplined.

indiscret, -ète [ɛ̃diskrɛ, ɛt] adj
(personne) inquisitive; (question)
personal.

indiscrétion [ɛ̃diskresjɔ̃] nf
(caractère) inquisitiveness; (gaffe)
indiscretion.

indispensable [ɛ̃dispɑ̃sabl] adj
essential.

indistinct, -e [ɛ̃distɛ̃(kt), ɛ̃kt]
adj indistinct.

individu [ɛ̃dividy] nm individual.

individualiste [ɛ̃dividɥalist]
adj individualistic.

individuel, -elle [ɛ̃dividɥɛl]
adj individual; (maison) detached.

indolore [ɛ̃dɔlɔr] adj painless.

indulgent, -e [ɛ̃dylʒɑ̃, ɑ̃t] adj
indulgent.

industrialisé, -e [ɛ̃dystrijalize]
adj industrialized.

industrie [ɛ̃dystri] nf industry.

industriel, -ielle [ɛ̃dystrijɛl]
adj industrial.

inédit, -e [inedi, it] adj (livre)
unpublished; (film) not released.

inefficace [inefikas] adj ineffec-
tive.

inégal, -e, -aux [inegal, o] adj
(longueur, chances) unequal; (terrain)
uneven; (travail, résultats)
inconsistent.

inégalité [inegalite] nf (des
salaires, sociale) inequality.

inépuisable [inepɥizabl] adj
inexhaustible.

inerte [inɛrt] adj (évanoui) lifeless.

inestimable [inɛstimabl] adj
(très cher) priceless; (fig: précieux)
invaluable.

inévitable [inevitabl] adj
inevitable.

inexact, -e [inegza(kt), akt] adj
incorrect.

inexcusable [inɛkskyzabl] adj
unforgivable.

inexistant, -e [inɛgzistɑ̃, ɑ̃t]
adj nonexistent.

inexplicable [inɛksplikabl] adj
inexplicable.

inexpliqué, -e [inɛksplike] adj
unexplained.

in extremis [inɛkstremis] adv at
the last minute.

infaillible [ɛ̃fajibl] adj infallible.

infarctus [ɛ̃farktys] nm coronary (thrombosis).

infatigable [ɛ̃fatigabl] *adj* tireless.

infect, -e [ɛ̃fɛkt] *adj* revolting.

infecter [ɛ̃fɛkte] : **s'infecter** *vp* to become infected.

infection [ɛ̃fɛksjɔ̃] *nf* infection; (*odeur*) stench.

inférieur, -e [ɛ̃ferjœr] *adj* (*du dessous*) lower; (*qualité*) inferior; à l'étage ~ downstairs; ~ à (*quantité*) less than; (*qualité*) inferior to.

infériorité [ɛ̃ferjɔrite] *nf* inferiority.

infernal, -e, -aux [ɛ̃fɛrnal, o] *adj* (*bruit, enfant*) diabolical.

infesté, -e [ɛ̃fɛste] *adj:* ~ de infested with.

infidèle [ɛ̃fidɛl] *adj* unfaithful.

infiltrer [ɛ̃filtre] : **s'infiltrer** *vp* (*eau, pluie*) to seep in.

infime [ɛ̃fim] *adj* minute.

infini, -e [ɛ̃fini] *adj* infinite ♦ *nm* infinity; à l'~ (*se prolonger, discuter*) endlessly.

infiniment [ɛ̃finimɑ̃] *adv* extremely; **je vous remercie** ~ thank you so much.

infinitif [ɛ̃finitif] *nm* infinitive.

infirme [ɛ̃firm] *adj* disabled ♦ *nmf* disabled person.

infirmerie [ɛ̃firməri] *nf* sick bay.

infirmier, -ière [ɛ̃firmje, jɛr] *nm, f* nurse.

inflammable [ɛ̃flamabl] *adj* inflammable.

inflammation [ɛ̃flamasjɔ̃] *nf* inflammation.

inflation [ɛ̃flasjɔ̃] *nf* inflation.

inflexible [ɛ̃flɛksibl] *adj* inflexible.

infliger [ɛ̃fliʒe] *vt:* ~ qqch à qqn (*punition*) to inflict sthg on sb; (*amende*) to impose sthg on sb.

influence [ɛ̃flyɑ̃s] *nf* influence; **avoir de l'**~ **sur qqn** to have an influence on sb.

influencer [ɛ̃flyɑ̃se] *vt* to influence.

informaticien, -ienne [ɛ̃formatisjɛ̃, jɛn] *nm, f* computer scientist.

information [ɛ̃formasjɔ̃] *nf:* **une** ~ (*renseignement*) information; (*nouvelle*) a piece of news □ **informations** *nfpl* (à la radio, à la télé) news (*sg*).

informatique [ɛ̃formatik] *adj* computer ♦ *nf* (*matériel*) computers (*pl*); (*discipline*) computing.

informatisé, -e [ɛ̃formatize] *adj* computerized.

informe [ɛ̃form] *adj* shapeless.

informer [ɛ̃forme] *vt:* ~ qqn **de/que** to inform sb of/that □ **s'informer (de)** *vp* (+ *prép*) to ask (about).

infos [ɛ̃fo] *nfpl* (*fam:* à la radio, à la télé) news (*sg*).

infraction [ɛ̃fraksjɔ̃] *nf* offence; **être en** ~ to be in breach of the law.

infranchissable [ɛ̃frɑ̃ʃisabl] *adj* uncrossable.

infusion [ɛ̃fyzjɔ̃] *nf* herbal tea.

ingénieur [ɛ̃ʒenjœr] *nm* engineer.

ingénieux, -ieuse [ɛ̃ʒenjø, jøz] *adj* ingenious.

ingrat, -e [ɛ̃gra, at] *adj* ungrateful; (*visage, physique*) unattractive.

ingratitude [ɛ̃gratityd] *nf* ingratitude.

ingrédient [ɛ̃gredjɑ̃] *nm* ingredient.

inhabituel, -elle [inabituɛl] *adj* unusual.

inhumain, -e [inymɛ̃, ɛn] *adj* inhuman.

imaginable [imaʒinabl] *adj* incredible.

ininflammable [inɛ̃flamabl] *adj* non-flammable.

ininterrompu, -e [inɛ̃tɛrɔ̃py] *adj* unbroken.

initial, -e, -iaux [inisjal, jo] *adj* initial.

initiale [inisjal] *nf* initial.

initiation [inisjasjɔ̃] *nf* (SCOL: *apprentissage*) introduction.

initiative [inisjativ] *nf* initiative; **prendre l'~ de faire qqch** to take the initiative in doing sthg.

injecter [ɛ̃ʒɛkte] *vt* to inject.

injection [ɛ̃ʒɛksjɔ̃] *nf* injection.

injure [ɛ̃ʒyr] *nf* insult.

injurier [ɛ̃ʒyrje] *vt* to insult.

injuste [ɛ̃ʒyst] *adj* unfair.

injustice [ɛ̃ʒystis] *nf* injustice.

injustifié, -e [ɛ̃ʒystifje] *adj* unjustified.

inné, -e [ine] *adj* innate.

innocence [inɔsɑ̃s] *nf* innocence.

innocent, -e [inɔsɑ̃, ɑ̃t] *adj* innocent ♦ *nm, f* innocent person.

innombrable [inɔ̃brabl] *adj* countless.

innover [inɔve] *vi* to innovate.

inoccupé, -e [inɔkype] *adj* empty.

inodore [inɔdɔr] *adj* odourless.

inoffensif, -ive [inɔfɑ̃sif, iv] *adj* harmless.

inondation [inɔ̃dasjɔ̃] *nf* flood.

inonder [inɔ̃de] *vt* to flood.

inoubliable [inublijabl] *adj* unforgettable.

Inox® [inɔks] *nm* stainless steel.

inoxydable [inɔksidabl] *adj* → **acier.**

inquiet, -iète [ɛ̃kjɛ, jɛt] *adj* worried.

inquiétant, -e [ɛ̃kjetɑ̃, ɑ̃t] *adj* worrying.

inquiéter [ɛ̃kjete] *vt* to worry □ **s'inquiéter** *vp* to worry.

inquiétude [ɛ̃kjetyd] *nf* worry.

inscription [ɛ̃skripsjɔ̃] *nf* (*sur une liste, à l'université*) registration; (*gravée*) inscription; (*graffiti*) graffiti.

inscrire [ɛ̃skrir] *vt* (*sur une liste, dans un club*) to register; (*écrire*) to write □ **s'inscrire** *vp* (*sur une liste*) to put one's name down; **s'~ à** (*club*) to join.

inscrit, -e [ɛ̃skri, it] *pp* → **inscrire.**

insecte [ɛ̃sɛkt] *nm* insect.

insecticide [ɛ̃sɛktisid] *nm* insecticide.

insensé, -e [ɛ̃sɑ̃se] *adj* (*aberrant*) insane; (*extraordinaire*) extraordinary.

insensible [ɛ̃sɑ̃sibl] *adj* insensitive; (*léger*) imperceptible; **être ~ à** (*douleur, froid*) to be insensitive to; (*art, charme*) to be unreceptive to.

insensiblement [ɛ̃sɑ̃sibləmɑ̃] *adv* imperceptibly.

inséparable [ɛ̃separabl] *adj* inseparable.

insérer [ɛ̃sere] *vt* to insert.

insigne [ɛ̃siɲ] *nm* badge.

insignifiant, -e [ɛ̃siɲifjɑ̃, jɑ̃t]

adj insignificant.

insinuer [ɛ̃sinɥe] *vt* to insinuate.

insistance [ɛ̃sistɑ̃s] *nf* insistence; **avec ~** insistently.

insister [ɛ̃siste] *vi* to insist; **~ sur** *(détail)* to emphasize.

insolation [ɛ̃sɔlasjɔ̃] *nf*: **attraper une ~** to get sunstroke.

insolence [ɛ̃sɔlɑ̃s] *nf* insolence.

insolent, -e [ɛ̃sɔlɑ̃, ɑ̃t] *adj* insolent.

insolite [ɛ̃sɔlit] *adj* unusual.

insoluble [ɛ̃sɔlybl] *adj* insoluble.

insomnie [ɛ̃sɔmni] *nf* insomnia; **avoir des ~s** to sleep badly.

insonorisé, -e [ɛ̃sɔnɔrize] *adj* soundproofed.

insouciant, -e [ɛ̃susjɑ̃, jɑ̃t] *adj* carefree.

inspecter [ɛ̃spɛkte] *vt* to inspect.

inspecteur, -trice [ɛ̃spɛktœr, tris] *nm, f* inspector.

inspiration [ɛ̃spirasjɔ̃] *nf* inspiration.

inspirer [ɛ̃spire] *vt* to inspire ♦ *vi (respirer)* to breathe in; **~ qqch à qqn** to inspire sb with sthg; **ça ne m'inspire pas** *(fig)* it doesn't do much for me ❑ **s'inspirer de** *vp + prép* to be inspired by.

instable [ɛ̃stabl] *adj* unstable.

installation [ɛ̃stalasjɔ̃] *nf (emménagement)* moving in; *(structure)* installation.

installer [ɛ̃stale] *vt (poser)* to put; *(eau, électricité)* to install; *(aménager)* to fit out; *(loger)* to put up ❑ **s'installer** *vp (dans un appartement)* to settle in; *(dans un fauteuil)* to settle down; *(commerçant, docteur)* to set (o.s.) up.

instant [ɛ̃stɑ̃] *nm* instant; **il sort à l'~** he's just gone out; **pour l'~** for the moment.

instantané, -e [ɛ̃stɑ̃tane] *adj* instantaneous; *(café, potage)* instant.

instinct [ɛ̃stɛ̃] *nm* instinct.

instinctif, -ive [ɛ̃stɛ̃ktif, iv] *adj* instinctive.

institut [ɛ̃stity] *nm* institute; **~ de beauté** beauty salon.

instituteur, -trice [ɛ̃stitytœr, tris] *nm, f* primary school teacher *(Br)*, grade school teacher *(Am)*.

institution [ɛ̃stitysjɔ̃] *nf* institution.

instructif, -ive [ɛ̃stryktif, iv] *adj* informative.

instruction [ɛ̃stryksjɔ̃] *nf (enseignement, culture)* education ❑ **instructions** *nfpl* instructions.

instruire [ɛ̃strɥir] : **s'instruire** *vp* to educate o.s.

instruit, -e [ɛ̃strɥi, ɥit] *pp* → **instruire** ♦ *adj (cultivé)* educated.

instrument [ɛ̃strymɑ̃] *nm* instrument; **~ (de musique)** (musical) instrument.

insuffisant, -e [ɛ̃syfizɑ̃, ɑ̃t] *adj* insufficient; *(travail)* unsatisfactory.

insuline [ɛ̃sylin] *nf* insulin.

insulte [ɛ̃sylt] *nf* insult.

insulter [ɛ̃sylte] *vt* to insult.

insupportable [ɛ̃sypɔrtabl] *adj* unbearable.

insurmontable [ɛ̃syrmɔ̃tabl] *adj (difficulté)* insurmountable.

intact, -e [ɛ̃takt] *adj* intact.

intégral, -e, -aux [ɛ̃tegral, o] *adj* complete.

intégrer [ɛ̃tegre] vt to include ❏
s'intégrer vpr: **(bien) s'~** (socialement) to fit in.
intellectuel, -elle [ɛ̃telɛktɥɛl] adj & nm, f intellectual.
intelligence [ɛ̃teliʒɑ̃s] nf intelligence.
intelligent, -e [ɛ̃teliʒɑ̃, ɑ̃t] adj intelligent.
intempéries [ɛ̃tɑ̃peri] nfpl bad weather (sg).
intempestif, -ive [ɛ̃tɑ̃pɛstif, iv] adj untimely.
intense [ɛ̃tɑ̃s] adj intense.
intensif, -ive [ɛ̃tɑ̃sif, iv] adj intensive.
intensité [ɛ̃tɑ̃site] nf intensity.
intention [ɛ̃tɑ̃sjɔ̃] nf intention; **avoir l'~ de faire qqch** to intend to do sthg.
intentionné, -e [ɛ̃tɑ̃sjɔne] adj: **bien ~** well-meaning; **mal ~** ill-intentioned.
intentionnel, -elle [ɛ̃tɑ̃sjɔnɛl] adj intentional.
intercalaire [ɛ̃tɛrkalɛr] nm insert.
intercaler [ɛ̃tɛrkale] vt to insert.
intercepter [ɛ̃tɛrsɛpte] vt to intercept.
interchangeable [ɛ̃tɛrʃɑ̃ʒabl] adj interchangeable.
interclasse [ɛ̃tɛrklas] nm break.
interdiction [ɛ̃tɛrdiksjɔ̃] nf ban; **«~ de fumer»** "(strictly) no smoking".
interdire [ɛ̃tɛrdir] vt to forbid; **~ à qqn de faire qqch** to forbid sb to do sthg.
interdit, -e [ɛ̃tɛrdi, it] pp →
interdire ◆ adj forbidden; **il est ~**

de ... you are not allowed to ...
intéressant, -e [ɛ̃teresɑ̃, ɑ̃t] adj interesting.
intéresser [ɛ̃terese] vt to interest; (concerner) to concern ❏ **s'intéresser à** vp + prép to be interested in.
intérêt [ɛ̃terɛ] nm interest; (avantage) point; **avoir ~ à faire qqch** to be well-advised to do sthg; **dans l'~ de** in the interest of ❏ **intérêts** nmpl (FIN) interest (sg).
intérieur, -e [ɛ̃terjœr] adj inner; (national) domestic ◆ nm inside; (maison) home; **à l'~ (de)** inside.
interligne [ɛ̃tɛrliɲ] nm (line) spacing.
interlocuteur, -trice [ɛ̃tɛrlɔkytœr, tris] nm, f: **mon ~** the man to whom I was speaking.
intermédiaire [ɛ̃tɛrmedjɛr] adj intermediate ◆ nmf intermediary ◆ nm: **par l'~ de** through.
interminable [ɛ̃tɛrminabl] adj never-ending.
internat [ɛ̃tɛrna] nm (école) boarding school.
international, -e, -aux [ɛ̃tɛrnasjɔnal, o] adj international.
interne [ɛ̃tɛrn] adj internal ◆ nmf (SCOL) boarder.
interner [ɛ̃tɛrne] vt (malade) to commit.
interpeller [ɛ̃tɛrpəle] vt (appeler) to call out to.
Interphone® [ɛ̃tɛrfɔn] nm (d'un immeuble) entry phone; (dans un bureau) intercom.
interposer [ɛ̃tɛrpoze] : **s'interposer** vp: **s'~ entre** to stand between.
interprète [ɛ̃tɛrprɛt] nmf (tra-

ducteur) interpreter; *(acteur, musicien)* performer.

interpréter [ɛ̃tɛrprete] *vt (résultat, paroles)* to interpret; *(personnage, morceau)* to play.

interrogation [ɛ̃terɔgasjɔ̃] *nf (question)* question; ~ **(écrite)** (written) test.

interrogatoire [ɛ̃terɔgatwar] *nm* interrogation.

interroger [ɛ̃terɔʒe] *vt* to question; *(SCOL)* to test; ~ **qqn sur** to question sb about.

interrompre [ɛ̃terɔ̃pr] *vt* to interrupt.

interrupteur [ɛ̃teryptœr] *nm* switch.

interruption [ɛ̃terypsjɔ̃] *nf (coupure, arrêt)* break; *(dans un discours)* interruption.

intersection [ɛ̃terseksjɔ̃] *nf* intersection.

intervalle [ɛ̃terval] *nm (distance)* space; *(dans le temps)* interval; **à deux jours d'~** after two days.

intervenir [ɛ̃tervənir] *vi* to intervene; *(avoir lieu)* to take place.

intervention [ɛ̃tervɑ̃sjɔ̃] *nf* intervention; *(MÉD)* operation.

intervenu, -e [ɛ̃tervəny] *pp* → intervenir.

interview [ɛ̃tervju] *nf* interview.

interviewer [ɛ̃tervjuve] *vt* to interview.

intestin [ɛ̃testɛ̃] *nm* intestine.

intestinal, -e, -aux [ɛ̃testinal, o] *adj* intestinal.

intime [ɛ̃tim] *adj (personnel)* private; *(très proche)* intimate.

intimider [ɛ̃timide] *vt* to intimidate.

intimité [ɛ̃timite] *nf* intimacy.

intituler [ɛ̃tityle] **: s'intituler** *vp* to be called.

intolérable [ɛ̃tɔlerabl] *adj (douleur)* unbearable; *(comportement)* unacceptable.

intoxication [ɛ̃tɔksikasjɔ̃] *nf*: ~ **alimentaire** food poisoning.

intraduisible [ɛ̃tradɥizibl] *adj* untranslatable.

intransigeant, -e [ɛ̃trɑ̃ziʒɑ̃, ɑ̃t] *adj* intransigent.

intrépide [ɛ̃trepid] *adj* intrepid.

intrigue [ɛ̃trig] *nf (d'une histoire)* plot.

intriguer [ɛ̃trige] *vt* to intrigue.

introduction [ɛ̃trɔdyksjɔ̃] *nf* introduction.

introduire [ɛ̃trɔdɥir] *vt* to introduce □ **s'introduire dans** *vp* + *prép (pénétrer dans)* to enter.

introduit, -e [ɛ̃trɔdɥi, it] *pp* → introduire.

introuvable [ɛ̃truvabl] *adj (objet perdu)* nowhere to be found.

intrus, -e [ɛ̃try, yz] *nm, f* intruder.

intuition [ɛ̃tɥisjɔ̃] *nf (pressentiment)* feeling.

inusable [inyzabl] *adj* hardwearing.

inutile [inytil] *adj (objet, recherches)* useless; *(efforts)* pointless.

inutilisable [inytilizabl] *adj* unusable.

invalide [ɛ̃valid] *nmf* disabled person.

invariable [ɛ̃varjabl] *adj* invariable.

invasion [ɛ̃vazjɔ̃] *nf* invasion.

inventaire [ɛ̃vɑ̃tɛr] *nm* inventory; **faire l'~ de** qqch to make a list of sthg.

inventer [ɛ̃vɑ̃te] vt to invent; *(moyen)* to think up.

inventeur, -trice [ɛ̃vɑ̃tœr, tris] nm, f inventor.

invention [ɛ̃vɑ̃sjɔ̃] nf invention.

inverse [ɛ̃vɛrs] nm opposite; **à l'~** conversely; **à l'~ de** contrary to.

investir [ɛ̃vɛstir] vt *(argent)* to invest.

investissement [ɛ̃vɛstismɑ̃] nm investment.

invisible [ɛ̃vizibl] adj invisible.

invitation [ɛ̃vitasjɔ̃] nf invitation.

invité, -e [ɛ̃vite] nm, f guest.

inviter [ɛ̃vite] vt to invite; **~** qqn **à faire** qqch to invite sb to do sthg.

involontaire [ɛ̃vɔlɔ̃tɛr] adj involuntary.

invraisemblable [ɛ̃vrɛsɑ̃blabl] adj unlikely.

iode [jɔd] nm → **teinture**.

ira etc → **aller**.

irlandais, -e [irlɑ̃dɛ, ɛz] adj Irish □ **Irlandais** *(f* Irishman *(f* Irishwoman); **les Irlandais** the Irish.

Irlande [irlɑ̃d] nf: **l'~ du Nord** Northern Ireland; **la République d'~** the Republic of Ireland, Eire.

ironie [irɔni] nf irony.

ironique [irɔnik] adj ironic.

irrationnel, -elle [irasjɔnɛl] adj irrational.

irrécupérable [irekyperabl] adj *(objet, vêtement)* beyond repair.

irréel, -elle [ireɛl] adj unreal.

irrégulier, -ière [iregylje, jɛr]

adj irregular; *(résultats, terrain)* uneven.

irremplaçable [irɑ̃plasabl] adj irreplaceable.

irréparable [ireparabl] adj beyond repair; *(erreur)* irreparable.

irrésistible [irezistibl] adj irresistible.

irrespirable [irɛspirabl] adj unbreathable.

irrigation [irigasjɔ̃] nf irrigation.

irritable [iritabl] adj irritable.

irritation [iritasjɔ̃] nf irritation.

irriter [irite] vt to irritate.

islam [islam] nm: **l'~** Islam.

isolant, -e [izɔlɑ̃, ɑ̃t] adj *(acoustique)* soundproofing; *(thermique)* insulating ♦ nm insulator.

isolation [izɔlasjɔ̃] nf *(acoustique)* soundproofing; *(thermique)* insulation.

isolé, -e [izɔle] adj *(à l'écart)* isolated; *(contre le bruit)* soundproofed; *(thermiquement)* insulated.

isoler [izɔle] vt *(séparer)* to isolate; *(contre le bruit)* to soundproof; *(thermiquement)* to insulate □ **s'isoler** vp to isolate o.s.

Israël [israɛl] n Israel.

issu, -e [isy] adj: **être ~ de** *(famille)* to be descended from; *(processus, théorie)* to stem from.

issue [isy] nf *(sortie)* exit; **voie sans ~»** "no through road"; **~ de secours** emergency exit.

Italie [itali] nf: **l'~** Italy.

italien, -ienne [italjɛ̃, jɛn] adj Italian ♦ nm *(langue)* Italian □ **Italien, -ienne** nm, f Italian.

italique [italik] nm italics *(pl)*.

itinéraire [itinerɛr] nm route; **~**

bis alternative route *(to avoid heavy traffic)*.

ivoire [ivwar] *nm* ivory.

ivre [ivr] *adj* drunk.

ivrogne [ivrɔɲ] *nmf* drunkard.

J

j' → je.

jacinthe [ʒasɛ̃t] *nf* hyacinth.

jaillir [ʒajir] *vi (eau)* to gush.

jalousie [ʒaluzi] *nf* jealousy.

jaloux, -ouse [ʒalu, uz] *adj* jealous; **être ~ de** to be jealous of.

jamais [ʒamɛ] *adv* never; **ne ... ~** never; **je ne reviendrai ~ plus** I'm never coming back; **c'est le plus long voyage que j'aie ~ fait** it's the longest journey I've ever made; **plus que ~** more than ever; **si ~ tu le vois ...** if you happen to see him ...

jambe [ʒɑ̃b] *nf* leg.

jambon [ʒɑ̃bɔ̃] *nm* ham; **~ blanc** boiled ham; **~ cru** raw ham.

jambonneau, -x [ʒɑ̃bɔno] *nm* knuckle of ham.

jante [ʒɑ̃t] *nf (wheel)* rim.

janvier [ʒɑ̃vje] *nm* January, → septembre.

Japon [ʒapɔ̃] *nm*: **le ~** Japan.

japonais, -e [ʒapɔnɛ, ɛz] *adj* Japanese ♦ *nm (langue)* Japanese ❑ **Japonais, -e** *nm, f* Japanese (person).

jardin [ʒardɛ̃] *nm* garden; **~ d'en-**fants kindergarten, playgroup; **~ public** park.

jardinage [ʒardinaʒ] *nm* gardening.

jardinier, -ière [ʒardinje, jɛr] *nm, f* gardener.

jardinière [ʒardinjɛr] *nf (bac)* window box; **~ de légumes** dish of diced mixed vegetables, → jardinier.

jarret [ʒarɛ] *nm*: **~ de veau** knuckle of veal.

jauge [ʒoʒ] *nf* gauge; **~ d'essence** petrol gauge; **~ d'huile** dipstick.

jaune [ʒon] *adj & nm* yellow; **~ d'œuf** egg yolk.

jaunir [ʒonir] *vi* to turn yellow.

jaunisse [ʒonis] *nf* jaundice.

Javel [ʒavɛl] *nf*: **(eau de) ~** bleach.

jazz [dʒaz] *nm* jazz.

je [ʒə] *pron* I.

jean [dʒin] *nm* jeans *(pl)*, pair of jeans.

Jeep® [dʒip] *nf* Jeep®.

jerrican [ʒerikan] *nm* jerry can.

Jésus-Christ [ʒezykri] *nm* Jesus Christ; **après ~** AD; **avant ~** BC.

jet¹ [ʒɛ] *nm (de liquide)* jet; **~ d'eau** fountain.

jet² [dʒɛt] *nm (avion)* jet (plane).

jetable [ʒətabl] *adj* disposable.

jetée [ʒəte] *nf* jetty.

jeter [ʒəte] *vt* to throw; *(mettre à la poubelle)* to throw away ❑ **se jeter** *vpr*: **se ~ dans** *(suj: rivière)* to flow into; **se ~ sur** to pounce on.

jeton [ʒətɔ̃] *nm (pour jeu de société)* counter; *(au casino)* chip; **~ de téléphone** telephone token.

jeu, -x [ʒø] *nm* game; *(d'un mécanisme)* play; *(assortiment)* set; **le ~**

(au casino) gambling; ~ de cartes (distraction) card game; (paquet) pack of cards; ~ d'échecs chess set; ~ de mots pun; ~ de société board game; ~ vidéo video game; les ~x Olympiques the Olympic Games.

jeudi [ʒødi] nm Thursday, → **samedi**.

jeun [ʒɛ̃] : **à jeun** adv on an empty stomach.

jeune [ʒœn] adj young ◆ nmf young person; ~ fille girl; ~ homme young man; les ~s young people.

jeûner [ʒøne] vi to fast.

jeunesse [ʒœnɛs] nf (période) youth; (jeunes) young people (pl).

job [dʒɔb] nm (fam) job.

jockey [ʒɔke] nm jockey.

jogging [dʒɔgiŋ] nm (vêtement) tracksuit; (activité) jogging; **faire du** ~ to go jogging.

joie [ʒwa] nf joy.

joindre [ʒwɛ̃dr] vt (relier) to join; (contacter) to contact; ~ **qqch à** to attach sthg to; **je joins un chèque à ma lettre** I enclose a cheque with my letter ❑ **se joindre à** vp + prép to join.

joint, -e [ʒwɛ̃, ɛ̃t] pp → **joindre** ◆ nm (TECH) seal; (du robinet) washer; (fam: drogue) joint; ~ **de culasse** cylinder head gasket.

joker [ʒɔker] nm joker.

joli, -e [ʒɔli] adj (beau) pretty; (iron: désagréable) nice; **on est dans une ~e situation!** this is a nice mess!

jongleur [ʒɔ̃glœr] nm juggler.

jonquille [ʒɔ̃kij] nf daffodil.

joual [ʒwal] nm (Can) French-Canadian dialect.

joue [ʒu] nf cheek.

jouer [ʒwe] vi to play; (acteur) to act ◆ vt to play; (somme) to bet; (pièce de théâtre) to perform; ~ **à** (tennis, foot, cartes) to play; ~ **de** (instrument) to play; ~ **un rôle dans qqch** (fig) to play a part in sthg.

jouet [ʒwe] nm toy.

joueur, -euse [ʒwœr, øz] nm, f (au casino) gambler; (SPORT) player; **être mauvais** ~ to be a bad loser; ~ **de cartes** card player; ~ **de flûte** flautist; ~ **de foot** footballer.

jour [ʒur] nm day; (clarté) daylight; **il fait** ~ it's light; ~ **de l'an** New Year's Day; ~ **férié** public holiday; ~ **ouvrable** working day; **huit** ~**s** a week; **quinze** ~**s** two weeks, a fortnight (Br); **de** ~ (voyager) by day; **du** ~ **au lendemain** overnight; **de nos** ~ nowadays; **être à** ~ to be up-to-date; **mettre qqch à** ~ to update sthg.

journal, -aux [ʒurnal, o] nm newspaper; ~ **(intime)** diary; ~ **télévisé** news (on the television).

journaliste [ʒurnalist] nmf journalist.

journée [ʒurne] nf day; **dans la** ~ during the day; **toute la** ~ all day (long).

joyeux, -euse [ʒwajø, jøz] adj happy; ~ **anniversaire!** Happy Birthday!; ~ **Noël!** Merry Christmas!

judo [ʒydo] nm judo.

juge [ʒyʒ] nm judge.

juger [ʒyʒe] vt to judge; (accusé) to try.

juif, -ive [ʒɥif, iv] adj Jewish ❑ **Juif, -ive** nm, f Jew.

juillet [ʒɥijɛ] nm July; **le 14-**

Juillet *French national holiday,* →
septembre.

i LE 14-JUILLET

The fourteenth of July is a national holiday in France, in commemoration of the storming of the Bastille on the same day in 1789. Celebrations take place throughout France and often last several days, with outdoor public dances, firework displays etc. A grand military parade is held in Paris on the morning of the fourteenth, in the presence of the President of France.

juin [ʒɥɛ̃] *nm* June, → **septembre**.

juke-box [dʒukbɔks] *nm inv* jukebox.

jumeau, -elle, -eaux [ʒymo, ɛl, o] *adj (maisons)* semidetached ♦ *nm, f*: **des ~x** twins; **frère ~** twin brother.

jumelé, -e [ʒymle] *adj*: «**ville ~e avec ...**» "twinned with ...".

jumelles [ʒymɛl] *nfpl* binoculars.

jument [ʒymɑ̃] *nf* mare.

jungle [ʒœ̃gl] *nf* jungle.

jupe [ʒyp] *nf* skirt; **~ droite** straight skirt; **~ plissée** pleated skirt.

jupon [ʒypɔ̃] *nm* underskirt, slip.

jurer [ʒyre] *vi* to swear ♦ *vt*: **~ (à qqn) que** to swear (to sb) that; **~ de faire qqch** to swear to do sthg.

jury [ʒyri] *nm* jury.

jus [ʒy] *nm* juice; *(de viande)* gravy; **~ d'orange** orange juice.

jusque [ʒysk(ə)]: **jusqu'à** *prép*:

allez **jusqu'à l'église** go as far as the church; **jusqu'à midi** until noon; **jusqu'à ce que je parte** until I leave; **jusqu'à présent** up until now, so far ♦ **jusqu'ici** *adv (dans l'espace)* up to here; *(dans le temps)* up until now, so far; **jusque-là** *adv (dans l'espace)* up to there; *(dans le temps)* up to then, up until then.

justaucorps [ʒystokɔr] *nm* leotard.

juste [ʒyst] *adj (équitable)* fair; *(addition, raisonnement)* right, correct; *(note)* in tune; *(vêtement)* tight ♦ *adv* just; *(chanter, jouer)* in tune; **ce gâteau est un peu ~ pour six** this cake isn't big enough for six people; **il est huit heures ~** it's exactly eight o'clock; **au ~** exactly.

justement [ʒystəmɑ̃] *adv (précisément)* just; *(à plus forte raison)* exactly.

justesse [ʒystɛs]: **de justesse** *adv* only just.

justice [ʒystis] *nf* justice.

justifier [ʒystifje] *vt* to justify ⬜ **se justifier** *vp* to justify o.s.

jute [ʒyt] *nm*: **(toile de) ~** jute.

juteux, -euse [ʒytø, øz] *adj* juicy.

K

K7 [kasɛt] *nf (abr de cassette)* cassette.

kaki [kaki] *adj inv* khaki.

kangourou [kãguru] *nm* kangaroo.

karaté [karate] *nm* karate.

kart [kart] *nm* go-kart.

karting [kartiŋ] *nm* go-karting.

kayak [kajak] *nm* (*bateau*) kayak; (SPORT) canoeing.

képi [kepi] *nm* kepi.

kermesse [kɛrmɛs] *nf* fête.

KERMESSE

These outdoor events, organized to raise money and with stalls selling homemade produce, are similar to British fêtes. In the north of France a "kermesse" is specifically a church fête held on the feast of the patron saint of the village or town (*see box at* **fête**).

---

kérosène [kerɔzɛn] *nm* kerosene.

ketchup [kɛtʃœp] *nm* ketchup.

kg (*abr de* kilogramme) kg.

kidnapper [kidnape] *vt* to kidnap.

kilo(gramme) [kilo, kilɔgram] *nm* kilo(gram).

kilométrage [kilɔmetraʒ] *nm* (*distance*) ≃ mileage; ~ **illimité** ≃ unlimited mileage.

kilomètre [kilɔmɛtr] *nm* kilometre; **100 ~s (à l')heure** 100 kilometres per hour.

kilt [kilt] *nm* kilt.

kinésithérapeute [kineziterapøt] *nmf* physiotherapist.

kiosque [kjɔsk] *nm* pavilion; ~ **à journaux** newspaper kiosk.

kir [kir] *nm* aperitif made with white wine and blackcurrant liqueur; ~ **royal** aperitif made with champagne and blackcurrant liqueur.

kirsch [kirʃ] *nm* kirsch.

kit [kit] *nm* kit; **en ~** in kit form.

kiwi [kiwi] *nm* kiwi (fruit).

Klaxon® [klaksɔn] *nm* horn.

klaxonner [klaksɔne] *vi* to hoot (one's horn).

Kleenex® [klinɛks] *nm* Kleenex®.

km (*abr de* kilomètre) km.

km/h (*abr de* kilomètre par heure) kph.

K-O [kao] *adj inv* KO'd; (*fam: épuisé*) dead beat.

kouglof [kuglɔf] *nm* light dome-shaped cake with currants and almonds, a speciality of Alsace.

K-way® [kawe] *nm inv* cagoule.

kyste [kist] *nm* cyst.

L

l (*abr de* litre) l.

l' → **le**.

la → **le**.

là [la] *adv* (*lieu*) there; (*temps*) then; **elle n'est pas ~** she's not in; **par ~** (*de ce côté*) that way; (*dans les environs*) over there; **cette fille-~** that girl; **ce jour-~** that day.

là-bas [laba] *adv* there.

laboratoire [labɔratwar] *nm* laboratory.

labourer [labure] *vt* to plough.

labyrinthe [labirɛ̃t] nm maze.

lac [lak] nm lake.

lacer [lase] vt to tie.

lacet [lase] nm (de chaussures) lace; (virage) bend.

lâche [laʃ] adj (peureux) cowardly; (nœud, corde) loose ◆ nmf coward.

lâcher [laʃe] vt to let go of; (desserrer) to loosen; (parole) to let slip ◆ vi (corde) to give way; (freins) to fail.

lâcheté [laʃte] nf cowardice.

là-dedans [ladədɑ̃] adv (lieu) in there; (dans cela) in that.

là-dessous [ladsu] adv (lieu) under there; (dans cette affaire) behind that.

là-dessus [ladsy] adv (lieu) on there; (à ce sujet) about that.

là-haut [lao] adv up there.

laid, -e [lɛ, lɛd] adj ugly.

laideur [lɛdœr] nf ugliness.

lainage [lenaʒ] nm (vêtement) woollen garment.

laine [lɛn] nf wool; **en ~** woollen.

laïque [laik] adj secular.

laisse [lɛs] nf lead; **tenir un chien en ~** to keep a dog on a lead.

laisser [lese] vt to leave ◆ aux: ~ **qqn faire qqch** to let sb do sthg; ~ **tomber** to drop; ~ **qqch à qqn** (donner) to leave sb sthg; (vendre) to let sb have sthg □ **se laisser** vp: **se ~ aller** to relax; **se ~ faire** (par lâcheté) to let o.s. be taken advantage of; (se laisser tenter) to let o.s. be persuaded; **se ~ influencer** to allow o.s. to be influenced.

lait [lɛ] nm milk; ~ **démaquillant** cleanser; ~ **solaire** suntan lotion; ~ **de toilette** cleanser.

laitage [letaʒ] nm dairy product.

laitier [letje] adj m → **produit**.

laiton [letɔ̃] nm brass.

laitue [lety] nf lettuce.

lambeau, -x [lɑ̃bo] nm strip.

lambic [lɑ̃bik] nm (Belg) strong malt- and wheat-based beer.

lambris [lɑ̃bri] nm panelling.

lame [lam] nf blade; (de verre, métal) strip; (vague) wave; ~ **de rasoir** razor blade.

lamelle [lamɛl] nf thin slice.

lamentable [lamɑ̃tabl] adj (pitoyable) pitiful; (très mauvais) appalling.

lamenter [lamɑ̃te] : **se lamenter** vp to moan.

lampadaire [lɑ̃pader] nm (dans un appartement) standard lamp (Br), floor lamp (Am); (dans la rue) street lamp.

lampe [lɑ̃p] nf lamp; ~ **de chevet** bedside lamp; ~ **de poche** torch (Br), flashlight (Am).

lance [lɑ̃s] nf (arme) spear; ~ **d'incendie** fire hose.

lancée [lɑ̃se] nf: **sur sa/ma ~** (en suivant) while he/I was at it.

lancement [lɑ̃smɑ̃] nm (d'un produit) launch.

lance-pierres [lɑ̃spjɛr] nm inv catapult.

lancer [lɑ̃se] vt to throw; (produit, mode) to launch □ **se lancer** vp (se jeter) to throw o.s.; (oser) to take the plunge; **se ~ dans qqch** to embark on sthg.

landau [lɑ̃do] nm pram.

lande [lɑ̃d] nf moor.

langage [lɑ̃gaʒ] nm language.

langer [lɑ̃ʒe] vt to change.

langouste [lãgust] *nf* spiny lobster.

langoustine [lãgustin] *nf* langoustine.

langue [lãg] *nf* (ANAT & CULIN) tongue; (*langage*) language; **~ étrangère** foreign language; **~ maternelle** mother tongue; **~ vivante** modern language.

langue-de-chat [lãgdəʃa] (*pl* langues-de-chat) *nf* thin sweet finger-shaped biscuit.

languette [lãgɛt] *nf* (de chaussures) tongue; (d'une canette) ring-pull.

lanière [lanjɛr] *nf* (de cuir) strap.

lanterne [lãtɛrn] *nf* lantern; (AUT: feu de position) sidelight (Br), parking light (Am).

lapin [lapɛ̃] *nm* rabbit.

laque [lak] *nf* (pour coiffer) hair spray, lacquer; (peinture) lacquer.

laqué [lake] *adj m* → **canard**.

laquelle → **lequel**.

larcin [larsɛ̃] *nm* (sout) theft.

lard [lar] *nm* bacon.

lardon [lardɔ̃] *nm* strip or cube of bacon.

large [larʒ] *adj* (rivière, route) wide; (vêtement) big; (généreux) generous; (tolérant) open ♦ *nm:* **le ~** the open sea ♦ *adv:* **prévoir ~** (temps) to allow plenty of time; **2 mètres de ~** = 2 metres wide; **au ~ de** off (the coast of).

largement [larʒəmã] *adv* (au minimum) easily; **avoir ~ le temps** to have ample time; **il y en a ~ assez** there's more than enough.

largeur [larʒœr] *nf* width.

larme [larm] *nf* tear; **être en ~s** to be in tears.

lasagne(s) [lazaɲ] *nfpl* lasagne.

laser [lazɛr] *nm* laser.

lassant, -e [lasã, ãt] *adj* tedious.

lasser [lase] *vt* to bore □ **se lasser de** *vp + prép* to grow tired of.

latéral, -e, -aux [lateral, o] *adj* (porte, rue) side.

latin [latɛ̃] *nm* Latin.

latitude [latityd] *nf* latitude.

latte [lat] *nf* slat.

lauréat, -e [lɔrea, at] *nm, f* prizewinner.

laurier [lɔrje] *nm* (arbuste) laurel; **feuille de ~** bay leaf.

lavable [lavabl] *adj* washable.

lavabo [lavabo] *nm* washbasin □ **lavabos** *nmpl* (toilettes) toilets.

lavage [lavaʒ] *nm* washing.

lavande [lavãd] *nf* lavender.

lave-linge [lavlɛ̃ʒ] *nm inv* washing machine.

laver [lave] *vt* to wash; (plaie) to bathe; (tache) to wash out OU off □ **se laver** *vp* to wash o.s.; **se ~ les dents** to brush one's teeth; **se ~ les mains** to wash one's hands.

laverie [lavri] *nf:* **~ (automatique)** launderette.

lavette [lavɛt] *nf* (tissu) dish-cloth.

lave-vaisselle [lavvɛsɛl] *nm inv* dishwasher.

lavoir [lavwar] *nm* communal sink for washing clothes.

laxatif [laksatif] *nm* laxative.

layette [lɛjɛt] *nf* layette.

le [lə] (*f* **la** [la], *pl* **les** [le]) *article défini* **1**. (*gén*) the; **~ lac** the lake; **la fenêtre** the window; **l'homme** the man; **les enfants** the children; **j'adore ~ thé** I love tea; **l'amour** love.

2. (*désigne le moment*): **nous sommes ~ 3 août** it's the 3rd of August; **Bruxelles, ~ 9 juillet 1994** Brussels, 9 July 1994; **~ samedi** (*habituellement*) on Saturdays; (*moment précis*) on Saturday.

3. (*marque l'appartenance*): **se laver les mains** to wash one's hands; **elle a les yeux bleus** she has (got) blue eyes.

4. (*chaque*): **c'est 250 F la nuit** it's 250 francs a night; **25 F l'un** 25 francs each.

♦ *pron* **1.** (*personne*) him (*f her*), them (*pl*); (*chose, animal*) it, them (*pl*); **je ~ /la/les connais bien** I know him/her/them well; **laissez-les nous** leave them to us.

2. (*reprend un mot, une phrase*): **je l'ai entendu dire** I've heard about it.

lécher [leʃe] *vt* to lick.

lèche-vitrines [leʃvitrin] *nm inv*: **faire du ~** to go window-shopping.

leçon [ləsɔ̃] *nf* lesson; (*devoirs*) homework; **faire la ~ à qqn** to lecture sb.

lecteur, -trice [lektœr, tris] *nm, f* reader ♦ *nm* (*INFORM*) reader; **~ de cassettes** cassette player; **~ laser** OU **de CD** CD player.

lecture [lektyr] *nf* reading.

légal, -e, -aux [legal, o] *adj* legal.

légende [leʒɑ̃d] *nf* (*conte*) legend; (*d'une photo*) caption; (*d'un schéma*) key.

léger, -ère [leʒe, ɛr] *adj* light; (*café*) weak; (*cigarette*) mild; (*peu important*) slight; **à la légère** lightly.

légèrement [leʒɛrmɑ̃] *adv* (*un peu*) slightly; **s'habiller ~** to wear

light clothes.

légèreté [leʒɛrte] *nf* lightness; (*insouciance*) casualness.

législation [leʒislasjɔ̃] *nf* legislation.

légitime [leʒitim] *adj* legitimate; **~ défense** self-defence.

léguer [lege] *vt* to bequeath; (*fig: tradition, passion*) to pass on.

légume [legym] *nm* vegetable.

lendemain [lɑ̃dmɛ̃] *nm*: **le ~** the next day; **le ~ matin** the next morning; **le ~ de notre départ** the day after we left.

lent, -e [lɑ̃, lɑ̃t] *adj* slow.

lentement [lɑ̃tmɑ̃] *adv* slowly.

lenteur [lɑ̃tœr] *nf* slowness.

lentille [lɑ̃tij] *nf* (*légume*) lentil; (*verre de contact*) (contact) lens.

léopard [leɔpar] *nm* leopard.

lequel [ləkɛl] (*f* **laquelle** [lakɛl], *mpl* **lesquels** [lekɛl], *fpl* **lesquelles** [lekɛl]) *pron* (*sujet de personne*) who; (*sujet de chose*) which; (*complément de personne*) whom; (*complément de chose*) which; (*interrogatif*) which (one); **par/pour ~** (*personne*) by/for whom; (*chose*) by/for which.

les → le.

léser [leze] *vt* to wrong.

lésion [lezjɔ̃] *nf* injury.

lesquelles → lequel.

lesquels → lequel.

lessive [lesiv] *nf* (*poudre, liquide*) detergent; (*linge*) washing; **faire la ~** to do the washing.

lessiver [lesive] *vt* to wash; (*fam: fatiguer*) to wear out.

leste [lest] *adj* (*agile*) nimble.

lettre [letr] *nf* letter; **en toutes ~s** in full.

leucémie [løsemi] *nf* leukemia.

ligoter

leur [lœr] *adj* their ♦ *pron* (to) them ❑ **le leur** (*f* **la leur**, *pl* **les leurs**) *pron* theirs.

levant [ləvɑ̃] *adj* → **soleil**.

levé, -e [ləve] *adj* → **soleil**.

levé, -e [ləve] *adj* (*hors du lit*) up.

levée [ləve] *nf* (*du courrier*) collection.

lever [ləve] *vt* (*bras, yeux, doigt*) to raise; (*relever*) to lift ♦ *nm*: **au ~** when one gets up; **le ~ du jour** dawn; **le ~ du soleil** sunrise ❑ **se lever** *vp* (*personne*) to get up; (*jour*) to break; (*soleil*) to rise; (*temps*) to clear.

levier [ləvje] *nm* lever; **~ de vitesse** gear lever (*Br*), gear shift (*Am*).

lèvre [levr] *nf* lip.

levure [ləvyr] *nf* (CULIN) baking powder.

lexique [leksik] *nm* (*dictionnaire*) glossary.

lézard [lezar] *nm* lizard.

lézarder [lezarde] : **se lézarder** *vp* to crack.

liaison [ljezɔ̃] *nf* (*aérienne, routière*) link; (*amoureuse*) affair; (*phonétique*) liaison; **être en ~ avec** to be in contact with.

liane [ljan] *nf* creeper.

liasse [ljas] *nf* wad.

Liban [libɑ̃] *nm*: **le ~** Lebanon.

libéral, -e, -aux [liberal, o] *adj* liberal.

libération [liberasjɔ̃] *nf* (*d'une ville*) liberation; (*d'un prisonnier*) release.

libérer [libere] *vt* (*prisonnier*) to release ❑ **se libérer** *vp* to free o.s.; (*de ses occupations*) to get away.

liberté [liberte] *nf* freedom; **en ~** (*animaux*) in the wild.

libraire [librer] *nmf* bookseller.

librairie [libreri] *nf* bookshop.

libre [libr] *adj* free; (*magasin*) free; (*ouvert, dégagé*) clear; **~ de faire qqch** free to do sthg.

librement [librəmɑ̃] *adv* freely.

libre-service [librəsεrvis] (*pl* **libres-services**) *nm* (*magasin*) self-service store; (*restaurant*) self-service restaurant.

licence [lisɑ̃s] *nf* licence; (*diplôme*) degree; (*sportive*) membership card.

licenciement [lisɑ̃simɑ̃] *nm* (*pour faute*) dismissal; (*économique*) redundancy.

licencier [lisɑ̃sje] *vt* (*pour faute*) to dismiss; **être licencié** (*économique*) to be made redundant.

liège [ljεʒ] *nm* cork.

liégeois [ljeʒwa] *adj* → **café**, **chocolat**.

lien [ljɛ̃] *nm* (*ruban, sangle*) tie; (*relation*) link.

lier [lje] *vt* (*attacher*) to tie up; (*par contrat*) to bind; (*phénomènes, idées*) to connect; **~ conversation avec qqn** to strike up a conversation with sb ❑ **se lier** *vp*: **se ~ (d'amitié) avec qqn** to make friends with sb.

lierre [ljɛr] *nm* ivy.

lieu, -x [ljø] *nm* place; **avoir ~** to take place; **au ~ de** instead of.

lièvre [ljεvr] *nm* hare.

ligne [liɲ] *nf* line; **avoir la ~** to be slim; **aller à la ~** to start a new paragraph; **se mettre en ~** to line up; **~ blanche** (*sur la route*) white line; **(en) ~ droite** (in a) straight line; **«grandes ~s»** sign directing rail passengers to platforms for intercity trains.

ligoter [ligote] *vt* to tie up.

lilas [lila] *nm* lilac.

limace [limas] *nf* slug.

limande [limɑ̃d] *nf* dab.

lime [lim] *nf* file; ~ **à ongles** nail file.

limer [lime] *vt* to file.

limitation [limitasjɔ̃] *nf* restriction; ~ **de vitesse** speed limit.

limite [limit] *nf* (*bord*) edge; (*frontière*) border; (*maximum ou minimum*) limit ♦ *adj* (*prix, vitesse*) maximum; **à la** ~ if necessary.

limiter [limite] *vt* to limit ❏ **se limiter à** *vp + prép* (*se contenter de*) to limit o.s. to; (*être restreint à*) to be limited to.

limonade [limɔnad] *nf* lemonade.

limpide [lɛ̃pid] *adj* (*crystal*) clear.

lin [lɛ̃] *nm* linen.

linge [lɛ̃ʒ] *nm* (*de maison*) linen; (*lessive*) washing.

lingerie [lɛ̃ʒri] *nf* (*sous-vêtements*) lingerie; (*local*) linen room.

lingot [lɛ̃go] *nm*: ~ (**d'or**) (gold) ingot.

lino(léum) [lino, linɔleɔm] *nm* lino(leum).

lion [ljɔ̃] *nm* lion ❏ **Lion** *nm* Leo.

liqueur [likœr] *nf* liqueur.

liquidation [likidasjɔ̃] *nf*: «~ **totale**» "stock clearance".

liquide [likid] *adj & nm* liquid; (*argent*) ~ cash; **payer en** (*argent*) ~ to pay cash; ~ **de frein** brake fluid.

liquider [likide] *vt* (*vendre*) to sell off; (*fam: terminer*) to polish off.

lire [lir] *vt & vi* to read.

lisible [lizibl] *adj* legible.

lisière [lizjɛr] *nf* edge.

lisse [lis] *adj* smooth.

liste [list] *nf* list; ~ **d'attente** waiting list; **être sur** ~ **rouge** to be ex-directory (*Br*), to have an un-listed number (*Am*).

lit [li] *nm* bed; **aller au** ~ to go to bed; ~ **de camp** camp bed; ~ **double, grand** ~ double bed; ~ **simple, à une place, petit** ~ single bed; ~**s jumeaux** twin beds; ~**s superposés** bunk beds.

litchi [litʃi] *nm* lychee.

literie [litri] *nf* mattress and base.

litière [litjɛr] *nf* litter.

litige [litiʒ] *nm* dispute.

litre [litr] *nm* litre.

littéraire [literɛr] *adj* literary.

littérature [literatyr] *nf* literature.

littoral, -aux [litɔral, o] *nm* coast.

livide [livid] *adj* pallid.

living(-room), -s [liviŋ(rum)] *nm* living room.

livraison [livrɛzɔ̃] *nf* delivery; «~ **à domicile**» "we deliver"; «~ **des bagages**» "baggage reclaim".

livre[1] [livr] *nm* book; ~ **de français** French book.

livre[2] [livr] *nf* (*demi-kilo, monnaie*) pound; ~ (**sterling**) pound (sterling).

livrer [livre] *vt* (*marchandise*) to deliver; (*trahir*) to hand over.

livret [livre] *nm* booklet; ~ (**de caisse**) **d'épargne** savings book; ~ **de famille** family record book; ~ **scolaire** school report (book).

livreur, -euse [livrœr, øz] *nm, f* delivery man (*f* delivery woman).

local, -e, -aux [lɔkal, o] *adj* local ♦ *nm* (*d'un club, commercial*) premises; (*pour fête*) place; **dans les locaux** on the premises.

locataire [lɔkatɛr] *nmf* tenant.

location [lɔkasjɔ̃] nf (d'une maison) renting; (d'un billet) booking; (logement) rented accommodation; «~ de voitures» "car hire" (Br), "car rental" (Am).

locomotive [lɔkɔmɔtiv] nf locomotive.

loge [lɔʒ] nf (de concierge) lodge; (d'acteur) dressing room.

logement [lɔʒmɑ̃] nm accommodation; (appartement) flat (Br), apartment (Am); le ~ (secteur) housing.

loger [lɔʒe] vt (héberger) to put up ◆ vi to live □ **se loger** vp (pénétrer) to get stuck.

logiciel [lɔʒisjɛl] nm software.

logique [lɔʒik] adj logical ◆ nf logic.

logiquement [lɔʒikmɑ̃] adv logically.

logo [logo] nm logo.

loi [lwa] nf law; **la ~** the law.

loin [lwɛ̃] adv far away; (dans le temps) far off; **au ~** in the distance; **de ~** from a distance; (fig: nettement) by far; **~ de** far (away) from; **~ de là** (fig: au contraire) far from it.

lointain, -e [lwɛ̃tɛ̃, ɛn] adj distant ◆ nm: **dans le ~** in the distance.

Loire [lwar] nf: **la ~** (fleuve) the (River) Loire.

loisirs [lwazir] nmpl (temps libre) leisure (sg); (activités) leisure activities.

Londonien, -ienne [lɔ̃dɔnjɛ̃, jɛn] nm, f Londoner.

Londres [lɔ̃dr] n London.

long, longue [lɔ̃, lɔ̃g] adj long; **ça fait 10 mètres de ~** it's 10 metres long; **le ~ de** along; **de ~ en large** up and down; **à la longue** in the long run.

longeole [lɔ̃ʒɔl] nf smoked sausage from the Geneva region of Switzerland.

longer [lɔ̃ʒe] vt to follow.

longitude [lɔ̃ʒityd] nf longitude.

longtemps [lɔ̃tɑ̃] adv (for) a long time; **ça fait trop ~** it's been too long; **il y a ~** a long time ago.

longue → long.

longuement [lɔ̃gmɑ̃] adv for a long time.

longueur [lɔ̃gœr] nf length; **à ~ de semaine/d'année** all week/year long; **~ d'onde** wavelength.

longue-vue [lɔ̃gvy] (pl longues-vues) nf telescope.

loquet [lɔkɛ] nm latch.

lorraine [lɔrɛn] adj f → quiche.

lors [lɔr] : **lors de** prép (pendant) during.

lorsque [lɔrskə] conj when.

losange [lɔzɑ̃ʒ] nm lozenge.

lot [lo] nm (de loterie) prize; (COMM: en offre spéciale) (special offer) pack.

loterie [lɔtri] nf lottery.

lotion [losjɔ̃] nf lotion.

lotissement [lɔtismɑ̃] nm housing development.

loto [loto] nm (national) the French national lottery; **le ~ sportif** = the football pools (Br), = the soccer sweepstakes (Am).

LOTO

The French national lottery, "loto", has been running since 1976 on a similar basis to the lotteries in Britain and the US with a twice-weekly televized prize draw. French people can also bet on the results of football matches in the "loto sportif".

lotte [lɔt] *nf* monkfish; **~ à l'américaine** *monkfish tails cooked in a sauce of white wine, brandy, herbs and tomatoes.*

louche [luʃ] *adj* shady ♦ *nf* ladle.

loucher [luʃe] *vi* to squint.

louer [lwe] *vt* to rent; **"à ~"** "to let".

loup [lu] *nm* wolf.

loupe [lup] *nf* magnifying glass.

louper [lupe] *vt (fam) (examen)* to flunk; *(train)* to miss.

lourd, -e [lur, lurd] *adj* heavy; *(sans finesse) (erreur)* serious; *(orageux)* sultry ♦ *adv:* **peser ~** to be heavy.

lourdement [lurdəmɑ̃] *adv* heavily; *(se tromper)* greatly.

lourdeur [lurdœr] *nf:* **avoir des ~ d'estomac** to feel bloated.

Louvre [luvr] *nm:* **le ~** the Louvre.

ground shopping centre and car park have been built.

loyal, -e, -aux [lwajal, o] *adj* loyal.

loyauté [lwajote] *nf* loyalty.

loyer [lwaje] *nm (d'un appartement)* rent.

lu, -e [ly] *pp* → lire.

lubrifiant [lybrifjɑ̃] *nm* lubricant.

lucarne [lykarn] *nf* skylight.

lucide [lysid] *adj (conscient)* conscious; *(sur soi-même)* lucid.

lueur [lɥœr] *nf* light; *(d'intelligence, de joie)* glimmer.

luge [lyʒ] *nf* toboggan; **faire de la ~** to toboggan.

lugubre [lygybr] *adj (ambiance)* gloomy; *(cri)* mournful.

lui [lɥi] *pron* 1. *(complément d'objet indirect)* (to) him/her/it; **je ~ ai parlé** I spoke to him/her; **dites-le-~ tout de suite** tell him/her straightaway; **je ~ ai serré la main** I shook his/her hand.

2. *(après une préposition, un comparatif)* him/it; **j'en ai eu moins que ~** I had less than him.

3. *(pour renforcer le sujet)* he; **et ~, qu'est-ce qu'il en pense?** what does HE think about it?; **c'est ~ qui nous a renseignés** he was the one who informed us.

4. *(dans des expressions):* **c'est ~-même qui l'a dit** he said it himself; **il se contredit ~-même** he contradicts himself.

lui [lɥi] *pp* → luire.

luire [lɥir] *vi* to shine.

luisant, -e [lɥizɑ̃, ɑ̃t] *adj* shining.

LE LOUVRE

One of the largest museums in the world, the Louvre contains a huge collection of antiques, sculptures and paintings. Following the addition of rooms which formerly housed the French Treasury department and renovation of the exterior, the museum is now referred to as the "Grand Louvre". There is a new entrance via a glass pyramid built in the front courtyard, and an under-

lumière [lymjɛr] *nf* light.

luminaires [lyminɛr] *nmpl* lighting *(sg)*.

lumineux, -euse [lyminø, øz] *adj* bright; *(teint, sourire)* radiant; *(explication)* crystal clear.

lunch, -s ou **-es** [lœʃ] *nm (buffet)* buffet lunch.

lundi [lœdi] *nm* Monday, → **samedi**.

lune [lyn] *nf* moon; **~ de miel** honeymoon; **pleine ~** full moon.

lunette [lynɛt] *nf (astronomique)* telescope; **~ arrière** rear window ❑ **lunettes** *nfpl* glasses; **~s de soleil** sunglasses.

lustre [lystr] *nm* ceiling light.

lutte [lyt] *nf* struggle, fight; *(SPORT)* wrestling.

lutter [lyte] *vi* to fight; **~ contre** to fight (against).

luxation [lyksasjɔ̃] *nf* dislocation.

luxe [lyks] *nm* luxury; **de (grand) ~** luxury.

Luxembourg [lyksãbur] *nm*: **le ~** Luxembourg.

Luxembourgeois, -e [lyksãburʒwa, waz] *nm, f* person from Luxembourg.

luxueux, -euse [lyksɥø, øz] *adj* luxurious.

lycée [lise] *nm* = secondary school *(Br)*, = high school *(Am)*; **~ professionnel** = technical college.

lycéen, -enne [liseɛ̃, ɛn] *nm, f* = secondary school student *(Br)*, = high school student *(Am)*.

Lycra® [likra] *nm* Lycra®.

Lyon [ljɔ̃] *n* Lyons.

M

m *(abr de mètre)* m.

m' → **me**.

M. *(abr de Monsieur)* Mr.

ma → **mon**.

macadam [makadam] *nm* Tarmac®.

macaron [makarɔ̃] *nm (gâteau)* macaroon.

macaronis [makarɔni] *nmpl* macaroni *(sg)*.

macédoine [masedwan] *nf*: **~ (de légumes)** (diced) mixed vegetables *(pl)*; **~ de fruits** fruit salad.

macérer [masere] *vi (CULIN)* to steep.

mâcher [maʃe] *vt* to chew.

machin [maʃɛ̃] *nm (fam)* thingamajig.

machinal, -e, -aux [maʃinal, o] *adj* mechanical.

machine [maʃin] *nf* machine; **~ à coudre** sewing machine; **~ à écrire** typewriter; **~ à laver** washing machine; **~ à sous** one-armed bandit.

machiniste [maʃinist] *nm (d'autobus)* driver; «**faire signe au ~**» sign telling bus passengers to let the driver know when they want to get off.

mâchoire [maʃwar] *nf* jaw.

maçon [masɔ̃] *nm* bricklayer.

madame [madam] *(pl* **mesdames** [medam]) *nf*: **~ X** Mrs X; **bonjour ~/mesdames!** good morning (Madam/ladies)!; **Madame,** *(dans une lettre)* Dear Madam,; **Madame!**

madeleine

(pour appeler le professeur) Miss!

madeleine [madlɛn] *nf* small sponge cake flavoured with lemon or orange.

mademoiselle [madmwazɛl] (*pl* **mesdemoiselles** [medmwazɛl]) *nf*: ~ **X** Miss X; **bonjour ~/mesdemoiselles!** good morning (Miss/ladies)!; **Mademoiselle,** (*dans une lettre*) Dear Madam,; **Mademoiselle!** (*pour appeler le professeur*) Miss!

madère [madɛr] *nm* → **sauce.**

maf(f)ia [mafja] *nf* mafia; **la Maf(f)ia** (*sicilienne*) the Mafia.

magasin [magazɛ̃] *nm* shop (*Br*), store (*Am*); **en ~** in stock.

magazine [magazin] *nm* magazine.

Maghreb [magrɛb] *nm*: **le ~** North Africa, the Maghreb.

Maghrébin, -e [magrebɛ̃, in] *nm, f* North African.

magicien, -ienne [maʒisjɛ̃, jɛn] *nm, f* magician.

magie [maʒi] *nf* magic.

magique [maʒik] *adj* magic.

magistrat [maʒistra] *nm* magistrate.

magnésium [maɲezjɔm] *nm* magnesium.

magnétique [maɲetik] *adj* magnetic.

magnétophone [maɲetɔfɔn] *nm* tape recorder.

magnétoscope [maɲetɔskɔp] *nm* videorecorder.

magnifique [maɲifik] *adj* magnificent.

magret [magrɛ] *nm*: **~ de** (*de canard*) fillet of duck breast.

mai [mɛ] *nm* May; **le premier ~** May Day, → **septembre.**

The first day of May is a national holiday in France celebrating Labour Day, and traditionally there are large processions lead by trade unions in the larger cities. Also on this day, bunches of lily of the valley are sold in the streets and given as presents. The flowers are supposed to bring good luck.

maigre [mɛgr] *adj* thin; (*viande*) lean; (*yaourt*) low-fat.

maigrir [megrir] *vi* to lose weight.

maille [maj] *nf* (*d'un tricot*) stitch; (*d'un filet*) mesh.

maillon [majɔ̃] *nm* link.

maillot [majo] *nm* (*de foot*) jersey; (*de danse*) leotard; **~ de bain** bathing costume; **~ de corps** vest (*Br*), undershirt (*Am*); **~ jaune** (*du Tour de France*) yellow jersey *worn by the leading cyclist in the Tour de France*).

main [mɛ̃] *nf* hand; **à ~ gauche** on the left-hand side; **se donner la ~** to hold hands; **fait (à la) ~** handmade; **prendre qqch en ~** to take sthg in hand.

main-d'œuvre [mɛ̃dœvr] (*pl* **mains-d'œuvre**) *nf* labour.

maintenant [mɛ̃tnɑ̃] *adv* now; (*de nos jours*) nowadays.

maintenir [mɛ̃tnir] *vt* to maintain; (*soutenir*) to support □ **se maintenir** *vp* (*temps, tendance*) to remain.

maintenu, -e [mɛ̃tny] *pp* → **maintenir.**

maire [mɛr] *nm* mayor.

mairie [meri] *nf (bâtiment)* town hall *(Br)*, city hall *(Am)*.

mais [mɛ] *conj* but; ~ **non!** of course not!

mais [mais] *nm* maize *(Br)*, corn *(Am)*.

maison [mɛzɔ̃] *nf (domicile)* house, home; *(bâtiment)* house ◆ *adj inv* homemade; **rester à la** ~ **to** stay at home; **rentrer à la** ~ **to** go home; ~ **de campagne** house in the country; ~ **des jeunes et de la culture** = youth and community centre.

maître, -esse [metr, metres] *nm, f (d'un animal)* master *(f* mistress); ~ **(d'école)** schoolteacher; ~ **d'hôtel** *(au restaurant)* head waiter; ~ **nageur** swimming instructor.

maîtresse [metres] *(amie)* mistress, → **maître.**

maîtrise [metriz] *nf (diplôme)* = master's degree.

maîtriser [metrize] *vt* to master; *(personne)* to overpower; *(incendie)* to bring under control.

majestueux, -euse [maʒestɥø, øz] *adj* majestic.

majeur, -e [maʒœr] *adj (principal)* major ◆ *nm (doigt)* middle finger; **être** ~ *(adulte)* to be of age; **la** ~**e partie (de)** the majority *(of).*

majoration [maʒɔrasjɔ̃] *nf* increase.

majorette [maʒɔrɛt] *nf* majorette.

majorité [maʒɔrite] *nf* majority; **en** ~ in the majority; **la** ~ **de** the majority of.

majuscule [maʒyskyl] *nf* capital letter.

mal [mal] *(pl* **maux** [mo]) *nm (contraire du bien)* evil ◆ *adv* badly; **j'ai**

~ **it hurts; avoir** ~ **au cœur** to feel sick; **avoir** ~ **aux dents** to have toothache; **avoir** ~ **au dos** to have backache; **avoir** ~ **à la gorge** to have a sore throat; **avoir** ~ **à la tête** to have a headache; **avoir** ~ **au ventre** to have a (a) stomachache; **ça fait** ~ **it hurts; faire** ~ **à qqn** to hurt sb; **se faire** ~ to hurt o.s.; **se donner du** ~ **(pour faire qqch)** to make an effort (to do sthg); **de gorge** sore throat; ~ **de mer** seasickness; **avoir le** ~ **du pays** to feel homesick; **maux de tête** headaches; **pas** ~ *(fam: assez bon, assez beau)* not bad; **pas** ~ **de** *(fam: beaucoup)* quite a lot of.

malade [malad] *adj* ill, sick; *(sur un bateau, en avion)* sick ◆ *nmf* sick person; ~ **mental** mentally ill person.

maladie [maladi] *nf* illness.

maladresse [maladres] *nf* clumsiness; *(acte)* blunder.

maladroit, -e [maladrwa, wat] *adj* clumsy.

malaise [malɛz] *nm (MÉD)* faintness; *(angoisse)* unease; **avoir un** ~ to faint.

malaxer [malakse] *vt* to knead.

malchance [malʃɑ̃s] *nf* bad luck.

mâle [mal] *adj & nm* male.

malentendu [malɑ̃tɑ̃dy] *nm* misunderstanding.

malfaiteur [malfɛtœr] *nm* criminal.

malfamé, -e [malfame] *adj* disreputable.

malformation [malfɔrmasjɔ̃] *nf* malformation.

malgré [malgre] *prép* in spite of; ~ **tout** despite everything.

malheur [malœr] nm misfortune.

malheureusement [malœrøzmã] adv unfortunately.

malheureux, -euse [malœrø, øz] adj unhappy.

malhonnête [malɔnɛt] adj dishonest.

Mali [mali] nm: **le ~** Mali.

malicieux, -ieuse [malisjø, jøz] adj mischievous.

malin, -igne [malɛ̃, iɲ] adj (habile, intelligent) crafty.

malle [mal] nf trunk.

mallette [malɛt] nf small suitcase.

malmener [malməne] vt to manhandle.

malnutrition [malnytrisjɔ̃] nf malnutrition.

malpoli, -e [malpɔli] adj rude.

malsain, -e [malsɛ̃, ɛn] adj unhealthy.

maltraiter [maltrete] vt to mistreat.

malveillant, -e [malvejã, jãt] adj spiteful.

maman [mamã] nf mum (Br), mom (Am).

mamie [mami] nf (fam) granny.

mammifère [mamifɛr] nm mammal.

manager [manadʒɛr] nm manager.

manche [mãʃ] nf (de vêtement) sleeve; (de jeu) round; (au tennis) set ♦ nm handle; **à ~s courtes/longues** short-/long-sleeved.

Manche [mãʃ] nf: **la ~** the (English) Channel.

manchette [mãʃɛt] nf (d'une manche) cuff.

mandarine [mãdarin] nf mandarin.

mandat [mãda] nm (postal) money order.

manège [manɛʒ] nm (attraction) merry-go-round (Br), carousel (Am); (d'équitation) riding school.

manette [manɛt] nf lever; **~ de jeux** joystick.

mangeoire [mãʒwar] nf trough.

manger [mãʒe] vt & vi to eat; **donner à ~ à qqn** to give sb something to eat; (bébé) to feed sb.

mangue [mãg] nf mango.

maniable [manjabl] adj easy to use.

maniaque [manjak] adj fussy.

manie [mani] nf funny habit.

manier [manje] vt to handle.

manière [manjɛr] nf way; **de ~ à faire qqch** in order to do sthg; **de ~ à ce que** so (that); **de toute ~** at any rate □ **manières** nfpl (attitude) manners; **faire des ~s** to be difficult.

maniéré, -e [manjere] adj affected.

manif [manif] nf (fam) demo.

manifestant, -e [manifɛstã, ãt] nm, f demonstrator.

manifestation [manifɛstasjɔ̃] nf (défilé) demonstration; (culturelle) event.

manifester [manifɛste] vt (exprimer) to express ♦ vi to demonstrate □ **se manifester** vp (apparaître) to appear.

manigancer [manigãse] vt to dream up.

manipulation [manipylasjɔ̃] nf handling; (tromperie) manipulation.

manipuler [manipyle] *vt* to handle; *(fig: personne)* to manipulate.

manivelle [manivɛl] *nf* crank.

mannequin [mankɛ] *nm (de défilé)* model; *(dans une vitrine)* dummy.

manœuvre [manœvr] *nf* manoeuvre.

manœuvrer [manœvre] *vt & vi* to manoeuvre.

manoir [manwar] *nm* manor house.

manquant, -e [mɑ̃kɑ̃, ɑ̃t] *adj* missing.

manque [mɑ̃k] *nm*: **le ~ de** the lack of.

manquer [mɑ̃ke] *vt* to miss ♦ *vi (échouer)* to fail; *(élève, employé)* to be absent; **elle nous manque** we miss her; **il manque deux pages** there are two pages missing; **il me manque dix francs** I'm ten francs short; **~ de** *(argent, temps, café)* to be short of; *(humour, confiance en soi)* to lack; **il a manqué (de) se faire écraser** he nearly got run over.

mansardé, -e [mɑ̃sarde] *adj* in the attic.

manteau, -x [mɑ̃to] *nm* coat.

manucure [manykyr] *nmf* manicurist.

manuel, -elle [manɥɛl] *adj & nm* manual.

manuscrit [manyskri] *nm* manuscript.

mappemonde [mapmɔ̃d] *nf (carte)* map of the world; *(globe)* globe.

maquereau, -x [makro] *nm* mackerel.

maquette [makɛt] *nf* scale model.

maquillage [makijaʒ] *nm (fard, etc)* make-up.

maquiller [makije] **: se maquiller** *vp* to make o.s. up.

marais [marɛ] *nm* marsh.

ⓘ LE MARAIS

This district in the fourth "arrondissement" of Paris stretches between the Bastille and the Hôtel de Ville. It is famous for its many fashionable town houses built on and around the Place des Vosges, and is historically associated with the Jewish community.

---

marathon [maratɔ̃] *nm* marathon.

marbre [marbr] *nm* marble.

marbré, -e [marbre] *adj* marbled.

marchand, -e [marʃɑ̃, ɑ̃d] *nm, f* shopkeeper *(Br)*, storekeeper *(Am)*; **~ ambulant** street pedlar; **~ de fruits et légumes** OU **de primeurs** greengrocer; **~ de journaux** newsagent.

marchander [marʃɑ̃de] *vi* to haggle.

marchandises [marʃɑ̃diz] *nfpl* merchandise *(sg)*.

marche [marʃ] *nf (à pied)* walk; *(d'escalier)* step; *(fonctionnement)* operation; **~ arrière** reverse; **en ~** *(fonctionnement)* running; **mettre qqch en ~** to start sthg up; **descendre d'un train en ~** to get off a train while it's still moving.

marché [marʃe] *nm* market;

marchepied 172

(contrat) deal; **faire son ~** to do one's shopping; **le Marché commun** the Common Market; **~ couvert** covered market; **~ aux puces** flea market; **bon ~** cheap; **par-dessus le ~** what's more.

ℹ️ MARCHÉ

A lmost every French town, however small, has its own open-air or covered market which takes place once or twice a week. It usually consists of stalls selling fresh produce, flowers, clothes or household goods; but there are also specialized markets selling, for example, just flowers, cheese or livestock.

marchepied [marʃəpje] *nm* step.

marcher [marʃe] *vi* to walk; *(fonctionner)* to work; *(bien fonctionner)* to go well; **faire ~ qqch** to operate sthg; **faire ~ qqn** *(fam)* to pull sb's leg.

mardi [mardi] *nm* Tuesday; **~ gras** Shrove Tuesday, → **samedi**.

mare [mar] *nf* pool.

marécage [marekaʒ] *nm* marsh.

marée [mare] *nf* tide; **(à) ~ basse/haute** (at) low/high tide.

margarine [margarin] *nf* margarine.

marge [marʒ] *nf* margin.

marginal, -e, -aux [marʒinal, o] *nm, f* dropout.

marguerite [margərit] *nf* daisy.

mari [mari] *nm* husband.

mariage [marjaʒ] *nm (noce)* wedding; *(institution)* marriage.

marié, -e [marje] *adj* married ◆

nm, f bridegroom *(f* bride); **jeunes ~s** newlyweds.

marier [marje] : **se marier** *vp* to get married; **se ~ avec qqn** to marry sb.

marin, -e [marɛ̃, in] *adj (courant, carte)* sea ◆ *nm* sailor.

marine [marin] *adj inv & nm* navy (blue) ◆ *nf* navy.

mariner [marine] *vi* to marinate.

marinière [marinjɛr] *nf* → **moule²**.

marionnette [marjɔnɛt] *nf* puppet.

maritime [maritim] *adj (ville)* seaside.

marketing [marketiŋ] *nm* marketing.

marmelade [marməlad] *nf* stewed fruit.

marmite [marmit] *nf* (cooking) pot.

marmonner [marmɔne] *vt* to mumble.

Maroc [marɔk] *nm:* **le ~** Morocco.

marocain, -e [marɔkɛ̃, ɛn] *adj* Moroccan ☐ **Marocain, -e** *nm, f* Moroccan.

maroquinerie [marɔkinri] *nf (objets)* leather goods *(pl); (boutique)* leather shop *(Br)*, leather store *(Am)*.

marque [mark] *nf (trace)* mark; *(commerciale)* make; *(nombre de points)* score.

marqué, -e [marke] *adj (différence, tendance)* marked; *(ridé)* lined.

marquer [marke] *vt (écrire)* to note (down); *(impressionner)* to mark; *(point, but)* to score ◆ *vi* (stylo) to write.

marqueur [markœr] *nm* marker (pen).

marquis, -e [marki, iz] *nm, f* marquis (*f* marchioness).

marraine [marɛn] *nf* godmother.

marrant, -e [marɑ̃, ɑ̃t] *adj* (fam) funny.

marre [mar] *adv*: **en avoir ~ (de)** (fam) to be fed up (with).

marrer [mare] : **se marrer** *vp* (fam) (rire) to laugh; (s'amuser) to have a (good) laugh.

marron [marɔ̃] *adj inv* brown ◆ *nm* (fruit) chestnut; (couleur) brown; **~ glacé** marron glacé, crystallized chestnut.

marronnier [marɔnje] *nm* chestnut tree.

mars [mars] *nm* March, → **septembre**.

Marseille [marsɛj] *n* Marseilles.

marteau, -x [marto] *nm* hammer; **~ piqueur** pneumatic drill.

martiniquais, -e [martinike, ez] *adj* of Martinique.

Martinique [martinik] *nf*: **la ~** Martinique.

martyr, -e [martir] *adj* (enfant) battered ◆ *nm, f* martyr.

martyre [martir] *nm* (douleur, peine) agony.

martyriser [martirize] *vt* to illtreat.

mascara [maskara] *nm* mascara.

mascotte [maskɔt] *nf* mascot.

masculin, -e [maskylɛ̃, in] *adj & nm* masculine.

masque [mask] *nm* mask.

masquer [maske] *vt* (cacher à la vue) to conceal.

massacre [masakr] *nm* massacre.

massacrer [masakre] *vt* to massacre.

massage [masaʒ] *nm* massage.

masse [mas] *nf* (bloc) mass; (outil) sledgehammer; **une ~ OU des ~s de** loads of; **en ~** en masse.

masser [mase] *vt* (dos, personne) to massage; (grouper) to assemble ❑ **se masser** *vp* (se grouper) to assemble.

masseur, -euse [masœr, øz] *nm, f* masseur (*f* masseuse).

massif, -ive [masif, iv] *adj* (bois, or) solid; (lourd) massive ◆ *nm* (d'arbustes, de fleurs) clump; (montagneux) massif; **le Massif central** the Massif Central (upland region in southern central France).

massivement [masivmɑ̃] *adv* en masse.

massue [masy] *nf* club.

mastic [mastik] *nm* putty.

mastiquer [mastike] *vt* (mâcher) to chew.

mat, -e [mat] *adj* (métal, photo) matt; (peau) olive ◆ *adj inv* (aux échecs) mate.

mât [ma] *nm* mast.

match [matʃ] *nm* (pl **-s** OU **-es**) match; **faire ~ nul** to draw.

matelas [matla] *nm* mattress; **~ pneumatique** airbed.

matelassé, -e [matlase] *adj* (vêtement) padded; (tissu) quilted.

mater [mate] *vt* to put down.

matérialiser [materjalize] : **se matérialiser** *vp* to materialize.

matériaux [materjo] *nmpl* materials.

matériel, -ielle [materjɛl] *adj*

material ♦ *nm* equipment; *(INFORM)* hardware; **~ de camping** camping equipment.

maternel, -elle [matɛʀnɛl] *adj* maternal.

maternelle [matɛʀnɛl] *nf:* **(école) ~** nursery school.

maternité [matɛʀnite] *nf (hôpital)* maternity hospital.

mathématiques [matematik] *nfpl* mathematics.

maths [mat] *nfpl (fam)* maths *(Br)*, math *(Am)*.

matière [matjɛʀ] *nf (matériau)* material; *(SCOL)* subject; **~ première** raw material; **~s grasses** fats.

Matignon [matiɲɔ̃] *n:* **(l'hôtel) ~** *building in Paris where the offices of the Prime Minister are based and, by extension, the Prime Minister himself.*

matin [matɛ̃] *nm* morning; **le ~ (tous les jours)** in the morning; **deux heures du ~** two in the morning.

matinal, -e, -aux [matinal, o] *adj:* **être ~** to be an early riser.

matinée [matine] *nf* morning; *(spectacle)* matinée.

matraque [matʀak] *nf* truncheon *(Br)*, nightstick *(Am)*.

maudire [modiʀ] *vt* to curse.

maudit, -e [modi, it] *pp* → **maudire** ♦ *adj* damned.

Maurice [moʀis] *n* → **île**.

maussade [mosad] *adj (humeur)* glum; *(temps)* dismal.

mauvais, -e [movɛ, ɛz] *adj* bad; *(faux)* wrong; *(méchant)* nasty; **il fait ~** the weather's bad; **~ en bad** at.

mauve [mov] *adj* mauve.

maux → **mal**.

max. *(abr de maximum)* max.

maximum [maksimɔm] *adj* maximum; **au ~ (à la limite)** at the most.

mayonnaise [majɔnɛz] *nf* mayonnaise.

mazout [mazut] *nm* fuel oil.

me [mə] *pron (objet direct)* me; *(objet indirect)* (to) me; *(réfléchi):* **je ~ lève tôt** I get up early.

mécanicien, -ienne [mekanisjɛ̃, jɛn] *nm, f (de garage)* mechanic.

mécanique [mekanik] *adj* mechanical ♦ *nf (mécanisme)* mechanism; *(automobile)* car mechanics *(sg)*.

mécanisme [mekanism] *nm* mechanism.

méchamment [meʃamɑ̃] *adv* nastily.

méchanceté [meʃɑ̃ste] *nf* nastiness.

méchant, -e [meʃɑ̃, ɑ̃t] *adj* nasty.

mèche [meʃ] *nf (de cheveux)* lock; *(de lampe)* wick; *(de perceuse)* bit; *(d'explosif)* fuse.

méchoui [meʃwi] *nm* barbecue of a whole sheep roasted on a spit.

méconnaissable [mekɔnɛsabl] *adj* unrecognizable.

mécontent, -e [mekɔ̃tɑ̃, ɑ̃t] *adj* unhappy.

médaille [medaj] *nf (récompense)* medal; *(bijou)* medallion.

médaillon [medajɔ̃] *nm (bijou)* locket; *(CULIN)* medallion.

médecin [medsɛ̃] *nm* doctor; **mon ~ traitant** my (usual) doctor.

médecine [medsin] *nf* medicine.

médias [medja] *nmpl (mass)* media.

médiatique [medjatik] *adj:* **être**

ménage

~ to look good on TV.

médical, -e, -aux [medikal, o] *adj* medical.

médicament [medikamã] *nm* medicine.

médiéval, -e, -aux [medjeval, o] *adj* medieval.

médiocre [medjɔkr] *adj* mediocre.

médisant, -e [medizã, ãt] *adj* spiteful.

méditation [meditasjɔ̃] *nf* meditation.

méditer [medite] *vt* to think about ♦ *vi* to meditate.

Méditerranée [mediteʀane] *nf*: **la (mer) ~ the** Mediterranean (Sea).

méditerranéen, -enne [mediteʀaneɛ̃, ɛn] *adj* Mediterranean.

méduse [medyz] *nf* jellyfish.

meeting [mitiŋ] *nm* (POL) (public) meeting; (SPORT) meet.

méfiance [mefjãs] *nf* suspicion.

méfiant, -e [mefjã, ãt] *adj* mistrustful.

méfier [mefje] : **se méfier** *vp* to be careful; **se ~ de** to distrust.

mégot [mego] *nm* cigarette butt.

meilleur, -e [mejœʀ] *adj* (comparatif) better; (superlatif) best ♦ *nm*, **f** best.

mélancolie [melãkɔli] *nf* melancholy.

mélange [melãʒ] *nm* mixture.

mélanger [melãʒe] *vt* to mix; (salade) to toss; (cartes) to shuffle; (confondre) to mix up.

Melba [mɛlba] *adj inv* → **pêche**.

mêlée [mele] *nf (au rugby)* scrum.

mêler [mele] *vt (mélanger)* to mix; **~ qqn à qqch** to involve sb in sthg

☐ **se mêler** *vp*: **se ~ à** (*foule, manifestation*) to join; **se ~ de qqch** to interfere in sthg.

mélodie [melɔdi] *nf* melody.

melon [məlɔ̃] *nm* melon.

membre [mãbʀ] *nm* (*bras, jambe*) limb; (*d'un club*) member.

même [mɛm] *adj* **1.** (*identique*) same; **nous avons les ~s places qu'à l'aller** we've got the same seats as on the way out. **2.** (*sert à renforcer*): **ce sont ses paroles ~s** those are his very words.

♦ *pron*: **le/la ~ (que)** the same one (as).

♦ *adv* **1.** (*sert à renforcer*) even; **~ les sandwichs sont chers ici** even the sandwiches are expensive here; **il n'y a ~ pas de cinéma** there isn't even a cinema. **2.** (*exactement*): **c'est aujourd'hui ~** it's this very day; **ici ~** right here. **3.** (*dans des expressions*): **coucher à ~ le sol** to sleep on the floor; **être à ~ de faire qqch** to be able to do sthg; **bon appétit! - vous de ~** enjoy your meal! - you too; **faire de ~** to do the same; **de ~ que (et)** and.

mémé [meme] *nf (fam)* granny.

mémoire [memwaʀ] *nf* memory; **de ~** (*réciter, jouer*) from memory; **~ morte** read-only memory; **~ vive** random-access memory.

menace [mənas] *nf* threat.

menacer [mənase] *vt* to threaten ♦ *vi*: **la pluie menace** it looks like rain; **~ de faire qqch** to threaten to do sthg.

ménage [menaʒ] *nm* (*rangement*) housework; (*famille*) couple; **faire le ~** to do the housework.

ménager[1] [menaʒe] *vt (forces)* to conserve.

ménager[2], **-ère** [menaʒe, ɛr] *adj (produit, équipement)* household; **travaux ~s** housework *(sg)*.

ménagère [menaʒɛr] *nf (couverts)* canteen.

ménagerie [menaʒri] *nf* menagerie.

mendiant, -e [mɑ̃djɑ̃, jɑ̃t] *nm, f* beggar ♦ *nm (gâteau)* biscuit containing dried fruit and nuts.

mendier [mɑ̃dje] *vi* to beg.

mener [məne] *vt* to lead; *(emmener)* to take ♦ *vi (SPORT)* to lead.

menottes [mənɔt] *nfpl* handcuffs.

mensonge [mɑ̃sɔ̃ʒ] *nm* lie.

mensualité [mɑ̃sɥalite] *nf (versement)* monthly instalment.

mensuel, -elle [mɑ̃sɥɛl] *adj & nm* monthly.

mensurations [mɑ̃syrasjɔ̃] *nfpl* measurements.

mental, -e, -aux [mɑ̃tal, o] *adj* mental.

mentalité [mɑ̃talite] *nf* mentality.

menteur, -euse [mɑ̃tœr, øz] *nm, f* liar.

menthe [mɑ̃t] *nf* mint; **~ à l'eau** mint cordial.

mention [mɑ̃sjɔ̃] *nf (à un examen)* distinction; **"rayer les ~s inutiles"** "delete as appropriate".

mentionner [mɑ̃sjɔne] *vt* to mention.

mentir [mɑ̃tir] *vi* to lie.

menton [mɑ̃tɔ̃] *nm* chin.

menu, -e [məny] *adj (très mince)* slender ♦ *adv (hacher)* finely ♦ *nm* menu; *(à prix fixe)* set menu; **~ gas-**tronomique gourmet menu; **~ touristique** set menu.

menuisier [mənɥizje] *nm* carpenter.

mépris [mepri] *nm* contempt.

méprisant, -e [meprizɑ̃, ɑ̃t] *adj* contemptuous.

mépriser [meprize] *vt* to despise.

mer [mɛr] *nf* sea; **en ~** at sea; **la ~ du Nord** the North Sea.

mercerie [mɛrsəri] *nf (boutique)* haberdasher's shop *(Br)*, notions store *(Am)*.

merci [mɛrsi] *excl* thank you!; **~ beaucoup!** thank you very much!; **~ de ...** thank you for ...

mercredi [mɛrkrədi] *nm* Wednesday, → **samedi**.

merde [mɛrd] *excl (vulg)* shit! ♦ *nf (vulg)* shit.

mère [mɛr] *nf* mother.

merguez [mɛrgez] *nf* spicy North African sausage.

méridional, -e, -aux [meridjonal, o] *adj (du Midi)* Southern (French).

meringue [mərɛ̃g] *nf* meringue.

mérite [merit] *nm (qualité)* merit; **avoir du ~** to deserve praise.

mériter [merite] *vt* to deserve.

merlan [mɛrlɑ̃] *nm* whiting.

merle [mɛrl] *nm* blackbird.

merlu [mɛrly] *nm* hake.

merveille [mɛrvɛj] *nf* marvel; *(beignet)* ≃ doughnut.

merveilleux, -euse [mɛrvejø, øz] *adj* marvellous.

mes → **mon**.

mésaventure [mezavɑ̃tyr] *nf* misfortune.

mesdames → **madame**.

mesdemoiselles → mademoiselle.

mesquin, -e [mɛskɛ̃, in] adj
mean.

message [mesaʒ] nm message.

messager, -ère [mesaʒe, ɛr]
nm, f messenger.

messagerie [mesaʒri] nf: ~
électronique electronic mail.

messe [mɛs] nf mass.

messieurs → monsieur.

mesure [məzyr] nf measurement; (rythme) time; (décision)
measure; **sur ~** (vêtement) made-to-
measure; **dans la ~ du possible** as
far as possible; **(ne pas) être en ~
de faire qqch** (not) to be in a position to do sthg.

mesuré, -e [məzyre] adj (modéré) measured.

mesurer [məzyre] vt to measure; **il mesure 1,80 mètres** he's 6
foot tall.

met etc → mettre.

métal, -aux [metal, o] nm metal.

métallique [metalik] adj (pièce)
metal; (son) metallic.

météo [meteo] nf: (bulletin) ~
weather forecast; **~ marine** ship-
ping forecast.

météorologique [meteɔrɔlɔ-
ʒik] adj meteorological.

méthode [metɔd] nf method;
(manuel) handbook.

méthodique [metɔdik] adj methodical.

méticuleux, -euse [metikylø,
øz] adj meticulous.

métier [metje] nm occupation,
job.

métis, -isse [metis] nm, f per-

son of mixed race.

mètre [mɛtr] nm metre; (ruban)
tape measure.

métro [metro] nm (réseau) underground (Br), subway (Am); (train)
train; **~ aérien** elevated railway.

MÉTRO

The Paris "métro" was built in
1900 and consists of fifteen
lines serving the whole of the city
with trains running between 5.30
am and 1.00 am. The entrances to
"métro" stations are known as
"bouches de métro" and some of the
older ones feature ornate art nouveau wrought-iron railings and the
sign "Métropolitain".

métropole [metrɔpɔl] nf (ville)
metropolis; (pays) home country.

metteur [metœr] nm: **~ en
scène** director.

mettre [mɛtr] vt 1. (placer, poser)
to put; **~ qqch debout** to stand
sthg up.
2. (vêtement) to put on; **je ne mets
plus ma robe noire** I don't wear
my black dress any more.
3. (temps) to take; **nous avons mis
deux heures par l'autoroute** it took
us two hours on the motorway.
4. (argent) to spend; **combien
voulez-vous y ~?** how much do
you want to spend?
5. (déclencher) to switch on, to turn
on; **~ le chauffage** to put the heating on; **~ le contact** to switch on
the ignition.
6. (dans un état différent): **~ qqn en
colère** to make sb angry; **~ qqch en
marche** to start sthg (up).

7. (*écrire*) to write.
❑ **se mettre** *vp* 1. (*se placer*): **mets-toi sur cette chaise** sit on this chair; **se ~ debout** to stand up; **se ~ au lit** to get into bed; **où est-ce que ça se met?** where does it go? 2. (*dans un état différent*): **se ~ en colère** to get angry; **se ~ d'accord** to agree. 3. (*vêtement, maquillage*) to put on. 4. (*commencer*): **se ~ à faire qqch** to start doing sthg; **se ~ au travail** to set to work; **s'y ~** to get down to it.

meuble [mœbl] *nm* piece of furniture; **~s** furniture (*sg*).

meublé [mœble] *nm* furnished accommodation.

meubler [mœble] *vt* to furnish.

meugler [møgle] *vi* to moo.

meule [møl] *nf* (*de foin*) haystack.

meunière [mønjɛr] *nf* → **sole**.

meurt → **mourir**.

meurtre [mœrtr] *nm* murder.

meurtrier, -ière [mœrtrije, jɛr] *nm* *f* murderer.

meurtrière [mœrtrijɛr] *nf* arrow slit.

meurtrir [mœrtrir] *vt* to bruise.

meurtrissure [mœrtrisyr] *nf* bruise.

meute [møt] *nf* pack.

Mexique [mɛksik] *nm*: **le ~** Mexico.

mezzanine [mɛdzanin] *nf* (*dans une pièce*) mezzanine.

mi- [mi] *préf* half; **à la ~mars** in mid-March; **à ~chemin** halfway.

miauler [mjole] *vi* to miaow.

miche [miʃ] *nf* round loaf.

micro [mikro] *nm* (*amplificateur*) mike; (*micro-ordinateur*) micro.

microbe [mikrɔb] *nm* (*maladie*) bug.

micro-ondes [mikrɔ̃d] *nm* *inv*: **(four à) ~** microwave (oven).

micro-ordinateur, -s [mikrɔordinatœr] *nm* microcomputer.

microprocesseur [mikroprosesœr] *nm* microprocessor.

microscope [mikrɔskɔp] *nm* microscope.

microscopique [mikrɔskɔpik] *adj* microscopic.

midi [midi] *nm* midday, noon; **à ~** at midday, at noon; (*à l'heure du déjeuner*) at lunchtime; **le Midi** the South of France.

mie [mi] *nf* soft part (of loaf).

miel [mjɛl] *nm* honey.

mien [mjɛ̃] : **le mien** (*f* **la mienne** [lamjɛn], *mpl* **les miens** [lemjɛ̃], *fpl* **les miennes** [lemjɛn]) *pron* mine.

miette [mjɛt] *nf* crumb; **en ~s** (*en morceaux*) in tiny pieces.

mieux [mjø] *adv* better ◆ *adj* better; (*plus joli*) nicer; (*plus séduisant*) better-looking; **c'est ce qu'il fait le ~** it's what he does best; **le ~ situé des deux hôtels** the better situated of the two hotels; **aller ~** to be better; **ça vaut ~** it's better; **de ~ en ~** better and better; **c'est le ~ de tous** (*le plus beau*) it's the nicest of all; **c'est le ~** (*la meilleure chose à faire*) it's the best idea.

mignon, -onne [miɲɔ̃, ɔn] *adj* sweet.

migraine [migrɛn] *nf* migraine.

mijoter [miʒɔte] *vi* to simmer.

milieu, -x [miljø] *nm* middle; (*naturel*) environment; (*familial, social*) background; **au ~ (de)** in the middle (of).

militaire [militɛr] *adj* military ◆ *nm* soldier.

militant, -e [militɑ̃, ɑ̃t] *nm, f* militant.

milk-shake, -s [milkʃɛk] *nm* milkshake.

mille [mil] *num* a thousand; **trois ~ three thousand; ~ neuf cent quatre-vingt-seize** nineteen ninety-six, → **six**.

mille-feuille, -s [milfœj] *nm* millefeuille (Br), napoleon (Am), dessert consisting of layers of thin sheets of puff pastry and confectioner's custard.

mille-pattes [milpat] *nm inv* millipede.

milliard [miljar] *nm* thousand million (Br), billion (Am).

milliardaire [miljardɛr] *nmf* multimillionaire.

millier [milje] *nm* thousand; **des ~s de** thousands of.

millilitre [mililitr] *nm* millilitre.

millimètre [milimetr] *nm* millimetre.

million [miljɔ̃] *nm* million.

millionnaire [miljɔnɛr] *nmf* millionaire.

mime [mim] *nm (acteur)* mime artist.

mimer [mime] *vt* to mimic.

mimosa [mimɔza] *nm* mimosa.

min *(abr de minute)* min.

min. *(abr de minimum)* min.

minable [minabl] *adj (fam: logement, bar)* shabby.

mince [mɛ̃s] *adj (personne)* slim; *(tissu, tranche)* thin ◆ *excl* sugar! (Br), shoot! (Am).

mine [min] *nf (de charbon)* mine; *(de crayon)* lead; *(visage)* look; **avoir**

bonne/mauvaise ~ to look well/ill; **faire ~ de faire qqch** to pretend to do sthg.

miner [mine] *vt (terrain)* to mine; *(fig: moral)* to undermine.

minerai [minrɛ] *nm* ore.

minéral, -e, -aux [mineral, o] *adj & nm* mineral.

minéralogique [mineralɔʒik] *adj* → **plaque**.

mineur, -e [minœr] *adj (enfant)* underage; *(peu important)* minor ◆ *nm (ouvrier)* miner; *(enfant)* minor.

miniature [minjatyr] *adj & nf* miniature; **en ~** in miniature.

minibar [minibar] *nm* minibar.

minijupe [miniʒyp] *nf* miniskirt.

minimiser [minimize] *vt* to minimize.

minimum [minimɔm] *adj & nm* minimum; **au ~** at the least.

ministère [ministɛr] *nm* department.

ministre [ministr] *nm (POL)* minister (Br), secretary (Am).

Minitel® [minitɛl] *nm* French teletext network.

---

i **MINITEL**®

A French national information network, Minitel® is also the name of the computer hardware used to access this network. The services available are both informative (information on weather and road conditions, an electronic telephone directory etc) and interactive (allowing users to correspond by e-mail or, for example, to buy train or concert tickets). To access these services, the user dials a four-figure code (3614, 3615 etc) and then keys in the relevant codeword for the service they require.

minorité [minɔrite] *nf* minority.

minuit [minɥi] *nm* midnight.

minuscule [minyskyl] *adj* tiny.

minute [minyt] *nf* minute.

minuterie [minytri] *nf* time switch.

minuteur [minytœr] *nm* timer.

minutieux, -ieuse [minysjø, jøz] *adj* meticulous.

mirabelle [mirabɛl] *nf* mirabelle plum.

miracle [mirakl] *nm* miracle.

mirage [miraʒ] *nm* mirage.

miroir [mirwar] *nm* mirror.

mis, -e [mi, miz] *pp* → **mettre**.

mise [miz] *nf (enjeu)* stake; ~ **en plis** set *(of hair)*; ~ **en scène** production.

miser [mize] : **miser sur** *v + prép (au jeu)* to bet on; *(compter sur)* to count on.

misérable [mizerabl] *adj (pauvre)* poor; *(lamentable)* miserable.

misère [mizɛr] *nf (pauvreté)* poverty.

missile [misil] *nm* missile.

mission [misjɔ̃] *nf* mission.

mistral [mistral] *nm cold wind in southeast of France, blowing towards the Mediterranean.*

mitaine [mitɛn] *nf* fingerless glove.

mite [mit] *nf (clothes)* moth.

mi-temps [mitɑ̃] *nf inv (moitié d'un match)* half; *(pause)* half time; **travailler à ~** to work part-time.

mitigé, -e [mitiʒe] *adj* mixed.

mitoyen, -enne [mitwajɛ̃, jɛn]

adj (maisons) adjoining; **mur ~** party wall.

mitrailler [mitraje] *vt* to machinegun; *(fam: photographier)* to snap away at.

mitraillette [mitrajɛt] *nf* submachinegun.

mitrailleuse [mitrajøz] *nf* machinegun.

mixer [mikse] *vt* to mix.

mixe(u)r [miksœr] *nm (food)* mixer.

mixte [mikst] *adj* mixed.

MJC *abr* = **maison des jeunes et de la culture.**

ml *(abr de millilitre)* ml.

Mlle *(abr de mademoiselle)* Miss.

mm *(abr de millimètre)* mm.

Mme *(abr de madame)* Mrs.

mobile [mɔbil] *adj (pièce)* moving; *(cloison)* movable; *(visage, regard)* animated ◆ *nm (d'un crime)* motive; *(objet suspendu)* mobile.

mobilier [mɔbilje] *nm* furniture.

mobiliser [mɔbilize] *vt* to mobilize.

Mobylette® [mɔbilɛt] *nf* moped.

mocassin [mɔkasɛ̃] *nm* moccasin.

moche [mɔʃ] *adj (fam) (laid)* ugly; *(méchant)* rotten.

mode [mɔd] *nf* fashion ◆ *nm (manière)* method; *(GRAMM)* mood; **à la ~** fashionable; ~ **d'emploi** instructions *(pl)*; ~ **de vie** lifestyle.

modèle [mɔdɛl] *nm* model; *(de pull, de chaussures)* style; ~ **réduit** scale model.

modeler [mɔdle] *vt* to shape.

modélisme [mɔdelism] *nm* model-making.

modem [mɔdɛm] *nm* modem.

modération [mɔderasjɔ̃] *nf* moderation; **«à consommer avec ~»** health warning on adverts for strong drink.

modéré, -e [mɔdere] *adj* moderate.

moderne [mɔdɛrn] *adj* modern.

moderniser [mɔdɛrnize] *vt* to modernize.

modeste [mɔdɛst] *adj* modest.

modestie [mɔdɛsti] *nf* modesty.

modification [mɔdifikasjɔ̃] *nf* modification.

modifier [mɔdifje] *vt* to modify.

modulation [mɔdylasjɔ̃] *nf*: **~ de fréquence** frequency modulation.

moduler [mɔdyle] *vt* to adjust.

moelle [mwal] *nf* bone marrow; **~ épinière** spinal cord.

moelleux, -euse [mwalø, øz] *adj* soft; (*gâteau*) moist.

mœurs [mœr(s)] *nfpl* (*habitudes*) customs.

mohair [mɔɛr] *nm* mohair.

moi [mwa] *pron* (*objet direct, après prép ou comparaison*) me; (*objet indirect*) (to) me; (*pour insister*): **~ je crois que ...** I think that ...; **~ même** myself.

moindre [mwɛ̃dr] *adj* smaller; **le ~ ...** (*le moins important*) the slightest ...; (*le moins grand*) the smallest ...

moine [mwan] *nm* monk.

moineau, -x [mwano] *nm* sparrow.

moins [mwɛ̃] *adv* **1.** (*pour comparer*) less; **~ vieux (que)** younger (than); **~ vite (que)** not as fast (as).
2. (*superlatif*): **c'est la nourriture** qui coûte le **~** the food costs the least; **la ville la ~ intéressante que nous ayons visitée** the least interesting town we visited; **le ~ possible** as little as possible.
3. (*en quantité*) less; **ils ont accepté de gagner ~** they have agreed to earn less; **~ de viande** less meat; **~ de gens** fewer people; **~ de dix** fewer than ten.
4. (*dans des expressions*): **à ~ de, à ~ que**: **à ~ d'un imprévu** ... unless anything unforeseen happens ...; **à ~ de rouler** OU **que nous roulions toute la nuit** ... unless we drive all night ...; **au ~** at least; **de ~ en ~** less and less; **j'ai deux ans de ~ qu'elle** I'm two years younger than her; **de ~ en ~** less and less; **~ tu y penseras, mieux ça ira** the less you think about it the better.
♦ *prép* **1.** (*pour indiquer l'heure*): **trois heures ~ le quart** quarter to three (Br), quarter of three (Am).
2. (*pour soustraire, indiquer la température*) minus.

mois [mwa] *nm* month; **au ~ de juillet** in July.

moisi, -e [mwazi] *adj* mouldy ♦ *nm* mould; **sentir le ~** to smell musty.

moisir [mwazir] *vi* to go mouldy.

moisissure [mwazisyr] *nf* (*moisi*) mould.

moisson [mwasɔ̃] *nf* harvest.

moissonner [mwasɔne] *vt* to harvest.

moissonneuse [mwasɔnøz] *nf* harvester.

moite [mwat] *adj* clammy.

moitié [mwatje] *nf* half; **la ~ de** half (of); **à ~ plein** half-full; **à ~ prix** half-price.

moka [mɔka] *nm (gâteau)* coffee cake.

molaire [mɔlɛr] *nf* molar.

molle → **mou**.

mollet [mɔlɛ] *nm* calf.

molletonné, -e [mɔltɔne] *adj* lined.

mollusque [mɔlysk] *nm* mollusc.

môme [mom] *nmf (fam)* kid.

moment [mɔmɑ̃] *nm* moment; **c'est le ~ de …** it's time to …; **au ~ où** just as; **du ~ que** since; **en ce ~** at the moment; **par ~s** at times; **pour le ~** for the moment.

momentané, -e [mɔmɑ̃tane] *adj* temporary.

momie [mɔmi] *nf* mummy.

mon [mɔ̃] (f **ma** [ma], pl **mes** [me]) *adj* my.

Monaco [mɔnako] *n* Monaco.

monarchie [mɔnarʃi] *nf* monarchy.

monastère [mɔnastɛr] *nm* monastery.

monde [mɔ̃d] *nm* world; **il y a du ~ ou beaucoup de ~** there are a lot of people; **tout le ~** everyone, everybody.

mondial, -e, -iaux [mɔ̃djal, jo] *adj* world *(avant n)*.

moniteur, -trice [mɔnitœr, tris] *nm, f (de colonie)* leader; *(d'auto-école)* instructor ♦ *nm (écran)* monitor.

monnaie [mɔnɛ] *nf (argent)* money; *(devise)* currency; *(pièces)* change; **la ~ de 100 francs** change for 100 francs; **faire de la ~** to get some change; **rendre la ~ à qqn** to give sb change.

monologue [mɔnɔlɔg] *nm* monologue.

monopoliser [mɔnɔpɔlize] *vt* to monopolize.

monotone [mɔnɔtɔn] *adj* monotonous.

monotonie [mɔnɔtɔni] *nf* monotony.

monsieur [məsjø] (pl **messieurs** [mesjø]) *nm* gentleman; **~ X** Mr X; **bonjour ~/messieurs!** good morning (sir/gentlemen)!; **Monsieur,** *(dans une lettre)* Dear Sir,; **Monsieur!** Sir!

monstre [mɔ̃str] *nm* monster; *(personne très laide)* hideous person ♦ *adj (fam: énorme)* enormous.

monstrueux, -euse [mɔ̃stryø, øz] *adj (très laid)* hideous; *(moralement)* monstrous; *(très grand, très gros)* huge.

mont [mɔ̃] *nm* mountain; **le ~ Blanc** Mont Blanc; **le Mont-Saint-Michel** Mont-Saint-Michel.

MONT-SAINT-MICHEL

A rocky island standing off the northwest coast of France, Mont-Saint-Michel is joined to the mainland by a causeway. It is a popular tourist attraction famous for its Gothic Benedictine abbey which dominates the island, and has been designated by UNESCO as one of the most important heritage sites in the world. It has also entered into French folklore as the home of the "omelette de la mère Poulard" ("Mother Poulard's omelette") named after a 19th-century cook who lived on the island.

---

montage [mɔ̃taʒ] *nm* assembly.

montagne [mɔ̃taɲ] *nf* mountain; **à la ~** in the mountains; **~s russes** roller coaster.

montagneux, -euse [mɔ̃taɲø, øz] *adj* mountainous.

montant, -e [mɔ̃tɑ̃, ɑ̃t] *adj* *(marée)* rising; *(col)* high ◆ *nm* *(somme)* total; *(d'une fenêtre, d'une échelle)* upright.

montée [mɔ̃te] *nf* *(pente)* slope; *(ascension)* climb; *(des prix)* rise.

monter [mɔ̃te] *vi* *(aux être)* *(personne)* to go/come up; *(route, avion, grimpeur)* to climb; *(dans un train)* to get on; *(dans une voiture)* to get in; *(niveau, prix, température)* to rise ◆ *vt* *(aux avoir)* *(escalier, côte)* to climb, to go/come up; *(porter en haut)* to take/bring up; *(son, chauffage)* to turn up; *(meuble)* to assemble; *(tente)* to put up; *(société)* to set up; *(cheval)* to ride; *(CULIN)* to beat; **(la monte** *(route)* it's steep; **~ à bord (d'un avion)** to board (a plane); **~ à cheval** to ride ▢ **se monter à** *vp + prép (s'élever à)* to come to.

montre [mɔ̃tr] *nf* watch.

montrer [mɔ̃tre] *vt* to show; **~ qqch à qqn** to show sb sthg; **~ qqn/qqch du doigt** to point at sb/sthg ▢ **se montrer** *vp (apparaître)* to appear; **se ~ courageux** to be brave.

monture [mɔ̃tyr] *nf (de lunettes)* frame; *(cheval)* mount.

monument [mɔnymã] *nm* monument; **~ aux morts** war memorial.

moquer [mɔke] : **se moquer de** *vp + prép (plaisanter)* to make fun of; *(ignorer)* not to care about; **je m'en moque** I don't care.

moques [mɔk] *nfpl (Belg)* sweet cake spiced with cloves, a speciality of Ghent.

moquette [mɔkɛt] *nf* carpet.

moqueur, -euse [mɔkœr, øz] *adj* mocking.

moral, -e, -aux [mɔral, o] *adj (conduite, principes)* moral; *(psychologique)* mental ◆ *nm* morale; **avoir le ~** to be in good spirits.

morale [mɔral] *nf (valeurs)* morals *(pl)*; *(d'une histoire)* moral; **faire la ~ à qqn** to preach to sb.

moralement [mɔralmã] *adv (psychologiquement)* mentally; *(du point de vue de la morale)* morally.

morceau, -x [mɔrso] *nm* piece; **~ de sucre** lump of sugar; **en mille ~x** in a thousand pieces.

mordiller [mɔrdije] *vt* to nibble.

mordre [mɔrdr] *vt* to bite; **~ (sur) (dépasser)** to cross over.

morille [mɔrij] *nf* type of mushroom, considered a delicacy.

mors [mɔr] *nm* bit.

morse [mɔrs] *nm (animal)* walrus; *(code)* Morse code.

morsure [mɔrsyr] *nf* bite.

mort, -e [mɔr, mɔrt] *pp* → **mourir** ◆ *adj* dead ◆ *nm, f* dead person ◆ *nf* death; **être ~ de peur** to be scared to death.

mortel, -elle [mɔrtɛl] *adj (qui peut mourir)* mortal; *(qui tue)* fatal.

morue [mɔry] *nf* cod.

mosaïque [mɔzaik] *nf* mosaic.

Moscou [mɔsku] *n* Moscow.

mosquée [mɔske] *nf* mosque.

mot [mo] *nm* word; *(message)* note; **~ à ~** word for word; **~ de passe** password; **~s croisés** crossword *(sg)*; **avoir le dernier ~** to have the last word.

motard [mɔtaʀ] *nm* motorcyclist; *(gendarme, policier)* motorcycle policeman.

motel [mɔtɛl] *nm* motel.

moteur [mɔtœʀ] *nm* engine, motor.

motif [mɔtif] *nm (dessin)* pattern; *(raison)* motive.

motivation [mɔtivasjɔ̃] *nf* motivation.

motivé, -e [mɔtive] *adj* motivated.

moto [mɔto] *nf* motorbike.

motocross [mɔtɔkʀɔs] *nm* motocross.

motocycliste [mɔtɔsiklist] *nmf* motorcyclist.

motte [mɔt] *nf (de terre)* clod; *(de beurre)* pat; *(de gazon)* sod.

mou, molle [mu, mɔl] *adj* soft; *(sans énergie)* lethargic.

mouche [muʃ] *nf* fly.

moucher [muʃe]: **se moucher** *vp* to blow one's nose.

moucheron [muʃʀɔ̃] *nm* gnat.

mouchoir [muʃwaʀ] *nm* handkerchief; ~ **en papier** (paper) tissue.

moudre [mudʀ] *vt* to grind.

moue [mu] *nf* pout; **faire la ~** to pout.

mouette [mwɛt] *nf* seagull.

moufle [mufl] *nf* mitten.

mouillé, -e [muje] *adj* wet.

mouiller [muje] *vt* to wet ❏ **se mouiller** *vp* to get wet; *(fig: s'avancer)* to commit o.s.

mouillette [mujɛt] *nf* strip of bread *(for dunking)*.

moulant, -e [mulɑ̃, ɑ̃t] *adj* tight-fitting.

moule¹ [mul] *nm* mould; ~ **à gâteau** cake tin.

moule² [mul] *nf* mussel; ~**s marinière** *mussels in white wine.*

mouler [mule] *vt (statue)* to cast; *(suj: vêtement)* to fit tightly.

moulin [mulɛ̃] *nm (à farine)* mill; ~ **à café** coffee grinder; ~ **à poivre** pepper mill; ~ **à vent** windmill.

moulinet [mulinɛ] *nm (de canne à pêche)* reel.

Moulinette® [mulinɛt] *nf* liquidizer.

moulu, -e [muly] *adj* ground.

moulure [mulyʀ] *nf* moulding.

mourant, -e [muʀɑ̃, ɑ̃t] *adj* dying.

mourir [muʀiʀ] *vi* to die; *(civilisation)* to die out; *(son)* to die away; ~ **de faim** to starve to death; *(fig)* to be starving (hungry); ~ **d'envie de faire qqch** to be dying to do sthg.

moussaka [musaka] *nf* moussaka.

mousse [mus] *nf (bulles)* foam; *(plante)* moss; *(CULIN)* mousse; ~ **à raser** shaving foam; ~ **au chocolat** chocolate mousse.

mousseline [muslin] *nf (tissu)* muslin ◆ *adj inv:* **purée** OU **pommes** ~ pureed potatoes; **sauce** ~ *light hollandaise sauce made with whipped cream.*

mousser [muse] *vi (savon)* to lather; *(boisson)* to foam.

mousseux, -euse [musø, øz] *adj (chocolat)* frothy ◆ *nm:* **du (vin)** ~ sparkling wine.

moustache [mustaʃ] *nf* moustache; **des ~s** *(d'animal)* whiskers.

moustachu, -e [mustaʃy] *adj*

with a moustache.

moustiquaire [mustikɛr] *nf* mosquito net.

moustique [mustik] *nm* mosquito.

moutarde [mutard] *nf* mustard.

mouton [mutɔ̃] *nm* sheep; *(CULIN)* mutton.

mouvants [muvɑ̃] *adj mpl* → sable.

mouvement [muvmɑ̃] *nm* movement.

mouvementé, -e [muvmɑ̃te] *adj* eventful.

moyen, -enne [mwajɛ̃, jɛn] *adj* average; *(intermédiaire)* medium ◆ *nm* way; **il n'y a pas ~ de faire qqch** there's no way of doing sthg; **~ de transport** means of transport; **au ~ de qqch** by means of sthg □ **moyens** *nmpl (ressources)* means; *(capacités)* ability *(sg)*; **avoir les ~s de faire qqch** *(financièrement)* to be able to afford to do sthg; **perdre ses ~s** to go to pieces.

moyenne [mwajɛn] *nf* average; *(SCOL)* pass mark *(Br)*, passing grade *(Am)*; **en ~** on average.

muer [mɥe] *vi (animal)* to moult; *(voix)* to break.

muet, muette [mɥe, mɥɛt] *adj* dumb; *(cinéma)* silent.

muguet [myɡe] *nm* lily of the valley.

mule [myl] *nf* mule.

mulet [myle] *nm* mule.

multicolore [myltikɔlɔr] *adj* multicoloured.

multiple [myltipl] *adj & nm* multiple.

multiplication [myltiplikasjɔ̃] *nf* multiplication.

multiplier [myltiplije] *vt* to multiply; **2 multiplié par 9** 2 multiplied by 9 □ **se multiplier** *vp* to multiply.

multipropriété [myltiprɔprijete] *nf:* **appartement en ~** timeshare.

multitude [myltityd] *nf:* **une ~ de** a multitude of.

municipal, -e, -aux [mynisipal, o] *adj* municipal.

municipalité [mynisipalite] *nf (mairie)* (town) council.

munir [mynir] *vt:* **~ qqn/qqch de** to equip sb/sthg with □ **se munir de** *vp + prép* to equip o.s. with.

munitions [mynisjɔ̃] *nfpl* ammunition *(sg)*.

mur [myr] *nm* wall; **~ du son** sound barrier.

mûr, -e [myr] *adj (fruit)* ripe.

muraille [myraj] *nf* wall.

mural, -e, -aux [myral, o] *adj (carte, peinture)* wall.

mûre [myr] *nf* blackberry.

murer [myre] *vt (fenêtre)* to wall up.

mûrir [myrir] *vi (fruit)* to ripen.

murmure [myrmyr] *nm* murmur.

murmurer [myrmyre] *vi* to murmur.

muscade [myskad] *nf:* **(noix) ~** nutmeg.

muscat [myska] *nm (raisin)* muscat grape; *(vin)* sweet white liqueur wine.

muscle [myskl] *nm* muscle.

musclé, -e [myskle] *adj* muscular.

musculaire [myskylɛr] *adj* muscular.

musculation [myskylasjɔ̃] *nf* body-building (exercises).

museau, -x [myzo] *nm* muzzle; (CULIN) brawn (Br), headcheese (Am).

musée [myze] *nm* museum; (d'art) gallery.

muselière [myzəljɛr] *nf* muzzle.

musical, -e, -aux [myzikal, o] *adj* musical.

music-hall, -s [myzikol] *nm* music hall.

musicien, -ienne [myzisjɛ̃, jɛn] *nm, f* musician.

musique [myzik] *nf* music; ~ de chambre chamber music; ~ classique classical music; ~ de film film music.

musulman, -e [myzylmɑ̃, an] *adj & nm, f* Muslim.

mutation [mytasjɔ̃] *nf* (d'un employé) transfer.

mutiler [mytile] *vt* to mutilate.

mutuel, -elle [mytɥɛl] *adj* mutual.

mutuelle [mytɥɛl] *nf* mutual insurance company.

mutuellement [mytɥɛlmɑ̃] *adv* mutually.

myope [mjɔp] *adj* shortsighted.

myosotis [mjozɔtis] *nm* forget-me-not.

myrtille [mirtij] *nf* blueberry.

mystère [mistɛr] *nm* mystery; Mystère® (glace) ice cream filled with meringue and coated with almonds.

mystérieusement [misterjøzmɑ̃] *adv* mysteriously.

mystérieux, -ieuse [misterjø, jøz] *adj* mysterious.

mythe [mit] *nm* myth.

mythologie [mitɔlɔʒi] *nf* mythology.

N

n' → ne.

n° (abr de numéro) no.

N (abr de nord) N.

nacre [nakr] *nf* mother-of-pearl.

nage [naʒ] *nf* (natation) swimming; (façon de nager) stroke; en ~ dripping with sweat.

nageoire [naʒwar] *nf* fin.

nager [naʒe] *vt & vi* to swim.

nageur, -euse [naʒœr, øz] *nm, f* swimmer.

naïf, naïve [naif, naiv] *adj* naive.

nain, -e [nɛ̃, nɛn] *adj & nm, f* dwarf.

naissance [nesɑ̃s] *nf* birth.

naître [nɛtr] *vi* to be born; (sentiment) to arise; je suis né le ... à ... I was born on ... in ...

naïve → naïf.

naïveté [naivte] *nf* naivety.

nappe [nap] *nf* (linge) tablecloth; (de pétrole) layer; (de brouillard) patch.

nappé, -e [nape] *adj*: ~ de coated with.

napperon [naprɔ̃] *nm* tablemat.

narguer [narge] *vt* to scoff at.

narine [narin] *nf* nostril.

narrateur, -trice [naratœr, tris] *nm, f* narrator.

naseaux [nazo] *nmpl* nostrils.

natal, -e [natal] *adj* native.

natalité [natalite] *nf* birth rate.

natation [natasjɔ̃] *nf* swimming; faire de la ~ to swim.

natif, -ive [natif, iv] *adj*: **je suis ~ de ...** I was born in ...

nation [nasjɔ̃] *nf* nation.

national, -e, -aux [nasjɔnal, o] *adj* national.

nationale [nasjɔnal] *nf*: **(route) ~ =** A road (Br); = state highway (Am).

nationaliser [nasjɔnalize] *vt* to nationalize.

nationalité [nasjɔnalite] *nf* nationality.

native → **natif**.

natte [nat] *nf (tresse)* plait; *(tapis)* mat.

naturaliser [natyralize] *vt* to naturalize.

nature [natyr] *nf* nature ◆ *adj inv (yaourt, omelette)* plain; *(thé)* black; **~ morte** still life.

naturel, -elle [natyrɛl] *adj* natural ◆ *nm (caractère)* nature; *(simplicité)* naturalness.

naturellement [natyrɛlmɑ̃] *adv* naturally; *(bien sûr)* of course.

naturiste [natyrist] *nmf* naturist.

naufrage [nofraʒ] *nm* shipwreck; **faire ~** to be shipwrecked.

nausée [noze] *nf* nausea; **avoir la ~** to feel sick.

nautique [notik] *adj (carte)* nautical; **sports ~s** water sports.

naval, -e [naval] *adj* naval.

navarin [navarɛ̃] *nm* mutton and vegetable stew.

navet [navɛ] *nm* turnip; *(fam: mauvais film)* turkey.

navette [navɛt] *nf (véhicule)* shuttle; **faire la ~ (entre)** to go back and forth (between).

navigateur, -trice [naviga tœr, tris] *nm, f* navigator.

navigation [navigasjɔ̃] *nf* navigation; **~ de plaisance** yachting.

naviguer [navige] *vi (suj: bateau)* to sail; *(suj: marin)* to navigate.

navire [navir] *nm* ship.

navré, -e [navre] *adj* sorry.

NB *(abr de nota bene)* NB.

ne [nə] *adv* → **jamais, pas, personne, plus, que, rien**.

né, -e [ne] *pp* → **naître**.

néanmoins [neɑ̃mwɛ̃] *adv* nevertheless.

néant [neɑ̃] *nm*: **réduire qqch à ~** to reduce sthg to nothing; **«néant»** *(sur un formulaire)* "none".

nécessaire [nesesɛr] *adj* necessary ◆ *nm (ce qui est indispensable)* bare necessities *(pl)*; *(outils)* bag; **il est ~ de faire qqch** it is necessary to do sthg; **~ de toilette** toilet bag.

nécessité [nesesite] *nf* necessity.

nécessiter [nesesite] *vt* to necessitate.

nécessiteux, -euse [nesesitø, øz] *nm, f* needy person.

nectarine [nɛktarin] *nf* nectarine.

néerlandais, -e [neɛrlɑ̃dɛ, ɛz] *adj* Dutch ◆ *nm (langue)* Dutch ❑ **Néerlandais, -e** *nm, f* Dutchman *(f* Dutchwoman*)*.

nef [nɛf] *nf* nave.

néfaste [nefast] *adj* harmful.

négatif, -ive [negatif, iv] *adj & nm* negative.

négation [negasjɔ̃] *nf (GRAMM)* negative.

négligeable [negliʒabl] *adj (quantité)* negligible; *(détail)* trivial.

négligent, -e [negliʒɑ̃, ɑ̃t] *adj* negligent.

négliger [neɡliʒe] *vt* to neglect.

négociant [neɡɔsjɑ̃] *nm*: **~ en vins** wine merchant.

négociations [neɡɔsjasjɔ̃] *nfpl* negotiations.

négocier [neɡɔsje] *vt & vi* to negotiate.

neige [nɛʒ] *nf* snow.

neiger [neʒe] *v impers*: **il neige** it's snowing.

neigeux, -euse [neʒø, øz] *adj* snowy.

nénuphar [nenyfar] *nm* water lily.

néon [neɔ̃] *nm* (tube) neon light.

nerf [nɛr] *nm* nerve; **du ~!** put a bit of effort into it!; **être à bout de ~s** to be at the end of one's tether.

nerveusement [nɛrvøzmɑ̃] *adv* nervously.

nerveux, -euse [nɛrvø, øz] *adj* nervous.

nervosité [nɛrvozite] *nf* nervousness.

n'est-ce pas [nɛspa] *adv*: **tu viens, ~?** you're coming, aren't you?; **il aime le foot, ~?** he likes football, doesn't he?

net, nette [nɛt] *adj* (précis) clear; (propre) clean; (tendance, différence) marked; (prix, salaire) net ♦ *adv*: **s'arrêter ~** to stop dead; **se casser ~** to break clean off.

nettement [nɛtmɑ̃] *adv* (claire-ment) clearly; (beaucoup, très) definitely.

netteté [nɛtte] *nf* clearness.

nettoyage [netwajaʒ] *nm* cleaning; **~ à sec** dry cleaning.

nettoyer [netwaje] *vt* to clean; (tache) to remove; **faire ~ un vête-ment** (à la teinturerie) to have a gar-

ment dry-cleaned.

neuf, neuve [nœf, nœv] *adj* new ♦ *num* nine; **remettre qqch à ~** to do sth up (like new); **quoi de ~?** what's new?, → **six**.

neutre [nøtr] *adj* neutral; (GRAMM) neuter.

neuvième [nœvjɛm] *num* ninth, → **sixième**.

neveu, -x [nəvø] *nm* nephew.

nez [ne] *nm* nose; **se trouver ~ à ~ avec qqn** to find o.s. face to face with sb.

NF (abr de norme française) ≈ BS (Br), ≈ US standard (Am).

ni [ni] *conj*: **je n'aime ~ la guitare ~ le piano** I don't like either the guitar or the piano; **~ l'un ~ l'autre ne sont français** neither of them is French; **elle n'est ~ mince ~ grosse** she's neither thin nor fat.

niais, -e [njɛ, njɛz] *adj* silly.

niche [niʃ] *nf* (à chien) kennel; (dans un mur) niche.

niçoise [niswaz] *adj f* → **salade**.

nicotine [nikɔtin] *nf* nicotine.

nid [ni] *nm* nest.

nid-de-poule [nidpul] (*pl* **nids-de-poule**) *nm* pothole.

nièce [njɛs] *nf* niece.

nier [nje] *vt* to deny; **~ avoir fait qqch** to deny having done sth; **~ que** to deny that.

Nil [nil] *nm*: **le ~ the** Nile.

n'importe [nɛ̃pɔrt] → **im-porter**.

niveau, -x [nivo] *nm* level; **au ~ de** (de la même qualité que) at the level of; **arriver au ~ de** (dans l'espace) to come up to; **~ d'huile** (AUT) oil level; **~ de vie** standard of living.

noble [nɔbl] *adj* noble ♦ *nmf* nobleman (*f* noblewoman).

noblesse [nɔbles] *nf (nobles)* nobility.

noce [nɔs] *nf* wedding; **~s d'or** golden wedding (anniversary).

nocif, -ive [nɔsif, iv] *adj* noxious.

nocturne [nɔktyrn] *adj* nocturnal ♦ *nf (d'un magasin)* late-night opening.

Noël [nɔɛl] *nm* Christmas ♦ *nf*: **la ~ (jour)** Christmas Day; *(période)* Christmastime.

Christmas in France begins on Christmas Eve with a family supper, traditionally turkey with chestnuts followed by a Yule log. Children used to leave their shoes by the fireplace for Father Christmas to fill with presents but today presents are usually placed around the Christmas tree and given and received on Christmas Eve.

nœud [nø] *nm* knot; *(ruban)* bow; **~ papillon** bow tie.

noir, -e [nwar] *adj* black; *(sombre)* dark ♦ *nm* black; *(obscurité)* darkness; **il fait ~** it's dark; **dans le ~** in the dark ▫ **Noir, -e** *nm, f* black.

noircir [nwarsir] *vt* to blacken ♦ *vi* to darken.

noisetier [nwaztje] *nm* hazel.

noisette [nwazɛt] *nf* hazelnut; *(morceau)* little bit ♦ *adj inv (yeux)* hazel.

noix [nwa] *nf* walnut; *(morceau)*

little bit; **~ de cajou** cashew (nut); **~ de coco** coconut.

nom [nɔ̃] *nm* name; *(GRAMM)* noun; **~ commun** common noun; **~ de famille** surname; **~ de jeune fille** maiden name; **~ propre** proper noun.

nomade [nɔmad] *nmf* nomad.

nombre [nɔ̃br] *nm* number; **un grand ~** de a great number of.

nombreux, -euse [nɔ̃brø, øz] *adj (famille, groupe)* large; *(personnes, objets)* many; **peu ~** *(groupe)* small; *(personnes, objets)* few.

nombril [nɔ̃bril] *nm* navel.

nommer [nɔme] *vt (appeler)* to name; *(à un poste)* to appoint ▫ **se nommer** *vp* to be called.

non [nɔ̃] *adv* no; **~?** *(exprime la surprise)* no (really)?; **je crois que ~** I don't think so; **je ne suis pas content - moi ~ plus** I'm not happy - neither am I; **je n'ai plus d'argent - moi ~ plus** I haven't got any more money - neither have I; **~ seulement ..., mais ...** not only ..., but ...

nonante [nɔnɑ̃t] *num (Belg & Helv)* ninety, → **six**.

nonchalant, -e [nɔ̃ʃalɑ̃, ɑ̃t] *adj* nonchalant.

non-fumeur, -euse [nɔ̃fymœr, øz] *nm, f* nonsmoker.

nord [nɔr] *adj inv & nm* north; **au ~** in the north; **au ~** de north of.

nord-est [nɔrest] *adj inv & nm* northeast; **au ~** in the northeast; **au ~** de northeast of.

nordique [nɔrdik] *adj* Nordic; *(Can: du nord canadien)* North Canadian.

nord-ouest [nɔrwest] *adj inv & nm* northwest; **au ~** in the north-

west; **au ~ de** northwest of.
normal, -e, -aux [nɔrmal, o] adj normal; **ce n'est pas ~** (pas juste) it's not on.
normale [nɔrmal] nf: **la ~** (la moyenne) the norm.
normalement [nɔrmalmɑ̃] adv normally.
normand, -e [nɔrmɑ̃, ɑ̃d] adj Norman.
Normandie [nɔrmɑ̃di] nf: **la ~** Normandy.
norme [nɔrm] nf standard.
Norvège [nɔrvɛʒ] nf: **la ~** Norway.
norvégien, -ienne [nɔrveʒjɛ̃, jɛn] adj Norwegian ♦ nm (langue) Norwegian □ **Norvégien, -ienne** nm, f Norwegian.
nos → notre.
nostalgie [nɔstalʒi] nf nostalgia; **avoir la ~ de** to feel nostalgic about.
notable [nɔtabl] adj & nm notable.
notaire [nɔtɛr] nm lawyer.
notamment [nɔtamɑ̃] adv in particular.
note [nɔt] nf note; (SCOL) mark; (facture) bill (Br), check (Am); **prendre des ~s** to take notes.
noter [nɔte] vt (écrire) to note (down); (élève, devoir) to mark (Br), to grade (Am); (remarquer) to note.
notice [nɔtis] nf (mode d'emploi) instructions (pl).
notion [nɔsjɔ̃] nf notion; **avoir des ~s de** to have a basic knowledge of.
notoriété [nɔtɔrjete] nf fame.
notre [nɔtr] (pl **nos** [no]) adj our.
nôtre [notr] : **le nôtre** (f **la**

nôtre, pl **les nôtres**) pron ours.
nouer [nwe] vt (lacet, cravate) to tie; (cheveux) to tie back.
nougat [nuga] nm nougat.
nougatine [nugatin] nf hard sweet mixture of caramel and chopped almonds.
nouilles [nuj] nfpl pasta (sg).
nourrice [nuris] nf childminder.
nourrir [nurir] vt to feed □ **se nourrir** vp to eat; **se ~ de** to eat.
nourrissant, -e [nurisɑ̃, ɑ̃t] adj nutritious.
nourrisson [nurisɔ̃] nm baby.
nourriture [nurityr] nf food.
nous [nu] pron (sujet) we; (complément d'objet direct) us; (complément d'objet indirect) (to) us; (réciproque) each other; (réfléchi): **nous ~ sommes habillés** we got dressed; **~-mêmes** ourselves.
nouveau, nouvel [nuvo, nuvɛl] (f **nouvelle** [nuvɛl], mpl **nouveaux** [nuvo]) adj new ♦ nm (dans une classe, un club) new boy (f new girl); **rien de ~** nothing new; **le nouvel an** New Year; **à** OU **de ~** again.
nouveau-né, -e, -s [nuvone] nm, f newborn baby.
nouveauté [nuvote] nf (COMM) new product.
nouvel → nouveau.
nouvelle [nuvɛl] nf (information) (piece of) news; (roman) short story; **les ~s** (à la radio, à la télé) the news (sg); **avoir des ~s de qqn** to hear from sb.
Nouvelle-Calédonie [nuvɛlkaledɔni] nf: **la ~** New Caledonia.
novembre [nɔvɑ̃br] nm Novem-

ber, → **septembre**.

noyade [nwajad] *nf* drowning.

noyau, -x [nwajo] *nm* stone; *(petit groupe)* small group.

noyé, -e [nwaje] *nm, f* drowned person.

noyer [nwaje] *nm* walnut tree ◆ *vt* to drown ❑ **se noyer** *vp* to drown.

nu, -e [ny] *adj (personne)* naked; *(jambes, pièce, arbre)* bare; **pieds ~s** barefoot; **tout ~** stark naked; **visible à l'œil ~** visible to the naked eye; **~-tête** bare-headed.

nuage [nyaʒ] *nm* cloud.

nuageux, -euse [nyaʒø, øz] *adj* cloudy.

nuance [nyɑ̃s] *nf (teinte)* shade; *(différence)* nuance.

nucléaire [nykleɛr] *adj* nuclear.

nudiste [nydist] *nmf* nudist.

nui [nɥi] *pp* → **nuire**.

nuire [nɥir] : **nuire à** *v + prép* to harm.

nuisible [nɥizibl] *adj* harmful; **~ à** harmful to.

nuit [nɥi] *nf* night; **cette ~** *(dernière)* last night; *(prochaine)* tonight; **la ~** *(tous les jours)* at night; **bonne ~!** good night!; **il fait ~** it's dark; **une ~ blanche** a sleepless night; **de ~** *adj (travail, poste)* night ◆ *adv* at night.

nul, nulle [nyl] *adj (mauvais, idiot)* hopeless; **être ~ en qqch** to be hopeless at sthg; **nulle part** nowhere.

numérique [nymerik] *adj* digital.

numéro [nymero] *nm* number; *(d'une revue)* issue; *(spectacle)* act; **~ de compte** account number; **~**

d'immatriculation registration number; **~ de téléphone** telephone number; **~ vert** ≃ freefone number *(Br)*, ≃ 800 number *(Am)*.

numéroter [nymerɔte] *vt* to number; **place numérotée** *(au spectacle)* numbered seat.

nu-pieds [nypje] *nm inv* sandal.

nuque [nyk] *nf* nape.

Nylon® [nilɔ̃] *nm* nylon.

O *(abr de ouest)* W.

oasis [ɔazis] *nf* oasis.

obéir [ɔbeir] *vi* to obey; **~ à** to obey.

obéissant, -e [ɔbeisɑ̃, ɑ̃t] *adj* obedient.

obèse [ɔbɛz] *adj* obese.

objectif, -ive [ɔbʒɛktif, iv] *adj* objective ◆ *nm (but)* objective; *(d'appareil photo)* lens.

objection [ɔbʒɛksjɔ̃] *nf* objection.

objet [ɔbʒɛ] *nm* object; *(sujet)* subject; **(bureau des) ~s trouvés** lost property (office) *(Br)*, lost-and-found office *(Am)*; **~s de valeur** valuables.

obligation [ɔbligasjɔ̃] *nf* obligation.

obligatoire [ɔbligatwar] *adj* compulsory.

obligé, -e [ɔbliʒe] *adj (fam: inévitable)*: **c'est ~** that's for sure;

être ~ de faire qqch to be obliged to do sthg.

obliger [ɔbliʒe] vt: **~ qqn à faire qqch** to force sb to do sthg.

oblique [ɔblik] adj oblique.

oblitérer [ɔblitere] vt (ticket) to punch.

obscène [ɔpsɛn] adj obscene.

obscur, -e [ɔpskyr] adj dark; (incompréhensible, peu connu) obscure.

obscurcir [ɔpskyrsir] : **s'obscurcir** vp to grow dark.

obscurité [ɔpskyrite] nf darkness.

obséder [ɔpsede] vt to obsess.

obsèques [ɔpsɛk] nfpl (sout) funeral (sg).

observateur, -trice [ɔpservatœr, tris] adj observant.

observation [ɔpservasjɔ̃] nf remark; (d'un phénomène) observation.

observatoire [ɔpservatwar] nm observatory.

observer [ɔpserve] vt to observe.

obsession [ɔpsesjɔ̃] nf obsession.

obstacle [ɔpstakl] nm obstacle; (en équitation) fence.

obstiné, -e [ɔpstine] adj obstinate.

obstiner [ɔpstine] : **s'obstiner** vp to insist; **s'~ à faire qqch** to persist (stubbornly) in doing sthg.

obstruer [ɔpstrye] vt to block.

obtenir [ɔptənir] vt (récompense, faveur) to get, to obtain; (résultat) to reach.

obtenu, -e [ɔptəny] pp → obtenir.

obturateur [ɔptyratœr] nm (d'appareil photo) shutter.

obus [ɔby] nm shell.

OC (abr de ondes courtes) SW.

occasion [ɔkazjɔ̃] nf (chance) chance; (bonne affaire) bargain; **avoir l'~ de faire qqch** to have the chance to do sthg; **à l'~** on the occasion of; **d'~** second-hand.

occasionnel, -elle [ɔkazjɔnɛl] adj occasional.

occasionner [ɔkazjɔne] vt (sout) to cause.

Occident [ɔksidɑ̃] nm: **l'~** (POL) the West.

occidental, -e, -aux [ɔksidɑ̃tal, o] adj (partie, région) western; (POL) Western.

occupation [ɔkypasjɔ̃] nf occupation.

occupé, -e [ɔkype] adj busy; (place) taken; (toilettes) engaged; (ligne de téléphone) engaged (Br), busy (Am); **ça sonne ~** the line's engaged (Br), the line's busy (Am).

occuper [ɔkype] vt to occupy; (poste, fonctions) to hold; **ça l'occupe** it keeps him busy ❑ **s'occuper** vp (se distraire) to occupy o.s.; **s'~ de** to take care of.

occurrence [ɔkyrɑ̃s] : **en l'occurrence** adv in this case.

océan [ɔseɑ̃] nm ocean.

Océanie [ɔseani] nf: **l'~** Oceania.

ocre [ɔkr] adj inv ochre.

octane [ɔktan] nm: **indice d'~** octane rating.

octante [ɔktɑ̃t] num (Belg & Helv) eighty, → six.

octet [ɔktɛ] nm byte.

octobre [ɔktɔbr] nm October, → septembre.

oculiste [ɔkylist] *nmf* ophthal-mologist.

odeur [ɔdœr] *nf* smell.

odieux, -ieuse [ɔdjø, jøz] *adj* hateful.

odorat [ɔdɔra] *nm* (sense of) smell.

œil [œj] (*pl* **yeux** [jø]) *nm* eye; à l'~ (*fam*) for nothing; **avoir qqn** à l'~ (*fam*) to have one's eye on sb; **mon ~!** (*fam*) my foot!

œillet [œjε] *nm* carnation; (*de chaussure*) eyelet.

œsophage [ezɔfaʒ] *nm* oesophagus.

œuf [œf, *pl* ø] *nm* egg; ~ à la coque boiled egg; ~ dur hard-boiled egg; ~ de Pâques Easter egg; ~ poché poached egg; ~ sur le plat fried egg; ~s brouillés scrambled eggs; ~s à la neige *cold dessert of beaten egg whites served on custard*.

œuvre [œvr] *nf* work; **mettre qqch en** ~ to make use of sthg; d'~ d'art work of art.

offense [ɔfɑ̃s] *nf* insult.

offenser [ɔfɑ̃se] *vt* to offend.

offert, -e [ɔfεr, εrt] *pp* → **offrir**.

office [ɔfis] *nm* (*organisme*) office; (*messe*) service; **faire** ~ **de** to act as; ~ **de tourisme** tourist office; **d'**~ automatically.

officiel, -ielle [ɔfisjεl] *adj* official.

officiellement [ɔfisjεlmɑ̃] *adv* officially.

officier [ɔfisje] *nm* officer.

offre [ɔfr] *nf* offer; «~ **spéciale**» "special offer"; ~**s d'emploi** situations vacant.

offrir [ɔfrir] *vt*: ~ **qqch à qqn** (*mettre à sa disposition*) to offer sthg

to sb; (*en cadeau*) to give sthg to sb; ~ **à qqn de faire qqch** to offer to do sthg (for sb) □ **s'offrir** *vp* (*cadeau, vacances*) to treat o.s. to.

oie [wa] *nf* goose.

oignon [ɔɲɔ̃] *nm* onion; (*de fleur*) bulb; **petits** ~s pickling onions.

oiseau, -x [wazo] *nm* bird.

OK [oke] *excl* OK!

olive [ɔliv] *nf* olive; ~ **noire** black olive; ~ **verte** green olive.

olivier [ɔlivje] *nm* olive tree.

olympique [ɔlɛ̃pik] *adj* Olympic.

omble-chevalier [ɔblʃəvalje] *nm fish found especially in Lake Geneva, with a light texture and flavour*.

ombragé, -e [ɔ̃braʒe] *adj* shady.

ombre [ɔ̃br] *nf* (*forme*) shadow; (*obscurité*) shade; **à l'~ (de)** in the shade (of); ~**s chinoises** shadow theatre; ~ **à paupières** eye shadow.

ombrelle [ɔ̃brεl] *nf* parasol.

omelette [ɔmlεt] *nf* omelette; ~ **norvégienne** baked Alaska.

omettre [ɔmεtr] *vt* (*sout*) to omit; ~ **de faire qqch** to omit to do sthg.

omis, -e [ɔmi, iz] *pp* → **omettre**.

omission [ɔmisjɔ̃] *nf* omission.

omnibus [ɔmnibys] *nm* (**train**) — slow train (*Br*), local train (*Am*).

omoplate [ɔmɔplat] *nf* shoulder blade.

on [ɔ̃] *pron* (*quelqu'un*) somebody; (*les gens*) people; (*fam*: *nous*) we; **n'a pas le droit de fumer ici** you're not allowed to smoke here.

oncle [5kl] *nm* uncle.

onctueux, -euse [5ktyø, øz] *adj* creamy.

onde [5d] *nf* (TECH) wave; **grandes ~s** long wave (sg); **~s courtes/moyennes** short/medium wave (sg).

ondulé, -e [5dyle] *adj* (cheveux) wavy.

onéreux, -euse [5nerø, øz] *adj* (sout) costly.

ongle [5gl] *nm* nail.

ont → avoir.

ONU [5ny] *nf* (abr de Organisation des Nations unies) UN.

onze [5z] *num* eleven, → six.

onzième [5zjɛm] *num* eleventh, → sixième.

opaque [5pak] *adj* opaque.

opéra [5pera] *nm* opera.

opérateur, -trice [5peratœr, tris] *nm, f* (au téléphone) operator.

opération [5perasj5] *nf* (MATH) calculation; (chirurgicale) operation; (financière, commerciale) deal.

opérer [5pere] *vt* (malade) to operate on ♦ *vi* (médicament) to take effect; **se faire ~** to have an operation; **se faire ~ du cœur** to have heart surgery.

opérette [5peret] *nf* operetta.

ophtalmologiste [5ftalm5l5ʒist] *nmf* ophthalmologist.

opinion [5pinj5] *nf* opinion; **l'~ (publique)** public opinion.

opportun, -e [5p5rtœ̃, yn] *adj* opportune.

opportuniste [5p5rtynist] *adj* opportunist.

opposé, -e [5poze] *adj & nm* opposite; **~ à** (inverse) opposite; (hostile à) opposed to; **à l'~ de** (du

côté opposé à) opposite; (contrairement à) unlike.

opposer [5poze] *vt* (argument) to put forward; (résistance) to put up; (personnes, équipes) to pit against each other ❑ **s'opposer** *vp* (s'affronter) to clash; **s'~ à** to oppose.

opposition [5pozisj5] *nf* (différence) contrast; (désapprobation) opposition; (POL) Opposition; **faire ~ (à un chèque)** to stop a cheque.

oppresser [5prese] *vt* to oppress.

oppression [5presj5] *nf* oppression.

opprimer [5prime] *vt* to oppress.

opticien, -ienne [5ptisjɛ̃, jɛn] *nm, f* optician.

optimisme [5ptimism] *nm* optimism.

optimiste [5ptimist] *adj* optimistic ♦ *nmf* optimist.

option [5psj5] *nf* (SCOL) option; (accessoire) optional extra.

optionnel, -elle [5psj5nɛl] *adj* optional.

optique [5ptik] *adj* (nerf) optic ♦ *nf* (point de vue) point of view.

or [5r] *conj* but, now ♦ *nm* gold; **en ~** gold.

orage [5raʒ] *nm* storm.

orageux, -euse [5raʒø, øz] *adj* stormy.

oral, -e, -aux [5ral, o] *adj & nm* oral; **«voie ~e»** "to be taken orally".

orange [5rãʒ] *adj inv, nm & nf* orange.

orangeade [5rãʒad] *nf* orange squash.

oranger [5rãʒe] *nm* → fleur.

Orangina® [ɔrɑ̃ʒina] nm Orangina®.

orbite [ɔrbit] nf (de planète) orbit; (de l'œil) (eye) socket.

orchestre [ɔrkɛstr] nm orchestra; (au théâtre) stalls (pl) (Br), orchestra (Am).

orchidée [ɔrkide] nf orchid.

ordinaire [ɔrdinɛr] adj (normal) normal; (banal) ordinary ♦ nm (essence) = two-star petrol (Br), = regular (Am); **sortir de l'~** to be out of the ordinary; **d'~** usually.

ordinateur [ɔrdinatœr] nm computer.

ordonnance [ɔrdɔnɑ̃s] nf (médicale) prescription.

ordonné, -e [ɔrdɔne] adj tidy.

ordonner [ɔrdɔne] vt (commander) to order; (ranger) to put in order; **~ à qqn de faire qqch** to order sb to do sthg.

ordre [ɔrdr] nm order; (organisation) tidiness; **donner l'~ de faire qqch** to give the order to do sthg; **jusqu'à nouvel ~** until further notice; **en ~** in order; **mettre de l'~ dans qqch** to tidy up sthg; **dans l'~** in order; **à l'~ de** (chèque) payable to.

ordures [ɔrdyr] nfpl rubbish (sg) (Br), garbage (sg) (Am).

oreille [ɔrɛj] nf ear.

oreiller [ɔreje] nm pillow.

oreillons [ɔrejɔ̃] nmpl mumps (sg).

organe [ɔrgan] nm (du corps) organ.

organisateur, -trice [ɔrganizatœr, tris] nm, f organizer.

organisation [ɔrganizasjɔ̃] nf organization.

organisé, -e [ɔrganize] adj organized.

organiser [ɔrganize] vt to organize □ **s'organiser** vp to get (o.s.) organized.

organisme [ɔrganism] nm (corps) organism; (organisation) body.

orge [ɔrʒ] nf → **sucre**.

orgue [ɔrg] nm organ; **~ de Barbarie** barrel organ.

orgueil [ɔrgœj] nm pride.

orgueilleux, -euse [ɔrgœjø, jøz] adj proud.

Orient [ɔrjɑ̃] nm: **l'~** the Orient.

oriental, -aux [ɔrjɑ̃tal, o] adj (de l'Orient) oriental; (partie, région) eastern.

orientation [ɔrjɑ̃tasjɔ̃] nf (direction) direction; (d'une maison) aspect; (SCOL: conseil) careers guidance.

orienter [ɔrjɑ̃te] vt to direct; (SCOL) to guide □ **s'orienter** vp (se repérer) to get one's bearings; **s'~ vers** (se tourner vers) to move towards; (SCOL) to take.

orifice [ɔrifis] nm orifice.

originaire [ɔriʒinɛr] adj: **être ~ de** to come from.

original, -e, -aux [ɔriʒinal, o] adj original; (excentrique) eccentric ♦ nm, f eccentric ♦ nm (peinture, écrit) original.

originalité [ɔriʒinalite] nf originality; (excentricité) eccentricity.

origine [ɔriʒin] nf origin; **être à l'~ de qqch** to be behind sthg; **à l'~** originally; **d'~** (ancien) original; **pays d'~** native country.

ORL nmf (abr de oto-rhino-laryngologiste) ENT specialist.

ornement [ɔrnəmɑ̃] nm ornament.

orner [ɔrne] vt to decorate; ~ qqch de to decorate sthg with.

ornière [ɔrnjɛr] nf rut.

orphelin, -e [ɔrfəlɛ̃, in] nm, f orphan.

orphelinat [ɔrfəlina] nm orphanage.

Orsay [ɔrsɛ] n: le musée d'~ museum in Paris specializing in 19th-century art.

orteil [ɔrtɛj] nm toe; gros ~ big toe.

orthographe [ɔrtɔgraf] nf spelling.

orthophoniste [ɔrtɔfɔnist] nmf speech therapist.

ortie [ɔrti] nf nettle.

os [ɔs, pl o] nm bone.

oscillation [ɔsilasjɔ̃] nf oscillation.

osciller [ɔsile] vi (se balancer) to sway; (varier) to vary.

osé, -e [oze] adj daring.

oseille [ozɛj] nf sorrel.

oser [oze] vt: ~ faire qqch to dare (to) do sthg.

osier [ozje] nm wicker.

osselets [ɔslɛ] nmpl (jeu) jacks.

ostensible [ɔstɑ̃sibl] adj conspicuous.

otage [ɔtaʒ] nm hostage; prendre qqn en ~ to take sb hostage.

otarie [ɔtari] nf sea lion.

ôter [ote] vt to take off; ~ qqch à qqn to take sthg away from sb; ~ qqch de qqch to take sthg off sthg; 3 ôté de 10 égale 7 3 from 10 is 7.

otite [ɔtit] nf ear infection.

oto-rhino-laryngologiste, -s [ɔtorinolarɛ̃gɔlɔʒist] nmf ear, nose and throat specialist.

ou [u] conj or; ~ **bien** or else; ~ ... ~ either ... or.

où [u] adv 1. (pour interroger) where; ~ habitez-vous? where do you live?; d'~ êtes-vous? where are you from?; par ~ faut-il passer? how do you get there? 2. (dans une interrogation indirecte) where; nous ne savons pas ~ dormir we don't know where to sleep.
♦ pron 1. (spatial) where; le village ~ j'habite the village where I live, the village I live in; le pays d'~ je viens the country I come from; la région ~ nous sommes allés the region we went to; la ville par ~ nous venons de passer the town we've just gone through. 2. (temporel): le jour ~ ... the day (that) ...; juste au moment ~ ... at the very moment (that) ...

ouate [wat] nf cotton wool.

oubli [ubli] nm oversight.

oublier [ublije] vt to forget; (laisser quelque part) to leave (behind); ~ de faire qqch to forget to do sthg.

oubliettes [ublijɛt] nfpl dungeon (sg).

ouest [wɛst] adj inv & nm west; à l'~ in the west; à l'~ de west of.

ouf [uf] excl phew!

oui [wi] adv yes; je pense que ~ I think so.

ouïe [wi] nf hearing ❑ ouïes nfpl (de poisson) gills.

ouragan [uragɑ̃] nm hurricane.

ourlet [urlɛ] nm hem.

ours [urs] nm bear; ~ en peluche teddy bear.

oursin [ursɛ̃] nm sea urchin.

outil [uti] nm tool.

P

outillage [utijaʒ] *nm* tools *(pl)*.

outre [utr] *prép* as well as; **en ~** moreover; **~ mesure** unduly.

outré, -e [utre] *adj* indignant.

outre-mer [utrəmɛr] *adv* overseas.

ouvert, -e [uvɛr, ɛrt] *pp* → **ouvrir** ♦ *adj* open; **«~ le lundi»** "open on Mondays".

ouvertement [uvɛrtəmã] *adv* openly.

ouverture [uvɛrtyr] *nf* opening; **~ d'esprit** open-mindedness.

ouvrable [uvrabl] *adj* → **jour**.

ouvrage [uvraʒ] *nm* work.

ouvre-boîtes [uvrəbwat] *nm inv* tin opener.

ouvre-bouteilles [uvrəbutɛj] *nm inv* bottle opener.

ouvreur, -euse [uvrœr, øz] *nm, f* usher (f usherette).

ouvrier, -ière [uvrije, jɛr] *adj* working-class ♦ *nm, f* worker.

ouvrir [uvrir] *vt* to open; *(robinet)* to turn on ♦ *vi* to open ❏ **s'ouvrir** *vp* to open.

ovale [ɔval] *adj* oval.

oxyder [ɔkside] **: s'oxyder** *vp* to rust.

oxygène [ɔksiʒɛn] *nm* oxygen.

oxygénée [ɔksiʒene] *adj f* → **eau**.

ozone [ozɔn] *nm* ozone.

pacifique [pasifik] *adj* peaceful; **l'océan Pacifique, le Pacifique** the Pacific (Ocean).

pack [pak] *nm (de bouteilles)* pack.

pacte [pakt] *nm* pact.

paella [paela] *nf* paella.

pagayer [pageje] *vi* to paddle.

page [paʒ] *nf* page; **~ de garde** flyleaf; **les ~s jaunes** the Yellow Pages.

paie [pɛ] = **paye**.

paiement [pɛmã] *nm* payment.

paillasson [pajasɔ̃] *nm* doormat.

paille [paj] *nf* straw.

paillette [pajɛt] *nf* sequin.

pain [pɛ̃] *nm* bread; **un ~ a** loaf (of bread); **~ au chocolat** sweet flaky pastry with chocolate filling; **~ complet** wholemeal bread (Br), wholewheat bread (Am); **~ doré** (Can) French toast; **~ d'épice** gingerbread; **~ de mie** sandwich bread; **~ perdu** French toast; **~ aux raisins** sweet pastry containing raisins, rolled into a spiral shape.

 PAIN

Bread is an essential element of every French meal. The basic French loaf is a long stick known as a "baguette" but there are also other types: a "ficelle" (long and thin), a "bâtard" (short), and a "pain de 400 g" (long and fat). The traditional British sliced loaf is rarely found.

pair, -e [pɛr] *adj (MATH)* even ◆ *nm*: **jeune fille au ~ au pair.**

paire [pɛr] *nf* pair.

paisible [pezibl] *adj (endroit)* peaceful; *(animal)* tame.

paître [pɛtr] *vi* to graze.

paix [pɛ] *nf* peace; **avoir la ~** to have peace and quiet; **laisser qqn en ~** to leave sb in peace.

Pakistan [pakistɑ̃] *nm*: **le ~** Pakistan.

pakistanais, -e [pakistanɛ, ɛz] *adj* Pakistani.

palace [palas] *nm* luxury hotel.

palais [palɛ] *nm (résidence)* palace; *(ANAT)* palate; **Palais de justice** law courts.

pâle [pal] *adj* pale.

palette [palɛt] *nf (de peintre)* palette; *(viande)* shoulder.

palier [palje] *nm* landing.

pâlir [palir] *vi* to turn pale.

palissade [palisad] *nf* fence.

palmarès [palmarɛs] *nm (de victoires)* record; *(de chansons)* pop charts *(pl)*.

palme [palm] *nf (de plongée)* flipper.

palmé, -e [palme] *adj (pattes)* webbed.

palmier [palmje] *nm (arbre)* palm tree; *(gâteau)* large, heart-shaped, hard dry biscuit.

palourde [palurd] *nf* clam.

palper [palpe] *vt* to feel.

palpitant, -e [palpitɑ̃, ɑ̃t] *adj* thrilling.

palpiter [palpite] *vi* to pound.

pamplemousse [pɑ̃pləmus] *nm* grapefruit.

pan [pɑ̃] *nm (de chemise)* shirt tail; **~ de mur** wall.

panaché [panaʃe] *nm*: **(demi) ~** shandy.

panaris [panari] *nm* finger infection.

pan-bagnat [pɑ̃baɲa] *(pl* **pans-bagnats)** *nm* roll filled with lettuce, tomatoes, anchovies and olives.

pancarte [pɑ̃kart] *nf (de manifestation)* placard; *(de signalisation)* sign.

pané, -e [pane] *adj* in breadcrumbs, breaded.

panier [panje] *nm* basket; **~ à provisions** shopping basket.

panier-repas [panjerapa] *(pl* **paniers-repas)** *nm* packed lunch.

panique [panik] *nf* panic.

paniquer [panike] *vt & vi* to panic.

panne [pan] *nf* breakdown; **être en ~** to have broken down; **tomber en ~** to break down; **~ d'électricité** OU **de courant** power failure; **tomber en ~ d'essence** OU **sèche** to run out of petrol; **«en ~»** "out of order".

panneau, -x [pano] *nm (d'indication)* sign; *(de bois, de verre)* panel; **~ d'affichage** notice board *(Br)*, bulletin board *(Am)*; **~ de signalisation** road sign.

panoplie [panɔpli] *nf (déguisement)* outfit.

panorama [panɔrama] *nm* panorama.

pansement [pɑ̃smɑ̃] *nm* bandage; **~ adhésif** (sticking) plaster *(Br)*, Band-Aid® *(Am)*.

pantalon [pɑ̃talɔ̃] *nm* trousers *(pl) (Br)*, pants *(pl) (Am)*, pair of trousers *(Br)*, pair of pants *(Am)*.

panthère [pɑ̃tɛr] *nf* panther.

pantin [pɑ̃tɛ̃] *nm* puppet.

pantoufle [pɑ̃tufl] *nf* slipper.

PAO *nf* DTP.

paon [pɑ̃] *nm* peacock.

papa [papa] *nm* dad.

pape [pap] *nm* pope.

papet [pape] *nm* : ~ **vaudois** stew of leeks and potatoes plus sausage made from cabbage and pig's liver, a speciality of the canton of Vaud in Switzerland.

papeterie [papetri] *nf (magasin)* stationer's; *(usine)* paper mill.

papi [papi] *nm (fam)* grandad.

papier [papje] *nm* paper; *(feuille)* piece of paper; ~ **aluminium** aluminium foil; ~ **cadeau** gift wrap; ~ **d'emballage** wrapping paper; ~ **à en-tête** headed paper; ~ **hygiénique** OU **toilette** toilet paper; ~ **à lettres** writing paper; ~ **peint** wallpaper; ~ **de verre** sandpaper; ~**s (d'identité)** (identity) papers.

papillon [papijɔ̃] *nm* butterfly; *(brasse)* ~ butterfly (stroke).

papillote [papijɔt] *nf*: **en** ~ *(CULIN)* baked in foil or greaseproof paper.

papoter [papɔte] *vi* to chatter.

paquebot [pakbo] *nm* liner.

pâquerette [pakrɛt] *nf* daisy.

Pâques [pak] *nm* Easter.

paquet [pake] *nm (colis)* parcel, package; *(de cigarettes, de chewing-gum)* packet; *(de cartes)* pack; **je vous fais un ~-cadeau?** shall I gift-wrap it for you?

par [par] *prép* **1.** *(à travers)* through; **passer** ~ to go through; **regarder** ~ **la fenêtre** to look out of the window.
2. *(indique le moyen)* by; **voyager** ~ **(le) train** to travel by train.
3. *(introduit l'agent)* by.

4. *(indique la cause)* by; ~ **accident** by accident; **faire qqch** ~ **amitié** to do sthg out of friendship.
5. *(distributif)* per, a; **deux comprimés** ~ **jour** two tablets a day; **150 F** ~ **personne** 150 francs per person; **un** ~ **un** one by one.
6. *(dans des expressions)*: ~ **endroits** in places; ~ **moments** sometimes; ~-**ci** ~-**là** here and there.

parabolique [parabɔlik] *adj* → **antenne**.

paracétamol [parasetamɔl] *nm* paracetamol.

parachute [paraʃyt] *nm* parachute.

parade [parad] *nf (défilé)* parade.

paradis [paradi] *nm* paradise.

paradoxal, -e, -aux [paradɔksal, o] *adj* paradoxical.

paradoxe [paradɔks] *nm* paradox.

parages [paraʒ] *nmpl*: **dans les** ~ in the area.

paragraphe [paragraf] *nm* paragraph.

paraître [parɛtr] *vi (sembler)* to seem; *(apparaître)* to appear; *(livre)* to be published; **il paraît que** it would appear that.

parallèle [paralɛl] *adj & nm* parallel; ~ **à** parallel to.

paralyser [paralize] *vt* to paralyse.

paralysie [paralizi] *nf* paralysis.

parapente [parapɑ̃t] *nm* paragliding.

parapet [parapɛ] *nm* parapet.

parapluie [paraplɥi] *nm* umbrella.

parasite [parazit] *nm* parasite ❑

parasites *nmpl (perturbation)* inter-

ference *(sg)*.
parasol [parasɔl] *nm* parasol.
paratonnerre [paratɔnɛr] *nm* lightning conductor.
paravent [paravɑ̃] *nm* screen.
parc [park] *nm* park; *(de bébé)* playpen; **~ d'attractions** amusement park; **~ de stationnement** car park *(Br)*, parking lot *(Am)*; **~ zoologique** zoological gardens *(pl)*.

PARCS NATIONAUX

There are six national parks in France, the best-known being la Vanoise (in the Alps), Cévennes (in the southeast) and Mercantour (in the southern Alps). There are stricter regulations on the protection of wildlife than in regional parks.

PARCS NATURELS RÉGIONAUX

There are 20 regional parks in France, including Brière (in southern Brittany), Camargue and Lubéron (in the southeast), and Morvan (to the southeast of Paris). Within these designated areas wildlife is protected and tourism is encouraged.

parce que [parsk(ə)] *conj* because.
parchemin [parʃəmɛ̃] *nm* parchment.
parcmètre [parkmɛtr] *nm* parking meter.
parcourir [parkurir] *vt (distance)* to cover; *(lieu)* to go all over; *(livre, article)* to glance through.

parcours [parkur] *nm (itinéraire)* route; **~ santé** trail in the countryside where signs encourage people to do exercises for their health.
parcouru, -e [parkury] *pp* → parcourir.
par-derrière [pardɛrjɛr] *adv (passer)* round the back; *(attaquer)* from behind ◆ *prép* round the back of.
par-dessous [pardəsu] *adv & prép* underneath.
pardessus [pardəsy] *nm* overcoat.
par-dessus [pardəsy] *adv* over (the top) ◆ *prép* over (the top of).
par-devant [pardəvɑ̃] *adv* round the front ◆ *prép* round the front of.
pardon [pardɔ̃] *nm*: demander **~** à qqn to apologize to sb; **~!** *(pour s'excuser)* (I'm) sorry!; *(pour appeler)* excuse me!

PARDON

In Brittany, the word "pardon" ("pilgrimage") has come to mean a celebration held in spring and summer in honour of the patron saint of a village or town. People come from far around, often dressed in traditional costumes, to take part in processions and in the general festivities.

pardonner [pardɔne] *vt* to forgive; **~** *(qqch)* à qqn to forgive sb (for sthg); **~** à qqn d'avoir fait qqch to forgive sb for doing sthg.
pare-brise [parbriz] *nm inv* windscreen *(Br)*, windshield *(Am)*.

pare-chocs [parʃɔk] nm inv bumper.

pareil, -eille [parɛj] adj the same ♦ adv (fam) the same (way); **un culot ~** such cheek; **~ que** the same as.

parent, -e [parɑ̃, ɑ̃t] nm, f (de la famille) relative, relation; **mes ~s** (le père et la mère) my parents.

parenthèse [parɑ̃tɛz] nf bracket; (commentaire) digression; **entre ~s** adj (mot) in brackets ♦ adv (d'ailleurs) by the way.

parer [pare] vt (éviter) to ward off.

paresse [parɛs] nf laziness.

paresseux, -euse [parɛsø, øz] adj lazy ♦ nm, f lazy person.

parfait, -e [parfɛ, ɛt] adj perfect ♦ nm (CULIN) frozen dessert made from cream with fruit.

parfaitement [parfɛtmɑ̃] adv perfectly; (en réponse) absolutely.

parfois [parfwa] adv sometimes.

parfum [parfœ̃] nm (odeur) scent; (pour femme) perfume, scent; (pour homme) aftershave; (goût) flavour.

parfumé, -e [parfyme] adj sweet-smelling; **être ~** (personne) to be wearing perfume.

parfumer [parfyme] vt to perfume; (aliment) to flavour; **parfumé au citron** (aliment) lemon-flavoured □ **se parfumer** vp to put perfume on.

parfumerie [parfymri] nf perfumery.

pari [pari] nm bet; **faire un ~** to have a bet.

parier [parje] vt to bet; **je ~ parie que ...** I bet (you) that ...; **~ sur** to bet on.

Paris [pari] n Paris.

paris-brest [paribrɛst] nm inv choux pastry ring filled with hazelnut-flavoured cream and sprinkled with almonds.

parisien, -ienne [parizjɛ̃, jɛn] adj (vie, société) Parisian; (métro, banlieue, région) Paris □ **Parisien, -ienne** nm, f Parisian.

parka [parka] nm ou nf parka.

parking [parkiŋ] nm car park (Br), parking lot (Am).

parlante [parlɑ̃t] adj f → **horloge**.

parlement [parləmɑ̃] nm parliament.

parler [parle] vi to talk, to speak ♦ vt (langue) to speak; **~ à qqn de** to talk ou speak to sb about.

Parmentier [parmɑ̃tje] n → **hachis**.

parmesan [parməzɑ̃] nm Parmesan (cheese).

parmi [parmi] prép among.

parodie [parɔdi] nf parody.

paroi [parwa] nf (mur) wall; (montagne) cliff face; (d'un objet) inside.

paroisse [parwas] nf parish.

parole [parɔl] nf word; **adresser la ~ à qqn** to speak to sb; **couper la ~ à qqn** to interrupt sb; **prendre la ~** to speak; **tenir (sa) ~** to keep one's word □ **paroles** nfpl (d'une chanson) lyrics.

parquet [parkɛ] nm (plancher) wooden floor.

parrain [parɛ̃] nm godfather.

parrainer [parene] vt to sponsor.

parsemer [parsəme] vt: **~ qqch de qqch** to scatter sthg with sthg.

part [par] nf (de gâteau) portion; (d'un héritage) share; **prendre ~ à**

take part in; **à ~** *(sauf)* apart from; **de la ~ de** from; *(remercier)* on behalf of; **c'est de la ~ de qui?** *(au téléphone)* who's calling?; **d'une ~ ..., d'autre ~** on the one hand ..., on the other hand; **autre ~** somewhere else; **nulle ~** nowhere; **quelque ~** somewhere.

partage [parta3] *nm* sharing (out).

partager [parta3e] *vt* to divide (up) ❑ **se partager** *vpr*: **se ~ qqch** to share sth out.

partenaire [partənɛr] *nmf* partner.

parterre [partɛr] *nm (fam: sol)* floor; *(de fleurs)* (flower)bed; *(au théâtre)* stalls *(pl)* (Br), orchestra (Am).

parti [parti] *nm (politique)* party; **prendre ~ pour** to decide in favour of; **tirer ~ de qqch** to make (good) use of sth; **~ pris** bias.

partial, -e, -iaux [parsjal, jo] *adj* biased.

participant, -e [partisipã, ãt] *nm, f (à un jeu, un concours)* competitor.

participation [partisipasjɔ̃] *nf* participation; *(financière)* contribution.

participer [partisipe] : **participer à** *v + prép* to take part in; *(payer pour)* to contribute to.

particularité [partikylarite] *nf* distinctive feature.

particulier, -ière [partikylje, jɛr] *adj (personnel)* private; *(spécial)* special, particular; *(peu ordinaire)* unusual; **en ~** *(surtout)* in particular.

particulièrement [partikyljermã] *adv* particularly.

partie [parti] *nf* part; *(au jeu, en sport)* game; **en ~** partly; **faire ~ de** to be part of.

partiel, -ielle [parsjɛl] *adj* partial.

partiellement [parsjɛlmã] *adv* partially.

partir [partir] *vi* to go, to leave; *(moteur)* to start; *(coup de feu)* to go off; *(tache)* to come out; **être bien/mal parti** to get off to a good/bad start; **~ de** *(chemin)* to start from; **à ~ de** from.

partisan [partizã] *nm* supporter ♦ *adj*: **être ~ de qqch** to be in favour of sth.

partition [partisjɔ̃] *nf* (MUS) score.

partout [partu] *adv* everywhere.

paru, -e [pary] *pp* → **paraître**.

parution [parysjɔ̃] *nf* publication.

parvenir [parvənir] : **parvenir à** *v + prép (but)* to achieve; *(personne, destination)* to reach; **~ à faire qqch** to manage to do sthg.

parvenu, -e [parvəny] *pp* → **parvenir**.

parvis [parvi] *nm* square *(in front of a large building)*.

pas[1] [pa] *adv* **1.** *(avec «ne»)* not; **je n'aime ~ les épinards** I don't like spinach; **elle n'est ~ encore** she's not asleep yet; **je n'ai ~ terminé** I haven't finished; **il n'y a ~ de train pour Oxford aujourd'hui** there are no trains to Oxford today; **les passagers sont priés de ne ~ fumer** passengers are requested not to smoke.

2. *(sans «ne»)* not; **tu viens ou ~?** are you coming or not?; **elle a aimé**

l'exposition, moi ~ ou ~ moi she liked the exhibition, but I didn't; **c'est un endroit ~ très agréable** it's not a very nice place; **~ du tout** not at all.

pas² [pa] *nm* step; *(allure)* pace; **à deux ~ de** very near; **~ à ~** step by step; **sur le ~ de la porte** on the doorstep.

Pas-de-Calais [padkalɛ] *nm* "département" in the north of France, containing the port of Calais.

passable [pasabl] *adj* passable.

passage [pasaʒ] *nm (de livre, de film)* passage; *(chemin)* way; **être de ~** to be passing through; **~ clouté** ou **(pour) piétons** pedestrian crossing; **~ à niveau** level crossing *(Br)*, grade crossing *(Am)*; **~ protégé** crossroads where priority is given to traffic on the main road; **~ souterrain** subway; **«premier ~»** *(d'un bus)* "first bus".

passager, -ère [pasaʒe, ɛr] *adj* passing ♦ *nm, f* passenger; **~ clandestin** stowaway.

passant, -e [pasɑ̃, ɑ̃t] *nm, f* passer-by ♦ *nm (belt)* loop.

passe [pas] *nf (SPORT)* pass.

passé, -e [pase] *adj (terminé)* past; *(précédent)* last; *(décoloré)* faded ♦ *nm* past.

passe-partout [paspartu] *nm inv (clé)* skeleton key.

passe-passe [paspas] *nm inv:* **tour de ~** conjuring trick.

passeport [paspɔr] *nm* passport.

passer [pase] *vi (aux être)* 1. *(aller, défiler)* to go by ou past; **~ par** *(lieu)* to pass through.
2. *(faire une visite rapide)* to drop in; **~ voir qqn** to drop in on sb.

3. *(facteur, autobus)* to come.
4. *(se frayer un chemin)* to get past; **laisser ~ qqn** to let sb past.
5. *(à la télé, à la radio, au cinéma)* to be on.
6. *(s'écouler)* to pass.
7. *(douleur)* to go away; *(couleur)* to fade.
8. *(à un niveau différent)* to move up; **je passe en 3e** *(SCOL)* I'm moving up into the fifth year; **~ en seconde** *(vitesse)* to change into second.
9. *(dans des expressions):* **passons!** *(pour changer de sujet)* let's move on!; **en passant** in passing.
♦ *vt (aux avoir)* 1. *(temps, vacances)* to spend; **nous avons passé l'après-midi à chercher un hôtel** we spent the afternoon looking for a hotel.
2. *(obstacle, frontière)* to cross; *(douane)* to go through.
3. *(examen)* to take; *(visite médicale, entretien)* to have.
4. *(vidéo, disque)* to play; *(au cinéma)* to show.
5. *(vitesse)* to change into.
6. *(mettre, faire passer)* to put; **~ le bras par la portière** to put one's arm out of the door; **~ l'aspirateur** to do the vacuuming.
7. *(filtrer)* to strain.
8. *(sauter)* **~ son tour** to pass.
9. *(donner, transmettre)* to pass on; **~ qqch à qqn** *(objet)* to pass sb sthg; *(maladie)* to give sb sthg; **je vous le passe** *(au téléphone)* I'll put him on.
❏ **passer pour** *v + prép* to be thought of as; **se faire ~ pour** to pass o.s. off as; **se passer** *vp* 1. *(arriver)* to happen; **qu'est-ce qui se passe?** what's going on?; **se ~ bien/mal** to go well/badly. 2. *(crème, eau)* **je vais me ~ de l'huile**

solaire sur les jambes I'm going to put suntan oil on my legs; **se passer de** *vp* + *prép* to do without.

passerelle [pasʀɛl] *nf* (*pont*) footbridge; (*d'embarquement*) gangway; (*sur un bateau*) bridge.

passe-temps [pastɑ̃] *nm inv* pastime.

passible [pasibl] *adj*: ~ **de** liable to.

passif, -ive [pasif, iv] *adj & nm* passive.

passion [pasjɔ̃] *nf* passion.

passionnant, -e [pasjɔnɑ̃, ɑ̃t] *adj* fascinating.

passionné, -e [pasjɔne] *adj* passionate; ~ **de musique** mad on music.

passionner [pasjɔne] *vt* to grip ❏ **se passionner pour** *vp* + *prép* to have a passion for.

passoire [paswaʀ] *nf* (*à thé*) strainer; (*à légumes*) colander.

pastel [pastɛl] *adj inv* pastel.

pastèque [pastɛk] *nf* watermelon.

pasteurisé, -e [pastœʀize] *adj* pasteurized.

pastille [pastij] *nf* pastille.

pastis [pastis] *nm* aniseedflavoured aperitif.

patate [patat] *nf* (*fam: pomme de terre*) spud; ~**s pilées** (Can) mashed potato.

patauger [patoʒe] *vi* to splash about.

pâte [pɑt] *nf* (*à pain*) dough; (*à tarte*) pastry; (*à gâteau*) mixture; ~ **d'amandes** almond paste; ~ **brisée** shortcrust pastry; ~ **feuilletée** puff pastry; ~ **de fruits** jelly made from

fruit paste; ~ **à modeler** Plasticine®; ~ **sablée** shortcrust pastry ❏ **pâtes** *nfpl* (*nouilles*) pasta (*sg*).

pâté [pɑte] *nm* (*charcuterie*) pâté; (*de sable*) sandpie; (*tache*) blot; ~ **chinois** (Can) shepherd's pie with a layer of sweetcorn; ~ **de maisons** block (of houses).

pâtée [pɑte] *nf* (*pour chien*) food.

paternel, -elle [patɛʀnɛl] *adj* paternal.

pâteux, -euse [pɑtø, øz] *adj* chewy.

patiemment [pasjamɑ̃] *adv* patiently.

patience [pasjɑ̃s] *nf* patience.

patient, -e [pasjɑ̃, ɑ̃t] *adj & nm*, *f* patient.

patienter [pasjɑ̃te] *vi* to wait.

patin [patɛ̃] *nm*: ~ **à glace** ice skates; ~**s à roulettes** roller skates.

patinage [patinaʒ] *nm* skating; ~ **artistique** figure skating.

patiner [patine] *vi* (*patineur*) to skate; (*voiture*) to skid; (*roue*) to spin.

patineur, -euse [patinœʀ, øz] *nm*, *f* skater.

patinoire [patinwaʀ] *nf* ice rink.

pâtisserie [pɑtisʀi] *nf* (*gâteau*) pastry; (*magasin*) = cake shop.

pâtissier, -ière [pɑtisje, jɛʀ] *nm*, *f* pastrycook.

patois [patwa] *nm* dialect.

patrie [patʀi] *nf* native country.

patrimoine [patʀimwan] *nm* (*d'une famille*) inheritance; (*d'un pays*) heritage.

patriote [patʀijɔt] *nmf* patriot.

patriotique [patʀijɔtik] *adj* patriotic.

patron, -onne [patʀɔ̃, ɔn] *nm*, *f*

boss ◆ *nm* (*modèle de vêtement*) pattern.

patrouille [patruj] *nf* patrol.

patrouiller [patruje] *vi* to patrol.

patte [pat] *nf* (*jambe*) leg; (*pied de chien, de chat*) paw; (*pied d'oiseau*) foot; (*de boutonnage*) loop; (*de cheveux*) sideburn.

pâturage [patyraʒ] *nm* pasture land.

paume [pom] *nf* palm.

paupière [popjɛr] *nf* eyelid.

paupiette [popjɛt] *nf* thin slice of meat rolled around a filling.

pause [poz] *nf* break; «*pause*» (*sur un lecteur CD, un magnétoscope*) "pause".

pause-café [pozkafe] (*pl pauses-café*) *nf* coffee break.

pauvre [povr] *adj* poor.

pauvreté [povrəte] *nf* poverty.

pavé, -e [pave] *adj* cobbled ◆ *nm* (*pierre*) paving stone; ~ **numérique** numeric keypad.

pavillon [pavijɔ̃] *nm* (*maison individuelle*) detached house.

payant, -e [pejɑ̃, ɑ̃t] *adj* (*spectacle*) with an admission charge; (*hôte*) paying.

paye [pɛj] *nf* pay.

payer [peje] *vt* to pay; (*achat*) to pay for; **bien/mal payé** well/badly paid; ~ **qqch à qqn** (*fam: offrir*) to buy sthg for sb, to treat sb to sthg; «*payez ici*» "pay here".

pays [pei] *nm* country; **les gens du** ~ (*de la région*) the local people; **de** ~ (*jambon, fromage*) local; **le** ~ **de Galles** Wales.

paysage [peizaʒ] *nm* landscape.

paysan, -anne [peizã, an] *nm, f* (small) farmer.

Pays-Bas [peiba] *nmpl*: **les** ~ the Netherlands.

PC *nm* (*abr de Parti communiste*) CP; (*ordinateur*) PC.

PCV *nm*: **appeler en** ~ to make a reverse-charge call (*Br*), to call collect (*Am*).

P-DG *nm* (*abr de président-directeur général*) = MD (*Br*), = CEO (*Am*).

péage [peaʒ] *nm* (*taxe*) toll; (*lieu*) tollbooth.

peau, -x [po] *nf* skin; ~ **de chamois** chamois leather.

pêche [pɛʃ] *nf* (*fruit*) peach; (*activité*) fishing; ~ **à la ligne** angling; ~ **en mer** sea fishing; ~ **Melba** peach Melba.

péché [peʃe] *nm* sin.

pêcher [peʃe] *vt* (*poisson*) to catch ◆ *vi* to go fishing ◆ *nm* peach tree.

pêcheur, -euse [peʃœr, øz] *nm, f* fisherman (f fisherwoman).

pédagogie [pedagɔʒi] *nf* (*qualité*) teaching ability.

pédale [pedal] *nf* pedal.

pédaler [pedale] *vi* to pedal.

pédalier [pedalje] *nm* pedals and chain wheel assembly.

Pédalo® [pedalo] *nm* pedal boat.

pédant, -e [pedɑ̃, ɑ̃t] *adj* pedantic.

pédestre [pedɛstr] *adj* → **randonnée**.

pédiatre [pedjatr] *nmf* pediatrician.

pédicure [pedikyr] *nmf* chiropodist (*Br*), podiatrist (*Am*).

pedigree [pedigre] *nm* pedigree.

peigne [pɛɲ] *nm* comb.

peigner [peɲe] *vt* to comb ◻ **se**

peignoir

peigner *vp* to comb one's hair.

peignoir [pɛɲwar] *nm* dressing gown (*Br*), robe (*Am*); **~ de bain** bathrobe.

peindre [pɛdr] *vt* to paint; **~ qqch en blanc** to paint sthg white.

peine [pɛn] *nf* (*tristesse*) sorrow; (*effort*) difficulty; (*de prison*) sentence; **avoir de la ~** to be sad; **avoir de la ~ à faire qqch** to have difficulty doing sthg; **faire de la ~ à qqn** to upset sb; **ce n'est pas la ~** it's not worth it; **ce n'est pas la ~ d'y aller** it's not worth going; **valoir la ~** to be worth it; **sous ~ de** on pain of; **~ de mort** death penalty; **à ~** hardly.

peiner [pene] *vt* to sadden ✦ *vi* to struggle.

peint, -e [pɛ̃, pɛ̃t] *pp* → **peindre**.

peintre [pɛ̃tr] *nm* painter.

peinture [pɛ̃tyr] *nf* (*matière*) paint; (*œuvre d'art*) painting; (*art*) painting.

pelage [pəlaʒ] *nm* coat.

pêle-mêle [pɛlmɛl] *adv* higgledy-piggledy.

peler [pəle] *vt & vi* to peel.

pèlerinage [pɛlrinaʒ] *nm* pilgrimage.

pelle [pɛl] *nf* shovel; (*jouet d'enfant*) spade.

pellicule [pelikyl] *nf* film □ **pellicules** *nfpl* dandruff (*U*).

pelote [pələt] *nf* (*de fil, de laine*) ball.

peloton [pələtɔ̃] *nm* (*de cyclistes*) pack.

pelotonner [pələtɔne] : **se pelotonner** *vp* to curl up.

pelouse [pəluz] *nf* lawn; **«~**

interdite» "keep off the grass".

peluche [pəlyʃ] *nf* (*jouet*) soft toy; **animal en ~** cuddly animal.

pelure [pəlyr] *nf* peel.

pénaliser [penalize] *vt* to penalize.

penalty [penalti] (*pl* **-s** OU **-ies**) *nm* penalty.

penchant [pɑ̃ʃɑ̃] *nm*: **avoir un ~ pour** to have a liking for.

pencher [pɑ̃ʃe] *vt* (*tête*) to bend; (*objet*) to tilt ✦ *vi* to lean; **~ pour** to incline towards □ **se pencher** *vp* (*s'incliner*) to lean over; (*se baisser*) to bend down; **se ~ par la fenêtre** to lean out of the window.

pendant [pɑ̃dɑ̃] *prép* during; **~ deux semaines** for two weeks; **~ que** while.

pendentif [pɑ̃dɑ̃tif] *nm* pendant.

penderie [pɑ̃dri] *nf* wardrobe (*Br*), closet (*Am*).

pendre [pɑ̃dr] *vt & vi* to hang □ **se pendre** *vp* (*se tuer*) to hang o.s.

pendule [pɑ̃dyl] *nf* clock.

pénétrer [penetre] *vi*: **~ dans** (*entrer dans*) to enter; (*s'incruster dans*) to penetrate.

pénible [penibl] *adj* (*travail*) tough; (*souvenir, sensation*) painful; (*fam: agaçant*) tiresome.

péniche [peniʃ] *nf* barge.

pénicilline [penisilin] *nf* penicillin.

péninsule [penɛ̃syl] *nf* peninsula.

pénis [penis] *nm* penis.

pense-bête, -s [pɑ̃sbɛt] *nm* reminder.

pensée [pɑ̃se] *nf* thought; (*esprit*) mind; (*fleur*) pansy.

penser [pɑ̃se] vt & vi to think; qu'est-ce que tu en penses? what do you think (of it)?; ~ faire qqch to plan to do sthg; ~ à (réfléchir à) to think about; (se souvenir de) to remember; ~ à faire qqch to think of doing sthg.

pensif, -ive [pɑ̃sif, iv] adj thoughtful.

pension [pɑ̃sjɔ̃] nf (hôtel) guest house; (allocation) pension; être en ~ (élève) to be at boarding school; ~ complète full board; ~ de famille family-run guest house.

pensionnaire [pɑ̃sjɔner] nmf (élève) boarder; (d'un hôtel) resident.

pensionnat [pɑ̃sjɔna] nm boarding school.

pente [pɑ̃t] nf slope; en ~ sloping.

Pentecôte [pɑ̃tkot] nf Whitsun.

pénurie [penyri] nf shortage.

pépé [pepe] nm (fam) grandad.

pépin [pepɛ̃] nm pip; (fam: ennui) hitch.

perçant, -e [pɛrsɑ̃, ɑ̃t] adj (cri) piercing; (vue) sharp.

percepteur [pɛrsɛptœr] nm tax collector.

perceptible [pɛrsɛptibl] adj perceptible.

percer [pɛrse] vt to pierce; (avec une perceuse) to drill a hole in; (trou, ouverture) to make ♦ vi (dent) to come through.

perceuse [pɛrsøz] nf drill.

percevoir [pɛrsəvwar] vt to perceive; (argent) to receive.

perche [pɛrʃ] nf (tige) pole.

percher [pɛrʃe] : se percher vp to perch.

perchoir [pɛrʃwar] nm perch.

perçu, -e [pɛrsy] pp → percevoir.

percussions [pɛrkysjɔ̃] nfpl percussion (sg).

percuter [pɛrkyte] vt to crash into.

perdant, -e [pɛrdɑ̃, ɑ̃t] nm, f loser.

perdre [pɛrdr] vt to lose; (temps) to waste ♦ vi to lose; ~ qqn de vue (ne plus voir) to lose sight of sb; (ne plus avoir de nouvelles) to lose touch with sb ❑ se perdre vp to get lost.

perdreau, -x [pɛrdro] nm young partridge.

perdrix [pɛrdri] nf partridge.

perdu, -e [pɛrdy] adj (village, coin) out-of-the-way.

père [pɛr] nm father; le ~ Noël Father Christmas, Santa Claus.

perfection [pɛrfɛksjɔ̃] nf perfection.

perfectionné, -e [pɛrfɛksjɔne] adj sophisticated.

perfectionnement [pɛrfɛksjɔnmɑ̃] nm improvement.

perfectionner [pɛrfɛksjɔne] vt to improve ❑ se perfectionner vp to improve.

perforer [pɛrfɔre] vt to perforate.

performance [pɛrfɔrmɑ̃s] nf performance; ~s (d'un ordinateur, d'une voiture) performance (sg).

perfusion [pɛrfyzjɔ̃] nf: être sous ~ to be on a drip.

péril [peril] nm peril; en ~ in danger.

périlleux, -euse [perijø, jøz] adj perilous.

périmé, -e [perime] adj out-of-date.

périmètre [perimetr] nm perimeter.

période [perjɔd] nf period; ~ **blanche/bleue** periods during which train fares are at a reduced price.

périodique [perjɔdik] adj periodic ♦ nm periodical.

péripéties [peripesi] nfpl events.

périphérique [periferik] adj (quartier) outlying ♦ nm (INFORM) peripheral; **le (boulevard) ~** the Paris ring road (Br), the Paris beltway (Am).

périr [perir] vi (sout) to perish.

périssable [perisabl] adj perishable.

perle [perl] nf pearl.

permanence [permanãs] nf (bureau) office; (SCOL) free period; **de ~** on duty; **en ~** permanently.

permanent, -e [permanã, ãt] adj permanent.

permanente [permanãt] nf perm.

perméable [permeabl] adj permeable.

permettre [permetr] vt to allow; **~ à qqn de faire qqch** to allow sb to do sthg □ **se permettre** vpr: **se ~ de faire qqch** to take the liberty of doing sthg; **pouvoir se ~ qqch** (financièrement) to be able to afford sthg.

permis, -e [permi, iz] pp → **permettre** ♦ nm licence; **il n'est pas ~ de fumer** smoking is not permitted; **~ de conduire** driving licence (Br), driver's license (Am); **~ de pêche** fishing permit.

permission [permisjɔ̃] nf permission; (MIL) leave; **demander la ~ de faire qqch** to ask permission to do sthg.

perpendiculaire [perpɑ̃dikyler] adj perpendicular.

perpétuel, -elle [perpetyel] adj perpetual.

perplexe [perpleks] adj perplexed.

perron [perɔ̃] nm steps (pl) (leading to building).

perroquet [perɔke] nm parrot.

perruche [peryʃ] nf budgerigar.

perruque [peryk] nf wig.

persécuter [persekyte] vt to persecute.

persécution [persekysjɔ̃] nf persecution.

persévérant, -e [perseverã, ãt] adj persistent.

persévérer [persevere] vi to persevere.

persienne [persjen] nf shutter.

persil [persi] nm parsley.

persillé, -e [persije] adj sprinkled with chopped parsley.

persistant, -e [persistã, ãt] adj persistent.

persister [persiste] vi to persist; **~ à faire qqch** to persist in doing sthg.

personnage [persɔnaʒ] nm character; (personnalité) person.

personnaliser [persɔnalize] vt to personalize; (voiture) to customize.

personnalité [persɔnalite] nf personality.

personne [persɔn] nf person ♦ pron no one, nobody; **il n'y a ~** there is no one there; **je n'ai vu ~** I didn't see anyone; **en ~** in person.

par ~ head; ~ âgée elderly person.

personnel, -elle [personɛl] *adj* personal ♦ *nm* staff.

personnellement [personɛlmã] *adv* personally.

personnifier [personifje] *vt* to personify.

perspective [pɛrspɛktiv] *nf* perspective; *(panorama)* view; *(possibilité)* prospect.

persuader [pɛrsɥade] *vt* to persuade; ~ qqn de faire qqch to persuade sb to do sthg.

persuasif, -ive [pɛrsɥazif, iv] *adj* persuasive.

perte [pɛrt] *nf* loss; *(gaspillage)* waste; ~ de temps waste of time.

pertinent, -e [pɛrtinã, ãt] *adj* relevant.

perturbation [pɛrtyrbasjɔ̃] *nf* disturbance.

perturber [pɛrtyrbe] *vt (plans, fête)* to disrupt; *(troubler)* to disturb.

pesant, -e [pəzã, ãt] *adj (gros)* heavy.

pesanteur [pəzãtœr] *nf* gravity.

pèse-personne [pɛzpɛrsɔn] *nm inv* scales *(pl)*.

peser [pəze] *vt & vi* to weigh; ~ lourd to be heavy.

pessimisme [pesimism] *nm* pessimism.

pessimiste [pesimist] *adj* pessimistic ♦ *nmf* pessimist.

peste [pɛst] *nf* plague.

pétale [petal] *nm* petal.

pétanque [petãk] *nf* = bowls *(sg)*.

pétard [petar] *nm (explosif)* firecracker.

péter [pete] *vi (fam) (se casser)* to bust; *(personne)* to fart.

pétillant, -e [petijã, ãt] *adj* sparkling.

pétiller [petije] *vi (champagne)* to fizz; *(yeux)* to sparkle.

petit, -e [p(ə)ti, it] *adj* small, little; *(en durée)* short; *(peu important)* small ♦ *nm, f (à l'école)* junior; ~s *(d'un animal)* young; ~ ami boyfriend; ~e amie girlfriend; ~ déjeuner breakfast; ~ pain (bread) roll; ~ pois (garden) pea; ~ pot (of baby food); ~ à ~ little by little.

petit-beurre [p(ə)tibœr] *(pl* petits-beurre) *nm* square dry biscuit made with butter.

petite-fille [p(ə)titfij] *(pl* petites-filles) *nf* granddaughter.

petit-fils [p(ə)tifis] *(pl* petits-fils) *nm* grandson.

petit-four [p(ə)tifur] *(pl* petits-fours) *nm* petit four, small sweet cake or savoury.

pétition [petisjɔ̃] *nf* petition.

petits-enfants [p(ə)tizãfã] *nmpl* grandchildren.

petit-suisse [p(ə)tisɥis] *(pl* petits-suisses) *nm* thick fromage frais sold in small individual portions and eaten as a dessert.

pétrole [petrɔl] *nm* oil.

pétrolier [petrɔlje] *nm* oil tanker.

peu [pø] *adv* 1. *(avec un verbe)* not much; *(avec un adjectif, un adverbe)* not very; j'ai ~ voyagé I haven't travelled much; ~ aimable not very nice; ils sont ~ nombreux there aren't many of them; ~ après soon afterwards. 2. *(avec un nom)* ~ de *(sel, temps)* not much, a little; *(gens, vêtements)* not many, few.

3. *(dans le temps)*: **avant** ~ soon; **il y a** ~ a short time ago.

4. *(dans des expressions)*: **à** ~ près about; ~ **à** ~ little by little. ◆ *nm*: **un** ~ a bit, a little; **un petit** ~ a little bit; **un** ~ **de** a little.

peuple [pœpl] *nm* people.

peupler [pœple] *vt (pays)* to populate; *(rivière)* to stock; *(habiter)* to inhabit.

peuplier [pøplije] *nm* poplar.

peur [pœr] *nf* fear; **avoir** ~ to be afraid; **avoir** ~ **de qqch** to be afraid of sthg; **avoir** ~ **de faire qqch** to be afraid of doing sthg; **faire** ~ **à qqn** to frighten sb.

peureux, -euse [pœrø, øz] *adj* timid.

peut → **pouvoir**.

peut-être [pøtɛtr] *adv* perhaps, maybe; ~ **qu'il est parti** perhaps he's left.

peux → **pouvoir**.

phalange [falɑ̃ʒ] *nf* finger bone.

pharaon [faraɔ̃] *nm* pharaoh.

phare [far] *nm (de voiture)* headlight; *(sur la côte)* lighthouse.

pharmacie [farmasi] *nf (magasin)* chemist's *(Br)*, drugstore *(Am)*; *(armoire)* medicine cabinet.

pharmacien, -ienne [farmasjɛ̃, jɛn] *nm, f* chemist *(Br)*, druggist *(Am)*.

phase [faz] *nf* phase.

phénoménal, -e, -aux [fenɔmenal, o] *adj* phenomenal.

phénomène [fenɔmɛn] *nm* phenomenon.

philatélie [filateli] *nf* stampcollecting.

philosophe [filɔzɔf] *adj* philo-

sophical. ◆ *nmf* philosopher.

philosophie [filɔzɔfi] *nf* philosophy.

phonétique [fɔnetik] *adj* phonetic.

phoque [fɔk] *nm* seal.

photo [fɔto] *nf* photo; *(art)* photography; **prendre qqn/qqch en** ~ to take a photo of sb/sthg; **prendre une** ~ **(de)** to take a photo (of).

photocopie [fɔtɔkɔpi] *nf* photocopy.

photocopier [fɔtɔkɔpje] *vt* to photocopy.

photocopieuse [fɔtɔkɔpjøz] *nf* photocopier.

photographe [fɔtɔgraf] *nmf (artiste)* photographer; *(commerçant)* camera dealer and film developer.

photographie [fɔtɔgrafi] *nf (procédé, art)* photography; *(image)* photograph.

photographier [fɔtɔgrafje] *vt* to photograph.

Photomaton® [fɔtɔmatɔ̃] *nm* photo booth.

phrase [fraz] *nf* sentence.

physionomie [fizjɔnɔmi] *nf (d'un visage)* physiognomy.

physique [fizik] *adj* physical ◆ *nf* physics *(sg)* ◆ *nm (apparence)* physique.

pianiste [pjanist] *nmf* pianist.

piano [pjano] *nm* piano.

pic [pik] *nm (montagne)* peak; **à** ~ *(descendre)* vertically; *(fig: tomber, arriver)* at just the right moment; **couler à** ~ to sink like a stone.

pichet [piʃɛ] *nm* jug.

pickpocket [pikpɔkɛt] *nm* pickpocket.

picorer [pikɔre] *vt* to peck.

piquant

picotement [pikɔtmɑ̃] nm prickling.

picoter [pikɔte] vt to sting.

pie [pi] nf magpie.

pièce [pjɛs] nf (argent) coin; (salle) room; (sur un vêtement) patch; (morceau) piece; **20 F ~** 20 francs each; **(maillot de bain) une ~** one-piece (swimming costume); **~ d'identité** identity card; **~ de monnaie** coin; **~ montée** wedding cake; **~ de rechange** spare part; **~ (de théâtre)** play.

pied [pje] nm foot; **à ~** on foot; **au ~ de** at the foot of; **avoir ~** to be able to touch the bottom; **mettre sur ~** to get off the ground.

piège [pjɛʒ] nm trap.

piéger [pjeʒe] vt to trap; (voiture, valise) to booby-trap.

pierre [pjɛr] nf stone; **~ précieuse** precious stone.

piétiner [pjetine] vt to trample ♦ vi (fouler) to mill around; (fig: enquête) to make no headway.

piéton, -onne [pjetɔ̃, ɔn] nm, f pedestrian ♦ adj = **piétonnier**.

piétonnier, -ière [pjetɔnje, jɛr] adj pedestrianized.

pieu, -x [pjø] nm post.

pieuvre [pjœvr] nf octopus.

pigeon [piʒɔ̃] nm pigeon.

pilaf [pilaf] nm → **riz**.

pile [pil] nf (tas) pile; (électrique) battery ♦ adv (arriver) at just the right moment; **jouer qqch à ~ ou face** to toss (up) for sthg; **~ ou face?** heads or tails?; **s'arrêter ~** to stop dead; **trois heures ~** three o'clock on the dot.

piler [pile] vt to crush ♦ vi (fam: freiner) to brake hard.

pilier [pilje] nm pillar.

piller [pije] vt to loot.

pilote [pilɔt] nm (d'avion) pilot; (de voiture) driver.

piloter [pilɔte] vt (avion) to fly; (voiture) to drive; (diriger) to show around.

pilotis [pilɔti] nm stilts (pl).

pilule [pilyl] nf pill; **prendre la ~** to be on the pill.

piment [pimɑ̃] nm (condiment) chilli; **~ doux** sweet pepper; **~ rouge** chilli (pepper).

pimenté, -e [pimɑ̃te] adj spicy.

pin [pɛ̃] nm pine.

pince [pɛ̃s] nf (outil) pliers (pl); (de crabe) pincer; (de pantalon) pleat; **à cheveux** hair clip; **~ à épiler** tweezers (pl); **~ à linge** clothes peg.

pinceau, -x [pɛ̃so] nm brush.

pincée [pɛ̃se] nf pinch.

pincer [pɛ̃se] vt (serrer) to pinch; (coincer) to catch.

pingouin [pɛ̃gwɛ̃] nm penguin.

ping-pong [piŋpɔ̃g] nm table tennis.

pin's [pinz] nm inv badge.

pintade [pɛ̃tad] nf guinea fowl.

pinte [pɛ̃t] nf (Helv: café) café.

pioche [pjɔʃ] nf pick.

piocher [pjɔʃe] vi (aux cartes, aux dominos) to pick up.

pion [pjɔ̃] nm (aux échecs) pawn; (aux dames) piece.

pionnier, -ière [pjɔnje, jɛr] nm, f pioneer.

pipe [pip] nf pipe.

pipi [pipi] nm (fam): **faire ~** to have a wee.

piquant, -e [pikɑ̃, ɑ̃t] adj (épicé) spicy ♦ nm (épine) thorn.

pique [pik] *nf (remarque)* spiteful remark ♦ *nm (aux cartes)* spades *(pl)*.

pique-nique, -s [piknik] *nm* picnic.

pique-niquer [piknike] *vi* to have a picnic.

piquer [pike] *vt (suj: aiguille, pointe)* to prick; *(suj: guêpe, ortie, fumée)* to sting; *(suj: moustique)* to bite; *(planter)* to stick ♦ *vi (insecte)* to sting; *(épice)* to be hot.

piquet [pike] *nm* stake.

piqueur [pikœr] *adj m* → **marteau**.

piqûre [pikyr] *nf (d'insecte)* sting; *(de moustique)* bite; *(MÉD)* injection.

piratage [pirata3] *nm (INFORM)* hacking; *(de vidéos, de cassettes)* pirating.

pirate [pirat] *nm* pirate ♦ *adj (radio, cassette)* pirate; **~ de l'air** hijacker.

pirater [pirate] *vt* to pirate.

pire [pir] *adj (comparatif)* worse; *(superlatif)* worst ♦ *nm:* **le ~ the** worst.

pirouette [pirwɛt] *nf* pirouette.

pis [pi] *nm (de vache)* udder.

piscine [pisin] *nf* swimming pool.

pissenlit [pisãli] *nm* dandelion.

pistache [pistaʃ] *nf* pistachio (nut).

piste [pist] *nf* track, trail; *(indice)* lead; *(de cirque)* (circus) ring; *(de ski)* run; *(d'athlétisme)* track; **~ (d'atterrissage)** runway; **~ cyclable** cycle track; *(sur la route)* cycle lane; **~ de danse** dance floor; **~ verte/bleue/rouge/noire** green/blue/red/black run *(in order of difficulty)*.

pistolet [pistolɛ] *nm* gun.

piston [pistõ] *nm (de moteur)* piston.

pithiviers [pitivje] *nm* puff pastry cake filled with almond cream.

pitié [pitje] *nf* pity; **avoir ~ de qqn** to feel pity for sb; **elle me fait ~** I feel sorry for her.

pitoyable [pitwajabl] *adj* pitiful.

pitre [pitr] *nm* clown; **faire le ~** to play the fool.

pittoresque [pitoresk] *adj* picturesque.

pivoter [pivote] *vi (personne)* to turn round; *(fauteuil)* to swivel.

pizza [pidza] *nf* pizza.

pizzeria [pidzerja] *nf* pizzeria.

placard [plakar] *nm* cupboard.

placarder [plakarde] *vt (affiche)* to stick up.

place [plas] *nf (endroit, dans un classement)* place; *(de parking)* space; *(siège)* seat; *(d'une ville)* square; *(espace)* room, space; *(emploi)* job; **changer qqch de ~** to move sthg; **à la ~ de** instead of; **sur ~** on the spot; **~ assise** seat; **~ debout** *(au concert)* standing ticket; **«30 ~s debout»** *(dans un bus)* "standing room for 30".

placement [plasmã] *nm (financier)* investment.

placer [plase] *vt* to place; *(argent)* to invest ❏ **se placer** *vp (se mettre debout)* to stand; *(s'asseoir)* to sit (down); *(se classer)* to come.

plafond [plafõ] *nm* ceiling.

plafonnier [plafonje] *nm* ceiling light.

plage [pla3] *nf* beach; *(de disque)* track; **~ arrière** back shelf.

plaie [plɛ] *nf* wound.

plaindre [plɛ̃dr] vt to feel sorry for ❑ **se plaindre** vp to complain; **se ~ de** to complain about.

plaine [plɛn] nf plain.

plaint, -e [plɛ̃, plɛ̃t] pp → **plaindre**.

plainte [plɛ̃t] nf (gémissement) moan; (en justice) complaint; **porter ~** to lodge a complaint.

plaintif, -ive [plɛ̃tif, iv] adj plaintive.

plaire [plɛr] vi: **elle me plaît** I like her; **le film m'a beaucoup plu** I enjoyed the film a lot; **s'il vous/te plaît** please ❑ **se plaire** vp: **tu te plais ici?** do you like it here?

plaisance [plɛzɑ̃s] nf → **navigation, port**.

plaisanter [plɛzɑ̃te] vi to joke.

plaisanterie [plɛzɑ̃tri] nf joke.

plaisir [plɛzir] nm pleasure; **votre lettre m'a fait très ~** I was delighted to receive your letter; **avec ~!** with pleasure!

plan [plɑ̃] nm plan; (carte) map; (niveau) level; **au premier/second ~** in the foreground/background; **~ d'eau** lake.

planche [plɑ̃ʃ] nf plank; **faire la ~** to float; **~ à roulettes** skateboard; **~ à voile** sailboard; **faire de la ~ à voile** to windsurf.

plancher [plɑ̃ʃe] nm floor.

planer [plane] vi to glide.

planète [planɛt] nf planet.

planeur [plancer] nm glider.

planifier [planifje] vt to plan.

planning [planiŋ] nm schedule.

plantation [plɑ̃tasjɔ̃] nf (exploitation agricole) plantation; **~s** (plantes) plants.

plante [plɑ̃t] nf plant; **~ du pied**

sole (of the foot); **~ grasse** succulent (plant); **~ verte** houseplant.

planter [plɑ̃te] vt (graines) to plant; (enfoncer) to drive in.

plaque [plak] nf sheet; (de chocolat) bar; (de beurre) pack; (sur un mur) plaque; (tache) patch; **~ chauffante** hotplate; **~ d'immatriculation** OU **minéralogique** number-plate (Br), license plate (Am).

plaqué, -e [plake] adj: **~ or/argent** gold/silver-plated.

plaquer [plake] vt (aplatir) to flatten; (au rugby) to tackle.

plaquette [plakɛt] nf (de beurre) pack; (de chocolat) bar; **~ de frein** brake pad.

plastifié, -e [plastifje] adj plastic-coated.

plastique [plastik] nm plastic; **sac en ~** plastic bag.

plat, -e [pla, plat] adj flat; (eau) still ♦ nm dish; (de menu) course; **à ~** (pneu, batterie) flat; (fam: fatigué) exhausted; **se mettre à ~ ventre** to lie face down; **~ cuisiné** ready-cooked dish; **~ du jour** dish of the day; **~ de résistance** main course.

platane [platan] nm plane tree.

plateau, -x [plato] nm (de cuisine) tray; (plaine) plateau; (de télévision, de cinéma) set; **~ à fromages** cheese board; **~ de fromages** cheese board.

plate-bande [platbɑ̃d] (pl **plates-bandes**) nf flowerbed.

plate-forme [platfɔrm] (pl **plates-formes**) nf platform.

platine [platin] nf: **~ cassette** cassette deck; **~ laser** compact disc player.

plâtre [platr] nm plaster; (MÉD) plaster cast.

plâtrer [platre] vt (MÉD) to put in plaster.

plausible [plozibl] adj plausible.

plébiscite [plebisit] nm (Helv: référendum) referendum.

plein, -e [plɛ̃, plɛn] adj full ♦ nm: faire le ~ (d'essence) to fill up; ~ de full of; (fam: beaucoup de) lots of; en ~ air in the open air; en ~ devant moi right in front of me; en ~e forme in good form; en ~e nuit in the middle of the night; en ~ milieu bang in the middle; ~s phares with full beam on (Br), with high beams on (Am).

pleurer [plœre] vi to cry.

pleureur [plœrœr] adj m → saule.

pleurnicher [plœrniʃe] vi to whine.

pleut → pleuvoir.

pleuvoir [pløvwar] vi (insultes, coups, bombes) to rain down ♦ v impers: il pleut it's raining; il pleut à verse it's pouring (down).

Plexiglas® [plɛksiglas] nm Plexiglass®.

pli [pli] nm (d'un papier, d'une carte) fold; (d'une jupe) pleat; (d'un pantalon) crease; (aux cartes) trick; (faux) ~ crease.

pliant, -e [plijɑ̃, ɑ̃t] adj folding ♦ nm folding chair.

plier [plije] vt to fold; (lit, tente) to fold up; (courber) to bend ♦ vi (se courber) to bend.

plinthe [plɛ̃t] nf (en bois) skirting board.

plissé, -e [plise] adj (jupe) pleated.

plisser [plise] vt (papier) to fold; (tissu) to pleat; (yeux) to screw up.

plomb [plɔ̃] nm (matière) lead; (fusible) fuse; (de pêche) sinker; (de chasse) shot.

plombage [plɔ̃baʒ] nm (d'une dent) filling.

plomberie [plɔ̃bri] nf plumbing.

plombier [plɔ̃bje] nm plumber.

plombières [plɔ̃bjɛr] nf tutti-frutti ice cream.

plongeant, -e [plɔ̃ʒɑ̃, ɑ̃t] adj (décolleté) plunging; (vue) from above.

plongée [plɔ̃ʒe] nf diving; ~ sous-marine scuba diving.

plongeoir [plɔ̃ʒwar] nm diving board.

plongeon [plɔ̃ʒɔ̃] nm dive.

plonger [plɔ̃ʒe] vi to dive ♦ vt to plunge ❑ se plonger dans vp + prép (activité) to immerse o.s. in.

plongeur, -euse [plɔ̃ʒœr, øz] nm, f (sous-marin) diver.

plu [ply] pp → plaire, pleuvoir.

pluie [plɥi] nf rain.

plumage [plymaʒ] nm plumage.

plume [plym] nf (pour écrire) nib.

plupart [plypar] nf: la ~ (de) most (of); la ~ du temps most of the time.

pluriel [plyrjɛl] nm plural.

plus [ply(s)] adv 1. (pour comparer) more; ~ intéressant (que) more interesting (than); ~ souvent (que) more often (than); ~ court (que) shorter (than).

2. (superlatif): c'est ce qui me plaît le ~ ici it's what I like best about this place; l'hôtel le ~ confortable où nous ayons logé the most comfortable hotel we've stayed in; le ~ souvent (d'habitude) usually; le

vite possible as quickly as possible.

3. *(davantage)* more; **je ne veux pas dépenser ~** I don't want to spend any more; **~ de** *(encore de)* more; *(au-delà de)* more than.

4. *(avec «ne»)*: **il ne vient ~ me voir** he doesn't come to see me any more, he no longer comes to see me; **je n'en veux ~, merci** I don't want any more, thank you.

5. *(dans des expressions)*: **de** OU **en ~** *(d'autre part)* what's more; **trois de** OU **en ~** three more; **il a deux ans de ~ que moi** he's two years older than me; **de ~ en ~** *(de)* more and more; **en ~ de** in addition to; **~ ou moins** more or less; **~ tu y penseras, pire ce sera** the more you think about it, the worse it will be.

♦ *prép* plus.

plusieurs [plyzjœr] *adj & pron* several.

plus-que-parfait [plyskəparfɛ] *nm* pluperfect.

plutôt [plyto] *adv* rather; **allons ~ à la plage** let's go to the beach instead; **~ que (de) faire qqch** rather than do OU doing sthg.

pluvieux, -ieuse [plyvjø, jøz] *adj* rainy.

PMU *nm* system for betting on horses; *(bar)* = betting shop.

pneu [pnø] *nm* tyre.

pneumatique [pnømatik] *adj* → canot, matelas.

pneumonie [pnømɔni] *nf* pneumonia.

PO *(abr de petites ondes)* MW.

poche [pɔʃ] *nf* pocket; **de ~** *(livre, lampe)* pocket.

poché, -e [pɔʃe] *adj*: **avoir un œil ~** to have a black eye.

pocher [pɔʃe] *vt (CULIN)* to poach.

pochette [pɔʃɛt] *nf (de rangement)* wallet; *(de disque)* sleeve; *(sac à main)* clutch bag; *(mouchoir)* (pocket) handkerchief.

podium [pɔdjɔm] *nm* podium.

poêle¹ [pwal] *nm* stove; **~ à mazout** oil-fired stove.

poêle² [pwal] *nf*: **~ (à frire)** frying pan.

poème [pɔɛm] *nm* poem.

poésie [pɔezi] *nf (art)* poetry; *(poème)* poem.

poète [pɔɛt] *nm* poet.

poétique [pɔetik] *adj* poetic.

poids [pwa] *nm* weight; **lancer le ~** *(SPORT)* to put the shot; **perdre/prendre du ~** to lose/put on weight; **~ lourd** *(camion)* heavy goods vehicle.

poignard [pwaɲar] *nm* dagger.

poignarder [pwaɲarde] *vt* to stab.

poignée [pwaɲe] *nf (de porte, de valise)* handle; *(de sable, de bonbons)* handful; **une ~ de** *(très peu de)* a handful of; **~ de main** handshake.

poignet [pwaɲe] *nm* wrist; *(de vêtement)* cuff.

poil [pwal] *nm* hair; *(de pinceau, de brosse à dents)* bristle; **à ~** *(fam)* stark naked; **au ~** *(fam: excellent)* great.

poilu, -e [pwaly] *adj* hairy.

poinçonner [pwɛ̃sɔne] *vt (ticket)* to punch.

poing [pwɛ̃] *nm* fist.

point [pwɛ̃] *nm (petite tache)* dot, spot; *(de ponctuation)* full stop (Br), period (Am); *(problème, dans une note, un score)* point; *(de couture, de* *tricot)* stitch; ~ **de côté** stitch; ~ **de départ** starting point; ~ **d'exclamation** exclamation mark; ~ **faible** weak point; ~ **final** full stop *(Br)*, period *(Am)*; ~ **d'interrogation** question mark; **(au)** ~ **mort** (in) neutral; ~ **de repère** *(concret)* landmark; ~**s cardinaux** points of the compass; ~**s de suspension** suspension points; ~**s (de suture)** stitches; **à** ~ *(steak)* medium; **au** ~ *(méthode)* perfected; **au** ~ **où** ou **à tel** ~ **que** to such an extent that; **mal en** ~ in a bad way; **être sur le** ~ **de faire qqch** to be on the point of doing sthg.

point de vue [pwɛ̃d(ə)vy] *(pl* **points de vue)** *nm (endroit)* viewpoint; *(opinion)* point of view.

pointe [pwɛ̃t] *nf (extrémité)* point, tip; *(clou)* panel pin; **sur la** ~ **des pieds** on tiptoe; **de** ~ *(technique)* state-of-the-art; **en** ~ *(tailler)* to a point ❑ **pointes** *nfpl (chaussons)* points.

pointer [pwɛ̃te] *vt (diriger)* to point ◆ *vi (à l'entrée)* to clock in; *(à la sortie)* to clock out.

pointillé [pwɛ̃tije] *nm (ligne)* dotted line; *(perforations)* perforated line.

pointu, -e [pwɛ̃ty] *adj* pointed.

pointure [pwɛ̃tyr] *nf (shoe)* size.

point-virgule [pwɛ̃virgyl] *(pl* **points-virgules)** *nm* semicolon.

poire [pwar] *nf* pear; ~ **Belle-Hélène** pear served on vanilla ice cream and covered with chocolate sauce.

poireau, -x [pwaro] *nm* leek.

poirier [pwarje] *nm* pear tree.

pois [pwa] *nm (rond)* spot; **à** ~

spotted; ~ **chiche** chickpea.

poison [pwazɔ̃] *nm* poison.

poisseux, -euse [pwasø, øz] *adj* sticky.

poisson [pwasɔ̃] *nm* fish; ~ **d'avril!** April Fool!; **faire un** ~ **d'avril à qqn** to play an April Fool's trick on sb; ~ **du lac** *(Helv)* fish caught in Lake Geneva; ~ **rouge** goldfish ❑ **Poissons** *nmpl* Pisces *(sg)*.

poissonnerie [pwasɔnri] *nf* fishmonger's (shop).

poissonnier, -ière [pwasɔnje, jɛr] *nm, f* fishmonger.

poitrine [pwatrin] *nf (buste)* chest; *(seins)* bust; *(de porc)* belly.

poivre [pwavr] *nm* pepper.

poivré, -e [pwavre] *adj* peppery.

poivrier [pwavrije] *nm (sur la table)* pepper pot.

poivrière [pwavrijɛr] *nf* = poivrier.

poivron [pwavrɔ̃] *nm* pepper.

poker [pɔkɛr] *nm* poker.

polaire [pɔlɛr] *adj* polar.

Polaroid® [pɔlarɔid] *nm* Polaroid®.

pôle [pol] *nm (géographique)* pole; ~ **Nord/Sud** North/South Pole.

poli, -e [pɔli] *adj* polite; *(verre, bois)* polished.

police [pɔlis] *nf* police *(pl)*; ~ **d'assurance** insurance policy; ~ **secours** emergency call-out service provided by the police.

policier, -ière [pɔlisje, jɛr] *adj (roman, film)* detective; *(enquête)* police ◆ *nm* police officer.

poliment [pɔlimɑ̃] *adv* politely.

politesse [pɔlitɛs] *nf* politeness.

politicien, -ienne [pɔlitisjɛ̃, jɛn] nm, f politician.

politique [pɔlitik] adj political ◆ nf (activité) politics (sg); (extérieure, commerciale, etc) policy.

pollen [pɔlɛn] nm pollen.

pollué, -e [pɔlɥe] adj polluted.

pollution [pɔlysjɔ̃] nf pollution.

polo [pɔlo] nm (vêtement) polo shirt.

polochon [pɔlɔʃɔ̃] nm bolster.

Pologne [pɔlɔɲ] nf: la ~ Poland.

polycopié [pɔlikɔpje] nm photo-copied notes (pl).

polyester [pɔljɛstɛʀ] nm poly-ester.

Polynésie [pɔlinezi] nf: la ~ Polynesia; la ~ française French Polynesia.

polystyrène [pɔlistiʀɛn] nm polystyrene.

polyvalent, -e [pɔlivalɑ̃, ɑ̃t] adj (salle) multi-purpose; (employé) versatile.

pommade [pɔmad] nf oint-ment.

pomme [pɔm] nf apple; (de douche) head; (d'arrosoir) rose; **tomber dans les ~s** (fam) to pass out; ~ **de pin** pine cone; ~s **dauphine** mashed potato coated in batter and deep-fried; ~s **noisettes** fried potato balls.

pomme de terre [pɔmdətɛʀ] (pl pommes de terre) nf potato.

pommette [pɔmɛt] nf cheek-bone.

pommier [pɔmje] nm apple tree.

pompe [pɔ̃p] nf pump; ~ à **essence** petrol pump (Br), gas pump (Am); ~ à **vélo** bicycle pump; ~s **funèbres** funeral direc-tor's (sg) (Br), mortician's (sg) (Am).

pomper [pɔ̃pe] vt to pump.

pompier [pɔ̃pje] nm fireman (Br), firefighter (Am).

pompiste [pɔ̃pist] nmf forecourt attendant.

pompon [pɔ̃pɔ̃] nm pompom.

poncer [pɔ̃se] vt to sand down.

ponctuation [pɔ̃ktɥasjɔ̃] nf punctuation.

ponctuel, -elle [pɔ̃ktɥɛl] adj (à l'heure) punctual; (limité) specif-ic.

pondre [pɔ̃dʀ] vt to lay.

poney [pɔnɛ] nm pony.

pont [pɔ̃] nm bridge; (de bateau) deck; **faire le** ~ to have the day off between a national holiday and a weekend.

pont-levis [pɔ̃ləvi] (pl ponts-levis) nm drawbridge.

ponton [pɔ̃tɔ̃] nm pontoon.

pop [pɔp] adj inv & nf pop.

pop-corn [pɔpkɔʀn] nm inv pop-corn.

populaire [pɔpylɛʀ] adj (quartier, milieu) working-class; (apprécié) popular.

population [pɔpylasjɔ̃] nf popu-lation.

porc [pɔʀ] nm pig; (CULIN) pork.

porcelaine [pɔʀsəlɛn] nf (maté-riau) porcelain.

porche [pɔʀʃ] nm porch.

pore [pɔʀ] nm pore.

poreux, -euse [pɔʀø, øz] adj porous.

pornographique [pɔʀnɔgʀafik] adj pornographic.

port [pɔʀ] nm port; «~ payé» "postage paid"; ~ **de pêche** fishing port; ~ **de plaisance** sailing harbour.

portable [pɔrtabl] *adj* portable.

portail [pɔrtaj] *nm* gate.

portant, -e [pɔrtɑ̃, ɑ̃t] *adj*: **être bien/mal** ~ to be in good/poor health; **à bout** ~ point-blank.

portatif, -ive [pɔrtatif, iv] *adj* portable.

porte [pɔrt] *nf* door; *(d'un jardin, d'une ville)* gate; **mettre qqn à la** ~ to throw sb out; ~ *(d'embarquement)* gate; ~ **d'entrée** front door.

porte-avions [pɔrtavjɔ̃] *nm inv* aircraft carrier.

porte-bagages [pɔrtbagaʒ] *nm inv (de vélo)* bike rack.

porte-bébé, -s [pɔrtbebe] *nm (harnais)* baby sling.

porte-bonheur [pɔrtbɔnœr] *nm inv* lucky charm.

porte-clefs [pɔrtəkle] = **porte-clés.**

porte-clés [pɔrtəkle] *nm inv* key ring.

portée [pɔrte] *nf (d'un son, d'une arme)* range; *(d'une femelle)* litter; *(MUS)* stave; **à la** ~ **de qqn** *(intellectuelle)* within sb's understanding; **à** ~ **de (la) main** within reach; **à** ~ **de voix** within earshot.

porte-fenêtre [pɔrtfənɛtr] *(pl* **portes-fenêtres)** *nf* French window *(Br),* French door *(Am).*

portefeuille [pɔrtəfœj] *nm* wallet.

porte-jarretelles [pɔrtʒartɛl] *nm inv* suspender belt *(Br),* garter belt *(Am).*

portemanteau, -x [pɔrtmɑ̃to] *nm (au mur)* coat rack; *(sur pied)* coat stand.

porte-monnaie [pɔrtmɔnɛ] *nm inv* purse.

porte-parole [pɔrtparɔl] *nm inv* spokesman *(f* spokeswoman).

porter [pɔrte] *vt (tenir)* to carry; *(vêtement, lunettes)* to wear; *(nom, date, responsabilité)* to bear; *(apporter)* to take ♦ *vi (son)* to carry; *(remarque, menace)* to hit home; ~ **bonheur/malheur à qqn** to bring sb good luck/bad luck; ~ **sur** *(suj: discussion)* to be about ❑ **se porter** *vp*: **se** ~ **bien/mal** to be well/unwell.

porte-savon, -s [pɔrtsavɔ̃] *nm* soap dish.

porte-serviette, -s [pɔrtservjɛt] *nm* towel rail.

porteur, -euse [pɔrtœr, øz] *nm, f (de bagages)* porter; *(d'une maladie)* carrier.

portier [pɔrtje] *nm* doorman.

portière [pɔrtjɛr] *nf* door.

portillon [pɔrtijɔ̃] *nm* barrier; ~ **automatique** *(TRANSP)* automatic barrier.

portion [pɔrsjɔ̃] *nf* portion; *(que l'on se sert soi-même)* helping.

portique [pɔrtik] *nm (de balançoire)* frame.

porto [pɔrto] *nm* port.

portrait [pɔrtrɛ] *nm* portrait.

portuaire [pɔrtɥɛr] *adj*: **ville** ~ port.

portugais, -e [pɔrtygɛ, ɛz] *adj* Portuguese ♦ *nm (langue)* Portuguese ❑ **Portugais, -e** *nm, f* Portuguese (person).

Portugal [pɔrtygal] *nm*: **le** ~ Portugal.

pose [poz] *nf (de moquette)* laying; *(de vitre)* fitting; *(attitude)* pose; **prendre la** ~ to assume a pose.

posé, -e [poze] *adj (calme)* composed.

poser [poze] *vt* to put; *(rideaux, tapisserie)* to hang; *(vitre)* to fit; *(moquette)* to lay; *(question)* to ask; *(problème)* to pose ♦ *vi (pour une photo)* to pose ❑ **se poser** *vp (oiseau, avion)* to land.

positif, -ive [pozitif, iv] *adj* positive.

position [pozisjɔ̃] *nf* position.

posologie [pozolɔʒi] *nf* dosage.

posséder [posede] *vt* to possess; *(maison, voiture)* to own.

possessif, -ive [posesif, iv] *adj* possessive.

possibilité [posibilite] *nf* possibility; **avoir la ~ de faire qqch** to have the chance to do sthg ❑ **possibilités** *nfpl (financières)* means; *(intellectuelles)* potential *(sg)*.

possible [posibl] *adj* possible ♦ *nm*: **faire son ~ (pour faire qqch)** to do one's utmost (to do sthg); **le plus de vêtements ~** as many clothes as possible; **le plus d'argent ~** as much money as possible; **dès que ~, le plus tôt ~** as soon as possible; **si ~** if possible.

postal, -e, -aux [postal, o] *adj (service)* postal *(Br)*, mail *(Am)*; *(wagon)* mail.

poste[1] [post] *nm (emploi)* post; *(de ligne téléphonique)* extension; **~ (de police)** police station; **~ de radio** radio; **~ de télévision** television (set).

poste[2] [post] *nf (administration)* post *(Br)*, mail *(Am)*; *(bureau)* post office; **~ restante** poste restante *(Br)*, general delivery *(Am)*.

poster[1] [poste] *vt (lettre)* to post *(Br)*, to mail *(Am)*.

poster[2] [postɛr] *nm* poster.

postérieur, -e [posterjœr] *adj (dans le temps)* later; *(partie, membres)* rear ♦ *nm* posterior.

postier, -ière [postje, jɛr] *nm, f* post-office worker.

postillonner [postijɔne] *vi* to splutter.

post-scriptum [postskriptɔm] *nm inv* postscript.

posture [postyr] *nf* posture.

pot [po] *nm (de yaourt, de peinture)* pot; *(de confiture)* jar; **~ d'échappement** exhaust (pipe); **~ de fleurs** flowerpot; **~ à lait** milk jug.

potable [potabl] *adj* → **eau**.

potage [potaʒ] *nm* soup.

potager [potaʒe] *nm*: **(jardin) ~** vegetable garden.

pot-au-feu [potofø] *nm inv* boiled beef and vegetables.

pot-de-vin [podvɛ̃] *nm (pl* **pots-de-vin**) bribe.

poteau, -x [poto] *nm* post; **~ indicateur** signpost.

potée [pote] *nf* stew of meat, usually pork, and vegetables.

potentiel, -ielle [potɑ̃sjɛl] *adj & nm* potential.

poterie [potri] *nf (art)* pottery; *(objet)* piece of pottery.

potiron [potirɔ̃] *nm* pumpkin.

pot-pourri [popuri] *nm (pl* **pots-pourris**) *nm* potpourri.

pou, -x [pu] *nm* louse.

poubelle [pubɛl] *nf* dustbin *(Br)*, trashcan *(Am)*; **mettre qqch à la ~** to put sthg in the dustbin *(Br)*, to put sthg in the trash *(Am)*.

pouce [pus] *nm* thumb.

pouding [pudiŋ] *nm* sweet cake made from bread and candied fruit;

de cochon *French-Canadian dish of meatloaf made from chopped pork and pigs' livers.*

poudre [pudʀ] *nf* powder; **en ~** *(lait, amandes)* powdered; **chocolat en ~** chocolate powder.

poudreux, -euse [pudʀø, øz] *adj* powdery.

pouf [puf] *nm* pouffe.

pouffer [pufe] *vi*: **~ (de rire)** to titter.

poulailler [pulaje] *nm* hen-house.

poulain [pulɛ̃] *nm* foal.

poule [pul] *nf* hen; *(CULIN)* fowl; **~ au pot** chicken and vegetable stew.

poulet [pulɛ] *nm* chicken; **~ basquaise** *sautéed chicken in a rich tomato, pepper and garlic sauce.*

poulie [puli] *nf* pulley.

pouls [pu] *nm* pulse; **prendre le ~ à qn** to take sb's pulse.

poumon [pumɔ̃] *nm* lung.

poupée [pupe] *nf* doll.

pour *prép* 1. *(exprime le but, la destination)* for; **c'est ~ vous** it's for you; **faire qqch ~ l'argent** to do sthg for money; **~ rien** for nothing; **le vol ~ Londres** the flight for London; **partir ~** to leave for.
2. *(afin de)*: **~ faire qqch** in order to do sthg; **~ que** so that.
3. *(en raison de)* for; **~ avoir fait qqch** for doing sthg.
4. *(exprime la durée)* for.
5. *(somme)*: **je voudrais ~ 20 F de bonbons** I'd like 20 francs' worth of sweets.
6. *(pour donner son avis)*: **~ moi** as far as I'm concerned.
7. *(à la place de)* for; **signe ~ moi** sign for me.
8. *(en faveur de)* for; **être ~ qqch** to

be in favour of sthg; **je suis ~!** I'm all for it!

pourboire [puʀbwaʀ] *nm* tip.

pourcentage [puʀsɑ̃taʒ] *nm* percentage.

pourquoi [puʀkwa] *adv* why; **c'est ~ ...** that's why ...; **~ pas?** why not?

pourra *etc* → **pouvoir**.

pourrir [puʀiʀ] *vi* to rot.

pourriture [puʀityʀ] *nf (partie moisie)* rotten part.

poursuite [puʀsɥit] *nf* chase; **lancer à la ~ de qqn** to set off after sb **□ poursuites** *nfpl (JUR)* proceedings.

poursuivi, -e [puʀsɥivi] *pp* → **poursuivre**.

poursuivre [puʀsɥivʀ] *vt (voleur)* to chase; *(criminel)* to prosecute; *(voisin)* to sue; *(continuer)* to continue **□ se poursuivre** *vp* to continue.

pourtant [puʀtɑ̃] *adv* yet.

pourvu [puʀvy] : **pourvu que** *conj (condition)* provided (that); *(souhait)* let's hope (that).

pousse-pousse [puspus] *nm inv (Helv: poussette)* pushchair.

pousser [puse] *vt* to push; *(déplacer)* to move; *(cri)* to give ♦ *vi* to push; *(plante)* to grow; **~ qqn à faire qqch** to urge sb to do sthg; **«poussez»** "push" **□ se pousser** *vp* to move up.

poussette [pusɛt] *nf* pushchair.

poussière [pusjɛʀ] *nf* dust.

poussiéreux, -euse [pusjeʀø, øz] *adj* dusty.

poussin [pusɛ̃] *nm* chick.

poutine [putin] *nf* (Can) fried

potato topped with grated cheese and brown sauce.

poutre [putʀ] *nf* beam.

pouvoir [puvwaʀ] *nm* (*influence*) power; **le ~** (*politique*) power; **les ~s publics** the authorities.

◆ *vt* **1.** (*être capable de*) can, to be able; **pourriez-vous …?** could you …?; **tu aurais pu faire ça avant!** you could have done that before!; **je n'en peux plus** (*je suis fatigué*) I'm exhausted; (*j'ai trop mangé*) I'm full up; **je n'y peux rien** there's nothing I can do about it.

2. (*être autorisé à*): **vous ne pouvez pas stationner ici** you can't park here.

3. (*exprime la possibilité*): **il peut faire très froid ici** it can get very cold here; **attention, tu pourrais te blesser** careful, you might hurt yourself.

❏ **se pouvoir** *vp*: **il se peut que le vol soit annulé** the flight may OU might be cancelled; **ça se pourrait (bien)** it's (quite) possible.

prairie [pʀeʀi] *nf* meadow.

praline [pʀalin] *nf* praline, sugared almond; (*Belg: chocolat*) chocolate.

praliné, -e [pʀaline] *adj* hazelnut- or almond-flavoured.

pratiquant, -e [pʀatikɑ̃, ɑ̃t] *adj* (*RELIG*) practising.

pratique [pʀatik] *adj* (*commode*) handy; (*concret*) practical.

pratiquement [pʀatikmɑ̃] *adv* practically.

pratiquer [pʀatike] *vt*: **~ un sport** to do some sport; **~ le golf** to play golf.

pré [pʀe] *nm* meadow.

préau, -x [pʀeo] *nm* (*de récréa-

tion) (*covered*) play area.

précaire [pʀekɛʀ] *adj* precarious.

précaution [pʀekosjɔ̃] *nf* precaution; **prendre des ~s** to take precautions; **avec ~** carefully.

précédent, -e [pʀesedɑ̃, ɑ̃t] *adj* previous.

précéder [pʀesede] *vt* to precede.

précieux, -ieuse [pʀesjø, jøz] *adj* precious.

précipice [pʀesipis] *nm* precipice.

précipitation [pʀesipitasjɔ̃] *nf* haste ❏ **précipitations** *nfpl* (*pluie*) precipitation (*sg*).

précipiter [pʀesipite] *vt* (*pousser*) to push; (*allure*) to quicken; (*départ*) to bring forward ❏ **se précipiter** *vp* (*tomber*) to throw o.s.; (*se dépêcher*) to rush; **se ~ dans/vers** to rush into/towards; **se ~ sur qqn** to jump on sb.

précis, -e [pʀesi, iz] *adj* (*clair, rigoureux*) precise; (*exact*) accurate; **à cinq heures ~es** at five o'clock sharp.

préciser [pʀesize] *vt* (*déterminer*) to specify; (*clarifier*) to clarify ❏ **se préciser** *vp* to become clear.

précision [pʀesizjɔ̃] *nf* accuracy; (*explication*) detail.

précoce [pʀekos] *adj* (*enfant*) precocious; (*printemps*) early.

prédécesseur [pʀedesesœʀ] *nm* predecessor.

prédiction [pʀediksjɔ̃] *nf* prediction.

prédire [pʀediʀ] *vt* to predict.

prédit, -e [pʀedi, it] *pp* → **prédire.**

préfabriqué, -e [pʀefabʀike]

adj prefabricated.

préface [prefas] *nf* preface.

préfecture [prefektyr] *nf* town where a *préfet's* office is situated, and the office itself.

préféré, -e [prefere] *adj & nm, f* favourite.

préférence [preferɑ̃s] *nf* preference; **de ~** preferably.

préférer [prefere] *vt* to prefer; **~ faire qqch** to prefer to do sthg; **je préférerais qu'elle s'en aille** I'd rather she left.

préfet [prefe] *nm* senior local government official.

préhistoire [preistwar] *nf* prehistory.

préhistorique [preistɔrik] *adj* prehistoric.

préjugé [preʒyʒe] *nm* prejudice.

prélèvement [prelɛvmɑ̃] *nm* (*d'argent*) deduction; (*de sang*) sample.

prélever [preləve] *vt* (*somme, part*) to deduct; (*sang*) to take.

prématuré, -e [prematyre] *adj* premature ◆ *nm, f* premature baby.

prémédité, -e [premedite] *adj* premeditated.

premier, -ière [prəmje, jɛr] *adj & nm, f* first; **en ~** first; (*gear*) (*TRANSP*) first; **le ~ de l'an** New Year's Day; **Premier ministre** Prime Minister, → **sixième**.

première [prəmjɛr] *nf* (*SCOL*) = lower sixth (*Br*), = eleventh grade (*Am*); (*vitesse*) first (*gear*); (*TRANSP*) first class; **voyager en ~ (classe)** to travel first class.

premièrement [prəmjɛrmɑ̃] *adv* firstly.

prenais *etc* → **prendre**.

prendre [prɑ̃dr] *vt* 1. (*saisir, emporter, enlever*) to take; **~ qqch à qqn** to take sthg from sb.
2. (*passager, auto-stoppeur*) to pick up; **passer ~ qqn** to pick sb up.
3. (*repas, boisson*) to have; **qu'est-ce que vous prendrez?** (*à boire*) what would you like to drink?; **~ un verre** to have a drink.
4. (*utiliser*) to take; **quelle route dois-je ~?** which route should I take?; **~ l'avion** to fly; **~ le train** to take the train.
5. (*attraper, surprendre*) to catch; **se faire ~** to be caught.
6. (*air, ton*) to put on.
7. (*considérer*): **~ qqn pour** (*par erreur*) to mistake sb for; (*sciemment*) to take sb for.
8. (*notes, photo, mesures*) to take.
9. (*poids*) to put on.
10. (*dans des expressions*): **qu'est-ce qui te prend?** what's the matter with you?
◆ *vi* 1. (*sauce, ciment*) to set.
2. (*feu*) to catch.
3. (*se diriger*): **prenez à droite** turn right.
❑ **se prendre** *vpr*: **pour qui tu te prends?** who do you think you are?; **s'en ~ à qqn** (*en paroles*) to take it out on sb; **s'y ~ mal** to go about things the wrong way.

prenne *etc* → **prendre**.

prénom [prenɔ̃] *nm* first name.

préoccupé, -e [preɔkype] *adj* preoccupied.

préoccuper [preɔkype] *vt* to preoccupy ❑ **se préoccuper de** *vp + prép* to think about.

préparatifs [preparatif] *nmpl* preparations.

préparation [preparasjɔ̃] *nf* preparation.

préparer [prepare] *vt* to prepare; *(affaires)* to get ready; *(départ, examen)* to prepare for ☐ **se préparer** *vp* to get ready; *(s'annoncer)* to be imminent; **se ~ à faire qqch** to be about to do sthg.

préposition [prepozisjɔ̃] *nf* preposition.

près [prɛ] *adv*: **de ~** closely; **tout ~** very close, very near; **~ de** near (to); *(presque)* nearly.

prescrire [preskrir] *vt* to prescribe.

prescrit, -e [preskri, it] *pp* → prescrire.

présence [prezɑ̃s] *nf* presence; **en ~ de** in the presence of.

présent, -e [prezɑ̃, ɑ̃t] *adj & nm* present; **à ~ (que)** now (that).

présentateur, -trice [prezɑ̃tatœr, tris] *nm, f* presenter.

présentation [prezɑ̃tasjɔ̃] *nf* presentation ☐ **présentations** *nfpl*: **faire les ~s** to make the introductions.

présenter [prezɑ̃te] *vt* to present; *(montrer)* to show; **~ qqn à qqn** to introduce sb to sb ☐ **se présenter** *vp (occasion, difficulté)* to arise; *(à un rendez-vous)* to present o.s.; *(dire son nom)* to introduce o.s.; **se ~ bien/mal** to look good/bad.

préservatif [prezervatif] *nm* condom.

préserver [prezerve] *vt* to protect; **~ qqn/qqch de** to protect sb/sthg from.

président, -e [prezidɑ̃, ɑ̃t] *nm, f (d'une assemblée, d'une société)* chairman (*f* chairwoman); **le ~ de la République** the French President.

présider [prezide] *vt (assemblée)*

to chair.

presque [prɛsk] *adv* almost; **~ pas de** hardly any.

presqu'île [prɛskil] *nf* peninsula.

pressant, -e [presɑ̃, ɑ̃t] *adj* pressing.

presse [prɛs] *nf (journaux)* press; **la ~ à sensation** the tabloids (*pl*).

pressé, -e [prese] *adj* in a hurry; *(urgent)* urgent; *(citron, orange)* freshly squeezed; **être ~ de faire qqch** to be in a hurry to do sthg.

presse-citron [presitrɔ̃] *nm inv* lemon squeezer.

pressentiment [presɑ̃timɑ̃] *nm* premonition.

presser [prese] *vt (fruit)* to squeeze; *(bouton)* to press; *(faire se dépêcher)* to rush ◆ *vi*: **le temps presse** there isn't much time; **rien ne presse** there's no rush ☐ **se presser** *vp* to hurry.

pressing [presiŋ] *nm* dry cleaner's.

pression [presjɔ̃] *nf* pressure; *(bouton)* press stud (*Br*), snap fastener (*Am*); *(bière)* **~** draught beer.

prestidigitateur, -trice [prestidiʒitatœr, tris] *nm, f* conjurer.

prestige [prestiʒ] *nm* prestige.

prêt, -e [prɛ, prɛt] *adj* ready ◆ *nm (FIN)* loan; **être ~ à faire qqch** to be ready to do sthg.

prêt-à-porter [prɛtaporte] *nm* ready-to-wear clothing.

prétendre [pretɑ̃dr] *vt*: **~ que** to claim (that).

prétentieux, -ieuse [pretɑ̃sjø, jøz] *adj* pretentious.

prétention [pretɑ̃sjɔ̃] *nf* pretentiousness.

prêter [prete] vt to lend; ~ qqch
à qqn to lend sb sthg; ~ attention
à to pay attention to.

prétexte [pretɛkst] nm pretext;
sous ~ que under the pretext that.

prêtre [prɛtr] nm priest.

preuve [prœv] nf proof, evidence; faire ~ de to show; faire ses
~s (méthode) to prove successful;
(employé) to prove one's worth.

prévaloir [prevalwar] vi (sout) to
prevail.

prévenir [prevnir] vt (avertir) to
warn; (empêcher) to prevent.

préventif, -ive [prevɑ̃tif, iv] adj
preventive.

prévention [prevɑ̃sjɔ̃] nf prevention; ~ routière road safety
body.

prévenu, -e [prevny] pp → prévenir.

prévisible [previzibl] adj fore-
seeable.

prévision [previzjɔ̃] nf forecast;
en ~ de in anticipation of; ~s
météo(rologiques) weather forecast (sg).

priori → a priori.

prévoir [prevwar] vt (anticiper) to
anticipate, to expect; (organiser,
envisager) to plan; comme prévu as
planned.

prévoyant, -e [prevwajɑ̃, ɑ̃t]
adj: être ~ to think ahead.

prévu, -e [prevy] pp → prévoir.

prier [prije] vi to pray ♦ vt (RELIG)
to pray to; ~ qqn de faire qqch to
ask sb to do sthg; je te/vous prie
please; je vous/t'en prie (ne vous
gênez/te gêne pas) please do; (de
rien) don't mention it; les passagers sont priés de ne pas fumer
passengers are kindly requested
not to smoke.

prière [prijɛr] nf (RELIG) prayer;
«~ de ne pas fumer» "you are
requested not to smoke".

primaire [primɛr] adj (SCOL) primary; (péj: raisonnement, personne)
limited.

prime [prim] nf (d'assurance) premium; (de salaire) bonus; en ~
(avec un achat) as a free gift.

primeurs [primœr] nfpl early
produce (sg).

primevère [primvɛr] nf primrose.

primitif, -ive [primitif, iv] adj
primitive.

prince [prɛ̃s] nm prince.

princesse [prɛ̃sɛs] nf princess.

principal, -e, -aux [prɛ̃sipal,
o] adj main ♦ nm (d'un collège)
headmaster (f headmistress); le ~
(l'essentiel) the main thing.

principalement [prɛ̃sipalmɑ̃]
adv mainly.

principe [prɛ̃sip] nm principle;
en ~ in principle.

printemps [prɛ̃tɑ̃] nm spring.

prioritaire [prijoritɛr] adj: être
~ (urgent) to be a priority; (sur la
route) to have right of way.

priorité [prijorite] nf priority;
(sur la route) right of way; ~ à
droite right of way to traffic coming from the right; laisser la ~ to
give way (Br), to yield (Am); «vous
n'avez pas la ~» "give way" (Br),
"yield" (Am).

pris, -e [pri, iz] pp → prendre.

prise [priz] nf (à la pêche) catch;
(point d'appui) hold; ~ (de courant)
(dans le mur) socket; (fiche) plug; ~
multiple adapter; ~ de sang blood
test.

prison [prizɔ̃] nf prison; en ~ in prison.

prisonnier, -ière [prizɔnje, jer] nm, f prisoner.

privé, -e [prive] adj private; en ~ in private.

priver [prive] vt : ~ qqn de qqch to deprive sb of sthg ❑ **se priver** vp to deprive o.s.; **se ~ de qqch** to go without sthg.

privilège [privilɛʒ] nm privilege.

privilégié, -e [privileʒje] adj privileged.

prix [pri] nm price; (récompense) prize; **à tout ~** at all costs.

probable [prɔbabl] adj probable.

probablement [prɔbabləmɑ̃] adv probably.

problème [prɔblɛm] nm problem.

procédé [prɔsede] nm process.

procès [prɔse] nm trial.

processus [prɔsesys] nm process.

procès-verbal, -aux [prɔseverbal, o] nm (contravention) ticket.

prochain, -e [prɔʃɛ̃, ɛn] adj next; **la semaine ~e** next week.

proche [prɔʃ] adj near; **être ~ de** (lieu, but) to be near (to); (personne, ami) to be close to; **le Proche-Orient** the Near East.

procuration [prɔkyrasjɔ̃] nf mandate; **voter par ~** to vote by proxy.

procurer [prɔkyre] : **se procurer** vp (marchandise) to obtain.

prodigieux, -ieuse [prɔdiʒjø, jøz] adj incredible.

producteur, -trice [prɔdyktœr, tris] nm, f producer.

production [prɔdyksjɔ̃] nf pro-

duction.

produire [prɔdɥir] vt to produce ❑ **se produire** vp (avoir lieu) to happen.

produit, -e [prɔdɥi, ɥit] pp → **produire** ◆ nm product; **~s de beauté** beauty products; **~s laitiers** dairy products.

prof [prɔf] nmf (fam) teacher.

professeur [prɔfesœr] nm teacher; **~ d'anglais/de piano** English/piano teacher.

profession [prɔfesjɔ̃] nf occupation.

professionnel, -elle [prɔfesjɔnɛl] adj & nm, f professional.

profil [prɔfil] nm profile; **de ~** in profile.

profit [prɔfi] nm (avantage) benefit; (d'une entreprise) profit; **tirer ~ de qqch** to benefit from sthg.

profiter [prɔfite] : **profiter de** v + prép to take advantage of.

profiterole [prɔfitrɔl] nf profiterole.

profond, -e [prɔfɔ̃, 5d] adj deep.

profondeur [prɔfɔ̃dœr] nf depth; **à 10 mètres de ~** 10 metres deep.

programmateur [prɔgramatœr] nm (d'un lave-linge) programme selector.

programme [prɔgram] nm programme; (SCOL) syllabus; (INFORM) program.

programmer [prɔgrame] vt (projet, activité) to plan; (magnétoscope, four) to set; (INFORM) to program.

programmeur, -euse [prɔgramœr, øz] nm, f computer programmer.

progrès [prɔgrɛ] nm progress; **être en ~** to be making (good) progress; **faire des ~** to make progress.

progresser [prɔgrese] vi to make progress.

progressif, -ive [prɔgresif, iv] adj progressive.

progressivement [prɔgresivmɑ̃] adv progressively.

prohiber [prɔibe] vt (sout) to prohibit.

proie [prwa] nf prey.

projecteur [prɔʒɛktœr] nm (lumière) floodlight; (de films, de diapositives) projector.

projection [prɔʒɛksjɔ̃] nf (de films, de diapositives) projection.

projectionniste [prɔʒɛksjɔnist] nmf projectionist.

projet [prɔʒɛ] nm plan.

projeter [prɔʒte] vt (film, diapositives) to project; (lancer) to throw; (envisager) to plan; **~ de faire qqch** to plan to do sth.

prolongation [prɔlɔ̃gasjɔ̃] nf extension ❏ **prolongations** nfpl (SPORT) extra time (sg).

prolongement [prɔlɔ̃ʒmɑ̃] nm extension; **être dans le ~ de** (dans l'espace) to be a continuation of.

prolonger [prɔlɔ̃ʒe] vt (séjour) to prolong; (route) to extend ❏ **se prolonger** vp to go on.

promenade [prɔmnad] nf (à pied) walk; (en vélo) ride; (en voiture) drive; (lieu) promenade; **faire une ~** (à pied) to go for a walk; (en vélo) to go for a (bike) ride; (en voiture) to go for a drive.

promener [prɔmne] vt (à pied) to take out for a walk; (en voiture) to take out for a drive ❏ **se**

promener vp (à pied) to go for a walk; (en vélo) to go for a (bike) ride; (en voiture) to go for a drive.

promesse [prɔmɛs] nf promise.

promettre [prɔmɛtr] vt: **~ qqch à qqn** to promise sb sthg; **~ à qqn de faire qqch** to promise sb to do sthg; **c'est promis** it's a promise; **ça promet!** (fam) that looks promising.

promis, -e [prɔmi, iz] pp → **promettre**.

promotion [prɔmɔsjɔ̃] nf promotion; **en ~** (article) on special offer.

pronom [prɔnɔ̃] nm pronoun.

prononcer [prɔnɔ̃se] vt (mot) to pronounce; (discours) to deliver ❏ **se prononcer** vp (mot) to be pronounced.

prononciation [prɔnɔ̃sjasjɔ̃] nf pronunciation.

pronostic [prɔnɔstik] nm forecast.

propagande [prɔpagɑ̃d] nf propaganda.

propager [prɔpaʒe] vt to spread ❏ **se propager** vp to spread.

prophétie [prɔfesi] nf prophecy.

propice [prɔpis] adj favourable.

proportion [prɔpɔrsjɔ̃] nf proportion.

proportionnel, -elle [prɔpɔrsjɔnɛl] adj: **~ à** proportional to.

propos [prɔpo] nmpl words ◆ nm: **à ~, ...** by the way, ...; **à ~ de** about.

proposer [prɔpoze] vt (offrir) to offer; (suggérer) to propose; **~ à qqn de faire qqch** to suggest doing sthg to sb.

proposition [prɔpozisjɔ̃] *nf* proposal.

propre [prɔpr] *adj* clean; *(sens)* proper; *(à soi)* own; **avec ma ~ voiture** in my own car.

proprement [prɔprəmɑ̃] *adv* *(découper, travailler)* neatly; **à ~ parler** strictly speaking.

propreté [prɔprəte] *nf* cleanness.

propriétaire [prɔprijetɛr] *nmf* owner.

propriété [prɔprijete] *nf* property; **«~ privée»** "private property".

prose [proz] *nf* prose.

prospectus [prɔspɛktys] *nm* (advertising) leaflet.

prospère [prɔspɛr] *adj* prosperous.

prostituée [prɔstitɥe] *nf* prostitute.

protection [prɔtɛksjɔ̃] *nf* protection.

protège-cahier, -s [prɔtɛʒkaje] *nm* exercise book cover.

protéger [prɔteʒe] *vt* to protect; **~ qqn de** OU **contre qqch** to protect sb from OU against sthg **‖ se protéger de** *vp* + *prép* to protect o.s. from; *(pluie)* to shelter from.

protestant, -e [prɔtɛstɑ̃, ɑ̃t] *adj* & *nm*, *f* Protestant.

protester [prɔteste] *vi* to protest.

prothèse [prɔtɛz] *nf* prosthesis.

prototype [prɔtɔtip] *nm* prototype.

prouesse [prɥɛs] *nf* feat.

prouver [prɥve] *vt* to prove.

provenance [prɔvnɑ̃s] *nf* origin; **en ~ de** *(vol, train)* from.

provençal, -e, -aux [prɔ-

vãsal, o] *adj* of Provence.

Provence [prɔvɑ̃s] *nf*: **la ~** Provence *(region in the southeast of France)*.

provenir [prɔvnir] : **provenir de** *v* + *prép* to come from.

proverbe [prɔvɛrb] *nm* proverb.

province [prɔvɛ̃s] *nf* *(région)* province; **la ~** *(hors Paris)* the provinces *(pl)*.

provincial, -e, -iaux [prɔvɛ̃-sjal, jo] *(hors Paris)* provincial ♦ *nm*: **le ~** *(Can)* provincial government.

proviseur [prɔvizœr] *nm* = headteacher *(Br)*, = principal *(Am)*.

provisions [prɔvizjɔ̃] *nfpl* provisions; **faire ses ~** to buy some food.

provisoire [prɔvizwar] *adj* temporary.

provocant, -e [prɔvɔkɑ̃, ɑ̃t] *adj* provocative.

provoquer [prɔvɔke] *vt* *(occasionner)* to cause; *(défier)* to provoke.

proximité [prɔksimite] *nf*: **à ~ (de)** near.

prudemment [prydamɑ̃] *adv* carefully.

prudence [prydɑ̃s] *nf* care; **avec ~** carefully.

prudent, -e [prydɑ̃, ɑ̃t] *adj* careful.

prune [pryn] *nf* plum.

pruneau, -x [pryno] *nm* prune.

PS *nm* *(abr de post-scriptum)* PS; *(abr de parti socialiste)* French party to the left of the political spectrum.

psychanalyste [psikanalist] *nmf* psychoanalyst.

psychiatre [psikjatr] *nmf* psychiatrist.

psychologie [psikɔlɔʒi] nf psychology; (tact) tactfulness.

psychologique [psikɔlɔʒik] adj psychological.

psychologue [psikɔlɔg] nmf psychologist.

PTT nfpl French Post Office.

pu [py] pp → **pouvoir**.

pub¹ [pœb] nm pub.

pub² [pyb] nf (fam) advert.

public, -ique [pyblik] adj & nm public; en ~ in public.

publication [pyblikasjɔ̃] nf publication.

publicitaire [pyblisitɛr] adj (campagne, affiche) advertising.

publicité [pyblisite] nf (activité, technique) advertising; (annonce) advert.

publier [pyblije] vt to publish.

puce [pys] nf flea; (INFORM) (silicon) chip.

pudding [pudiŋ] = **pouding**.

pudique [pydik] adj (décent) modest; (discret) discreet.

puer [pɥe] vi to stink ♦ vt to stink of.

puéricultrice [pɥerikyltris] nf nursery nurse.

puéril, -e [pɥeril] adj childish.

puis [pɥi] adv then.

puisque [pɥiskə] conj since.

puissance [pɥisɑ̃s] nf power.

puissant, -e [pɥisɑ̃, ɑ̃t] adj powerful.

puisse etc → **pouvoir**.

puits [pɥi] nm well.

pull(-over), -s [pyl(ɔvɛr)] nm sweater, jumper.

pulpe [pylp] nf pulp.

pulsation [pylsasjɔ̃] nf beat.

pulvérisateur [pylverizatœr] nm spray.

pulvériser [pylverize] vt (projeter) to spray; (détruire) to smash.

punaise [pynɛz] nf (insecte) bug; (clou) drawing pin (Br), thumbtack (Am).

punch¹ [pɔ̃ʃ] nm (boisson) punch.

punch² [pœnʃ] nm (fam: énergie) oomph.

punir [pynir] vt to punish.

punition [pynisjɔ̃] nf punishment.

pupille [pypij] nf (de l'œil) pupil.

pupitre [pypitr] nm (bureau) desk; (à musique) stand.

pur, -e [pyr] adj pure; (alcool) neat.

purée [pyre] nf puree; ~ (de pommes de terre) mashed potatoes (pl).

pureté [pyrte] nf purity.

purger [pyrʒe] vt (MÉD) to purge; (radiateur) to bleed; (tuyau) to drain; (peine de prison) to serve.

purifier [pyrifje] vt to purify.

pur-sang [pyrsɑ̃] nm inv thoroughbred.

pus [py] nm pus.

puzzle [pœzl] nm jigsaw (puzzle).

PV = procès-verbal.

PVC nm PVC.

pyjama [piʒama] nm pyjamas (pl).

pylône [pilon] nm pylon.

pyramide [piramid] nf pyramid.

Pyrénées [pirene] nfpl: les ~ the Pyrenees.

Pyrex® [pirɛks] nm Pyrex®.

Q

QI *nm* (*abr de quotient intellectuel*) IQ.

quadrillé, -e [kadrije] *adj* (*papier*) squared.

quadruple [k(w)adrypl] *nm*: **le ~ du prix normal** four times the normal price.

quai [ke] *nm* (*de port*) quay; (*de gare*) platform.

qualification [kalifikasjɔ̃] *nf* qualification.

qualifié, -e [kalifje] *adj* (*personnel, ouvrier*) skilled.

qualifier [kalifje] *vt*: ~ **qqn/qqch de** to describe sb/sthg as ◻ **se qualifier** *vp* (*équipe, sportif*) to qualify.

qualité [kalite] *nf* quality; **de ~** quality.

quand [kɑ̃] *adv & conj* when; ~ **tu le verras** when you see him; **jusqu'à ~ restez-vous?** how long are you staying for?; ~ **même** (*malgré tout*) all the same; ~ **même!** (*exprime l'indignation*) really!; (*enfin*) at last!

quant [kɑ̃] : **quant à** *prép* as for.

quantité [kɑ̃tite] *nf* quantity; **une ~** OU **des ~s de** (*beaucoup de*) a lot OU lots of.

quarantaine [karɑ̃tɛn] *nf* (*isolement*) quarantine; **une ~ (de)** about forty; **avoir la ~** to be in one's forties.

quarante [karɑ̃t] *num* forty, → **six**.

quarantième [karɑ̃tjɛm] *num* fortieth, → **sixième**.

quart [kar] *nm* quarter; **cinq heures et ~** quarter past five (*Br*), quarter after five (*Am*); **cinq heures moins le ~** quarter to five (*Br*), quarter of five (*Am*); **un ~ d'heure** a quarter of an hour.

quartier [kartje] *nm* (*de pomme*) piece; (*d'orange*) segment; (*d'une ville*) area, district.

ℹ️ QUARTIER LATIN

This district on the south bank of the Seine in Paris has long been associated with students and artists. It straddles the 5th and 6th "arrondissements", with the Sorbonne university at its centre. It is also famous for its numerous bookshops, libraries, cafés and cinemas.

---

quartz [kwarts] *nm* quartz; **montre à ~** quartz watch.

quasiment [kazimɑ̃] *adv* almost.

quatorze [katɔrz] *num* fourteen, → **six**.

quatorzième [katɔrzjɛm] *num* fourteenth, → **sixième**.

quatre [katr] *num* four; **monter les escaliers ~ à ~** to run up the stairs; **à ~ pattes** on all fours, → **six**.

quatre-quarts [kat(rə)kar] *nm inv* cake made with equal weights of flour, butter, sugar and eggs.

quatre-quatre [kat(rə)katr] *nm inv* four-wheel drive.

quatre-vingt [katrəvɛ̃] = **quatre-vingts**.

quatre-vingt-dix [katrəvēdis] *num* ninety, → **six**.

quatre-vingt-dixième [katrəvēdizjɛm] *num* ninetieth, → **sixième**.

quatre-vingtième [katrəvɛ̃tjɛm] *num* eightieth, → **sixième**.

quatre-vingts [katrəvɛ̃] *num* eighty, → **six**.

quatrième [katrijɛm] *num* fourth ♦ *nf* (SCOL) = third year (Br), = ninth grade (Am); (vitesse) fourth (gear), → **sixième**.

que [kə] *conj* **1.** (introduit une subordonnée) that; **voulez-vous ~ je ferme la fenêtre?** would you like me to close the window?; **je sais ~ tu es là** I know (that) you're there.
2. (dans une comparaison) → **aussi, autant, même, moins, plus**.
3. (exprime l'hypothèse): **~ nous partions aujourd'hui ou demain …** whether we leave today or tomorrow …
4. (remplace une autre conjonction): **comme il pleut et ~ je n'ai pas de parapluie …** since it's raining and I haven't got an umbrella …
5. (exprime une restriction): **ne … ~** only; **je n'ai que'une sœur** I've only got one sister.
♦ *pron relatif* **1.** (désigne une personne) that; **la personne ~ vous voyez là-bas** the person (that) you can see over there.
2. (désigne une chose) that, which; **le train ~ nous prenons part dans 10 minutes** the train (that) we're catching leaves in 10 minutes; **les livres qu'il m'a prêtés** the books (that) he lent me.
♦ *pron interr* what; **qu'a-t-il dit?, qu'est-ce qu'il a dit?** what did he say?; **qu'est-ce qui ne va pas?**

what's wrong?; **je ne sais plus ~ faire** I don't know what to do any more.
♦ *adv* (dans une exclamation): **~ c'est beau!, qu'est-ce ~ c'est beau!** it's really beautiful!

Québec [kebɛk] *nm*: **le ~** Quebec.

québécois, -e [kebekwa, waz] *adj* of Quebec □ **Québécois, -e** *nm, f* Quebecker.

quel, quelle [kɛl] *adj* **1.** (interrogatif: personne) which; **~s amis comptez-vous aller voir?** which friends are you planning to go and see?; **quelle est la vendeuse qui vous a servi?** which shop assistant served you?
2. (interrogatif: chose) which, what; **quelle heure est-il?** what time is it?; **~ est ton vin préféré?** what's your favourite wine?
3. (exclamatif): **~ beau temps!** what beautiful weather!; **~ dommage!** what a shame!
4. (avec «que»): **tous les Français ~s qu'ils soient** all French people, whoever they may be; **~ que soit le temps** whatever the weather.
♦ *pron* (interrogatif) which; **~ est le plus intéressant des deux musées?** which of the two museums is the most interesting?

quelconque [kɛlkɔ̃k] *adj* (banal) mediocre; (n'importe quel): **un chiffre ~** any number.

quelque [kɛlk(ə)] *adj* **1.** (un peu de) some; **dans ~ temps** in a while.
2. (avec «que») whatever; **~ route que je prenne** whatever route I take.
□ **quelques** *adj* **1.** (plusieurs) some, a few; **j'ai ~s lettres à écrire** I have some letters to write;

aurais-tu ~s pièces pour le télé-phone? have you got any change for the phone?
2. *(dans des expressions):* **200 F et ~s** just over 200 francs; **il est midi et ~s** it's just gone midday.

quelque chose [kɛlkəʃoz] *pron* something; *(dans les questions, les négations)* anything; **il y a ~ de bizarre** there's something funny.

quelquefois [kɛlkəfwa] *adv* sometimes.

quelque part [kɛlkəpar] *adv* somewhere; *(dans les questions, les négations)* anywhere.

quelques-uns, quelques-unes [kɛlkəzœ̃, yn] *pron*

quelqu'un [kɛlkœ̃] *pron* someone, somebody; *(dans les questions, les négations)* anyone, anybody.

qu'en-dira-t-on [kɑ̃diratɔ̃] *nm inv:* **le ~** tittle-tattle.

quenelle [kənɛl] *nf* minced fish or chicken mixed with egg and shaped into rolls.

quereller [kərele] **: se quereller** *vp (sout)* to quarrel.

qu'est-ce que [kɛskə] → **que**.

qu'est-ce qui [kɛski] → **que**.

question [kɛstjɔ̃] *nf* question; **l'affaire en ~** the matter in question; **dans ce chapitre, il est ~ de ...** this chapter deals with ...; **il est ~ de faire qqch** there's some talk of doing sthg; **(il n'en est) pas ~!** (it's) out of the question!; **remettre qqch en ~** to question sthg.

questionnaire [kɛstjɔnɛr] *nm* questionnaire.

questionner [kɛstjɔne] *vt* to question.

quête [kɛt] *nf (d'argent)* collec-

tion; **faire la ~** to collect money.

quêter [kete] *vi* to collect money.

quetsche [kwɛtʃ] *nf* dark red plum.

queue [kø] *nf* tail; *(d'un train, d'un peloton)* rear; *(file d'attente)* queue *(Br)*, line *(Am)*; **faire la ~** to queue *(Br)*, to stand in line *(Am)*; **à la ~ leu leu** in single file; **faire une ~ de poisson à qqn** to cut sb up.

queue-de-cheval [kødʃəval] *(pl* queues-de-cheval*) nf* ponytail.

qui [ki] *pron relatif* **1.** *(sujet: désigne une personne)* who; whom; **les passagers ~ doivent changer d'avion** passengers who have to change planes.
2. *(sujet: désigne une chose)* which, that; **la route ~ mène à Calais** the road which OU that goes to Calais.
3. *(complément d'objet direct)* who; **tu vois ~ je veux dire?** do you see who I mean?; **invite ~ tu veux** invite whoever you like.
4. *(complément d'objet indirect)* who, whom; **la personne à ~ j'ai parlé** the person to who OU whom I spoke.
5. *(quiconque):* **~ que ce soit** whoever it may be.
6. *(dans des expressions):* **~ plus est,** ... what's more, ...
♦ *pron interr* **1.** *(sujet)* who; **~ êtes-vous?** who are you?; **je voudrais savoir ~ sera là** I would like to know who's going to be there.
2. *(complément d'objet direct)* who; **~ cherchez-vous?, ~ est-ce que vous cherchez?** who are you looking for?; **dites-moi ~ vous cherchez** tell me who you are looking for.
3. *(complément d'objet indirect)* who, whom; **à ~ dois-je m'adresser?**

who should I speak to?

quiche [kiʃ] nf: ~ **(lorraine)** quiche (lorraine).

quiconque [kikɔ̃k] pron (dans une phrase négative) anyone, anybody; (celui qui) anyone who.

quille [kij] nf (de jeu) skittle; (d'un bateau) keel.

quincaillerie [kɛ̃kajri] nf (boutique) hardware shop.

quinte [kɛ̃t] nf: ~ **de toux** coughing fit.

quintuple [kɛ̃typl] nm: **le ~ du prix normal** five times the normal price.

quinzaine [kɛ̃zɛn] nf (deux semaines) fortnight; **une ~ (de)** (environ quinze) about fifteen.

quinze [kɛ̃z] num fifteen, → **six**.

quinzième [kɛ̃zjɛm] num fifteenth, → **sixième**.

quiproquo [kiprɔko] nm misunderstanding.

quittance [kitɑ̃s] nf receipt.

quitte [kit] adj: **être ~ (envers qqn)** to be quits (with sb); **restons un peu, ~ à rentrer en taxi** let's stay a bit longer, even if it means getting a taxi home.

quitter [kite] vt to leave; **ne quittez pas** (au téléphone) hold the line ❏ **se quitter** vp to part.

quoi [kwa] pron interr 1. (employé seul): **c'est ~?** (fam) what is it?; **de neuf?** what's new?; **~?** (pour faire répéter) what? 2. (complément d'objet direct) what; **je ne sais pas ~ dire** I don't know what to say. 3. (après une préposition) what; **à ~ penses-tu?** what are you thinking about?; **à ~ bon?** what's the point? 4. (dans des expressions): **tu viens ou**

~? (fam) are you coming or what?; **~ que** whatever; **~ qu'il en soit, ...** be that as it may, ...

◆ pron relatif (après une préposition): **ce à ~ je pense** what I'm thinking about; **avoir de ~ manger/vivre** to have enough to eat/live on; **avez-vous de ~ écrire?** have you got something to write with?; **merci - il n'y a pas de ~** thank you - don't mention it.

quoique [kwak] conj although.

quotidien, -ienne [kɔtidjɛ̃, jɛn] adj & nm daily.

quotient [kɔsjɑ̃] nm quotient; **~ intellectuel** intelligence quotient.

R

rabâcher [rabaʃe] vt (fam) to go over (and over).

rabais [rabɛ] nm discount.

rabaisser [rabese] vt to belittle.

rabat [raba] nm flap.

rabat-joie [rabaʒwa] nm inv killjoy.

rabattre [rabatr] vt (replier) to turn down; (gibier) to drive ❏ **se rabattre** vp (automobiliste) to cut in; **se ~ sur** (choisir) to fall back on.

rabbin [rabɛ̃] nm rabbi.

rabot [rabo] nm plane.

raboter [rabɔte] vt to plane.

rabougri, -e [rabugri] adj (personne) shrivelled; (végétation) stunted.

raccommoder [rakɔmɔde]

to mend.
raccompagner [rakɔ̃paɲe] vt to take home.
raccord [rakɔr] nm (de tuyau, de papier peint) join.
raccourci [rakursi] nm short cut.
raccourcir [rakursir] vt to shorten ◆ vi (jours) to grow shorter.
raccrocher [rakrɔʃe] vt (remorque) to hitch up again; (tableau) to hang back up ◆ vi (au téléphone) to hang up.
race [ras] nf (humaine) race; (animale) breed; de ~ (chien) pedigree; (cheval) thoroughbred.
racheter [raʃte] vt (acheter plus de) to buy more; ~ qqch à qqn (d'occasion) to buy sthg from sb.
racial, -e, -iaux [rasjal, jo] adj racial.
racine [rasin] nf root; ~ carrée square root.
racisme [rasism] nm racism.
raciste [rasist] adj racist.
racket [rakɛt] nm racketeering.
racler [rakle] vt to scrape ❏ se **racler** vp: se ~ la gorge to clear one's throat.
raclette [raklɛt] nf (plat) melted Swiss cheese served with jacket potatoes.
racontars [rakɔ̃tar] nmpl (fam) gossip (sg).
raconter [rakɔ̃te] vt to tell; ~ qqch à qqn to tell sb sthg; ~ à qqn que to tell sb that.
radar [radar] nm radar.
radeau, -x [rado] nm raft.
radiateur [radjatœr] nm radiator.

radiations [radjasjɔ̃] nfpl radiation (sg).
radical, -e, -aux [radikal, o] adj radical ◆ nm (d'un mot) stem.
radieux, -ieuse [radjø, jøz] adj (soleil) bright; (sourire) radiant.
radin, -e [radɛ̃, in] adj (fam) stingy.
radio [radjo] nf (appareil) radio; (station) radio station; (MÉD) X-ray; à la ~ on the radio.
radioactif, -ive [radjoaktif, iv] adj radioactive.
radiocassette [radjokasɛt] nf radio cassette player.
radiographie [radjografi] nf X-ray.
radiologue [radjɔlɔg] nmf radiologist.
radio-réveil [radjorevɛj] (pl radios-réveils) nm radio alarm.
radis [radi] nm radish.
radoter [radɔte] vi to ramble.
radoucir [radusir] : se **radoucir** vp (temps) to get milder.
rafale [rafal] nf (de vent) gust.
raffermir [rafɛrmir] vt (muscle, peau) to tone.
raffiné, -e [rafine] adj refined.
raffinement [rafinmã] nm refinement.
raffinerie [rafinri] nf refinery.
raffoler [rafɔle] : **raffoler de** v + prép to be mad about.
rafler [rafle] vt (fam: emporter) to swipe.
rafraîchir [rafreʃir] vt (atmosphère, pièce) to cool; (boisson) to chill; (coiffure) to trim ❏ se **rafraîchir** vp (boire) to have a drink; (temps) to get cooler.
rafraîchissant, -e [rafreʃisã,

ât] adj refreshing.

rafraîchissement [rafrɛʃismã]
nm (boisson) cold drink.

rage [raʒ] nf (maladie) rabies;
(colère) rage; ~ **de dents** toothache.

ragots [rago] nmpl (fam) gossip
(sg).

ragoût [ragu] nm stew.

raide [rɛd] adj (cheveux) straight;
(corde) taut; (personne, démarche)
stiff; (pente) steep ♦ adv: **tomber ~
mort** to drop dead.

raidir [redir] vt (muscles) to tense
❏ **se raidir** vp to stiffen.

raie [rɛ] nf (bande) stripe; (dans les
cheveux) parting (Br), part (Am);
(poisson) skate.

rails [raj] nmpl tracks.

rainure [rɛnyr] nf groove.

raisin [rezɛ̃] nm grapes (pl); ~s
secs raisins.

raison [rezɔ̃] nf reason; **à ~ de** at
the rate of; **avoir ~** (de faire qqch)
to be right (to do sthg); **en ~ de**
owing to.

raisonnable [rezɔnabl] adj reasonable.

raisonnement [rezɔnmã] nm
reasoning.

raisonner [rezɔne] vi to think ♦
vt (calmer) to reason with.

rajeunir [raʒœnir] vi (paraître
plus jeune) to look younger; (se sentir plus jeune) to feel younger ♦ vt:
~ **qqn** (suj: vêtement) to make sb
look younger; (suj: événement) to
make sb feel younger.

rajouter [raʒute] vt to add.

ralenti [ralãti] nm (d'un moteur)
idling speed; (au cinéma) slow
motion; **tourner au ~** (fonctionner)
to tick over; **au ~** (au cinéma) in
slow motion.

ralentir [ralãtir] vt & vi to slow
down.

râler [rale] vi (fam) to moan.

rallonge [ralɔ̃ʒ] nf (de table) leaf;
(électrique) extension (lead).

rallonger [ralɔ̃ʒe] vt to lengthen
♦ vi (jours) to get longer.

rallumer [ralyme] vt (lampe) to
switch on again; (feu, cigarette) to
relight.

rallye [rali] nm (course automobile)
rally.

RAM [ram] nf inv RAM.

ramadan [ramadã] nm Ramadan.

ramassage [ramasaʒ] nm: ~ **scolaire** school bus service.

ramasser [ramase] vt (objet tombé) to pick up; (fleurs, champignons) to pick.

rambarde [rãbard] nf guardrail.

rame [ram] nf (aviron) oar; (de
métro) train.

ramener [ramne] vt (raccompagner) to take home; (amener de nouveau) to take back.

ramequin [ramkɛ̃] nm cheese
tartlet.

ramer [rame] vi to row.

ramollir [ramɔlir] vt to soften ❏
se ramollir vp to soften.

ramoner [ramɔne] vt to sweep.

rampe [rãp] nf (d'escalier) banister; (d'accès) ramp.

ramper [rãpe] vi to crawl.

rampon [rãpɔ̃] nm (Helv) lamb's
lettuce.

rance [rãs] adj rancid.

ranch [rãtʃ] (pl -s OU -es) nm
ranch.

rançon [rãsɔ̃] nf ransom.

rancune [rɑ̃kyn] *nf* spite; **sans ~!** no hard feelings!

rancunier, -ière [rɑ̃kynje, jɛr] *adj* spiteful.

randonnée [rɑ̃dɔne] *nf* (à pied) hike; (à vélo) ride; **faire de la ~ (pédestre)** to go hiking.

rang [rɑ̃] *nm* (rangée) row; (place) place; **se mettre en ~s** to line up.

rangé, -e [rɑ̃ʒe] *adj* (chambre) tidy.

rangée [rɑ̃ʒe] *nf* row.

rangement [rɑ̃ʒmɑ̃] *nm* (placard) storage unit; **faire du ~** to tidy up.

ranger [rɑ̃ʒe] *vt* (chambre) to tidy (up); (objets) to put away □ **se ranger** *vp* (en voiture) to park.

ranimer [ranime] *vt* (blessé) to revive; (feu) to rekindle.

rap [rap] *nm* rap.

rapace [rapas] *nm* bird of prey.

rapatrier [rapatrije] *vt* to send home.

râpe [rɑp] *nf* grater; (Helv: fam: avare) skinflint.

râper [rɑpe] *vt* (aliment) to grate.

rapetisser [raptise] *vi* to shrink.

râpeux, -euse [rɑpø, øz] *adj* rough.

raphia [rafja] *nm* raffia.

rapide [rapid] *adj* (cheval, pas, voiture) fast; (décision, guérison) quick.

rapidement [rapidmɑ̃] *adv* quickly.

rapidité [rapidite] *nf* speed.

rapiécer [rapjese] *vt* to patch up.

rappel [rapɛl] *nm* (de paiement) reminder; **«rappel»** sign reminding drivers of speed limit or other traffic restriction.

rappeler [raple] *vt* to call back; **~ qqch à qqn** to remind sb of sthg □ **se rappeler** *vp* to remember.

rapport [rapɔr] *nm* (compte-rendu) report; (point commun) connection; **par ~ à** in comparison to □ **rapports** *nmpl* (relation) relationship (sg).

rapporter [rapɔrte] *vt* (rendre) to take back; (ramener) to bring back; (suj: investissement) to yield; (suj: travail) to bring in ♦ *vi* (être avantageux) to be lucrative; (rapéter) to tell tales □ **se rapporter à** *vp* + *prép* to relate to.

rapporteur, -euse [rapɔrtœr, øz] *nm, f* telltale ♦ *nm* (MATH) protractor.

rapprocher [raprɔʃe] *vt* to bring closer □ **se rapprocher** *vp* to approach; **se ~ de** to approach; (affectivement) to get closer to.

raquette [rakɛt] *nf* (de tennis) racket; (de ping-pong) bat; (pour la neige) snowshoe.

rare [rar] *adj* rare.

rarement [rarmɑ̃] *adv* rarely.

ras, -e [ra, raz] *adj* (très court) short; (verre, cuillère) full ♦ *adv*: **(à) ~** (couper) short; **au ~ de** just above; **à ~ bord** to the brim; **en avoir ~ le bol** (fam) to be fed up.

raser [raze] *vt* (barbe) to shave off; (personne) to shave; (frôler) to hug □ **se raser** *vp* to shave.

rasoir [razwar] *nm* razor; **~ électrique** (electric) shaver.

rassasié, -e [rasazje] *adj* full (up).

rassembler [rasɑ̃ble] *vt* to gather □ **se rassembler** *vp* (manifestants) to gather; (famille) to get together.

rasseoir [raswar] **: se rasseoir** vp to sit down again.

rassis, -e [rasi, iz] pp → **rasseoir** ♦ adj (pain) stale.

rassurant, -e [rasyrɑ̃, ɑ̃t] adj reassuring.

rassurer [rasyre] vt to reassure.

rat [ra] nm rat.

ratatiné, -e [ratatine] adj shrivelled.

ratatouille [ratatuj] nf ratatouille.

râteau, -x [rato] nm rake.

rater [rate] vt (cible, train) to miss; (examen) to fail ♦ vi (échouer) to fail.

ration [rasjɔ̃] nf ration.

rationnel, -elle [rasjɔnɛl] adj rational.

ratisser [ratise] vt (allée) to rake.

RATP nf Paris public transport authority.

rattacher [rataʃe] vt: ~ qqch à (relier) to link sthg to.

rattrapage [ratrapaʒ] nm (SCOL) remedial teaching.

rattraper [ratrape] vt (évadé) to recapture; (objet) to catch; (retard) to make up □ **se rattraper** vp (se retenir) to catch o.s.; (d'une erreur) to make up for it; (sur le temps perdu) to catch up.

rature [ratyr] nf crossing out.

rauque [rok] adj hoarse.

ravages [ravaʒ] nmpl: faire des ~ (dégâts) to wreak havoc.

ravaler [ravale] vt (façade) to restore.

ravi, -e [ravi] adj delighted.

ravin [ravɛ̃] nm ravine.

ravioli(s) [ravjɔli] nmpl ravioli (sg).

raviser [ravize] **: se raviser** vp to change one's mind.

ravissant, -e [ravisɑ̃, ɑ̃t] adj gorgeous.

ravisseur, -euse [raviscœr, øz] nm, f kidnapper.

ravitaillement [ravitajmɑ̃] nm supplying; (provisions) food supplies.

ravitailler [ravitaje] vt to supply □ **se ravitailler** vp (avion) to refuel.

rayé, -e [reje] adj (tissu) striped; (disque, verre) scratched.

rayer [reje] vt (abîmer) to scratch; (barrer) to cross out.

rayon [rejɔ̃] nm (de soleil, de lumière) ray; (de roue) spoke; (MATH) radius; ~s X X-rays.

rayonnage [rejɔnaʒ] nm shelves (pl).

rayonner [rejɔne] vi (visage, personne) to be radiant; (touriste, randonneur) to tour around.

rayure [rejyr] nf (sur un tissu) stripe; (sur un disque, sur du verre) scratch; à ~s striped.

raz(-)de(-)marée [radmare] nm inv tidal wave.

réacteur [reaktœr] nm (d'avion) jet engine.

réaction [reaksjɔ̃] nf reaction.

réagir [reaʒir] vi to react.

réalisateur, -trice [realizatœr, tris] nm, f (de cinéma, de télévision) director.

réaliser [realize] vt (projet, exploit) to carry out; (rêve) to fulfil; (film) to direct; (comprendre) to realize □ **se réaliser** vp (rêve, souhait) to come true.

réaliste [realist] adj realistic.

réalité [realite] *nf* reality; ~ **virtuelle** virtual reality; **en ~ in** reality.

réanimation [reanimasjɔ̃] *nf* *(service)* intensive care.

rebeller [rəbele] : **se rebeller** *vp* to rebel.

rebondir [rəbɔ̃dir] *vi* to bounce.

rebondissement [rəbɔ̃dismã] *nm* new development.

rebord [rəbɔr] *nm (d'une fenêtre)* sill.

reboucher [rəbuʃe] *vt (bouteille)* to recork; *(trou)* to fill in.

rebrousse-poil [rəbruspwal] : **à rebrousse-poil** *adv* the wrong way.

rebrousser [rəbruse] *vt:* ~ **chemin** to retrace one's steps.

rébus [rebys] *nm* game where pictures represent the syllables of words.

récapituler [rekapityle] *vt* to summarize.

récemment [resamã] *adv* recently.

recensement [rəsãsmã] *nm (de la population)* census.

récent, -e [resã, ãt] *adj* recent.

récépissé [resepise] *nm* receipt.

récepteur [reseptœr] *nm* receiver.

réception [resepsjɔ̃] *nf* reception.

réceptionniste [resepsjɔnist] *nmf* receptionist.

recette [rəset] *nf (de cuisine)* recipe; *(argent gagné)* takings *(pl)*.

receveur [rəsəvœr] *nm (des postes)* postmaster.

recevoir [rəsəvwar] *vt (colis, lettre)* to receive; *(balle, coup)* to get; *(à dîner)* to entertain; *(accueillir)* to

welcome; **être reçu à un examen** to pass an exam.

rechange [rəʃɑ̃ʒ] : **de rechange** *adj (vêtement)* spare; *(solution)* alternative.

recharge [rəʃarʒ] *nf* refill.

rechargeable [rəʃarʒabl] *adj* refillable.

recharger [rəʃarʒe] *vt (briquet, stylo)* to refill; *(arme)* to reload.

réchaud [reʃo] *nm* (portable) stove; ~ **à gaz** (portable) gas stove.

réchauffer [reʃofe] *vt* to warm up ❑ **se réchauffer** *vp (temps)* to get warmer; **se ~ les mains** to warm one's hands.

recherche [rəʃɛrʃ] *nf (scientifique)* research; **faire des ~s** *(pour un devoir)* to do some research; **être à la ~ de** to be looking for.

rechercher [rəʃɛrʃe] *vt* to look for.

rechute [rəʃyt] *nf* relapse.

rechuter [rəʃyte] *vi* to relapse.

récif [resif] *nm* reef.

récipient [resipjã] *nm* container.

réciproque [resiprɔk] *adj* mutual.

récit [resi] *nm* story.

récital [resital] *nm* recital.

récitation [resitasjɔ̃] *nf (SCOL)* recitation piece.

réciter [resite] *vt* to recite.

réclamation [reklamasjɔ̃] *nf* complaint.

réclame [reklam] *nf (annonce)* advertisement.

réclamer [reklame] *vt* to ask for.

recoiffer [rəkwafe] : **se recoiffer** *vp* to do one's hair again.

recoin [rəkwɛ̃] *nm* corner.

récolte [rekɔlt] nf harvest.

récolter [rekɔlte] vt to harvest.

recommandation [rəkɔmɑ̃dasjɔ̃] nf recommendation.

recommandé, -e [rəkɔmɑ̃de] adj (lettre, paquet) registered ◆ nm: **envoyer qqch en ~** to send sthg by registered post (Br), to send sthg by registered mail (Am).

recommander [rəkɔmɑ̃de] vt to recommend ❑ **se recommander** vp (Helv: insister) to insist.

recommencer [rəkɔmɑ̃se] vt & vi to start again; **~ à faire qqch** to start to do sthg again.

récompense [rekɔ̃pɑ̃s] nf reward.

récompenser [rekɔ̃pɑ̃se] vt to reward.

réconcilier [rekɔ̃silje] vt to reconcile ❑ **se réconcilier** vp to make up.

reconduire [rəkɔ̃dɥir] vt (raccompagner) to take back.

reconduit, -e [rəkɔ̃dɥi, ɥit] pp → reconduire.

réconforter [rekɔ̃fɔrte] vt to comfort.

reconnaissance [rəkɔnesɑ̃s] nf (gratitude) gratitude.

reconnaissant, -e [rəkɔnesɑ̃, ɑ̃t] adj grateful.

reconnaître [rəkɔnetr] vt (se rappeler) to recognize; (admettre) to admit.

reconnu, -e [rəkɔny] pp → reconnaître.

reconstituer [rəkɔ̃stitɥe] vt (puzzle, objet cassé) to piece together.

reconstruire [rəkɔ̃strɥir] vt to rebuild.

reconstruit, -e [rəkɔ̃strɥi, ɥit] pp → reconstruire.

reconvertir [rəkɔ̃vertir] : **se reconvertir dans** vp + prép (profession) to go into.

recopier [rəkɔpje] vt to copy out.

record [rəkɔr] nm record.

recoucher [rəkuʃe] : **se recoucher** vp to go back to bed.

recoudre [rəkudr] vt (bouton) to sew back on; (vêtement) to sew up again.

recourbé, -e [rəkurbe] adj curved.

recours [rəkur] nm: **avoir ~ à** to have recourse to.

recouvert, -e [rəkuver, ert] pp → recouvrir.

recouvrir [rəkuvrir] vt to cover; **~ qqch de** to cover sthg with.

récréation [rekreasjɔ̃] nf (SCOL) break (Br), recess (Am).

recroqueviller [rəkrɔkvije] : **se recroqueviller** vp to curl up.

recruter [rəkryte] vt to recruit.

rectangle [rektɑ̃gl] nm rectangle.

rectangulaire [rektɑ̃gyler] adj rectangular.

rectifier [rektifje] vt to correct.

rectiligne [rektiliɲ] adj straight.

recto [rekto] nm right side; **~ verso** on both sides.

reçu, -e [rəsy] pp → recevoir ◆ nm receipt.

recueil [rəkœj] nm collection.

recueillir [rəkœjir] vt (rassembler) to collect; (accueillir) to take in ❑ **se recueillir** vp to meditate.

recul [rəkyl] nm (d'une arme) recoil; **prendre du ~** (pour sauter) to step back.

reculer [rəkyle] *vt* to move back; *(date)* to postpone ♦ *vi* to move back.

reculons [rəkylɔ̃] : **à reculons** *adv* backwards.

récupérer [rekypere] *vt (reprendre)* to get back; *(pour réutiliser)* to salvage; *(heures, journées de travail)* to make up ♦ *vi* to recover.

récurer [rekyre] *vt* to scour.

recyclage [rəsiklaʒ] *nm (de déchets)* recycling; *(professionnel)* retraining.

recycler [rəsikle] *vt (déchets)* to recycle.

rédaction [redaksjɔ̃] *nf (SCOL)* essay.

redescendre [rədesɑ̃dr] *vi* to go/come down again; *(avion)* to descend.

redevance [rədəvɑ̃s] *nf* fee.

rediffusion [rədifyzjɔ̃] *nf (émission)* repeat.

rédiger [rediʒe] *vt* to write.

redire [rədir] *vt* to repeat.

redonner [rədɔne] *vt*: ~ **qqch à qqn** *(rendre)* to give sth back to sb; *(donner plus)* to give sb more sth.

redoubler [rəduble] *vt (SCOL)* to repeat ♦ *vi (SCOL)* to repeat a year; *(pluie)* to intensify.

redoutable [rədutabl] *adj* formidable.

redouter [rədute] *vt* to fear.

redresser [rədrese] *vt (tête, buste)* to lift; *(parasol, étagère, barre)* to straighten ♦ *vi (conducteur)* to straighten up ◻ **se redresser** *vp (personne)* to sit/stand up straight.

réduction [redyksjɔ̃] *nf* reduction; *(copie)* (scale) model.

réduire [redɥir] *vt* to reduce; ~ **qqch en miettes** to smash sthg to pieces; ~ **qqch en poudre** *(écraser)* to grind sthg.

réduit, -e [redɥi, ɥit] *pp* → **réduire** ♦ *adj (chiffre, vitesse)* low.

rééducation [reedykasjɔ̃] *nf (MÉD)* rehabilitation.

réel, -elle [reel] *adj* real.

réellement [reelmɑ̃] *adv* really.

réexpédier [reɛkspedje] *vt (rendre)* to send back; *(faire suivre)* to forward.

refaire [rəfɛr] *vt (faire à nouveau)* to do again; *(remettre en état)* to repair.

refait, -e [rəfɛ, ɛt] *pp* → **refaire**.

réfectoire [refɛktwar] *nm* refectory.

référence [referɑ̃s] *nf* reference; *(numéro)* reference number; **faire ~ à** to refer to.

référendum [referɛ̃dɔm] *nm* referendum.

refermer [rəfɛrme] *vt* to close ◻ **se refermer** *vp* to close.

réfléchi, -e [refleʃi] *adj (GRAMM)* reflexive.

réfléchir [refleʃir] *vt (lumière)* to reflect ♦ *vi* to think ◻ **se réfléchir** *vp* to be reflected.

reflet [rəflɛ] *nm (dans un miroir)* reflection; *(de cheveux)* tint.

refléter [rəflete] *vt* to reflect ◻ **se refléter** *vp* to be reflected.

réflexe [reflɛks] *nm* reflex.

réflexion [reflɛksjɔ̃] *nf (pensée)* thought; *(remarque, critique)* remark.

réforme [refɔrm] *nf* reform.

réformer [refɔrme] *vt* to reform; *(MIL)* to discharge.

refouler [rəfule] vt *(foule)* to drive back; *(sentiment, larmes)* to hold back.

refrain [rəfrɛ̃] nm chorus.

réfrigérateur [refrizeratœr] nm refrigerator.

refroidir [rəfrwadir] vt *(aliment)* to cool; *(décourager)* to discourage ♦ vi to cool ❑ **se refroidir** vp *(temps)* to get colder.

refroidissement [rəfrwadismɑ̃] nm *(de la température)* drop in temperature; *(rhume)* chill.

refuge [rəfyʒ] nm *(en montagne)* mountain lodge; *(pour sans-abri)* refuge.

réfugié, -e [refyʒje] nm, f refugee.

réfugier [refyʒje] : **se réfugier** vp to take refuge.

refus [rəfy] nm refusal.

refuser [rəfyze] vt to refuse; *(candidat)* to fail; ~ **qqch à qqn** to refuse sb sthg; ~ **de faire qqch** to refuse to do sthg.

regagner [rəgaɲe] vt *(reprendre)* to regain; *(rejoindre)* to return to.

régaler [regale] : **se régaler** vp *(en mangeant)* to have a great meal; *(s'amuser)* to have a great time.

regard [rəgar] nm look.

regarder [rəgarde] vt to look at; *(télévision, spectacle)* to watch; *(concerner)* to concern; **ça ne te regarde pas** it's none of your business.

reggae [rege] nm reggae.

régime [reʒim] nm diet; *(d'un moteur)* speed; *(de bananes)* bunch; *(POL)* regime; **être/se mettre au ~** to be/go on a diet.

régiment [reʒimɑ̃] nm regiment.

région [reʒjɔ̃] nf region.

régional, -e, -aux [reʒjɔnal, o] adj regional.

registre [rəʒistr] nm register.

réglable [reglabl] adj adjustable.

réglage [reglaʒ] nm adjustment.

règle [regl] nf *(instrument)* ruler; *(loi)* rule; **être en ~** *(papiers)* to be in order; **en ~ générale** as a rule; **~s du jeu** rules of the game ❑ **règles** nfpl period *(sg)*.

règlement [regləmɑ̃] nm *(lois)* regulations *(pl)*; *(paiement)* payment.

réglementer [regləmɑ̃te] vt to regulate.

régler [regle] vt *(appareil, moteur)* to adjust; *(payer)* to pay; *(problème)* to sort out.

réglisse [reglis] nf liquorice.

règne [rɛɲ] nm reign.

régner [reɲe] vi to reign.

regret [rəgrɛ] nm regret.

regrettable [rəgretabl] adj regrettable.

regretter [rəgrete] vt *(erreur, décision)* to regret; *(personne)* to miss; ~ **de faire qqch** to be sorry to do sthg; **je regrette de lui avoir dit ça** I wish I hadn't told him; ~ **que** to be sorry that.

regrouper [rəgrupe] vt to regroup ❑ **se regrouper** vp to gather.

régulier, -ière [regylje, jɛr] adj *(constant)* steady; *(fréquent, habituel)* regular; *(légal)* legal.

régulièrement [regyljɛrmɑ̃] adv *(de façon constante)* steadily; *(souvent)* regularly.

rein [rɛ̃] nm kidney ❑ **reins** nmpl

remercier

(dos) back *(sg)*.

reine [ʀɛn] *nf* queen.

rejeter [ʀaʒte] *vt (renvoyer)* to throw back; *(refuser)* to reject.

rejoindre [ʀəʒwɛ̃dʀ] *vt (personne, route)* to join; *(lieu)* to return to.

rejoint, -e [ʀəʒwɛ̃, ɛ̃t] *pp →* rejoindre.

réjouir [ʀeʒwiʀ] : **se réjouir** *vp* to be delighted; **se ~ de qqch** to be delighted about sthg.

réjouissant, -e [ʀeʒwisɑ̃, ɑ̃t] *adj* joyful.

relâcher [ʀəlɑʃe] *vt (prisonnier)* to release ◻ **se relâcher** *vp (corde)* to go slack; *(discipline)* to become lax.

relais [ʀəlɛ] *nm (auberge)* inn; *(SPORT)* relay; **prendre le ~ (de qqn)** to take over (from sb); **~ routier** roadside café *(Br)*, truck stop *(Am)*.

relancer [ʀəlɑ̃se] *vt (balle)* to throw back; *(solliciter)* to pester.

relatif, -ive [ʀəlatif, iv] *adj* relative; **~ à** relating to.

relation [ʀəlasjɔ̃] *nf* relationship; *(personne)* acquaintance; **être/entrer en ~(s) avec** to be in/make contact with sb.

relativement [ʀəlativmɑ̃] *adv* relatively.

relaxation [ʀəlaksasjɔ̃] *nf* relaxation.

relaxer [ʀəlakse] : **se relaxer** *vp* to relax.

relayer [ʀəleje] *vt* to take over from ◻ **se relayer** *vp* : **se ~ (pour faire qqch)** to take turns (in doing sthg).

relevé, -e [ʀəlve] *adj (épicé)* spicy ◆ *nm* : **~ de compte** bank statement.

relever [ʀəlve] *vt (tête)* to lift; *(col)* to turn up; *(remettre debout)* to pick

up; *(remarquer)* to notice; *(épicer)* season ◻ **se relever** *vp (du lit)* to get up again; *(après une chute)* to get up.

relief [ʀəljɛf] *nm* relief; **en ~** *(carte)* relief; *(film)* three-D.

relier [ʀəlje] *vt* to connect.

religieuse [ʀəliʒjøz] *nf (gâteau)* choux pastry with a chocolate or coffee filling, → **religieux**.

religieux, -ieuse [ʀəliʒjø, jøz] *adj* religious ◆ *nm, f* monk *(f* nun).

religion [ʀəliʒjɔ̃] *nf* religion.

relire [ʀəliʀ] *vt (lire à nouveau)* to reread; *(pour corriger)* to read over.

reliure [ʀəljyʀ] *nf* binding.

relu, -e [ʀəly] *pp →* relire.

remanier [ʀəmanje] *vt (texte)* to revise; *(équipe)* to reshuffle.

remarquable [ʀəmaʀkabl] *adj* remarkable.

remarque [ʀəmaʀk] *nf* remark.

remarquer [ʀəmaʀke] *vt (s'apercevoir de)* to notice; **faire ~ qqch à qqn** to point sthg out to sb; **remarque, ... mind you, ...**; **se faire ~** to draw attention to o.s.

rembobiner [ʀɑ̃bɔbine] *vt* to rewind.

rembourré, -e [ʀɑ̃buʀe] *adj (fauteuil, veste)* padded.

remboursement [ʀɑ̃buʀsəmɑ̃] *nm* refund.

rembourser [ʀɑ̃buʀse] *vt* to pay back.

remède [ʀəmɛd] *nm* cure.

remédier [ʀəmedje] : **remédier à** *v* + *prép (problème)* to solve; *(situation)* to put right.

remerciements [ʀəmɛʀsimɑ̃] *nmpl* thanks.

remercier [ʀəmɛʀsje] *vt* to

thank; ~ qqn de OU pour qqch to thank sb for sthg; ~ qqn d'avoir fait qqch to thank sb for having done sthg.

remettre [ʀəmɛtʀ] vt (reposer) to put back; (vêtement) to put on; (retarder) to put off; ~ qqch à qqn to hand sthg over to sb; ~ qqch en état to repair sthg ▫ **se remettre** vp to recover; **se** ~ **à qqch** to take sthg up again; **se** ~ **à faire qqch** to go back to doing sthg; **se** ~ **de qqch** to get over sthg.

remis, -e [ʀəmi, iz] pp → **remettre.**

remise [ʀəmiz] nf (abri) shed; (rabais) discount; **faire une** ~ **à qqn** to give sb a discount.

remontant [ʀəmɔ̃tɑ̃] nm tonic.

remontée [ʀəmɔ̃te] nf: ~s **mécaniques** ski lifts.

remonte-pente, -s [ʀəmɔ̃tpɑ̃t] nm ski tow.

remonter [ʀəmɔ̃te] vt (aux avoir) (mettre plus haut) to raise; (manches, chaussettes) to pull up; (côte, escalier) to come/go back up; (moteur, pièces) to put together again; (montre) to wind up ◆ vi (aux être) to come/go back up; (dans une voiture) to get back in; (augmenter) to rise; ~ à (dater de) to go back to.

remords [ʀəmɔʀ] nm remorse.

remorque [ʀəmɔʀk] nf trailer.

remorquer [ʀəmɔʀke] vt to tow.

rémoulade [ʀemulad] nf → céleri.

remous [ʀəmu] nm eddy; (derrière un bateau) wash.

remparts [ʀɑ̃paʀ] nmpl ramparts.

remplaçant, -e [ʀɑ̃plasɑ̃, ɑ̃t]

nm, f (de sportif) substitute; (d'enseignant) supply teacher; (de médecin) locum.

remplacer [ʀɑ̃plase] vt (changer) to replace; (prendre la place de) to take over from; ~ qqn/qqch par to replace sb/sthg with.

remplir [ʀɑ̃pliʀ] vt to fill; (questionnaire) to fill in; ~ qqch de to fill sthg with ▫ **se remplir (de)** vp (+ prép) to fill (with).

remporter [ʀɑ̃pɔʀte] vt (reprendre) to take back; (gagner) to win.

remuant, -e [ʀəmɥɑ̃, ɑ̃t] adj restless.

remue-ménage [ʀəmymenaʒ] nm inv confusion.

remuer [ʀəmɥe] vt to move; (mélanger) to stir; (salade) to toss.

rémunération [ʀemyneʀasjɔ̃] nf remuneration.

rémunérer [ʀemyneʀe] vt to pay.

renard [ʀənaʀ] nm fox.

rencontre [ʀɑ̃kɔ̃tʀ] nf meeting; (sportive) match; **aller à la** ~ **de qqn** to go to meet sb.

rencontrer [ʀɑ̃kɔ̃tʀe] vt to meet ▫ **se rencontrer** vp to meet.

rendez-vous [ʀɑ̃devu] nm (d'affaires) appointment; (amoureux) date; (lieu) meeting place; ~ **chez moi à 14 h** let's meet at my house at two o'clock; **avoir** ~ **avec qqn** to have a meeting with sb; **donner** ~ **à qqn** to arrange to meet sb; **prendre** ~ to make an appointment.

rendormir [ʀɑ̃dɔʀmiʀ] : **se rendormir** vp to go back to sleep.

rendre [ʀɑ̃dʀ] vt to give back; (sourire, coup) to return; (faire devenir) to make ◆ vi (vomir) to be sick; ~ **visite à qqn** to visit sb ▫ **se**

rendre vp (armée, soldat) to surrender; **se ~ à** (sout) to go to; **se ~ utile/malade** to make o.s. useful/ill.

rênes [rɛn] nfpl reins.

renfermé, -e [rɑ̃fɛrme] adj withdrawn ◆ nm: **sentir le ~ to** smell musty.

renfermer [rɑ̃fɛrme] vt to contain.

renfoncement [rɑ̃fɔ̃smɑ̃] nm recess.

renforcer [rɑ̃fɔrse] vt to reinforce.

renforts [rɑ̃fɔr] nmpl reinforcements.

renfrogné, -e [rɑ̃frɔɲe] adj sullen.

renier [rɔnje] vt (idées) to repudiate.

renifler [rɔnifle] vi to sniff.

renommé, -e [rɔnɔme] adj famous.

renommée [rɔnɔme] nf fame.

renoncer [rɔnɔ̃se] : **renoncer à** v + prép to give up; **~ à faire qqch** to give up doing sthg.

renouer [rɔnwe] vt (relation, conversation) to resume ◆ vi: **~ avec qqn** to get back together with sb.

renouvelable [rɔnuvlabl] adj renewable.

renouveler [rɔnuvle] vt (changer) to change; (recommencer, prolonger) to renew ❏ **se renouveler** vp (se reproduire) to recur.

rénovation [renɔvasjɔ̃] nf renovation.

rénover [renɔve] vt to renovate.

renseignement [rɑ̃sɛɲmɑ̃] nm: **un ~** information; **des ~s** information (sg); **les ~s** (bureau) enquiries; (téléphoniques) directory enquiries (Br), information (Am).

renseigner [rɑ̃seɲe] vt: **~ qqn (sur)** to give sb information (about) ❏ **se renseigner (sur)** vp (+ prép) to find out (about).

rentable [rɑ̃tabl] adj profitable.

rente [rɑ̃t] nf (revenu) income.

rentrée [rɑ̃tre] nf: **~ (d'argent)** income; **~ (des classes)** start of the school year.

rentrer [rɑ̃tre] vi (aux être) (entrer) to go/come in; (chez soi) to go/come home; (être contenu) to fit ◆ vt (aux avoir) (faire pénétrer) to fit; (dans la maison) to bring/take in; (chemise) to tuck in; **~ dans** (entrer dans) to go/come into; (heurter) to crash into; **~ le ventre** to pull in one's stomach ❏ **se rentrer dedans** vp (fam: voitures) to smash into one another.

renverse [rɑ̃vɛrs] : **à la renverse** adv backwards.

renverser [rɑ̃vɛrse] vt (liquide) to spill; (piéton) to knock over; (gouvernement) to overthrow ❏ **se renverser** vp (bouteille) to fall over; (liquide) to spill.

renvoi [rɑ̃vwa] nm (d'un salarié) dismissal; (d'un élève) expulsion; (rot) belch.

renvoyer [rɑ̃vwaje] vt (balle, lettre) to return; (image, rayon) to reflect; (salarié) to dismiss; (élève) to expel.

réorganiser [reɔrganize] vt to reorganize.

répandre [repɑ̃dr] vt (renverser) to spill; (nouvelle) to spread ❏ **se répandre** vp (liquide) to spill; (nouvelle, maladie) to spread.

répandu, -e [repɑ̃dy] adj
(fréquent) widespread.

réparateur, -trice [reparatœr, tris] nm, f repairer.

réparation [reparasjɔ̃] nf repair; en ~ under repair.

réparer [repare] vt to repair; faire ~ qqch to get sthg repaired.

repartir [rapartir] vi (partir) to set off again; (rentrer) to return.

répartir [repartir] vt to share out.

répartition [repartisjɔ̃] nf distribution.

repas [rapɑ] nm meal.

repassage [rapasaʒ] nm (de linge) ironing.

repasser [rapase] vt (linge) to iron ◆ vi (rendre visite) to drop by again later.

repêchage [rapeʃaʒ] nm (examen) resit.

repêcher [rapeʃe] vt (retirer de l'eau) to fish out; (à un examen): être repêché to pass a resit.

repeindre [rapɛ̃dr] vt to repaint.

repeint, -e [rapɛ̃, ɛ̃t] pp > repeindre.

répercussions [reperkysjɔ̃] nfpl (conséquences) repercussions.

repère [rapɛr] nm (marque) mark.

repérer [rapere] vt (remarquer) to spot ❑ **se repérer** vp to get one's bearings.

répertoire [repertwar] nm (carnet) notebook; (d'un acteur, d'un musicien) repertoire; (INFORM) directory.

répéter [repete] vt to repeat; (rôle, œuvre) to rehearse ❑ **se répéter** vp (se reproduire) to be re-

peated.

répétition [repetisjɔ̃] nf (dans un texte) repetition; (au théâtre) rehearsal; ~ **générale** dress rehearsal.

replacer [raplase] vt to replace.

replier [raplije] vt to fold up.

réplique [replik] nf (réponse) reply; (copie) replica.

répliquer [replike] vt to reply ◆ vi (avec insolence) to answer back.

répondeur [repɔ̃dœr] nm: ~ (téléphonique OU automatique) answering machine.

répondre [repɔ̃dr] vi to answer; (freins) to respond ◆ vt to answer; ~ **à qqn** to answer sb; (avec insolence) to answer sb back.

réponse [repɔ̃s] nf answer.

reportage [raportaʒ] nm report.

reporter[1] [raporter] nm reporter.

reporter[2] [raporte] vt (rapporter) to take back; (date, réunion) to postpone.

repos [rapo] nm (détente) rest; jour de ~ day off.

reposant, -e [rapozɑ̃, ɑ̃t] adj relaxing.

reposer [rapoze] vt (remettre) to put back ❑ **se reposer** vp to rest.

repousser [rapuse] vt (faire reculer) to push back; (retarder) to put back ◆ vi to grow back.

reprendre [raprɑ̃dr] vt (objet) to take back; (lecture, conversation) to continue; (études, sport) to take up again; (prisonnier) to recapture; (corriger) to correct; **reprenez du dessert** have some more dessert; ~ **son souffle** to get one's breath back ❑ **se reprendre** vp (se ressaisir) to pull o.s. together; (se cor-

riger) to correct o.s.

représailles [rəprezaj] *nfpl* reprisals.

représentant, -e [rəprezãtã, ãt] *nm, f (porte-parole)* representative; ~ **(de commerce)** sales rep.

représentatif, -ive [rəprezãtatif, iv] *adj* representative.

représentation [rəprezãtasjɔ̃] *nf (spectacle)* performance; *(image)* representation.

représenter [rəprezãte] *vt* to represent.

répression [represjɔ̃] *nf* repression.

réprimer [reprime] *vt (révolte)* to put down.

repris, -e [rəpri, iz] *pp* → reprendre.

reprise [rəpriz] *nf (couture)* mending; *(économique)* recovery; *(d'un appareil, d'une voiture)* part exchange; **à plusieurs ~s** several times.

repriser [rəprize] *vt* to mend.

reproche [rəprɔʃ] *nm* reproach.

reprocher [rəprɔʃe] *vt*: ~ **qqch à qqn** to reproach sb for sthg.

reproduction [rəprɔdyksjɔ̃] *nf* reproduction.

reproduire [rəprɔdɥir] *vt* to reproduce ❑ **se reproduire** *vp (avoir de nouveau lieu)* to recur; *(animaux)* to reproduce.

reproduit, -e [rəprɔdɥi, ɥit] *pp* → reproduire.

reptile [rɛptil] *nm* reptile.

repu, -e [rəpy] *adj* full (up).

république [repyblik] *nf* republic.

répugnant, -e [repyɲã, ãt] *adj* repulsive.

réputation [repytasjɔ̃] *nf* reputation.

réputé, -e [repyte] *adj* well-known.

requin [rəkɛ̃] *nm* shark.

RER *nm* Paris rail network.

---

i RER

The RER is a rail network extending throughout the Paris region linking the centre with the suburbs and Orly and Charles de Gaulle airports. There are three main lines (A, B and C) which connect with Paris metro stations as well as train stations.

---

rescapé, -e [reskape] *nm, f* survivor.

rescousse [reskus] *nf*: **appeler qqn à la ~** to call on sb for help; **aller à la ~ de qqn** to go to sb's rescue.

réseau, -x [rezo] *nm* network.

réservation [rezervasjɔ̃] *nf* reservation, booking; *(TRANSP: ticket)* reservation.

réserve [rezɛrv] *nf* reserve; **en ~** in reserve.

réservé, -e [rezɛrve] *adj* reserved.

réserver [rezɛrve] *vt (billet, chambre)* to reserve, to book; ~ **qqch à qqn** to reserve sthg for sb ❑ **se réserver** *vp (pour un repas, le dessert)* to save o.s.

réservoir [rezɛrvwar] *nm (à essence)* tank.

résidence [rezidãs] *nf (sout: domicile)* residence; *(immeuble)* apartment building; ~ **secondaire**

second home.
résider [rezide] vi (sout: habiter) to reside.
résigner [rezie] : **se résigner à** vp + prép to resign o.s. to; **se ~ à faire qqch** to resign o.s. to doing sthg.
résilier [rezilje] vt to cancel.
résine [rezin] nf resin.
résistance [rezistãs] nf resistance; (électrique) element.
résistant, -e [rezistã, ãt] adj tough ◆ nm, f resistance fighter.
résister [reziste] : **résister à** v + prép (lutter contre) to resist; (supporter) to withstand.
résolu, -e [rezɔly] pp → **résoudre** ◆ adj (décidé) resolute.
résolution [rezɔlysjɔ̃] nf (décision) resolution.
résonner [rezɔne] vi (faire du bruit) to echo.
résoudre [rezudr] vt to solve.
respect [respe] nm respect.
respecter [respekte] vt to respect.
respectif, -ive [respektif, iv] adj respective.
respiration [respirasjɔ̃] nf breathing.
respirer [respire] vi & vt to breathe.
responsabilité [respɔ̃sabilite] nf responsibility.
responsable [respɔ̃sabl] adj responsible ◆ nmf (coupable) person responsible; (d'une administration, d'un magasin) person in charge; **être ~ de qqch** (coupable de) to be responsible for sthg; (chargé de) to be in charge of sthg.
resquiller [reskije] vi (fam) (dans

le bus) to dodge the fare; (au spectacle) to sneak in without paying.
ressaisir [resezir] : **se ressaisir** vp to pull o.s. together.
ressemblant, -e [resãblã, ãt] adj lifelike.
ressembler [resãble] : **ressembler à** v + prép (en apparence) to look like; (par le caractère) to be like ❑ **se ressembler** vp (en apparence) to look alike; (par le caractère) to be alike.
ressemeler [resəmle] vt to resole.
ressentir [resãtir] vt to feel.
resserrer [resere] vt (ceinture, nœud) to tighten ❑ **se resserrer** vp (route) to narrow.
resservir [reservir] vt to give another helping to ◆ vi to be used again ❑ **se resservir** vp: **se ~ (de)** (plat) to take another helping (of).
ressort [resɔr] nm spring.
ressortir [resɔrtir] vi (sortir à nouveau) to go out again; (se détacher) to stand out.
ressortissant, -e [resɔrtisã, ãt] nm, f national.
ressources [resurs] nfpl resources.
ressusciter [resysite] vi to come back to life.
restant, -e [restã, ãt] adj → **poste** ◆ nm rest.
restaurant [restɔrã] nm restaurant.
restauration [restɔrasjɔ̃] nf (rénovation) restoration; (gastronomie) restaurant trade.
restaurer [restɔre] vt (monument) to restore.
reste [rest] nm rest; **un ~ de**

viande/de tissu some left-over meat/material; **les ~s** *(d'un repas)* the leftovers

rester [rɛste] *vi (demeurer dans un lieu)* to stay; *(subsister)* to be left; *(continuer à être)* to keep, to remain; **il n'en reste que deux** there are only two left.

restituer [rɛstitɥe] *vt (rendre)* to return.

resto [rɛsto] *nm (fam)* restaurant; **les ~s du cœur** charity food distribution centres.

restreindre [rɛstrɛ̃dr] *vt* to restrict.

restreint, -e [rɛstrɛ̃, ɛ̃t] *pp →* **restreindre ♦** *adj* limited.

résultat [rezylta] *nm* result; **~s** *(scolaires, d'une élection)* results.

résumé [rezyme] *nm* summary; **en ~** in short.

résumer [rezyme] *vt* to summarize.

rétablir [retablir] *vt (l'ordre, l'électricité)* to restore ❏ **se rétablir** *vp (guérir)* to recover.

retard [rətar] *nm* delay; *(d'un élève, d'un pays)* backwardness; **avoir du ~, être en ~** to be late; **avoir une heure de ~** to be an hour late; **être en ~ sur qqch** to be behind sth.

retarder [rətarde] *vi:* **ma montre retarde (de cinq minutes)** my watch is (five minutes) slow.

retenir [rətnir] *vt (empêcher de partir, de tomber)* to hold back; *(empêcher d'agir)* to stop; *(réserver)* to reserve, to book; *(se souvenir de)* to remember; **son souffle** to hold one's breath; **je retiens 1** *(dans une opération)* carry 1 ❏ **se retenir** *vp:* **se ~ (à qqch)** to hold on (to sth);

se ~ (de faire qqch) to stop o.s. (from doing sth).

retenu, -e [rətny] *pp →* **retenir**.

retenue [rətny] *nf (SCOL)* detention; *(dans une opération)* amount carried.

réticent, -e [retisɑ̃, ɑ̃t] *adj* reluctant.

retirer [rətire] *vt (extraire)* to remove; *(vêtement)* to take off; *(argent)* to withdraw; *(billet, colis, bagages)* to collect; **~ qqch à qqn** to take sth away from sb.

retomber [rətɔ̃be] *vi (tomber à nouveau)* to fall over again; *(après un saut)* to land; *(pendre)* to hang down; **~ malade** to fall ill again.

retour [rətur] *nm* return; *(TRANSP)* return journey; **être de ~** to be back; **au ~** *(sur le chemin)* on the way back.

retourner [rəturne] *vt (mettre à l'envers)* to turn over; *(renvoyer, sac)* to turn inside out; *(renvoyer)* to send back ♦ *vi* to go back, to return ❏ **se retourner** *vp (voiture, bateau)* to turn over; *(tourner la tête)* to turn round.

retrait [rətrɛ] *nm (d'argent)* withdrawal.

retraite [rətrɛt] *nf* retirement; **être à la ~** to be retired; **prendre sa ~** to retire.

retraité, -e [rətrɛte] *nm, f* pensioner.

retransmission [rətrɑ̃smisjɔ̃] *nf (à la radio)* broadcast.

rétrécir [retresir] *vi (vêtement)* to shrink ❏ **se rétrécir** *vp (route)* to narrow.

rétro [retro] *adj inv* old-fashioned ♦ *nm (fam: rétroviseur)* (rearview) mirror.

rétrograder [retʀɔgʀade] vi (automobiliste) to change down.

rétrospective [retʀɔspεktiv] nf retrospective.

retrousser [ʀətʀuse] vt (manches) to roll up.

retrouvailles [ʀətʀuvaj] nfpl reunion (sg).

retrouver [ʀətʀuve] vt (objet perdu) to find; (personne perdue de vue) to see again; (rejoindre) to meet □ se retrouver vp (se réunir) to meet; (après une séparation) to meet up again; (dans une situation, un lieu) to find o.s.

rétroviseur [retʀɔvizœʀ] nm rearview mirror.

réunion [ʀeynjɔ̃] nf meeting; **la Réunion** Réunion.

réunionnais, -e [ʀeynjɔnε, εz] adj from Réunion.

réunir [ʀeyniʀ] vt (personnes) to gather together; (informations, fonds) to collect □ se réunir vp to meet.

réussi, -e [ʀeysi] adj (photo) good; (soirée) successful.

réussir [ʀeysiʀ] vi (plat, carrière) to make a success of ♦ vi to succeed; ~ (un) examen to pass an exam; ~ à faire qqch to succeed in doing sthg; ~ à qqn (aliment, climat) to agree with sb.

réussite [ʀeysit] nf success; (jeu) patience (Br), solitaire (Am).

revanche [ʀəvɑ̃ʃ] nf revenge; (au jeu) return game; **en ~** on the other hand.

rêve [ʀεv] nm dream; **faire un ~** to have a dream.

réveil [ʀevεj] nm (pendule) alarm clock; **à mon ~** when I woke up.

réveiller [ʀevεje] vt to wake up □ se réveiller vp to wake up; (douleur, souvenir) to come back.

réveillon [ʀevεjɔ̃] nm (du 24 décembre) Christmas Eve supper and party; (du 31 décembre) New Year's Eve supper and party.

---

i | **RÉVEILLON**

The "réveillon" in France refers to celebrations on both Christmas Eve and New Year's Eve. To celebrate New Year's Eve, also known as "la Saint-Sylvestre", French people often have a large meal with friends. At midnight everyone kisses, drinks champagne and wishes one another "bonne année" ("Happy New Year"). In the streets car drivers welcome in the New Year by hooting their horns.

---

réveillonner [ʀevεjɔne] vi (le 24 décembre) to celebrate Christmas Eve with a supper or party; (le 31 décembre) to celebrate New Year's Eve with a supper or party.

révélation [ʀevelasjɔ̃] nf revelation.

révéler [ʀevele] vt to reveal □ se révéler vp (s'avérer) to prove to be.

revenant [ʀəvnɑ̃] nm ghost.

revendication [ʀəvɑ̃dikasjɔ̃] nf claim.

revendre [ʀəvɑ̃dʀ] vt to resell.

revenir [ʀəvniʀ] vi to come back; **faire ~ qqch** (CULIN) to brown sthg; **~ cher** to be expensive; **ça nous est revenu à 2 000 F** it cost us 2,000 francs; **ça me revient maintenant** (je me souviens) I remember now.

ça revient au même it comes to the same thing; je n'en reviens pas I can't get over it; ~ sur sa décision to go back on one's decision; ~ sur ses pas to retrace one's steps.

revenu, -e [ʀəvny] pp → revenir ♦ nm income.

rêver [ʀeve] vi to dream; (être distrait) to daydream ♦ vt: que to dream (that); ~ de to dream about; (souhaiter) to long for; ~ de faire qqch to be longing to do sthg.

réverbère [ʀeveʀbɛʀ] nm street light.

revers [ʀəvɛʀ] nm (d'une pièce) reverse side; (de la main, d'un billet) back; (d'une veste) lapel; (d'un pantalon) turn-up (Br), cuff (Am); (SPORT) backhand.

réversible [ʀevɛʀsibl] adj reversible.

revêtement [ʀəvɛtmã] nm (d'un mur, d'un sol) covering; (d'une route) surface.

rêveur, -euse [ʀevœʀ, øz] adj dreamy.

réviser [ʀevize] vt (leçons) to revise; faire ~ sa voiture to have one's car serviced.

révision [ʀevizjɔ̃] nf (d'une voiture) service ❑ révisions nfpl (SCOL) revision (sg).

revoir [ʀəvwaʀ] vt (retrouver) to see again; (leçons) to revise (Br), to review (Am) ❑ au revoir excl goodbye!

révoltant, -e [ʀevɔltã, ãt] adj revolting.

révolte [ʀevɔlt] nf revolt.

révolter [ʀevɔlte] vt (suj: spectacle, attitude) to disgust ❑ se révolter vp to rebel.

révolution [ʀevɔlysjɔ̃] nf revolution; la Révolution (française) the French Revolution.

révolutionnaire [ʀevɔlysjɔnɛʀ] adj & nmf revolutionary.

revolver [ʀevɔlvɛʀ] nm revolver.

revue [ʀəvy] nf (magazine) magazine; (spectacle) revue; passer qqch en ~ to review sthg.

rez-de-chaussée [ʀedʃose] nm inv ground floor (Br), first floor (Am).

Rhin [ʀɛ̃] nm: le ~ the Rhine.

rhinocéros [ʀinɔseʀɔs] nm rhinoceros.

Rhône [ʀon] nm: le ~ (fleuve) the (River) Rhône.

rhubarbe [ʀybaʀb] nf rhubarb.

rhum [ʀɔm] nm rum.

rhumatismes [ʀymatism] nmpl rheumatism (sg); avoir des ~ to have rheumatism.

rhume [ʀym] nm cold; avoir un ~ to have a cold; ~ des foins hay fever.

ri [ʀi] pp → rire.

ricaner [ʀikane] vi to snigger.

riche [ʀiʃ] adj rich ♦ nmf: les ~s the rich; ~ en rich in.

richesse [ʀiʃɛs] nf wealth ❑ richesses nfpl (minières) resources; (archéologiques) treasures.

ricocher [ʀikɔʃe] vi to ricochet.

ricochet [ʀikɔʃe] nm: faire des ~s to skim pebbles.

ride [ʀid] nf wrinkle.

ridé, -e [ʀide] adj wrinkled.

rideau, -x [ʀido] nm curtain.

ridicule [ʀidikyl] adj ridiculous.

rien [ʀjɛ̃] pron nothing; ne ... ~ nothing; je ne fais ~ le dimanche I do nothing on Sundays, I don't do anything on Sundays; **ça ne fait ~** it doesn't matter; **de ~** don't mention it; **pour ~** for nothing; **~ d'intéressant** nothing interesting; **~ du tout** nothing at all; **~ que** nothing but.

rigide [riʒid] *adj* stiff.

rigole [rigɔl] *nf (caniveau)* channel; *(eau)* rivulet.

rigoler [rigɔle] *vi (fam) (rire)* to laugh; *(s'amuser)* to have a laugh; *(plaisanter)* to joke.

rigolo, -ote [rigɔlo, ɔt] *adj (fam)* funny.

rigoureux, -euse [rigurø, øz] *adj (hiver)* harsh; *(analyse, esprit)* rigorous.

rigueur [rigœr] : **à la rigueur** *adv (si nécessaire)* if necessary; *(si on veut)* at a push.

rillettes [rijɛt] *nfpl* potted pork, duck or goose.

rime [rim] *nf* rhyme.

rinçage [rɛ̃saʒ] *nm* rinse.

rincer [rɛ̃se] *vt* to rinse.

ring [riŋ] *nm (de boxe)* ring; *(Belg: route)* ring road.

riposter [ripɔste] *vi (en paroles)* to answer back; *(militairement)* to retaliate.

rire [rir] *nm* laugh ♦ *vi* to laugh; *(s'amuser)* to have fun; **~ aux éclats** to howl with laughter; **tu veux ~!** you're joking!; **pour ~** *(en plaisantant)* as a joke.

ris [ri] *nmpl*: **~ de veau** calves' sweetbreads.

risotto [rizɔto] *nm* risotto.

risque [risk] *nm* risk.

risqué, -e [riske] *adj* risky.

risquer [riske] *vt* to risk; *(proposition, question)* to venture ♦ *vi*: **~**

de faire qqch *(être en danger de)* to be in danger of doing sthg; *(exprime la probabilité)* to be likely to do sthg.

rissolé, -e [risɔle] *adj* browned.

rivage [rivaʒ] *nm* shore.

rival, -e, -aux [rival, o] *adj & nm, f* rival.

rivalité [rivalite] *nf* rivalry.

rive [riv] *nf* bank; **la ~ gauche** *(à Paris)* the south bank of the Seine *(traditionally associated with students and artists)*; **la ~ droite** *(à Paris)* the north bank of the Seine *(generally considered more affluent)*.

riverain, -e [rivrɛ̃, ɛn] *nm, f (d'une rue)* resident; **«interdit sauf aux ~s»** "residents only".

rivière [rivjɛr] *nf* river.

riz [ri] *nm* rice; **~ cantonais** fried rice; **~ au lait** rice pudding; **~ pilaf** pilaff; **~ sauvage** wild rice.

RMI *nm (abr de revenu minimum d'insertion)* minimum guaranteed benefit.

RN *abr = route nationale*.

robe [rɔb] *nf* dress; *(d'un cheval)* coat; **~ de chambre** dressing gown; **~ du soir** evening dress.

robinet [rɔbinɛ] *nm* tap *(Br)*, faucet *(Am)*.

robot [rɔbo] *nm (industriel)* robot; *(ménager)* food processor.

robuste [rɔbyst] *adj* sturdy.

roc [rɔk] *nm* rock.

rocade [rɔkad] *nf* ring road *(Br)*, beltway *(Am)*.

roche [rɔʃ] *nf* rock.

rocher [rɔʃe] *nm* rock; *(au chocolat)* chocolate covered with chopped hazelnuts.

rock [rɔk] *nm*

rodage [rɔdaʒ] *nm* running in.

rôder [rode] *vi (par ennui)* to hang about; *(pour attaquer)* to loiter.

rœsti [røʃti] *nmpl (Helv)* grated potato fried to form a sort of cake.

rognons [rɔɲɔ̃] *nmpl* kidneys.

roi [rwa] *nm* king; **les Rois, la fête des Rois** Twelfth Night.

Roland-Garros [rolãgaros] *n:* **(le tournoi de)** ~ the French Open.

rôle [rol] *nm* role.

ROM [rɔm] *nf (abr de* read only memory*)* ROM.

romain, -e [rɔmɛ̃, ɛn] *adj* Roman.

roman, -e [rɔmɑ̃, an] *adj (architecture, église)* Romanesque ♦ *nm* novel.

romancier, -ière [rɔmɑ̃sje, jɛr] *nm, f* novelist.

romantique [rɔmɑ̃tik] *adj* romantic.

romarin [rɔmarɛ̃] *nm* rosemary.

rompre [rɔ̃pr] *vi (se séparer)* to break up.

romsteck [rɔmstɛk] *nm* rump steak.

ronces [rɔ̃s] *nfpl* brambles.

rond, -e [rɔ̃, rɔ̃d] *adj* round; *(gros)* chubby ♦ *nm* circle; **en** ~ in a circle.

ronde [rɔ̃d] *nf (de policiers)* patrol.

rondelle [rɔ̃dɛl] *nf (tranche)* slice; *(TECH)* washer.

rond-point [rɔ̃pwɛ̃] *nm (pl* ronds-points*)* roundabout *(Br)*, traffic circle *(Am)*.

ronfler [rɔ̃fle] *vi* to snore.

ronger [rɔ̃ʒe] *vt (os)* to gnaw at; *(suj: rouille)* to eat away at ❑ **se**

ronger *vp:* **se** ~ **les ongles** to bite one's nails.

ronronner [rɔ̃rɔne] *vi* to purr.

roquefort [rɔkfɔr] *nm* Roquefort *(strong blue cheese)*.

rosace [rozas] *nf (vitrail)* rose window.

rosbif [rɔzbif] *nm* roast beef.

rose [roz] *adj & nm* pink ♦ *nf* rose.

rosé, -e [roze] *adj (teinte)* rosy; *(vin)* rosé ♦ *nm (vin)* rosé.

roseau, -x [rozo] *nm* reed.

rosée [roze] *nf* dew.

rosier [rozje] *nm* rose bush.

rossignol [rɔsiɲɔl] *nm* nightingale.

Rossini [rɔsini] *n →* **tournedos**.

rot [ro] *nm* burp.

roter [rote] *vi* to burp.

rôti [roti] *nm* joint.

rôtie [roti] *nf (Can)* piece of toast.

rotin [rɔtɛ̃] *nm* rattan.

rôtir [rotir] *vt & vi* to roast.

rôtissoire [rotiswar] *nf (électrique)* rotisserie.

rotule [rɔtyl] *nf* kneecap.

roucouler [rukule] *vi* to coo.

roue [ru] *nf* wheel; ~ **de secours** spare wheel; **grande** ~ ferris wheel.

rouge [ruʒ] *adj* red; *(fer)* red-hot ♦ *nm* red; *(vin)* red (wine); **le feu est passé au** ~ the light has turned red; ~ **à lèvres** lipstick.

rouge-gorge [ruʒgɔrʒ] *(pl* rouges-gorges*)* nm robin.

rougeole [ruʒɔl] *nf* measles *(sg)*.

rougeurs [ruʒœr] *nfpl* red blotches.

rougir [ruʒir] vi (de honte, d'émotion) to blush; (de colère) to turn red.

rouille [ruj] nf rust; (sauce) garlic and red pepper sauce for fish or soup.

rouillé, -e [ruje] adj rusty.

rouiller [ruje] vi to rust.

roulant, -e [rulɑ̃] adj m → **fauteuil, tapis.**

rouleau, -x [rulo] nm (de papier, de tissu) roll; (pinceau, vague) roller; ~ **à pâtisserie** rolling pin; ~ **de printemps** spring roll.

roulement [rulmɑ̃] nm (tour de rôle) rota; **à billes** ball bearings (pl); ~ **de tambour** drum roll.

rouler [rule] vt (nappe, tapis) to roll up; (voler) to swindle ♦ vi (balle, caillou) to roll; (véhicule) to go; (automobiliste, cycliste) to drive; ~ **les r** to roll one's r's; «roulez au pas» "dead slow" ◻ **se rouler** vp (par terre, dans l'herbe) to roll about.

roulette [rulɛt] nf (roue) wheel; **la ~** (jeu) roulette.

roulotte [rulɔt] nf caravan.

Roumanie [rumani] nf: **la ~** Romania.

rousse → **roux.**

rousseur [rusœr] nf → **tache.**

roussi [rusi] nm: **ça sent le ~** there's a smell of burning.

route [rut] nf (road; (itinéraire) route; **mettre qqch en ~** (machine) to start sthg up; (processus) to get sthg under way; **se mettre en ~** (voyageur) to set off; «~ **barrée**» "road closed".

routier, -ière [rutje, jɛr] adj (carte, transports) road ♦ nm (camionneur) lorry driver (Br), truck driver (Am); (restaurant) transport

café (Br), truck stop (Am).

routine [rutin] nf routine.

roux, rousse [ru, rus] adj (cheveux) red; (personne) red-haired; (chat) ginger ♦ nm, f redhead.

royal, -e, -aux [rwajal, o] adj royal; (cadeau, pourboire) generous.

royaume [rwajom] nm kingdom.

Royaume-Uni [rwajomyni] nm: **le ~** the United Kingdom.

RPR nm French party to the right of the political spectrum.

ruade [rɥad] nf kick.

ruban [rybɑ̃] nm ribbon; ~ **adhésif** adhesive tape.

rubéole [rybeɔl] nf German measles (sg).

rubis [rybi] nm ruby.

rubrique [rybrik] nf (catégorie) heading; (de journal) column.

ruche [ryʃ] nf beehive.

rude [ryd] adj (climat, voix) harsh; (travail) tough.

rudimentaire [rydimɑ̃tɛr] adj rudimentary.

rue [ry] nf street.

ruelle [rɥɛl] nf alley.

ruer [rɥe] vi to kick ◻ **se ruer** vp: **se ~ dans/sur** to rush into/at.

rugby [rygbi] nm rugby.

rugir [ryʒir] vi to roar.

rugueux, -euse [rygø, øz] adj rough.

ruine [rɥin] nf (financière) ruin; **en ~** (château) ruined; **tomber en ~** to crumble ◻ **ruines** nfpl ruins.

ruiné, -e [rɥine] adj ruined.

ruisseau, -x [rɥiso] nm stream.

ruisseler [rɥisle] vi to stream; ~ **de** (sueur, larmes) to stream with.

rumeur [rymœr] nf (nouvelle) rumour; (bruit) rumble.

ruminer [rymine] vi (vache) to chew the cud.

rupture [ryptyr] nf (de relations diplomatiques) breaking off; (d'une relation amoureuse) break-up.

rural, -e, -aux [ryral, o] adj rural.

ruse [ryz] nf (habileté) cunning; (procédé) trick.

rusé, -e [ryze] adj cunning.

russe [rys] adj Russian ♦ nm (langue) Russian ❏ **Russe** nmf Russian.

Russie [rysi] nf: la ~ Russia.

Rustine® [rystin] nf rubber repair patch for bicycle tyres.

rustique [rystik] adj rustic.

rythme [ritm] nm rhythm; (cardiaque) rate; (de la marche) pace.

S

s' → se.

S (abr de sud) S.

sa → son.

SA nf (abr de société anonyme) = plc (Br) = Inc. (Am).

sable [sabl] nm sand; ~s mouvants quicksand (sg).

sablé, -e [sable] adj (biscuit) shortbread ♦ nm shortbread biscuit (Br), shortbread cookie (Am).

sablier [sablije] nm hourglass.

sablonneux, -euse [sablɔnø, øz] adj sandy.

sabot [sabo] nm (de cheval, de vache) hoof; (chaussure) clog; ~ de Denver wheel clamp (Br), Denver boot (Am).

sabre [sabr] nm sabre.

sac [sak] nm bag; (de pommes de terre) sack; ~ de couchage sleeping bag; ~ à dos rucksack; ~ à main handbag (Br), purse (Am).

saccadé, -e [sakade] adj (gestes) jerky; (respiration) uneven.

saccager [sakaʒe] vt (ville, cultures) to destroy; (appartement) to wreck.

sachant [saʃɑ̃] ppr → **savoir**.

sache etc → **savoir**.

sachet [saʃɛ] nm sachet; ~ de thé teabag.

sacoche [sakɔʃ] nf (sac) bag; (de vélo) pannier.

sac-poubelle [sakpubɛl] (pl **sacs-poubelle**) nm dustbin bag (Br), garbage bag (Am).

sacré, -e [sakre] adj sacred; (fam: maudit) damn; on a passé de ~es vacances! (fam) we had a hell of a holiday!

sacrifice [sakrifis] nm sacrifice.

sacrifier [sakrifje] vt to sacrifice ❏ se sacrifier vp to sacrifice o.s.

sadique [sadik] adj sadistic.

safari [safari] nm safari.

safran [safrɑ̃] nm saffron.

sage [saʒ] adj (avisé) wise; (obéissant) good, well-behaved.

sage-femme [saʒfam] (pl **sages-femmes**) nf midwife.

sagesse [saʒɛs] nf (prudence, raison) wisdom.

Sagittaire [saʒitɛr] nm Sagittarius.

saignant, -e [sɛɲɑ̃, ɑ̃t] *adj*
(viande) rare.

saigner [seɲe] *vi* to bleed; **~ du
nez** to have a nosebleed.

saillant, -e [sajɑ̃, ɑ̃t] *adj (par
rapport à un mur)* projecting; *(pom-
mettes, veines)* prominent.

sain, -e [sɛ̃, sɛn] *adj* healthy;
(mentalement) sane; **~ et sauf** safe
and sound.

saint, -e [sɛ̃, sɛt] *adj* holy ♦ *nm,
f* saint; **la Saint-François** Saint
Francis' day.

saint-honoré [sɛ̃tɔnɔre] *nm inv*
shortcrust or puff pastry cake topped
with choux pastry balls and whipped
cream.

Saint-Jacques [sɛ̃ʒak] *n →*
coquille.

Saint-Michel [sɛ̃miʃel] *n →*
mont.

Saint-Sylvestre [sɛ̃silvɛstr] *nf*:
la ~ New Year's Eve.

sais *etc →* savoir.

saisir [sezir] *vt (objet, occasion)* to
grab; *(comprendre)* to understand;
(JUR: biens) to seize; *(INFORM)* to
capture.

saison [sɛzɔ̃] *nf* season; **basse ~**
low season; **haute ~** high season.

salade [salad] *nf (verte)* lettuce;
(plat en vinaigrette) salad; **champignons en ~** mushroom salad; **~
de fruits** fruit salad; **~ mêlée** *(Helv)*
mixed salad; **~ mixte** mixed salad;
~ niçoise niçoise salad.

saladier [saladje] *nm* salad
bowl.

salaire [salɛr] *nm* salary, wage.

salami [salami] *nm* salami.

salarié, -e [salarje] *nm, f*
(salaried) employee.

sale [sal] *adj* dirty; *(fam: temps)*
filthy; *(fam: journée, mentalité)*
nasty.

salé, -e [sale] *adj (plat)* salted;
(eau) salty ♦ *nm*: **petit ~ aux
lentilles** salt pork served with lentils.

saler [sale] *vt* to salt.

saleté [salte] *nf (état)* dirtiness;
(crasse) dirt; *(chose sale)* disgusting
thing.

salière [saljɛr] *nf* saltcellar.

salir [salir] *vt* to (make) dirty ▢
se salir *vp* to get dirty.

salissant, -e [salisɑ̃, ɑ̃t] *adj* that
shows the dirt.

salive [saliv] *nf* saliva.

salle [sal] *nf (pièce)* room; *(d'hôpital)*
ward; *(de cinéma)* screen; *(des fêtes,
municipale)* hall; **~ d'attente** waiting room; **~ de bains** bathroom; **~
de classe** classroom; **~ d'embarquement** departure lounge; **~ à
manger** dining room; **~ d'opération** operating theatre.

salon [salɔ̃] *nm (séjour)* living
room; *(exposition)* show; **~ de coiffure** hairdressing salon; **~ de thé**
tearoom.

salopette [salɔpet] *nf (d'ouvrier)*
overalls *(pl)*; *(en jean, etc)* dungarees *(pl)*.

salsifis [salsifi] *nmpl* salsify *(root
vegetable)*.

saluer [salɥe] *vt (dire bonjour à)* to
greet; *(de la tête)* to nod to; *(dire au
revoir à)* to say goodbye to; *(MIL)* to
salute.

salut [saly] *nm (pour dire bonjour)*
greeting; *(de la tête)* nod; *(pour dire
au revoir)* farewell; *(MIL)* salute ♦
excl (fam) (bonjour) hi!; *(au revoir)*
bye!

salutations [salytasjɔ̃] *nfpl*

greetings.

samaritain [samaritɛ̃] *nm (Helv) person qualified to give first aid.*

samedi [samdi] *nm* Saturday; **nous sommes** OU **c'est ~** it's Saturday today; **~ 13 septembre** Saturday 13 September; **nous sommes partis ~** we left on Saturday; **~ dernier** last Saturday; **~ prochain** next Saturday; **~ matin** on Saturday morning; **le ~** on Saturdays; **à ~!** see you Saturday!

SAMU [samy] *nm* French ambulance and emergency service.

sanction [sɑ̃ksjɔ̃] *nf* sanction.

sanctionner [sɑ̃ksjɔne] *vt* to punish.

sandale [sɑ̃dal] *nf* sandal.

sandwich [sɑ̃dwitʃ] *nm* sandwich.

sang [sɑ̃] *nm* blood; **en ~** bloody; **se faire du mauvais ~** to be worried.

sang-froid [sɑ̃frwa] *nm inv* calm.

sanglant, -e [sɑ̃glɑ̃, ɑ̃t] *adj* bloody.

sangle [sɑ̃gl] *nf* strap.

sanglier [sɑ̃glije] *nm* boar.

sanglot [sɑ̃glo] *nm* sob.

sangloter [sɑ̃glɔte] *vi* to sob.

sangria [sɑ̃grija] *nf* sangria.

sanguin [sɑ̃gɛ̃] *adj m* **~ groupe**.

sanguine [sɑ̃gin] *nf (orange)* blood orange.

Sanisette® [sanizɛt] *nf* superloo.

sanitaire [saniteʀ] *adj (d'hygiène)* sanitary ❑ **sanitaires** *nmpl (d'un camping)* toilets and showers.

sans [sɑ̃] *prép* without; **~ faire qqch** without doing sthg; **~ que**

personne s'en rende compte without anyone realizing.

sans-abri [sɑ̃zabʀi] *nmf inv* homeless person.

sans-gêne [sɑ̃ʒɛn] *adj inv* rude ◆ *nm inv* rudeness.

santé [sɑ̃te] *nf* health; **en bonne/mauvaise ~** in good/poor health; **(à ta) ~!** cheers!

saoul, -e [su, sul] = **soûl**.

saouler [sule] = **soûler**.

saphir [safiʀ] *nm* sapphire; *(d'un électrophone)* needle.

sapin [sapɛ̃] *nm* fir; **~ de Noël** Christmas tree.

sardine [saʀdin] *nf* sardine.

SARL *nf (abr de société à responsabilité limitée)* = Ltd *(Br)*, = Inc. *(Am)*.

sarrasin [saʀazɛ̃] *nm (graine)* buckwheat.

satellite [satelit] *nm* satellite.

satin [satɛ̃] *nm* satin.

satiné, -e [satine] *adj (tissu, peinture)* satin.

satirique [satiʀik] *adj* satirical.

satisfaction [satisfaksjɔ̃] *nf* satisfaction.

satisfaire [satisfɛʀ] *vt* to satisfy ❑ **se satisfaire de** *vp + prép* to be satisfied with.

satisfaisant, -e [satisfəzɑ̃, ɑ̃t] *adj* satisfactory.

satisfait, -e [satisfɛ, ɛt] *pp* → **satisfaire** ◆ *adj* satisfied; **être ~ de** to be satisfied with.

saturé, -e [satyʀe] *adj* saturated.

sauce [sos] *nf* sauce; **en ~** in a sauce; **~ blanche** white sauce made with chicken stock; **~ chasseur** mushroom, shallot, white wine and tomato

sauce; ~ **madère** vegetable, mushroom and Madeira sauce; ~ **tartare** tartar sauce; ~ **tomate** tomato sauce.

saucer [sose] vt (assiette) to wipe clean.

saucisse [sosis] nf sausage; ~ **sèche** thin dry sausage.

saucisson [sosisɔ̃] nm dry sausage.

sauf, sauve [sof, sov] adj → **sain ♦** prép (excepté) except; ~ **erreur** unless there is some mistake.

sauge [soʒ] nf sage.

saule [sol] nm willow; ~ **pleureur** weeping willow.

saumon [somɔ̃] nm salmon ♦ adj inv: (rose) ~ salmon(-pink); ~ **fumé** smoked salmon.

sauna [sona] nm sauna.

saupoudrer [sopudre] vt: ~ **qqch de** to sprinkle sth with.

saur [sɔr] adj m → **hareng**.

saura etc → **savoir**.

saut [so] nm jump; **faire un** ~ **chez qqn** to pop round to see sb; ~ **en hauteur** high jump; ~ **en longueur** long jump; ~ **périlleux** somersault.

saute [sot] nf: ~ **d'humeur** mood change.

sauté, -e [sote] adj (CULIN) sautéed ♦ nm: ~ **de veau** sautéed veal.

saute-mouton [sotmutɔ̃] nm inv: **jouer à** ~ to play leapfrog.

sauter [sote] vi to jump; (exploser) to blow up; (se défaire) to come off; (plombs) to blow ♦ vt (obstacle) to jump over; (passage, classe) to skip; ~ **son tour** (dans un jeu) to pass; **faire** ~ **qqch** (faire exploser) to

blow sth up; (CULIN) to sauté sth.

sauterelle [sotrɛl] nf grasshopper.

sautiller [sotije] vi to hop.

sauvage [sovaʒ] adj (animal, plante) wild; (tribu) primitive; (enfant, caractère) shy; (cri, haine) savage ♦ nmf (barbare) brute; (personne farouche) recluse.

sauvegarde [sovgard] nf (INFORM) saving; ~ **automatique** automatic backup.

sauvegarder [sovgarde] vt (protéger) to safeguard; (INFORM) to save.

sauver [sove] vt to save; ~ **qqn/qqch de** to save sb/sth from sth ❑ **se sauver** vp (s'échapper) to run away.

sauvetage [sovtaʒ] nm rescue.

sauveteur [sovtœr] nm rescuer.

SAV abr = **service après-vente**.

savant, -e [savɑ̃, ɑ̃t] adj (cultivé) scholarly ♦ nm scientist.

savarin [savarɛ̃] nm = rum baba.

saveur [savœr] nf flavour.

savoir [savwar] vt to know; ~ **faire qqch** to know how to do sth; **savez-vous parler français?** can you speak French?; **je n'en sais rien** I have no idea.

savoir-faire [savwarfɛr] nm inv know-how.

savoir-vivre [savwarvivr] nm inv good manners (pl).

savon [savɔ̃] nm soap; (bloc) bar of soap.

savonner [savɔne] vt to soap.

savonnette [savɔnɛt] nf bar of soap.

savourer [savure] vt to savour.

savoureux, -euse [savurø, øz] *adj (aliment)* tasty.

savoyarde [savwajard] *adj f* ~ **fondue**.

saxophone [saksɔfɔn] *nm* saxophone.

sbrinz [ʃbrints] *nm* hard crumbly Swiss cheese made from cow's milk.

scandale [skãdal] *nm (affaire)* scandal; *(fait choquant)* outrage; **faire du** ou **un** ~ to make a fuss; **faire** ~ to cause a stir.

scandaleux, -euse [skãdalø, øz] *adj* outrageous.

scandinave [skãdinav] *adj* Scandinavian.

Scandinavie [skãdinavi] *nf:* **la** ~ Scandinavia.

scanner [skanɛr] *nm (appareil)* scanner; *(test)* scan.

scaphandre [skafãdr] *nm* diving suit.

scarole [skarɔl] *nf* endive.

sceller [sele] *vt (cimenter)* to cement.

scénario [senarjo] *nm (de film)* screenplay.

scène [sɛn] *nf (estrade)* stage; *(événement, partie d'une pièce)* scene; **mettre qqch en** ~ *(film, pièce de théâtre)* to direct sthg.

sceptique [sɛptik] *adj* sceptical.

schéma [ʃema] *nm (diagram)* diagram; *(résumé)* outline.

schématique [ʃematik] *adj (sous forme de schéma)* diagrammatical; *(trop simple)* simplistic.

schublig [ʃublig] *nm (Helv)* type of sausage.

sciatique [sjatik] *nf* sciatica.

scie [si] *nf* saw.

science [sjãs] *nf* science; ~s

naturelles natural sciences.

science-fiction [sjãsfiksjɔ̃] *nf* science fiction.

scientifique [sjãtifik] *adj* scientific ◆ *nmf* scientist.

scier [sje] *vt* to saw.

scintiller [sɛ̃tije] *vi* to sparkle.

sciure [sjyr] *nf* sawdust.

scolaire [skɔlɛr] *adj (vacances, manuel)* school.

scoop [skup] *nm* scoop.

scooter [skutœr] *nm* scooter; ~ **des mers** jet ski.

score [skɔr] *nm* score.

Scorpion [skɔrpjɔ̃] *nm* Scorpio.

scotch [skɔtʃ] *nm (whisky)* Scotch.

Scotch® [skɔtʃ] *nm (adhésif)* = Sellotape® *(Br)*, Scotch® tape *(Am)*.

scout, -e [skut] *nm, f* scout.

scrupule [skrypyl] *nm* scruple.

scrutin [skrytɛ̃] *nm* ballot.

sculpter [skylte] *vt* to sculpt; *(bois)* to carve.

sculpteur [skyltœr] *nm* sculptor.

sculpture [skyltyr] *nf* sculpture.

SDF *nmf (abr de sans domicile fixe)* homeless person.

se [sə] *pron pers* **1.** *(réfléchi: personne indéfinie)* oneself; *(personne)* himself *(f herself)*, themselves *(pl)*; *(chose, animal)* itself, themselves *(pl)*; **elle** ~ **regarde dans le miroir** she's looking at herself in the mirror; ~ **faire mal** to hurt oneself. **2.** *(réciproque)* each other, one another; ~ **battre** to fight; **ils s'écrivent toutes les semaines** they write to each other every week.

3. (avec certains verbes, vide de sens): ~ **décider** to decide; ~ **mettre à faire qqch** to start doing sthg.

4. (passif): **ce produit se ~ vend bien/partout** this product is selling well/is sold everywhere.

5. (à valeur de possessif): ~ **laver les mains** to wash one's hands; ~ **couper le doigt** to cut one's finger.

séance [seɑ̃s] nf (de rééducation, de gymnastique) session; (de cinéma) performance; ~ **tenante** right away.

seau, -x [so] nm bucket; ~ **à champagne** champagne bucket.

sec, sèche [sek, seʃ] adj dry; (fruit, légume) dried; **à ~** (cours d'eau) dried-up; **au ~** (à l'abri de la pluie) out of the rain; **fermer qqch d'un coup ~** to slam sthg shut.

sécateur [sekatœr] nm secateurs (pl).

séchage [seʃaʒ] nm drying.

sèche → sec.

sèche-cheveux [seʃ(ə)vø] nm inv hairdryer.

sèche-linge [seʃlɛ̃ʒ] nm inv tumbledryer.

sèchement [seʃmɑ̃] adv drily.

sécher [seʃe] vt to dry ◆ vi to dry; (fam: à un examen) to have a mental block; ~ **les cours** (fam) to play truant (Br), to play hooky (Am).

sécheresse [seʃʀɛs] nf (manque de pluie) drought.

séchoir [seʃwaʀ] nm: ~ (à cheveux) hairdryer; ~ (à linge) (sur pied) clothes dryer; (électrique) tumbledryer.

second, -e [səɡɔ̃, ɔ̃d] adj second, → **sixième**.

secondaire [səɡɔ̃dɛʀ] adj secondary.

seconde [səɡɔ̃d] nf (unité de temps) second; (SCOL) ≃ fifth form (Br), ≃ tenth grade (Am); (vitesse) second (gear); **voyager en ~ (classe)** to travel second class.

secouer [səkwe] vt to shake; (bouleverser, inciter à agir) to shake up.

secourir [səkuʀiʀ] vt (d'un danger) to rescue; (moralement) to help.

secouriste [səkuʀist] nmf first-aid worker.

secours [səkuʀ] nm help; **appeler au ~** to call for help; **au ~!** help!; ~ **d'urgence** emergency aid; **premiers ~** first aid.

secouru, -e [səkuʀy] pp → secourir.

secousse [səkus] nf jolt.

secret, -ète [səkʀɛ, ɛt] adj & nm secret; **en ~** in secret.

secrétaire [səkʀetɛʀ] nmf secretary ◆ nm (meuble) secretaire.

secrétariat [səkʀetaʀja] nm (bureau) secretary's office; (métier) secretarial work.

secte [sɛkt] nf sect.

secteur [sɛktœʀ] nm (zone) area; (électrique) mains; (économique, industriel) sector; **fonctionner sur ~** to run off the mains.

section [sɛksjɔ̃] nf section; (de ligne d'autobus) fare stage.

sectionner [sɛksjɔne] vt to cut.

Sécu [seky] nf (fam): **la ~** French social security system.

sécurité [sekyʀite] nf (tranquillité) safety; (ordre) security; **en ~** safe; **mettre qqch en ~** to put sthg in a safe place; **la ~ routière** French organization providing traffic bulletins and safety information; **la Sécurité**

sociale *French social security system.*

séduire [sedɥir] *vt* to attract.

séduisant, -e [sedɥizɑ̃, ɑ̃t] *adj* attractive.

séduit, -e [sedɥi, ɥit] *pp* → **séduire**.

segment [sɛgmɑ̃] *nm* segment.

ségrégation [segregasjɔ̃] *nf* segregation.

seigle [sɛgl] *nm* rye.

seigneur [sɛɲœr] *nm* (*d'un château*) lord; **le Seigneur** the Lord.

sein [sɛ̃] *nm* breast; **au ~ de** within.

Seine [sɛn] *nf:* **la ~** (*fleuve*) the Seine.

séisme [seism] *nm* earthquake.

seize [sɛz] *num* sixteen, → **six**.

seizième [sɛzjɛm] *num* sixteenth, → **sixième**.

séjour [seʒur] *nm* stay; **(salle de) ~** living room.

séjourner [seʒurne] *vi* to stay.

sel [sɛl] *nm* salt; **~s de bain** bath salts.

sélection [seleksjɔ̃] *nf* selection.

sélectionner [seleksjɔne] *vt* to select.

self-service, -s [sɛlfsɛrvis] *nm* (*restaurant*) self-service restaurant; (*station-service*) self-service petrol station (*Br*), self-service gas station (*Am*).

selle [sɛl] *nf* saddle.

seller [sele] *vt* to saddle.

selon [səlɔ̃] *prép* (*de l'avis de, en accord avec*) according to; (*en fonction de*) depending on; **~ que** depending on whether.

semaine [səmɛn] *nf* week; **en ~** during the week.

semblable [sɑ̃blabl] *adj* similar; **~ à** similar to.

semblant [sɑ̃blɑ̃] *nm:* **faire ~ (de faire qqch)** to pretend (to do sthg).

sembler [sɑ̃ble] *vi* to seem; **il semble que ...** it seems that ...; **il me semble que ...** I think that ...

semelle [səmɛl] *nf* sole.

semer [səme] *vt* (*sow*) to sow; (*se débarrasser de*) to shake off.

semestre [səmɛstr] *nm* half-year; (*SCOL*) semester.

semi-remorque, -s [səmirəmɔrk] *nm* articulated lorry (*Br*), semitrailer (*Am*).

semoule [səmul] *nf* semolina.

sénat [sena] *nm* senate.

Sénégal [senegal] *nm:* **le ~** Senegal.

sens [sɑ̃s] *nm* (*direction*) direction; (*signification*) meaning; **~ inverse des aiguilles d'une montre** anticlockwise (*Br*), counter-clockwise (*Am*); **en ~ inverse** in the opposite direction; **avoir du bon ~** to have common sense; **~ giratoire** roundabout (*Br*), traffic circle (*Am*); **~ interdit** (*panneau*) no-entry sign; (*rue*) one-way street; **~ unique** one-way street; **~ dessus dessous** upside-down.

sensation [sɑ̃sasjɔ̃] *nf* feeling, sensation; **faire ~** to cause a stir.

sensationnel, -elle [sɑ̃sasjɔnɛl] *adj* (*formidable*) fantastic.

sensible [sɑ̃sibl] *adj* sensitive; (*perceptible*) noticeable; **~ à** sensitive to.

sensiblement [sɑ̃sibləmɑ̃] *adv* (*à peu près*) more or less; (*de façon perceptible*) noticeably.

sensuel, -elle [sɑ̃sɥɛl] *adj* sensual.

sentence [sãtãs] *nf* (JUR) sentence.

sentier [sãtje] *nm* path.

sentiment [sãtimã] *nm* feeling; **~s dévoués** (*dans une lettre*) yours sincerely.

sentimental, -e, -aux [sãtimãtal, o] *adj* sentimental.

sentir [sãtir] *vt* (*odeur*) to smell; (*goût*) to taste; (*au toucher*) to feel; (*avoir une odeur de*) to smell of; **~ bon** to smell good; **~ mauvais** to smell bad; **je ne peux pas le ~** (*fam*) I can't bear him ◻ **se sentir** *vp*: **se ~ mal** to feel ill; **se ~ bizarre** to feel strange.

séparation [separasjɔ̃] *nf* separation.

séparément [separemã] *adv* separately.

séparer [separe] *vt* to separate; (*diviser*) to divide; **~ qqn/qqch de** to separate sb/sthg from ◻ **se séparer** *vp* (*couple*) to split up; (*se diviser*) to divide; **se ~ de qqn** (*conjoint*) to separate from sb; (*employé*) to let sb go.

sept [sɛt] *num* seven, → **six**.

septante [sɛptɑ̃t] *num* (*Belg & Helv*) seventy, → **six**.

septembre [sɛptɑ̃bʀ] *nm* September; **en ~, au mois de ~** in September; **début ~** at the beginning of September; **fin ~** at the end of September; **le deux ~** the second of September.

septième [sɛtjɛm] *num* seventh, → **sixième**.

séquelles [sekɛl] *nfpl* (MÉD) aftereffects.

séquence [sekɑ̃s] *nf* sequence.

sera *etc* → **être**.

séré [seʀe] *nm* (*Helv*) fromage frais.

serein, -e [saʀɛ̃, ɛn] *adj* serene.

sérénité [seʀenite] *nf* serenity.

sergent [sɛʀʒɑ̃] *nm* sergeant.

série [seʀi] *nf* (*succession*) series; (*ensemble*) set; **~ (télévisée)** (television) series.

sérieusement [seʀjøzmɑ̃] *adv* seriously.

sérieux, -ieuse [seʀjø, jøz] *adj* serious ◆ *nm*: **travailler avec ~** to take one's work seriously; **garder son ~** to keep a straight face; **prendre qqch au ~** to take sthg seriously.

seringue [saʀɛ̃g] *nf* syringe.

sermon [sɛʀmɔ̃] *nm* (RELIG) sermon; (*péj: leçon*) lecture.

séropositif, -ive [seʀopozitif, iv] *adj* HIV-positive.

serpent [sɛʀpɑ̃] *nm* snake.

serpenter [sɛʀpɑ̃te] *vi* to wind.

serpentin [sɛʀpɑ̃tɛ̃] *nm* (*de fête*) streamer.

serpillière [sɛʀpijɛʀ] *nf* floor-cloth.

serre [sɛʀ] *nf* (*à plantes*) greenhouse.

serré, -e [seʀe] *adj* (*vêtement*) tight; (*spectateurs, passagers*): **on est ~ ici** it's packed in here.

serrer [seʀe] *vt* (*comprimer*) to squeeze; (*dans ses bras*) to hug; (*dans une boîte, une valise*) to pack tightly; (*poings, dents*) to clench; (*nœud, vis*) to tighten; **ça me serre la taille** it's tight around the waist; **~ la main à qqn** to shake sb's hand; **«serrez à droite»** "keep right" ◻ **se serrer** *vp* to squeeze up; **se ~ contre qqn** to huddle up against sb.

serre-tête [sɛʀtɛt] nm inv Alice band.

serrure [seʀyʀ] nf lock.

serrurier [seʀyʀje] nm locksmith.

sers etc → **servir**.

serveur, -euse [sɛʀvœʀ, øz] nm, f (de café, de restaurant) waiter (f waitress).

serviable [sɛʀvjabl] adj helpful.

service [sɛʀvis] nm (manière de servir) service; (faveur) favour; (de vaisselle) set; (département) department; (SPORT) service; **faire le ~** to serve the food out; **rendre ~ à qqn** to be helpful to sb; **être de ~** to be on duty; **«~ compris/non compris»** "service included/not included"; **premier/deuxième ~** (au restaurant) first/second sitting; **~ après-vente** after-sales service department; **~ militaire** military service.

serviette [sɛʀvjɛt] nf (cartable) briefcase; **~ hygiénique** sanitary towel (Br), sanitary napkin (Am); **~ (de table)** table napkin; **~ (de toilette)** towel.

servir [sɛʀviʀ] vt 1. (invité, client) to serve.
2. (plat, boisson): **~ qqch à qqn** to serve sb sthg; **qu'est-ce que vous sers?** what would you like (to drink)?; **«~ frais»** "serve chilled".
♦ vi 1. (être utile) to be of use; **à ~ qqch** to be used for sthg; **~ à faire qqch** to be used for doing sthg; **ça ne sert à rien d'insister** there's no point in insisting.
2. (avec «de»): **~ de qqch** (objet) to serve as sthg.
3. (au tennis) to serve.
4. (aux cartes) to deal.
♦ **se servir** vp (de la nourriture, de la boisson) to help o.s.; **se servir de** vp + prép (objet) to use.

ses → **son**.

sésame [sezam] nm (graines) sesame seeds (pl).

set [sɛt] nm (SPORT) set; **~ (de table)** table mat.

seuil [sœj] nm threshold.

seul, -e [sœl] adj (sans personne) alone; (solitaire) lonely; (unique) only ♦ nm, f: **le ~** the only one; **un ~** only one; **pas un ~** not a single one; **(tout) ~** (sans aide) by oneself; (parler) to oneself.

seulement [sœlmɑ̃] adv only; **non ~ ... mais encore** OU **en plus** not only ... but also; **si ~ ...** if only ...

sève [sɛv] nf sap.

sévère [sevɛʀ] adj (professeur, parent) strict; (regard, aspect, échec) severe; (punition) harsh.

sévérité [severite] nf severity.

sévir [seviʀ] vi (punir) to punish; (épidémie, crise) to rage.

sexe [sɛks] nm (mâle, femelle) sex; (ANAT) genitals (pl).

sexiste [sɛksist] adj sexist.

sexuel, -elle [sɛksɥɛl] adj sexual.

seyant, -e [sejɑ̃, ɑ̃t] adj becoming.

Seychelles [sefɛl] nfpl: **les ~** the Seychelles.

shampo(o)ing [ʃɑ̃pwɛ̃] nm shampoo.

short [ʃɔʀt] nm (pair of) shorts.

show [ʃo] nm (de variétés) show.

si [si] conj (exprime l'hypothèse): **~ tu veux, on y va** we'll go if you want; **ce serait bien ~ vous pouviez** it would be good if you could;

c'est toi qui le dis, c'est que c'est vrai since you told me, it must be true.
2. *(dans une question):* **(et) ~ on allait à la piscine?** how about going to the swimming pool?
3. *(exprime un souhait)* if; **~ seulement tu m'en avais parlé avant!** if only you had told me earlier!
4. *(dans une question indirecte)* if, whether; **dites-moi ~ vous venez** tell me if you are coming.
♦ *adv* **1.** *(tellement)* so; **une ~ jolie ville** such a pretty town; **~ ... que** so ... that; **ce n'est pas ~ facile que ça** it's not as easy as that; **~ bien que** with the result that.
2. *(oui)* yes; **tu n'aimes pas le café? - ~** don't you like coffee? - yes, I do.

SICAV [sikav] *nf inv (titre)* share in a unit trust.

SIDA [sida] *nm* AIDS.

siècle [sjɛkl] *nm* century; **au vingtième ~** in the twentieth century.

siège [sjɛʒ] *nm* seat; *(d'une banque, d'une association)* head office.

sien [sjɛ̃] : **le sien** *(f* **la sienne** [lasjɛn], *mpl* **les siens** [lesjɛ̃], *fpl* **les siennes** [lesjɛn]*) pron (d'homme)* his; *(de femme)* hers; *(de chose, d'animal)* its.

sieste [sjɛst] *nf* nap; **faire la ~** to have a nap.

sifflement [siflamɑ̃] *nm* whistling.

siffler [sifle] *vi* to whistle ♦ *vt (air)* to whistle; *(acteur)* to boo; *(chien)* to whistle for; *(femme)* to whistle at.

sifflet [siflɛ] *nm (instrument)* whistle; *(au spectacle)* boo.

sigle [sigl] *nm* acronym.

signal, -aux [sinal, o] *nm (geste, son)* signal; *(feu, pancarte)* sign; **~ d'alarme** alarm signal.

signalement [sinalmɑ̃] *nm* description.

signaler [sinale] *vt (par un geste)* to signal; *(par une pancarte)* to signpost; *(faire remarquer)* to point out.

signalisation [sinalizasjɔ̃] *nf (feux, panneaux)* signs *(pl)*; *(au sol)* road markings *(pl)*.

signature [sinatyr] *nf* signature.

signe [sin] *nm* sign; *(dessin)* symbol; **faire ~ à qqn (de faire qqch)** to signal to sb (to do sthg); **c'est bon/mauvais ~** it's a good/bad sign; **faire le ~ de croix** to cross o.s.; **~ du zodiaque** sign of the zodiac.

signer [sine] *vt & vi* to sign ☐ **se signer** *vp* to cross o.s.

significatif, -ive [sinifikatif, iv] *adj* significant.

signification [sinifikasjɔ̃] *nf* meaning.

signifier [sinifje] *vt* to mean.

silence [silɑ̃s] *nm* silence; **en ~** in silence.

silencieux, -ieuse [silɑ̃sjø, jøz] *adj* quiet.

silhouette [silwɛt] *nf (forme)* silhouette; *(corps)* figure.

sillonner [sijɔne] *vt (parcourir):* **~ une région** to travel all round a region.

similaire [similɛr] *adj* similar.

simple [sɛ̃pl] *adj* simple; *(feuille, chambre)* single.

simplement [sɛ̃pləmɑ̃] *adv* simply.

simplicité [sɛ̃plisite] *nf* simplicity.

simplifier [sɛ̃plifje] *vt* to simplify.

simuler [simyle] *vt* to feign.

simultané, -e [simyltane] *adj* simultaneous.

simultanément [simyltanemã] *adv* simultaneously.

sincère [sɛ̃sɛr] *adj* sincere.

sincérité [sɛ̃serite] *nf* sincerity.

singe [sɛ̃ʒ] *nm* monkey.

singulier [sɛ̃gylje] *nm* singular.

sinistre [sinistr] *adj* sinister ◆ *nm* (*incendie*) fire; (*inondation*) flood.

sinistré, -e [sinistre] *adj* disaster-stricken ◆ *nm, f* disaster victim.

sinon [sinɔ̃] *conj* (*autrement*) otherwise; (*peut-être même*) if not.

sinueux, -euse [sinɥø, øz] *adj* winding.

sinusite [sinyzit] *nf* sinusitis.

sirène [siren] *nf* (*d'alarme, de police*) siren.

sirop [siro] *nm* (CULIN) syrup; ~ **d'érable** maple syrup; ~ **de fruits** fruit cordial; ~ **(pour la toux)** cough mixture.

siroter [sirɔte] *vt* to sip.

site [sit] *nm* (*paysage*) beauty spot; (*emplacement*) site; ~ **touristique** tourist site.

situation [sitɥasjɔ̃] *nf* (*circonstances*) situation; (*emplacement*) location; (*emploi*) job.

situé, -e [sitɥe] *adj* situated; **bien/mal** ~ well/badly situated.

situer [sitɥe] : **se situer** *vp* to be situated.

six [sis] *adj num, pron num & nm* six; **il a** ~ **ans** he's six (years old); **il est** ~ **heures** it's six o'clock; **le** ~

janvier the sixth of January; **page** ~ page six; **ils étaient** ~ there were six of them; **le** ~ **de pique** the six of spades; **(au)** ~ **rue Lepic** at/to six, rue Lepic.

sixième [sizjɛm] *adj num & pron num* sixth ◆ *nf* (SCOL) = first form (Br); = seventh grade (Am); ~ (*fraction*) sixth; (*étage*) sixth floor (Br), seventh floor (Am); (*arrondissement*) sixth arrondissement.

Skaï® [skaj] *nm* Leatherette®.

skateboard [skɛtbɔrd] *nm* (*planche*) skateboard; (SPORT) skateboarding.

sketch [skɛtʃ] *nm* sketch.

ski [ski] *nm* (*planche*) ski; (SPORT) skiing; **faire du** ~ to go skiing; ~ **alpin** Alpine skiing; ~ **de fond** cross-country skiing; ~ **nautique** water skiing.

skier [skje] *vi* to ski.

skieur, -ieuse [skjœr, jøz] *nm, f* skier.

slalom [slalɔm] *nm* slalom.

slip [slip] *nm* (*sous-vêtement masculin*) pants (Br)(*pl*), shorts (Am)(*pl*); (*sous-vêtement féminin*) knickers (*pl*); ~ **de bain** (*d'homme*) swimming trunks (*pl*).

slogan [slɔgã] *nm* slogan.

SMIC [smik] *nm* guaranteed minimum wage.

smoking [smɔkiŋ] *nm* (*costume*) dinner suit.

snack(-bar), -s [snak(bar)] *nm* snack bar.

SNCF *nf* French national railway company, = BR (Br), = Amtrak (Am).

snob [snɔb] *adj* snobbish ◆ *nmf* snob.

sobre [sɔbr] *adj* sober.

sociable [sɔsjabl] *adj* sociable.

social, -e, -iaux [sɔsjal, jo] *adj* social.

socialisme [sɔsjalism] *nm* socialism.

socialiste [sɔsjalist] *adj & nmf* socialist.

société [sɔsjete] *nf* society; (*entreprise*) company.

socle [sɔkl] *nm* (*d'une statue*) pedestal.

socquette [sɔkɛt] *nf* ankle sock.

soda [sɔda] *nm* fizzy drink, soda (*Am*).

sœur [sœr] *nf* sister.

sofa [sɔfa] *nm* sofa.

soi [swa] *pron* oneself; **en ~** (*par lui-même*) in itself; **cela va de ~** that goes without saying.

soi-disant [swadizã] *adj inv* so-called ♦ *adv* supposedly.

soie [swa] *nf* silk.

soif [swaf] *nf* thirst; **avoir ~** to be thirsty; **ça donne ~** it makes you thirsty.

soigner [swaɲe] *vt* (*malade, maladie*) to treat; (*travail, présentation*) to take care over; (*s'occuper de*) to look after, to take care of.

soigneusement [swaɲøzmã] *adv* carefully.

soigneux, -euse [swaɲø, øz] *adj* careful.

soin [swɛ̃] *nm* care; **prendre ~ de qqch** to take care of sthg; **prendre ~ de faire qqch** to take care to do sthg □ **soins** *nmpl* (*médicaux, de beauté*) care (*sg*); **premiers ~s** first aid (*sg*).

soir [swar] *nm* evening; **ce ~** tonight; **le ~** (*tous les jours*) in the evening.

soirée [sware] *nf* evening; (*réception*) party.

sois, soit → **être**.

soit [swat] *conj* : **~ ... ~** either ... or.

soixante [swasãt] *num* sixty, → **six**.

soixante-dix [swasãtdis] *num* seventy, → **six**.

soixante-dixième [swasãtdizjɛm] *num* seventieth, → **sixième**.

soixantième [swasãtjɛm] *num* sixtieth, → **sixième**.

soja [sɔʒa] *nm* soya.

sol [sɔl] *nm* (*d'une maison*) floor; (*dehors*) ground; (*terrain*) soil.

solaire [sɔlɛr] *adj* solar.

soldat [sɔlda] *nm* soldier.

solde [sɔld] *nm* (*d'un compte bancaire*) balance; **en ~** in a sale □ **soldes** *nmpl* (*vente*) sales; (*articles*) sale goods.

soldé, -e [sɔlde] *adj* (*article*) reduced.

sole [sɔl] *nf* sole; **~ meunière** sole fried in butter and served with lemon juice and parsley.

soleil [sɔlɛj] *nm* sun; **il fait du** (**~**) it's sunny; **au ~** in the sun; **~ couchant** sunset; **~ levant** sunrise.

solennel, -elle [sɔlanɛl] *adj* (*officiel*) solemn; (*péj: ton, air*) pompous.

solfège [sɔlfɛʒ] *nm*: **faire du ~** to learn how to read music.

solidaire [sɔlidɛr] *adj*: **être ~ de qqn** to stand by sb.

solidarité [sɔlidarite] *nf* solidarity.

solide [sɔlid] *adj* (*matériau,*

construction) solid; (*personne*) sturdy.

solidité [sɔlidite] *nf* solidity.

soliste [sɔlist] *nmf* soloist.

solitaire [sɔlitɛr] *adj* lonely ♦ *nmf* loner.

solitude [sɔlityd] *nf* (*calme*) solitude; (*abandon*) loneliness.

solliciter [sɔlisite] *vt* (*suj: mendiant*) to beg; (*entrevue, faveur*) to request.

soluble [sɔlybl] *adj* (*café*) instant; (*médicament*) soluble.

solution [sɔlysjɔ̃] *nf* solution.

sombre [sɔ̃br] *adj* dark; (*visage, humeur, avenir*) gloomy.

sommaire [sɔmɛr] *adj* (*explication, résumé*) brief; (*repas, logement*) basic ♦ *nm* summary.

somme [sɔm] *nf* sum ♦ *nm*: **faire un ~** to have a nap; **faire la ~** to add up; **en ~** in short; **~ toute** all things considered.

sommeil [sɔmɛj] *nm* sleep; **avoir ~** to be sleepy.

sommelier, -ière [sɔmǝlje, jɛr] *nm, f* wine waiter (*f* wine waitress).

sommes → **être**.

sommet [sɔmɛ] *nm* top; (*d'une montagne*) peak.

sommier [sɔmje] *nm* base.

somnambule [sɔmnɑ̃byl] *nmf* sleepwalker ♦ *adj*: **être ~** to sleepwalk.

somnifère [sɔmnifɛr] *nm* sleeping pill.

somnoler [sɔmnɔle] *vi* to doze.

somptueux, -euse [sɔ̃ptɥø, øz] *adj* sumptuous.

son[1] [sɔ̃] (*f* sa [sa], *pl* ses [se]) *adj* (*d'homme*) his; (*de femme*) her; (*de*

chose, d'animal) its.

son[2] [sɔ̃] *nm* (*bruit*) sound; (*de blé*) bran; **~ et lumière** *historical play performed at night.*

sondage [sɔ̃daʒ] *nm* survey.

sonde [sɔ̃d] *nf* (*MÉD*) probe.

songer [sɔ̃ʒe] *vi*: **~ à faire qqch** (*envisager de*) to think of doing sthg.

songeur, -euse [sɔ̃ʒœr, øz] *adj* thoughtful.

sonner [sɔne] *vi* to ring ♦ *vt* (*cloche*) to ring; (*suj: horloge*) to strike.

sonnerie [sɔnri] *nf* (*son*) ringing; (*mécanisme de réveil*) alarm; (*de porte*) bell.

sonnette [sɔnɛt] *nf* (*de porte*) bell; **~ d'alarme** (*dans un train*) communication cord.

sono [sɔno] *nf* (*fam*) sound system.

sonore [sɔnɔr] *adj* (*voix, rire*) loud; **signal ~** (*sur un répondeur*) beep.

sonorité [sɔnɔrite] *nf* tone.

sont → **être**.

sophistiqué, -e [sɔfistike] *adj* sophisticated.

sorbet [sɔrbɛ] *nm* sorbet.

sorcier, -ière [sɔrsje, jɛr] *nm, f* wizard (*f* witch).

sordide [sɔrdid] *adj* sordid.

sort [sɔr] *nm* fate; **tirer au ~** to draw lots.

sorte [sɔrt] *nf* sort, kind; **une ~ de** a sort of, a kind of; **de (telle) ~ que** (*afin que*) so that; **en quelque ~** as it were.

sortie [sɔrti] *nf* (*porte*) exit, way out; (*excursion*) outing; (*au cinéma, au restaurant*) evening out; (*d'un* *livre)* publication; *(d'un film)* release; ~ **de secours** emergency exit; **«~ de véhicules»** "garage entrance".

sortir [sɔʀtiʀ] *vi (aux être) (aller dehors, au cinéma, au restaurant)* to go out; *(venir dehors)* to come out; *(livre, film)* to come out ♦ *vt (aux avoir) (chien)* to take out; *(livre, film)* to bring out; ~ **de** *(aller)* to leave; *(venir)* to come out of; *(école, université)* to have finished at □ **s'en sortir** *vp* to pull through.

SOS *nm* SOS; ~ **Médecins** emergency medical service.

sosie [sɔzi] *nm* double.

sou [su] *nm:* **ne plus avoir un ~** to be broke □ **sous** *nmpl (fam: argent)* money *(sg)*.

souche [suʃ] *nf (d'arbre)* stump; *(de carnet)* stub.

souci [susi] *nm* worry; **se faire du ~ (pour)** to worry (about).

soucier [susje] **: se soucier de** *vp + prép* to care about.

soucieux, -ieuse [susjø, jøz] *adj* concerned.

soucoupe [sukup] *nf* saucer; ~ **volante** flying saucer.

soudain, -e [sudɛ̃, ɛn] *adj* sudden ♦ *adv* suddenly.

souder [sude] *vt (TECH)* to weld.

soudure [sudyʀ] *nf (opération)* welding; *(partie soudée)* weld.

souffert [sufɛʀ] *pp* → **souffrir**.

souffle [sufl] *nm (respiration)* breathing; *(d'une explosion)* blast; **un ~ d'air** OU **de vent** a gust of wind; **être à bout de ~** to be out of breath.

soufflé [sufle] *nm* soufflé.

souffler [sufle] *vt (fumée)* to blow; *(bougie)* to blow out ♦ *vi*

(expirer) to breathe out; *(haleter)* to puff; *(vent)* to blow; ~ **qqch à qqn** *(à un examen)* to whisper sthg to sb.

soufflet [sufle] *nm (pour le feu)* bellows *(pl)*; *(de train)* concertina vestibule.

souffrance [sufʀɑ̃s] *nf* suffering.

souffrant, -e [sufʀɑ̃, ɑ̃t] *adj (sout)* unwell.

souffrir [sufʀiʀ] *vi* to suffer; ~ **de** to suffer from.

soufre [sufʀ] *nm* sulphur.

souhait [swɛ] *nm* wish; **à tes ~s!** bless you!

souhaitable [swɛtabl] *adj* desirable.

souhaiter [swɛte] *vt:* ~ **que** to hope that; ~ **faire qqch** to hope to do sthg; ~ **bonne chance/bon anniversaire à qqn** to wish sb good luck/happy birthday.

soûl, -e [su, sul] *adj* drunk.

soulagement [sulaʒmɑ̃] *nm* relief.

soulager [sulaʒe] *vt* to relieve.

soûler [sule] **: se soûler** *vp* to get drunk.

soulever [sulve] *vt (couvercle, jupe)* to lift; *(enthousiasme, protestations)* to arouse; *(problème)* to bring up □ **se soulever** *vp (se redresser)* to raise o.s. up; *(se rebeller)* to rise up.

soulier [sulje] *nm* shoe.

souligner [suliɲe] *vt* to underline; *(insister sur)* to emphasize.

soumettre [sumɛtʀ] *vt:* ~ **qqn/qqch à** to subject sb/sthg to; ~ **qqch à qqn** *(idée, projet)* to submit sthg to sb □ **se soumettre à** *vp + prép (loi, obligation)* to abide by.

soumis, -e [sumi, iz] *pp* →
soumettre ♦ *adj* submissive.

soupape [supap] *nf* valve.

soupçon [supsɔ̃] *nm* suspicion.

soupçonner [supsɔne] *vt* to
suspect.

soupçonneux, -euse [supsɔnø, øz] *adj* suspicious.

soupe [sup] *nf* soup; ~ à l'oignon
onion soup; ~ de légumes vegetable soup.

souper [supe] *nm (dernier repas)*
late supper; *(dîner)* dinner ♦ *vi (très
tard)* to have a late supper; *(dîner)*
to have dinner.

soupeser [supəze] *vt* to feel the
weight of.

soupière [supjɛr] *nf* tureen.

soupir [supir] *nm* sigh; **pousser
un ~** to give a sigh.

soupirer [supire] *vi* to sigh.

souple [supl] *adj (matière)* flexible; *(sportif)* supple.

souplesse [suples] *nf (d'un
sportif)* suppleness.

source [surs] *nf (d'eau)* spring;
(de chaleur, de lumière) source.

sourcil [sursi] *nm* eyebrow.

sourd, -e [sur, surd] *adj* deaf.

**sourd-muet, sourde-
muette** [surmɥe, surdmɥet] *(mpl
sourds-muets, fpl sourdes-muettes)*
nm, f deaf and dumb person.

souriant, -e [surjɑ̃, ɑ̃t] *adj*
smiling.

sourire [surir] *nm* smile ♦ *vi* to
smile.

souris [suri] *nf* mouse.

sournois, -e [surnwa, waz] *adj*
sly.

sous [su] *prép* under, underneath; ~ **enveloppe** in an en

velope; ~ **la pluie** in the rain; ~
peu shortly.

sous-bois [subwa] *nm* undergrowth.

sous-développé, -e, -s
[sudevlɔpe] *adj* underdeveloped.

sous-entendre [suzɑ̃tɑ̃dr] *vt* to
imply.

sous-entendu, -s [suzɑ̃tɑ̃dy]
nm innuendo.

sous-estimer [suzɛstime] *vt* to
underestimate.

sous-louer [sulwe] *vt* to sublet.

sous-marin, -e, -s [sumarɛ̃,
in] *adj (flore)* underwater ♦ *nm* submarine; *(Can: sandwich)* long filled
roll, sub *(Am)*.

sous-préfecture, -s [suprefɛktyr] *nf* administrative area smaller
than a "préfecture".

sous-pull, -s [supyl] *nm* lightweight polo-neck sweater.

sous-sol, -s [susɔl] *nm (d'une
maison)* basement.

sous-titre, -s [sutitr] *nm* subtitle.

sous-titré, -e, -s [sutitre] *adj*
subtitled.

soustraction [sustraksjɔ̃] *nf*
subtraction.

soustraire [sustrɛr] *vt (MATH)* to
subtract.

sous-verre [suver] *nm inv* picture in a clip-frame.

sous-vêtements [suvɛtmɑ̃]
nmpl underwear *(sg)*.

soute [sut] *nf (d'un bateau)* hold;
~ **à bagages** *(d'un car)* luggage
compartment; *(d'un avion)* luggage
hold.

soutenir [sutnir] *vt (porter,
défendre)* to support; ~ **que** to

souterrain, -e [suterɛ̃, ɛn] *adj* underground ♦ *nm* underground passage; *(sous une rue)* subway *(Br)*, underpass *(Am)*.

soutien [sutjɛ̃] *nm* support; *(SCOL)* extra classes *(pl)*.

soutien-gorge [sutjɛ̃gɔrʒ] *(pl* **soutiens-gorge)** *nm* bra.

souvenir [suvnir] *nm* memory; *(objet touristique)* souvenir ❏ **se souvenir de** *vp* + *prép* to remember.

souvent [suvɑ̃] *adv* often.

souvenu, -e [suvny] *pp* → **souvenir**.

souverain, -e [suvrɛ̃, ɛn] *nm, f* monarch.

soviétique [sɔvjetik] *adj* Soviet.

soyeux, -euse [swajø, jøz] *adj* silky.

soyons → **être**.

SPA *nf* = RSPCA *(Br)*, ≃ SPCA *(Am)*.

spacieux, -ieuse [spasjø, jøz] *adj* spacious.

spaghetti(s) [spageti] *nmpl* spaghetti *(sg)*.

sparadrap [sparadra] *nm* (sticking) plaster *(Br)*, Band-Aid® *(Am)*.

spatial, -e, -iaux [spasjal, jo] *adj (recherche, vaisseau)* space.

spatule [spatyl] *nf (de cuisine)* spatula.

spätzli [ʃpetsli] *nmpl (Helv)* small dumplings.

spécial, -e, -iaux [spesjal, jo] *adj* special; *(bizarre)* odd.

spécialisé, -e [spesjalize] *adj* specialized.

spécialiste [spesjalist] *nmf* specialist.

spécialité [spesjalite] *nf* speciality.

spécifique [spesifik] *adj* specific.

spécimen [spesimɛn] *nm* specimen.

spectacle [spektakl] *nm* (*au théâtre, au cinéma)* show; *(vue)* sight.

spectaculaire [spektakylɛr] *adj* spectacular.

spectateur, -trice [spektatœr, tris] *nm, f* spectator.

speculo(o)s [spekylos] *nm (Belg)* crunchy sweet biscuit flavoured with cinnamon.

spéléologie [speleɔlɔʒi] *nf* potholing.

sphère [sfɛr] *nf* sphere.

spirale [spiral] *nf* spiral; **en ~** spiral.

spirituel, -elle [spirityɛl] *adj* spiritual; *(personne, remarque)* witty.

spiritueux [spiritɥø] *nm* spirit.

splendide [splɑ̃did] *adj* magnificent.

sponsor [spɔsɔr] *nm* sponsor.

sponsoriser [spɔsɔrize] *vt* to sponsor.

spontané, -e [spɔtane] *adj* spontaneous.

spontanéité [spɔtaneite] *nf* spontaneity.

sport [spɔr] *nm* sport; **~s d'hiver** winter sports.

sportif, -ive [spɔrtif, iv] *adj (athlétique)* sporty; *(épreuve, journal)* sports ♦ *nm, f* sportsman *(f* sportswoman)*.

spot [spɔt] *nm (projecteur, lampe)* spotlight; **~ publicitaire** commercial.

sprint [sprint] *nm* sprint.

square [skwar] *nm* small public garden.

squelette [skəlɛt] *nm* skeleton.

St (*abr de saint*) St.

stable [stabl] *adj* stable.

stade [stad] *nm* (*de sport*) stadium; (*période*) stage.

stage [staʒ] *nm* (*en entreprise*) work placement; (*d'informatique, de yoga*) intensive course; **faire un ~** to go on an intensive course.

stagiaire [staʒjɛr] *nmf* trainee.

stagner [stagne] *vi* to stagnate.

stalactite [stalaktit] *nf* stalactite.

stalagmite [stalagmit] *nf* stalagmite.

stand [stɑ̃d] *nm* stand.

standard [stɑ̃dar] *adj inv* standard ◆ *nm* (*téléphonique*) switchboard.

standardiste [stɑ̃dardist] *nmf* switchboard operator.

star [star] *nf* star.

starter [starter] *nm* (*d'une voiture*) choke.

station [stasjɔ̃] *nf* (*de métro, de radio*) station; (*de ski*) resort; **~ balnéaire** seaside resort; **~ de taxis** taxi rank; **~ thermale** spa.

stationnement [stasjɔnmɑ̃] *nm* parking; «**~ payant**» sign indicating that drivers must pay to park in designated area.

stationner [stasjɔne] *vi* to park.

station-service [stasjɔ̃sɛrvis] (*pl* **stations-service**) *nf* petrol station (*Br*), gas station (*Am*).

statique [statik] *adj → **électricité**.

statistiques [statistik] *nfpl* statistics.

statue [staty] *nf* statue.

statuette [statyɛt] *nf* statuette.

statut [staty] *nm* (*situation*) status.

Ste (*abr de sainte*) St.

Sté (*abr de société*) Co.

steak [stɛk] *nm* steak; **~ frites** steak and chips; **~ haché** beefburger; **~ tartare** steak tartare.

sténo [steno] *nf* (*écriture*) shorthand.

sténodactylo [stenɔdaktilo] *nf* shorthand typist.

stéréo [stereo] *adj inv & nf* stereo.

stérile [steril] *adj* sterile.

stériliser [sterilize] *vt* to sterilize.

sterling [sterliŋ] *adj → **livre**[2].

steward [stiwart] *nm* (*sur un avion*) (air) steward.

stimuler [stimyle] *vt* (*encourager*) to encourage.

stock [stɔk] *nm* stock; **en ~** in stock.

stocker [stɔke] *vt* to stock.

stop [stɔp] *nm* (*panneau*) stop sign; (*phare*) brake light ◆ *excl* stop!; **faire du ~** to hitchhike.

stopper [stɔpe] *vt & vi* to stop.

store [stɔr] *nm* blind; (*de magasin*) awning.

strapontin [strapɔ̃tɛ̃] *nm* folding seat.

stratégie [strateʒi] *nf* strategy.

stress [strɛs] *nm* stress.

stressé, -e [strɛse] *adj* stressed.

strict, -e [strikt] *adj* strict.

strictement [striktəmɑ̃] *adv*

strictly.

strident, -e [stridɑ̃, ɑ̃t] *adj*
shrill.

strié, -e [strije] *adj* with ridges.

strophe [strɔf] *nf* verse.

structure [stryktyr] *nf* structure.

studieux, -ieuse [stydjø, jøz]
adj studious.

studio [stydjo] *nm (logement)* studio flat *(Br)*, studio apartment
(Am); *(de cinéma, de photo)* studio.

stupéfait, -e [stypefɛ, ɛt] *adj*
astounded.

stupéfiant, -e [stypefjɑ̃, ɑ̃t]
adj astounding ♦ *nm* drug.

stupide [stypid] *adj* stupid.

stupidité [stypidite] *nf* stupidity; *(parole)* stupid remark.

style [stil] *nm* style; **meubles de ~**
period furniture *(sg)*.

stylo [stilo] *nm* pen; **~ (à) bille**
ballpoint pen; **~ (à) plume** fountain pen.

stylo-feutre [stiloføtr] *(pl* **stylos-
feutres)** *nm* felt-tip (pen).

su, -e [sy] *pp* → **savoir**.

subir [sybir] *vt (attaque, opération,
changement)* to undergo.

subit, -e [sybi, it] *adj* sudden.

subjectif, -ive [sybʒɛktif, iv]
adj subjective.

subjonctif [sybʒɔ̃ktif] *nm* subjunctive.

sublime [syblim] *adj* sublime.

submerger [sybmɛrʒe] *vt (suj:
eau)* to flood; *(suj: travail, responsabilités)* to overwhelm.

subsister [sybziste] *vi (rester)* to
remain.

substance [sypstɑ̃s] *nf* substance.

substantiel, -ielle [sypstɑ̃-
sjɛl] *adj* substantial.

substituer [sypstitɥe] *vt:* **~
qqch à qqch** to substitute sthg for
sthg.

subtil, -e [syptil] *adj* subtle.

subtilité [syptilite] *nf* subtlety.

subvention [sybvɑ̃sjɔ̃] *nf* subsi-
dy.

succéder [syksede] : **succéder
à** *v + prép (suivre)* to follow; *(dans
un emploi)* to succeed □ **se succéder** *vp (événements, jours)* to follow one another.

succès [syksɛ] *nm* success; **avoir
du ~** to be successful.

successeur [syksesœr] *nm* suc-
cessor.

successif, -ive [syksesif, iv] *adj*
successive.

succession [syksesjɔ̃] *nf* succession.

succulent, -e [sykylɑ̃, ɑ̃t] *adj*
delicious.

succursale [sykyrsal] *nf* branch.

sucer [syse] *vt* to suck.

sucette [sysɛt] *nf (bonbon)* lollipop; *(de bébé)* dummy *(Br)*, pacifier *(Am)*.

sucre [sykr] *nm* sugar; **~ en
morceaux** cube sugar; **~ d'orge**
barley sugar; **~ en poudre** caster
sugar.

sucré, -e [sykre] *adj (yaourt, lait
concentré)* sweetened; *(fruit, café)*
sweet.

sucrer [sykre] *vt* to sweeten.

sucreries [sykrəri] *nfpl* sweets
(Br), candies *(Am)*.

sucrier [sykrije] *nm* sugar bowl.

sud [syd] *adj inv & nm* south; **au ~**
in the south; **au ~ de** south of.

sud-africain, -e, -s [sydafrikɛ̃, ɛn] adj South African.

sud-est [sydɛst] adj inv & nm southeast; **au ~** in the southeast; **au ~ de** southeast of.

sud-ouest [sydwɛst] adj inv & nm southwest; **au ~** in the southwest; **au ~ de** southwest of.

Suède [sɥɛd] nf: **la ~** Sweden.

suédois, -e [sɥedwa, waz] adj Swedish ◆ nm (langue) Swedish ❑ **Suédois, -e** nm, f Swede.

suer [sɥe] vi to sweat.

sueur [sɥœr] nf sweat; **être en ~** to be sweating; **avoir des ~s froides** to be in a cold sweat.

suffire [syfir] vi to be enough; **ça suffit!** that's enough!; **~ à qqn** (être assez) to be enough for sb; **il (te) suffit de faire** all you have to do is.

suffisamment [syfizamɑ̃] adv enough; **~ de** enough.

suffisant, -e [syfizɑ̃, ɑ̃t] adj sufficient.

suffocant, -e [syfɔkɑ̃, ɑ̃t] adj oppressive.

suffoquer [syfɔke] vi to suffocate.

suggérer [syʒʒere] vt to suggest; **~ à qqn de faire qqch** to suggest that sb should do sthg.

suggestion [syʒʒɛstjɔ̃] nf suggestion.

suicide [sɥisid] nm suicide.

suicider [sɥiside] : **se suicider** vp to commit suicide.

suie [sɥi] nf soot.

suinter [sɥɛ̃te] vi (murs) to sweat; (liquide) to ooze.

suis → **être, suivre.**

suisse [sɥis] adj Swiss ❑ **Suisse** nmf Swiss (person) ◆ nf: **la Suisse**

Switzerland; **les Suisses** the Swiss.

suite [sɥit] nf (série, succession) series; (d'une histoire) rest; (deuxième film) sequel; **à la ~** (en suivant) one after the other; **à la ~ de** (à cause de) following; **de ~** (d'affilée) in a row; **par ~ de** because of ❑ **suites** nfpl (conséquences) consequences; (d'une maladie) aftereffects.

suivant, -e [sɥivɑ̃, ɑ̃t] adj next ◆ nm, f next (one) ◆ prép (selon) according to; **au ~!** next!

suivi, -e [sɥivi] pp → **suivre.**

suivre [sɥivr] vt to follow; **suivi de** followed by; **faire ~** (courrier) to forward; **«à ~»** "to be continued".

sujet [syʒɛ] nm subject; **au ~ de** about.

super [sypɛr] adj inv (fam: formidable) great ◆ nm (carburant) fourstar (petrol).

super- [sypɛr] préf (fam: très) really.

superbe [sypɛrb] adj superb.

supérette [sypeɛrt] nf minimarket.

superficie [sypɛrfisi] nf area.

superficiel, -ielle [sypɛrfisjɛl] adj superficial.

superflu, -e [sypɛrfly] adj superfluous.

supérieur, -e [sypɛrjœr] adj (du dessus) upper; (qualité) superior ◆ nm, f (hiérarchique) superior; **~ à** (plus élevé que) higher than; (meilleur que) better than.

supériorité [sypɛrjɔrite] nf superiority.

supermarché [sypɛrmarʃe] nm supermarket.

superposer [sypɛrpoze] vt (objets) to put on top of each other; *(images)* to superimpose.

superstitieux, -ieuse [syperstisjø, jøz] *adj* superstitious.

superviser [sypervize] *vt* to supervise.

supplément [syplemɑ̃] *nm (argent)* supplement, extra charge; **un ~ d'information** additional information; **en ~** extra.

supplémentaire [syplemɑ̃ter] *adj* additional.

supplice [syplis] *nm* torture.

supplier [syplije] *vt:* **~ qqn de faire qqch** to beg sb to do sthg.

support [sypɔr] *nm* support.

supportable [sypɔrtabl] *adj (douleur)* bearable; *(situation)* tolerable.

supporter¹ [sypɔrte] *vt (endurer)* to bear, to stand; *(tolérer)* to bear; *(soutenir)* to support.

supporter² [sypɔrter] *nm (d'une équipe)* supporter.

supposer [sypoze] *vt* to suppose; *(exiger)* to require; **à ~ que ...** supposing (that) ...

supposition [sypozisjɔ̃] *nf* supposition.

suppositoire [sypozitwar] *nm* suppository.

suppression [sypresjɔ̃] *nf* removal; *(d'un mot)* deletion.

supprimer [syprime] *vt* to remove; *(train)* to cancel; *(mot)* to delete; *(tuer)* to do away with.

suprême [syprem] *nm:* **~ de volaille** chicken supreme.

sur [syr] *prép* **1.** *(dessus)* on; **~ la table** on (top of) the table.

2. *(au-dessus de)* above, over.

3. *(indique la direction)* towards; **tournez ~ la droite** turn (to the) right.

4. *(indique la distance)* for; «**travaux ~ 10 kilomètres**» "roadworks for 10 kilometres".

5. *(au sujet de)* on, about; **un dépliant ~ l'Auvergne** a leaflet on OU about Auvergne.

6. *(dans une mesure)* by; **un mètre ~ deux** one metre by two.

7. *(dans une proportion)* out of; **9 ~ 10** 9 out of 10; **un jour ~ deux** every other day.

sûr, -e [syr] *adj (certain)* certain, sure; *(sans danger)* safe; *(digne de confiance)* reliable; **être ~ de/que** to be sure of/that; **être ~ de soi** to be self-confident.

surbooking [syrbukiŋ] *nm* overbooking.

surcharger [syrʃarʒe] *vt* to overload.

surchauffé, -e [syrʃofe] *adj* overheated.

surélever [syrelve] *vt* to raise.

sûrement [syrmɑ̃] *adv (probablement)* probably; **~ pas!** certainly not!

surestimer [syrestime] *vt* to overestimate.

sûreté [syrte] *nf:* **mettre qqch en ~** to put sthg in a safe place.

surexcité, -e [syreksite] *adj* overexcited.

surf [sœrf] *nm* surfing.

surface [syrfas] *nf (étendue)* surface area; *(MATH)* surface.

surgelé, -e [syrʒəle] *adj* frozen ◆ *nm* frozen meal; **des ~s** frozen food (sg).

surgir [syrʒir] *vi* to appear suddenly; *(difficultés)* to arise.

sur-le-champ [syrləʃɑ̃] *adv* immediately.

surlendemain [syʀlɑ̃dmɛ̃] *nm*: le ~ two days later; **le ~ de son départ** two days after he left.

surligneur [syʀliɲœʀ] *nm* highlighter (pen).

surmené, -e [syʀməne] *adj* overworked.

surmonter [syʀmɔ̃te] *vt (difficulté, obstacle)* to overcome.

surnaturel, -elle [syʀnatyʀɛl] *adj* supernatural.

surnom [syʀnɔ̃] *nm* nickname.

surnommer [syʀnɔme] *vt* to nickname.

surpasser [syʀpase] *vt* to surpass ❏ **se surpasser** *vp* to excel o.s.

surplace [syʀplas] *nm*: **faire du ~** *(fig)* to mark time.

surplomber [syʀplɔ̃be] *vt* to overhang.

surplus [syʀply] *nm* surplus.

surprenant, -e [syʀpʀənɑ̃, ɑ̃t] *adj* surprising.

surprendre [syʀpʀɑ̃dʀ] *vt* to surprise.

surpris, -e [syʀpʀi, iz] *pp* → **surprendre** ♦ *adj* surprised; **être ~ de/que** to be surprised about/that.

surprise [syʀpʀiz] *nf* surprise; **faire une ~ à qqn** to give sb a surprise; **par ~** by surprise.

surréservation [syʀʀezɛʀvasjɔ̃] *nf* = surbooking.

sursaut [syʀso] *nm*: **se réveiller en ~** to wake with a start.

sursauter [syʀsote] *vi* to start.

surtaxe [syʀtaks] *nf* surcharge.

surtout [syʀtu] *adv (avant tout)* above all; *(plus particulièrement)* especially; **~, fais bien attention!** whatever you do, be careful!; **~**

que especially as.

survécu [syʀveky] *pp* → **survivre**.

surveillance [syʀvɛjɑ̃s] *nf* supervision; **être sous ~** to be under surveillance.

surveillant, -e [syʀvɛjɑ̃, ɑ̃t] *nm, f (SCOL)* supervisor.

surveiller [syʀveje] *vt* to watch ❏ **se surveiller** *vp (faire du régime)* to watch one's weight.

survêtement [syʀvɛtmɑ̃] *nm* tracksuit.

survivant, -e [syʀvivɑ̃, ɑ̃t] *nm, f* survivor.

survivre [syʀvivʀ] *vi* to survive; **~ à** to survive.

survoler [syʀvɔle] *vt (lieu)* to fly over.

sus [sy(s)] : **en sus** *adv* on top.

susceptible [sysɛptibl] *adj (sensible)* touchy; **le temps est ~ de s'améliorer** the weather might improve.

susciter [sysite] *vt (intérêt, colère)* to arouse; *(difficulté, débat)* to create.

suspect, -e [syspɛ, ɛkt] *adj (comportement, individu)* suspicious; *(aliment)* suspect ♦ *nm, f* suspect.

suspecter [syspɛkte] *vt* to suspect.

suspendre [syspɑ̃dʀ] *vt (accrocher)* to hang; *(arrêter)* to suspend.

suspense [syspɛns] *nm* suspense.

suspension [syspɑ̃sjɔ̃] *nf (d'une voiture)* suspension; *(lampe)* (ceiling) light *(hanging type)*.

suture [sytyʀ] *nf* → **point**.

SVP *(abr de s'il vous plaît)* pls.

sweat-shirt, -s [switʃœrt] nm sweatshirt.

syllabe [silab] nf syllable.

symbole [sɛbɔl] nm symbol.

symbolique [sɛbɔlik] adj symbolic.

symboliser [sɛbɔlize] vt to symbolize.

symétrie [simetri] nf symmetry.

symétrique [simetrik] adj symmetrical.

sympa [sɛpa] adj (fam) nice.

sympathie [sɛpati] nf: éprouver OU avoir de la ~ pour qqn to have a liking for sb.

sympathique [sɛpatik] adj nice.

sympathiser [sɛpatize] vi to get on well.

symphonie [sɛfɔni] nf symphony.

symptôme [sɛptom] nm symptom.

synagogue [sinagɔg] nf synagogue.

synchronisé, -e [sɛkrɔnize] adj synchronized.

syncope [sɛkɔp] nf (MÉD) blackout.

syndical, -e, -aux [sɛdikal, -o] adj (mouvement, revendications) (trade) union.

syndicaliste [sɛdikalist] nmf (trade) unionist.

syndicat [sɛdika] nm (trade) union; ~ d'initiative tourist office.

syndiqué, -e [sɛdike] adj: être ~ to belong to a (trade) union.

synonyme [sinɔnim] nm synonym.

synthèse [sɛtɛz] nf (d'un texte) summary.

synthétique [sɛtetik] adj (produit, fibre) synthetic, man-made ◆ nm (tissu) synthetic OU man-made fabric.

synthétiseur [sɛtetizœr] nm synthesizer.

systématique [sistematik] adj systematic.

système [sistɛm] nm system; ~ d'exploitation operating system.

T

t' → te.

ta → ton¹.

tabac [taba] nm tobacco; (magasin) tobacconist's.

---

i TABAC

As well as selling cigarettes, cigars and tobacco, "tabacs" in France also sell stamps, road tax stickers and lottery tickets. In the countryside they may also stock newspapers.

---

tabagie [tabaʒi] nf (Can: bureau de tabac) tobacconist's.

table [tabl] nf table; mettre la ~ to set OU lay the table; être à ~ to be having a meal; se mettre à ~ to sit down to eat; à ~! lunch/dinner etc is ready!; ~ de chevet OU de nuit bedside table; ~ à langer baby changing table; ~ des matières contents (page); ~ **d'opération** operating table; ~ **d'orientation** viewpoint indicator; ~ **à repasser** ironing board.

tableau, **-x** [tablo] *nm (peinture)* painting; *(panneau)* board; *(grille)* table; ~ **de bord** *(d'une voiture)* dashboard; *(d'un avion)* instrument panel; ~ **(noir)** blackboard.

tablette [tablɛt] *nf (étagère)* shelf; ~ **de chocolat** bar of chocolate.

tablier [tablije] *nm* apron.

taboulé [tabule] *nm* tabbouleh, Lebanese dish of couscous, tomatoes, onion, mint and lemon.

tabouret [taburɛ] *nm* stool.

tache [taʃ] *nf (de couleur)* patch; *(de graisse)* stain; **~s de rousseur** freckles.

tâche [taʃ] *nf* task.

tacher [taʃe] *vt* to stain.

tâcher [taʃe] : **tâcher de** *v* + *prép* to try to.

tacheté, -e [taʃte] *adj* spotted.

tact [takt] *nm* tact.

tactique [taktik] *nf* tactics (pl).

tag [tag] *nm* name written with a spray can on walls, trains etc.

tagine [taʒin] *nm* North African stew, cooked in a special earthenware vessel.

taie [tɛ] *nf*: ~ **d'oreiller** pillowcase.

taille [taj] *nf* size; *(hauteur)* height; *(partie du corps)* waist.

taille-crayon, -s [tajkrɛjɔ̃] *nm* pencil sharpener.

tailler [taje] *vt (arbre)* to prune; *(tissu)* to cut out; *(crayon)* to sharpen.

tailleur [tajœr] *nm (couturier)* tai-

lor; *(vêtement)* (woman's) suit; **s'asseoir en ~** to sit cross-legged.

taire [tɛr] : **se taire** *vp (arrêter de parler)* to stop speaking; *(rester silencieux)* to be silent; **tais-toi!** be quiet!

talc [talk] *nm* talc.

talent [talɑ̃] *nm* talent.

talkie-walkie [tɔkiwɔki] *(pl* talkies-walkies) *nm* walkie-talkie.

talon [talɔ̃] *nm* heel; *(d'un chèque)* stub; **chaussures à ~s hauts/plats** high-heeled/flat shoes.

talus [taly] *nm* embankment.

tambour [tɑ̃bur] *nm* drum.

tambourin [tɑ̃burɛ̃] *nm* tambourine.

tamis [tami] *nm* sieve.

Tamise [tamiz] *nf*: **la ~** the Thames.

tamisé, -e [tamize] *adj (lumière)* soft.

tamiser [tamize] *vt (farine, sable)* to sieve.

tampon [tɑ̃pɔ̃] *nm (cachet)* stamp; *(de tissu, de coton)* wad; ~ **(hygiénique)** tampon.

tamponneuse [tɑ̃pɔnøz] *adj f* > **auto.**

tandem [tɑ̃dɛm] *nm* tandem.

tandis [tɑ̃di] : **tandis que** *conj (pendant que)* while; *(alors que)* whereas.

tango [tɑ̃go] *nm* tango.

tanguer [tɑ̃ge] *vi* to pitch.

tank [tɑ̃k] *nm* tank.

tant [tɑ̃] *adv* 1. *(tellement)* so much; **il l'aime ~ (que)** he loves her so much (that); ~ **de ...** *(que)* *(travail, patience)* so much ... (that); *(livres, gens)* so many ... that.

2. *(autant)* : ~ **que** as much as.

tante   **276**

3. *(temporel)*: ~ que nous resterons ici for as long as we're staying here.

4. *(dans des expressions)*: en ~ que as; ~ bien que mal somehow or other; ~ mieux so much the better; ~ mieux pour lui good for him; ~ pis too bad.

tante [tɑ̃t] *nf* aunt.

tantôt [tɑ̃to] *adv*: ~ ..., ~ sometimes ..., sometimes.

taon [tɑ̃] *nm* horsefly.

tapage [tapaʒ] *nm* din.

tape [tap] *nf* tap.

tapenade [tapənad] *nf* spread made from black olives, capers and crushed anchovies, moistened with olive oil.

taper [tape] *vt* to hit; *(code)* to dial; **~ (qqch) à la machine** to type (sthg); **~ des pieds** to stamp one's feet; **~ sur** *(porte)* to hammer at; *(dos)* to slap; *(personne)* to hit.

tapioca [tapjɔka] *nm* tapioca.

tapis [tapi] *nm* carpet; **~ roulant** moving pavement (Br), moving sidewalk (Am); **~ de sol** groundsheet.

tapisser [tapise] *vt* (mur, pièce) to paper; *(recouvrir)* to cover.

tapisserie [tapisri] *nf (de laine)* tapestry; *(papier peint)* wallpaper.

tapoter [tapɔte] *vt* to tap.

taquiner [takine] *vt* to tease.

tarama [tarama] *nm* taramasalata.

tard [tar] *adv* late; **plus ~** later; **à plus ~!** see you later!; **au plus ~** at the latest.

tarder [tarde] *vi*: **elle ne va pas ~ (à arriver)** she won't be long; **~ à faire qqch** *(personne)* to take a long time doing sthg; **il me tarde de** partir I'm longing to go.

tarif [tarif] *nm (prix)* price; **~ plein** full price; **~ réduit** concession.

tarir [tarir] *vi* to dry up.

tarot [taro] *nm (jeu)* tarot.

tartare [tartar] *adj* → **sauce, steak**.

tarte [tart] *nf* tart; **~ aux fraises** strawberry tart; **~ aux matons** *(Belg)* tart made with curdled milk and almonds; **~ au sucre** tart with whipped cream topped with a glazing of sugar; **~ Tatin** apple tart cooked upside down with the pastry on top, then turned over before serving.

tartelette [tartəlet] *nf* tartlet.

tartine [tartin] *nf* slice of bread; **~ de beurre** slice of bread and butter.

tartiner [tartine] *vt* to spread; **fromage à ~** cheese spread; **pâte à ~** spread.

tartre [tartr] *nm (sur les dents)* tartar; *(calcaire)* scale.

tas [tɑ] *nm* heap, pile; **mettre qqch en ~** to pile sthg up; **un** OU **des ~ de** *(fam: beaucoup de)* loads of.

tasse [tas] *nf* cup; **boire la ~** to swallow a mouthful; **~ à café** coffee cup; **~ à thé** teacup.

tasser [tase] *vt (serrer)* to cram □ **se tasser** *vp (s'affaisser)* to subside; *(dans une voiture)* to cram.

tâter [tate] *vt* to feel □ **se tâter** *vp (hésiter)* to be in two minds.

tâtonner [tɑtɔne] *vi* to grope around.

tâtons [tɑtɔ̃] : **à tâtons** *adv*: **avancer à ~** to feel one's way.

tatouage [tatwaʒ] *nm (dessin)* tattoo.

taupe [top] nf mole.

taureau, -x [tɔro] nm bull ❑ Taureau nm Taurus.

taux [to] nm rate; ~ **de change** exchange rate.

taverne [tavɛrn] nf (Can: café) tavern.

taxe [taks] nf tax; **toutes ~s comprises** inclusive of tax.

taxer [takse] vt (produit) to tax.

taxi [taksi] nm taxi.

Tchécoslovaquie [tʃekɔslɔvaki] nf: **la ~** Czechoslovakia.

te [tə] pron (objet direct) you; (objet indirect) (to) you; (réfléchi) **tu t'es bien amusé?** did you have a good time?

technicien, -ienne [tɛknisjɛ̃, jɛn] nm, f technician.

technique [tɛknik] adj technical ♦ nf technique.

technologie [tɛknɔlɔʒi] nf technology.

tee-shirt, -s [tiʃœrt] nm tee shirt.

teindre [tɛ̃dr] vt to dye; **se faire ~ (les cheveux)** to have one's hair dyed.

teint, -e [tɛ̃, tɛ̃t] pp → **teindre** ♦ nm complexion.

teinte [tɛ̃t] nf colour.

teinter [tɛ̃te] vt (bois, verre) to stain.

teinture [tɛ̃tyr] nf (produit) dye; **~ d'iode** tincture of iodine.

teinturerie [tɛ̃tyrri] nf dry cleaner's.

teinturier, -ière [tɛ̃tyrje, jɛr] nm, f dry cleaner.

tel, telle [tɛl] adj such; **~ que** (comparable à) like; (pour donner un exemple) such as; **il l'a mangé ~**

quel he ate it as it was; **~ ou ~** any particular.

tél. (abr de téléphone) tel.

télé [tele] nf (fam) telly; **à la ~** on the telly.

télécabine [telekabin] nf cable car.

Télécarte® [telekart] nf phonecard.

télécommande [telekɔmɑ̃d] nf remote control.

télécommunications [telekɔmynikasjɔ̃] nfpl telecommunications.

télécopie [telekɔpi] nf fax.

télécopieur [telekɔpjœr] nm fax (machine).

téléfilm [telefilm] nm TV film.

télégramme [telegram] nm telegram; **~ téléphoné** telegram phoned through to the addressee and then delivered as a written message.

téléguidé, -e [telegide] adj (missile) guided; (jouet) radio-controlled.

téléobjectif [teleɔbʒɛktif] nm telephoto lens.

téléphérique [teleferik] nm cable car.

téléphone [telefɔn] nm (tele)phone; **au ~** on the (tele)phone; **~ mobile** mobile phone; **~ sans fil** cordless phone; **~ de voiture** car phone.

téléphoner [telefɔne] vi to (tele)phone; **~ à qqn** to (tele)phone sb.

téléphonique [telefɔnik] adj → **cabine, carte**.

télescope [teleskɔp] nm telescope.

télescoper [teleskɔpe] : **se**

télescoper *vp* to crash into one another.

télescopique [teleskɔpik] *adj* telescopic.

télésiège [telesjɛʒ] *nm* chair lift.

téléski [teleski] *nm* ski tow.

téléspectateur, -trice [telespɛktatœr, tris] *nm, f* (television) viewer.

télévisé, -e [televize] *adj* televised.

téléviseur [televizœr] *nm* television (set).

télévision [televizjɔ̃] *nf* television; **à la ~** on television.

télex [teleks] *nm inv* telex.

telle → tel.

tellement [tɛlmɑ̃] *adv* (*tant*) so much; (*si*) so; **~ de** (*nourriture, patience*) so much; (*objets, personnes*) so many; **pas ~** not particularly.

témoignage [temwaɲaʒ] *nm* testimony.

témoigner [temwaɲe] *vi* (*en justice*) to testify.

témoin [temwɛ̃] *nm* witness; (*SPORT*) baton; **être ~ de** to be witness to.

tempe [tɑ̃p] *nf* temple.

tempérament [tɑ̃peramɑ̃] *nm* temperament.

température [tɑ̃peratyr] *nf* temperature.

tempête [tɑ̃pɛt] *nf* (*vent*) gale; (*avec orage*) storm.

temple [tɑ̃pl] *nm* (*grec, égyptien, etc*) temple; (*protestant*) church.

temporaire [tɑ̃pɔrɛr] *adj* temporary.

temporairement [tɑ̃pɔrɛrmɑ̃] *adv* temporarily.

temps [tɑ̃] *nm* (*durée, en musique*) time; (*météo*) weather; (*GRAMM*) tense; **avoir le ~ de faire qqch** to have time to do sthg; **il est ~ de/que** it is time to/that; **à ~** on time; **de ~ en ~** from time to time; **en même ~** at the same time; **à ~ complet/partiel** full-/part-time.

tenailles [tənaj] *nfpl* pincers.

tendance [tɑ̃dɑ̃s] *nf* trend; **avoir ~ à faire qqch** to have a tendency to do sthg, to tend to do sthg.

tendeur [tɑ̃dœr] *nm* (*courroie*) luggage strap.

tendinite [tɑ̃dinit] *nf* tendinitis.

tendon [tɑ̃dɔ̃] *nm* tendon.

tendre [tɑ̃dr] *adj* tender ◆ *vt* (*corde*) to pull taut; (*bras*) to stretch out; **~ qqch à qqn** to hold sthg out to sb; **~ la main à qqn** to hold out one's hand to sb; **~ l'oreille** to prick up one's ears; **~ un piège à qqn** to set a trap for sb □ **se tendre** *vp* to tighten.

tendresse [tɑ̃drɛs] *nf* tenderness.

tendu, -e [tɑ̃dy] *adj* (*personne*) tense; (*rapports*) strained.

tenir [tənir] *vt* **1.** (*à la main, dans ses bras*) to hold.
2. (*garder*) to keep; **~ un plat au chaud** to keep a dish warm.
3. (*promesse, engagement*) to keep.
4. (*magasin, bar*) to run.
5. (*dans des expressions*): **tiens!, tenez!** (*en donnant*) here!; **tiens!** (*exprime une surprise*) hey!
◆ *vi* **1.** (*construction*) to stay up; (*beau temps, relation*) to last.
2. (*rester*): **~ debout** to stand (up).
3. (*être contenu*) to fit; **~ six dans cette voiture** you can fit six people in this car.

❏ **tenir à** v + prép (être attaché à) to care about; ~ **à faire qqch** to insist on doing sthg; **tenir de** v + prép (ressembler à) to take after; **se tenir** vp **1.** (avoir lieu) to be held. **2.** (debout) to stand; (assis) to sit; **se ~ à** to hold on to. **3.** (debout) to stand; (assis) to sit; **se ~ droit** (debout) to stand up straight; (assis) to sit up straight; **se ~ tranquille** to keep still. **4.** (se comporter): **bien/mal se ~** to behave well/badly.

tennis [tenis] nm tennis ♦ nmpl (chaussures) trainers; **~ de table** table tennis.

tension [tɑ̃sjɔ̃] nf (dans une relation) tension; (MÉD) blood pressure; (électrique) voltage; **avoir de la ~** to have high blood pressure.

tentacule [tɑ̃takyl] nm tentacle.

tentant, -e [tɑ̃tɑ̃, ɑ̃t] adj tempting.

tentation [tɑ̃tasjɔ̃] nf temptation.

tentative [tɑ̃tativ] nf attempt.

tente [tɑ̃t] nf tent.

tenter [tɑ̃te] vt (essayer) to attempt, to try; (attirer) to tempt; **~ de faire qqch** to attempt to do sthg.

tenu, -e [təny] pp → **tenir**.

tenue [təny] nf (vêtements) clothes (pl); **~ de soirée** evening dress.

ter [tɛr] adv (dans une adresse) b; **11 ~ 11b**.

Tergal® [tɛrgal] nm ≈ Terylene®.

terme [tɛrm] nm (mot) term; (fin) end; **à court ~**, ... in the short term, ...; **à long ~**, ... in the long term, ...

terminaison [tɛrminɛzɔ̃] nf (GRAMM) ending.

terminal, -aux [tɛrminal, o] nm terminal.

terminale [tɛrminal] nf (SCOL) ≈ upper sixth (Br).

terminer [tɛrmine] vt to finish, to end; (repas, travail) to finish ❏ **se terminer** vp to end.

terminus [tɛrminys] nm terminus.

terne [tɛrn] adj dull.

terrain [tɛrɛ̃] nm (emplacement) piece of land; (sol) ground; **~ de camping** campsite; **~ de foot** football pitch; **~ de jeux** playground; **~ vague** piece of wasteland.

terrasse [tɛras] nf terrace; (de café) tables outside a café.

terre [tɛr] nf (sol) ground; (matière) soil; (argile) clay; (propriété) piece of land; **la Terre** (the) Earth; **par ~** on the ground.

terre-plein, -s [tɛrplɛ̃] nm raised area; **~ central** central reservation.

terrestre [tɛrɛstr] adj (flore, animal) land.

terreur [tɛrœr] nf terror.

terrible [tɛribl] adj terrible; (fam: excellent) brilliant; **pas ~** (fam) not brilliant.

terrier [tɛrje] nm (de lapin) burrow; (de renard) earth.

terrifier [tɛrifje] vt to terrify.

terrine [tɛrin] nf terrine.

territoire [tɛritwar] nm territory.

terroriser [tɛrɔrize] vt to terrorize.

terroriste [tɛrɔrist] nmf terrorist.

tes → **ton**[1].

test [tɛst] *nm* test.

testament [tɛstamã] *nm* will.

tester [tɛste] *vt* to test.

tétanos [tetanos] *nm* tetanus.

tête [tɛt] *nf* head; *(visage)* face; *(partie avant)* front; **de ~** *(wagon)* front; **être en ~** to be in the lead; **faire la ~** to sulk; **en ~ à ~** *(parler)* in private; *(dîner)* alone together; **~ de veau** *(plat)* dish made from the soft part of a calf's head.

tête-à-queue [tɛtakø] *nm inv* spin.

téter [tete] *vi* to suckle.

tétine [tetin] *nf* *(de biberon)* teat; *(sucette)* dummy *(Br)*, pacifier *(Am)*.

têtu, -e [tety] *adj* stubborn.

texte [tɛkst] *nm* text.

textile [tɛkstil] *nm (tissu)* textile.

TF1 *n* French independent television company.

TGV *nm* French high-speed train.

TGV

This high-speed train, the fastest in the world, first ran on the Paris-Lyons line. Today it connects Paris with many large French cities such as Nice, Marseilles, Rennes, Nantes, Bordeaux and Lille.

Thaïlande [tajlãd] *nf*: **la ~** Thailand.

thé [te] *nm* tea; **~ au citron** lemon tea; **~ au lait** tea with milk; **~ nature** tea without milk.

théâtral, -e, -aux [teatral, o] *adj* theatrical.

théâtre [teatr] *nm* theatre.

théière [tejɛr] *nf* teapot.

thème [tɛm] *nm* theme; *(traduction)* prose.

théorie [teɔri] *nf* theory; **en ~** in theory.

théoriquement [teɔrikmã] *adv* theoretically.

thermal, -e, -aux [tɛrmal, o] *adj (source)* thermal.

thermomètre [tɛrmɔmɛtr] *nm* thermometer.

Thermos® [tɛrmɔs] *nf*: **(bouteille) ~ Thermos®** flask.

thermostat [tɛrmɔsta] *nm* thermostat.

thèse [tɛz] *nf (universitaire)* thesis; *(idée)* theory.

thon [tɔ̃] *nm* tuna.

thym [tɛ̃] *nm* thyme.

tibia [tibja] *nm* tibia.

tic [tik] *nm (mouvement)* tic; *(habitude)* mannerism.

ticket [tikɛ] *nm* ticket; **~ de caisse** (till) receipt; **~ de métro** underground ticket.

tiède [tjɛd] *adj* lukewarm.

tien [tjɛ̃]: **le tien** *(f* **la tienne** [latjɛn], *mpl* **les tiens** [letjɛ̃], *fpl* **les tiennes** [letjɛn]*) pron* yours; **à la tienne!** cheers!

tiendra *etc →* **tenir.**

tienne *etc →* **tenir, tien.**

tiens *etc →* **tenir.**

tiercé [tjɛrse] *nm* system of betting involving the first three horses in a race.

tiers [tjɛr] *nm* third.

tige [tiʒ] *nf (de plante)* stem; *(de métal)* rod; *(de bois)* shaft.

tigre [tigr] *nm* tiger.

tilleul [tijœl] *nm (arbre)* lime (tree); *(tisane)* lime tea.

tilsit [tilsit] *nm* strong firm Swiss

cheese with holes in it.

timbale [tɛ̃bal] *nf* (*gobelet*) (metal) cup; (*CULIN*) meat, fish in a sauce, cooked in a mould lined with pastry.

timbre(-poste) (*pl* timbres (-poste)) *nm* (postage) stamp.

timbrer [tɛ̃bre] *vt* to put a stamp on to.

timide [timid] *adj* shy.

timidité [timidite] *nf* shyness.

tir [tir] *nm* (*sport*) shooting; ~ à l'arc archery.

tirage [tiraʒ] *nm* (*d'une loterie*) draw; ~ au sort drawing lots.

tire-bouchon, -s [tirbuʃɔ̃] *nm* corkscrew.

tirelire [tirlir] *nf* moneybox.

tirer [tire] *vt* 1. (*gén*) to pull; (*tiroir*) to pull open; (*rideau*) to draw; (*caravane*) to tow.

2. (*trait*) to draw.

3. (*avec une arme*) to fire.

4. (*sortir*): ~ qqch de to take sthg out of; ~ qqn de (*situation*) to get sb out of; ~ une conclusion de qqch to draw a conclusion from sthg; ~ la langue à qqn to stick one's tongue out at sb.

5. (*numéro, carte*) to draw.

♦ *vi* 1. (*avec une arme*) to shoot; ~ sur to shoot at.

2. (*vers soi, le bas, etc*): ~ sur qqch to pull on sthg.

3. (*SPORT*) to shoot.

❑ **se tirer** *vp* (*fam: s'en aller*) to push off; **s'en tirer** *vp* (*se débrouiller*) to get by; (*survivre*) to pull through.

tiret [tire] *nm* dash.

tirette [tiret] *nf* (Belg: *fermeture*) zip (Br), zipper (Am).

tiroir [tirwar] *nm* drawer.

tisane [tizan] *nf* herb tea.

tisonnier [tizɔnje] *nm* poker.

tisser [tise] *vt* to weave.

tissu [tisy] *nm* (*toile*) cloth.

titre [titr] *nm* title; (*de journal*) headline; ~ **de transport** ticket.

toast [tost] *nm* (*pain*) piece of toast; **porter un ~ à qqn** to drink (a toast) to sb.

toboggan [tɔbɔgã] *nm* slide.

toc [tɔk] *nm* (*imitation*) fake ♦ *excl*: ~ ~! knock knock!; **en ~** fake.

toi [twa] *pron* you; **lève-** get up; **-même** yourself.

toile [twal] *nf* (*tissu*) cloth; (*tableau*) canvas; ~ **d'araignée** spider's web; **en ~** (*vêtement*) linen.

toilette [twalɛt] *nf* (*vêtements*) clothes (*pl*); **faire sa ~** to (have a) wash ❑ **toilettes** *nfpl* toilets.

toit [twa] *nm* roof.

tôle [tol] *nf* sheet metal; ~ **ondulée** corrugated iron.

tolérant, -e [tɔlerã, ãt] *adj* tolerant.

tolérer [tɔlere] *vt* to tolerate.

tomate [tɔmat] *nf* tomato; ~s **farcies** stuffed tomatoes.

tombe [tɔ̃b] *nf* grave.

tombée [tɔ̃be] *nf*: **à la ~ de la nuit** at nightfall.

tomber [tɔ̃be] *vi* to fall; (*date, fête*) to fall on; **ça tombe bien!** that's lucky!; **laisser ~** to drop; ~ **amoureux** to fall in love; ~ **malade** to fall ill; ~ **en panne** to break down.

tombola [tɔ̃bɔla] *nf* raffle.

tome [tɔm] *nm* volume.

tomme [tɔm] *nf*: ~ **vaudoise** soft white cheese made from cow's milk.

ton[1] [tɔ̃] (*f* ta [ta], *pl* tes [te]) *adj*

your.

ton² [tɔ̃] *nm* tone.

tonalité [tɔnalite] *nf (au télé-phone)* dialling tone.

tondeuse [tɔ̃døz] *nf*: ~ (à gazon) lawnmower.

tondre [tɔ̃dr] *vt (cheveux)* to clip; *(gazon)* to mow.

tongs [tɔ̃g] *nfpl* flip-flops *(Br)*, thongs *(Am)*.

tonne [tɔn] *nf* tonne.

tonneau, -x [tɔno] *nm (de vin)* cask; faire des ~x *(voiture)* to roll over.

tonnerre [tɔnɛr] *nm* thunder; coup de ~ thunderclap.

tonus [tɔnys] *nm* energy.

torche [tɔrʃ] *nf (flamme)* torch; ~ électrique (electric) torch.

torchon [tɔrʃɔ̃] *nm* tea towel.

tordre [tɔrdr] *vt (linge, cou)* to wring; *(bras)* to twist; *(plier)* to bend ❏ **se tordre** *vp*: se ~ la cheville to twist one's ankle; se ~ de douleur to be racked with pain; se ~ de rire to be doubled up with laughter.

tornade [tɔrnad] *nf* tornado.

torrent [tɔrɑ̃] *nm* torrent; il pleut à ~s it's pouring (down).

torsade [tɔrsad] *nf*: pull à ~s cable sweater.

torse [tɔrs] *nm* trunk; ~ nu bare-chested.

tort [tɔr] *nm*: avoir ~ (de faire qqch) to be wrong (to do sthg); causer OU faire du ~ à qqn to wrong sb; donner ~ à qqn *(suj: personne)* to disagree with sb; *(suj: événement)* to prove sb wrong; être dans son ~, être en ~ *(automobiliste)* to be in the wrong; à ~ *(accuser)* wrongly; parler à ~ et à travers to talk nonsense.

torticolis [tɔrtikɔli] *nm* stiff neck.

tortiller [tɔrtije] *vt* to twist ❏ **se tortiller** *vp* to squirm.

tortue [tɔrty] *nf* tortoise.

torture [tɔrtyr] *nf* torture.

torturer [tɔrtyre] *vt* to torture.

tôt [to] *adv* early; ~ ou tard sooner or later; au plus ~ at the earliest.

total, -e, -aux [tɔtal, o] *adj & nm* total.

totalement [tɔtalmɑ̃] *adv* totally.

totalité [tɔtalite] *nf*: la ~ de all (of); en ~ *(rembourser)* in full.

touchant, -e [tuʃɑ̃, ɑ̃t] *adj* touching.

touche [tuʃ] *nf (de piano, d'ordinateur)* key; *(de téléphone)* button; *(SPORT: ligne)* touchline.

toucher [tuʃe] *vt* to touch; *(argent)* to get; *(chèque)* to cash; *(cible)* to hit; ~ à to touch ❏ **se toucher** *vp (être en contact)* to be touching.

touffe [tuf] *nf* tuft.

toujours [tuʒur] *adv* always; *(dans l'avenir)* forever; *(encore)* still; pour ~ for good.

toupie [tupi] *nf* (spinning) top.

tour¹ [tur] *nm (mouvement sur soi-même)* turn; faire un ~ *(à pied)* to go for a walk; *(en voiture)* to go for a drive; faire le ~ de qqch to go round sthg; jouer un ~ à qqn to play a trick on sb; c'est ton ~ *(de faire qqch)* it's your turn (to do sthg); à ~ de rôle in turn; le Tour de France the Tour de France; ~ de magie (magic) trick.

tour² [tur] *nf (d'un château)* tower; *(immeuble)* tower block *(Br)*, high rise *(Am)*; **~ de contrôle** control tower; **la ~ Eiffel** the Eiffel Tower.

 TOUR EIFFEL

Built by Gustave Eiffel for the World Fair in 1889, the Eiffel Tower has come to symbolize Paris and is one of the most popular tourist attractions in the world. From the top, which can be reached by lift, there is a panoramic view over the whole city and beyond.

tourbillon [turbijɔ̃] *nm (de vent)* whirlwind; *(de sable)* swirl.

tourisme [turism] *nm* tourism; **faire du ~** to go sightseeing.

touriste [turist] *nmf* tourist.

touristique [turistik] *adj (dépliant, ville)* tourist.

tourment [turmɑ̃] *vt* to torment ◻ **se tourmenter** *vp* to worry o.s.

tournage [turnaʒ] *nm (d'un film)* shooting.

tournant [turnɑ̃, ɑ̃t] *nm* bend.

tourne-disque, -s [turnədisk] *nm* record player.

tournedos [turnədo] *nm* tender fillet steak; **~ Rossini** tender fillet steak served on fried bread and topped with foie gras.

tournée [turne] *nf (d'un chanteur)* tour; *(du facteur, au bar)* round.

tourner [turne] *vt (clé, page, tête)* to turn; *(sauce, soupe)* to stir; *(salade)* to toss; *(regard)* to direct; *(film)* to shoot ◆ *vi (roue, route)* to

turn; *(moteur, machine)* to run; *(lait)* to go off; *(acteur)* to act; **tournez à gauche/droite** turn left/right; **~ autour de qqch** to go around sthg; **avoir la tête qui tourne** to feel dizzy; **mal ~** *(affaire)* to turn out badly ◻ **se tourner** *vp* to turn round; **se ~ vers** to turn to.

tournesol [turnəsɔl] *nm* sunflower.

tournevis [turnəvis] *nm* screwdriver.

tourniquet [turnikɛ] *nm (du métro)* turnstile.

tournoi [turnwa] *nm* tournament.

tournure [turnyr] *nf (expression)* turn of phrase.

tourte [turt] *nf* pie.

tourtière [turtjɛr] *nf (Can)* pie made from minced beef and onions.

tous → **tout**.

Toussaint [tusɛ̃] *nf*: **la ~** All Saints' Day.

 TOUSSAINT

In France on 1 November people celebrate All Saints' Day by laying flowers (typically chrysanthemums) on the graves of their relatives. Ironically, this is also the time of the year at which most deaths occur from road traffic accidents.

tousser [tuse] *vi* to cough.

tout, -e [tu, tut] *(mpl* **tous** [tu(s)], *fpl* **toutes** [tut]) *adj* **1**. *(avec un substantif singulier)* all; **~ le vin** all the wine; **~ un gâteau** a whole cake; **~e la journée** the whole day, all day; **~ le monde** everyone, everybody; ~ **le temps** all the time.

2. *(avec un pronom démonstratif)* all; ~ **ça** OU **cela** all that.

3. *(avec un substantif pluriel)* all; **tous les gâteaux** all the cakes; **tous les Anglais** all English people; **tous les jours** every day; ~**es les deux** both; ~**es les trois** all three of us/them; **tous les deux ans** every two years.

4. *(n'importe quel)* any; **à** ~**e heure** at any time.

◆ *pron* **1.** *(la totalité)* everything; **je t'ai** ~ **dit** I've told you everything; **c'est** ~ that's all; **ce sera** ~? *(dans un magasin)* is that everything?; **en** ~ in all.

2. *(au pluriel: tout le monde)*: **ils voulaient tous la voir** they all wanted to see her.

◆ *adv* **1.** *(très, complètement)* very; ~ **près** very near; **ils étaient** ~ **seuls** they were all alone; ~ **en haut** right at the top.

2. *(avec un gérondif)*: ~ **en marchant** while walking.

3. *(dans des expressions)*: ~ **à coup** suddenly; ~ **à fait** absolutely; ~ **à l'heure** *(avant)* a little while ago; *(après)* in a minute; **à** ~ **à l'heure!** see you soon!; ~ **de même** *(malgré tout)* anyway; *(exprime l'indignation)* really!; *(exprime l'impatience)* at last!; ~ **de suite** immediately, at once.

◆ *nm*: **le** ~ *(la totalité)* the lot; **le** ~ **est de ...** the main thing is to ...; **pas du** ~ not at all.

toutefois [tutfwa] *adv* however.

tout(-)terrain, -s [tuterɛ̃] *adj* off-road.

toux [tu] *nf* cough.

toxique [tɔksik] *adj* toxic.

TP *nmpl* = travaux pratiques.

trac [trak] *nm*: **avoir le** ~ *(acteur)* to get stage fright; *(candidat)* to be nervous.

tracasser [trakase] *vt* to worry □ **se tracasser** *vp* to worry.

trace [tras] *nf* trace; ~ **de pas** footprint.

tracer [trase] *vt (dessiner)* to draw.

tract [trakt] *nm* leaflet.

tracteur [traktœr] *nm* tractor.

tradition [tradisjɔ̃] *nf* tradition.

traditionnel, -elle [tradisjɔnɛl] *adj* traditional.

traducteur, -trice [tradyktœr, tris] *nm, f* translator.

traduction [tradyksjɔ̃] *nf* translation.

traduire [tradɥir] *vt* to translate.

trafic [trafik] *nm* traffic.

tragédie [traʒedi] *nf* tragedy.

tragique [traʒik] *adj* tragic.

trahir [trair] *vt* to betray; *(secret)* to give away □ **se trahir** *vp* to give o.s. away.

train [trɛ̃] *nm* train; **être en** ~ **de faire qqch** to be doing sthg; ~ **d'atterrissage** landing gear; ~ **de banlieue** commuter train; ~ **couchettes** sleeper; ~ **rapide** express train.

traîne [trɛn] *nf (d'une robe)* train; **être à la** ~ *(en retard)* to lag behind.

traîneau, -x [trɛno] *nm* sledge.

traînée [trene] *nf (trace)* trail.

traîner [trene] *vt* to drag ♦ *vi (par terre)* to trail; *(prendre du temps)* to drag on; *(s'attarder)* to dawdle; *(être en désordre)* to lie around; *(péj: dans la rue, dans les bars)* to hang around □ **se traîner** *vp (par terre)* to crawl; *(avancer lentement)* to be slow.

train-train [trɛ̃trɛ̃] *nm inv* routine.

traire [trɛr] *vt* to milk.

trait [trɛ] *nm* line; *(caractéristique)* trait; **d'un ~** *(boire)* in one go; **~ d'union** hyphen ◆ **traits** *nmpl (du visage)* features.

traite [trɛt] *nf:* **d'une (seule) ~** in one go.

traitement [trɛtmɑ̃] *nm (MÉD)* treatment; **~ de texte** *(programme)* word-processing package.

traiter [trɛte] *vt* to treat; *(affaire, sujet)* to deal with; **~ qqn d'imbécile** to call sb an idiot ❑ **traiter de** *v + prép (suj: livre, exposé)* to deal with.

traiteur [trɛtœr] *nm* caterer.

traître [trɛtr] *nm* traitor.

trajectoire [traʒɛktwar] *nf (d'une balle)* trajectory.

trajet [traʒɛ] *nm (voyage)* journey.

trampoline [trɑ̃pɔlin] *nm* trampoline.

tramway [tramwɛ] *nm* tram *(Br)*, streetcar *(Am)*.

tranchant, -e [trɑ̃ʃɑ̃, ɑ̃t] *adj (couteau)* sharp; *(ton)* curt ◆ *nm* cutting edge.

tranche [trɑ̃ʃ] *nf (morceau)* slice; *(d'un livre)* edge.

tranchée [trɑ̃ʃe] *nf* trench.

trancher [trɑ̃ʃe] *vt* to cut ◆ *vi (décider)* to decide; *(ressortir)* to stand out.

tranquille [trɑ̃kil] *adj* quiet; **laisser qqn/qqch ~** to leave sb/sthg alone; **restez ~s!** don't fidget!; **soyez ~** *(ne vous inquiétez pas)* don't

worry.

tranquillisant [trɑ̃kilizɑ̃] *nm* tranquillizer.

tranquillité [trɑ̃kilite] *nf* peace; **en toute ~** with complete peace of mind.

transaction [trɑ̃zaksjɔ̃] *nf* transaction.

transférer [trɑ̃sfere] *vt* to transfer.

transformateur [trɑ̃sfɔrmatœr] *nm* transformer.

transformation [trɑ̃sfɔrmasjɔ̃] *nf* transformation; *(aménagement)* alteration.

transformer [trɑ̃sfɔrme] *vt* to transform; *(vêtement)* to alter; **~ qqch en qqch** to turn sthg into sthg; *(bâtiment)* to convert sthg into sthg ❑ **se transformer** *vp* to change completely; **se ~ en qqch** to turn into sthg.

transfusion [trɑ̃sfyzjɔ̃] *nf:* **~ (sanguine)** (blood) transfusion.

transistor [trɑ̃zistɔr] *nm* transistor.

transit [trɑ̃zit] *nm:* **passagers en ~** transit passengers.

transmettre [trɑ̃smɛtr] *vt:* **~ qqch à qqn** to pass sthg on to sb ❑ **se transmettre** *vp (maladie)* to be transmitted.

transmis, -e [trɑ̃smi, iz] *pp* → transmettre.

transmission [trɑ̃smisjɔ̃] *nf* transmission.

transparent, -e [trɑ̃sparɑ̃, ɑ̃t] *adj (eau)* transparent; *(blouse)* see-through.

transpercer [trɑ̃sperse] *vt* to pierce.

transpiration [trɑ̃spirasjɔ̃] *nf* perspiration.

transpirer [trãspire] vi to perspire.

transplanter [trãsplãte] vt to transplant.

transport [trãspɔr] nm transport; **les ~s (en commun)** public transport (sg).

transporter [trãspɔrte] vt (à la main) to carry; (en véhicule) to transport.

transversal, -e, -aux [trãsversal, o] adj (poutre) cross; (ligne) diagonal.

trapèze [trapɛz] nm (de cirque) trapeze.

trapéziste [trapezist] nmf trapeze artist.

trappe [trap] nf trap door.

travail, -aux [travaj, o] nm (activité, lieu) work; (tâche, emploi) job; **être sans ~** (au chômage) to be out of work ♦ **travaux** nmpl (ménagers, agricoles) work (sg); (de construction) building (work) (sg); «**travaux**» (sur la route) "roadworks"; **travaux pratiques** practical work (sg).

travailler [travaje] vi to work ♦ vt (matière scolaire, passage musical) to work on; (bois, pierre) to work.

traveller's check, -s [travlœrʃɛk] nm traveller's cheque.

traveller's cheque, -s [travlœrʃɛk] = **traveller's check**.

travers [traver] nm: **à ~** through; **de ~** adj crooked ♦ adv (marcher) sideways; (fig: mal) wrong; **j'ai avalé de ~** it went down the wrong way; **regarder qqn de ~** to give sb a funny look; **en ~** (de) across; **~ de porc** sparerib of pork.

traversée [traverse] nf crossing.

traverser [traverse] vt (rue, rivière) to cross; (transpercer) to go through ♦ vi (piéton) to cross.

traversin [traversɛ̃] nm bolster.

trébucher [trebyʃe] vi to stumble.

trèfle [trɛfl] nm (plante) clover; (aux cartes) clubs (pl).

treize [trɛz] num thirteen, → **six**.

treizième [trɛzjɛm] num thirteenth, → **sixième**.

tremblement [trãbləmã] nm: **~ de terre** earthquake; **avoir des ~s** to shiver.

trembler [trãble] vi to tremble; **~ de peur/froid** to shiver with fear/cold.

trémousser [tremuse] : **se trémousser** vp to jig up and down.

trempé, -e [trãpe] adj (mouillé) soaked.

tremper [trãpe] vt (plonger) to dip ♦ vi to soak; **faire ~ qqch** to soak sthg.

tremplin [trãplɛ̃] nm (de gymnastique) springboard; (de piscine) divingboard.

trente [trãt] num thirty, → **six**.

trente-trois-tours [trãttrwatur] nm inv LP.

trentième [trãtjɛm] num thirtieth, → **sixième**.

très [trɛ] adv very.

trésor [trezɔr] nm treasure.

tresse [trɛs] nf plait (Br), braid (Am); (Helv: pain) plait-shaped loaf.

tresser [trese] vt to plait (Br), to braid (Am).

tréteau, -x [treto] nm trestle.

treuil [trœj] nm winch.

trêve [trɛv] nf: **~ de ...** that's enough (of) ...

tri [tri] nm: **faire un ~ parmi** to

choose from.

triangle [trijɑ̃gl] *nm* triangle.

triangulaire [trijɑ̃gylɛr] *adj* triangular.

tribord [tribɔr] *nm* starboard; **à ~** to starboard.

tribu [triby] *nf* tribe.

tribunal, -aux [tribynal, o] *nm* court.

tricher [triʃe] *vi* to cheat.

tricheur, -euse [triʃœr, øz] *nm, f* cheat.

tricot [triko] *nm (ouvrage)* knitting; *(pull)* jumper; **~ de corps** vest (Br), undershirt (Am).

tricoter [trikɔte] *vt & vi* to knit.

tricycle [trisikl] *nm* tricycle.

trier [trije] *vt (sélectionner)* to select; *(classer)* to sort out.

trimestre [trimɛstr] *nm (trois mois)* quarter; *(SCOL)* term.

trimestriel, -ielle [trimɛstrijɛl] *adj* quarterly.

trinquer [trɛ̃ke] *vi (boire)* to clink glasses.

triomphe [trijɔ̃f] *nm* triumph.

triompher [trijɔ̃fe] *vi* to triumph; **~ de** to overcome.

tripes [trip] *nfpl (CULIN)* tripe *(sg)*.

triple [tripl] *adj* triple ◆ *nm*: **le ~ du prix normal** three times the normal price.

tripler [triple] *vt & vi* to triple.

tripoter [tripɔte] *vt (objet)* to fiddle with.

triste [trist] *adj* sad; *(couleur)* dull; *(endroit)* gloomy.

tristesse [tristɛs] *nf* sadness.

troc [trɔk] *nm (échange)* swap.

trognon [trɔɲɔ̃] *nm (de pomme, de poire)* core.

trois [trwa] *num* three, → **six**.

troisième [trwazjɛm] *num* third ◆ *nf (SCOL)* = fourth year; *(vitesse)* third (gear), → **sixième**.

trois-quarts [trwakar] *nm (manteau)* three-quarter length coat.

trombe [trɔ̃b] *nf*: **des ~s d'eau** a downpour; **partir en ~** to shoot off.

trombone [trɔ̃bɔn] *nm (agrafe)* paper clip; *(MUS)* trombone.

trompe [trɔ̃p] *nf (d'éléphant)* trunk.

tromper [trɔ̃pe] *vt (conjoint)* to be unfaithful to; *(client)* to cheat ❑ **se tromper** *vp* to make a mistake; **se ~ de jour** to get the wrong day.

trompette [trɔ̃pɛt] *nf* trumpet.

trompeur, -euse [trɔ̃pœr, øz] *adj* deceptive.

tronc [trɔ̃] *nm*: **~ (d'arbre)** (tree) trunk.

tronçonneuse [trɔ̃sɔnøz] *nf* chain saw.

trône [tron] *nm* throne.

trop [tro] *adv* too; **~ fatigué/lentement** too tired/slowly; **~ manger** to eat too much; **~ de** *(nourriture)* too much; *(gens)* too many; **100 F de** OU **en ~** 100 francs too much; **deux personnes de** OU **en ~** two people too many.

tropical, -e, -aux [trɔpikal, o] *adj* tropical.

trot [tro] *nm* trot; **au ~** at a trot.

trotter [trɔte] *vi* to trot.

trotteuse [trɔtøz] *nf* second hand.

trottinette [trɔtinɛt] *nf* child's scooter.

trottoir [trɔtwar] nm pavement (Br), sidewalk (Am).

trou [tru] nm hole; **j'ai un ~ de mémoire** my mind has gone blank.

trouble [trubl] adj (eau) cloudy; (image) blurred ♦ adv: **voir ~** to have blurred vision.

trouer [true] vt to make a hole in.

trouille [truj] nf (fam): **avoir la ~** to be scared stiff.

troupe [trup] nf (de théâtre) company.

troupeau, -x [trupo] nm (de vaches) herd; (de moutons) flock.

trousse [trus] nf (d'écolier) pencil case; **~ de secours** first-aid kit; **~ de toilette** sponge bag.

trousseau, -x [truso] nm (de clefs) bunch.

trouver [truve] vt to find; **je trouve que I think that** (that) □ **se trouver** vp (se situer) to be; **se ~ mal** to faint.

truc [tryk] nm (fam) (objet) thing; (astuce) trick.

trucage [trykaʒ] nm (au cinéma) special effect.

truffe [tryf] nf (d'un animal) muzzle; (champignon) truffle; **~ (en chocolat)** (chocolate) truffle.

truite [truit] nf trout; **~ aux amandes** trout with almonds.

truquage [trykaʒ] = **trucage**.

T-shirt [tiʃœrt] = **tee-shirt**.

TSVP (abr de tournez s'il vous plaît) PTO.

TTC adj (abr de toutes taxes comprises) inclusive of tax.

tu¹ [ty] pron you.

tu², -e [ty] pp → **taire**.

tuba [tyba] nm (de plongeur) snorkel.

tube [tyb] nm tube; (fam: musique) hit.

tuberculose [tyberkyloz] nf tuberculosis.

tuer [tɥe] vt to kill □ **se tuer** vp (se suicider) to kill o.s.; (accidentellement) to die.

tue-tête [tytɛt] : **à tue-tête** adv at the top of one's voice.

tuile [tɥil] nf tile; **~ aux amandes** thin curved almond biscuit.

tulipe [tylip] nf tulip.

tumeur [tymœr] nf tumour.

tuner [tyner] nm tuner.

tunique [tynik] nf tunic.

Tunisie [tynizi] nf: **la ~** Tunisia.

tunisien, -ienne [tynizjɛ̃, jɛn] adj Tunisian □ **Tunisien, -ienne** nm, f Tunisian.

tunnel [tynɛl] nm tunnel; **le ~ sous la Manche** the Channel Tunnel.

ℹ️ LE TUNNEL SOUS LA MANCHE

The Channel Tunnel beneath the English Channel connects Coquelles near Calais and Cheriton near Folkestone. Vehicles are transported on a train known as "Le Shuttle" and there is also a regular passenger service linking London with Paris, Lille and Brussels, on the "Eurostar" train.

---

turbo [tyrbo] adj inv & nf turbo.

turbot [tyrbo] nm turbot.

turbulences [tyrbylɑ̃s] nfpl (dans un avion) turbulence (sg).

turbulent, -e [tyrbylɑ̃, ɑ̃t] adj

boisterous.

turc, turque [tyrk] *adj* Turkish.

Turquie [tyrki] *nf*: **la ~** Turkey.

turquoise [tyrkwaz] *adj inv & nf* turquoise.

tutoyer [tytwaje] *vt*: **~** qqn to use the "tu" form to sb.

tutu [tyty] *nm* tutu.

tuyau, -x [tɥijo] *nm* pipe; **~ d'arrosage** hosepipe; **~ d'échappement** exhaust (pipe).

TV (*abr de* télévision) TV.

TVA *nf* (*abr de* taxe sur la valeur ajoutée) VAT.

tweed [twid] *nm* tweed.

tympan [tɛ̃pɑ̃] *nm* (ANAT) eardrum.

type [tip] *nm* (sorte) type; (fam: individu) bloke.

typique [tipik] *adj* typical.

U

UDF *nf* French party to the right of the political spectrum.

ulcère [ylsɛr] *nm* ulcer.

ULM *nm* microlight.

ultérieur, -e [ylterjœr] *adj* later.

ultra- [yltra] *préf* ultra-.

un, une [œ̃, yn] (*pl* des [de]) *article indéfini* a, an (*devant voyelle*); **~ homme a** man; **une femme a** woman; **une pomme** an apple; **des valises** suitcases.
♦ *pron* one; (**l'**) **~ de mes amis/des** plus intéressants one of my friends/the most interesting; **l'~ l'autre** each other, one another; **l'~ et l'autre** both (of them/us); **l'~ ou l'autre** either (of them/us); **ni l'~ ni l'autre** neither (of them/us).
♦ *num* one → **six.**

unanime [ynanim] *adj* unanimous.

unanimité [ynanimite] *nf* unanimity; **à l'~** unanimously.

Unetelle → **Untel.**

uni, -e [yni] *adj* (tissu, couleur) plain; (famille, couple) close.

uniforme [yniform] *adj* uniform; (surface) even ♦ *nm* uniform.

union [ynjɔ̃] *nf* (d'États) union; (de syndicats) confederation; **l'Union européenne** the European Union; **l'Union soviétique** the Soviet Union.

unique [ynik] *adj* (seul) only; (exceptionnel) unique.

uniquement [ynikmɑ̃] *adv* only.

unir [ynir] *vt* (mots, idées) to combine ◻ **s'unir** *vp* (s'associer) to join together; (pays) to unite.

unisson [ynisɔ̃] *nm*: **à l'~** in unison.

unitaire [yniter] *adj* (prix, poids) unit.

unité [ynite] *nf* unit; (harmonie, ensemble) unity; **vendu à l'~** sold individually; **~ centrale** central processing unit.

univers [yniver] *nm* universe.

universel, -elle [yniversel] *adj* universal.

universitaire [yniversiter] *adj* (diplôme, bibliothèque) university.

Untel

Untel, Unetelle [œ̃tɛl, yntɛl] *nm, f* Mr so-and-so (*f* Mrs so-and-so).

urbain, -e [yrbɛ̃, ɛn] *adj* urban.

urbanisme [yrbanism] *nm* town planning.

urgence [yrʒɑ̃s] *nf* urgency; *(MÉD)* emergency; **d'~** *(vite)* immediately; **(service des) ~s** casualty (department).

urgent, -e [yrʒɑ̃, ɑ̃t] *adj* urgent.

urine [yrin] *nf* urine.

uriner [yrine] *vi* to urinate.

urinoir [yrinwar] *nm* urinal.

URSS *nf:* l'~ the USSR.

urticaire [yrtiker] *nf* nettle rash.

USA *nmpl:* les ~ the USA.

usage [yzaʒ] *nm* (utilisation) use; **«~ externe»** "for external use only"; **«~ interne»** "for internal use only".

usagé, -e [yzaʒe] *adj (ticket)* used.

usager [yzaʒe] *nm* user.

usé, -e [yze] *adj* worn.

user [yze] *vt (abîmer)* to wear out; *(consommer)* to use ❑ **s'user** *vp* to wear out.

usine [yzin] *nf* factory.

ustensile [ystɑ̃sil] *nm* tool.

utile [ytil] *adj* useful.

utilisateur, -trice [ytilizatœr, tris] *nm, f* user.

utilisation [ytilizasjɔ̃] *nf* use.

utiliser [ytilize] *vt* to use.

utilité [ytilite] *nf:* **être d'une grande ~** to be of great use.

UV *nmpl (abr de ultraviolets)* UV rays.

V

va → **aller**.

vacances [vakɑ̃s] *nfpl* holiday (sg) (Br), vacation (sg) (Am); **être/partir en ~** to be/go on holiday (Br), to be/go on vacation (Am); **prendre des ~** to take a holiday (Br), to take a vacation (Am); **~ scolaires** school holidays (Br), school break (Am).

vacancier, -ière [vakɑ̃sje, jer] *nm, f* holidaymaker (Br), vacationer (Am).

vacarme [vakarm] *nm* racket.

vaccin [vaksɛ̃] *nm* vaccine.

vacciner [vaksine] *vt:* **~ qqn contre qqch** to vaccinate sb against sthg.

vache [vaʃ] *nf* cow ◆ *adj (fam: méchant)* mean.

vachement [vaʃmɑ̃] *adv (fam)* dead (Br), real (Am).

vacherin [vaʃrɛ̃] *nm (gâteau)* meringue filled with ice cream and whipped cream; *(fromage)* soft cheese made from cow's milk.

va-et-vient [vaevjɛ̃] *nm inv:* **faire le ~ entre** to go back and forth between.

vague [vag] *adj (peu précis)* vague ◆ *nf* wave; **~ de chaleur** heat wave.

vaguement [vagmɑ̃] *adv* vaguely.

vaille *etc* → **valoir**.

vain [vɛ̃]: **en vain** *adv* in vain.

vaincre [vɛ̃kr] *vt (ennemi)* to

defeat; *(peur, obstacle)* to overcome.

vaincu, -e [vɛ̃ky] *nm, f (équipe)* losing team; *(sportif)* loser.

vainqueur [vɛ̃kœr] *nm (d'un match)* winner; *(d'une bataille)* victor.

vais → aller.

vaisseau, -x [veso] *nm (veine)* vessel; ~ **spatial** spaceship.

vaisselle [vɛsɛl] *nf (assiettes)* crockery; **faire la** ~ to wash up.

valable [valabl] *adj* valid.

valait → valoir.

valent → valoir.

valet [valɛ] *nm (aux cartes)* jack.

valeur [valœr] *nf* value; **sans** ~ worthless.

valider [valide] *vt (ticket)* to validate.

validité [validite] *nf:* **date limite de** ~ expiry date.

valise [valiz] *nf* case, suitcase; **faire ses** ~**s** to pack.

vallée [vale] *nf* valley.

vallonné, -e [valɔne] *adj* undulating.

valoir [valwar] *vi (coûter, avoir comme qualité)* to be worth; *(dans un magasin)* to cost ♦ *v impers:* **il vaut mieux faire qqch** it's best to do sthg; **il vaut mieux que tu restes** you had better stay; **ça vaut combien?** how much is it?; **ça ne vaut pas la peine** OU **le coup** it's not worth it; **ça vaut la peine** OU **le coup d'y aller** it's worth going.

valse [vals] *nf* waltz.

valu [valy] *pp* → valoir.

vandale [vɑ̃dal] *nm* vandal.

vandalisme [vɑ̃dalism] *nm* vandalism.

vanille [vanij] *nf* vanilla.

vaniteux, -euse [vanitø, øz] *adj* vain.

vanter [vɑ̃te] : **se vanter** *vp* to boast.

vapeur [vapœr] *nf* steam; **fer à** ~ steam iron; **(à la)** ~ *(CULIN)* steamed.

vaporisateur [vaporizatœr] *nm* atomizer.

varappe [varap] *nf* rock climbing.

variable [varjabl] *adj (chiffre)* varying; *(temps)* changeable.

varicelle [varisɛl] *nf* chickenpox.

varices [varis] *nfpl* varicose veins.

varié, -e [varje] *adj (travail)* varied; *(paysage)* diverse; **«hors-d'œuvre ~s»** "a selection of starters".

variété [varjete] *nf* variety ❑ **variétés** *nfpl (musique)* easy listening *(sg)*.

variole [varjɔl] *nf* smallpox.

vas → aller.

vase [vaz] *nf* mud ♦ *nm* vase.

vaste [vast] *adj* vast.

vaudra *etc* → valoir.

vaut → valoir.

vautour [votur] *nm* vulture.

veau, -x [vo] *nm* calf; *(CULIN)* veal.

vécu, -e [veky] *pp* → vivre ♦ *adj (histoire)* true.

vedette [vədɛt] *nf (acteur, sportif)* star; *(bateau)* launch.

végétal, -e, -aux [veʒetal, o] *adj (huile, teinture)* vegetable ♦ *nm* plant.

végétarien, -ienne [veʒetarjɛ̃, jɛn] *adj & nm, f* vegetarian.

végétation [veʒetasjɔ̃] *nf* vegetation ❑ **végétations** *nfpl (MÉD)* adenoids.

véhicule [veikyl] *nm* vehicle.

veille [vɛj] *nf (jour précédent)* day before, eve; **la ~ au soir** the evening before.

veillée [veje] *nf (en colonie de vacances)* evening entertainment where children stay up late.

veiller [veje] *vi (rester éveillé)* to stay up; **veillez à ne rien oublier** make sure you don't forget anything; **~ à ce que** to see (to it) that; **~ sur qqn** to look after sb.

veilleur [vejœr] *nm*: **~ de nuit** night watchman.

veilleuse [vejøz] *nf (lampe)* night light; *(AUT)* sidelight; *(flamme)* pilot light.

veine [vɛn] *nf (ANAT)* vein; **avoir de la ~** *(fam)* to be lucky.

Velcro® [vɛlkro] *nm* Velcro®.

vélo [velo] *nm* bicycle, bike; **faire du ~** to cycle; **~ de course** racing bike; **~ tout terrain** mountain bike.

vélomoteur [velomotœr] *nm* moped.

velours [vəlur] *nm* velvet; **~ côtelé** corduroy.

velouté [vəlute] *nm*: **~ d'asperge** cream of asparagus soup.

vendanges [vɑ̃dɑ̃ʒ] *nfpl* harvest *(sg)*.

vendeur, -euse [vɑ̃dœr, øz] *nm, f (de grand magasin)* sales assistant *(Br)*, sales clerk *(Am)*; *(sur un marché, ambulant)* salesman *(f* saleswoman*)*.

vendre [vɑ̃dr] *vt* to sell; **~ qqch à qqn** to sell sb sthg; **«à ~»** "for sale".

vendredi [vɑ̃drədi] *nm* Friday; **~ saint** Good Friday, → **samedi**.

vénéneux, -euse [venenø, øz] *adj* poisonous.

vengeance [vɑ̃ʒɑ̃s] *nf* revenge.

venger [vɑ̃ʒe] : **se venger** *vp* to get one's revenge.

venimeux, -euse [vənimø, øz] *adj* poisonous.

venin [vənɛ̃] *nm* venom.

venir [vənir] *vi* to come; **~ de** to come from; **~ de faire qqch** to have just done sthg; **nous venons d'arriver** we've just arrived; **faire ~ qqn** *(docteur, réparateur)* to send for sb.

vent [vɑ̃] *nm* wind; **il y a** OU **il fait du ~** it's windy; **~ d'ouest** west wind.

vente [vɑ̃t] *nf* sale; **mettre qqch/être en ~** to put sthg/on be up for sale; **~ par correspondance** mail order; **~ aux enchères** auction.

ventilateur [vɑ̃tilatœr] *nm* fan.

ventouse [vɑ̃tuz] *nf (en caoutchouc)* suction pad.

ventre [vɑ̃tr] *nm* stomach; **avoir du ~** to have a bit of a paunch.

venu, -e [vəny] *pp* → **venir**.

ver [vɛr] *nm (de fruit)* maggot; *(luisant)* glow worm; **~ (de terre)** (earth)worm.

véranda [verɑ̃da] *nf (vitrée)* conservatory.

verbe [vɛrb] *nm* verb.

verdict [vɛrdikt] *nm* verdict.

verdure [vɛrdyr] *nf* greenery.

véreux, -euse [verø, øz] *adj (fruit)* worm-eaten.

verger [vɛrʒe] *nm* orchard.

verglacé, -e [vɛrglase] *adj* icy.

verglas [vɛrgla] *nm* (black) ice.

vérification [verifikasjɔ̃] *nf*

checking.

vérifier [veʀifje] vt to check.

véritable [veʀitabl] adj real.

vérité [veʀite] nf truth; **dire la ~** to tell the truth.

vermicelle [vɛʀmisɛl] nm vermicelli.

verni, -e [vɛʀni] adj (chaussure) patent-leather; (meuble) varnished.

vernis [vɛʀni] nm varnish; **~ à ongles** nail varnish.

verra etc → **voir**.

verre [vɛʀ] nm glass; **boire** OU **prendre un ~** to have a drink; **~ à pied** wine glass; **~ à vin** wine glass; **~s de contact** contact lenses.

verrière [vɛʀjɛʀ] nf (toit) glass roof.

verrou [veʀu] nm bolt.

verrouiller [veʀuje] vt (porte) to bolt.

verrue [veʀy] nf wart.

vers [vɛʀ] nm line ♦ prép (direction) towards; (époque) around.

Versailles [vɛʀsaj] n Versailles.

versant [vɛʀsɑ̃] nm side.

verse [vɛʀs] : **à verse** adv: **il**

pleut à ~ it's pouring down.

Verseau [vɛʀso] nm Aquarius.

versement [vɛʀsəmɑ̃] nm payment.

verser [vɛʀse] vt (liquide) to pour; (argent) to pay.

verseur [vɛʀsœʀ] adj m → **bec**.

version [vɛʀsjɔ̃] nf version; (traduction) translation; **~ française** version dubbed into French; **~ originale** version in original language.

verso [vɛʀso] nm back.

vert, -e [vɛʀ, vɛʀt] adj green; (fruit) unripe; (vin) young ♦ nm green.

vertébrale [vɛʀtebʀal] adj f → **colonne**.

vertèbre [vɛʀtɛbʀ] nf vertebra.

vertical, -e, -aux [vɛʀtikal, o] adj vertical.

vertige [vɛʀtiʒ] nm: **avoir le ~** to be dizzy.

vessie [vesi] nf bladder.

veste [vɛst] nf jacket.

vestiaire [vɛstjɛʀ] nm (d'un musée, d'un théâtre) cloakroom.

vestibule [vɛstibyl] nm hall.

vestiges [vɛstiʒ] nmpl remains.

veston [vɛstɔ̃] nm jacket.

vêtements [vɛtmɑ̃] nmpl clothes.

vétérinaire [veteʀinɛʀ] nmf vet.

veuf, veuve [vœf, vœv] adj widowed ♦ nm, f widower (f widow).

veuille etc → **vouloir**.

veuve → **veuf**.

veux → **vouloir**.

vexant, -e [vɛksɑ̃, ɑ̃t] adj hurtful.

vexer [vɛkse] vt to offend ❑ **se vexer** vp to take offence.

VF *abr* = version française.

viaduc [vjadyk] *nm* viaduct.

viande [vjãd] *nf* meat; ~ **séchée des Grisons** dried salt beef.

vibration [vibʀasjɔ̃] *nf* vibration.

vibrer [vibʀe] *vi* to vibrate.

vice [vis] *nm* vice.

vice versa [visvɛʀsa] *adv* vice versa.

vicieux, -ieuse [visjø, jøz] *adj (pervers)* perverted.

victime [viktim] *nf* victim; *(d'un accident)* casualty; **être ~ de** to be the victim of.

victoire [viktwaʀ] *nf* victory.

vidange [vidãʒ] *nf (d'une auto)* oil change.

vide [vid] *adj* empty ♦ *nm (espace)* gap; *(absence d'air)* vacuum; **sous ~** *(aliment)* vacuum-packed.

vidéo [video] *adj inv & nf* video.

vide-ordures [vidɔʀdyʀ] *nm inv* rubbish chute *(Br)*, garbage chute *(Am)*.

vide-poches [vidpɔʃ] *nm inv (dans une voiture)* pocket.

vider [vide] *vt* to empty; *(poulet, poisson)* to gut ☐ **se vider** *vp (salle, baignoire)* to empty.

videur [vidœʀ] *nm (de boîte de nuit)* bouncer.

vie [vi] *nf* life; **en ~** alive.

vieil → **vieux**.

vieillard [vjejaʀ] *nm* old man.

vieille → **vieux**.

vieillesse [vjejɛs] *nf* old age.

vieillir [vjejiʀ] *vi* to get old; *(vin)* to age ♦ *vt*: **ça le vieillit** *(en apparence)* it makes him look old(er).

viendra *etc* → **venir**.

viens *etc* → **venir**.

vierge [vjɛʀʒ] *adj (cassette)* blank ☐ **Vierge** *nf (signe du zodiaque)* Virgo.

Vietnam [vjetnam] *nm*: **le ~** Vietnam.

vieux, vieil [vjø, vjej] (*f* **vieille** [vjej], *mpl* **vieux** [vjø]) *adj* old; ~ **jeu** old-fashioned ♦ *nm, f*: **salut, mon ~!** *(fam)* hello, mate! *(Br)*, hello, buddy! *(Am)*.

vif, vive [vif, viv] *adj (geste)* sharp; *(pas)* brisk; *(regard, couleur)* bright; *(esprit)* lively.

vigile [viʒil] *nm* watchman.

vigne [viɲ] *nf (plante)* vine; *(terrain)* vineyard.

vignette [viɲɛt] *nf (automobile)* tax disc; *(de médicament)* price sticker *(for reimbursement of cost of medicine by the social security services)*.

vignoble [viɲɔbl] *nm* vineyard.

vigoureux, -euse [viguʀø, øz] *adj* sturdy.

vigueur [vigœʀ] *nf*: **les prix en ~** current prices; **entrer en ~** to come into force.

vilain, -e [vilɛ̃, ɛn] *adj (méchant)* naughty; *(laid)* ugly.

villa [vila] *nf* villa.

village [vilaʒ] *nm* village.

ville [vil] *nf (petite, moyenne)* town; *(importante)* city; **aller en ~** to go into town.

Villette [vilɛt] *nf*: **(le parc de) la ~** *cultural centre in the north of Paris, including a science museum*.

vin [vɛ̃] *nm* wine; ~ **blanc** white wine; ~ **doux** sweet wine; ~ **rosé** rosé wine; ~ **rouge** red wine; ~ **sec** dry wine; ~ **de table** table wine.

VIN

France is one of the biggest producers of wine in the world. In the main wine-growing areas of Burgundy, Bordeaux, the Loire and Beaujolais, both red and white wines are produced. In Alsace white wine is more common and Provence is known for its rosé wines. French wine is classified according to four categories, the names of which appear on the label: "AOC" (the highest-quality wines with the vineyard of origin identified), "VDQS" (good-quality wine from a certain area), "vins de pays" (table wines with the region of origin identified), and "vins de table" (basic table wines which may be blended and have no mention of where they are produced).

vinaigre [vinɛgr] *nm* vinegar.

vinaigrette [vinɛgrɛt] *nf* French dressing *(Br)*, vinaigrette.

vingt [vɛ̃] *num* twenty, → **six**.

vingtaine [vɛ̃tɛn] *nf*: **une ~ (de)** about twenty.

vingtième [vɛ̃tjɛm] *num* twentieth, → **sixième**.

viol [vjɔl] *nm* rape.

violemment [vjɔlamɑ̃] *adv* violently.

violence [vjɔlɑ̃s] *nf* violence.

violent, -e [vjɔlɑ̃, ɑ̃t] *adj* violent.

violer [vjɔle] *vt (personne)* to rape.

violet, -ette [vjɔlɛ, ɛt] *adj & nm* purple.

violette [vjɔlɛt] *nf* violet.

violon [vjɔlɔ̃] *nm* violin.

violoncelle [vjɔlɔ̃sɛl] *nm* cello.

violoniste [vjɔlɔnist] *nmf* violinist.

vipère [vipɛr] *nf* viper.

virage [viraʒ] *nm (sur la route)* bend; *(en voiture, à ski)* turn.

virement [virmɑ̃] *nm (sur un compte)* transfer.

virer [vire] *vt (argent)* to transfer.

virgule [virgyl] *nf (entre mots)* comma; *(entre chiffres)* (decimal) point.

viril, -e [viril] *adj* virile.

virtuelle [virtɥɛl] *adj f* → **réalité**.

virtuose [virtɥoz] *nmf* virtuoso.

virus [virys] *nm* virus.

vis [vis] *nf* screw.

visa [viza] *nm (de séjour)* visa.

visage [vizaʒ] *nm* face.

vis-à-vis [vizavi] : **vis-à-vis de** *prép (envers)* towards.

viser [vize] *vt (cible)* to aim at; *(suj: loi)* to apply to; *(suj: remarque)* to be aimed at.

viseur [vizœr] *nm (de carabine)* sights *(pl)*; *(d'appareil photo)* viewfinder.

visibilité [vizibilite] *nf* visibility.

visible [vizibl] *adj* visible.

visière [vizjɛr] *nf (de casquette)* peak.

vision [vizjɔ̃] *nf (vue)* vision.

visionneuse [vizjɔnøz] *nf* projector.

visite [vizit] *nf* visit; **rendre ~ à qqn** to visit sb; **~ guidée** guided tour; **~ médicale** medical.

visiter [vizite] *vt* to visit; **faire ~ qqch à qqn** to show sb round sthg.

visiteur, -euse [vizitœr, øz] *nm, f* visitor.

visqueux, -euse [viskø, øz] *adj* sticky.

visser [vise] *vt (vis)* to screw in; *(couvercle)* to screw on.

visuel, -elle [vizɥɛl] *adj* visual.

vital, -e, -aux [vital, o] *adj* vital.

vitalité [vitalite] *nf* vitality.

vitamine [vitamin] *nf* vitamin.

vite [vit] *adv* fast, quickly.

vitesse [vitɛs] *nf* speed; *(TECH: d'une voiture, d'un vélo)* gear; **à toute ~** at top speed.

vitrail, -aux [vitraj, o] *nm* stained-glass window.

vitre [vitr] *nf (de fenêtre)* window pane; *(de voiture)* window.

vitré, -e [vitre] *adj (porte)* glass.

vitrine [vitrin] *nf (de magasin)* (shop) window; *(meuble)* display cabinet; **en ~** in the window; **faire les ~s** to window-shop.

vivacité [vivasite] *nf* vivacity.

vivant, -e [vivã, ãt] *adj (en vie)* alive; *(animé)* lively.

vive [viv] *excl:* **~ les vacances!** hurray for the holidays!

vivement [vivmã] *adv* quickly ◆ *excl:* **~ demain!** roll on tomorrow!

vivre [vivr] *vi* to live ◆ *vt (passer)* to experience.

VO *abr* = **version originale**.

vocabulaire [vɔkabylɛr] *nm* vocabulary.

vocales [vɔkal] *adj fpl* **~ corde**.

vodka [vɔdka] *nf* vodka.

vœu, -x [vø] *nm (souhait)* wish; **meilleurs ~x** best wishes.

voici [vwasi] *prép* here is/are.

voie [vwa] *nf (chemin)* road; *(sur*

une route) lane; *(de gare)* platform; **être en ~ d'amélioration** to be improving; **«par ~ orale»** "to be taken orally"; **~ ferrée** railway track *(Br)*, railroad track *(Am)*; **~ sans issue** dead end.

voilà [vwala] *prép* there is/are.

voile [vwal] *nm* **veil** ◆ *nf (de bateau)* sail; **faire de la ~** to go sailing.

voilé, -e [vwale] *adj (roue)* buckled.

voilier [vwalje] *nm* sailing boat *(Br)*, sailboat *(Am)*.

voir [vwar] *vt* to see; **ça n'a rien à ~** that's got nothing to do with it; **voyons!** *(pour reprocher)* come on now!; **faire ~ qqch à qqn** to show sb sthg □ **se voir** *vp (être visible)* to show; *(se rencontrer)* to see one another.

voisin, -e [vwazɛ̃, in] *adj (ville)* neighbouring; *(maison)* next-door ◆ *nm, f* neighbour.

voiture [vwatyr] *nf* car; *(wagon)* carriage; **~ de sport** sports car.

voix [vwa] *nf (voix, vote)* vote; **à ~ basse** in a low voice; **à ~ haute** in a loud voice.

vol [vɔl] *nm (groupe d'oiseaux)* flock; *(trajet en avion)* flight; *(délit)* theft; **attraper qqch au ~** to grab sthg; **à ~ d'oiseau** as the crow flies; **au ~!** stop thief!; **en ~** *(dans un avion)* during the flight; **~ régulier** scheduled flight.

volaille [vɔlaj] *nf (oiseau)* fowl; **de la ~** poultry.

volant [vɔlã] *nm (de voiture)* steering wheel; *(de nappe, de jupe)* flounce; *(de badminton)* shuttlecock.

volante [vɔlãt] *adj f →* **sou-**

coupe

vol-au-vent [vɔlovɑ̃] nm inv vol-au-vent.

volcan [vɔlkɑ̃] nm volcano.

voler [vɔle] vt (argent, objet) to steal; (personne) to rob ♦ vi (oiseau, avion) to fly.

volet [vɔle] nm (de fenêtre) shutter; (d'imprimé) tear-off section.

voleur, -euse [vɔlœr, øz] nm, f thief.

volière [vɔljɛr] nf aviary.

volley(-ball) [vɔle(bol)] nm volleyball.

volontaire [vɔlɔ̃tɛr] adj (geste, engagement) deliberate ♦ nmf volunteer.

volontairement [vɔlɔ̃tɛrmɑ̃] adv (exprès) deliberately.

volonté [vɔlɔ̃te] nf (énergie) will; (désir) wish; **bonne ~** goodwill; **mauvaise ~** unwillingness.

volontiers [vɔlɔ̃tje] adv willingly; ~! (à table) yes, please!

volt [vɔlt] nm volt.

volume [vɔlym] nm volume.

volumineux, -euse [vɔlyminø, øz] adj bulky.

vomir [vɔmir] vi to be sick ♦ vt to bring up.

vont → aller.

vos → votre.

vote [vɔt] nm vote.

voter [vɔte] vi to vote.

votre [vɔtr] (pl vos) adj your.

vôtre [votr] : **le vôtre** (f la vôtre, pl les vôtres) pron yours; **à la ~!** your good health!

voudra etc → **vouloir.**

vouloir [vulwar] vt 1. (désirer) to want; **voulez-vous boire quelque chose?** would you like something

to drink?; **je veux qu'il parte** I want him to go; **si tu veux** if you like; **sans le ~** unintentionally; **je voudrais ...** I would like ...

2. (accepter): **tu prends un verre? - oui, je veux bien** would you like a drink? - yes, I'd love one; **veuillez vous asseoir** please sit down.

3. (dans des expressions): **ne pas ~ de qqn/qqch** not to want sb/sthg; **en ~ à qqn** to have a grudge against sb; **~ dire** to mean. □ **s'en vouloir** vp: **s'en ~ (de faire qqch)** to be cross with o.s. (for doing sthg).

voulu, -e [vuly] pp → **vouloir.**

vous [vu] pron you; (objet indirect) (to) you; (réciproque) each other; (réfléchi): **vous ~ êtes lavés?** have you washed?; **~-même** yourself; **~-mêmes** yourselves.

voûte [vut] nf vault.

voûté, -e [vute] adj (personne, dos) hunched.

vouvoyer [vuvwaje] vt: **~ qqn** to address sb as "vous".

voyage [vwajaʒ] nm (déplacement) journey; (trajet) trip; **bon ~!** have a good trip!; **partir en ~** to go away; **~ de noces** honeymoon; **~ organisé** package tour.

voyager [vwajaʒe] vi to travel.

voyageur, -euse [vwajaʒœr, øz] nm, f traveller.

voyant, -e [vwajɑ̃, ɑ̃t] adj (couleur, vêtement) gaudy ♦ nm: **~ lumineux** light.

voyelle [vwajɛl] nf vowel.

voyons → voir.

voyou [vwaju] nm yob.

vrac [vrak] nm: **en ~** adv (en désordre) higgledy-piggledy ♦ adj (thé) loose.

vrai, -e [vʀɛ] *adj (exact)* true; *(véritable)* real; **à ~ dire** to tell the truth.

vraiment [vʀɛmɑ̃] *adv* really.

vraisemblable [vʀɛsɑ̃blabl] *adj* likely.

VTT *abr* = **vélo tout terrain**.

vu, -e [vy] *pp* → **voir** ♦ *prép* in view of ♦ *adj*: **être bien/mal ~ (de qqn)** *(personne)* to be popular/ unpopular (with sb); *(attitude)* to be acceptable/unacceptable (to sb); **~ que** seeing as.

vue *nf (sens)* eyesight; *(panorama)* view; *(vision, spectacle)* sight; **avec ~ sur ...** overlooking ...; **connaître qqn de ~** to know sb by sight; **en ~ de faire qqch** with a view to doing sthg; **à ~ d'œil** visibly.

vulgaire [vylgɛʀ] *adj (grossier)* vulgar; *(quelconque)* plain.

Washington [waʃiŋtɔn] *n* Washington D.C.

waters [watɛʀ] *nmpl* toilet *(sg)*.

waterz(o)oi [watɛʀzɔj] *nm (Belg)* chicken or fish with vegetables, cooked in a cream sauce, a Flemish speciality.

watt [wat] *nm* watt.

W-C [vese] *nmpl* toilets.

week-end, -s [wikɛnd] *nm* weekend; **bon ~!** have a nice weekend!

western [wɛstɛʀn] *nm* western.

whisky [wiski] *nm* whisky.

XYZ

xérès [kseʀɛs] *nm* sherry.

xylophone [ksilɔfɔn] *nm* xylophone.

y [i] *adv* **1.** *(indique le lieu)* there; **j'y vais demain** I'm going there tomorrow; **maintenant que j'y suis** now (that) I'm here. **2.** *(dedans)* in (it/them); **mets-y du sel** put some salt in it. **3.** *(dessus)* on it/them; **va voir sur la table si les clefs y sont** go and see if the keys are on the table. ♦ *pron*: **pensez-y** think about it; **n'y comptez pas** don't count on it, → **aller, avoir**.

yacht [jot] *nm* yacht.

yaourt [jauʀt] *nm* yoghurt.

yeux → **œil**.

yoga [jɔga] *nm* yoga.

W

wagon [vagɔ̃] *nm (de passagers)* carriage *(Br)*, car *(Am)*; *(de marchandises)* wagon.

wagon-lit [vagɔ̃li] *(pl* **wagons-lits**) *nm* sleeping car.

wagon-restaurant [vagɔ̃ʀɛstɔʀɑ̃] *(pl* **wagons-restaurants**) *nm* restaurant car.

Walkman® [wɔkman] *nm* personal stereo; Walkman®.

wallon, -onne [walɔ̃, ɔn] *adj* Walloon □ **Wallon, -onne,** *f* Walloon.

yoghourt [jɔgurt] = **yaourt**.
Yougoslavie [jugɔslavi] nf: **la ~** Yugoslavia.
Yo-Yo® [jojo] nm inv yo-yo.

zapper [zape] vi to channel-hop.
zèbre [zɛbr] nm zebra.
zéro [zero] nm zero; (SPORT) nil; (SCOL) nought.
zeste [zɛst] nm peel.
zigzag [zigzag] nm zigzag; **en ~** (route) winding.

zigzaguer [zigzage] vi (route, voiture) to zigzag.
zodiaque [zɔdjak] nm → **signe**.
zone [zon] nf area; **~ bleue** restricted parking zone; **~ indus-trielle** industrial estate (Br), indus-trial park (Am); **~ piétonne** OU **pié-tonnière** pedestrian precinct (Br), pedestrian zone (Am).
zoo [z(o)o] nm zoo.
zoologique [zɔɔlɔʒik] adj → **parc**.
zut [zyt] excl damn!

a [stressed eɪ, unstressed ə] (an before vowel or silent "h") indefinite article **1.** (gen) un (une); **a restaurant** un restaurant; **a chair** une chaise; **a friend** un ami (une amie); **an apple** une pomme. **2.** (instead of the number one): **a month ago** il y a un mois; **a thousand** mille; **four and a half** quatre et demi. **3.** (in prices, ratios): **three times a year** trois fois par an; **£2 a kilo** 2 livres le kilo.

AA n (Br: abbr of Automobile Association) ≃ ACF m.

aback [əˈbæk] adj: **to be taken ~** être déconcentané(-e).

abandon [əˈbændən] vt abandonner.

abattoir [ˈæbətwɑːʳ] n abattoir m.

abbey [ˈæbɪ] n abbaye f.

abbreviation [əˌbriːvɪˈeɪʃn] n abréviation f.

abdomen [ˈæbdəmən] n abdomen m.

abide [əˈbaɪd] vt: **I can't ~ him** je ne peux pas le supporter ❑ **abide by** vt fus respecter.

ability [əˈbɪlətɪ] n capacité f.

able [ˈeɪbl] adj compétent(-e); **to**

be ~ to do sthg pouvoir faire qqch.

abnormal [æbˈnɔːml] adj anormal(-e).

aboard [əˈbɔːd] adv à bord ◆ prep (ship, plane) à bord de; (train, bus) dans.

abolish [əˈbɒlɪʃ] vt abolir.

aborigine [ˌæbəˈrɪdʒənɪ] n aborigène mf (d'Australie).

abort [əˈbɔːt] vt (call off) abandonner.

abortion [əˈbɔːʃn] n avortement m; **to have an ~** se faire avorter.

about [əˈbaʊt] adv **1.** (approximately) environ; **~ 50** environ 50; **at ~ six o'clock** vers six heures. **2.** (referring to place) çà et là; **to walk ~** se promener. **3.** (on the point of): **to be ~ to do sthg** être sur le point de faire qqch; **it's ~ to rain** il va pleuvoir ◆ prep **1.** (concerning) au sujet de; **a book ~ Scotland** un livre sur l'Écosse; **what's it ~?** de quoi s'agit-il?; **what ~ a drink?** et si on prenait un verre? **2.** (referring to place): **~ the town** dans la ville.

above [əˈbʌv] prep au-dessus de ◆ adv (higher) au-dessus; (more) plus; **~ all** avant tout.

abroad [ə'brɔːd] *adv* à l'étranger.

abrupt [ə'brʌpt] *adj* brusque.

abscess ['æbses] *n* abcès *m*.

absence ['æbsəns] *n* absence *f*.

absent ['æbsənt] *adj* absent(-e).

absent-minded [-'maɪndɪd] *adj* distrait(-e).

absolute ['æbsəluːt] *adj* absolu(-e).

absolutely [*adv* 'æbsəluːtlɪ, *excl* ˌæbsəˈluːtlɪ] *adv* vraiment ◆ *excl* absolument!

absorb [əb'sɔːb] *vt* absorber.

absorbed [əb'sɔːbd] *adj*: to be ~ in sthg être absorbé(-e) par qqch.

absorbent [əb'sɔːbənt] *adj* absorbant(-e).

abstain [əb'steɪn] *vi* s'abstenir; to ~ from doing sthg s'abstenir de faire qqch.

absurd [əb'sɜːd] *adj* absurde.

ABTA ['æbtə] *n* association des agences de voyage britanniques.

abuse [*n* ə'bjuːs, *vb* ə'bjuːz] *n* (insults) injures *fpl*; (wrong use) abus *m*; (maltreatment) mauvais traitements *mpl* ◆ *vt* (insult) injurier, insulter; (use wrongly) abuser de; (maltreat) maltraiter.

abusive [ə'bjuːsɪv] *adj* injurieux(-ieuse).

AC *abbr* = alternating current.

academic [ˌækəˈdemɪk] *adj* (of school) scolaire; (of college, university) universitaire ◆ *n* universitaire *mf*.

academy [əˈkædəmɪ] *n* école *f*; (of music) conservatoire *m*; (military) académie *f*.

accelerate [əkˈseləreɪt] *vi* accélérer.

accelerator [əkˈseləreɪtə*r*] *n*

accélérateur *m*.

accent ['æksent] *n* accent *m*.

accept [əkˈsept] *vt* accepter.

acceptable [əkˈseptəbl] *adj* acceptable.

access ['ækses] *n* accès *m*.

accessible [əkˈsesəbl] *adj* accessible.

accessories [əkˈsesərɪz] *npl* accessoires *mpl*.

access road *n* voie *f* d'accès.

accident ['æksɪdənt] *n* accident *m*; by ~ par accident.

accidental [ˌæksɪˈdentl] *adj* accidentel(-elle).

accident insurance *n* assurance *f* accidents.

accident-prone *adj* prédisposé(-e) aux accidents.

acclimatize [əˈklaɪmətaɪz] *vi* s'acclimater.

accommodate [əˈkɒmədeɪt] *vt* loger.

accommodation [əˌkɒməˈdeɪʃn] *n* logement *m*.

accommodations [əˌkɒməˈdeɪʃnz] *npl* (Am) = **accommodation**.

accompany [əˈkʌmpənɪ] *vt* accompagner.

accomplish [əˈkʌmplɪʃ] *vt* accomplir.

accord [əˈkɔːd] *n*: of one's own ~ de soi-même.

accordance [əˈkɔːdəns] *n*: in ~ with conformément à.

according to [əˈkɔːdɪŋ-] *prep* selon.

accordion [əˈkɔːdɪən] *n* accordéon *m*.

account [əˈkaʊnt] *n* (at bank, shop) compte *m*; (report) compte-

rendu *m*; **to take sthg into ~** prendre qqch en compte; **on no ~** en aucun cas; **on ~ of** à cause de ❑
account for *vt fus (explain)* expliquer; *(constitute)* représenter.
accountant [ə'kauntənt] *n* comptable *mf*.
account number *n* numéro *m* de compte.
accumulate [ə'kju:mjʊleɪt] *vt* accumuler.
accurate ['ækjʊrət] *adj* exact(-e).
accuse [ə'kju:z] *vt*: **to ~ sb of sthg** accuser qqn de qqch.
accused [ə'kju:zd] *n*: **the ~** l'accusé *m* (-e *f*).
ace [eɪs] *n* as *m*.
ache [eɪk] *vi (person)* avoir mal ◆ *n* douleur *f*; **my head ~s** j'ai mal à la tête.
achieve [ə'tʃi:v] *vt (victory, success)* remporter; *(aim)* atteindre; *(result)* obtenir.
acid ['æsɪd] *adj* acide ◆ *n* acide *m*.
acid rain *n* pluies *fpl* acides.
acknowledge [ək'nɒlɪdʒ] *vt (accept)* reconnaître; *(letter)* accuser réception de.
acne ['ækni] *n* acné *f*.
acorn ['eɪkɔ:n] *n* gland *m*.
acoustic [ə'ku:stɪk] *adj* acoustique.
acquaintance [ə'kweɪntəns] *n (person)* connaissance *f*.
acquire [ə'kwaɪə^r] *vt* acquérir.
acre ['eɪkə^r] *n* = 4 046,9 m², = demi-hectare *m*.
acrobat ['ækrəbæt] *n* acrobate *mf*.
across [ə'krɒs] *prep (from one side to the other of)* en travers de; *(on other side of)* de l'autre côté de ◆

adv: **to walk/drive ~ sthg** traverser qqch; **10 miles ~** 16 km de large; **~ from** en face de.
acrylic [ə'krɪlɪk] *n* acrylique *m*.
act [ækt] *vi* agir; *(in play, film)* jouer ◆ *n (action, of play)* acte *m*; *(POL)* loi *f*; *(performance)* numéro *m*; **to ~ as** *(serve as)* servir de.
action ['ækʃn] *n* action *f*; *(MIL)* combat *m*; **to take ~** agir; **to put sthg into ~** mettre qqch à exécution; **out of ~** *(machine, person)* hors service.
active ['æktɪv] *adj* actif(-ive).
activity [æk'tɪvətɪ] *n* activité *f*.
activity holiday *n vacances organisées pour enfants, avec activités sportives.*
act of God *n* cas *m* de force majeure.
actor ['æktə^r] *n* acteur *m*.
actress ['æktrɪs] *n* actrice *f*.
actual ['æktʃʊəl] *adj (real)* réel(-elle); *(for emphasis)* même.
actually ['æktʃʊəlɪ] *adv (really)* vraiment; *(in fact)* en fait.
acupuncture ['ækjʊpʌŋktʃə^r] *n* acupuncture *f*.
acute [ə'kju:t] *adj* aigu(-ë); *(feeling)* vif (vive).
ad [æd] *n (inf)* *(on TV)* pub *f*; *(in newspaper)* petite annonce *f*.
AD *(abbr of Anno Domini)* ap. J.-C.
adapt [ə'dæpt] *vt* adapter ◆ *vi* s'adapter.
adapter [ə'dæptə^r] *n (for foreign plug)* adaptateur *m*; *(for several plugs)* prise *f* multiple.
add [æd] *vt* ajouter; *(numbers, prices)* additionner ❑ **add up** *vt sep* additionner; **add up to** *vt fus (total)* se monter à.

adder ['ædə^r] n vipère f.

addict ['ædɪkt] n drogué m (-e f).

addicted [ə'dɪktɪd] adj: **to be ~ to sthg** être drogué(-e) à qqch.

addiction [ə'dɪkʃn] n dépendance f.

addition [ə'dɪʃn] n (added thing) ajout m; (in maths) addition f; **in ~ (to)** en plus (de).

additional [ə'dɪʃənl] adj supplémentaire.

additive ['ædɪtɪv] n additif m.

address [ə'dres] n (on letter) adresse f ◆ vt (speak) to) s'adresser à; (letter) adresser.

address book n carnet m d'adresses.

addressee [ˌædre'si:] n destinataire mf.

adequate ['ædɪkwət] adj (sufficient) suffisant(-e); (satisfactory) adéquat(-e).

adhere [əd'hɪə^r] vi: **to ~ to** (stick to) adhérer à; (obey) respecter.

adhesive [əd'hi:sɪv] adj adhésif(-ive) ◆ n adhésif m.

adjacent [ə'dʒeɪsənt] adj (room) contigu(-ë); (street) adjacent(-e).

adjective ['ædʒɪktɪv] n adjectif m.

adjoining [ə'dʒɔɪnɪŋ] adj (rooms) contigu(-ë).

adjust [ə'dʒʌst] vt régler; (price) ajuster ◆ vi: **to ~ to** s'adapter à.

adjustable [ə'dʒʌstəbl] adj réglable.

adjustment [ə'dʒʌstmənt] n réglage m; (to price) ajustement m.

administration [ədˌmɪnɪ-'streɪʃn] n administration f; (Am: government) gouvernement m.

administrator [əd'mɪnɪstreɪtə^r]

n administrateur m (-trice f).

admiral ['ædmərəl] n amiral m.

admire [əd'maɪə^r] vt admirer.

admission [əd'mɪʃn] n (permission to enter) admission f; (entrance cost) entrée f.

admission charge n entrée f.

admit [əd'mɪt] vt admettre; **to ~ to sthg** admettre OR reconnaître qqch; **"~s one"** (on ticket) «valable pour une personne».

adolescent [ˌædə'lesnt] n adolescent m (-e f).

adopt [ə'dɒpt] vt adopter.

adopted [ə'dɒptɪd] adj adopté(-e).

adorable [ə'dɔ:rəbl] adj adorable.

adore [ə'dɔ:^r] vt adorer.

adult ['ædʌlt] n adulte mf ◆ adj (entertainment, films) pour adultes; (animal) adulte.

adult education n enseignement m pour adultes.

adultery [ə'dʌltərɪ] n adultère m.

advance [əd'vɑ:ns] n avance f ◆ adj (payment) anticipé(-e) ◆ vt & vi avancer; **to give sb ~ warning** prévenir qqn.

advance booking n réservation f à l'avance.

advanced [əd'vɑ:nst] adj (student) avancé(-e); (level) supérieur(-e).

advantage [əd'vɑ:ntɪdʒ] n avantage m; **to take ~ of** profiter de.

adventure [əd'ventʃə^r] n aventure f.

adventurous [əd'ventʃərəs] adj aventureux(-euse).

adverb ['ædvɜ:b] n adverbe m.

adverse ['ædvɜ:s] adj défavorable.

advert ['ædvɜːt] = **advertisement**.

advertise ['ædvətaɪz] vt (product, event) faire de la publicité pour.

advertisement [ədˈvɜːtɪsmənt] n (on TV, radio) publicité f; (in newspaper) annonce f.

advice [ədˈvaɪs] n conseils mpl; a piece of ~ un conseil.

advisable [ədˈvaɪzəbl] adj conseillé(-e).

advise [ədˈvaɪz] vt conseiller; to ~ sb to do sthg conseiller à qqn de faire qqch; to ~ sb against doing sthg déconseiller à qqn de faire qqch.

advocate [n ˈædvəkət, vb ˈædvəkeɪt] n (JUR) avocat m (-e f) ◆ vt préconiser.

aerial ['eərɪəl] n antenne f.

aerobics [eəˈrəʊbɪks] n aérobic m.

aerodynamic [ˌeərəʊdaɪˈnæmɪk] adj aérodynamique.

aeroplane ['eərəpleɪn] n avion m.

aerosol ['eərəsɒl] n aérosol m.

affair [əˈfeər] n affaire f; (love affair) liaison f.

affect [əˈfekt] vt (influence) affecter.

affection [əˈfekʃn] n affection f.

affectionate [əˈfekʃnət] adj affectueux(-euse).

affluent ['æfluənt] adj riche.

afford [əˈfɔːd] vt: can you ~ to go on holiday? peux-tu te permettre de partir en vacances?; I can't ~ it je n'en ai pas les moyens; I can't ~ the time je n'ai pas le temps.

affordable [əˈfɔːdəbl] adj abordable.

afloat [əˈfləʊt] adj à flot.

afraid [əˈfreɪd] adj: to be ~ of avoir peur de; I'm ~ so j'en ai bien peur; I'm ~ not j'ai bien peur que non.

Africa ['æfrɪkə] n l'Afrique f.

African ['æfrɪkən] adj africain(-e) ◆ n Africain m (-e f).

after ['ɑːftər] prep & adv après ◆ conj après que; a quarter ~ ten (Am) dix heures et quart; be ~ (in search of) chercher; ~ all après tout □ **afters** npl dessert m.

aftercare ['ɑːftəkeər] n postcure f.

aftereffects ['ɑːftərɪˌfekts] npl suites fpl.

afternoon [ˌɑːftəˈnuːn] n après-midi m inv or f inv; **good ~!** bonjour!

afternoon tea n le thé de cinq heures.

aftershave ['ɑːftəʃeɪv] n après-rasage m.

aftersun ['ɑːftəsʌn] n après-soleil m.

afterwards ['ɑːftəwədz] adv après.

again [əˈgen] adv encore, à nouveau; ~ **and** ~ à plusieurs reprises; **never ... ~** ne ... plus jamais.

against [əˈgenst] prep contre; ~ **the law** contraire à la loi.

age [eɪdʒ] n âge m; **under ~** mineur; **I haven't seen him for ~s** (inf) ça fait une éternité que je ne l'ai pas vu.

aged [eɪdʒd] adj: ~ **eight** âgé de huit ans.

age group n tranche f d'âge.

age limit n limite f d'âge.

agency [ˈeɪdʒənsɪ] n agence f.

agenda [əˈdʒendə] n ordre m du jour.

agent [ˈeɪdʒənt] n agent m.

aggression [əˈgreʃn] n violence f.

aggressive [əˈgresɪv] adj agressif(-ive).

agile [Br ˈædʒaɪl, Am ˈædʒəl] adj agile.

agility [əˈdʒɪlətɪ] n agilité f.

agitated [ˈædʒɪteɪtɪd] adj agité(-e).

ago [əˈgəʊ] adv: a month ~ il y a un mois; how long ~? il y a combien de temps?

agonizing [ˈægənaɪzɪŋ] adj déchirant(-e).

agony [ˈægənɪ] n (physical) douleur f atroce; (mental) angoisse f.

agree [əˈgriː] vi être d'accord; (correspond) concorder; it doesn't ~ with me (food) ça ne me réussit pas; to ~ to sthg accepter qqch; to ~ to do sthg accepter de faire qqch; we ~d to meet at six o'clock nous avons décidé de nous retrouver à six heures ❑ **agree on** vt fus (time, price) se mettre d'accord sur.

agreed [əˈgriːd] adj (price) convenu(-e); to be ~ (person) être d'accord.

agreement [əˈgriːmənt] n accord m.

agriculture [ˈægrɪkʌltʃəʳ] n agriculture f.

ahead [əˈhed] adv devant; go straight ~ allez tout droit; the months ~ les mois à venir; to be ~ (winning) être en tête; ~ of devant; (in time) avant; ~ of schedule en avance.

aid [eɪd] n aide f ◆ vt aider; in ~ of au profit de; with the ~ of à l'aide

de.

AIDS [eɪdz] n SIDA m.

ailment [ˈeɪlmənt] n (fml) mal m.

aim [eɪm] n (purpose) but m ◆ vt (gun, camera, hose) braquer ◆ vi: to ~ (at) viser; to ~ to do sthg avoir pour but de faire qqch.

air [eəʳ] n air m ◆ vt (room) aérer ◆ adj (terminal, travel) aérien(-ienne); by ~ par avion.

airbed [ˈeəbed] n matelas m pneumatique.

airborne [ˈeəbɔːn] adj (plane) en vol.

air-conditioned [-kənˈdɪʃnd] adj climatisé(-e).

air-conditioning [-kənˈdɪʃnɪŋ] n climatisation f.

aircraft [ˈeəkrɑːft] (pl inv) n avion m.

aircraft carrier [-ˌkærɪəʳ] n porte-avions m inv.

airfield [ˈeəfiːld] n aérodrome m.

airforce [ˈeəfɔːs] n armée f de l'air.

air freshener [-ˌfreʃnəʳ] n désodorisant m.

airhostess [ˈeəˌhəʊstɪs] n hôtesse f de l'air.

airing cupboard [ˈeərɪŋ-] n armoire f sèche-linge.

airletter [ˈeəˌletəʳ] n aérogramme m.

airline [ˈeəlaɪn] n compagnie f aérienne.

airliner [ˈeəˌlaɪnəʳ] n avion m de ligne.

airmail [ˈeəmeɪl] n poste f aérienne; by ~ par avion.

airplane [ˈeəpleɪn] n (Am) avion m.

airport [ˈeəpɔːt] n aéroport m.

air raid n raid m aérien.

airsick ['eəsɪk] adj: **to be** ~ avoir le mal de l'air.

air steward n steward m.

air stewardess n hôtesse f de l'air.

air traffic control n contrôle m aérien.

airy ['eərɪ] adj aéré(-e).

aisle [aɪl] n (in plane) couloir m; (in cinema, supermarket) allée f; (in church) bas-côté m.

aisle seat n fauteuil m côté couloir.

ajar [ə'dʒɑː'] adj entrebâillé(-e).

alarm [ə'lɑːm] n alarme f ♦ vt alarmer.

alarm clock n réveil m.

alarmed [ə'lɑːmd] adj (door, car) protégé(-e) par une alarme.

alarming [ə'lɑːmɪŋ] adj alarmant(-e).

Albert Hall ['ælbət-] n: **the** ~ l'Albert Hall m.

THE ALBERT HALL

Grande salle londonienne accueillant concerts et manifestations diverses, y compris sportives; elle a été baptisée ainsi en l'honneur du prince Albert, époux de la reine Victoria.

album ['ælbəm] n album m.

alcohol ['ælkəhɒl] n alcool m.

alcohol-free adj sans alcool.

alcoholic [ˌælkə'hɒlɪk] adj (drink) alcoolisé(-e) ♦ n alcoolique mf.

alcoholism ['ælkəhɒlɪzm] n alcoolisme m.

alcove ['ælkəʊv] n renfoncement m.

ale [eɪl] n bière f.

alert [ə'lɜːt] adj vigilant(-e) ♦ vt alerter.

A level n ≃ baccalauréat m.

A LEVEL

Examen de fin d'études secondaires en Grande-Bretagne; il faut passer deux ou trois A levels, chacun sanctionnant une matière, afin de pouvoir accéder à l'université.

algebra ['ældʒɪbrə] n algèbre f.

Algeria [æl'dʒɪərɪə] n l'Algérie f.

alias ['eɪlɪəs] adv alias.

alibi ['ælɪbaɪ] n alibi m.

alien ['eɪlɪən] n (foreigner) étranger m (-ère f); (from outer space) extraterrestre mf.

alight [ə'laɪt] adj (on fire) en feu ♦ vi (fml: from train, bus): **to** ~ **(from)** descendre (de).

align [ə'laɪn] vt aligner.

alike [ə'laɪk] adj semblable ♦ adv de la même façon; **to look** ~ se ressembler.

alive [ə'laɪv] adj (living) vivant(-e).

all [ɔːl] adj 1. (with singular noun) tout (toute); ~ **the money** tout l'argent; ~ **the time** tout le temps; ~ **day** toute la journée. 2. (with plural noun) tous (toutes); ~ **the houses** toutes les maisons; ~ **trains stop at Tonbridge** tous les trains s'arrêtent à Tonbridge. ♦ adv 1. (completely) complètement; ~ **alone** tout seul (toute seule). 2. (in scores): **it's two** ~ ça fait deux partout.

3. *(in phrases):* ~ **but empty** presque vide; ~ **over** *(finished)* terminé(-e).

◆ *pron* 1. *(everything)* tout; **is that ~?** *(in shop)* ce sera tout?; ~ **of the work** tout le travail; **the best of ~** le meilleur de tous.

2. *(everybody):* ~ **of the guests** tous les invités; ~ **of us went** nous y sommes tous allés.

3. *(in phrases):* **can I help you at ~?** puis-je vous aider en quoi que ce soit?; **in ~** en tout.

Allah [ˈælə] *n* Allah *m*.

allege [əˈledʒ] *vt* prétendre.

allergic [əˈlɜːdʒɪk] *adj:* **to be ~ to** être allergique à.

allergy [ˈælədʒɪ] *n* allergie *f.*

alleviate [əˈliːvɪeɪt] *vt (pain)* alléger.

alley [ˈælɪ] *n (narrow street)* ruelle *f.*

alligator [ˈælɪgeɪtə*ʳ*] *n* alligator *m.*

all-in *adj (Br: inclusive)* tout compris.

all-night *adj (bar, petrol station)* ouvert(-e) la nuit.

allocate [ˈæləkeɪt] *vt* attribuer.

allotment [əˈlɒtmənt] *n (Br: for vegetables)* potager *m (loué par la commune à un particulier).*

allow [əˈlaʊ] *vt (permit)* autoriser; *(time, money)* prévoir; **to ~ sb to do sthg** autoriser qqn à faire qqch; **to be ~ed to do sthg** avoir le droit de faire qqch ❑ **allow for** *vt fus* tenir compte de.

allowance [əˈlaʊəns] *n (state benefit)* allocation *f;* *(for expenses)* indemnité *f;* *(pocket money)* argent *m* de poche.

all right *adj* pas mal *(inv)* ◆ *adv (satisfactorily)* bien; *(yes, okay)* d'accord; **is everything ~?** est-ce que tout va bien?; **is it ~ if I smoke?** cela ne vous dérange pas si je fume?; **are you ~?** ça va?; **how are you? - I'm ~** comment vas-tu? -bien.

ally [ˈælaɪ] *n* allié *m* (-e *f*).

almond [ˈɑːmənd] *n* amande *f.*

almost [ˈɔːlməʊst] *adv* presque; **we ~ missed the train** nous avons failli rater le train.

alone [əˈləʊn] *adj & adv* seul(-e); **to leave sb ~** *(in peace)* laisser qqn tranquille; **to leave sthg ~** laisser qqch tranquille.

along [əˈlɒŋ] *prep* le long de ◆ *adv:* **to walk ~** se promener; **to bring sthg ~** apporter qqch; **all ~** *(knew, thought)* depuis le début; ~ **with** avec.

alongside [ə,lɒŋˈsaɪd] *prep* à côté de.

aloof [əˈluːf] *adj* distant(-e).

aloud [əˈlaʊd] *adv* à haute voix, à voix haute.

alphabet [ˈælfəbet] *n* alphabet *m.*

Alps [ælps] *npl:* **the ~** les Alpes *fpl.*

already [ɔːlˈredɪ] *adv* déjà.

also [ˈɔːlsəʊ] *adv* aussi.

altar [ˈɔːltəʳ] *n* autel *m.*

alter [ˈɔːltəʳ] *vt* modifier.

alteration [,ɔːltəˈreɪʃn] *n (to plan, timetable)* modification *f;* *(to house)* aménagement *m.*

alternate [*Br* ɔːlˈtɜːnət, *Am* ˈɔːltərnət] *adj:* **on ~ days** tous les deux jours, un jour sur deux.

alternating current [ˈɔːltəneitiŋ-] *n* courant *m* alternatif.

alternative [ɔːlˈtɜːnətɪv] *adj* (*accommodation, route*) autre; (*medicine, music, comedy*) alternatif(-ive) ♦ *n* choix *m*.

alternatively [ɔːlˈtɜːnətɪvlɪ] *adv* ou bien.

alternator [ˈɔːltəneɪtər] *n* alternateur *m*.

although [ɔːlˈðəʊ] *conj* bien que (+ *subjunctive*).

altitude [ˈæltɪtjuːd] *n* altitude *f*.

altogether [ɔːltəˈɡeðər] *adv* (*completely*) tout à fait; (*in total*) en tout.

aluminium [ˌæljuˈmɪnɪəm] *n* (Br) aluminium *m*.

aluminum [əˈluːmɪnəm] (Am) = **aluminium**.

always [ˈɔːlweɪz] *adv* toujours.

am [æm] → **be**.

a.m. (*abbr of ante meridiem*): **at 2 ~** à 2 h du matin.

amateur [ˈæmətər] *n* amateur *m*.

amazed [əˈmeɪzd] *adj* stupéfait(-e).

amazing [əˈmeɪzɪŋ] *adj* extraordinaire.

Amazon [ˈæməzən] *n* (*river*): **the ~** l'Amazone *f*.

ambassador [æmˈbæsədər] *n* ambassadeur *m* (-drice *f*).

amber [ˈæmbər] *adj* (*traffic lights*) orange (*inv*); (*jewellery*) d'ambre.

ambiguous [æmˈbɪɡjuəs] *adj* ambigu(-ë).

ambition [æmˈbɪʃn] *n* ambition *f*.

ambitious [æmˈbɪʃəs] *adj* (*person*) ambitieux(-ieuse).

ambulance [ˈæmbjʊləns] *n* ambulance *f*.

ambush [ˈæmbʊʃ] *n* embuscade *f*.

amenities [əˈmiːnətɪz] *npl* équipements *mpl*.

America [əˈmerɪkə] *n* l'Amérique *f*.

American [əˈmerɪkən] *adj* américain(-e) ♦ *n* (*person*) Américain (-e *f*).

amiable [ˈeɪmɪəbl] *adj* aimable.

ammunition [ˌæmjʊˈnɪʃn] *n* munitions *fpl*.

amnesia [æmˈniːzɪə] *n* amnésie *f*.

among(st) [əˈmʌŋ(st)] *prep* parmi; (*when sharing*) entre.

amount [əˈmaʊnt] *n* (*quantity*) quantité *f*; (*sum*) montant *m* ❑ **amount to** *vt fus* (*total*) se monter à.

amp [æmp] *n* ampère *m*; **a 13-~** plug une prise 13 ampères.

ample [ˈæmpl] *adj* (*time*) largement assez de.

amplifier [ˈæmplɪfaɪər] *n* amplificateur *m*.

amputate [ˈæmpjʊteɪt] *vt* amputer.

Amtrak [ˈæmtræk] *n* société nationale de chemins de fer aux États-Unis.

amuse [əˈmjuːz] *vt* (*make laugh*) amuser; (*entertain*) occuper.

amusement arcade [əˈmjuːzmənt-] *n* galerie *f* de jeux.

amusement park [əˈmjuːzmənt-] *n* parc *m* d'attractions.

amusements [əˈmjuːzmənts] *npl* distractions *fpl*.

amusing [əˈmjuːzɪŋ] *adj* amusant(-e).

an [*stressed* æn, *unstressed* ən] → **a**.

anaemic [əˈniːmɪk] *adj* (Br: *person*) anémique.

anaesthetic [ænɪsˈθetɪk] n (Br) anesthésie f.

analgesic [ænælˈdʒiːsɪk] n analgésique m.

analyse [ˈænəlaɪz] vt analyser.

analyst [ˈænəlɪst] n (psychoanalyst) psychanalyste mf.

analyze [ˈænəlaɪz] (Am) = analyse.

anarchy [ˈænəki] n anarchie f.

anatomy [əˈnætəmi] n anatomie f.

ancestor [ˈænsestəʳ] n ancêtre mf.

anchor [ˈæŋkəʳ] n ancre f.

anchovy [ˈæntʃəvi] n anchois m.

ancient [ˈeɪnʃənt] adj ancien(-ienne).

and [strong form ænd, weak form ənd, ən] conj et; more ~ more de plus en plus; ~ you? et toi?; a hundred ~ one cent un; to try ~ do sthg essayer de faire qqch; to go ~ see aller voir.

Andes [ˈændiːz] npl: the ~ les Andes fpl.

anecdote [ˈænɪkdəʊt] n anecdote f.

anemic [əˈniːmɪk] (Am) = anaemic.

anesthetic [ænɪsˈθetɪk] (Am) = anaesthetic.

angel [ˈeɪndʒl] n ange m.

anger [ˈæŋgəʳ] n colère f.

angina [ænˈdʒaɪnə] n angine f de poitrine.

angle [ˈæŋgl] n angle m; at an ~ en biais.

angler [ˈæŋgləʳ] n pêcheur m (-euse f) (à la ligne).

angling [ˈæŋglɪŋ] n pêche f (à la ligne).

angry [ˈæŋgri] adj en colère; (words) violent(-e); to get ~ (with sb) se mettre en colère (contre qqn).

animal [ˈænɪml] n animal m.

aniseed [ˈænɪsiːd] n anis m.

ankle [ˈæŋkl] n cheville f.

annex [ˈæneks] n (building) annexe f.

annihilate [əˈnaɪəleɪt] vt anéantir.

anniversary [ænɪˈvɜːsəri] n anniversaire m (d'un événement).

announce [əˈnaʊns] vt annoncer.

announcement [əˈnaʊnsmənt] n annonce f.

announcer [əˈnaʊnsəʳ] n (on TV, radio) présentateur m (-trice f).

annoy [əˈnɔɪ] vt agacer.

annoyed [əˈnɔɪd] adj agacé(-e); to get ~ (with) s'énerver (contre).

annoying [əˈnɔɪɪŋ] adj agaçant(-e).

annual [ˈænjʊəl] adj annuel(-elle).

anonymous [əˈnɒnɪməs] adj anonyme.

anorak [ˈænəræk] n anorak m.

another [əˈnʌðəʳ] adj un autre (une autre) ◆ pron un autre (une autre); can I have ~ (one)? puis-je en avoir un autre?; in ~ two weeks dans deux semaines; to help one ~ s'entraider; to talk to one ~ se parler; one after ~ l'un après l'autre (l'une après l'autre).

answer [ˈɑːnsəʳ] n réponse f; (solution) solution f ◆ vt répondre à ◆ vi répondre; to ~ the door aller ouvrir la porte; to ~ the phone répondre au téléphone ❑ answer

anyhow

back *vi* répondre.

answering machine [ˈɑːnsərɪŋ-] = answerphone.

answerphone [ˈɑːnsəfəʊn] *n* répondeur *m*.

ant [ænt] *n* fourmi *f*.

Antarctic [ænˈtɑːktɪk] *n*: the ~ l'Antarctique *m*.

antenna [ænˈtenə] *n* (Am: aerial) antenne *f*.

anthem [ˈænθəm] *n* hymne *m*.

antibiotics [ˌæntɪbaɪˈɒtɪks] *npl* antibiotiques *mpl*.

anticipate [ænˈtɪsɪpeɪt] *vt* (expect) s'attendre à; (guess correctly) anticiper.

anticlimax [ˌæntɪˈklaɪmæks] *n* déception *f*.

anticlockwise [ˌæntɪˈklɒkwaɪz] *adv* (Br) dans le sens inverse des aiguilles d'une montre.

antidote [ˈæntɪdəʊt] *n* antidote *m*.

antifreeze [ˈæntɪfriːz] *n* antigel *m*.

antihistamine [ˌæntɪˈhɪstəmɪn] *n* antihistaminique *m*.

antiperspirant [ˌæntɪˈpɜːspərənt] *n* déodorant *m*.

antiquarian bookshop [ˌæntɪˈkweərɪən-] *n* librairie spécialisée dans les livres anciens.

antique [ænˈtiːk] *n* antiquité *f*.

antique shop *n* magasin *m* d'antiquités.

antiseptic [ˌæntɪˈseptɪk] *n* antiseptique *m*.

antisocial [ˌæntɪˈsəʊʃl] *adj* (person) sauvage; (behaviour) antisocial(-e).

antlers [ˈæntləz] *npl* bois *mpl*.

anxiety [æŋˈzaɪətɪ] *n* (worry)

anxiété *f*.

anxious [ˈæŋkʃəs] *adj* (worried) anxieux(-ieuse); (eager) impatient(-e).

any [ˈenɪ] *adj* 1. (in questions) du, de l', de la, des (pl); is there ~ milk left? est-ce qu'il reste du lait?; have you got ~ money? as-tu de l'argent?; have you got ~ postcards? avez-vous des cartes postales? 2. (in negatives) de, d'; I haven't got ~ money je n'ai pas d'argent; we don't have ~ rooms nous n'avons plus de chambres libres. 3. (no matter which) n'importe quel (n'importe quelle); take ~ one you like prends celui qui te plaît.
♦ *pron* 1. (in questions) en; I'm looking for a hotel - are there ~ nearby? je cherche un hôtel - est-ce qu'il y en a par ici? 2. (in negatives) en; I don't want ~ (of them) je n'en veux aucun; I don't want ~ (of it) je n'en veux pas. 3. (no matter which one) n'importe lequel (n'importe laquelle); you can sit at ~ of the tables vous pouvez vous asseoir à n'importe quelle table.
♦ *adv* 1. (in questions): is that ~ better? est-ce que c'est mieux comme ça?; ~ other questions? d'autres questions? 2. (in negatives): he's not ~ better il ne va pas mieux; we can't wait ~ longer nous ne pouvons plus attendre.

anybody [ˈenɪˌbɒdɪ] = anyone [ˈenɪwʌn].

anyhow [ˈenɪhaʊ] *adv* (carelessly) n'importe comment; (in any case) de toute façon; (in spite of that) quand même.

anyone ['enɪwʌn] *pron (in questions)* quelqu'un; *(any person)* n'importe qui; *(in negatives)*: **there wasn't ~ in** il n'y avait personne.

anything ['enɪθɪŋ] *pron (in questions)* quelque chose; *(no matter what)* n'importe quoi; *(in negatives)*: **I don't want ~ to eat** je ne veux rien manger; **have you ~ bigger?** vous n'avez rien de plus grand?

anyway ['enɪweɪ] *adv* de toute façon; *(in spite of that)* quand même.

anywhere ['enɪweə'] *adv (in questions)* quelque part; *(any place)* n'importe où; *(in negatives)*: **I can't find it ~** je ne le trouve nulle part; **~ else** ailleurs.

apart [ə'pɑːt] *adv (separated)*: **the towns are 5 miles ~** les deux villes sont à 8 km l'une de l'autre; **to come ~** *(break)* se casser; **~ from** à part.

apartheid [ə'pɑːtheɪt] *n* apartheid *m*.

apartment [ə'pɑːtmənt] *n (Am)* appartement *m*.

apathetic [æpə'θetɪk] *adj* apathique.

ape [eɪp] *n* singe *m*.

aperitif [ə'perətiːf] *n* apéritif *m*.

aperture [æpətʃə'] *n (of camera)* ouverture *f*.

APEX ['eɪpeks] *n (plane ticket)* billet *m* APEX; *(Br: train ticket)* billet à tarif réduit sur longues distances et sur certains trains seulement, la réservation devant être effectuée à l'avance.

apiece [ə'piːs] *adv* chacun(-e).

apologetic [ə,pɒlə'dʒetɪk] *adj*: **to be ~** s'excuser.

apologize [ə'pɒlədʒaɪz] *vi*: **to ~ (to sb for sthg)** s'excuser (auprès

de qqn de qqch).

apology [ə'pɒlədʒɪ] *n* excuses *fpl*.

apostrophe [ə'pɒstrəfɪ] *n* apostrophe *f*.

appal [ə'pɔːl] *vt (Br)* horrifier.

appall [ə'pɔːl] *(Am)* = **appal**.

appalling [ə'pɔːlɪŋ] *adj* épouvantable.

apparatus [æpə'reɪtəs] *n* appareil *m*.

apparently [ə'pærəntlɪ] *adv* apparemment.

appeal [ə'piːl] *n (JUR)* appel *m*; *(fundraising campaign)* collecte *f* ♦ *vi (JUR)* faire appel; **to ~ to sb for help** demander de l'aide à qqn; **it doesn't ~ to me** ça ne me dit rien.

appear [ə'pɪə'] *vi (come into view)* apparaître; *(seem)* sembler; *(in play)* jouer; *(before court)* comparaître; **to ~ on TV** passer à la télé; **it ~s that** il semble que.

appearance [ə'pɪərəns] *n (arrival)* apparition *f*; *(look)* apparence *f*.

appendices [ə'pɪədɪsiːz] *pl* → **appendix**.

appendicitis [ə,pendɪ'saɪtɪs] *n* appendicite *f*.

appendix [ə'pendɪks] *(pl -dices)* *n* appendice *m*.

appetite ['æpɪtaɪt] *n* appétit *m*.

appetizer ['æpɪtaɪzə'] *n* amuse-gueule *m inv*.

appetizing ['æpɪtaɪzɪŋ] *adj* appétissant(-e).

applaud [ə'plɔːd] *vt & vi* applaudir.

applause [ə'plɔːz] *n* applaudissements *mpl*.

apple ['æpl] *n* pomme *f*.

apple charlotte [-ˈʃɑːlət] n charlotte f aux pommes.

apple crumble n dessert consistant en une compote de pommes recouverte de pâte sablée.

apple juice n jus m de pomme.

apple pie n tarte aux pommes recouverte d'une couche de pâte.

apple sauce n compote de pommes, accompagnement traditionnel du rôti de porc.

apple tart n tarte f aux pommes.

apple turnover [-ˈtɜːn,əʊvəʳ] n chausson m aux pommes.

appliance [əˈplaɪəns] n appareil m; **electrical/domestic ~** appareil électrique/ménager.

applicable [əˈplɪkəbl] adj: **to be ~ (to)** s'appliquer (à); **if ~** s'il y a lieu.

applicant [ˈæplɪkənt] n candidat m (-e f).

application [ˌæplɪˈkeɪʃn] n (for job, membership) demande f.

application form n formulaire m.

apply [əˈplaɪ] vt appliquer ◆ vi: **to ~ to sb (for sthg)** (ask) s'adresser à qqn (pour obtenir qqch); **to ~ to sb (be applicable)** s'appliquer à (qqn); **to ~ the brakes** freiner.

appointment [əˈpɔɪntmənt] n rendez-vous m; **to have/make an ~ (with)** avoir/prendre rendez-vous (avec); **by ~** sur rendez-vous.

appreciable [əˈpriːʃəbl] adj appréciable.

appreciate [əˈpriːʃɪeɪt] vt (be grateful for) être reconnaissant(-e) de; (understand) comprendre; (like, admire) apprécier.

apprehensive [ˌæprɪˈhensɪv] adj inquiet(-iète).

apprentice [əˈprentɪs] n apprenti m (-e f).

apprenticeship [əˈprentɪsʃɪp] n apprentissage m.

approach [əˈprəʊtʃ] n (road) voie f d'accès; (of plane) descente f; (to problem, situation) approche f ◆ vt s'approcher de; (problem, situation) aborder ◆ vi (person, vehicle) s'approcher; (event) approcher.

appropriate [əˈprəʊprɪət] adj approprié(-e).

approval [əˈpruːvl] n approbation f.

approve [əˈpruːv] vi: **to ~ (of sb/sthg)** approuver (qqn/qqch).

approximate [əˈprɒksɪmət] adj approximatif(-ive).

approximately [əˈprɒksɪmətlɪ] adv environ, à peu près.

apricot [ˈeɪprɪkɒt] n abricot m.

April [ˈeɪprəl] n avril m, → **September.**

April Fools' Day n le premier avril.

---

i	APRIL FOOLS' DAY

En Grande-Bretagne, le premier avril est l'occasion de calembours en tous genres; en revanche, la tradition du poisson en papier n'existe pas.

---

apron [ˈeɪprən] n (for cooking) tablier m.

apt [æpt] adj (appropriate) approprié(-e); **to be ~ to do sthg** avoir tendance à faire qqch.

aquarium [əˈkweərɪəm] (pl -ria

[-nə] n aquarium m.

aqueduct ['ækwɪdʌkt] n aqueduc m.

Arab ['ærəb] adj arabe ♦ n (person) Arabe mf.

Arabic ['ærəbɪk] adj arabe ♦ n (language) arabe m.

arbitrary ['ɑːbɪtrərɪ] adj arbitraire.

arc [ɑːk] n arc m.

arcade [ɑːˈkeɪd] n (for shopping) galerie f marchande; (of video games) galerie f de jeux.

arch [ɑːtʃ] n arc m.

archaeology [ˌɑːkɪˈɒlədʒɪ] n archéologie f.

archbishop [ˌɑːtʃˈbɪʃəp] n archevêque m.

archery ['ɑːtʃərɪ] n tir m à l'arc.

archipelago [ˌɑːkɪˈpeləgəʊ] n archipel m.

architect ['ɑːkɪtekt] n architecte mf.

architecture ['ɑːkɪtektʃəʳ] n architecture f.

archive ['ɑːkaɪv] n archives fpl.

Arctic ['ɑːktɪk] n: the ~ l'Arctique m.

are [weak form əʳ, strong form ɑːʳ] → be.

area ['eərɪə] n (region) région f; (space, zone) aire f; (surface size) superficie f; dining ~ coin m repas.

area code n (Am) indicatif m de zone.

arena [əˈriːnə] n (at circus) chapiteau m; (sportsground) stade m.

aren't = are not.

Argentina [ˌɑːdʒənˈtiːnə] n l'Argentine f.

argue ['ɑːgjuː] vi (quarrel): to ~ (with sb about sthg) se disputer (avec qqn à propos de qqch) ♦ vt: to ~ (that) ... soutenir que ...

argument ['ɑːgjʊmənt] n (quarrel) dispute f; (reason) argument m.

arid ['ærɪd] adj aride.

arise [əˈraɪz] (pt arose, pp arisen [əˈrɪzn]) vi surgir; to ~ from résulter de.

aristocracy [ˌærɪˈstɒkrəsɪ] n aristocratie f.

arithmetic [əˈrɪθmətɪk] n arithmétique f.

arm [ɑːm] n bras m; (of garment) manche f.

arm bands npl (for swimming) bouées fpl (autour des bras).

armchair ['ɑːmtʃeəʳ] n fauteuil m.

armed [ɑːmd] adj (person) armé(-e).

armed forces npl: the ~ les forces fpl armées.

armor (Am) = armour.

armour ['ɑːməʳ] n (Br) armure f.

armpit ['ɑːmpɪt] n aisselle f.

arms [ɑːmz] npl (weapons) armes fpl.

army ['ɑːmɪ] n armée f.

A road n (Br) = nationale f.

aroma [əˈrəʊmə] n arôme m.

aromatic [ˌærəˈmætɪk] adj aromatique.

arose [əˈrəʊz] pt → arise.

around [əˈraʊnd] adv (present) dans le coin ♦ prep autour de; (approximately) environ; to get ~ sthg (obstacle) contourner qqch; at ~ two o'clock vers deux heures du matin; ~ here (in the area) par ici; to look ~ (turn head) regarder autour de soi; (in shop) jeter un coup d'œil; (in city) faire un tour;

to turn ~ se retourner; **to walk ~** se promener.

arouse [ə'rauz] vt provoquer.

arrange [ə'reɪndʒ] vt arranger; *(meeting, event)* organiser; **to ~ to do sthg (with sb)** convenir (avec qqn) de faire qqch.

arrangement [ə'reɪndʒmənt] n *(agreement)* arrangement m; *(layout)* disposition f; **by ~** *(tour, service)* sur réservation; **to make ~s (to do sthg)** faire le nécessaire (pour faire qqch).

arrest [ə'rest] n arrestation f ◆ vt arrêter; **under ~** en état d'arrestation.

arrival [ə'raɪvl] n arrivée f; **on ~** à l'arrivée; **new ~** *(person)* nouveau venu m *(nouvelle venue f)*.

arrive [ə'raɪv] vi arriver.

arrogant [ærəgənt] adj arrogant(-e).

arrow [ærəu] n flèche f.

arson [ɑːsn] n incendie m criminel.

art [ɑːt] n art m □ **arts** npl *(humanities)* = lettres fpl; **the ~s** *(fine arts)* l'art m.

artefact [ɑːtɪfækt] n objet m.

artery [ɑːtərɪ] n artère f.

art gallery n *(shop)* galerie f d'art; *(museum)* musée m d'art.

arthritis [ɑː'θraɪtɪs] n arthrite f.

artichoke [ɑːtɪtʃəuk] n artichaut m.

article [ɑːtɪkl] n article m.

articulate [ɑː'tɪkjulət] adj *(person)* qui s'exprime bien; *(speech)* clair(-e).

artificial [ɑːtɪ'fɪʃl] adj artificiel(-ielle).

artist [ɑːtɪst] n artiste mf.

artistic [ɑː'tɪstɪk] adj *(design)* artistique; *(person)* artiste.

arts centre n centre m culturel.

arty [ɑːtɪ] adj *(pej)* qui se veut artiste.

as [unstressed əz, stressed æz] adv *(in comparisons)*: **~ ... ~** aussi ... que; **he's ~ tall ~ I am** il est aussi grand que moi; **~ many ~** autant que; **~ much ~** autant que.

◆ conj **1.** *(referring to time)* comme; **the plane was coming in to land ~** comme l'avion s'apprêtait à atterrir.

2. *(referring to manner)* comme; **do ~ you like** faites comme tu veux; **~ expected ...** comme prévu ...

3. *(introducing a statement)* comme; **~ you know ...** comme tu sais ...

4. *(because)* comme.

5. *(in phrases)*: **~ for** quant à; **~ from** à partir de; **~ if** comme si.

◆ prep *(referring to function, job)* comme; **I work ~ a teacher** je suis professeur.

asap *(abbr of as soon as possible)* dès que possible.

ascent [ə'sent] n *(climb)* ascension f.

ascribe [ə'skraɪb] vt: **to ~ sthg to sthg** *(situation, success)* imputer qqch à qqch; **to ~ sthg to sb** *(quality)* attribuer qqch à qqn.

ash [æʃ] n *(from cigarette, fire)* cendre f; *(tree)* frêne m.

ashore [ə'ʃɔː] adv à terre.

ashtray [æʃtreɪ] n cendrier m.

Asia [Br 'eɪʃə, Am 'eɪʒə] n l'Asie f.

Asian [Br 'eɪʃn, Am 'eɪʒn] adj asiatique ◆ n Asiatique mf.

aside [ə'saɪd] adv de côté; **to move ~** s'écarter.

ask [ɑːsk] vt (person) demander à; (question) poser; (request) demander; (invite) inviter ♦ vi: to ~ about sthg (enquire) se renseigner sur qqch; to ~ sb sthg demander qqch à qqn; to ~ sb about sthg poser des questions à qqn à propos de qqch; to ~ sb to do sthg demander à qqn de faire qqch; to ~ sb for sthg demander qqch à qqn □ **ask for** vt fus demander.

asleep [ə'sliːp] adj endormi(-e); to fall ~ s'endormir.

asparagus [ə'spærəgəs] n asperge f.

asparagus tips npl pointes fpl d'asperge.

aspect ['æspekt] n aspect m.

aspirin ['æsprɪn] n aspirine f.

ass [æs] n (animal) âne m.

assassinate [ə'sæsɪneɪt] vt assassiner.

assault [ə'sɔːlt] n (on person) agression f ♦ vt agresser.

assemble [ə'sembl] vt (bookcase, model) monter ♦ vi se rassembler.

assembly [ə'semblɪ] n (at school) réunion quotidienne, avant le début des cours, des élèves d'un établissement.

assembly hall n salle de réunion des élèves dans une école.

assembly point n (at airport, in shopping centre) point m de rassemblement.

assert [ə'sɜːt] vt affirmer; to ~ o.s. s'imposer.

assess [ə'ses] vt évaluer.

assessment [ə'sesmənt] n évaluation f.

asset ['æset] n (valuable person, thing) atout m.

assign [ə'saɪn] vt: to ~ sthg to sb (give) assigner qqch à qqn; to ~ sb to do sthg (designate) désigner qqn pour faire qqch.

assignment [ə'saɪnmənt] n (task) mission f; (SCH) devoir m.

assist [ə'sɪst] vt assister, aider.

assistance [ə'sɪstəns] n aide f; to be of ~ (to sb) être utile (à qqn).

assistant [ə'sɪstənt] n assistant m (-e f).

associate [n ə'səʊʃɪət, vb ə'səʊʃɪeɪt] n associé m (-e f) ♦ vt: to ~ sthg/sb with associer qqn/qqch à; to be ~d with (attitude, person) être associé à.

association [ə,səʊsɪ'eɪʃn] n association f.

assorted [ə'sɔːtɪd] adj (sweets, chocolates) assortis(-ties).

assortment [ə'sɔːtmənt] n assortiment m.

assume [ə'sjuːm] vt (suppose) supposer; (control, responsibility) assumer.

assurance [ə'ʃʊərəns] n assurance f.

assure [ə'ʃʊəʳ] vt assurer; to ~ sb (that) ... assurer qqn que ...

asterisk ['æstərɪsk] n astérisque m.

asthma ['æsmə] n asthme m.

asthmatic [æs'mætɪk] adj asthmatique.

astonished [ə'stɒnɪʃt] adj stupéfait(-e).

astonishing [ə'stɒnɪʃɪŋ] adj stupéfiant(-e).

astound [ə'staʊnd] vt stupéfier.

astray [ə'streɪ] adv: to go ~ s'égarer.

astrology [ə'strɒlədʒɪ] n astrologie f.

astronomy [ə'strɒnəmɪ] *n* astronomie *f*.

asylum [ə'saɪləm] *n* asile *m*.

at [unstressed ət, stressed æt] *prep*
1. (indicating place, position): **at the supermarket** au supermarché; ~ **school** à l'école; ~ **the hotel** à l'hôtel; ~ **home** à la maison, chez moi/toi; ~ **my mother's** chez ma mère.

2. (indicating direction): **to throw sthg** ~ jeter qqch vers; **to look** ~ **sb/sthg** regarder qqn/qqch; **to smile** ~ **sb** sourire à qqn.

3. (indicating time) à; ~ **nine o'clock** à 9 h; ~ **night** la nuit.

4. (indicating rate, level, speed) à; **it works out** ~ **£5 each** ça revient à 5 livres chacun; ~ **60 km/h** à 60 km/h.

5. (indicating activity): **to be** ~ **lunch** être en train de déjeuner; **to be good/bad** ~ **sthg** être bon/mauvais en qqch.

6. (indicating cause): **shocked** ~ **sthg** choqué par qqch; **angry** ~ **sb** fâché contre qqn; **delighted** ~ **sthg** ravi de qqch.

ate [Br et, Am eɪt] *pt* → **eat**.

atheist ['eɪθɪɪst] *n* athée *mf*.

athlete ['æθliːt] *n* athlète *mf*.

athletics [æθ'letɪks] *n* athlétisme *m*.

Atlantic [ət'læntɪk] *n*: **the** ~ **(Ocean)** l'Atlantique *m*, l'océan *m* Atlantique.

atlas ['ætləs] *n* atlas *m*.

atmosphere ['ætməsfɪə'] *n* atmosphère *f*.

atom ['ætəm] *n* atome *m*.

A to Z *n* (map) plan *m* de ville.

atrocious [ə'trəʊʃəs] *adj* (very bad) atroce.

attach [ə'tætʃ] *vt* attacher; **to** ~ **sthg to sthg** attacher qqch à qqch.

attachment [ə'tætʃmənt] *n* (device) accessoire *m*.

attack [ə'tæk] *n* attaque *f*; (fit, bout) crise *f* ♦ *vt* attaquer.

attacker [ə'tækə'] *n* agresseur *m*.

attain [ə'teɪn] *vt* (fml) atteindre.

attempt [ə'tempt] *n* tentative *f* ♦ *vt* tenter; **to** ~ **to do sthg** tenter de faire qqch.

attend [ə'tend] *vt* (meeting, mass) assister à; (school) aller à ❑ **attend to** *vt fus* (deal with) s'occuper de.

attendance [ə'tendəns] *n* (people at concert, match) spectateurs *mpl*; (at school) présence *f*.

attendant [ə'tendənt] *n* (at museum) gardien *m* (-ienne *f*); (at petrol station) pompiste *mf*; (at public toilets, cloakroom) préposé *m* (-e *f*).

attention [ə'tenʃn] *n* attention *f*; **to pay** ~ **(to)** prêter attention (à).

attic ['ætɪk] *n* grenier *m*.

attitude ['ætɪtjuːd] *n* attitude *f*.

attorney [ə'tɜːnɪ] *n* (Am) avocat *m* (-e *f*).

attract [ə'trækt] *vt* attirer.

attraction [ə'trækʃn] *n* (liking) attirance *f*; (attractive feature) attrait *m*; (of town, resort) attraction *f*.

attractive [ə'træktɪv] *adj* séduisant(-e).

attribute [ə'trɪbjuːt] *vt*: **to** ~ **sthg to** attribuer qqch à.

aubergine ['əʊbəʒiːn] *n* (Br) aubergine *f*.

auburn ['ɔːbən] *adj* auburn (inv).

auction ['ɔːkʃn] *n* vente *f* aux

enchères.

audience [ˈɔːdɪəns] *n (of play, concert, film)* public *m; (of TV)* téléspectateurs *mpl; (of radio)* auditeurs *mpl.*

audio [ˈɔːdɪəʊ] *adj* audio (inv).

audio-visual [-ˈvɪʒʊəl] *adj* audiovisuel(-elle).

auditorium [ˌɔːdɪˈtɔːrɪəm] *n* salle *f.*

August [ˈɔːgəst] *n* août *m*, → September.

aunt [ɑːnt] *n* tante *f.*

au pair [ˌəʊˈpeəʳ] *n* jeune fille *f* au pair.

aural [ˈɔːrəl] *adj* auditif(-ive).

Australia [ɒˈstreɪlɪə] *n* l'Australie *f.*

Australian [ɒˈstreɪlɪən] *adj* australien(-ienne) ♦ *n* Australien *m* (-ienne).

Austria [ˈɒstrɪə] *n* l'Autriche *f.*

Austrian [ˈɒstrɪən] *adj* autrichien(-ienne) ♦ *n* Autrichien *m* (-ienne).

authentic [ɔːˈθentɪk] *adj* authentique.

author [ˈɔːθəʳ] *n* auteur *m.*

authority [ɔːˈθɒrɪtɪ] *n* autorité *f; the authorities* les autorités.

authorization [ˌɔːθəraɪˈzeɪʃn] *n* autorisation *f.*

authorize [ˈɔːθəraɪz] *vt* autoriser; *to ~ sb to do sthg* autoriser qqn à faire qqch.

autobiography [ˌɔːtəbaɪˈɒgrəfɪ] *n* autobiographie *f.*

autograph [ˈɔːtəgrɑːf] *n* autographe *m.*

automatic [ˌɔːtəˈmætɪk] *adj (machine)* automatique; *(fine)* systématique ♦ *n (car)* voiture *f* à boîte automatique.

automatically [ˌɔːtəˈmætɪklɪ] *adv* automatiquement.

automobile [ˈɔːtəməbiːl] *n (Am)* voiture *f.*

autumn [ˈɔːtəm] *n* automne *m; in (the) ~* en automne.

auxiliary (verb) [ɔːgˈzɪljərɪ] *n* auxiliaire *m.*

available [əˈveɪləbl] *adj* disponible.

avalanche [ˈævəlɑːnʃ] *n* avalanche *f.*

Ave. *(abbr of avenue)* av.

avenue [ˈævənjuː] *n* avenue *f.*

average [ˈævərɪdʒ] *adj* moyen(-enne) ♦ *n* moyenne *f; on ~* en moyenne.

aversion [əˈvɜːʃn] *n* aversion *f.*

aviation [ˌeɪvɪˈeɪʃn] *n* aviation *f.*

avid [ˈævɪd] *adj* avide.

avocado (pear) [ˌævəˈkɑːdəʊ] *n* avocat *m.*

avoid [əˈvɔɪd] *vt* éviter; *to ~ doing sthg* éviter de faire qqch.

await [əˈweɪt] *vt* attendre.

awake [əˈweɪk] *(pt* awoke, *pp* awoken) *adj* réveillé(-e) ♦ *vi* se réveiller.

award [əˈwɔːd] *n (prize)* prix *m* ♦ *vt: to ~ sb sthg (prize)* décerner qqch à qqn; *(damages, compensation)* accorder qqch à qqn.

aware [əˈweəʳ] *adj* conscient(-e); *to be ~ of* être conscient de.

away [əˈweɪ] *adv (not at home, in office)* absent(-e); *to put sthg ~* ranger qqch; *to look ~* détourner les yeux; *to turn ~* se détourner; *to walk/drive ~* s'éloigner; *to take sthg ~ (from sb)* enlever qqch (à qqn); *far ~* loin; *it's 10 miles* (from here) c'est à une quinzaine de kilomètres (d'ici); **it's two weeks** ~ c'est dans deux semaines.

awesome ['ɔːsəm] *adj (impressive)* impressionnant(-e); *(inf: excellent)* génial(-e).

awful ['ɔːfəl] *adj* affreux(-euse); **I feel** ~ je ne me sens vraiment pas bien; **an** ~ **lot of** énormément de.

awfully ['ɔːflɪ] *adv (very)* terriblement.

awkward ['ɔːkwəd] *adj (position)* inconfortable; *(movement)* maladroit(-e); *(shape, size)* peu pratique; *(situation)* embarrassant(-e); *(question, task)* difficile.

awning ['ɔːnɪŋ] *n* auvent *m*.

awoke [ə'wəuk] *pt* → **awake**.

awoken [ə'wəukən] *pp* → **awake**.

axe [æks] *n* hache *f*.

axle ['æksl] *n* essieu *m*.

B

BA *(abbr of Bachelor of Arts) (titulaire d'une)* licence de lettres.

babble ['bæbl] *vi* marmonner.

baby ['beɪbɪ] *n* bébé *m*; **to have a** ~ avoir un enfant; ~ **sweetcorn** jeunes épis *mpl* de maïs.

baby carriage *n (Am)* landau *m*.

baby food *n* aliments *mpl* pour bébé.

baby-sit *vi* faire du baby-

sitting.

baby wipe *n* lingette *f*.

back [bæk] *adv* en arrière ♦ *n* dos *m*; *(of chair)* dossier *m*; *(of room)* fond *m*; *(of car)* arrière *m* ♦ *adj (seat, wheels)* arrière *(inv)* ♦ *vi (car, driver)* faire marche arrière ♦ *vt (support)* soutenir; **to arrive** ~ rentrer; **to give sthg** ~ rendre qqch; **to put sthg** ~ remettre qqch; **to stand** ~ reculer; **at the** ~ **of** derrière; **in** ~ **of** *(Am)* derrière; ~ **to front** devant derrière ❑ **back up** *vt sep (support)* appuyer ♦ *vi (car, driver)* faire marche arrière.

backache ['bækeɪk] *n* mal *m* au dos.

backbone ['bækbəun] *n* colonne *f* vertébrale.

back door *n* porte *f* de derrière.

backfire [ˌbæk'faɪər] *vi (car)* pétarader.

background ['bækgraund] *n (in picture, on stage)* arrière-plan *m*; *(to situation)* contexte *m*; *(of person)* milieu *m*.

backlog ['bæklɒg] *n* accumulation *f*.

backpack ['bækpæk] *n* sac *m* à dos.

backpacker ['bækpækər] *n* routard *m* (-e *f*).

back seat *n* siège *m* arrière.

backside [ˌbæk'saɪd] *n (inf)* fesses *fpl*.

back street *n* ruelle *f*.

backstroke ['bækstrəuk] *n* dos *m* crawlé.

backwards ['bækwədz] *adv (move, look)* en arrière; *(the wrong way round)* à l'envers.

bacon ['beɪkən] *n* bacon *m*; ~ **and eggs** œufs *mpl* frits au bacon.

bacteria [bæk'tɪərɪə] npl bactéries fpl.

bad [bæd] (compar **worse**, superl **worst**) adj mauvais(-e); (serious) grave; (naughty) méchant(-e); (rotten, off) pourri(-e); **to have a ~ back** avoir mal au dos; **to have a ~ cold** avoir un gros rhume; **to go ~** (milk, yoghurt) tourner; **not ~** pas mauvais, pas mal.

badge [bædʒ] n badge m.

badger ['bædʒə'] n blaireau m.

badly ['bædlɪ] (compar **worse**, superl **worst**) adv mal; (injured) gravement; **to ~ need sthg** avoir sérieusement besoin de qqch.

badly paid [-peɪd] adj mal payé(-e).

badminton ['bædmɪntən] n badminton m.

bad-tempered [-'tempəd] adj (by nature) qui a mauvais caractère; (in a bad mood) de mauvaise humeur.

bag [bæg] n sac m; (piece of luggage) bagage m; **a ~ of crisps** un paquet de chips.

bagel ['beɪgəl] n petit pain en couronne.

baggage ['bægɪdʒ] n bagages mpl.

baggage allowance n franchise f de bagages.

baggage reclaim n livraison f des bagages.

baggy ['bægɪ] adj ample.

bagpipes ['bægpaɪps] npl cornemuse f.

bail [beɪl] n caution f.

bait [beɪt] n appât m.

bake [beɪk] vt faire cuire (au four) ♦ n (CULIN) gratin m.

baked [beɪkt] adj cuit(-e) au four.

baked Alaska [-ə'læskə] n omelette f norvégienne.

baked beans npl haricots mpl blancs à la tomate.

baked potato n pomme de terre f en robe de chambre.

baker ['beɪkə'] n boulanger m (-ère f); **~'s (shop)** boulangerie f.

Bakewell tart ['beɪkwel-] n gâteau constitué d'une couche de confiture prise entre deux couches de génoise à l'amande, avec un glaçage décoré de vagues.

balance ['bæləns] n (of person) équilibre m; (of bank account) solde m; (remainder) reste m ♦ vt (object) maintenir en équilibre.

balcony ['bælkənɪ] n balcon m.

bald [bɔːld] adj chauve.

bale [beɪl] n balle f.

ball [bɔːl] n (SPORT) balle f; (in football, rugby) ballon m; (in snooker, pool) boule f; (of wool, string) pelote f; (of paper) boule f; (dance) bal m; **on the ~** (fig) vif (vive).

ballad ['bæləd] n ballade f.

ballerina [,bælə'riːnə] n ballerine f.

ballet ['bæleɪ] n (dancing) danse f (classique); (work) ballet m.

ballet dancer n danseur m (-euse f) classique.

balloon [bə'luːn] n ballon m.

ballot ['bælət] n scrutin m.

ballpoint pen ['bɔːlpɔɪnt-] n stylo m (à) bille.

ballroom ['bɔːlrum] n salle f de bal.

ballroom dancing n danse f de salon.

bamboo [bæm'buː] n bambou m.

bamboo shoots *npl* pousses *fpl* de bambou.

ban [bæn] *n* interdiction *f* ♦ *vt* interdire; **to ~ sb from doing sthg** interdire à qqn de faire qqch.

banana [bə'nɑːnə] *n* banane *f*.

banana split *n* banana split *m*.

band [bænd] *n* (*musical group*) groupe *m*; (*strip of paper, rubber*) bande *f*.

bandage ['bændɪdʒ] *n* bandage *m*, bande *f* ♦ *vt* mettre un bandage sur.

B and B *abbr* = **bed and breakfast**.

bandstand ['bændstænd] *n* kiosque *m* à musique.

bang [bæŋ] *n* (*of gun*) détonation *f*; (*of door*) claquement *m* ♦ *vt* cogner; (*door*) claquer; **to ~ one's head** se cogner la tête.

banger ['bæŋə^r] *n* (*Br: inf: sausage*) saucisse *f*; **~s and mash** saucisses-purée.

bangle ['bæŋgl] *n* bracelet *m*.

bangs [bæŋz] *npl* (*Am*) frange *f*.

banister ['bænɪstə^r] *n* rampe *f*.

banjo ['bændʒəʊ] *n* banjo *m*.

bank [bæŋk] *n* (*for money*) banque *f*; (*of river, lake*) berge *f*; (*slope*) talus *m*.

bank account *n* compte *m* bancaire.

bank book *n* livret *m* d'épargne.

bank charges *npl* frais *mpl* bancaires.

bank clerk *n* employé *m* (-e *f*) de banque.

bank draft *n* traite *f* bancaire.

banker ['bæŋkə^r] *n* banquier *m*.

banker's card *n* carte à présenter, en guise de garantie, par le titulaire d'un compte lorsqu'il paye par chèque.

bank holiday *n* (*Br*) jour *m* férié.

bank manager *n* directeur *m* (-trice *f*) d'agence bancaire.

bank note *n* billet *m* de banque.

bankrupt ['bæŋkrʌpt] *adj* en faillite.

bank statement *n* relevé *m* de compte.

banner ['bænə^r] *n* banderole *f*.

bannister ['bænɪstə^r] *n* = **banister**.

banquet ['bæŋkwɪt] *n* (*formal dinner*) banquet *m*; (*at Indian restaurant etc*) menu pour plusieurs personnes.

bap [bæp] *n* (*Br*) petit pain *m*.

baptize [Br bæp'taɪz, Am 'bæp-taɪz] *vt* baptiser.

bar [bɑː^r] *n* (*pub, in hotel*) bar *m*; (*counter in pub*) comptoir *m*; (*of metal, wood*) barre *f*; (*of chocolate*) tablette *f* ♦ *vt* (*obstruct*) barrer; **a ~ of soap** une savonnette.

barbecue ['bɑːbɪkjuː] *n* barbecue *m* ♦ *vt* faire griller au barbecue.

barbecue sauce *n* sauce épicée servant à relever viandes et poissons.

barbed wire [bɑːbd-] *n* fil *m* de fer barbelé.

barber ['bɑːbə^r] *n* coiffeur *m* (pour hommes); **~'s** (*shop*) salon *m* de coiffure (pour hommes).

bar code *n* code-barres *m*.

bare [beə^r] *adj* (*feet, head, arms*) nu(-e); (*room, cupboard*) vide; **the ~ minimum** le strict minimum.

barefoot [ˈbeəfʊt] *adv* pieds nus.

barely [ˈbeəlɪ] *adv* à peine.

bargain [ˈbɑːgɪn] *n* affaire *f* ◆ *vi* (*haggle*) marchander ❏ **bargain for** *vt fus* s'attendre à.

bargain basement *n* sous-sol d'un magasin où sont regroupés les soldes.

barge [bɑːdʒ] *n* péniche *f* ❏ **barge in** *vi* faire irruption; **to ~ in on sb** interrompre qqn.

bark [bɑːk] *n* (*of tree*) écorce *f* ◆ *vi* aboyer.

barley [ˈbɑːlɪ] *n* orge *f*.

barmaid [ˈbɑːmeɪd] *n* serveuse *f*.

barman [ˈbɑːmən] (*pl* **-men** [-mən]) *n* barman *m*, serveur *m*.

bar meal *n* repas léger servi dans un bar ou un pub.

barn [bɑːn] *n* grange *f*.

barometer [bəˈrɒmɪtəʳ] *n* baromètre *m*.

baron [ˈbærən] *n* baron *m*.

baroque [bəˈrɒk] *adj* baroque.

barracks [ˈbærəks] *npl* caserne *f*.

barrage [ˈbærɑːʒ] *n* (*of questions, criticism*) avalanche *f*.

barrel [ˈbærəl] *n* (*of beer, wine*) tonneau *m*; (*of oil*) baril *m*; (*of gun*) canon *m*.

barren [ˈbærən] *adj* (*land, soil*) stérile.

barricade [ˌbærɪˈkeɪd] *n* barricade *f*.

barrier [ˈbærɪəʳ] *n* barrière *f*.

barrister [ˈbærɪstəʳ] *n* (*Br*) avocat *m* (*-e f*).

bartender [ˈbɑːtendəʳ] *n* (*Am*) barman *m*, serveur *m*.

barter [ˈbɑːtəʳ] *vi* faire du troc.

base [beɪs] *n* (*of lamp, pillar, mountain*) pied *m*; (*MIL*) base *f* ◆ *vt*: **to ~ sthg on** fonder qqch sur; **to be ~d** (*located*) être installé(-e).

baseball [ˈbeɪsbɔːl] *n* base-ball *m*.

baseball cap *n* casquette *f*.

basement [ˈbeɪsmənt] *n* sous-sol *m*.

bases [ˈbeɪsiːz] *pl* → **basis**.

bash [bæʃ] *vt* (*inf*): **to ~ one's head** se cogner la tête.

basic [ˈbeɪsɪk] *adj* (*fundamental*) de base; (*accommodation, meal*) rudimentaire ❏ **basics** *npl*: **the ~s** les bases *fpl*.

basically [ˈbeɪsɪklɪ] *adv* en fait; (*fundamentally*) au fond.

basil [ˈbæzl] *n* basilic *m*.

basin [ˈbeɪsn] *n* (*washbasin*) lavabo *m*; (*bowl*) cuvette *f*.

basis [ˈbeɪsɪs] (*pl* **-ses**) *n* base *f*; **on a weekly ~** une fois par semaine; **on the ~ of** (*according to*) d'après.

basket [ˈbɑːskɪt] *n* corbeille *f*; (*with handle*) panier *m*.

basketball [ˈbɑːskɪtbɔːl] *n* (*game*) basket(-ball) *m*.

basmati rice [bəzˈmætɪ-] *n* riz *m* basmati.

bass[1] [beɪs] *n* (*singer*) basse *f* ◆ *adj*: **a ~ guitar** une basse.

bass[2] [bæs] *n* (*freshwater fish*) perche *f*; (*sea fish*) bar *m*.

bassoon [bəˈsuːn] *n* basson *m*.

bastard [ˈbɑːstəd] *n* (*vulg*) salaud *m*.

bat [bæt] *n* (*in cricket, baseball*) batte *f*; (*in table tennis*) raquette *f*; (*animal*) chauve-souris *f*.

batch [bætʃ] *n* (*of papers, letters*) liasse *f*; (*of people*) groupe *m*.

bath [bɑːθ] *n* bain *m*; (*tub*) bai-

gnoire f ◆ vt donner un bain à; **to
have a ~** prendre un bain □ **baths**
npl (Br: *public swimming pool*) piscine
f.

bathe [beɪð] vi (Br: *swim*) se baigner; (Am: *have bath*) prendre un
bain.

bathing [ˈbeɪðɪŋ] n (Br) baignade
f.

bathrobe [ˈbɑːθrəʊb] n peignoir
m.

bathroom [ˈbɑːθrʊm] n salle f
de bains; (Am: *toilet*) toilettes fpl.

bathroom cabinet n armoire
f à pharmacie.

bathtub [ˈbɑːθtʌb] n baignoire f.

baton [ˈbætən] n (*of conductor*) baguette f; (*truncheon*) matraque f.

batter [ˈbætəʳ] n pâte f ◆ vt (*wife,
child*) battre.

battered [ˈbætəd] adj (CULIN) cuit
dans un enrobage de pâte à frire.

battery [ˈbætən] n (*for radio,
torch etc*) pile f; (*for car*) batterie f.

battery charger [-ˌtʃɑːdʒəʳ] n
chargeur m.

battle [ˈbætl] n bataille f; (*struggle*) lutte f.

battlefield [ˈbætlfiːld] n champ
m de bataille.

battlements [ˈbætlmənts] npl
remparts mpl.

battleship [ˈbætlʃɪp] n cuirassé
m.

bay [beɪ] n (*on coast*) baie f; (*for
parking*) place f (de stationnement).

bay leaf n feuille f de laurier.

bay window n fenêtre f en
saillie.

B & B abbr = **bed and breakfast**.

BC (*abbr of* before Christ) av. J.-C.

be [biː] (pt **was, were,** pp **been**) vi 1.
(*exist*) être; **there is/are** il y a; **are
there any shops near here?** y a-t-il
des magasins près d'ici?

2. (*referring to location*) être; **the
hotel is near the airport** l'hôtel est
OR se trouve près de l'aéroport.

3. (*go*) aller; **has the postman been?**
est-ce que le facteur est passé?;
have you ever been to Ireland? êtes-
vous déjà allé en Irlande?; **I'll ~
there in ten minutes** j'y serai dans
dix minutes.

4. (*occur*) être; **my birthday is in
November** mon anniversaire est en
novembre.

5. (*identifying, describing*) être; **he's a
doctor** il est médecin; **I'm British** je
suis britannique; **I'm hot/cold** j'ai
chaud/froid.

6. (*referring to health*) aller; **how are
you?** comment allez-vous?; **I'm fine**
je vais bien, ça va; **she's ill** elle est
malade.

7. (*referring to age*): **how old are you?**
quel âge as-tu?; **I'm 14 (years old)**
j'ai 14 ans.

8. (*referring to cost*) coûter, faire;
how much is it? combien ça
coûte?; (*meal, shopping*) ça fait
combien?; **it's £10** (*item*) ça coûte
10 livres; (*meal, shopping*) ça fait 10
livres.

9. (*referring to time, dates*) être; **what
time is it?** quelle heure est-il?; **it's
ten o'clock** il est dix heures.

10. (*referring to measurement*) faire;
it's 2 m wide ça fait 2 m de large;
I'm 6 feet tall je mesure 1 mètre
80; **I'm 8 stone** je pèse 50 kilos.

11. (*referring to weather*) faire; **it's
hot/cold** il fait chaud/froid; **it's
sunny/windy** il y a du soleil/du

vent; **it's going to be nice today** il va faire beau aujourd'hui.

♦ *aux vb* 1. *(forming continuous tense)*: **I'm learning French** j'apprends le français; **we've been visiting the museum** nous avons visité le musée; **I was eating when ...** j'étais en train de manger quand ...

2. *(forming passive)*: **the flight was delayed by an hour** le vol a été retardé d'une heure.

3. *(with infinitive to express order)*: **all rooms are to ~ vacated by ten a.m.** toutes les chambres doivent être libérées avant 10 h.

4. *(with infinitive to express future tense)*: **the race is to start at noon** le départ de la course est prévu pour midi.

5. *(in tag questions)*: **it's Monday today, isn't it?** c'est lundi aujourd'hui, n'est-ce pas?

beach [biːtʃ] *n* plage *f*.

bead [biːd] *n* (of glass, wood etc) perle *f*.

beak [biːk] *n* bec *m*.

beaker [ˈbiːkəʳ] *n* gobelet *m*.

beam [biːm] *n* (of light) rayon *m*; (of wood, concrete) poutre ♦ *vi* (smile) faire un sourire radieux.

bean [biːn] *n* haricot *m*; (of coffee) grain *m*.

beanbag [ˈbiːnbæg] *n* (chair) sacco *m*.

bean curd [-kɜːd] *n* pâte *f* de soja.

beansprouts [ˈbiːnsprauts] *npl* germes *mpl* de soja.

bear [bɛəʳ] *n* (pt **bore**, pp **borne**) *n* (animal) ours *m* ♦ *vt* supporter; **to ~ left/right** se diriger vers la gauche/la droite.

bearable [ˈbɛərəbl] *adj* suppor-

table.

beard [bɪəd] *n* barbe *f*.

bearer [ˈbɛərəʳ] *n* (of cheque) porteur *m*; (of passport) titulaire *mf*.

bearing [ˈbɛərɪŋ] *n* (relevance) rapport *m*; **to get one's ~s** se repérer.

beast [biːst] *n* bête *f*.

beat [biːt] (pt **beat**, pp **beaten** [ˈbiːtn]) *n* (of heart, pulse) battement *m*; (MUS) rythme *m* ♦ *vt* battre. ❑ **beat down** *vi* (sun) taper; (rain) tomber à verse ♦ *vt sep*: **I ~ him down to £20** je lui ai fait baisser son prix à 20 livres; **beat up** *vt sep* tabasser.

beautiful [ˈbjuːtɪful] *adj* beau (belle).

beauty [ˈbjuːtɪ] *n* beauté *f*.

beauty parlour *n* salon *m* de beauté.

beauty spot *n* (place) site *m* touristique.

beaver [ˈbiːvəʳ] *n* castor *m*.

became [bɪˈkeɪm] *pt* → **become**.

because [bɪˈkɒz] *conj* parce que; **~ of** à cause de.

beckon [ˈbɛkən] *vi*: **to ~ (to)** faire signe (à).

become [bɪˈkʌm] (pt **became**, pp **become**) *vi* devenir; **what became of him?** qu'est-il devenu?

bed [bɛd] *n* lit *m*; (of sea) fond *m*; **in ~** au lit; **to go and ~** se lever; **to go to ~** aller au lit, se coucher; **to go to ~ with sb** coucher avec qqn; **to make the ~** faire le lit.

bed and breakfast *n* (Br) = chambre *f* d'hôte (avec petit déjeuner).

i BED AND BREAKFAST

On trouve des «B & Bs», également appelés «guest houses», dans toutes les villes et les régions touristiques. Ce sont des résidences privées dont une ou plusieurs chambres sont réservées aux hôtes payants. Le prix de la chambre inclut le petit déjeuner, c'est-à-dire souvent un «English breakfast» composé de saucisses, d'œufs, de bacon et de toasts accompagnés de thé ou de café.

bedclothes ['bedkləʊðz] *npl* draps *mpl* et couvertures.

bedding ['bedɪŋ] *n* draps *mpl* et couvertures.

bed linen *n* draps *mpl* (et taies d'oreiller).

bedroom ['bedrʊm] *n* chambre *f*.

bedside table ['bedsaɪd-] *n* table *f* de nuit OR de chevet.

bedsit ['bed,sɪt] *n (Br)* chambre *f* meublée.

bedspread ['bedspred] *n* dessus-de-lit *m inv*, couvre-lit *m*.

bedtime ['bedtaɪm] *n* heure *f* du coucher.

bee [biː] *n* abeille *f*.

beech [biːtʃ] *n* hêtre *m*.

beef [biːf] *n* bœuf *m*; **~ Wellington** morceau de bœuf enveloppé de pâte feuilletée et servi en tranches.

beefburger ['biːf,bɜːgə^r] *n* hamburger *m*.

beehive ['biːhaɪv] *n* ruche *f*.

been [biːn] *pp* → **be**.

beer [bɪə^r] *n* bière *f*.

i BEER

Les bières britanniques peuvent être classées en deux grandes catégories: «bitter» et «lager». La «bitter», ou «heavy» en Écosse, est de couleur foncée et de saveur légèrement amère, alors que la «lager» s'apparente aux bières blondes consommées ailleurs en Europe. La «real ale» est un type particulier de «bitter», souvent produit par de petites brasseries selon des méthodes traditionnelles.

Aux États-Unis, en revanche, la majorité des bières vendues dans les bars sont blondes.

beer garden *n* jardin d'un pub, où l'on peut prendre des consommations.

beer mat *n* dessous-de-verre *m*.

beetle ['biːtl] *n* scarabée *m*.

beetroot ['biːtruːt] *n* betterave *f*.

before [bɪ'fɔː^r] *adv* avant ◆ *prep* avant; *(fml: in front of)* devant ◆ *conj*: **~ it gets too late** avant qu'il ne soit trop tard; **~ doing sthg** avant de faire qqch; **the day ~** la veille; **the week ~ last** il y a deux semaines.

beforehand [bɪ'fɔːhænd] *adv* à l'avance.

beg [beg] *vi* mendier ◆ *vt*: **to ~ sb to do sthg** supplier qqn de faire qqch; **to ~ for sthg** *(for money, food)* mendier qqch.

began [bɪ'gæn] *pt* → **begin**.

beggar ['begə^r] *n* mendiant *m* (-e *f*).

begin [bɪ'gɪn] *(pt* **began***, pp* **begun***) vt*

& *vi* commencer; **to ~ doing** OR **to do sthg** commencer à faire qqch; **to ~ by doing sthg** commencer par faire qqch; **to ~ with** pour commencer.

beginner [bɪˈgɪnər] *n* débutant *m* (-e *f*).

beginning [bɪˈgɪnɪŋ] *n* début *m*.

begun [bɪˈgʌn] *pp* → **begin**.

behalf [bɪˈhɑːf] *n*: **on ~ of** au nom de.

behave [bɪˈheɪv] *vi* se comporter, se conduire; **to ~ (o.s.)** (*be good*) se tenir bien.

behavior [bɪˈheɪvjər] (*Am*) = **behaviour**.

behaviour [bɪˈheɪvjər] *n* comportement *m*.

behind [bɪˈhaɪnd] *adv* derrière; (*late*) en retard ◆ *prep* derrière ◆ *n* (*inf*) derrière *m*; **to leave sthg ~** oublier qqch; **to stay ~** rester.

beige [beɪʒ] *adj* beige.

being [ˈbiːɪŋ] *n* être *m*; **to come into ~** naître.

belated [bɪˈleɪtɪd] *adj* tardif(-ive).

belch [beltʃ] *vi* roter.

Belgian [ˈbeldʒən] *adj* belge ◆ *n* Belge *mf*.

Belgium [ˈbeldʒəm] *n* la Belgique.

belief [bɪˈliːf] *n* (*faith*) croyance *f*; (*opinion*) opinion *f*.

believe [bɪˈliːv] *vt* croire ◆ *vi*: **to ~ in** (*God*) croire en; **to ~ in doing sthg** être convaincu qu'il faut faire qqch.

bell [bel] *n* (*of church*) cloche *f*; (*of phone*) sonnerie *f*; (*of door*) sonnette *f*.

bellboy [ˈbelbɔɪ] *n* chasseur *m*.

bellow [ˈbeləʊ] *vi* meugler.

belly [ˈbelɪ] *n* (*inf*) ventre *m*.

belly button *n* (*inf*) nombril *m*.

belong [bɪˈlɒŋ] *vi* (*be in right place*) être à sa place; **to ~ to** (*property*) appartenir à; (*to club, party*) faire partie de.

belongings [bɪˈlɒŋɪŋz] *npl* affaires *fpl*.

below [bɪˈləʊ] *adv* en bas, en dessous; (*downstairs*) au-dessous; (*in text*) ci-dessous ◆ *prep* au-dessous de.

belt [belt] *n* (*for clothes*) ceinture *f*; (*TECH*) courroie *f*.

bench [bentʃ] *n* banc *m*.

bend [bend] (*pt & pp* **bent**) *n* (*in road*) tournant *m*; (*in river, pipe*) coude *m* ◆ *vt* plier ◆ *vi* (*road, river, pipe*) faire un coude □ **bend down** *vi* s'incliner; **bend over** *vi* se pencher.

beneath [bɪˈniːθ] *adv* en dessous, en bas ◆ *prep* sous.

beneficial [ˌbenɪˈfɪʃl] *adj* bénéfique.

benefit [ˈbenɪfɪt] *n* (*advantage*) avantage *m*; (*money*) allocation *f* ◆ *vt* profiter à ◆ *vi*: **to ~ from** profiter de; **for the ~ of** dans l'intérêt de.

benign [bɪˈnaɪn] *adj* (*MED*) bénin(-igne).

bent [bent] *pt & pp* → **bend**.

bereaved [bɪˈriːvd] *adj* en deuil.

beret [ˈbereɪ] *n* béret *m*.

Bermuda shorts [bəˈmjuːdə] *npl* bermuda *m*.

berry [ˈberɪ] *n* baie *f*.

berserk [bəˈzɜːk] *adj*: **to go ~** devenir fou (folle).

berth [bɜːθ] *n* (*for ship*) mouillage *m*; (*in ship, train*) couchette *f*.

beside [bɪˈsaɪd] *prep* (*next to*) à

côté de; **that's ~ the point** ça n'a rien à voir.

besides [bɪˈsaɪdz] *adv* en plus
◆ *prep* en plus de.

best [best] *adj* meilleur(-e) ◆ *adv* le mieux ◆ *n*: **the ~** le meilleur (la meilleure); **a pint of ~** *(beer)* = un demi-litre de bière brune; **the ~ thing to do is ...** la meilleure chose à faire est ...; **to make the ~ of** sth s'accommoder de qqch; **to do one's ~** faire de son mieux; **"~ before ..."** «à consommer avant ...»; **at ~** au mieux; **all the ~** *(at end of letter)* amicalement; *(spoken)* bonne continuation!

best man *n* garçon *m* d'honneur.

best-seller [ˈselə] *n (book)* best-seller *m*.

bet [bet] *(pt & pp bet) n* pari *m* ◆ *vt* parier ◆ *vi*: **to ~ (on)** parier (sur), miser (sur); **I ~ (that) you can't do it** je parie que tu ne peux pas le faire.

betray [bɪˈtreɪ] *vt* trahir.

better [ˈbetə] *adj* meilleur(-e) ◆ *adv* mieux; **you had ~ ...** tu ferais mieux de ...; **to get ~** *(in health)* aller mieux; *(improve)* s'améliorer.

betting [ˈbetɪŋ] *n* paris *mpl*.

betting shop *n (Br)* = PMU *m*.

between [bɪˈtwiːn] *prep* entre ◆ *adv (in time)* entre-temps; **in ~** *adv (in space)* entre; *(in time)* entre-temps.

beverage [ˈbevərɪdʒ] *n (fml)* boisson *f*.

beware [bɪˈweə] *vi*: **to ~ of** se méfier de; **"~ of the dog"** «attention, chien méchant».

bewildered [bɪˈwɪldəd] *adj* per-

plexe.

beyond [bɪˈjɒnd] *adv* au-delà
◆ *prep* au-delà de; **~ reach** hors de portée.

biased [ˈbaɪəst] *adj* partial(-e).

bib [bɪb] *n (for baby)* bavoir *m*.

bible [ˈbaɪbl] *n* bible *f*.

biceps [ˈbaɪseps] *n* biceps *m*.

bicycle [ˈbaɪsɪkl] *n* vélo *m*.

bicycle path *n* piste *f* cyclable.

bicycle pump *n* pompe *f* à vélo.

bid [bɪd] *(pt & pp bid) n (at auction)* enchère *f*; *(attempt)* tentative *f* ◆ *vt (money)* faire une offre de ◆ *vi*: **to ~ (for)** faire une offre (pour).

bidet [ˈbiːdeɪ] *n* bidet *m*.

big [bɪg] *adj* grand(-e); *(problem, book)* gros (grosse); **my ~ brother** mon grand frère; **how ~ is it?** quelle taille cela fait-il?

bike [baɪk] *n (inf) (bicycle)* vélo *m*; *(motorcycle)* moto *f*; *(moped)* Mobylette® *f*.

biking [ˈbaɪkɪŋ] *n*: **to go ~** faire du vélo.

bikini [bɪˈkiːnɪ] *n* bikini *m*.

bikini bottom *n* bas *m* de maillot de bain.

bikini top *n* haut *m* de maillot de bain.

bilingual [baɪˈlɪŋgwəl] *adj* bilingue.

bill [bɪl] *n (for meal, hotel room)* note *f*; *(for electricity etc)* facture *f*; *(Am: bank note)* billet *m* (de banque); *(at cinema, theatre)* programme *m*; *(POL)* projet *m* de loi; **can I have the ~ please?** l'addition, s'il vous plaît!

billboard [ˈbɪlbɔːd] *n* panneau *m* d'affichage.

billfold ['bɪlfəʊld] n (Am) porte-feuille m.

billiards ['bɪljədz] n billard m.

billion ['bɪljən] n (thousand million) milliard m; (Br: million million) billion m.

bin [bɪn] n (rubbish bin) poubelle f; (wastepaper bin) corbeille f à papier; (for bread) huche f; (on plane) compartiment m à bagages.

bind [baɪnd] (pt & pp bound) vt (tie up) attacher.

binding ['baɪndɪŋ] n (on book) reliure f; (for ski) fixation f.

bingo ['bɪŋgəʊ] n = loto m.

i BINGO

Jeu proche du loto, le bingo est souvent pratiqué dans des cinémas désaffectés ou de grandes salles municipales. On joue aussi au bingo dans les villes balnéaires et ce sont alors de petits lots (jouets ou en peluche, etc) que l'on peut remporter.

binoculars [bɪ'nɒkjʊləz] npl jumelles fpl.

biodegradable [ˌbaɪəʊdɪ'greɪdəbl] adj biodégradable.

biography [baɪ'ɒgrəfɪ] n biographie f.

biological [ˌbaɪə'lɒdʒɪkl] adj biologique.

biology [baɪ'ɒlədʒɪ] n biologie f.

birch [bɜːtʃ] n bouleau m.

bird [bɜːd] n oiseau m; (Br: inf: woman) nana f.

bird-watching [-ˌwɒtʃɪŋ] n ornithologie f.

Biro® ['baɪərəʊ] n stylo m (à) bille.

birth [bɜːθ] n naissance f; by ~ de naissance; to give ~ to donner naissance à.

birth certificate n extrait m de naissance.

birth control n contraception f.

birthday ['bɜːθdeɪ] n anniversaire m; happy ~! joyeux anniversaire!

birthday card n carte f d'anniversaire.

birthday party n fête f d'anniversaire.

birthplace ['bɜːθpleɪs] n lieu m de naissance.

biscuit ['bɪskɪt] n (Br) biscuit m; (Am: scone) petit gâteau de pâte non levée que l'on mange avec de la confiture et un plat salé.

bishop ['bɪʃəp] n (RELIG) évêque m; (in chess) fou m.

bistro ['biːstrəʊ] n bistrot m.

bit [bɪt] pt → bite ◆ n (piece) morceau m, bout m; (of drill) mèche f; (of bridle) mors m; a ~ of money un peu d'argent; to do a ~ of walking marcher un peu; a ~ un peu; not a ~ pas du tout; ~ by ~ petit à petit.

bitch [bɪtʃ] n (vulg: woman) salope f; (dog) chienne f.

bite [baɪt] (pt bit, pp bitten ['bɪtn]) n (when eating) bouchée f; (from insect) piqûre f; (from snake) morsure f ◆ vt mordre; (subj: insect) piquer; to have a ~ to eat manger un morceau.

bitter ['bɪtəʳ] adj amer(-ère); (weather, wind) glacial(-e); (argument, conflict) violent(-e) ◆ n (Br: beer) = bière f brune.

bitter lemon n Schweppes® m au citron.

bizarre [bɪ'zɑːʳ] adj bizarre.

black [blæk] *adj* noir(-e); *(tea)* nature *(inv)* ♦ *n* noir *m*; *(person)* Noir *m* (-e *f*) ▫ **black out** *vi* perdre connaissance.

black and white *adj* noir et blanc *(inv)*.

blackberry ['blækbrɪ] *n* mûre *f*.

blackbird ['blækbɜːd] *n* merle *m*.

blackboard ['blækbɔːd] *n* tableau *m* (noir).

black cherry *n* cerise *f* noire.

blackcurrant [ˌblækˈkʌrənt] *n* cassis *m*.

black eye *n* œil *m* au beurre noir.

Black Forest gâteau *n* forêt-noire *f*.

black ice *n* verglas *m*.

blackmail ['blækmeɪl] *n* chantage *m* ♦ *vt* faire chanter.

blackout ['blækaʊt] *n* *(power cut)* coupure *f* de courant.

black pepper *n* poivre *m* noir.

black pudding *n* *(Br)* boudin *m* noir.

blacksmith ['blæksmɪθ] *n* *(for horses)* maréchal-ferrant *m*; *(for tools)* forgeron *m*.

bladder ['blædə*r*] *n* vessie *f*.

blade [bleɪd] *n* *(of knife, saw)* lame *f*; *(of propeller, oar)* pale *f*; *(of grass)* brin *m*.

blame [bleɪm] *n* responsabilité *f*, faute *f* ♦ *vt* rejeter la responsabilité sur; **to ~ sb for sthg** reprocher qqch à qqn; **to ~ sthg on sb** rejeter la responsabilité de qqch sur qqn.

bland [blænd] *adj* *(food)* fade.

blank [blæŋk] *adj* *(space, page)* blanc (blanche); *(cassette)* vierge; *(expression)* vide ♦ *n* *(empty space)* blanc *m*.

blank cheque *n* chèque *m* en blanc.

blanket ['blæŋkɪt] *n* couverture *f*.

blast [blɑːst] *n* *(explosion)* explosion *f*; *(of air, wind)* souffle *m* ♦ *excl* *(inf)* zut!; **at full ~** à fond.

blaze [bleɪz] *n* *(fire)* incendie *m* ♦ *vi* *(fire)* flamber; *(sun, light)* resplendir.

blazer ['bleɪzə*r*] *n* blazer *m*.

bleach [bliːtʃ] *n* eau *f* de Javel ♦ *vt* *(hair)* décolorer; *(clothes)* blanchir à l'eau de Javel.

bleak [bliːk] *adj* triste.

bleed [bliːd] *(pt & pp* **bled** [bled]) *vi* saigner.

blend [blend] *n* *(of coffee, whisky)* mélange *m* ♦ *vt* mélanger.

blender ['blendə*r*] *n* mixer *m*.

bless [bles] *vt* bénir; **~ you!** *(said after sneeze)* à tes/vos souhaits!

blessing ['blesɪŋ] *n* bénédiction *f*.

blew [bluː] *pt* → **blow**.

blind [blaɪnd] *adj* aveugle ♦ *n* *(window)* store *m* ♦ *npl*: **the ~ s** les aveugles *mpl*.

blind corner *n* virage *m* sans visibilité.

blindfold ['blaɪndfəʊld] *n* bandeau *m* ♦ *vt* bander les yeux à.

blind spot *n* *(AUT)* angle *m* mort.

blink [blɪŋk] *vi* cligner des yeux.

blinkers ['blɪŋkəz] *npl* *(Br)* œillères *fpl*.

bliss [blɪs] *n* bonheur *m* absolu.

blister ['blɪstə*r*] *n* ampoule *f*.

blizzard ['blɪzəd] *n* tempête *f* de neige.

bloated ['bləʊtɪd] *adj* ballonné(-e).

blob [blɒb] n (of cream, paint) goutte f.

block [blɒk] n (of stone, wood, ice) bloc m; (building) immeuble m; (Am: in town, city) pâté m de maisons ♦ vt bloquer; **to have a ~ed(-up) nose** avoir le nez bouché □ **block up** vt sep boucher.

blockage ['blɒkɪdʒ] n obstruction f.

block capitals npl capitales fpl.

block of flats n immeuble m.

bloke [bləʊk] n (Br: inf) type m.

blond [blɒnd] adj blond(-e) ♦ n blond m.

blonde [blɒnd] adj blond(-e) ♦ n blonde f.

blood [blʌd] n sang m.

blood donor n donneur m (-euse f) de sang.

blood group n groupe m sanguin.

blood poisoning n septicémie f.

blood pressure n tension f (artérielle); **to have high ~** avoir de la tension; **to have low ~** faire de l'hypotension.

bloodshot ['blʌdʃɒt] adj injecté(-e) de sang.

blood test n analyse f de sang.

blood transfusion n transfusion f (sanguine).

bloody ['blʌdɪ] adj ensanglanté(-e); (Br: vulg: damn) foutu(-e) ♦ adv (Br: vulg) vachement.

Bloody Mary [-'meərɪ] n bloody mary m inv.

bloom [bluːm] n fleur f ♦ vi fleurir; **in ~** en fleur.

blossom ['blɒsəm] n fleurs fpl.

blot [blɒt] n tache f.

blotch [blɒtʃ] n tache f.

blotting paper ['blɒtɪŋ-] n papier m buvard.

blouse [blauz] n chemisier m.

blow [bləʊ] (pt **blew**, pp **blown**) vt (subj: wind) faire s'envoler; (whistle, trumpet) souffler dans; (bubbles) faire ♦ vi souffler; (fuse) sauter ♦ n (hit) coup m; **to ~ one's nose** se moucher □ **blow up** vt sep (building) faire sauter; (tyre, balloon) gonfler ♦ vi (explode) exploser.

blow-dry n brushing m ♦ vt faire un brushing à.

blown [bləʊn] pp → **blow**.

BLT n sandwich au bacon, à la laitue et à la tomate.

blue [bluː] adj bleu(-e); (film) porno (inv) ♦ n bleu m □ **blues** n (MUS) blues m.

bluebell ['bluːbel] n jacinthe f des bois.

blueberry ['bluːbərɪ] n myrtille f.

bluebottle ['bluːbɒtl] n mouche f bleue.

blue cheese n bleu m.

bluff [blʌf] n (cliff) falaise f ♦ vi bluffer.

blunder ['blʌndər] n gaffe f.

blunt [blʌnt] adj (knife) émoussé(-e); (pencil) mal taillé(-e); (fig: person) brusque.

blurred [blɜːd] adj (vision) trouble; (photo) flou(-e).

blush [blʌʃ] vi rougir.

blusher ['blʌʃər] n blush m.

blustery ['blʌstərɪ] adj venteux(-euse).

board [bɔːd] n (plank) planche f; (notice board) panneau m; (for games) plateau m; (blackboard) tableau m; (of company) conseil m; (hardboard) contreplaqué m ♦ vt (plane, ship, bus) monter dans; ~ and lodging pension f; full ~ pension complète; half ~ demi-pension; on ~ adv à bord ♦ prep (plane, ship) à bord de; (bus) dans.

board game n jeu m de société.

boarding ['bɔːdɪŋ] n embarquement m.

boarding card n carte f d'embarquement.

boardinghouse ['bɔːdɪŋhaʊs, pl -haʊzɪz] n pension f de famille.

boarding school n pensionnat m, internat m.

board of directors n conseil m d'administration.

boast [bəʊst] vi: to ~ (about sthg) se vanter (de qqch).

boat [bəʊt] n (small) canot m; (large) bateau m; by ~ en bateau.

boat train n (Br) train assurant la correspondance avec un bateau.

bob [bɒb] n (hairstyle) coupe f au carré.

bobby pin ['bɒbɪ-] n (Am) épingle f à cheveux.

bodice ['bɒdɪs] n corsage m.

body ['bɒdɪ] n corps m; (of car) carrosserie f; (organization) organisme m.

bodyguard ['bɒdɪgɑːd] n garde m du corps.

bodywork ['bɒdɪwɜːk] n carrosserie f.

bog [bɒg] n marécage m.

bogus ['bəʊgəs] adj faux (fausse).

boil [bɔɪl] vt (water) faire bouillir; (kettle) mettre à chauffer; (food)

faire cuire à l'eau ♦ vi bouillir ♦ n (on skin) furoncle m.

boiled egg [bɔɪld-] n œuf m à la coque.

boiled potatoes [bɔɪld-] npl pommes de terre fpl à l'eau.

boiler ['bɔɪlər] n chaudière f.

boiling (hot) ['bɔɪlɪŋ-] adj (inf) (water) bouillant(-e); (weather) très chaud(-e); I'm ~ je crève de chaud.

bold [bəʊld] adj (brave) audacieux(-ieuse).

bollard ['bɒlɑːd] n (Br: on road) borne f.

bolt [bəʊlt] n (on door, window) verrou m; (screw) boulon m ♦ vt (door, window) fermer au verrou.

bomb [bɒm] n bombe f ♦ vt bombarder.

bombard [bɒm'bɑːd] vt bombarder.

bomb scare n alerte f à la bombe.

bomb shelter n abri m (anti-aérien).

bond [bɒnd] n (tie, connection) lien m.

bone [bəʊn] n (of person, animal) os m; (of fish) arête f.

boned [bəʊnd] adj (chicken) désossé(-e); (fish) sans arêtes.

boneless ['bəʊnlɪs] adj (chicken, pork) désossé(-e).

bonfire ['bɒn,faɪər] n feu m.

bonnet ['bɒnɪt] n (Br: of car) capot m.

bonus ['bəʊnəs] (pl -es) n (extra money) prime f; (additional advantage) plus m.

bony ['bəʊnɪ] adj (fish) plein(-e) d'arêtes; (chicken) plein(-e) d'os.

boo [buː] vi siffler.

boogie [ˈbuːgɪ] vi (inf) guincher.

book [buk] n livre m; (of stamps, tickets) carnet m; (of matches) pochette f ♦ vt (reserve) réserver ❑ **book in** vi (at hotel) se faire enregistrer.

bookable [ˈbukəbl] adj (seats, flight) qu'on peut réserver.

bookcase [ˈbukkeɪs] n bibliothèque f.

booking [ˈbukɪŋ] n (reservation) réservation f.

booking office n bureau m de location.

bookkeeping [ˈbukˌkiːpɪŋ] n comptabilité f.

booklet [ˈbuklɪt] n brochure f.

bookmaker's [ˈbukˌmeɪkəz] n (shop) = PMU m.

bookmark [ˈbukmɑːk] n marque-page m.

bookshelf [ˈbukʃelf] (pl **-shelves** [-ʃelvz]) n (shelf) étagère f, rayon m; (bookcase) bibliothèque f.

bookshop [ˈbukʃɒp] n librairie f.

bookstall [ˈbukstɔːl] n kiosque m à journaux.

bookstore [ˈbukstɔːr] = **bookshop**.

book token n bon m d'achat de livres.

boom [buːm] n (sudden growth) boom m ♦ vi (voice, guns) tonner.

boost [buːst] vt (profits, production) augmenter; (morale) renforcer; **to ~ sb's spirits** remonter le moral à qqn.

booster [ˈbuːstər] n (injection) rappel m.

boot [buːt] n (shoe) botte f; (for walking, sport) chaussure f; (Br: of car) coffre m.

booth [buːð] n (for telephone) cabine f; (at fairground) stand m.

booze [buːz] n (inf) alcool m ♦ vi (inf) picoler.

bop [bɒp] n (inf: dance): **to have a ~** guincher.

border [ˈbɔːdər] n (of country) frontière f; (edge) bord m; **the Borders** région du sud-est de l'Écosse.

bore [bɔːr] pt → **bear** ♦ n (inf) (boring person) raseur m (-euse f); (boring thing) corvée f ♦ vt (person) ennuyer; (hole) creuser.

bored [bɔːd] adj: **to be ~** s'ennuyer.

boredom [ˈbɔːdəm] n ennui m.

boring [ˈbɔːrɪŋ] adj ennuyeux (-euse).

born [bɔːn] adj: **to be ~** naître.

borne [bɔːn] pp → **bear**.

borough [ˈbʌrə] n municipalité f.

borrow [ˈbɒrəu] vt: **to ~ sthg (from sb)** emprunter qqch (à qqn).

bosom [ˈbuzəm] n poitrine f.

boss [bɒs] n chef mf ❑ **boss around** vt sep donner des ordres à.

bossy [ˈbɒsɪ] adj autoritaire.

botanical garden [bəˈtænɪkl-] n jardin m botanique.

both [bəuθ] adj & pron les deux ♦ adv: **~ ... and ...** à la fois ... et ...; **~ of them** tous les deux; **~ of us** nous deux, tous les deux.

bother [ˈbɒðər] vt (worry) inquiéter; (annoy) déranger; (pester) embêter ♦ n (trouble) ennui m ♦ vi: **don't ~** ne te dérange pas! **I can't be ~ed** je n'ai pas envie; **it's no ~!** ça ne me dérange pas!

bottle ['bɒtl] n bouteille f; (for baby) biberon m.

bottle bank n conteneur pour le verre usagé.

bottled ['bɒtld] adj en bouteille; ~ **beer** bière f en bouteille; ~ **water** eau f en bouteille.

bottle opener [-,əupnəʳ] n ouvre-bouteilles m inv, décapsuleur m.

bottom ['bɒtəm] adj (lowest) du bas; (last) dernier(-ière); (worst) plus mauvais(-e) ♦ n (of sea, bag, glass) fond m; (of page, hill, stairs) bas m; (of street, garden) bout m; (buttocks) derrière m; ~ **floor** rez-de-chaussée m inv; ~ **gear** première f.

bought [bɔːt] pt & pp → **buy**.

boulder ['bəuldəʳ] n rocher m.

bounce [bauns] vi (rebound) rebondir; (jump) bondir; **his cheque ~d** il a fait un chèque sans provision.

bouncer ['baunsəʳ] n (inf) videur m.

bouncy ['baunsɪ] adj (person) dynamique; (ball) qui rebondit.

bound [baund] pt & pp → **bind** ♦ vi bondir ♦ adj: **we're ~ to be late** nous allons être en retard, c'est sûr; **it's ~ to rain** il va certainement pleuvoir; **to be ~ for** être en route pour; (plane) être à destination de; **out of ~s** interdit(-e).

boundary ['baundɹɪ] n frontière f.

bouquet [buˈkeɪ] n bouquet m.

bourbon ['bɜːbən] n bourbon m.

bout [baut] n (of illness) accès m; (of activity) période f.

boutique [buːˈtiːk] n boutique f.

bow¹ [bau] n (of head) salut m; (of ship) proue f ♦ vi incliner la tête.

bow² [bəu] n (knot) nœud m; (weapon) arc m; (MUS) archet m.

bowels ['bauəlz] npl (ANAT) intestins mpl.

bowl [bəul] n (container) bol m; (for fruit, salad) saladier m; (for washing up, of toilet) cuvette f ◻ **bowls** npl boules fpl (sur gazon).

bowling alley ['bəulɪŋ-] n bowling m.

bowling green ['bəulɪŋ-] n terrain m de boules (sur gazon).

bow tie [,bəu-] n nœud m papillon.

box [bɒks] n boîte f; (on form) case f; (in theatre) loge f ♦ vi boxer; **a ~ of chocolates** une boîte de chocolats.

boxer ['bɒksəʳ] n boxeur m.

boxer shorts npl caleçon m.

boxing ['bɒksɪŋ] n boxe f.

Boxing Day n le 26 décembre.

ⓘ BOXING DAY

Boxing Day, jour férié en Grande-Bretagne, tient son nom des «Christmas boxes», ou boîtes à étrennes, que les apprentis et les domestiques recevaient autrefois ce jour-là. Actuellement, c'est aux éboueurs, aux laitiers ou aux jeunes livreurs de journaux que l'on offre des étrennes.

---

boxing gloves npl gants mpl de boxe.

boxing ring n ring m.

box office n bureau m de location.

boy [bɔɪ] n garçon m ♦ excl (inf): (oh) ~! la vache!

boycott ['bɔɪkɒt] vt boycotter.

boyfriend ['bɔɪfrend] n copain m.

boy scout n scout m.

BR abbr = British Rail.

bra [brɑ:] n soutien-gorge m.

brace [breɪs] n (for teeth) appareil m (dentaire) ❏ **braces** npl (Br) bretelles fpl.

bracelet ['breɪslɪt] n bracelet m.

bracken ['brækn] n fougère f.

bracket ['brækɪt] n (written symbol) parenthèse f; (support) équerre f.

brag [bræg] vi se vanter.

braid [breɪd] n (hairstyle) natte f, tresse f; (on clothes) galon m.

brain [breɪn] n cerveau m.

brainy ['breɪnɪ] adj (inf) futé(-e).

braised [breɪzd] adj braisé(-e).

brake [breɪk] n frein m ♦ vi freiner.

brake block n patin m de frein.

brake fluid n liquide m de freins.

brake light n stop m.

brake pad n plaquette f de frein.

brake pedal n pédale f de frein.

bran [bræn] n son m.

branch [brɑ:ntʃ] n branche f; (of company) filiale f; (of bank) agence f ❏ **branch off** vi bifurquer.

branch line n ligne f secondaire.

brand [brænd] n marque f ♦ vt: to ~ sb (as) étiqueter qqn (comme).

brand-new adj tout neuf (toute neuve).

brandy ['brændɪ] n cognac m.

brash [bræʃ] adj (pej) effronté(-e).

brass [brɑ:s] n laiton m.

brass band n fanfare f.

brasserie ['bræsərɪ] n brasserie f.

brassiere [Br 'bræsɪər, Am brə'zɪr] n soutien-gorge m.

brat [bræt] n (inf) sale gosse mf.

brave [breɪv] adj courageux(-euse).

bravery ['breɪvərɪ] n courage m.

bravo [,brɑ:'vəʊ] excl bravo!

brawl [brɔ:l] n bagarre f.

Brazil [brə'zɪl] n le Brésil.

Brazil nut n noix f du Brésil.

breach [bri:tʃ] vt (contract) rompre.

bread [bred] n pain m; ~ and butter pain beurré.

bread bin n (Br) huche f à pain.

breadboard ['bredbɔ:d] n planche f à pain.

bread box (Am) = bread bin.

breadcrumbs ['bredkrʌmz] npl chapelure f.

breaded ['bredɪd] adj pané(-e).

bread knife n couteau m à pain.

bread roll n petit pain m.

breadth [bretθ] n largeur f.

break [breɪk] (pt **broke**, pp **broken**) n (interruption) interruption f; (rest, pause) pause f; (SCH) récréation f ♦ vt casser; (rule, law) ne pas respecter; (promise) manquer à; (a record) battre; (news) annoncer ♦ vi se casser; (voice) se briser; **without a** ~ sans interruption; **a lucky** ~ un coup de bol; **to** ~ **one's journey**

faire étape; **to ~ one's leg** se casser une jambe ❏ **break down** vi *(car, machine)* tomber en panne ♦ vt sep *(door, barrier)* enfoncer; **break in** vi entrer par effraction; **break off** vt *(detach)* détacher; *(holiday)* interrompre ♦ vi *(stop suddenly)* s'interrompre; **break out** vi *(fire, war, panic)* éclater; **to ~ out in a rash** se couvrir de boutons; **break up** vi *(with spouse, partner)* rompre; *(meeting, marriage)* prendre fin; *(school)* finir.

breakage ['breɪkɪdʒ] n casse f.

breakdown ['breɪkdaʊn] n *(of car)* panne f; *(in communications, negotiations)* rupture f; *(mental)* dépression f.

breakdown truck n dépanneuse f.

breakfast ['brekfəst] n petit déjeuner m; **to have ~** prendre le petit déjeuner; **to have sthg for ~** prendre qqch au petit déjeuner.

breakfast cereal n céréales fpl.

break-in n cambriolage m.

breakwater ['breɪk,wɔːtə'] n digue f.

breast [brest] n sein m; *(of chicken, duck)* blanc m.

breastbone ['brestbəʊn] n sternum m.

breast-feed vt allaiter.

breaststroke ['breststrəʊk] n brasse f.

breath [breθ] n haleine f; *(air inhaled)* inspiration f; **out of ~** hors d'haleine; **to go for a ~ of fresh air** aller prendre l'air.

Breathalyser® ['breθəlaɪzə'] *(Br)* = Alcootest® m.

Breathalyzer® ['breθəlaɪzə']

(Am) = **Breathalyser**®.

breathe [briːð] vi respirer ❏ **breathe in** vi inspirer; **breathe out** vi expirer.

breathtaking ['breθ,teɪkɪŋ] adj à couper le souffle.

breed [briːd] *(pt & pp* **bred** [bred]) n espèce f ♦ vt *(animals)* élever ♦ vi se reproduire.

breeze [briːz] n brise f.

breezy ['briːzɪ] adj *(weather, day)* venteux(-euse).

brew [bruː] vt *(beer)* brasser; *(tea, coffee)* faire ♦ vi *(tea)* infuser; *(coffee)* se faire.

brewery ['brʊərɪ] n brasserie f *(usine)*.

bribe [braɪb] n pot-de-vin m ♦ vt acheter.

bric-a-brac ['brɪkəbræk] n bric-à-brac m.

brick [brɪk] n brique f.

bricklayer ['brɪk,leɪə'] n maçon m.

brickwork ['brɪkwɜːk] n maçonnerie f *(en briques)*.

bride [braɪd] n mariée f.

bridegroom ['braɪdgrʊm] n marié m.

bridesmaid ['braɪdzmeɪd] n demoiselle f d'honneur.

bridge [brɪdʒ] n pont m; *(of ship)* passerelle f; *(card game)* bridge m.

bridle ['braɪdl] n bride f.

bridle path n piste f cavalière.

brief [briːf] adj bref(-ève) ♦ vt mettre au courant; **in ~** en bref ❏

briefs npl *(for men)* slip m; *(for women)* culotte f.

briefcase ['briːfkeɪs] n serviette f.

briefly ['briːflɪ] adv brièvement.

brigade [brɪˈgeɪd] n brigade f.

bright [braɪt] adj (light, sun, colour) vif (vive); (weather, room) clair(-e); (clever) intelligent(-e); (lively, cheerful) gai(-e).

brilliant [ˈbrɪljənt] adj (colour, light, sunshine) éclatant(-e); (idea, person) brillant(-e); (inf: wonderful) génial(-e).

brim [brɪm] n bord m; **it's full to the ~** c'est plein à ras bord.

brine [braɪn] n saumure f.

bring [brɪŋ] (pt & pp brought) vt apporter; (person) amener ❑ bring along vt sep (object) apporter; (person) amener; bring back vt sep rapporter; bring in vt sep (introduce) introduire; (earn) rapporter; bring out vt sep (new product) sortir; bring up vt sep (child) élever; (subject) mentionner; (food) rendre, vomir.

brink [brɪŋk] n: **on the ~ of** au bord de.

brisk [brɪsk] adj vif (vive), énergique.

bristle [ˈbrɪsl] n poil m.

Britain [ˈbrɪtn] n la Grande-Bretagne.

British [ˈbrɪtɪʃ] adj britannique ♦ npl: **the ~** les Britanniques mpl.

British Rail n = la SNCF.

British Telecom [-ˈtelɪkɒm] n = France Télécom.

Briton [ˈbrɪtn] n Britannique mf.

Brittany [ˈbrɪtənɪ] n la Bretagne.

brittle [ˈbrɪtl] adj cassant(-e).

broad [brɔːd] adj large; (description, outline) général(-e); (accent) fort(-e).

B road n (Br) = route f départementale.

broad bean n fève f.

broadcast [ˈbrɔːdkɑːst] (pt & pp broadcast) n émission f ♦ vt diffuser.

broadly [ˈbrɔːdlɪ] adv (in general) en gros.

broccoli [ˈbrɒkəlɪ] n brocoli m.

brochure [ˈbrəʊʃəʳ] n brochure f.

broiled [brɔɪld] adj (Am) grillé(-e).

broke [brəʊk] pt → break ♦ adj (inf) fauché(-e).

broken [ˈbrəʊkn] pp → break ♦ adj cassé(-e); (English, French) hésitant(-e).

bronchitis [brɒŋˈkaɪtɪs] n bronchite f.

bronze [brɒnz] n bronze m.

brooch [brəʊtʃ] n broche f.

brook [brʊk] n ruisseau m.

broom [bruːm] n balai m.

broomstick [ˈbruːmstɪk] n manche m à balai.

broth [brɒθ] n bouillon m épais.

brother [ˈbrʌðəʳ] n frère m.

brother-in-law n beau-frère m.

brought [brɔːt] pt & pp → bring.

brow [braʊ] n (forehead) front m; (eyebrow) sourcil m.

brown [braʊn] adj brun(-e); (paint, eyes) marron (inv); (tanned) bronzé(-e) ♦ n brun m; (of paint, eyes) marron m.

brown bread n pain m complet.

brownie [ˈbraʊnɪ] n (CULIN) petit gâteau au chocolat et aux noix.

Brownie [ˈbraʊnɪ] n = jeannette f.

brown rice n riz m complet.

brown sauce *n (Br)* sauce épicée servant de condiment.

brown sugar *n* sucre *m* roux.

browse [brauz] *vi (in shop)* regarder; **to ~ through** *(book, paper)* feuilleter.

browser ['brauzə'] *n:* "~s welcome" «entrée libre».

bruise [bru:z] *n* bleu *m*.

brunch [brʌntʃ] *n* brunch *m*.

brunette [bru:'net] *n* brune *f*.

brush [brʌʃ] *n (broom, for painting)* pinceau *m* ◆ *vt (clothes)* brosser; *(floor)* balayer; **to ~ one's hair** se brosser les cheveux; **to ~ one's teeth** se brosser les dents.

Brussels ['brʌslz] *n* Bruxelles.

Brussels sprouts *npl* choux *mpl* de Bruxelles.

brutal ['bru:tl] *adj* brutal(-e).

BSc *n (abbr of Bachelor of Science)* (titulaire d'une) licence de sciences.

BT *abbr* = **British Telecom**.

bubble ['bʌbl] *n* bulle *f*.

bubble bath *n* bain *m* moussant.

bubble gum *n* chewing-gum avec lequel on peut faire des bulles.

bubbly ['bʌblɪ] *n (inf)* champ *m*.

buck [bʌk] *n (Am: inf: dollar)* dollar *m*; *(male animal)* mâle *m*.

bucket ['bʌkɪt] *n* seau *m*.

Buckingham Palace ['bʌkɪŋəm] *n* le palais de Buckingham.

R ésidence officielle du monarque britannique à Londres, Buckingham Palace a été construit en 1703 pour le duc de Buckingham. Il se trouve à l'extrémité du Mall, entre Green Park et St James's Park. La cérémonie de la relève de la garde a lieu chaque jour dans la cour du palais.

buckle ['bʌkl] *n* boucle *f* ◆ *vt (fasten)* boucler ◆ *vi (metal)* plier; *(wheel)* se voiler.

Buck's Fizz *n* cocktail à base de champagne et de jus d'orange.

bud [bʌd] *n* bourgeon *m* ◆ *vi* bourgeonner.

Buddhist ['budɪst] *n* bouddhiste *mf*.

buddy ['bʌdɪ] *n (inf)* pote *m*.

budge [bʌdʒ] *vi* bouger.

budgerigar ['bʌdʒərɪgɑː'] *n* perruche *f*.

budget ['bʌdʒɪt] *adj (holiday, travel)* économique ◆ *n* □ **budget for** *vt fus:* **to ~ for doing sthg** prévoir de faire qqch.

budgie ['bʌdʒɪ] *n (inf)* perruche *f*.

buff [bʌf] *n (inf)* fana *mf*.

buffalo ['bʌfələu] *n* buffle *m*.

buffalo wings *npl (Am)* ailes de poulet frites et épicées.

buffer ['bʌfə'] *n (on train)* tampon *m*.

buffet [*Br* 'bufei, *Am* bə'fei] *n* buffet *m*.

buffet car ['bufei-] *n* wagon-restaurant *m*.

bug [bʌg] *n (insect)* insecte *m*; *(inf: mild illness)* microbe *m* ◆ *vt (inf: annoy)* embêter.

buggy ['bʌgɪ] *n (pushchair)* poussette *f*; *(Am: pram)* landau *m*.

bugle ['bju:gl] *n* clairon *m*.

build [bɪld] *(pt & pp* **built)** *n* carrure *f* ◆ *vt* construire □ **build up**

augmenter ◆ *vt sep*: **to ~ up speed** accélérer.

builder ['bɪldəʳ] *n* entrepreneur *m* (en bâtiment).

building ['bɪldɪŋ] *n* bâtiment *m*.

building site *n* chantier *m*.

building society *n* (Br) société d'investissements et de prêts immobiliers.

built [bɪlt] *pt & pp* → **build**.

built-in *adj* encastré(-e).

built-up area *n* agglomération *f*.

bulb [bʌlb] *n* (for lamp) ampoule *f*; (of plant) bulbe *m*.

Bulgaria [bʌl'geərɪə] *n* la Bulgarie.

bulge [bʌldʒ] *vi* être gonflé.

bulk [bʌlk] *n*: **the ~ of** la majeure partie de; **in ~** en gros.

bulky ['bʌlkɪ] *adj* volumineux(-euse).

bull [bʊl] *n* taureau *m*.

bulldog ['bʊldɒg] *n* bouledogue *m*.

bulldozer ['bʊldəʊzəʳ] *n* bulldozer *m*.

bullet ['bʊlɪt] *n* balle *f*.

bulletin ['bʊlətɪn] *n* bulletin *m*.

bullfight ['bʊlfaɪt] *n* corrida *f*.

bull's-eye *n* centre *m* (de la cible).

bully ['bʊlɪ] *n* enfant qui maltraite ses camarades ◆ *vt* tyranniser.

bum [bʌm] *n* (inf: bottom) derrière *m*; (Am: inf: tramp) clodo *m*.

bum bag *n* (Br) banane *f* (sac).

bumblebee ['bʌmblbiː] *n* bourdon *m*.

bump [bʌmp] *n* (lump) bosse *f*; (sound) bruit *m* sourd; (minor accident) choc *m* ◆ *vt* (head, leg) cogner

□ **bump into** *vt fus* (hit) rentrer dans; (meet) tomber sur.

bumper ['bʌmpəʳ] *n* (on car) pare-chocs *m* inv; (Am: on train) tampon *m*.

bumpy ['bʌmpɪ] *adj* (road) cahoteux(-euse); **the flight was ~** il y a eu des turbulences pendant le vol.

bun [bʌn] *n* (cake) petit gâteau *m*; (bread roll) petit pain *m* rond; (hairstyle) chignon *m*.

bunch [bʌntʃ] *n* (of people) bande *f*; (of flowers) bouquet *m*; (of grapes) grappe *f*; (of bananas) régime *m*; (of keys) trousseau *m*.

bundle ['bʌndl] *n* paquet *m*.

bung [bʌŋ] *n* bonde *f*.

bungalow ['bʌŋgələʊ] *n* bungalow *m*.

bunion ['bʌnjən] *n* oignon *m* (au pied).

bunk [bʌŋk] *n* (berth) couchette *f*.

bunk beds *npl* lits *mpl* superposés.

bunker ['bʌŋkəʳ] *n* bunker *m*; (for coal) coffre *m*.

bunny ['bʌnɪ] *n* lapin *m*.

buoy [Br bɔɪ, Am 'buːɪ] *n* bouée *f*.

buoyant ['bɔɪənt] *adj* qui flotte bien.

BUPA ['buːpə] *n* organisme britannique d'assurance maladie privée.

burden ['bɜːdn] *n* charge *f*.

bureaucracy [bjʊə'rɒkrəsɪ] *n* bureaucratie *f*.

bureau de change [bjʊərəʊdə'ʃɒndʒ] *n* bureau *m* de change.

burger ['bɜːgəʳ] *n* steak *m* haché; (made with nuts, vegetables etc) croquette *f*.

burglar ['bɜːgləʳ] *n* cambrioleur *m* (-euse *f*).

burglar alarm n système m d'alarme.

burglarize ['bɜːgləraɪz] (Am) = burgle.

burglary ['bɜːglərɪ] n cambriolage m.

burgle ['bɜːgl] vt cambrioler.

Burgundy ['bɜːgəndɪ] n la Bourgogne.

burial ['berɪəl] n enterrement m.

burn [bɜːn] (pt & pp burnt OR burned) n brûlure f ♦ vt & vi brûler ◻ **burn down** vt sep incendier ♦ vi brûler complètement.

burning (hot) ['bɜːnɪŋ-] adj brûlant(-e).

Burns' Night [bɜːnz-] n le 25 janvier.

BURNS' NIGHT

Les célébrations du 25 janvier marquent l'anniversaire du poète Robert Burns (1759–96). La tradition veut que l'on se réunisse pour dîner et que l'on récite à tour de rôle des vers de Burns. Lors de ces repas, les « Burns' suppers », on mange des spécialités écossaises telles que le haggis, arrosées de whisky.

---

burnt [bɜːnt] pt & pp → burn.

burp [bɜːp] vi roter.

burrow ['bʌrəʊ] n terrier m.

burst [bɜːst] (pt & pp burst) vi salve f ♦ vt faire éclater ♦ vi éclater; **he ~ into the room** il a fait irruption dans la pièce; **to ~ into tears** éclater en sanglots; **to ~ open** s'ouvrir brusquement.

bury ['berɪ] vt enterrer.

bus [bʌs] n bus m, autobus m; **by ~ en bus.**

bus conductor [-ˌkənˈdʌktər] n receveur m.

bus driver n conducteur m (-trice f) d'autobus.

bush [bʊʃ] n buisson m.

business ['bɪznɪs] n affaires fpl; (shop, firm, affair) affaire f; **mind your own ~!** occupe-toi de tes affaires!; **"~ as usual"** « le magasin reste ouvert ».

business card n carte f de visite.

business class n classe f affaires.

business hours npl (of office) heures fpl de bureau; (of shop) heures fpl d'ouverture.

businessman ['bɪznɪsmæn] (pl -men [-men]) n homme m d'affaires.

business studies npl études fpl de commerce.

businesswoman ['bɪznɪsˌwʊmən] (pl -women [-ˌwɪmɪn]) n femme f d'affaires.

busker ['bʌskər] n (Br) musicien m (-ienne f) qui fait la manche.

bus lane n couloir m de bus.

bus pass n carte f d'abonnement de bus.

bus shelter n Abribus® m.

bus station n gare f routière.

bus stop n arrêt m de bus.

bust [bʌst] n (of woman) poitrine f ♦ adj: **to go ~** (inf) faire faillite.

bustle ['bʌsl] n (activity) agitation f.

bus tour n voyage m en autocar.

busy ['bɪzɪ] adj occupé(-e); (day, schedule) chargé(-e); (street, office) animé(-e); **to be ~ doing sthg** être occupé à faire qqch.

busy signal n (Am) tonalité f «occupé».

but [bʌt] conj mais ♦ prep sauf; **the last ~ one** l'avant-dernier m (-ière f); **~ for** sans.

butcher ['bʊtʃəʳ] n boucher m (-ère f); **~'s (shop)** boucherie f.

butt [bʌt] n (of rifle) crosse f; (of cigarette, cigar) mégot m.

butter ['bʌtəʳ] n beurre m ♦ vt beurrer.

butter bean n haricot m beurre.

buttercup ['bʌtəkʌp] n bouton-d'or m.

butterfly ['bʌtəflaɪ] n papillon m.

butterscotch ['bʌtəskɒtʃ] n caramel dur au beurre.

buttocks ['bʌtəks] npl fesses fpl.

button ['bʌtn] n bouton m; (Am: badge) badge m.

buttonhole ['bʌtnhəʊl] n (hole) boutonnière f.

button mushroom n champignon m de Paris.

buttress ['bʌtrɪs] n contrefort m.

buy [baɪ] (pt & pp **bought**) vt acheter ♦ n: **a good ~** une bonne affaire; **to ~ sthg for sb, to ~ sb sthg** acheter qqch à qqn.

buzz [bʌz] vi bourdonner ♦ n (inf: phone call): **to give sb a ~** passer un coup de fil à qqn.

buzzer ['bʌzəʳ] n sonnerie f.

by [baɪ] prep 1. (expressing cause, agent) par; **he was hit ~ a car** il s'est fait renverser par une voiture; **a book ~ A.R. Scott** un livre de A.R. Scott.

2. (expressing method, means) par; **~ car/bus** en voiture/bus; **to pay ~ credit card** payer par carte de crédit; **to win ~ cheating** gagner en trichant.

3. (near to, beside) près de; **~ the sea** au bord de la mer.

4. (past): **a car went ~ the house** une voiture est passée devant la maison.

5. (via) par; **exit ~ the door on the left** sortez par la porte de gauche.

6. (with time): **be there ~ nine** soyez-y pour neuf heures; **~ day** le jour; **~ now** déjà.

7. (expressing quantity): **sold ~ the dozen** vendus à la douzaine; **prices fell ~ 20%** les prix ont baissé de 20%; **paid ~ the hour** payé à l'heure.

8. (expressing meaning): **what do you mean ~ that?** qu'entendez-vous par là?

9. (in sums, measurements) par; **two metres ~ five** deux mètres sur cinq.

10. (according to) selon; **~ law** selon la loi; **it's fine ~ me** ça me va.

11. (expressing gradual process): **one ~ one** un par un; **day ~ day** de jour en jour.

12. (in phrases): **~ mistake** par erreur; **~ oneself** (alone) seul; (unaided) tout seul; **~ profession** de métier.

♦ adv (past): **to go ~** passer.

bye(-bye) [baɪ(baɪ)] excl (inf) salut!

bypass ['baɪpɑːs] n rocade f.

C

C (abbr of Celsius, centigrade) C.

cab [kæb] n (taxi) taxi m; (of lorry) cabine f.

cabaret ['kæbəreɪ] *n* spectacle *m* de cabaret.

cabbage ['kæbɪdʒ] *n* chou *m*.

cabin ['kæbɪn] *n* cabine *f*; *(wooden house)* cabane *f*.

cabin crew *n* équipage *m*.

cabinet ['kæbɪnɪt] *n* *(cupboard)* meuble *m* (de rangement); *(POL)* cabinet *m*.

cable ['keɪbl] *n* câble *m*.

cable car *n* téléphérique *m*.

cable television *n* télévision *f* par câble.

cactus ['kæktəs] *(pl* **-tuses** OR **-ti** [-taɪ]) *n* cactus *m*.

Caesar salad [ˌsiːzə-] *n* salade de laitue, anchois, olives, croûtons et parmesan.

cafe ['kæfeɪ] *n* café *m*.

cafeteria [ˌkæfɪ'tɪərɪə] *n* cafétéria *f*.

caffeine ['kæfiːn] *n* caféine *f*.

cage [keɪdʒ] *n* cage *f*.

cagoule [kə'guːl] *n* *(Br)* K-way® *m inv*.

Cajun ['keɪdʒən] *adj* cajun.

ⓘ CAJUN

Colons français installés à l'ori-gine en Nouvelle-Écosse, les Cajuns furent déportés en Louisiane au XVIIIᵉ siècle. Ils y ont développé un parler et une culture propres : la cuisine cajun, caractérisée par l'utili-sation d'épices et de piment, et la musique folk où dominent le violon et l'accordéon, sont particulièrement réputées.

cake [keɪk] *n* gâteau *m*; *(of soap)* pain *m*.

calculate ['kælkjuleɪt] *vt* cal-culer; *(risks, effect)* évaluer.

calculator ['kælkjuleɪtə'] *n* cal-culatrice *f*.

calendar ['kælɪndə'] *n* calendrier *m*.

calf [kɑːf] *(pl* **calves**) *n* *(of cow)* veau *m*; *(part of leg)* mollet *m*.

call [kɔːl] *n* *(visit)* visite *f*; *(phone call)* coup *m* de fil; *(of bird)* cri *m*; *(at airport)* appel *m* ◆ *vt* appeler; *(meeting)* convoquer ◆ *vt* *(visit)* passer; *(phone)* appeler; **to ~ sb sthg** traiter qqn de qqch; **to be ~ed** s'appeler; **what is he ~ed?** comment s'appelle-t-il?; **on ~** *(nurse, doctor)* de garde; **to pay a ~** rendre visite à qqn; **this train ~s at ...** ce train desservira les gares de ...; **who's ~ing?** qui est à l'appareil? ❑ **call back** *vt sep* rap-peler ◆ *vi* *(phone again)* rappeler; *(visit again)* repasser; **call for** *vt fus* *(come to fetch)* passer prendre; *(demand)* demander; *(require)* exi-ger; **call on** *vt fus* *(visit)* passer voir; **to ~ on sb to do sthg** demander à qqn de faire qqch; **call out** *vt sep* *(name, winner)* annoncer; *(doctor, fire brigade)* appeler ◆ *vi* crier; **call up** *vt sep* appeler.

call box *n* cabine *f* télépho-nique.

caller ['kɔːlə'] *n* *(visitor)* visiteur *m* (-euse *f*); *(on phone)* personne qui passe un appel téléphonique.

calm [kɑːm] *adj* calme ◆ *vt* calmer ❑ **calm down** *vt sep* calmer ◆ *vi* se calmer.

Calor gas® ['kælə-] *n* butane *m*.

calorie ['kælərɪ] *n* calorie *f*.

calves [kɑːvz] pl → **calf**.

camcorder ['kæmˌkɔːdə^r] n Caméscope®m.

came [keɪm] pt → **come**.

camel ['kæml] n chameau m.

camembert ['kæməmbeə^r] n camembert m.

camera ['kæmərə] n appareil m photo; (for filming) caméra f.

cameraman ['kæmərəmæn] (pl -men [-men]) n cameraman m.

camera shop n photographe m.

camisole ['kæmɪsəʊl] n caraco m.

camp [kæmp] n camp m ◆ vi camper.

campaign [kæm'peɪn] n campagne f ◆ vi: **to ~ (for/against)** faire campagne (pour/contre).

camp bed n lit m de camp.

camper ['kæmpə^r] n (person) campeur m (-euse f); (van) camping-car m.

camping ['kæmpɪŋ] n: **to go ~** faire du camping.

camping stove n Camping-Gaz® m inv.

campsite ['kæmpsaɪt] n camping m.

campus ['kæmpəs] (pl -es) n campus m.

can[1] [kæn] n (of food) boîte f; (of drink) can(n)ette f; (of oil, paint) bidon m.

can[2] [weak form kən, strong form kæn] (pt & conditional could) aux vb
1. (be able to) pouvoir; **~ you help me?** tu peux m'aider?; **I ~ see** you je te vois.
2. (know how to) savoir; **~ you drive?** tu sais conduire?; **I ~ speak French** je parle (le) français.

3. (be allowed to) pouvoir; **you can't smoke here** il est interdit de fumer ici.
4. (in polite requests) pouvoir; **~ you tell me the time?** pourriez-vous me donner l'heure?; **~ I speak to the manager?** puis-je parler au directeur?
5. (expressing occasional occurrence) pouvoir; **it ~ get cold at night** il arrive qu'il fasse froid la nuit.
6. (expressing possibility) pouvoir; **they could be lost** il se peut qu'ils se soient perdus.

Canada ['kænədə] n le Canada.

Canadian [kə'neɪdɪən] adj canadien(-ienne) ◆ n Canadien m (-ienne f).

canal [kə'næl] n canal m.

canapé ['kænəpeɪ] n canapé m (pour l'apéritif).

cancel ['kænsl] vt annuler; (cheque) faire opposition à.

cancellation [ˌkænsə'leɪʃn] n annulation f.

cancer ['kænsə^r] n cancer m.

Cancer ['kænsə^r] n Cancer m.

candidate ['kændɪdət] n candidat m (-e f).

candle ['kændl] n bougie f.

candlelit dinner ['kændllɪt-] n dîner m aux chandelles.

candy ['kændɪ] n (Am) (confectionery) confiserie f; (sweet) bonbon m.

candyfloss ['kændɪflɒs] n (Br) barbe f à papa.

cane [keɪn] n (for walking) canne f; (for punishment) verge f; (for furniture, baskets) rotin m.

canister ['kænɪstə^r] n (for tea) boîte f; (for gas) bombe f.

cannabis ['kænəbɪs] n cannabis m.

canned [kænd] *adj (food)* en boîte; *(drink)* en can(n)ette.

cannon [ˈkænən] *n* canon *m*.

cannot [ˈkænɒt] = **can not**.

canoe [kəˈnuː] *n* canoë *m*.

canoeing [kəˈnuːɪŋ] *n*: **to go ~** faire du canoë.

canopy [ˈkænəpɪ] *n (over bed etc)* baldaquin *m*.

can't [kɑːnt] = **cannot**.

cantaloup(e) [ˈkæntəluːp] *n* cantaloup *m*.

canteen [kænˈtiːn] *n* cantine *f*.

canvas [ˈkænvəs] *n (for tent, bag)* toile *f*.

cap [kæp] *n (hat)* casquette *f*; *(of pen)* capuchon *m*; *(of bottle)* capsule *f*; *(for camera)* cache *m*; *(contraceptive)* diaphragme *m*.

capable [ˈkeɪpəbl] *adj (competent)* capable; **to be ~ of doing sthg** être capable de faire qqch.

capacity [kəˈpæsɪtɪ] *n* capacité *f*.

cape [keɪp] *n (of land)* cap *m*; *(cloak)* cape *f*.

capers [ˈkeɪpəz] *npl* câpres *fpl*.

capital [ˈkæpɪtl] *n (of country)* capitale *f*; *(money)* capital *m*; *(letter)* majuscule *f*.

capital punishment *n* peine *f* capitale.

cappuccino [ˌkæpʊˈtʃiːnəʊ] *n* cappuccino *m*.

capsicum [ˈkæpsɪkəm] *n (sweet)* poivron *m*; *(hot)* piment *m*.

capsize [kæpˈsaɪz] *vi* chavirer.

capsule [ˈkæpsjuːl] *n (for medicine)* gélule *f*.

captain [ˈkæptɪn] *n* capitaine *m*; *(of plane)* commandant *m*.

caption [ˈkæpʃn] *n* légende *f*.

capture [ˈkæptʃəʳ] *vt* capturer; *(town, castle)* s'emparer de.

car [kɑːʳ] *n* voiture *f*.

carafe [kəˈræf] *n* carafe *f*.

caramel [ˈkærəmel] *n* caramel *m*.

carat [ˈkærət] *n* carat *m*; **24-~ gold** de l'or 24 carats.

caravan [ˈkærəvæn] *n (Br)* caravane *f*.

caravanning [ˈkærəvænɪŋ] *n (Br)*: **to go ~** faire du caravaning.

caravan site *n (Br)* camping *m* pour caravanes.

carbohydrate [ˌkɑːbəʊˈhaɪdreɪt] *n (in foods)* glucides *mpl*.

carbon [ˈkɑːbən] *n* carbone *m*.

carbon copy *n* carbone *m*.

carbon dioxide [-darˈɒksaɪd] *n* gaz *m* carbonique.

carbon monoxide [-mɒˈnɒksaɪd] *n* oxyde *m* de carbone.

car boot sale *n (Br)* brocante en plein air où les coffres des voitures servent d'étal.

carburetor [ˌkɑːbəˈretəʳ] *(Am)* = **carburettor**.

carburettor [ˌkɑːbəˈretəʳ] *n (Br)* carburateur *m*.

car crash *n* accident *m* de voiture OR de la route.

card [kɑːd] *n* carte *f*; *(for filing, notes)* fiche *f*; *(cardboard)* carton *m*.

cardboard [ˈkɑːdbɔːd] *n* carton *m*.

car deck *n* pont *m* des voitures.

cardiac arrest [ˌkɑːdiæk-] *n* arrêt *m* cardiaque.

cardigan [ˈkɑːdɪgən] *n* cardigan *m*.

care [keəʳ] *n (attention)* soin *m*; *(treatment)* soins *mpl* ◆ *vi*: **I don't ~** ça m'est égal; **to take ~ of** s'occuper de; **would you ~ to …?** (fml) voudriez-vous …?; **to take ~ to do sthg** prendre soin de faire qqch; **to take ~ not to do sthg** prendre garde de ne pas faire qqch; **with ~!** expression affectueuse que l'on utilise lorsqu'on quitte quelqu'un; **with ~** avec soin; **to ~ about** (think important) se soucier de; (person) aimer.

career [kə'rɪər] n carrière f.

carefree ['keəfriː] adj insouciant(-e).

careful ['keəful] adj (cautious) prudent(-e); (thorough) soigneux(-euse); **be ~!** (fais) attention!

carefully ['keəflɪ] adv (cautiously) prudemment; (thoroughly) soigneusement.

careless ['keələs] adj (inattentive) négligent(-e); (unconcerned) insouciant(-e).

caretaker ['keə,teɪkər] n (Br) gardien m (-ienne f).

car ferry n ferry m.

cargo ['kɑːgəʊ] (pl -es OR -s) n cargaison f.

car hire n (Br) location f de voitures.

Caribbean [Br ,kærɪ'biːən, Am kə'rɪbɪən] n: **the ~** (area) les Caraïbes fpl.

caring ['keərɪŋ] adj attentionné(-e).

carnation [kɑː'neɪʃn] n œillet m.

carnival ['kɑːnɪvl] n carnaval m.

carousel [,kærə'sel] n (for luggage) tapis m roulant; (Am: merry-go-round) manège m.

carp [kɑːp] n carpe f.

car park n (Br) parking m.

carpenter ['kɑːpəntər] n (on building site) charpentier m; (for fur-niture) menuisier m.

carpentry ['kɑːpəntrɪ] n (on building site) charpenterie f; (for furniture) menuiserie f.

carpet ['kɑːpɪt] n (fitted) moquette f; (rug) tapis m.

car rental n (Am) location f de voitures.

carriage ['kærɪdʒ] n (Br: of train) wagon m; (horse-drawn) calèche f.

carriageway ['kærɪdʒweɪ] n (Br) chaussée f.

carrier (bag) ['kærɪər-] n sac m (en plastique).

carrot ['kærət] n carotte f.

carrot cake n cake à la carotte.

carry ['kærɪ] vt (transport) transporter; (disease) être porteur de; (cash, passport, map) avoir sur soi ◆ vi porter ❑ **carry on** vi continuer ◆ vt fus (continue) continuer; (conduct) réaliser; **to ~ on doing sthg** continuer à faire qqch; **carry out** vt sep (work, repairs) effectuer; (plan) réaliser; (promise) tenir; (order) exécuter.

carrycot ['kærɪkɒt] n (Br) couffin m.

carryout ['kærɪaʊt] n (Am & Scot) repas m à emporter.

carsick ['kɑː,sɪk] adj malade (en voiture).

cart [kɑːt] n (for transport) charrette f; (Am: in supermarket) caddie m; (inf: video game cartridge) cartouche f.

carton ['kɑːtn] n (of milk, juice) carton m; (of yoghurt) pot m.

cartoon [kɑː'tuːn] n (drawing) dessin m humoristique; (film) dessin m animé.

cartridge ['kɑːtrɪdʒ] n cartouche f.

carve [kɑːv] vt (wood, stone) sculpter; (meat) découper.

carvery ['kɑːvərɪ] n restaurant où l'on mange, en aussi grande quantité que l'on veut, de la viande découpée.

car wash n station f de lavage de voitures.

case [keɪs] n (Br: suitcase) valise f; (for glasses, camera) étui m; (for jewellery) écrin m; (instance, patient) cas m; (JUR: trial) affaire f; **in any ~** de toute façon; **in ~** au cas où; **in ~ of** en cas de; **in that ~** dans ce cas.

cash [kæʃ] n (coins, notes) argent m liquide; (money in general) argent m ♦ vt: **to ~ a cheque** encaisser un chèque; **to pay ~** payer comptant OR en espèces.

cash desk n caisse f.

cash dispenser [-ˌdɪ'spensə^r] n distributeur m (automatique) de billets.

cashew (nut) ['kæʃuː-] n noix f de cajou.

cashier [kæ'ʃɪə^r] n caissier m (-ière f).

cashmere [kæʃ'mɪə^r] n cachemire m.

cashpoint ['kæʃpɔɪnt] n (Br) distributeur m (automatique) de billets.

cash register n caisse f enregistreuse.

casino [kə'siːnəʊ] n (pl **-s**) casino m.

cask [kɑːsk] n tonneau m.

cask-conditioned [-ˌkən'dɪʃnd] adj se dit de la «real ale», dont la fermentation se fait en fûts.

casserole ['kæsərəʊl] n (stew) ragoût m; **~ (dish)** cocotte f.

cassette [kæ'set] n cassette f.

cassette recorder n magnétophone m.

cast [kɑːst] (pt & pp **cast**) n (actors) distribution f; (for broken bone) plâtre m ♦ vt (shadow, look) jeter; **to ~ one's vote** voter; **to ~ doubt on** jeter le doute sur □ **cast off** vi larguer les amarres.

caster ['kɑːstə^r] n (wheel) roulette f.

caster sugar n (Br) sucre m en poudre.

castle ['kɑːsl] n château m; (in chess) tour f.

casual ['kæʒʊəl] adj (relaxed) désinvolte; (offhand) sans-gêne (inv); (clothes) décontracté(-e); **~ work** travail temporaire.

casualty ['kæʒjʊəltɪ] n (injured) blessé m (-e f); (dead) mort m (-e f); **~ (ward)** urgences fpl.

cat [kæt] n chat m.

catalog ['kætəlɒg] (Am) = **catalogue**.

catalogue ['kætəlɒg] n catalogue m.

catapult ['kætəpʌlt] n lance-pierres m inv.

cataract ['kætərækt] n (in eye) cataracte f.

catarrh [kə'tɑː^r] n catarrhe m.

catastrophe [kə'tæstrəfi] n catastrophe f.

catch [kætʃ] (pt & pp **caught**) vt attraper; (falling object) rattraper; (surprise) surprendre; (attention) attirer ♦ vi (become hooked) s'accrocher ♦ n (of window, door) loquet m; (snag) hic m □ **catch up** vt sep rattraper ♦ vi rattraper son retard; **to ~ up with sb** rattraper qqn.

catching ['kætʃɪŋ] adj (inf) contagieux(-ieuse).

category ['kætəgərɪ] n catégorie f.

cater ['keɪtəʳ]: **cater for** vt fus (Br) (needs, tastes) satisfaire; (anticipate) prévoir.

caterpillar ['kætəpɪləʳ] n chenille f.

cathedral [kə'θiːdrəl] n cathédrale f.

Catholic ['kæθlɪk] adj catholique ♦ n catholique mf.

Catseyes® ['kætsaɪz] npl (Br) catadioptres mpl.

cattle ['kætl] npl bétail m.

caught [kɔːt] pt & pp → **catch**.

cauliflower ['kɒlɪflaʊəʳ] n chou-fleur m.

cauliflower cheese n chou-fleur m au gratin.

cause [kɔːz] n cause f; (justification) motif m ♦ vt causer; **to ~ sb to make a mistake** faire faire une erreur à qqn.

causeway ['kɔːzweɪ] n chaussée f (aménagée sur l'eau).

caustic soda [kɔːstɪk-] n soude f caustique.

caution ['kɔːʃn] n (care) précaution f; (warning) avertissement m.

cautious ['kɔːʃəs] adj prudent(-e).

cave [keɪv] n caverne f □ **cave in** vi s'effondrer.

caviar(e) ['kævɪɑːʳ] n caviar m.

cavity ['kævətɪ] n (in tooth) cavité f.

CD n (abbr of compact disc) CD m.

CDI n (abbr of compact disc interactive) CDI m.

CD player n lecteur m laser OR de CD.

CDW n (abbr of collision damage waiver) franchise f.

cease [siːs] vt & vi (fml) cesser.

ceasefire ['siːsˌfaɪəʳ] n cessez-le-feu m inv.

ceilidh ['keɪlɪ] n bal folklorique écossais ou irlandais.

i CEILIDH

Un «ceilidh» est une soirée écossaise ou irlandaise traditionnelle mariant la musique folk, la danse et le chant. Les ceilidhs ne regroupaient à l'origine qu'un petit nombre de parents et d'amis mais, de nos jours, il s'agit plutôt de grands bals publics.

ceiling ['siːlɪŋ] n plafond m.

celebrate ['selɪbreɪt] vt fêter; (Mass) célébrer ♦ vi faire la fête.

celebration [ˌselɪ'breɪʃn] n (event) fête f □ **celebrations** npl (festivities) cérémonies fpl.

celebrity [sɪ'lebrətɪ] n (person) célébrité f.

celeriac [sɪ'lerɪæk] n céleri-rave m.

celery ['selərɪ] n céleri m.

cell [sel] n cellule f.

cellar ['seləʳ] n cave f.

cello ['tʃeləʊ] n violoncelle m.

Cellophane® ['seləfeɪn] n Cellophane® f.

Celsius ['selsɪəs] adj Celsius.

cement [sɪ'ment] n ciment m.

cement mixer n bétonnière f.

cemetery ['semɪtrɪ] n cimetière m.

cent [sent] n (Am) cent m.

center ['sentəʳ] (Am) = **centre**.

centigrade ['sentigreid] *adj* centigrade.

centimetre ['senti,mi:tə^r] *n* centimètre *m*.

centipede ['sentipi:d] *n* mille-pattes *m inv*.

central ['sentrəl] *adj* central(-e).

central heating *n* chauffage *m* central.

central locking [-'lɒkɪŋ] *n* verrouillage *m* centralisé.

central reservation *n* (Br) terre-plein *m* central.

centre ['sentə^r] *n* (Br) centre *m* ♦ *adj* (Br) central(-e).

century ['sentʃəri] *n* siècle *m*.

ceramic [sɪ'ræmɪk] *adj* en céramique ☐ **ceramics** *npl* (objects) céramiques *fpl*.

cereal ['sɪərɪəl] *n* céréales *fpl*.

ceremony ['serɪmənɪ] *n* cérémonie *f*.

certain ['sɜ:tn] *adj* certain(-e); **to be ~ of sthg** être certain de qqch; **to make ~ (that)** s'assurer que.

certainly ['sɜ:tnlɪ] *adv* (without doubt) vraiment; (of course) bien sûr, certainement.

certificate [sə'tɪfɪkət] *n* certificat *m*.

certify ['sɜ:tɪfaɪ] *vt* (declare true) certifier.

chain [tʃeɪn] *n* chaîne *f*; (of islands) chapelet *m* ♦ *vt*: **to ~ sthg to sthg** attacher qqch à qqch (avec une chaîne).

chain store *n* grand magasin *m* (à succursales multiples).

chair [tʃeə^r] *n* chaise *f*; (armchair) fauteuil *m*.

chair lift *n* télésiège *m*.

chairman ['tʃeəmən] (pl -men [-mən]) *n* président *m*.

chairperson ['tʃeə,pɜ:sn] *n* président *m* (-e *f*).

chairwoman ['tʃeə,wʊmən] (pl -women [-,wɪmɪn]) *n* présidente *f*.

chalet ['ʃæleɪ] *n* chalet *m*; (at holiday camp) bungalow *m*.

chalk [tʃɔ:k] *n* craie *f*; **a piece of ~** une craie.

chalkboard ['tʃɔ:kbɔ:d] *n* (Am) tableau *m* (noir).

challenge ['tʃælɪndʒ] *n* défi *m* ♦ *vt* (question) remettre en question; **to ~ sb (to sthg)** (to fight, competition) défier qqn (à qqch).

chamber ['tʃeɪmbə^r] *n* chambre *f*.

chambermaid ['tʃeɪmbəmeɪd] *n* femme *f* de chambre.

champagne [,ʃæm'peɪn] *n* champagne *m*.

champion ['tʃæmpjən] *n* champion *m* (-ionne *f*).

championship ['tʃæmpjənʃɪp] *n* championnat *m*.

chance [tʃɑ:ns] *n* (luck) hasard *m*; (possibility) chance *f*; (opportunity) occasion *f* ♦ *vt*: **to ~ it** (inf) tenter le coup; **to take a ~** prendre un risque; **by ~** par hasard; **on the off ~** à tout hasard.

Chancellor of the Exchequer [,tʃɑ:nsələrəv ðəɪks'tʃekə^r] *n* (Br) = ministre *m* des Finances.

chandelier [,ʃændə'lɪə^r] *n* lustre *m*.

change [tʃeɪndʒ] *n* changement *m*; (money) monnaie *f* ♦ *vt* changer; (switch) changer; (exchange) échanger ♦ *vi* changer; (change clothes) se changer; **a ~ of clothes** des vêtements de rechange; **do you have ~ for a pound?** avez-vous la monnaie d'une livre?; **for a ~** pour changer; **to get ~d** se changer; **to ~ money** changer de l'argent; **to ~ a nappy** changer une couche; **to ~ trains/planes** changer de train/d'avion; **to ~ a wheel** changer une roue; **all ~!** (on train) tout le monde descend!

changeable ['tʃeɪndʒəbl] *adj* (weather) variable.

change machine *n* monnayeur *m*.

changing room ['tʃeɪndʒɪŋ-] *n* (for sport) vestiaire *m*; (in shop) cabine *f* d'essayage.

channel ['tʃænl] *n* (on TV) chaîne *f*; (on radio) station *f*; (in sea) chenal *m*; (for irrigation) canal *m*; **the** (**English**) **Channel** la Manche.

Channel Islands *npl*: **the ~** les îles *fpl* Anglo-Normandes.

Channel Tunnel *n*: **the ~** le tunnel sous la Manche.

 CHANNEL TUNNEL

Le tunnel sous la Manche relie, depuis 1994, les villes de Cheriton, près de Folkestone, et de Coquelles, près de Calais. Les véhicules sont transportés sur un train appelé «Le Shuttle». Par ailleurs, de nombreux trains de passagers relient directement Londres à diverses grandes villes européennes.

---

chant [tʃɑːnt] *vt* (RELIG) chanter; (words, slogan) scander.

chaos ['keɪɒs] *n* chaos *m*.

chaotic [keɪ'ɒtɪk] *adj* chaotique.

chap [tʃæp] *n* (Br: inf) type *m*.

chapel ['tʃæpl] *n* chapelle *f*.

chapped [tʃæpt] *adj* gercé(-e).

chapter ['tʃæptə'] *n* chapitre *m*.

character ['kærəktə'] *n* caractère *m*; (in film, book, play) personnage *m*; (inf: person, individual) individu *m*.

characteristic [,kærəktə'rɪstɪk] *adj* caractéristique ◆ *n* caractéristique *f*.

charcoal ['tʃɑːkəʊl] *n* (for barbecue) charbon *m* de bois.

charge [tʃɑːdʒ] *n* (cost) frais *mpl*; (JUR) chef *m* d'accusation ◆ *vt* (money, customer) faire payer; (JUR) inculper; (battery) recharger ◆ *vi* (ask money) faire payer; (rush) se précipiter; **to be in ~ (of)** être responsable (de); **to take ~ of** prendre les choses en main; **to take ~ of** prendre en charge; **free of ~** gratuitement; **extra ~** supplément *m*; **there is no ~ for service** le service est gratuit.

char-grilled ['tʃɑːgrɪld] *adj* grillé(-e).

charity ['tʃærətɪ] *n* association *f* caritative; **to give to ~** donner aux œuvres.

charity shop *n* magasin aux employés bénévoles, dont les bénéfices sont versés à une œuvre.

charm [tʃɑːm] *n* (attractiveness) charme *m* ◆ *vt* charmer.

charming ['tʃɑːmɪŋ] *adj* charmant(-e).

chart [tʃɑːt] *n* (diagram) graphique *m*; (map) carte *f*; **the ~s** le hit-parade.

chartered accountant [,tʃɑːtəd-] *n* expert-comptable *m*.

charter flight ['tʃɑːtə-] *n* vol *m* charter.

chase [tʃeɪs] *n* poursuite *f* ◆ *vt*

poursuivre.

chat [tʃæt] n conversation f ◆ vi causer, bavarder; **to have a ~ (with)** bavarder (avec) □ **chat up** vt sep (Br: inf) baratiner.

château ['ʃætəʊ] n château m.

chat show n (Br) talk-show m.

chatty ['tʃætɪ] adj bavard(-e).

chauffeur [ʃəʊfə] n chauffeur m.

cheap [tʃiːp] adj bon marché (inv).

cheap day return n (Br) billet aller-retour dans la journée, sur certains trains seulement.

cheaply ['tʃiːplɪ] adv à bon marché.

cheat [tʃiːt] n tricheur m (-euse f) ◆ vi tricher ◆ vt: **to ~ sb (out of sthg)** escroquer (qqch à) qqn.

check [tʃek] n (inspection) contrôle m; (Am: bill) addition f; (Am: tick) = croix f; (Am) = cheque ◆ vt (inspect) contrôler; (verify) vérifier ◆ vi vérifier; **to ~ for sthg** vérifier qqch □ **check in** vt sep (luggage) enregistrer ◆ vi (at hotel) se présenter à la réception; (at airport) se présenter à l'enregistrement; **check off** vt sep cocher; **check out** vt (pay hotel bill) régler sa note; (leave hotel) quitter l'hôtel; ◆ vi: **to ~ up on** (on sthg) vérifier (qqch); **to ~ up on sb** se renseigner sur qqn.

checked [tʃekt] adj à carreaux.

checkers ['tʃekəz] n (Am) jeu m de dames.

check-in desk n comptoir m d'enregistrement.

checkout ['tʃekaʊt] n caisse f.

checkpoint ['tʃekpɔɪnt] n poste m de contrôle.

checkroom ['tʃekrʊm] n (Am)

consigne f.

checkup ['tʃekʌp] n bilan m de santé.

cheddar (cheese) ['tʃedəˡ] n variété très commune de fromage de vache.

cheek [tʃiːk] n joue f; **what a ~!** quel culot!

cheeky ['tʃiːkɪ] adj culotté(-e).

cheer [tʃɪəˡ] n acclamation f ◆ vi applaudir et crier.

cheerful ['tʃɪəfʊl] adj gai(-e).

cheerio [tʃɪərɪˈəʊ] excl (Br: inf) salut!

cheers [tʃɪəz] excl (when drinking) à la tienne/vôtre!; (Br: inf: thank you) merci!

cheese [tʃiːz] n fromage m.

cheeseboard ['tʃiːzbɔːd] n plateau m de fromages.

cheeseburger ['tʃiːzbɜːgəˡ] n cheeseburger m.

cheesecake ['tʃiːzkeɪk] n gâteau au fromage blanc.

chef [ʃef] n chef m (cuisinier).

chef's special n spécialité f du chef.

chemical ['kemɪkl] adj chimique ◆ n produit m chimique.

chemist ['kemɪst] n (Br: pharmacist) pharmacien m (-ienne f); (scientist) chimiste m/f; **~'s** (Br: shop) pharmacie f.

chemistry ['kemɪstrɪ] n chimie f.

cheque [tʃek] n (Br) chèque m; **to pay by ~** payer par chèque.

chequebook ['tʃekbʊk] n chéquier m, carnet m de chèques.

cheque card n carte à présenter, en guise de garantie, par le titulaire d'un compte lorsqu'il paye par chèque.

cherry ['tʃerɪ] n cerise f.

chess [tʃes] n échecs mpl.

chest [tʃest] n poitrine f; (box) coffre m.

chestnut ['tʃesnʌt] n châtaigne f ♦ adj (colour) châtain (inv).

chest of drawers n commode f.

chew [tʃuː] vt mâcher ♦ n (sweet) bonbon m mou.

chewing gum ['tʃuːɪŋ-] n chewinggum m.

chic [ʃiːk] adj chic.

chicken ['tʃɪkɪn] n poulet m.

chicken breast n blanc m de poulet.

chicken Kiev [-'kiːev] n blancs de poulet farcis de beurre à l'ail et enrobés de chapelure.

chickenpox ['tʃɪkɪnpɒks] n varicelle f.

chickpea ['tʃɪkpiː] n pois m chiche.

chicory ['tʃɪkəri] n endive f.

chief [tʃiːf] adj (highest-ranking) en chef; (main) principal(-e) ♦ n chef m.

chiefly ['tʃiːfli] adv (mainly) principalement; (especially) surtout.

child [tʃaɪld] (pl **children**) n enfant mf.

child abuse n mauvais traitements mpl à enfant.

child benefit n (Br) allocations fpl familiales.

childhood ['tʃaɪldhʊd] n enfance f.

childish ['tʃaɪldɪʃ] adj (pej) puéril(-e).

childminder ['tʃaɪld,maɪndə'] n (Br) nourrice f.

children ['tʃɪldrən] pl → **child**.

childrenswear ['tʃɪldrənzweə'] n vêtements mpl pour enfant.

child seat n (in car) siège m auto.

Chile ['tʃɪli] n le Chili.

chill [tʃɪl] n (illness) coup de froid ♦ vt mettre au frais; there's a ~ in the air il fait un peu frais.

chilled [tʃɪld] adj frais (fraîche); "serve ~" «servir frais».

chilli ['tʃɪli] (pl **-ies**) n (vegetable) piment m; (dish) chili m con carne.

chilli con carne ['tʃɪlɪkɒn'kɑːni] n chili m con carne.

chilly ['tʃɪli] adj froid(-e).

chimney ['tʃɪmni] n cheminée f.

chimneypot ['tʃɪmnɪpɒt] n tuyau m de cheminée.

chimpanzee [,tʃɪmpən'ziː] n chimpanzé m.

chin [tʃɪn] n menton m.

china ['tʃaɪnə] n (material) porcelaine f.

China ['tʃaɪnə] n la Chine.

Chinese [,tʃaɪ'niːz] adj chinois(-e) ♦ n (language) chinois m ♦ npl: the ~ les Chinois mpl; a ~ restaurant un restaurant chinois.

chip [tʃɪp] n (small piece) éclat m; (mark) ébréchure f; (counter) jeton m; (COMPUT) puce f ♦ vt ébrécher ❑ **chips** npl (Br: French fries) frites fpl; (Am: crisps) chips fpl.

chiropodist [kɪ'rɒpədɪst] n pédicure mf.

chisel ['tʃɪzl] n ciseau m.

chives ['tʃaɪvz] npl ciboulette f.

chlorine ['klɔːriːn] n chlore m.

choc-ice ['tʃɒkaɪs] n (Br) Esquimau® m.

chocolate ['tʃɒkələt] n chocolat m ♦ adj au chocolat.

chocolate biscuit n biscuit m

au chocolat.

choice [tʃɔɪs] n choix m ◆ adj (meat, ingredients) de choix; **the topping of your ~** la garniture de votre choix.

choir [kwaɪəʳ] n chœur m.

choke [tʃəʊk] n (AUT) starter m ◆ vt (strangle) étrangler; (block) boucher ◆ vi s'étrangler.

cholera [kɒlərə] n choléra m.

choose [tʃuːz] (pt chose, pp chosen) vt & vi choisir; **to ~ to do sthg** choisir de faire qqch.

chop [tʃɒp] n (of meat) côtelette f ◆ vt couper ❑ **chop down** vt sep abattre; **chop up** vt sep couper en morceaux.

chopper [tʃɒpəʳ] n (inf: helicopter) hélico m.

chopping board [tʃɒpɪŋ-] n planche f à découper.

choppy [tʃɒpɪ] adj agité(-e).

chopsticks [tʃɒpstɪks] npl baguettes fpl.

chop suey [ˌtʃɒpˈsuːɪ] n chop suey m (émincé de porc ou de poulet avec riz, légumes et germes de soja).

chord [kɔːd] n accord m.

chore [tʃɔːʳ] n corvée f.

chorus [kɔːrəs] n (part of song) refrain m; (singers) troupe f.

chose [tʃəʊz] pt → **choose**.

chosen [tʃəʊzn] pp → **choose**.

choux pastry [ʃuː-] n pâte f à choux.

chowder [tʃaʊdəʳ] n soupe de poisson ou de fruits de mer.

chow mein [ˌtʃaʊˈmeɪn] n chow mein m (nouilles frites avec légumes, viande ou fruits de mer).

Christ [kraɪst] n le Christ.

christen [krɪsn] vt (baby) baptiser.

Christian [krɪstʃən] adj chrétien(-ienne) ◆ n chrétien m (-ienne f).

Christian name n prénom m.

Christmas [krɪsməs] n Noël m; **Happy ~!** joyeux Noël!

Christmas card n carte f de vœux.

Christmas carol [-ˈkærəl] n chant m de Noël.

Christmas Day n le jour de Noël.

Christmas Eve n la veille de Noël.

Christmas pudding n pudding traditionnel de Noël.

Christmas tree n sapin m de Noël.

chrome [krəʊm] n chrome m.

chuck [tʃʌk] vt (inf: throw) balancer; (boyfriend, girlfriend) plaquer ❑ **chuck away** vt sep (inf) balancer.

chunk [tʃʌŋk] n gros morceau m.

church [tʃɜːtʃ] n église f; **to go to ~** aller à l'église.

churchyard [tʃɜːtʃjaːd] n cimetière m.

chute [ʃuːt] n toboggan m.

chutney [tʃʌtnɪ] n chutney m.

cider [saɪdəʳ] n cidre m.

cigar [sɪgɑːʳ] n cigare m.

cigarette [ˌsɪgəˈret] n cigarette f.

cigarette lighter n briquet m.

cinema [sɪnəmə] n cinéma m.

cinnamon [sɪnəmən] n cannelle f.

circle [sɜːkl] n cercle m; (in theatre) balcon m ◆ vt (draw circle around) encercler; (move round)

circuit

tourner autour de ♦ vi (plane) tourner en rond.

circuit ['sɜːkɪt] n (track) circuit m; (lap) tour m.

circular ['sɜːkjʊlə²] adj circulaire ♦ n circulaire f.

circulation [ˌsɜːkjʊ'leɪʃn] n (of blood) circulation f; (of newspaper, magazine) tirage m.

circumstances ['sɜːkəmstənsɪz] npl circonstances fpl; **in** OR **under the** ~ étant donné les circonstances.

circus ['sɜːkəs] n cirque m.

cistern ['sɪstən] n (of toilet) réservoir m.

citizen ['sɪtɪzn] n (of country) citoyen m (-enne f); (of town) habitant m (-e f).

city ['sɪtɪ] n ville f; **the City** la City.

city centre n centre-ville m.

city hall n (Am) mairie f.

civilian [sɪ'vɪljən] n civil m.

civilized ['sɪvɪlaɪzd] adj civilisé(-e).

civil rights [ˌsɪvl-] npl droits mpl civiques.

civil servant [ˌsɪvl-] n fonctionnaire m.

civil service [ˌsɪvl-] n fonction f publique.

civil war [ˌsɪvl-] n guerre f civile.

cl (abbr of centilitre) cl.

claim [kleɪm] n (assertion) affirmation f; (demand) revendication f; (for insurance) demande f d'indemnité ♦ vt (allege) prétendre; (benefit, responsibility) revendiquer ♦ vi (on insurance) faire une demande d'indemnité.

claimant ['kleɪmənt] n (of benefit)

claim form n formulaire m de déclaration de sinistre.

clam [klæm] n palourde f.

clamp [klæmp] n (for car) sabot m de Denver ♦ vt (car) poser un sabot de Denver).

clap [klæp] vi applaudir.

claret ['klærət] n bordeaux m rouge.

clarinet [ˌklærə'net] n clarinette f.

clash [klæʃ] n (noise) fracas m; (confrontation) affrontement m ♦ vi (colours) jurer; (events, dates) tomber en même temps.

clasp [klɑːsp] n (fastener) fermoir m ♦ vt serrer.

class [klɑːs] n classe f; (teaching period) cours m ♦ vt: **to ~ sb/sthg (as)** classer qqn/qqch (comme).

classic ['klæsɪk] adj classique ♦ n classique m.

classical ['klæsɪkl] adj classique.

classical music n musique f classique.

classification [ˌklæsɪfɪ'keɪʃn-] n classification f; (category) catégorie f.

classified ads [ˌklæsɪfaɪd-] npl petites annonces fpl.

classroom ['klɑːsrʊm] n salle f de classe.

claustrophobic [ˌklɔːstrə'fəʊbɪk] adj (person) claustrophobe; (place) étouffant(-e).

claw [klɔː] n (of bird, cat, dog) griffe f; (of crab, lobster) pince f.

clay [kleɪ] n argile f.

clean [kliːn] vt nettoyer ♦ adj propre; (unused) vierge; **I have a ~ driving licence** je n'ai jamais eu de contraventions graves; **to ~ one's teeth** se laver les dents.

cleaner ['kliːnəʳ] n (woman) femme f de ménage; (man) agent m d'entretien; (substance) produit m d'entretien.

cleanse [klenz] vt nettoyer.

cleanser ['klenzəʳ] n (for skin) démaquillant m; (detergent) détergent m.

clear [klɪəʳ] adj clair(-e); (glass) transparent(-e); (easy to see) net (nette); (easy to hear) distinct(-e); (road, path) dégagé(-e) ♦ vt (road, path) dégager; (jump over) franchir; (declare not guilty) innocenter; (authorize) autoriser; (cheque) compenser ♦ vi (weather, fog) se lever; **to be ~ (about sthg)** être sûr (de qqch); **to ~ one's throat** s'éclaircir la voix; **to ~ the table** débarrasser la table; **~ soup** bouillon m □ **clear up** vt sep (room, toys) ranger; (problem, confusion) éclaircir ♦ vi (weather) s'éclaircir; (tidy up) ranger.

clearance ['klɪərəns] n (authorization) autorisation f; (free distance) espace m; (for takeoff) autorisation de décollage.

clearing ['klɪərɪŋ] n clairière f.

clearly ['klɪəlɪ] adv clairement; (obviously) manifestement.

clearway ['klɪəweɪ] n (Br) route f à stationnement interdit.

clementine ['kleməntaɪn] n clémentine f.

clerk [Br klɑːk, Am klɜːrk] n (in office) employé m (-e f) (de bureau); (Am: in shop) vendeur m (-euse f).

clever ['klevəʳ] adj (intelligent) intelligent(-e); (skilful) adroit(-e);

(idea, device) ingénieux(-ieuse).

click [klɪk] n déclic m ♦ vi faire un déclic.

client ['klaɪənt] n client m (-e f).

cliff [klɪf] n falaise f.

climate ['klaɪmɪt] n climat m.

climax ['klaɪmæks] n apogée m.

climb [klaɪm] vt (steps) monter; (hill) grimper; (tree, ladder) grimper à ♦ vi grimper; (plane) prendre de l'altitude □ **climb down** vt fus descendre ♦ vi descendre; **climb up** vt fus (steps) monter; (hill) grimper; (tree, ladder) grimper à.

climber ['klaɪməʳ] n (mountaineer) alpiniste mf; (rock climber) varappeur m (-euse f).

climbing ['klaɪmɪŋ] n (mountaineering) alpinisme m; (rock climbing) varappe f; **to go ~** faire de l'alpinisme; faire de la varappe.

climbing frame n (Br) cage f à poules.

clingfilm ['klɪŋfɪlm] n (Br) film m alimentaire.

clinic ['klɪnɪk] n clinique f.

clip [klɪp] n (fastener) pince f; (for paper) trombone m; (of film, programme) extrait m ♦ vt (fasten) attacher; (cut) couper.

cloak [kləʊk] n cape f.

cloakroom ['kləʊkrʊm] n (for coats) vestiaire m; (Br: toilet) toilettes fpl.

clock [klɒk] n (small) pendule f; (large) horloge f; (mileometer) compteur m; **round the ~** 24 heures sur 24.

clockwise ['klɒkwaɪz] adv dans le sens des aiguilles d'une montre.

clog [klɒg] n sabot m ♦ vt

close

54

boucher.

close[1] [kləʊs] *adj* proche; *(contact, link)* étroit(-e); *(examination)* approfondi(-e); *(race, contest)* serré(-e) ♦ *adv* près; **~ by** tout près; **~ to** *(near)* près de; **(on the verge of)** au bord de.

close[2] [kləʊz] *vt* fermer ♦ *vi (door, eyes)* se fermer; *(shop, office)* fermer; *(deadline, meeting)* prendre fin □ **close down** *vt sep & vi* fermer.

closed [kləʊzd] *adj* fermé(-e).

closely ['kləʊslɪ] *adv (related)* étroitement; *(follow, examine)* de près.

closet ['klɒzɪt] *n (Am)* placard *m*.

close-up ['kləʊs-] *n* gros plan *m*.

closing time ['kləʊzɪŋ-] *n* heure *f* de fermeture.

clot [klɒt] *n (of blood)* caillot *m*.

cloth [klɒθ] *n (fabric)* tissu *m*; *(piece of cloth)* chiffon *m*.

clothes [kləʊðz] *npl* vêtements *mpl*.

clothesline ['kləʊðzlaɪn] *n* corde *f* à linge.

clothes peg *n (Br)* pince *f* à linge.

clothespin ['kləʊðzpɪn] *(Am)* = **clothes peg**.

clothes shop *n* magasin *m* de vêtements.

clothing ['kləʊðɪŋ] *n* vêtements *mpl*.

clotted cream [klɒtɪd-] *n* crème fraîche très épaisse, typique du sud-ouest de l'Angleterre.

cloud [klaʊd] *n* nuage *m*.

cloudy ['klaʊdɪ] *adj* nuageux(-euse); *(liquid)* trouble.

clove [kləʊv] *n (of garlic)* gousse *f* □ **cloves** *npl (spice)* clous *mpl* de

girofle.

clown [klaʊn] *n* clown *m*.

club [klʌb] *n (organization)* club *m*; *(nightclub)* boîte *f* (de nuit); *(stick)* massue *f* □ **clubs** *npl (in cards)* trèfle *m*.

clubbing ['klʌbɪŋ] *n*: **to go ~** *(inf)* aller en boîte.

club class *n* classe *f* club.

club sandwich *n (Am)* sandwich à deux ou plusieurs étages.

club soda *n (Am)* eau *f* de Seltz.

clue [klu:] *n (information)* indice *m*; *(in crossword)* définition *f*; **I haven't got a ~!** aucune idée!

clumsy ['klʌmzɪ] *adj (person)* maladroit(-e).

clutch [klʌtʃ] *n* embrayage *m* ♦ *vt* agripper.

cm *(abbr of centimetre)* cm.

c/o *(abbr of care of)* a/s.

Co. *(abbr of company)* Cie.

coach [kəʊtʃ] *n (bus)* car *m*, autocar *m*; *(of train)* voiture *f*; *(SPORT)* entraîneur *m (-euse f)*.

coach party *n (Br)* groupe *m* d'excursionnistes en car.

coach station *n* gare *f* routière.

coach trip *n (Br)* excursion *f* en car.

coal [kəʊl] *n* charbon *m*.

coal mine *n* mine *f* de charbon.

coarse [kɔ:s] *adj* grossier(-ière).

coast [kəʊst] *n* côte *f*.

coaster ['kəʊstə*] *n (for glass)* dessous *m* de verre.

coastguard ['kəʊstgɑ:d] *n (person)* garde-côte *m*; *(organization)* gendarmerie *f* maritime.

coastline ['kəʊstlaɪn] *n* littoral *m*.

coat [kəʊt] n manteau m; (of animal) pelage m ♦ vt: **to ~ sthg (with)** recouvrir qqch (de).

coat hanger n cintre m.

coating ['kəʊtɪŋ] n (on surface) couche f; (on food) enrobage m.

cobbled street ['kɒbld-] n rue f pavée.

cobbles ['kɒblz] npl pavés mpl.

cobweb ['kɒbweb] n toile f d'araignée.

Coca-Cola® [ˌkəʊkə'kəʊlə] n Coca-Cola® m inv.

cocaine [kəʊ'keɪn] n cocaïne f.

cock [kɒk] n (male chicken) coq m.

cock-a-leekie [ˌkɒkə'liːkɪ] n potage typiquement écossais aux poireaux et au poulet.

cockerel ['kɒkrəl] n jeune coq m.

cockles ['kɒklz] npl coques fpl.

cockpit ['kɒkpɪt] n cockpit m.

cockroach ['kɒkrəʊtʃ] n cafard m.

cocktail ['kɒkteɪl] n cocktail m.

cocktail party n cocktail m.

cock-up n (Br: vulg): **to make a ~** of sthg faire foirer qqch.

cocoa ['kəʊkəʊ] n cacao m.

coconut ['kəʊkənʌt] n noix f de coco.

cod [kɒd] (pl inv) n morue f.

code [kəʊd] n code m; (dialling code) indicatif m.

cod-liver oil n huile f de foie de morue.

coeducational [ˌkəʊedjuːˈkeɪʃənl] adj mixte.

coffee ['kɒfɪ] n café m; **black/white ~** café noir/au lait; **ground/instant ~** café moulu/soluble.

coffee bar n (Br) cafétéria f.

coffee break n pause-café f.

coffeepot ['kɒfɪpɒt] n cafetière f.

coffee shop n (cafe) café m; (in store etc) cafétéria f.

coffee table n table f basse.

coffin ['kɒfɪn] n cercueil m.

cog(wheel) ['kɒg(wiːl)] n roue f dentée.

coil [kɔɪl] n (of rope) rouleau m; (Br: contraceptive) stérilet m ♦ vt enrouler.

coin [kɔɪn] n pièce f (de monnaie).

coinbox ['kɔɪnbɒks] n (Br) cabine f (téléphonique) à pièces.

coincide [ˌkəʊɪn'saɪd] vi: **to ~ (with)** coïncider (avec).

coincidence [kəʊ'ɪnsɪdəns] n coïncidence f.

Coke® [kəʊk] n Coca® m inv.

colander ['kʌləndər] n passoire f.

cold [kəʊld] adj froid(-e) ♦ n (illness) rhume m; (low temperature) froid m; **to get ~** (food, water, weather) se refroidir; (person) avoir froid; **to catch (a) ~** attraper un rhume.

cold cuts (Am) = **cold meats**

cold meats npl viandes fpl froides.

coleslaw ['kəʊlslɔː] n salade de chou et de carottes râpés à la mayonnaise.

colic ['kɒlɪk] n colique f.

collaborate [kə'læbəreɪt] vi collaborer.

collapse [kə'læps] vi s'effondrer.

collar ['kɒlər] n (of shirt, coat) col m; (of dog, cat) collier m.

collarbone ['kɒləbəʊn] n clavicule f.

colleague ['kɒliːg] n collègue mf.

collect [kə'lekt] vt (gather) ramasser; (information) recueillir; (as a hobby) collectionner; (go and get) aller chercher; (money) collecter ♦ vi (dust, leaves, crowd) s'amasser ♦ adv **to call (sb)** ~ appeler (qqn) en PCV.

collection [kə'lekʃn] n (of stamps, coins etc) collection f; (of stories, poems) recueil m; (of money) collecte f; (of mail) levée f.

collector [kə'lektə*] n (as a hobby) collectionneur m (-euse f).

college ['kɒlɪdʒ] n (school) école f d'enseignement supérieur; (Br: university) organisation indépendante d'étudiants et de professeurs au sein d'une université; (Am: university) université f.

collide [kə'laɪd] vi: **to** ~ **(with)** entrer en collision (avec).

collision [kə'lɪʒn] n collision f.

cologne [kə'ləʊn] n eau f de Cologne.

colon ['kəʊlən] n (GRAMM) deux-points m.

colonel ['kɜːnl] n colonel m.

colony ['kɒlənɪ] n colonie f.

color ['kʌlə*] (Am) = colour.

colour ['kʌlə*] n couleur f ♦ adj (photograph, film) en couleur ♦ vt (hair, food) colorer ☐ **colour in** vt sep colorier.

colour-blind adj daltonien(-ienne).

colourful ['kʌləful] adj coloré(-e).

colouring ['kʌlərɪŋ] n (of food) colorant m; (complexion) teint m.

colouring book n album m

de coloriages.

colour supplement n supplément m en couleur.

colour television n télévision f couleur.

column ['kɒləm] n colonne f; (newspaper article) rubrique f.

coma ['kəʊmə] n coma m.

comb [kəʊm] n peigne m ♦ vt: **to** ~ **one's hair** se peigner.

combination [ˌkɒmbɪ'neɪʃn] n combinaison f.

combine [kəm'baɪn] vt: **to** ~ **sthg (with)** combiner qqch (avec).

combine harvester [ˌkɒmbaɪn-'hɑːvɪstə*] n moissonneuse-batteuse f.

come [kʌm] (pt **came**, pp **come**) vi **1.** (move) venir; **we came by taxi** nous sommes venus en taxi; ~ **and see!** venez voir!; ~ **here!** viens ici!

2. (arrive) arriver; **they still haven't** ~ ils ne sont toujours pas arrivés; **to** ~ **home** rentrer chez soi; **"coming soon"** "prochainement".

3. (in order): **to** ~ **first** (in sequence) venir en premier; (in competition) se classer premier; **to** ~ **last** (in sequence) venir en dernier; (in competition) se classer dernier.

4. (reach): **to** ~ **down to** arriver à; **to** ~ **up to** arriver à.

5. (become): **to** ~ **undone** se défaire; **to** ~ **true** se réaliser.

6. (be sold) être vendu; **they** ~ **in packs of six** ils sont vendus par paquets de six.

☐ **come across** vt fus tomber sur; **come along** vi (progress) avancer; (arrive) arriver; ~ **along!** allez!; **come apart** vi tomber en morceaux; **come back** vi revenir;

common sense

come down vi (price) baisser; **come down with** vt fus (illness) attraper; **come from** vt fus venir de; **come in** vi (enter) entrer; (arrive) arriver; (tide) monter; **~ in!** entrez!; **come off** vi (button, top) tomber; (succeed) réussir; **come on** vi (progress) progresser; **~ on!** allez!; **come out** vi sortir; (sun, moon) paraître; **come over** vi (visit) venir (en visite); **come round** vi (visit) passer; (regain consciousness) reprendre connaissance; **come to** vt fus (subj: bill) s'élever à; **come up** vi (go upstairs) monter; (be mentioned) être soulevé; (happen, arise) se présenter; (sun, moon) monter; lever; **come up with** vt fus (idea) avoir.

comedian [kə'miːdjən] n comique mf.

comedy ['kɒmədɪ] n (TV programme, film, play) comédie f; (humour) humour m.

comfort ['kʌmfət] n confort m; (consolation) réconfort m ◆ vt réconforter.

comfortable ['kʌmftəbl] adj (chair, shoes, hotel) confortable; (person) à l'aise; **to be ~** (after operation, illness) aller bien.

comic ['kɒmɪk] adj comique ◆ n (person) comique mf; (magazine) bande f dessinée.

comical ['kɒmɪkl] adj comique.

comic strip n bande f dessinée.

comma ['kɒmə] n virgule f.

command [kə'mɑːnd] n (order) ordre m; (mastery) maîtrise f ◆ vt (order) commander à; (be in charge of) commander.

commander [kə'mɑːndər]

(army officer) commandant m; (Br: in navy) capitaine m de frégate.

commemorate [kə'meməreɪt] vt commémorer.

commence [kə'mens] vi (fml) débuter.

comment ['kɒment] n commentaire m ◆ vi faire des commentaires.

commentary ['kɒməntrɪ] n (on TV, radio) commentaire m.

commentator ['kɒmənteɪtər] n (on TV, radio) commentateur m (-trice f).

commerce ['kɒmɜːs] n commerce m.

commercial [kə'mɜːʃl] adj commercial(-e) ◆ n publicité f.

commercial break n page f de publicité.

commission [kə'mɪʃn] n commission f.

commit [kə'mɪt] vt (crime, sin) commettre; **to ~ o.s. (to doing sth)** s'engager (à faire qqch); **to ~ suicide** se suicider.

committee [kə'mɪtɪ] n comité m.

commodity [kə'mɒdətɪ] n marchandise f.

common ['kɒmən] adj commun(-e) ◆ n (Br: land) terrain m communal; **in ~** (shared) en commun.

commonly ['kɒmənlɪ] adv (generally) communément.

Common Market n Marché m commun.

common room n (for students) salle f commune; (for teachers) salle f des professeurs.

common sense n bon sens m.

Commonwealth [ˈkɒmən-welθ] *n*: the ~ le Commonwealth.

communal [ˈkɒmjunl] *adj (bath-room, kitchen)* commun(-e).

communicate [kəˈmjuːnɪkeɪt] *vi*: to ~ (with) communiquer (avec).

communication [kə,mjuːnɪ-ˈkeɪʃn] *n* communication *f*.

communication cord *n (Br)* sonnette *f* d'alarme.

communist [ˈkɒmjunɪst] *n* communiste *mf*.

community [kəˈmjuːnətɪ] *n* communauté *f*.

community centre *n* = foyer *m* municipal.

commute [kəˈmjuːt] *vi* faire chaque jour la navette entre son domicile et son travail.

compact [*adj* kəmˈpækt, ˌkɒmpækt] *adj* compact(-e) ♦ *n (for make-up)* poudrier *m*; *(Am: car)* petite voiture *f*.

compact disc [ˌkɒmpækt-] *n* Compact Disc® *m*, compact *m*.

compact disc player *n* lecteur *m* CD.

company [ˈkʌmpənɪ] *n (business)* société *f*; *(companionship)* compagnie *f*; *(guests)* visite *f*; to keep sb ~ tenir compagnie à qqn.

company car *n* voiture *f* de fonction.

comparatively [kəmˈpærətɪvlɪ] *adv (relatively)* relativement.

compare [kəmˈpeəʳ] *vt*: to ~ sthg (with) comparer qqch (à OR avec); ~d with par rapport à.

comparison [kəmˈpærɪsn] *n* comparaison *f*; in ~ with par rapport à.

compartment [kəmˈpɑːtmənt] *n* compartiment *m*.

compass [ˈkʌmpəs] *n (magnetic)* boussole *f*; (a pair of) ~es un compas.

compatible [kəmˈpætəbl] *adj* compatible.

compensate [ˈkɒmpenseɪt] *vt* compenser ♦ *vi*: to ~ (for sthg) compenser (qqch); to ~ sb for sthg dédommager qqn de qqch.

compensation [ˌkɒmpenˈseɪʃn] *n (money)* dédommagement *m*.

compete [kəmˈpiːt] *vi*: to ~ in participer à; to ~ with sb for sthg rivaliser avec qqn pour obtenir qqch.

competent [ˈkɒmpɪtənt] *adj* compétent(-e).

competition [ˌkɒmpɪˈtɪʃn] *n* compétition *f*; *(contest)* concours *m*; *(between firms)* concurrence *f*; the ~ *(rivals)* la concurrence.

competitive [kəmˈpetɪtɪv] *adj (price)* compétitif(-ive); *(person)* qui a l'esprit de compétition.

competitor [kəmˈpetɪtəʳ] *n* concurrent *m* (-e *f*).

complain [kəmˈpleɪn] *vi*: to ~ (about) se plaindre (de).

complaint [kəmˈpleɪnt] *n (state-ment)* plainte *f*; *(in shop)* réclamation *f*; *(illness)* maladie *f*.

complement [ˈkɒmplɪment] *vt* compléter.

complete [kəmˈpliːt] *adj* complet(-ète); *(finished)* achevé(-e) ♦ *vt (finish)* achever; *(a form)* remplir; *(make whole)* compléter; ~ with équipé(-e) de.

completely [kəmˈpliːtlɪ] *adv* complètement.

complex [ˈkɒmpleks] *adj* complexe ◆ n (buildings, mental) complexe m.

complexion [kəmˈplekʃn] n (of skin) teint m.

complicated [ˈkɒmplɪkeɪtɪd] adj compliqué(-e).

compliment [n ˈkɒmplɪmənt, vb ˈkɒmplɪment] n compliment m ◆ vt (on dress) faire des compliments à; (on attitude) féliciter.

complimentary [kɒmplɪˈmentərɪ] adj (seat, ticket) gratuit(-e); (words, person) élogieux(-ieuse).

compose [kəmˈpəʊz] vt composer; (letter) écrire; to be ~d of se composer de.

composed [kəmˈpəʊzd] adj calme.

composer [kəmˈpəʊzəʳ] n compositeur m (-trice f).

composition [kɒmpəˈzɪʃn] n (essay) composition f.

compound [ˈkɒmpaʊnd] n composé m.

comprehensive [kɒmprɪˈhensɪv] adj complet(-ète); (insurance) tous risques.

comprehensive (school) n (Br) = CES m.

compressed air [kəmˈprest-] n air m comprimé.

comprise [kəmˈpraɪz] vt comprendre.

compromise [ˈkɒmprəmaɪz] n compromis m.

compulsory [kəmˈpʌlsərɪ] adj obligatoire.

computer [kəmˈpjuːtəʳ] n ordinateur m.

computer game n jeu m électronique.

computerized [kəmˈpjuːtə-

raɪzd] adj informatisé(-e).

computer operator n opérateur m (-trice f) de saisie.

computer programmer [-ˈprəʊgræməʳ] n programmeur m (-euse f).

computing [kəmˈpjuːtɪŋ] n informatique f.

con [kɒn] n (inf: trick) arnaque f; all mod ~s tout confort.

conceal [kənˈsiːl] vt dissimuler.

conceited [kənˈsiːtɪd] adj (pej) suffisant(-e).

concentrate [ˈkɒnsəntreɪt] vi se concentrer ◆ vt: to be ~d (in one place) être concentré; to ~ on sthg se concentrer sur qqch.

concentrated [ˈkɒnsəntreɪtɪd] adj (juice, soup, baby food) concentré(-e).

concentration [kɒnsənˈtreɪʃn] n concentration f.

concern [kənˈsɜːn] vt (be about) traiter de; (worry) inquiéter; (involve) concerner ◆ n (worry) inquiétude f; (interest) intérêt m; (COMM) affaire f; it's no ~ of yours ça ne te regarde pas; to be ~ed about s'inquiéter pour; to be ~ed with (be about) traiter de; to ~ o.s. with sthg se préoccuper de qqch; as far as I'm ~ed en ce qui me concerne.

concerned [kənˈsɜːnd] adj (worried) inquiet(-ète).

concerning [kənˈsɜːnɪŋ] prep concernant.

concert [ˈkɒnsət] n concert m.

concession [kənˈseʃn] n (reduced price) tarif m réduit.

concise [kənˈsaɪs] adj concis(-e).

conclude [kənˈkluːd] vt conclure ◆ vi (fml: end) se conclure.

conclusion [kən'klu:ʒn] *n* conclusion *f*.

concrete ['kɒnkri:t] *adj (building)* en béton; *(path)* cimenté(-e); *(idea, plan)* concret(-ète) ♦ *n* béton *m*.

concussion [kən'kʌʃn] *n* commotion *f* cérébrale.

condensation [ˌkɒndɛn'seɪʃn] *n* condensation *f*.

condensed milk [kən'dɛnst-] *n* lait *m* condensé.

condition [kən'dɪʃn] *n (state)* état *m*; *(proviso)* condition *f*; *(illness)* maladie *f*; **to be out of ~** ne pas être en forme; **on ~ that** à condition que (+ *subjunctive*) □ **conditions** *npl (circumstances)* conditions *fpl*; **driving ~s** conditions atmosphériques.

conditioner [kən'dɪʃnəʳ] *n (for hair)* après-shampo(o)ing *m inv*; *(for clothes)* assouplissant *m*.

condo ['kɒndəʊ] *(Am: inf)* = **condominium**.

condom ['kɒndəm] *n* préservatif *m*.

condominium [ˌkɒndə'mɪnɪəm] *n (Am) (flat)* appartement *m* dans un immeuble en copropriété; *(block of flats)* immeuble *m* en copropriété.

conduct [*vb* kən'dʌkt, *n* 'kɒndʌkt] *vt (investigation, business)* mener; *(MUS)* diriger ♦ *n (fml: behaviour)* conduite *f*; **to ~ o.s.** *(fml)* se conduire.

conductor [kən'dʌktəʳ] *n (MUS)* chef *m* d'orchestre; *(on bus)* receveur *m*; *(Am: on train)* chef *m* de train.

cone [kəʊn] *n (shape)* cône *m*; *(for ice cream)* cornet *m (biscuit)*; *(on roads)* cône de signalisation.

confectioner's [kən'fɛkʃnəz] *n (shop)* confiserie *f*.

confectionery [kən'fɛkʃnərɪ] *n* confiserie *f*.

conference ['kɒnfərəns] *n* conférence *f*.

confess [kən'fɛs] *vi*: **to ~ (to)** avouer.

confession [kən'fɛʃn] *n (admission)* aveu *m*; *(RELIG)* confession *f*.

confidence ['kɒnfɪdəns] *n (self-assurance)* confiance *f* en soi, assurance *f*; *(trust)* confiance; **to have ~ in** avoir confiance en.

confident ['kɒnfɪdənt] *adj (self-assured)* sûr(-e) de soi; *(certain)* certain(-e).

confined [kən'faɪnd] *adj (space)* réduit(-e).

confirm [kən'fɜ:m] *vt* confirmer.

confirmation [ˌkɒnfə'meɪʃn] *n* confirmation *f*.

conflict [*n* 'kɒnflɪkt, *vb* kən'flɪkt] *n* conflit *m* ♦ *vi*: **to ~ (with)** être en contradiction (avec).

conform [kən'fɔ:m] *vi* se plier à la règle; **to ~ to** se conformer à.

confuse [kən'fju:z] *vt (person)* dérouter; **to ~ sth with sth** confondre qqch avec qqch.

confused [kən'fju:zd] *adj (person)* dérouté(-e); *(situation)* confus(-e).

confusing [kən'fju:zɪŋ] *adj* déroutant(-e).

confusion [kən'fju:ʒn] *n* confusion *f*.

congested [kən'dʒɛstɪd] *adj (street)* encombré(-e).

congestion [kən'dʒɛstʃn] *n (traffic)* encombrements *mpl*.

congratulate [kən'grætʃʊleɪt] *vt*: **to ~ sb (on sth)** féliciter qqn (de qqch).

congratulations [kənˌgrætʃʊˈleɪʃənz] *excl* félicitations!

congregate [ˈkɒŋgrɪgeɪt] *vi* se rassembler.

Congress [ˈkɒŋgres] *n* (*Am*) le Congrès.

conifer [ˈkɒnɪfəʳ] *n* conifère *m*.

conjunction [kənˈdʒʌŋkʃn] *n* (*GRAMM*) conjonction *f*.

conjurer [ˈkʌndʒərəʳ] *n* prestidigitateur *m* (-trice *f*).

connect [kəˈnekt] *vt* relier; (*telephone, machine*) brancher; (*caller on phone*) mettre en communication ♦ *vi*: **to ~ with** (*train, plane*) assurer la correspondance avec; **to ~ sthg with sthg** (*associate*) associer qqch à qqch.

connecting flight [kəˈnektɪŋ-] *n* correspondance *f*.

connection [kəˈnekʃn] *n* (*link*) rapport *m*; (*train, plane*) correspondance *f*; **it's a bad ~** (*on phone*) la communication est mauvaise; **a loose ~** (*in machine*) un faux contact; **in ~ with** au sujet de.

conquer [ˈkɒŋkəʳ] *vt* (*country*) conquérir.

conscience [ˈkɒnʃəns] *n* conscience *f*.

conscientious [ˌkɒnʃɪˈenʃəs] *adj* consciencieux(-ieuse).

conscious [ˈkɒnʃəs] *adj* (*awake*) conscient(-e); (*deliberate*) délibéré(-e); **to be ~ of** (*aware*) être conscient de.

consent [kənˈsent] *n* accord *m*.

consequence [ˈkɒnsɪkwəns] *n* (*result*) conséquence *f*.

consequently [ˈkɒnsɪkwəntlɪ] *adv* par conséquent.

conservation [ˌkɒnsəˈveɪʃn] *n* protection *f* de l'environnement.

conservative [kənˈsɜːvətɪv] *adj* conservateur(-trice) ❑ **Conservative** *adj* conservateur(-trice) ♦ *n* conservateur *m* (-trice *f*).

conservatory [kənˈsɜːvətrɪ] *n* véranda *f*.

consider [kənˈsɪdəʳ] *vt* (*think about*) étudier; (*take into account*) tenir compte de; (*judge*) considérer; **to ~ doing sthg** envisager de faire qqch.

considerable [kənˈsɪdrəbl] *adj* considérable.

consideration [kənˌsɪdəˈreɪʃn] *n* (*careful thought*) attention *f*; (*factor*) considération *f*; **to take sthg into ~** tenir compte de qqch.

considering [kənˈsɪdərɪŋ] *prep* étant donné.

consist [kənˈsɪst]: **consist in** *vt fus* consister en; **to ~ in doing sthg** consister à faire qqch; **consist of** *vt fus* se composer de.

consistent [kənˈsɪstənt] *adj* (*coherent*) cohérent(-e); (*worker, performance*) régulier(-ière).

consolation [ˌkɒnsəˈleɪʃn] *n* consolation *f*.

console [ˈkɒnsəʊl] *n* console *f*.

consonant [ˈkɒnsənənt] *n* consonne *f*.

conspicuous [kənˈspɪkjʊəs] *adj* qui attire l'attention.

constable [ˈkʌnstəbl] *n* (*Br*) agent *m* de police.

constant [ˈkɒnstənt] *adj* constant(-e).

constantly [ˈkɒnstəntlɪ] *adv* constamment.

constipated [ˈkɒnstɪpeɪtɪd] *adj* constipé(-e).

constitution [ˌkɒnstɪˈtjuːʃn] n
constitution f.

construct [kənˈstrʌkt] vt construire.

construction [kənˈstrʌkʃn] n
construction f; **under ~** en construction.

consul [ˈkɒnsəl] n consul m.

consulate [ˈkɒnsjʊlət] n consulat m.

consult [kənˈsʌlt] vt consulter.

consultant [kənˈsʌltənt] n (Br:
doctor) spécialiste mf.

consume [kənˈsjuːm] vt consommer.

consumer [kənˈsjuːməʳ] n
consommateur m (-trice f).

contact [ˈkɒntækt] n contact m
♦ vt contacter; **in ~ with** en
contact avec.

contact lens n verre m de
contact, lentille f.

contagious [kənˈteɪdʒəs] adj
contagieux(-ieuse).

contain [kənˈteɪn] vt contenir.

container [kənˈteɪnəʳ] n (box etc)
récipient m.

contaminate [kənˈtæmɪneɪt] vt
contaminer.

contemporary [kənˈtempərəri]
adj contemporain(-e) ♦ n contemporain m (-e f).

contend [kənˈtend]: **contend
with** vt fus faire face à.

content [adj kənˈtent, n ˈkɒntent]
adj satisfait(-e) ♦ n (of vitamins, fibre
etc) teneur f ❑ **contents** npl (things
inside) contenu m; (at beginning of
book) table f des matières.

contest [n ˈkɒntest, vb kənˈtest] n
(competition) concours m; (struggle)
lutte f ♦ vt (election, match) dispu-

ter; (decision, will) contester.

context [ˈkɒntekst] n contexte
m.

continent [ˈkɒntɪnənt] n continent m; **the Continent** (Br) l'Europe
f continentale.

continental [ˌkɒntɪˈnentl] adj
(Br: European) d'Europe continentale.

continental breakfast n
petit déjeuner m à la française.

continental quilt n (Br)
couette f.

continual [kənˈtɪnjʊəl] adj
continuel(-elle).

continually [kənˈtɪnjʊəli] adv
continuellement.

continue [kənˈtɪnjuː] vt continuer; (start again) poursuivre,
reprendre ♦ vi continuer; (start
again) poursuivre, reprendre; **to ~
doing sthg** continuer à faire qqch;
to ~ with sthg poursuivre qqch.

continuous [kənˈtɪnjʊəs] adj
(uninterrupted) continuel(-elle); (unbroken) continu(-e).

continuously [kənˈtɪnjʊəsli] adv
continuellement.

contraception [ˌkɒntrəˈsepʃn]
n contraception f.

contraceptive [ˌkɒntrəˈseptɪv]
n contraceptif m.

contract [n ˈkɒntrækt, vb kən-
ˈtrækt] n contrat m ♦ vt (fml: illness)
contracter.

contradict [ˌkɒntrəˈdɪkt] vt contredire.

contraflow [ˈkɒntrəfləʊ] n (Br)
système temporaire de circulation à
contre-sens sur une autoroute.

contrary [ˈkɒntrəri] n: **on the ~**
au contraire.

contrast [n 'kɒntrɑːst, vb kən-'trɑːst] n contraste m ♦ vt mettre en contraste; **in ~ to** par contraste avec.

contribute [kən'trɪbjuːt] vt (help, money) apporter ♦ vi: **to ~ to** contribuer à.

contribution [kɒntrɪ'bjuːʃən] n contribution f.

control [kən'trəʊl] n (power) contrôle m; (over emotions) maîtrise f de soi; (operating device) bouton m de réglage ♦ vt contrôler; **to be in ~** contrôler la situation; **out of ~** impossible à maîtriser; **everything's under ~** tout va bien; **to keep under ~** (dog, child) tenir □ **controls** npl (of TV, video) télécommande f; (of plane) commandes fpl.

control tower n tour f de contrôle.

controversial [kɒntrə'vɜːʃl] adj controversé(-e).

convenience [kən'viːnjəns] n commodité f; **at your ~** quand cela vous conviendra.

convenient [kən'viːnjənt] adj (suitable) commode; (well-situated) bien situé(-e); **would two thirty be ~?** est-ce que 14 h 30 vous conviendrait?

convent ['kɒnvənt] n couvent m.

conventional [kən'venʃənl] adj conventionnel(-elle).

conversation [kɒnvə'seɪʃn] n conversation f.

conversion [kən'vɜːʃn] n (change) transformation f; (of currency) conversion f; (to building) aménagement m.

convert [kən'vɜːt] vt (change) transformer; (currency, person)

convertir; **to ~ sth into** transformer qqch en.

converted [kən'vɜːtɪd] adj (barn, loft) aménagé(-e).

convertible [kən'vɜːtəbl] n (voiture) décapotable f.

convey [kən'veɪ] vt (fml: transport) transporter; (idea, impression) transmettre.

convict [n 'kɒnvɪkt, vb kən'vɪkt] n détenu m (-e f) ♦ vt: **to ~ sb (of)** déclarer qqn coupable (de).

convince [kən'vɪns] vt: **to ~ sb (of sth)** convaincre OR persuader qqn (de qqch); **to ~ sb to do sth** convaincre OR persuader qqn de faire qqch.

convoy ['kɒnvɔɪ] n convoi m.

cook [kuk] n cuisinier m (-ière f) ♦ vt (meal) préparer; (food) cuire ♦ vi (person) faire la cuisine, cuisiner; (food) cuire.

cookbook ['kukbuk] = **cookery book.**

cooker ['kukə'] n cuisinière f.

cookery ['kukərɪ] n cuisine f.

cookery book n livre m de cuisine.

cookie ['kukɪ] n (Am) biscuit m.

cooking ['kukɪŋ] n cuisine f.

cooking apple n pomme f à cuire.

cooking oil n huile f (alimentaire).

cool [kuːl] adj (temperature) frais (fraîche); (calm) calme; (unfriendly) froid(-e); (inf: great) génial(-e) ♦ vt refroidir □ **cool down** vi (food, liquid) refroidir; (after exercise) se rafraîchir; (become calmer) se calmer.

cooperate [kəʊ'ɒpəreɪt] vi coopérer.

cooperation [kəʊˌɒpəˈreɪʃn] *n* coopération *f*.

cooperative [kəʊˈɒpərətɪv] *adj* coopératif(-ive).

coordinates [kəʊˈɔːdɪnəts] *npl* (clothes) coordonnés *mpl*.

cope [kəʊp] *vi* se débrouiller; **to ~ with** (problem) faire face à; (situation) se sortir de.

copilot [ˈkəʊˌpaɪlət] *n* copilote *m*.

copper [ˈkɒpəʳ] *n* (metal) cuivre *m*; (Br: inf: coins) petite monnaie *f*.

copy [ˈkɒpɪ] *n* copie *f*; (of newspaper, book) exemplaire *m* ♦ *vt* copier; (photocopy) photocopier.

cord(uroy) [ˈkɔːd(ərɔɪ)] *n* velours *m* côtelé.

core [kɔːʳ] *n* (of fruit) trognon *m*.

coriander [ˌkɒrɪˈændəʳ] *n* coriandre *f*.

cork [kɔːk] *n* (in bottle) bouchon *m*.

corkscrew [ˈkɔːkskruː] *n* tire-bouchon *m*.

corn [kɔːn] *n* (Br: crop) céréales *fpl*; (Am: maize) maïs *m*; (on foot) cor *m*.

corned beef [kɔːnd-] *n* corned-beef *m inv*.

corner [ˈkɔːnəʳ] *n* coin *m*; (bend in road) virage *m*; (in football) corner *m*; **it's just around the ~** c'est tout près.

corner shop *n* (Br) magasin *m* de quartier.

cornet [ˈkɔːnɪt] *n* (Br: ice-cream cone) cornet *m* (biscuit).

cornflakes [ˈkɔːnfleɪks] *npl* corn flakes *mpl*.

corn-on-the-cob *n* épi *m* de maïs.

Cornwall [ˈkɔːnwɔːl] *n* Cornouailles *f*.

corporal [ˈkɔːpərəl] *n* caporal *m*.

corpse [kɔːps] *n* cadavre *m*, corps *m*.

correct [kəˈrekt] *adj* (accurate) correct(-e), exact(-e); (most suitable) bon (bonne) ♦ *vt* corriger.

correction [kəˈrekʃn] *n* correction *f*.

correspond [ˌkɒrɪˈspɒnd] *vi*: **to ~ (to)** (match) correspondre (à); **to ~ (with)** (exchange letters) correspondre (avec).

corresponding [ˌkɒrɪˈspɒndɪŋ] *adj* correspondant(-e).

corridor [ˈkɒrɪdɔːʳ] *n* couloir *m*.

corrugated iron [ˈkɒrəgeɪtɪd-] *n* tôle *f* ondulée.

corrupt [kəˈrʌpt] *adj* (dishonest) corrompu(-e); (morally wicked) dépravé(-e).

cosmetics [kɒzˈmetɪks] *npl* produits *mpl* de beauté.

cost [kɒst] *n* coût *m* ♦ *vt* coûter; **how much does it ~?** combien est-ce que ça coûte?

costly [ˈkɒstlɪ] *adj* (expensive) coûteux(-euse).

costume [ˈkɒstjuːm] *n* costume *m*.

cosy [ˈkəʊzɪ] *adj* (Br: room, house) douillet(-ette).

cot [kɒt] *n* (Br: for baby) lit *m* d'enfant; (Am: camp bed) lit *m* de camp.

cottage [ˈkɒtɪdʒ] *n* petite maison *f* (à la campagne).

cottage cheese *n* fromage frais granuleux.

cottage pie *n* (Br) hachis *m* Parmentier.

cotton [ˈkɒtn] *adj* en coton ♦ *n*

(cloth) coton *m*; *(thread)* fil *m* de coton.

cotton candy *n (Am)* barbe *f* à papa.

cotton wool *n* coton *m* (hydrophile).

couch [kautʃ] *n* canapé *m*; *(at doctor's)* lit *m*.

couchette [ku:ʃet] *n* couchette *f*.

cough [kɒf] *n* toux *f* ♦ *vi* tousser; **to have a ~** tousser.

cough mixture *n* sirop *m* pour la toux.

could [kud] *pt* → **can**.

couldn't ['kudnt] = **could not**.

could've ['kudəv] = **could have**.

council ['kaunsl] *n* conseil *m*; *(Br: of town)* = conseil municipal; *(Br: of county)* = conseil régional.

council house *n (Br)* = HLM *m inv or f inv*.

councillor ['kaunsələ'] *n (Br: of town)* = conseiller *m* municipal (conseillère municipale *f*); *(Br: of county)* = conseiller *m* régional (conseillère régionale *f*).

council tax *n (Br)* = impôts *mpl* locaux.

count [kaunt] *vt & vi* compter ♦ *n (nobleman)* comte *m* □ **count on** *vt fus (rely on)* compter sur; *(expect)* s'attendre à.

counter ['kauntə'] *n (in shop)* comptoir *m*; *(in bank)* guichet *m*; *(in board game)* pion *m*.

counterclockwise [,kauntə'klɒkwaiz] *adv (Am)* dans le sens inverse des aiguilles d'une montre.

counterfoil ['kauntəfɔil] *n* talon *m*.

countess ['kauntis] *n* comtesse *f*.

country ['kʌntri] *n* pays *m*; *(countryside)* campagne *f* ♦ *adj (pub)* de campagne; *(people)* de la campagne.

country and western *n* musique *f* country.

country house *n* manoir *m*.

country road *n* route *f* de campagne.

countryside ['kʌntrisaid] *n* campagne *f*.

county ['kaunti] *n* comté *m*.

couple ['kʌpl] *n* couple *m*; **a ~ (of) (two)** deux *m*; *(a few)* deux ou trois.

coupon ['ku:pɒn] *n* coupon *m*.

courage ['kʌrɪdʒ] *n* courage *m*.

courgette [kɔː'ʒet] *n (Br)* courgette *f*.

courier ['kuriə'] *n (for holidaymakers)* accompagnateur *m* (-trice *f*); *(for delivering letters)* coursier *m* (-ière *f*).

course [kɔːs] *n (of meal)* plat *m*; *(at college, of classes)* cours *mpl*; *(of injections)* série *f*; *(of river)* cours *m*; *(of ship, plane)* route *f*; *(for golf)* terrain *m*; **a ~ of treatment** un traitement; **of ~** bien sûr; **of ~ not** bien sûr que non; **in the ~ of** au cours de.

court [kɔːt] *n (JUR: building, room)* tribunal *m*; *(for tennis)* court *m*; *(for basketball, badminton)* terrain *m*; *(for squash)* salle *f*; *(of king, queen)* cour *f*.

courtesy coach ['kɜːtisi-] *n* navette *f* gratuite.

court shoes *npl* escarpins *mpl*.

courtyard ['kɔːtjɑːd] n cour f.

cousin ['kʌzn] n cousin m (-e f).

cover ['kʌvər] n (for furniture, car) housse f; (lid) couvercle m; (of magazine, blanket, insurance) couverture f ◆ vt couvrir; **to be ~ed in** être couvert de; **to ~ sthg with sthg** recouvrir qqch de qqch; **to take ~** s'abriter ▢ **cover up** vt sep (put cover on) couvrir; (facts, truth) cacher.

cover charge n couvert m.

cover note n (Br) attestation f provisoire d'assurance.

cow [kau] n (animal) vache f.

coward ['kauəd] n lâche mf.

cowboy ['kaubɔɪ] n cow-boy m.

crab [kræb] n crabe m.

crack [kræk] n (in cup, glass) fêlure f; (in wood, wall) fissure f; (gap) fente f ◆ vt (cup, glass) fêler; (wood, wall) fissurer; (nut, egg) casser; (inf: joke) faire; (whip) faire claquer ◆ vi (cup, glass) se fêler; (wood, wall) se fissurer.

cracker ['krækər] n (biscuit) biscuit m salé; (for Christmas) papillote contenant un pétard et une surprise, traditionnelle au moment des fêtes.

cradle ['kreɪdl] n berceau m.

craft [krɑːft] n (skill) art m; (trade) artisanat m; (boat: pl inv) embarcation f.

craftsman ['krɑːftsmən] (pl -men [-mən]) n artisan m.

cram [kræm] vt: **to ~ sthg into** entasser qqch dans; **to be crammed with** être bourré de.

cramp [kræmp] n crampe f; **stomach ~s** crampes d'estomac.

cranberry ['krænbərɪ] n airelle f.

cranberry sauce n sauce f aux airelles.

crane [kreɪn] n (machine) grue f.

crap [kræp] adj de merde, merdique ◆ n (vulg) merde f; **to have a ~** chier.

crash [kræʃ] n (accident) accident m; (noise) fracas m ◆ vi (plane) s'écraser; (car) avoir un accident ◆ vt: **to ~ one's car** avoir un accident de voiture ▢ **crash into** vt fus rentrer dans.

crash helmet n casque m.

crash landing n atterrissage m forcé.

crate [kreɪt] n cageot m.

crawl [krɔːl] vi (baby, person) marcher à quatre pattes; (insect) ramper; (traffic) avancer au pas ◆ n (swimming stroke) crawl m.

crawler lane ['krɔːlər-] n (Br) file f pour véhicules lents.

crayfish ['kreɪfɪʃ] (pl inv) n écrevisse f.

crayon ['kreɪɒn] n crayon m de couleur.

craze [kreɪz] n mode f.

crazy ['kreɪzɪ] adj fou (folle); **to be ~ about** être fou de.

crazy golf n golf m miniature.

cream [kriːm] n crème f ◆ adj (in colour) blanc cassé (inv).

cream cake n (Br) gâteau m à la crème.

cream cheese n fromage m frais.

cream sherry n xérès m doux.

cream tea n (Br) goûter se composant de thé et de scones servis avec de la crème et de la confiture.

creamy ['kriːmɪ] adj (food) à la crème; (texture) crémeux(-euse).

crease [kriːs] n pli m.

creased [kri:st] *adj* froissé(-e).

create [kri:'eɪt] *vt* créer; *(interest)* susciter.

creative [kri:'eɪtɪv] *adj* créatif(-ive).

creature [kri:tʃəʳ] *n* être *m*.

crèche [kreʃ] *n (Br)* crèche *f*, garderie *f*.

credit [kredɪt] *n (praise)* mérite *m*; *(money)* crédit *m*; *(at school, university)* unité *f* de valeur; **to be in ~ (account)** être approvisionné. **credits** *npl (of film)* générique *m*.

credit card *n* carte *f* de crédit; **to pay by ~** payer par carte de crédit; **"all major ~ accepted"** «on accepte les cartes de crédit».

creek [kri:k] *n (inlet)* crique *f*; *(Am: river)* ruisseau *m*.

creep [kri:p] *(pt & pp* crept) *vi (person)* se glisser ♦ *n (inf: groveller)* lèche-bottes *mf inv*.

cremate [krɪ'meɪt] *vt* incinérer.

crematorium [ˌkremə'tɔ:rɪəm] *n* crématorium *m*.

crept [krept] *pt & pp* → **creep**.

cress [kres] *n* cresson *m*.

crest [krest] *n (of hill, wave)* crête *f*; *(emblem)* blason *m*.

crew [kru:] *n* équipage *m*.

crew neck *n* encolure *f* ras du cou.

crib [krɪb] *n (Am)* lit *m* d'enfant.

cricket [krɪkɪt] *n (game)* cricket *m*; *(insect)* grillon *m*.

crime [kraɪm] *n (offence)* délit *m*; *(illegal activity)* criminalité *f*.

criminal [krɪmɪnl] *adj* criminel(-elle) ♦ *n* criminel *m* -elle *f*).

cripple [krɪpl] *n* infirme *mf* ♦ *vt (subj: disease, accident)* estropier.

crisis [kraɪsɪs] *(pl* crises [kraɪsi:z]) *n* crise *f*.

crisp [krɪsp] *adj (bacon, pastry)* croustillant(-e); *(fruit, vegetable)* croquant(-e) ❑ **crisps** *npl (Br)* chips *fpl*.

crispy [krɪspɪ] *adj (bacon, pastry)* croustillant(-e); *(fruit, vegetable)* croquant(-e).

critic [krɪtɪk] *n* critique *mf*.

critical [krɪtɪkl] *adj* critique.

criticize [krɪtɪsaɪz] *vt* critiquer.

crockery [krɒkərɪ] *n* vaisselle *f*.

crocodile [krɒkədaɪl] *n* crocodile *m*.

crocus [krəʊkəs] *(pl* -es) *n* crocus *m*.

crooked [krʊkɪd] *adj (bent, twisted)* tordu(-e).

crop [krɒp] *n (kind of plant)* culture *f*; *(harvest)* récolte *f* ❑ **crop up** *vi* se présenter.

cross [krɒs] *adj* fâché(-e) ♦ *vt (road, river, ocean)* traverser; *(arms, legs)* croiser; *(Br: cheque)* barrer ♦ *vi (intersect)* se croiser ♦ *n* croix *f*; **a ~ between** *(animals)* un croisement entre; *(things)* un mélange de ❑ **cross out** *vt sep* barrer; **cross over** *vt fus (road)* traverser.

crossbar [krɒsba:ʳ] *n (of bicycle)* barre *f*; *(of goal)* barre transversale *f*.

cross-Channel ferry *n* ferry *m* transmanche.

cross-country (running) *n* cross *m*.

crossing [krɒsɪŋ] *n (on road)* passage *m* clouté; *(sea journey)* traversée *f*.

crossroads [krɒsrəʊdz] *(pl inv)* *n* croisement *m*, carrefour *m*.

crosswalk [krɒswɔ:k] *n (Am)*

passage *m* clouté.

crossword (puzzle) ['krɒs-wɜːd] *n* mots croisés *mpl*.

crotch [krɒtʃ] *n* entrejambe *m*.

crouton ['kruːtɒn] *n* croûton *m*.

crow [krəʊ] *n* corbeau *m*.

crowbar ['krəʊbɑːʳ] *n* pied-de-biche *m*.

crowd [kraʊd] *n* foule *f*; (at match) public *m*.

crowded ['kraʊdɪd] *adj* (bus) bondé(-e); (street) plein(-e) de monde.

crown [kraʊn] *n* couronne *f*; (of head) sommet *m*.

Crown Jewels *npl* joyaux *mpl* de la couronne.

[i] **CROWN JEWELS**

Les joyaux de la couronne britannique, portés par le souverain lors des grandes occasions, sont exposés dans la Tour de Londres. Les joyaux de l'ancienne couronne écossaise sont, eux, visibles au château d'Édimbourg.

crucial ['kruːʃl] *adj* crucial(-e).

crude [kruːd] *adj* grossier(-ière).

cruel [krʊəl] *adj* cruel(-elle).

cruelty ['krʊəltɪ] *n* cruauté *f*.

cruet (set) ['kruːɪt] *n* service *m* à condiments.

cruise [kruːz] *n* croisière *f* ♦ vi (car) rouler; (plane) voler; (ship) croiser.

cruiser ['kruːzəʳ] *n* bateau *m* de croisière.

crumb [krʌm] *n* miette *f*.

crumble ['krʌmbl] *n* dessert com- posé d'une couche de fruits cuits recouverts de pâte sablée ♦ vi (building) s'écrouler; (cliff) s'effriter.

crumpet ['krʌmpɪt] *n* petite crêpe épaisse qui se mange généralement chaude et beurrée.

crunchy ['krʌntʃɪ] *adj* croquant(-e).

crush [krʌʃ] *n* (drink) jus de fruit ♦ vt écraser; (ice) piler.

crust [krʌst] *n* croûte *f*.

crusty ['krʌstɪ] *adj* croustillant(-e).

crutch [krʌtʃ] *n* (stick) béquille *f*; (between legs) = **crotch**.

cry [kraɪ] *n* cri *m* ♦ vi pleurer; (shout) crier □ **cry out** vi (in pain, horror) pousser un cri.

crystal ['krɪstl] *n* cristal *m*.

cub [kʌb] *n* (animal) petit *m*.

Cub [kʌb] *n* = louveteau *m*.

cube [kjuːb] *n* (shape) cube *m*; (of sugar) morceau *m*.

cubicle ['kjuːbɪkl] *n* cabine *f*.

Cub Scout = **Cub**.

cuckoo ['kʊkuː] *n* coucou *m*.

cucumber ['kjuːkʌmbəʳ] *n* concombre *m*.

cuddle ['kʌdl] *n* câlin *m*.

cuddly toy ['kʌdlɪ-] *n* jouet *m* en peluche.

cue [kjuː] *n* (in snooker, pool) queue *f* (de billard).

cuff [kʌf] *n* (of sleeve) poignet *m*; (Am: of trousers) revers *m*.

cuff links *npl* boutons *mpl* de manchette.

cuisine [kwɪˈziːn] *n* cuisine *f*.

cul-de-sac ['kʌldəsæk] *n* impasse *f*.

cult [kʌlt] *n* (RELIG) culte *m* ♦ adj culte.

cultivate [ˈkʌltɪveɪt] *vt* cultiver.

cultivated [ˈkʌltɪveɪtɪd] *adj* cultivé(-e).

cultural [ˈkʌltʃərəl] *adj* culturel(-elle).

culture [ˈkʌltʃəʳ] *n* culture *f*.

cumbersome [ˈkʌmbəsəm] *adj* encombrant(-e).

cumin [ˈkjuːmɪn] *n* cumin *m*.

cunning [ˈkʌnɪŋ] *adj* malin(-igne).

cup [kʌp] *n* tasse *f*; *(trophy, competition)* coupe *f*; *(of bra)* bonnet *m*.

cupboard [ˈkʌbəd] *n* placard *m*.

curator [kjʊəˈreɪtəʳ] *n* conservateur *m* (-trice *f*).

curb [kɜːb] *(Am)* = **kerb**.

curd cheese [ˌkɜːd-] *n* fromage *m* blanc battu.

cure [kjʊəʳ] *n* remède *m* ♦ *vt* *(illness, person)* guérir; *(with salt)* saler; *(with smoke)* fumer; *(by drying)* sécher.

curious [ˈkjʊərɪəs] *adj* curieux(-ieuse).

curl [kɜːl] *n* *(of hair)* boucle *f* ♦ *vt* *(hair)* friser.

curler [ˈkɜːləʳ] *n* bigoudi *m*.

curly [ˈkɜːlɪ] *adj* frisé(-e).

currant [ˈkʌrənt] *n* raisin *m* sec.

currency [ˈkʌrənsɪ] *n* *(cash)* monnaie *f*; *(foreign)* devise *f*.

current [ˈkʌrənt] *adj* actuel(-elle) ♦ *n* courant *m*.

current account *n* *(Br)* compte *m* courant.

current affairs *npl* l'actualité *f*.

currently [ˈkʌrəntlɪ] *adv* actuellement.

curriculum [kəˈrɪkjələm] *n* programme *m* (d'enseignement).

curriculum vitae [-ˈviːtaɪ] *n* *(Br)* curriculum vitae *m inv*.

curried [ˈkʌrɪd] *adj* au curry.

curry [ˈkʌrɪ] *n* curry *m*.

curse [kɜːs] *vi* jurer.

cursor [ˈkɜːsəʳ] *n* curseur *m*.

curtain [ˈkɜːtn] *n* rideau *m*.

curve [kɜːv] *n* courbe *f* ♦ *vi* faire une courbe.

curved [kɜːvd] *adj* courbe.

cushion [ˈkʊʃn] *n* coussin *m*.

custard [ˈkʌstəd] *n* crème *f* anglaise (épaisse).

custom [ˈkʌstəm] *n* *(tradition)* coutume *f*; **"thank you for your ~"** «merci de votre visite».

customary [ˈkʌstəmrɪ] *adj* habituel(-elle).

customer [ˈkʌstəməʳ] *n* *(of shop)* client *m* (-e *f*).

customer services *n* *(department)* service *m* clients.

customs [ˈkʌstəmz] *n* douane *f*; **to go through ~** passer à la douane.

customs duty *n* droit *m* de douane.

customs officer *n* douanier *m* (-ière *f*).

cut [kʌt] *(pt & pp* cut) *n* *(in skin)* coupure *f*; *(in cloth)* accroc *m*; *(reduction)* réduction *f*; *(piece of meat)* morceau *m*; *(hairstyle, of clothes)* coupe *f* ♦ *vi* couper ♦ *vt* couper; *(reduce)* réduire; **to ~ one's hand** se couper la main; **~ and blow-dry** coupe-brushing *m*; **to ~ o.s.** se couper; **to have one's hair ~** se faire couper les cheveux; **to ~ the grass** tondre la pelouse; **to ~ sthg open** ouvrir qqch □ **cut back** *vi*: **to ~ back (on)** faire des économies (sur); **cut down** *vt sep* *(tree)* abattre; **cut down on** *vt fus* réduire; **cut off** *vt sep* couper; **I've been ~ off** *(on phone)* j'ai été coupé; **to be ~ off** *(isolated)* être isolé; **cut out** *vt sep (newspaper article, photo)* découper ◆ *vi (engine)* caler; **to ~ out smoking** arrêter de fumer; **~ it out!** *(inf)* ça suffit!; **cut up** *vt sep* couper.

cute [kju:t] *adj* mignon(-onne).

cut-glass *adj* en cristal taillé.

cutlery ['kʌtləri] *n* couverts *mpl*.

cutlet ['kʌtlɪt] *n (of meat)* côtelette *f; (of nuts, vegetables)* croquette *f*.

cut-price *adj* à prix réduit.

cutting ['kʌtɪŋ] *n (from newspaper)* coupure *f* de presse.

CV *n (Br: abbr of curriculum vitae)* CV *m*.

cwt *abbr* = **hundredweight**.

cycle ['saɪkl] *n (bicycle)* vélo *m; (series)* cycle *m* ◆ *vi* aller en vélo.

cycle hire *n* location *f* de vélos.

cycle lane *n* piste *f* cyclable *(sur la route)*.

cycle path *n* piste *f* cyclable.

cycling ['saɪklɪŋ] *n* cyclisme *m;* **to go ~** faire du vélo.

cycling shorts *npl* cycliste *m*.

cyclist ['saɪklɪst] *n* cycliste *mf*.

cylinder ['sɪlɪndəʳ] *n (container)* bouteille *f; (in engine)* cylindre *m*.

cynical ['sɪnɪkl] *adj* cynique.

Czech [tʃek] *adj* tchèque ◆ *n (person)* Tchèque *mf; (language)* tchèque *m*.

Czechoslovakia [,tʃekəsləˈvækɪə] *n* la Tchécoslovaquie.

Czech Republic *n*: **the ~** la République tchèque.

D

dab [dæb] *vt (wound)* tamponner.

dad [dæd] *n (inf)* papa *m*.

daddy ['dædɪ] *n (inf)* papa *m*.

daddy longlegs [-'lɒŋlegz] *(pl inv)* *n* faucheux *m*.

daffodil ['dæfədɪl] *n* jonquille *f*.

daft [dɑːft] *adj (Br: inf)* idiot(-e).

daily ['deɪlɪ] *adj* quotidien(-ienne) ◆ *adv* quotidiennement ◆ *n*: **a ~ (newspaper)** un quotidien.

dairy ['deərɪ] *n (on farm)* laiterie *f; (shop)* crémerie *f*.

dairy product *n* produit *m* laitier.

daisy ['deɪzɪ] *n* pâquerette *f*.

dam [dæm] *n* barrage *m*.

damage ['dæmɪdʒ] *n* dégâts *mpl; (fig: to reputation)* tort *m* ◆ *vt* abîmer; *(fig: reputation)* nuire à; *(fig: chances)* compromettre.

damn [dæm] *excl (inf)* zut! ◆ *adj (inf)* sacré(-e); **I don't give a ~** je m'en fiche pas mal.

damp [dæmp] *adj* humide ◆ *n* humidité *f*.

damson ['dæmzn] *n* petite prune acide.

dance [dɑːns] *n (social event)* bal *m* ◆ *vi* danser; **to have a ~** danser.

dance floor *n (in club)* piste *f* de danse.

dancer ['dɑːnsəʳ] *n* danseur *m* (-euse *f*).

dancing ['dɑːnsɪŋ] *n* danse *f;* **to go ~** aller danser.

dandelion ['dændɪlaɪən] n pissenlit m.

dandruff ['dændrʌf] n pellicules fpl.

Dane [deɪn] n Danois m (-e f).

danger ['deɪndʒəʳ] n danger m; **in ~** en danger.

dangerous ['deɪndʒərəs] adj dangereux(-euse).

Danish ['deɪnɪʃ] adj danois(-e) ♦ n (language) danois m.

Danish pastry n feuilleté glacé sur le dessus, fourré généralement à la confiture de pommes ou de cerises.

dare [deəʳ] vt: **to ~ to do sthg** oser faire qqch; **to ~ sb to do sthg** défier qqn de faire qqch; **how ~ you!** comment oses-tu!

daring ['deərɪŋ] adj audacieux(-ieuse).

dark [dɑːk] adj (room, night) sombre; (colour) foncé(-e); (person) brun(-e); (skin) foncé(-e) ♦ n: after ~ après la tombée de la nuit; **the ~** le noir.

dark chocolate n chocolat m noir.

dark glasses npl lunettes fpl noires.

darkness ['dɑːknɪs] n obscurité f.

darling ['dɑːlɪŋ] n chéri m (-e f).

dart [dɑːt] n fléchette f □ **darts** n (game) fléchettes fpl.

dartboard ['dɑːtbɔːd] n cible f (de jeu de fléchettes).

dash [dæʃ] n (of liquid) goutte f; (in writing) tiret m ♦ vi se précipiter.

dashboard ['dæʃbɔːd] n tableau m de bord.

data ['deɪtə] n données fpl.

database ['deɪtəbeɪs] n base f de données.

date [deɪt] n (day) date f; (meeting) rendez-vous m; (Am: person) petit ami m (petite amie f); (fruit) datte f ♦ vt (cheque, letter) dater; (person) sortir avec ♦ vi (become unfashionable) dater; **what's the ~?** quel jour sommes-nous?; **to have a ~ with sb** avoir rendez-vous avec qqn.

date of birth n date f de naissance.

daughter ['dɔːtəʳ] n fille f.

daughter-in-law n belle-fille f.

dawn [dɔːn] n aube f.

day [deɪ] n (of week) jour m; (period, working day) journée f; **what is it today?** quel jour sommes-nous?; **what a lovely ~!** quelle belle journée!; **to have a ~ off** avoir un jour de congé; **to have a ~ out** aller passer une journée quelque part; **by ~** (travel) de jour; **the ~ after tomorrow** après-demain; **the ~ before** la veille; **the ~ before yesterday** avant-hier; **the following ~** le jour suivant; **have a nice ~!** bonne journée!

daylight ['deɪlaɪt] n jour m.

day return n (Br: railway ticket) aller-retour valable pour une journée.

dayshift ['deɪʃɪft] n: **to be on ~** travailler de jour.

daytime ['deɪtaɪm] n journée f.

day-to-day adj (everyday) quotidien(-ienne).

day trip n excursion f (d'une journée).

dazzle ['dæzl] vt éblouir.

DC abbr = direct current.

dead [ded] adj mort(-e); (tele-

phone line) coupé(-e) ◆ *adv (inf: very)* super; **~ in the middle** en plein milieu; **~ on time** pile à l'heure; **it's ~ ahead** c'est droit devant; **"~ slow"** «roulez au pas».

dead end *n (street)* impasse *f*, cul-de-sac *m*.

deadline ['dedlaɪn] *n* date *f* limite.

deaf [def] *adj* sourd(-e) ◆ *npl*: **the ~** les sourds *mpl*.

deal [diːl] *(pt & pp dealt) n (agreement)* marché *m*, affaire *f* ◆ *vt (cards)* donner; **a good/bad ~** une bonne/mauvaise affaire; **a great ~ of** beaucoup de; **it's a ~!** marché conclu! ❑ **deal in** *vt fus* faire le commerce de; **deal with** *vt fus (handle)* s'occuper de; *(be about)* traiter de.

dealer ['diːləʳ] *n (COMM)* marchand *m* (-e *f*); *(in drugs)* dealer *m*.

dealt [delt] *pt & pp →* **deal**.

dear [dɪəʳ] *adj* cher (chère) ◆ *n*: **my ~** *(to friend)* mon cher; *(to lover)* mon chéri; **Dear Sir** cher Monsieur; **Dear Madam** chère Madame; **Dear John** cher John; **oh ~!** mon Dieu!

death [deθ] *n* mort *f*.

debate [dɪ'beɪt] *n* débat *m* ◆ *vt (wonder)* se demander.

debit ['debɪt] *n* débit *m* ◆ *vt (account)* débiter.

debt [det] *n* dette *f*; **to be in ~** être endetté.

decaff ['diːkæf] *n (inf)* déca *m*.

decaffeinated [diː'kæfɪneɪtɪd] *adj* décaféiné(-e).

decanter [dɪ'kæntəʳ] *n* carafe *f*.

decay [dɪ'keɪ] *n (of building)* délabrement *m*; *(of wood)* pourrissement *m*; *(of tooth)* carie *f* ◆ *vi (rot)*

pourrir.

deceive [dɪ'siːv] *vt* tromper.

decelerate [diː'seləreɪt] *vi* ralentir.

December [dɪ'sembəʳ] *n* décembre *m*, → **September**.

decent ['diːsnt] *adj (meal, holiday)* vrai(-e); *(price, salary)* correct(-e); *(respectable)* décent(-e); *(kind)* gentil(-ille).

decide [dɪ'saɪd] *vt* décider ◆ *vi* (se) décider; **to ~ to do sth** décider de faire qqch ❑ **decide on** *vt fus* se décider pour.

decimal ['desɪml] *adj* décimal(-e).

decimal point *n* virgule *f*.

decision [dɪ'sɪʒn] *n* décision *f*; **to make a ~** prendre une décision.

decisive [dɪ'saɪsɪv] *adj (person)* décidé(-e); *(event, factor)* décisif(-ive).

deck [dek] *n (of ship)* pont *m*; *(of bus)* étage *m*; *(of cards)* jeu *m* (de cartes).

deckchair ['dektʃeəʳ] *n* chaise *f* longue.

declare [dɪ'kleəʳ] *vt* déclarer; **to ~ that** déclarer que; **"nothing to ~"** «rien à déclarer».

decline [dɪ'klaɪn] *n* déclin *m* ◆ *vi (get worse)* décliner; *(refuse)* refuser.

decorate ['dekəreɪt] *vt* décorer.

decoration [dekə'reɪʃn] *n* décoration *f*.

decorator ['dekəreɪtəʳ] *n* décorateur *m* (-trice *f*).

decrease [*n* 'diːkriːs, *vb* diː'kriːs] *n* diminution *f* ◆ *vi* diminuer.

dedicated ['dedɪkeɪtɪd] *adj (committed)* dévoué(-e).

deduce [dɪ'djuːs] *vt* déduire, conclure.

deduct [dɪ'dʌkt] *vt* déduire.

deduction [dɪ'dʌkʃn] *n* déduction *f*.

deep [di:p] *adj* profond(-e) ♦ *adv* profond; **the swimming pool is 2 m ~** la piscine fait 2 m de profondeur.

deep end *n* (*of swimming pool*) côté le plus profond.

deep freeze *n* congélateur *m*.

deep-fried ['fraɪd] *adj* frit(-e).

deep-pan *adj* (*pizza*) à pâte épaisse.

deer [dɪəʳ] (*pl inv*) *n* cerf *m*.

defeat [dɪ'fi:t] *n* défaite *f* ♦ *vt* battre.

defect ['di:fekt] *n* défaut *m*.

defective [dɪ'fektɪv] *adj* défectueux(-euse).

defence [dɪ'fens] *n* (*Br*) défense *f*.

defend [dɪ'fend] *vt* défendre.

defense [dɪ'fens] (*Am*) = defence.

deficiency [dɪ'fɪʃnsɪ] *n* (*lack*) manque *m*.

deficit ['defɪsɪt] *n* déficit *m*.

define [dɪ'faɪn] *vt* définir.

definite ['defɪnɪt] *adj* (*clear*) net (nette); (*certain*) certain(-e).

definite article *n* article *m* défini.

definitely ['defɪnɪtlɪ] *adv* (*certainly*) sans aucun doute; **I'll ~ come** je viens, c'est sûr.

definition [defɪ'nɪʃn] *n* définition *f*.

deflate [dɪ'fleɪt] *vt* (*tyre*) dégonfler.

deflect [dɪ'flekt] *vt* (*ball*) dévier.

defogger [di:'fɒgəʳ] *n* (*Am*) dis-

positif *m* antibuée.

deformed [dɪ'fɔ:md] *adj* difforme.

defrost [di:'frɒst] *vt* (*food*) décongeler; (*fridge*) dégivrer; (*Am: demist*) désembuer.

degree [dɪ'gri:] *n* (*unit of measurement*) degré *m*; (*qualification*) licence *f*; (*amount*): **a ~ of difficulty** une certaine difficulté; **to have a ~ in sthg** ≃ avoir une licence de qqch.

dehydrated [di:haɪ'dreɪtd] *adj* déshydraté(-e).

de-ice [di:'aɪs] *vt* dégivrer.

de-icer [di:'aɪsəʳ] *n* dégivreur *m*.

dejected [dɪ'dʒektɪd] *adj* découragé(-e).

delay [dɪ'leɪ] *n* retard *m* ♦ *vt* retarder ♦ *vi* tarder; **without ~** sans délai.

delayed [dɪ'leɪd] *adj* retardé(-e).

delegate [*n* 'delɪgət, *vb* 'delɪgeɪt] *n* délégué *m* (-e *f*) ♦ *vt* (*person*) déléguer.

delete [dɪ'li:t] *vt* effacer.

deli ['delɪ] *n* (*inf*) = delicatessen.

deliberate [dɪ'lɪbərət] *adj* (*intentional*) délibéré(-e).

deliberately [dɪ'lɪbərətlɪ] *adv* (*intentionally*) délibérément.

delicacy ['delɪkəsɪ] *n* (*food*) mets *m* fin.

delicate ['delɪkət] *adj* délicat(-e).

delicatessen [delɪkə'tesn] *n* épicerie *f* fine.

delicious [dɪ'lɪʃəs] *adj* délicieux(-ieuse).

delight [dɪ'laɪt] *n* (*feeling*) plaisir *m* ♦ *vt* enchanter; **to take (a) ~ in doing sthg** prendre plaisir à faire qqch.

delighted [dɪ'laɪtɪd] *adj* ravi(-e).

delightful [dɪ'laɪtful] *adj* charmant(-e).

deliver [dɪ'lɪvə'] *vt* (*goods*) livrer; (*letters, newspaper*) distribuer; (*speech, lecture*) faire; (*baby*) mettre au monde.

delivery [dɪ'lɪvərɪ] *n* (*of goods*) livraison *f*; (*of letters*) distribution *f*; (*birth*) accouchement *m*.

delude [dɪ'luːd] *vt* tromper.

de luxe [də'lʌks] *adj* de luxe.

demand [dɪ'mɑːnd] *n* (*request*) revendication *f*; (*COMM*) demande *f*; (*requirement*) exigence *f* ♦ *vt* exiger; **to ~ to do sthg** exiger de faire qqch; **in ~** demandé.

demanding [dɪ'mɑːndɪŋ] *adj* astreignant(-e).

demerara sugar [dɛmə'reərə-] *n* cassonade *f*.

demist [diː'mɪst] *vt* (*Br*) désembuer.

demister [,diː'mɪstə'] *n* (*Br*) dispositif *m* antibuée.

democracy [dɪ'mɒkrəsɪ] *n* démocratie *f*.

Democrat ['dɛməkræt] *n* (*Am*) démocrate *mf*.

democratic [dɛmə'krætɪk] *adj* démocratique.

demolish [dɪ'mɒlɪʃ] *vt* démolir.

demonstrate ['dɛmənstreɪt] *vt* (*prove*) démontrer; (*machine, appliance*) faire une démonstration de ♦ *vi* manifester.

demonstration [,dɛmən-'streɪʃn] *n* (*protest*) manifestation *f*; (*proof, of machine*) démonstration *f*.

denial [dɪ'naɪəl] *n* démenti *m*.

denim ['dɛnɪm] *n* denim *m* ❑

denims *npl* jean *m*.

denim jacket *n* veste *f* en jean.

Denmark ['dɛnmɑːk] *n* le Danemark.

dense [dens] *adj* dense.

dent [dent] *n* bosse *f*.

dental ['dentl] *adj* dentaire.

dental floss [-flɒs] *n* fil *m* dentaire.

dental surgeon *n* chirurgien-dentiste *m*.

dental surgery *n* (*place*) cabinet *m* dentaire.

dentist ['dentɪst] *n* dentiste *m*; **to go to the ~'s** aller chez le dentiste.

dentures ['dentʃəz] *npl* dentier *m*.

deny [dɪ'naɪ] *vt* nier; (*refuse*) refuser.

deodorant [diː'əudərənt] *n* déodorant *m*.

depart [dɪ'pɑːt] *vi* partir.

department [dɪ'pɑːtmənt] *n* (*of business*) service *m*; (*of government*) ministère *m*; (*of shop*) rayon *m*; (*of school, university*) département *m*.

department store *n* grand magasin *m*.

departure [dɪ'pɑːtʃə'] *n* départ *m*; **"~s"** (*at airport*) «départs».

departure lounge *n* salle *f* d'embarquement.

depend [dɪ'pend] *vi*: **it ~s** ça dépend ❑ **depend on** *vt fus* dépendre de; **~ing on** selon.

dependable [dɪ'pendəbl] *adj* fiable.

deplorable [dɪ'plɔːrəbl] *adj* déplorable.

deport [dɪ'pɔːt] *vt* expulser.

deposit [dɪ'pɒzɪt] *n* (*in bank, sub-*

stance) dépôt *m*; *(part-payment)* acompte *m*; *(against damage)* caution *f*; *(on bottle)* consigne *f* ◆ *vt* déposer.

deposit account *n (Br)* compte *m* sur livret.

depot ['di:pəʊ] *n (Am: for buses, trains)* gare *f*.

depressed [dɪ'prest] *adj* déprimé(-e).

depressing [dɪ'presɪŋ] *adj* déprimant(-e).

depression [dɪ'preʃn] *n* dépression *f*.

deprive [dɪ'praɪv] *vt*: to ~ sb of sthg priver qqn de qqch.

depth [depθ] *n* profondeur *f*; to be out of one's ~ *(when swimming)* ne pas avoir pied; *(fig)* perdre pied; ~ of field *(in photography)* profondeur de champ.

deputy ['depjʊtɪ] *adj* adjoint(-e).

derailleur [dǝ'reɪljǝ'] *n* dérailleur *m*.

derailment [dɪ'reɪlmǝnt] *n* déraillement *m*.

derelict ['derǝlɪkt] *adj* abandonné(-e).

derv [dɜ:v] *n (Br)* gas-oil *m*.

descend [dɪ'send] *vt & vi* descendre.

descendant [dɪ'sendǝnt] *n* descendant *m* (-e *f*).

descent [dɪ'sent] *n* descente *f*.

describe [dɪ'skraɪb] *vt* décrire.

description [dɪ'skrɪpʃn] *n* description *f*.

desert [*n* 'dezǝt, *vb* dɪ'zɜ:t] *n* désert *m* ◆ *vt* abandonner.

deserted [dɪ'zɜ:tɪd] *adj* désert(-e).

deserve [dɪ'zɜ:v] *vt* mériter.

design [dɪ'zaɪn] *n (pattern, art)* dessin *m*; *(of machine, building)* conception *f* ◆ *vt (building, dress)* dessiner; *(machine)* concevoir; to be ~ed for être conçu pour.

designer [dɪ'zaɪnǝ'] *n (of clothes)* couturier *m* (-ière *f*); *(of building)* architecte *mf*; *(of product)* designer *m* ◆ *adj (clothes, sunglasses)* de marque.

desirable [dɪ'zaɪǝrǝbl] *adj* souhaitable.

desire [dɪ'zaɪǝ'] *n* désir *m* ◆ *vt* désirer; it leaves a lot to be ~d ça laisse à désirer.

desk [desk] *n (in home, office)* bureau *m*; *(in school)* table *f*; *(at airport)* comptoir *m*; *(at hotel)* réception *f*.

desktop publishing ['desk,tɒp-] *n* publication *f* assistée par ordinateur.

despair [dɪ'speǝ'] *n* désespoir *m*.

despatch [dɪ'spætʃ] = dispatch.

desperate ['desprǝt] *adj* désespéré(-e); to be ~ for sthg avoir absolument besoin de qqch.

despicable [dɪ'spɪkǝbl] *adj* méprisable.

despise [dɪ'spaɪz] *vt* mépriser.

despite [dɪ'spaɪt] *prep* malgré.

dessert [dɪ'zɜ:t] *n* dessert *m*.

dessertspoon [dɪ'zɜ:tspu:n] *n* cuillère *f* à dessert; *(spoonful)* cuillerée *f* à dessert.

destination [,destɪ'neɪʃn] *n* destination *f*.

destroy [dɪ'strɔɪ] *vt* détruire.

destruction [dɪ'strʌkʃn] *n* destruction *f*.

detach [dɪ'tætʃ] *vt* détacher.

detached house [dɪ'tætʃt-] *n*

maison f individuelle.

detail ['diːteɪl] n détail m; in ~ en détail □ **details** npl (facts) renseignements mpl.

detailed ['diːteɪld] adj détaillé(-e).

detect [dɪˈtekt] vt détecter.

detective [dɪˈtektɪv] n détective m; a ~ story une histoire policière.

detention [dɪˈtenʃn] n (SCH) retenue f.

detergent [dɪˈtɜːdʒənt] n détergent m.

deteriorate [dɪˈtɪərɪəreɪt] vi se détériorer.

determination [dɪˌtɜːmɪˈneɪʃn] n détermination f.

determine [dɪˈtɜːmɪn] vt déterminer.

determined [dɪˈtɜːmɪnd] adj déterminé(-e); to be ~ to do sthg être déterminé à faire qqch.

deterrent [dɪˈterənt] n moyen m de dissuasion.

detest [dɪˈtest] vt détester.

detour ['diːˌtʊəʳ] n détour m.

detrain [ˌdiːˈtreɪn] vi (fml) descendre (du train).

deuce [djuːs] n (in tennis) égalité f.

devastate ['devəsteɪt] vt dévaster.

develop [dɪˈveləp] vt développer; (land) exploiter; (machine, method) mettre au point; (illness, habit) contracter ♦ vi se développer.

developing country [dɪˈveləpɪŋ-] n pays m en voie de développement.

development [dɪˈveləpmənt] n développement m; a housing ~ une cité.

device [dɪˈvaɪs] n appareil m.

devil ['devl] n diable m; what the ~ ...? (inf) que diable ...?

devise [dɪˈvaɪz] vt concevoir.

devoted [dɪˈvəʊtɪd] adj dévoué(-e).

dew [djuː] n rosée f.

diabetes [ˌdaɪəˈbiːtiːz] n diabète m.

diabetic [ˌdaɪəˈbetɪk] adj (person) diabétique; (chocolate) pour diabétiques ♦ n diabétique mf.

diagnosis [ˌdaɪəgˈnəʊsɪs] (pl -oses [-əʊsiːz]) n diagnostic m.

diagonal [daɪˈægənl] adj diagonal(-e).

diagram ['daɪəgræm] n diagramme m.

dial [daɪəl] n cadran m ♦ vt composer.

dialling code ['daɪəlɪŋ-] n (Br) indicatif m.

dialling tone ['daɪəlɪŋ-] n (Br) tonalité f.

dial tone (Am) = dialling tone.

diameter [daɪˈæmɪtəʳ] n diamètre m.

diamond ['daɪəmənd] n (gem) diamant m □ **diamonds** npl (in cards) carreau m.

diaper ['daɪpəʳ] n (Am) couche f.

diarrhoea [ˌdaɪəˈrɪə] n diarrhée f.

diary ['daɪərɪ] n (for appointments) agenda m; (journal) journal m.

dice [daɪs] (pl inv) n dé m.

diced [daɪst] adj (food) coupé(-e) en dés.

dictate [dɪkˈteɪt] vt dicter.

dictation [dɪkˈteɪʃn] n dictée f.

dictator [dɪkˈteɪtəʳ] n dictateur m.

dictionary ['dıkʃənrı] n dictionnaire m.

did [dıd] pt → do.

die [daı] (pt & pp died, cont dying ['daııŋ]) vi mourir; **to be dying for sthg** (inf) avoir une envie folle de qqch; **to be dying to do sthg** (inf) mourir d'envie de faire qqch ❑ **die away** vi (sound) s'éteindre; (wind) tomber; **die out** vi disparaître.

diesel ['di:zl] n diesel m.

diet ['daıət] n (for slimming, health) régime m; (food eaten) alimentation f ◆ vi faire (un) régime ◆ adj de régime.

diet Coke® n Coca® m inv light.

differ ['dıfər] vi (disagree) être en désaccord; **to ~ (from)** (be dissimilar) différer (de).

difference ['dıfrəns] n différence f; **it makes no ~** ça ne change rien; **a ~ of opinion** une divergence d'opinion.

different ['dıfrənt] adj différent(-e); **to be ~ (from)** être différent (de); **a ~ route** un autre itinéraire.

differently ['dıfrəntlı] adv différemment.

difficult ['dıfıkəlt] adj difficile.

difficulty ['dıfıkəltı] n difficulté f.

dig [dıg] (pt & pp dug) vt (hole, tunnel) creuser; (garden, land) retourner ◆ vi creuser ❑ **dig out** vt sep (rescue) dégager; (find) dénicher; **dig up** vt sep (from ground) déterrer.

digest [dı'dʒest] vt digérer.

digestion [dı'dʒestʃn] n digestion f.

digestive (biscuit) [dı'dʒes-

tıv-] n (Br) biscuit à la farine complète.

digit ['dıdʒıt] n (figure) chiffre m; (finger, toe) doigt m.

digital ['dıdʒıtl] adj numérique.

dill [dıl] n aneth m.

dilute [daı'lu:t] vt diluer.

dim [dım] adj (light) faible; (room) sombre; (inf: stupid) borné(-e) ◆ vt (light) baisser.

dime [daım] n (Am) pièce f de dix cents.

dimensions [dı'menʃnz] npl dimensions fpl.

din [dın] n vacarme m.

dine [daın] vi dîner ❑ **dine out** vi dîner dehors.

diner ['daınər] n (Am: restaurant) = restaurant m routier; (person) dîneur m (-euse f).

DINER

Ces petits restaurants, que l'on trouve principalement au bord des autoroutes mais aussi dans les villes, servent des repas légers à bas prix. Leur clientèle se compose essentiellement d'automobilistes et de chauffeurs de camion ; ils incarnent un certain esprit du voyage et figurent souvent dans les «road movies».

---

dinghy ['dıŋgı] n (with sail) dériveur m; (with oars) canot m.

dingy ['dındʒı] adj miteux(-euse).

dining car ['daınıŋ-] n wagon-restaurant m.

dining hall ['daınıŋ-] n réfectoire m.

dining room ['daınıŋ-] n salle f à manger.

dinner [ˈdɪnə^r] n (at lunchtime) déjeuner m; (in evening) dîner m; **to have ~** (at lunchtime) déjeuner; (in evening) dîner.

dinner jacket n veste f de smoking.

dinner party n dîner m.

dinner set n service m de table.

dinner suit n smoking m.

dinnertime [ˈdɪnətaɪm] n (at lunchtime) heure f du déjeuner; (in evening) heure f du dîner.

dinosaur [ˈdaɪnəsɔː^r] n dinosaure m.

dip [dɪp] n (in road, land) déclivité f; (food) mélange crémeux, souvent à base de mayonnaise, dans lequel on trempe des chips ou des légumes crus ♦ vt (into liquid) tremper ♦ vi (road, land) descendre; **to have a ~** (swim) se baigner; **to ~ one's headlights** (Br) se mettre en codes.

diploma [dɪˈpləʊmə] n diplôme m.

dipstick [ˈdɪpstɪk] n jauge f (de niveau d'huile).

direct [dɪˈrekt] adj direct(-e) ♦ adv directement ♦ vt (aim, control) diriger; (a question) adresser; (film, play, TV programme) mettre en scène; **can you ~ me to the railway station?** pourriez-vous m'indiquer le chemin de la gare?

direct current n courant m continu.

direction [dɪˈrekʃn] n (of movement) direction f; **to ask for ~s** demander son chemin ❑ **directions** npl (instructions) instructions fpl.

directly [dɪˈrektlɪ] adv (exactly) exactement; (soon) immédiatement.

director [dɪˈrektə^r] n (of company) directeur m (-trice f); (of film, play, TV programme) metteur m en scène; (organizer) organisateur m (-trice f).

directory [dɪˈrektərɪ] n (of telephone numbers) annuaire m; (COMPUT) répertoire m.

directory enquiries n (Br) renseignements mpl (téléphoniques).

dirt [dɜːt] n crasse f; (earth) terre f.

dirty [ˈdɜːtɪ] adj sale; (joke) cochon(-onne).

disability [ˌdɪsəˈbɪlətɪ] n handicap m.

disabled [dɪsˈeɪbld] adj handicapé(-e) ♦ npl: **the ~** les handicapés mpl; **"~ toilet"** «toilettes handicapés».

disadvantage [ˌdɪsədˈvɑːntɪdʒ] n inconvénient m.

disagree [ˌdɪsəˈgriː] vi ne pas être d'accord; **to ~ with sb (about)** ne pas être d'accord avec qqn (sur); **those mussels ~d with me** ces moules m'ont mal réussi.

disagreement [ˌdɪsəˈgriːmənt] n (argument) désaccord m; (dissimilarity) différence f.

disappear [ˌdɪsəˈpɪə^r] vi disparaître.

disappearance [ˌdɪsəˈpɪərəns] n disparition f.

disappoint [ˌdɪsəˈpɔɪnt] vt décevoir.

disappointed [ˌdɪsəˈpɔɪntɪd] adj déçu(-e).

disappointing [ˌdɪsəˈpɔɪntɪŋ] adj décevant(-e).

disappointment [ˌdɪsəˈpɔɪntmənt] n déception f.

disapprove [,dɪsə'pruːv] vi: to ~ of désapprouver.

disarmament [dɪs'ɑːməmənt] n désarmement m.

disaster [dɪ'zɑːstə'] n désastre m.

disastrous [dɪ'zɑːstrəs] adj désastreux(-euse).

disc [dɪsk] n (Br) disque m; (Br: CD) CD m; **to slip a ~** se déplacer une vertèbre.

discard [dɪs'kɑːd] vt jeter.

discharge [dɪs'tʃɑːdʒ] vt (prisoner) libérer; (patient) laisser sortir; (smoke, gas) émettre; (liquid) laisser s'écouler.

discipline [dɪsɪplɪn] n discipline f.

disc jockey n disc-jockey m.

disco ['dɪskəʊ] n (place) boîte f (de nuit); (event) soirée f dansante (où l'on passe des disques).

discoloured [dɪs'kʌləd] adj décoloré(-e).

discomfort [dɪs'kʌmfət] n gêne f.

disconnect [,dɪskə'nekt] vt (device, pipe) débrancher; (telephone, gas supply) couper.

discontinued [,dɪskən'tɪnjuːd] adj (product) qui ne se fait plus.

discotheque ['dɪskəʊtek] n (place) discothèque f; (event) soirée f dansante (où l'on passe des disques).

discount ['dɪskaʊnt] n remise f ♦ vt (product) faire une remise sur.

discover [dɪs'kʌvə'] vt découvrir.

discovery [dɪs'kʌvərɪ] n découverte f.

discreet [dɪs'kriːt] adj discret(-ete).

discrepancy [dɪs'krepənsɪ] n

divergence f.

discriminate [dɪ'skrɪmɪneɪt] vi: to ~ against sb faire de la discrimination envers qqn.

discrimination [dɪ,skrɪmɪ'neɪʃn] n discrimination f.

discuss [dɪs'kʌs] vt discuter de.

discussion [dɪs'kʌʃn] n discussion f.

disease [dɪ'ziːz] n maladie f.

disembark [,dɪsɪm'bɑːk] vi débarquer.

disgrace [dɪs'greɪs] n (shame) honte f; **it's a ~!** c'est une honte!

disgraceful [dɪs'greɪsfʊl] adj honteux(-euse).

disguise [dɪs'gaɪz] n déguisement m ♦ vt déguiser; **in ~** déguisé.

disgust [dɪs'gʌst] n dégoût m ♦ vt dégoûter.

disgusting [dɪs'gʌstɪŋ] adj dégoûtant(-e).

dish [dɪʃ] n plat m; (Am: plate) assiette f; **to do the ~es** faire la vaisselle; **"~ of the day"** «plat du jour» ❏ **dish up** vt sep servir.

dishcloth ['dɪʃklɒθ] n lavette f.

disheveled [dɪ'ʃevəld] (Am) = **dishevelled**.

dishevelled [dɪ'ʃevəld] adj (Br) (hair) ébouriffé(-e); (person) débraillé(-e).

dishonest [dɪs'ɒnɪst] adj malhonnête.

dish towel n (Am) torchon m.

dishwasher ['dɪʃ,wɒʃə'] n (machine) lave-vaisselle m inv.

disinfectant [,dɪsɪn'fektənt] n désinfectant m.

disintegrate [dɪs'ɪntɪgreɪt] vi se désintégrer.

disk

disk [dɪsk] n (Am) = **disc**; (COMPUT) disque m; (floppy) disquette f.

disk drive n lecteur m (de disquettes).

dislike [dɪs'laɪk] n aversion f ♦ vt ne pas aimer; **to take a ~ to sb/sthg** prendre qqn/qqch en grippe.

dislocate ['dɪsləkeɪt] vt: **to ~ one's shoulder** se déboîter l'épaule.

dismal ['dɪzml] adj (weather, place) lugubre; (terrible) très mauvais(-e).

dismantle [dɪs'mæntl] vt démonter.

dismay [dɪs'meɪ] n consternation f.

dismiss [dɪs'mɪs] vt (not consider) écarter; (from job) congédier; (from classroom) laisser sortir.

disobedient [,dɪsə'biːdjənt] adj désobéissant(-e).

disobey [,dɪsə'beɪ] vt désobéir à.

disorder [dɪs'ɔːdəʳ] n (confusion) désordre m; (violence) troubles mpl; (illness) trouble m.

disorganized [dɪs'ɔːgənaɪzd] adj désorganisé(-e).

dispatch [dɪ'spætʃ] vt envoyer.

dispense [dɪ'spens]: **dispense with** vt fus se passer de.

dispenser [dɪ'spensəʳ] n distributeur m.

dispensing chemist [dɪ'spensɪŋ-] n (Br) pharmacie f.

disperse [dɪ'spɜːs] vt disperser ♦ vi se disperser.

display [dɪ'spleɪ] n (of goods) étalage m; (public event) spectacle m; (readout) affichage m ♦ vt (goods) exposer; (feeling, quality) faire

preuve de; (information) afficher; **on ~** exposé.

displeased [dɪs'pliːzd] adj mécontent(-e).

disposable [dɪs'pəuzəbl] adj jetable.

dispute [dɪ'spjuːt] n (argument) dispute f; (industrial) conflit m ♦ vt (debate) débattre de; (question) contester.

disqualify [,dɪs'kwɒlɪfaɪ] vt disqualifier; **he is disqualified from driving** (Br) on lui a retiré son permis de conduire.

disregard [,dɪsrɪ'gɑːd] vt ne pas tenir compte de, ignorer.

disrupt [dɪs'rʌpt] vt perturber.

disruption [dɪs'rʌpʃn] n perturbation f.

dissatisfied [,dɪs'sætɪsfaɪd] adj mécontent(-e).

dissolve [dɪ'zɒlv] vt dissoudre ♦ vi se dissoudre.

dissuade [dɪ'sweɪd] vt: **to ~ sb from doing sthg** dissuader qqn de faire qqch.

distance ['dɪstəns] n distance f; **from a ~** de loin; **in the ~** au loin.

distant ['dɪstənt] adj lointain(-e); (reserved) distant(-e).

distilled water [dɪ'stɪld-] n eau f distillée.

distillery [dɪ'stɪlərɪ] n distillerie f.

distinct [dɪ'stɪŋkt] adj (separate) distinct(-e); (noticeable) net (nette).

distinction [dɪ'stɪŋkʃn] n (difference) distinction f; (mark for work) mention f très bien.

distinctive [dɪ'stɪŋktɪv] adj distinctif(-ive).

distinguish [dɪ'stɪŋgwɪʃ] vt distinguer; **to ~ sthg from sthg** distinguer qqch de qqch.

distorted [dɪ'stɔːtɪd] adj déformé(-e).

distract [dɪ'strækt] vt distraire.

distraction [dɪ'strækʃn] n distraction f.

distress [dɪ'stres] n (pain) souffrance f; (anxiety) angoisse f.

distressing [dɪ'stresɪŋ] adj pénible.

distribute [dɪ'strɪbjuːt] vt (hand out) distribuer; (spread evenly) répartir.

distributor [dɪ'strɪbjutəʳ] n distributeur m.

district ['dɪstrɪkt] n région f; (of town) quartier m.

district attorney n (Am) = procureur m de la République.

disturb [dɪ'stɜːb] vt (interrupt, move) déranger; (worry) inquiéter; **"do not ~"** «ne pas déranger».

disturbance [dɪ'stɜːbəns] n (violence) troubles mpl.

ditch [dɪtʃ] n fossé m.

ditto ['dɪtəʊ] adv idem.

divan [dɪ'væn] n divan m.

dive [daɪv] (pt Am -d OR dove, pt Br -d) n plongeon m ♦ vi plonger.

diver ['daɪvəʳ] n plongeur m (-euse f).

diversion [daɪ'vɜːʃn] n (of traffic) déviation f; (amusement) distraction f.

divert [daɪ'vɜːt] vt détourner.

divide [dɪ'vaɪd] vt diviser; (share out) partager ❏ **divide up** vt sep diviser; (share out) partager.

diving ['daɪvɪŋ] n (from divingboard, rock) plongeon m; (under sea) plongée f (sous-marine); **to go** ~ faire de la plongée.

divingboard ['daɪvɪŋbɔːd] n plongeoir m.

division [dɪ'vɪʒn] n division f; (COMM) service m.

divorce [dɪ'vɔːs] n divorce m ♦ vt divorcer de OR d'avec.

divorced [dɪ'vɔːst] adj divorcé(-e).

DIY abbr = do-it-yourself.

dizzy ['dɪzɪ] adj: **to feel ~** avoir la tête qui tourne.

DJ n (abbr of disc jockey) DJ m.

do [duː] (pt did, pp done, pl dos) aux vb **1.** (in negatives): **don't ~ that!** ne fais pas ça!; **she didn't listen to me** elle ne m'a pas écouté.
2. (in questions): **did he like it?** est-ce qu'il a aimé?; **how ~ you do it?** comment fais-tu ça?
3. (referring to previous verb): **I eat more than you ~** je mange plus que toi; **you made a mistake - no I didn't!** tu t'es trompé - non, ce n'est pas vrai!; **so ~ I** moi aussi.
4. (in question tags): **so, you like Scotland, ~ you?** alors, tu aimes bien l'Écosse?; **the train leaves at five o'clock, doesn't it?** le train part à cinq heures, n'est-ce pas?
5. (for emphasis): **I ~ like this bedroom** j'aime vraiment cette chambre; **~ come in!** entrez donc!
♦ vt **1.** (perform) faire; **to ~ one's homework** faire ses devoirs; **what is she doing?** qu'est-ce qu'elle fait?; **what can I ~ for you?** je peux vous aider?
2. (clean, brush etc): **to ~ one's hair** se coiffer; **to ~ one's make-up** se maquiller; **to ~ one's teeth** se laver les dents.
3. (cause) faire; **to ~ damage** faire des dégâts; **to ~ sb good** faire du

bien à qqn.

4. *(have as job)*: **what do you ~?** qu'est-ce que vous faites dans la vie?

5. *(provide, offer)* faire; **we ~ pizzas for under £4** nos pizzas sont à moins de 4 livres.

6. *(study)* faire.

7. *(subj: vehicle)*: **the car was doing 50 mph** la voiture faisait du 80 à l'heure.

8. *(inf: visit)* faire; **we're doing Scotland next week** on fait l'Écosse la semaine prochaine.

♦ vi 1. *(behave, act)* faire; **~ as I say** fais ce que je te dis.

2. *(progress, get on)*: **to ~ well** *(business)* marcher bien; **I'm not doing very well** ça ne marche pas très bien.

3. *(be sufficient)* aller, être suffisant; **will £5 ~?** 5 livres, ça ira?

4. *(in phrases)*: **how do you ~?** *(greeting)* enchanté!; *(answer)* de même!; **how are you doing?** comment ça va? **what has that got to ~ with it?** qu'est-ce que ça a à voir?

♦ n *(party)* fête f, soirée f; **the ~s and don'ts** les choses à faire et à ne pas faire

❑ **do out of** vt sep *(inf)*: **to ~ sb out of £10** entuber qqn de 10 livres; **do up** vt sep *(coat, shirt)* boutonner; *(shoes, laces)* attacher; *(zip)* remonter; *(decorate)* refaire; **do with** vt fus *(need)*: **I could ~ with a drink** un verre ne serait pas de refus; **do without** vt fus se passer de.

dock [dɒk] n *(for ships)* dock m; *(JUR)* banc m des accusés ♦ vi arriver à quai.

doctor ['dɒktəʳ] n *(of medicine)*

docteur m, médecin m; *(academic)* docteur m; **to go to the ~'s** aller chez le docteur OR le médecin.

document ['dɒkjumənt] n document m.

documentary [ˌdɒkju'mentərɪ] n documentaire m.

Dodgems® ['dɒdʒəmz] npl *(Br)* autos fpl tamponneuses.

dodgy ['dɒdʒɪ] adj *(Br)* (inf) *(plan)* douteux(-euse); *(machine)* pas très fiable.

does [weak form dəz, strong form dʌz] → **do**.

doesn't ['dʌznt] = does not.

dog [dɒg] n chien m.

dog food n nourriture f pour chien.

doggy bag ['dɒgɪ-] n sachet servant aux clients d'un restaurant à emporter les restes de leur repas.

do-it-yourself n bricolage m.

dole [dəʊl] n: **to be on the ~** *(Br)* être au chômage.

doll [dɒl] n poupée f.

dollar ['dɒləʳ] n dollar m.

dolphin ['dɒlfɪn] n dauphin m.

dome [dəʊm] n dôme m.

domestic [də'mestɪk] adj *(of house)* ménager(-ère); *(of family)* familial(-e); *(of country)* intérieur(-e).

domestic appliance n appareil m ménager.

domestic flight n vol m intérieur.

domestic science n enseignement m ménager.

dominate ['dɒmɪneɪt] vt dominer.

dominoes ['dɒmɪnəʊz] n dominos mpl.

donate [də'neɪt] *vt* donner.

donation [də'neɪʃn] *n* don *m*.

done [dʌn] *pp* → **do** ◆ *adj* (*finished*) fini(-e); (*cooked*) cuit(-e).

donkey ['dɒŋkɪ] *n* âne *m*.

don't [dəʊnt] = **do not**.

door [dɔːʳ] *n* porte *f*; (*of vehicle*) portière *f*.

doorbell ['dɔːbel] *n* sonnette *f*.

doorknob ['dɔːnɒb] *n* bouton *m* de porte.

doorman ['dɔːmən] (*pl* **-men**) *n* portier *m*.

doormat ['dɔːmæt] *n* paillasson *m*.

doormen ['dɔːmən] *pl* → **doorman**.

doorstep ['dɔːstep] *n* pas *m* de la porte; (*Br: piece of bread*) tranche *f* de pain épaisse.

doorway ['dɔːweɪ] *n* embrasure *f* de la porte.

dope [dəʊp] *n* (*inf*) (*any drug*) dope *f*; (*marijuana*) herbe *f*.

dormitory ['dɔːmətrɪ] *n* dortoir *m*.

Dormobile® ['dɔːməˌbiːl] *n* camping-car *m*.

dosage ['dəʊsɪdʒ] *n* dosage *m*.

dose [dəʊs] *n* dose *f*.

dot [dɒt] *n* point *m*; **on the ~** (*fig*) (à l'heure) pile.

dotted line ['dɒtɪd-] *n* ligne *f* pointillée.

double ['dʌbl] *adv* deux fois ◆ *n* double *m*; (*alcohol*) double dose *f* ◆ *vt & vi* doubler ◆ *adj* double; **~ three, two, eight** trente-trois, vingt-huit; **~ "l"** deux «l»; **to bend sthg ~** plier qqch en deux; **a ~ whisky** un double whisky ❑ **doubles** *n* double *m*.

double bed *n* grand lit *m*.

double-breasted [-'brestɪd] *adj* croisé(-e).

double cream *n* (*Br*) crème *f* fraîche épaisse.

double-decker (bus) [-'dekəʳ-] *n* autobus *m* à impérial.

double doors *npl* porte *f* à deux battants.

double-glazing [-'gleɪzɪŋ] *n* double vitrage *m*.

double room *n* chambre *f* double.

doubt [daʊt] *n* doute *m* ◆ *vt* douter de; **I ~ it** j'en doute; **I ~ she'll be there** je doute qu'elle soit là; **in ~** incertain; **no ~** sans aucun doute.

doubtful ['daʊtfʊl] *adj* (*uncertain*) incertain(-e); **it's ~ that** ... il est peu probable que ... (+ *subjunctive*).

dough [dəʊ] *n* pâte *f*.

doughnut ['dəʊnʌt] *n* beignet *m*.

dove¹ [dʌv] *n* (*bird*) colombe *f*.

dove² [dəʊv] *pt* (*Am*) → **dive**.

Dover ['dəʊvəʳ] *n* Douvres.

Dover sole *n* sole *f*.

down [daʊn] *adv* 1. (*towards the bottom*) vers le bas; **~ here** ici en bas; **~ there** là en bas; **to fall ~** tomber; **to go ~** descendre.
2. (*along*): **I'm going ~ to the shops** je vais jusqu'aux magasins.
3. (*downstairs*): **I'll come ~ later** je descendrai plus tard.
4. (*southwards*): **we're going ~ to London** nous descendons à Londres.
5. (*in writing*): **to write sthg ~** = écrire OR noter qqch.
◆ *prep* 1. (*towards the bottom of*):

they ran ~ **the hill** ils ont descendu la colline en courant.
2. *(along)* le long de; **I was walking ~ the street** je descendais la rue.
♦ *adj (inf: depressed)* cafardeux(-euse).
♦ *n (feathers)* duvet m.
❏ **downs** npl *(Br)* collines fpl.

downhill [,daun'hɪl] *adv:* **to go ~** descendre.

Downing Street ['daunɪŋ-] n Downing Street.

---

i DOWNING STREET

Cette célèbre rue londonienne abrite à la fois la résidence du Premier ministre britannique (au numéro 10) et celle du ministre des Finances (au numéro 11). L'expression «Downing Street» désigne également, par extension, le Premier ministre et ses collaborateurs.

---

downpour ['daunpɔːʳ] n grosse averse f.

downstairs [,daun'steəz] adj *(room)* du bas ♦ adv en bas; **to go ~** descendre.

downtown [,daun'taun] adj *(hotel)* du centre-ville; *(train)* en direction du centre-ville ♦ adv en ville; **~ New York** le centre de New York.

down under adv *(Br: inf: in Australia)* en Australie.

downwards ['daunwədz] adv vers le bas.

doz. abbr = **dozen.**

doze [dauz] vi sommeiller.

dozen ['dʌzn] n douzaine f; **a ~ eggs** une douzaine d'œufs.

Dr *(abbr of Doctor)* Dr.

drab [dræb] adj terne.

draft [drɑːft] n *(early version)* brouillon m; *(money order)* traite f; *(Am)* = **draught.**

drag [dræg] vt *(pull along)* tirer ♦ vi *(along ground)* traîner (par terre); **what a ~!** *(inf)* quelle barbe! ❏ **drag on** vi s'éterniser.

dragonfly ['drægnflaɪ] n libellule f.

drain [dreɪn] n *(sewer)* égout m; *(in street)* bouche f d'égout ♦ vt *(field)* drainer; *(tank)* vidanger ♦ vi *(vegetables, washing-up)* s'égoutter.

draining board ['dreɪnɪŋ-] n égouttoir m.

drainpipe ['dreɪnpaɪp] n tuyau m d'écoulement.

drama ['drɑːmə] n *(play)* pièce f de théâtre; *(art)* théâtre m; *(excitement)* drame m.

dramatic [drə'mætɪk] adj *(impressive)* spectaculaire.

drank [dræŋk] pt → **drink.**

drapes [dreɪps] npl *(Am)* rideaux mpl.

drastic ['dræstɪk] adj radical(-e); *(improvement)* spectaculaire.

drastically ['dræstɪklɪ] adv radicalement.

draught [drɑːft] n *(Br: of air)* courant m d'air.

draught beer n bière f (à la) pression.

draughts [drɑːfts] n *(Br)* dames fpl.

draughty ['drɑːftɪ] adj plein(-e) de courants d'air.

draw [drɔː] *(pt* drew, *pp* drawn) vt *(with pen, pencil)* dessiner; *(line)* tracer; *(pull)* tirer; *(attract)* attirer;

(conclusion) tirer; *(comparison)* établir ◆ *vi* dessiner; *(SPORT)* faire match nul ◆ *n (SPORT: result)* match *m* nul; *(lottery)* tirage *m*; **to ~ the curtains** *(open)* ouvrir les rideaux; *(close)* tirer les rideaux □ **draw out** *vt sep (money)* retirer; **draw up** *vt sep (list, plan)* établir ◆ *vi (car, bus)* s'arrêter.

drawback ['drɔːbæk] *n* inconvénient *m*.

drawer [drɔːʳ] *n* tiroir *m*.

drawing ['drɔːɪŋ] *n* dessin *m*.

drawing pin *n (Br)* punaise *f*.

drawing room *n* salon *m*.

drawn [drɔːn] *pp* → **draw**.

dreadful ['dredful] *adj* épouvantable.

dream [driːm] *n* rêve *m* ◆ *vt (when asleep)* rêver; *(imagine)* imaginer ◆ *vi*: **to ~ (of)** rêver (de); **a ~ house** une maison de rêve.

dress [dres] *n* robe *f*; *(clothes)* tenue *f* ◆ *vt* habiller; *(wound)* panser; *(salad)* assaisonner ◆ *vi* s'habiller; **to be ~ed in** être vêtu de; **to get ~ed** s'habiller □ **dress up** *vi* s'habiller (élégamment).

dress circle *n* premier balcon *m*.

dresser ['dresəʳ] *n (Br: for crockery)* buffet *m*; *(Am: chest of drawers)* commode *f*.

dressing ['dresɪŋ] *n (for salad)* assaisonnement *m*; *(for wound)* pansement *m*.

dressing gown *n* robe *f* de chambre.

dressing room *n (SPORT)* vestiaire *m*; *(in theatre)* loge *f*.

dressing table *n* coiffeuse *f*.

dressmaker ['dres,meɪkəʳ] *n* couturier *m* (-ière *f*).

dress rehearsal *n* répétition *f*

générale.

drew [druː] *pt* → **draw**.

dribble ['drɪbl] *vi (liquid)* tomber goutte à goutte; *(baby)* baver.

drier ['draɪəʳ] = **dryer**.

drift [drɪft] *n (of snow)* congère *f* ◆ *vi (in wind)* s'amonceler; *(in water)* dériver.

drill [drɪl] *n (electric tool)* perceuse *f*; *(manual tool)* chignole *f*; *(of dentist)* roulette *f* ◆ *vt (hole)* percer.

drink [drɪŋk] *(pt* drank, *pp* drunk) *n* boisson *f*; *(alcoholic)* verre *m* ◆ *vt & vi* boire; **would you like a ~?** voulez-vous quelque chose à boire?; **to have a ~** *(alcoholic)* prendre un verre.

drinkable ['drɪŋkəbl] *adj (safe to drink)* potable; *(wine)* buvable.

drinking water ['drɪŋkɪŋ-] *n* eau *f* potable.

drip [drɪp] *n (drop)* goutte *f*; *(MED)* goutte-à-goutte *m inv* ◆ *vi* goutter; *(tap)* fuir.

drip-dry *adj* qui ne se repasse pas.

dripping (wet) ['drɪpɪŋ-] *adj* trempé(-e).

drive [draɪv] *(pt* drove, *pp* driven ['drɪvn]) *n (journey)* trajet *m* (en voiture); *(in front of house)* allée *f* ◆ *vt (car, bus, train, passenger)* conduire; *(operate, power)* faire marcher ◆ *vi (drive car)* conduire; *(travel in car)* aller en voiture; **to go for a ~** faire un tour en voiture; **to ~ sb to do sthg** pousser qqn à faire qqch; **to ~ sb mad** rendre qqn fou.

driver ['draɪvəʳ] *n* conducteur *m* (-trice *f*).

driver's license *(Am)* = **driving licence**.

driveshaft ['draɪvʃɑːft] *n* arbre

m de transmission.

driveway ['draɪweɪ] *n* allée *f*.

driving lesson ['draɪvɪŋ-] *n* leçon *f* de conduite.

driving licence ['draɪvɪŋ-] *n* (Br) permis *m* de conduire.

driving test ['draɪvɪŋ-] *n* examen *m* du permis de conduire.

drizzle ['drɪzl] *n* bruine *f*.

drop [drɒp] *n* (of liquid) goutte *f*; (distance down) dénivellation *f*; (decrease) chute *f* ◆ *vt* laisser tomber; (from vehicle) déposer ◆ *vi* (fall) tomber; (decrease) chuter; to ~ a hint that laisser entendre que; to ~ sb a line écrire un mot à qqn ❑ **drop in** *vi* (inf) passer; **drop off** *vt sep* (from vehicle) déposer ◆ *vi* (fall asleep) s'endormir; (fall off) tomber; **drop out** *vi* (of college, race) abandonner.

drought [draʊt] *n* sécheresse *f*.

drove [drəʊv] *pt* → drive.

drown [draʊn] *vi* se noyer.

drug [drʌg] *n* (MED) médicament *m*; (stimulant) drogue *f* ◆ *vt* droguer.

drug addict *n* drogué *m* (-e *f*).

druggist ['drʌgɪst] *n* (Am) pharmacien *m* (-ienne *f*).

drum [drʌm] *n* (MUS) tambour *m*; (container) bidon *m*.

drummer ['drʌmə*r*] *n* joueur *m* (-euse *f*) de tambour; (in band) batteur *m* (-euse *f*).

drumstick ['drʌmstɪk] *n* (of chicken) pilon *m*.

drunk [drʌŋk] *pp* → drink ◆ *adj* saoul(-e), soûl(-e) ◆ *n* ivrogne *mf*; to get ~ se saouler, se soûler.

dry [draɪ] *adj* sec (sèche); (day)

sans pluie ◆ *vt* (hands, clothes) sécher; (washing-up) essuyer ◆ *vi* sécher; to ~ o.s. se sécher; to ~ one's hair se sécher les cheveux ❑ **dry up** *vi* (become dry) s'assécher; (dry the dishes) essuyer la vaisselle.

dry-clean *vt* nettoyer à sec.

dry cleaner's *n* pressing *m*.

dryer ['draɪə*r*] *n* (for clothes) séchoir *m*; (for hair) séchoir *m* à cheveux, sèche-cheveux *m inv*.

dry-roasted peanuts ['-rəʊstɪd-] *npl* cacahuètes *fpl* grillées à sec.

DSS *n* ministère britannique de la Sécurité sociale.

DTP *n* (abbr of desktop publishing) PAO *f*.

dual carriageway ['djuːəl-] *n* (Br) route *f* à quatre voies.

dubbed [dʌbd] *adj* (film) doublé(-e).

dubious ['djuːbjəs] *adj* (suspect) douteux(-euse).

duchess ['dʌtʃɪs] *n* duchesse *f*.

duck [dʌk] *n* canard *m* ◆ *vi* se baisser.

due [djuː] *adj* (expected) attendu(-e); (money, bill) dû (due); the train is ~ to leave at eight o'clock le départ du train est prévu pour huit heures; **in ~ course** en temps voulu; ~ **to** en raison de.

duet [djuː'et] *n* duo *m*.

duffel bag ['dʌfl-] *n* sac *m* marin.

duffel coat ['dʌfl-] *n* duffel-coat *m*.

dug [dʌg] *pt & pp* → dig.

duke [djuːk] *n* duc *m*.

dull [dʌl] *adj* (boring) ennuyeux(-euse); (not bright) terne;

(weather) maussade; *(pain)* sourd(-e).

dumb [dʌm] *adj (inf: stupid)* idiot(-e); *(unable to speak)* muet(-ette).

dummy ['dʌmɪ] *n (Br: of baby)* tétine f; *(for clothes)* mannequin m.

dump [dʌmp] *n (for rubbish)* dépotoir m; *(inf: town)* trou m; *(inf: room, flat)* taudis m ◆ *vt (drop carelessly)* laisser tomber; *(get rid of)* se débarrasser de.

dumpling ['dʌmplɪŋ] *n* boulette de pâte cuite à la vapeur et servie avec les ragoûts.

dune [dju:n] *n* dune f.

dungarees [,dʌŋɡə'ri:z] *npl (Br: for work)* bleu m *(de travail)*; *(fashion item)* salopette f; *(Am: jeans)* jean m.

dungeon ['dʌndʒən] *n* cachot m.

duplicate ['dju:plɪkət] *n* double m.

during ['djʊərɪŋ] *prep* pendant, durant.

dusk [dʌsk] *n* crépuscule m.

dust [dʌst] *n* poussière f ◆ *vt* épousseter.

dustbin ['dʌstbɪn] *n (Br)* poubelle f.

dustcart ['dʌstkɑ:t] *n (Br)* camion m des éboueurs.

duster ['dʌstə] *n* chiffon m *(à poussière)*.

dustman ['dʌstmən] *(pl -men* [-mən]) *n (Br)* éboueur m.

dustpan ['dʌstpæn] *n* pelle f.

dusty ['dʌsti] *adj* poussiéreux(-euse).

Dutch [dʌtʃ] *adj* hollandais(-e), néerlandais(-e) ◆ *n (language)* néerlandais m ◆ *npl:* **the ~** les Hollandais mpl.

Dutchman ['dʌtʃmən] *(pl -men* [-mən]) *n* Hollandais m.

Dutchwoman ['dʌtʃ,wʊmən] *(pl -women* [-,wɪmɪn]) *n* Hollandaise f.

duty ['dju:ti] *n (moral obligation)* devoir m; *(tax)* droit m; **to be on ~** être de service; **to be off ~** ne pas être de service ❑ **duties** *npl (job)* fonctions fpl.

duty chemist's *n* pharmacie f de garde.

duty-free *adj* détaxé(-e) ◆ *n* articles *mpl* détaxés.

duty-free shop *n* boutique f hors taxe.

duvet ['du:veɪ] *n* couette f.

dwarf [dwɔ:f] *(pl* **dwarves** [dwɔ:vz]) *n* nain *m* (naine f).

dwelling ['dwelɪŋ] *n (fml)* logement *m*.

dye [daɪ] *n* teinture f ◆ *vt* teindre.

dynamite ['daɪnəmaɪt] *n* dynamite f.

dynamo ['daɪnəməʊ] *(pl -s)* *n (on bike)* dynamo f.

dyslexic [dɪs'leksɪk] *adj* dyslexique.

E

E *(abbr of east)* E.

E111 *n* formulaire *m* E111.

each [i:tʃ] *adj* chaque ◆ *pron* chacun *m* (-e f); **~ one** chacun; **~ of them** chacun d'entre eux; **to know ~ other** se connaître; **one ~** un chacun; **one of ~** un de chaque.

eager ['i:gə^r] *adj* enthousiaste; **to be ~ to do sth** vouloir à tout prix faire qqch.

eagle [i:gl] *n* aigle *m*.

ear [ɪə^r] *n* oreille *f*; *(of corn)* épi *m*.

earache ['ɪəreɪk] *n*: **to have ~** avoir mal aux oreilles.

earl [ɜːl] *n* comte *m*.

early ['ɜːlɪ] *adv* de bonne heure, tôt; *(before usual or arranged time)* tôt ♦ *adj* en avance; **in ~ June** au début du mois de juin; **at the earliest** au plus tôt; **~ on** tôt; **to have an ~ night** se coucher tôt.

earn [ɜːn] *vt (money)* gagner; *(praise)* s'attirer; *(success)* remporter; **to ~ a living** gagner sa vie.

earnings ['ɜːnɪŋz] *npl* revenus *mpl*.

earphones ['ɪəfəʊnz] *npl* écouteurs *mpl*.

earplugs ['ɪəplʌgz] *npl (wax)* boules *fpl* Quiès®.

earrings ['ɪərɪŋz] *npl* boucles *fpl* d'oreille.

earth [ɜːθ] *n* terre *f* ♦ *vt (Br: appliance)* relier à la terre; **how on ~ ...?** comment diable ...?

earthenware ['ɜːθnweə^r] *adj* en terre cuite.

earthquake ['ɜːθkweɪk] *n* tremblement *m* de terre.

ease [i:z] *n* facilité *f* ♦ *vt (pain)* soulager; *(problem)* arranger; **at ~** à l'aise; **with ~** facilement □ **ease off** *vi (pain, rain)* diminuer.

easily ['i:zɪlɪ] *adv* facilement; *(by far)* de loin.

east [i:st] *n* est *m* ♦ *adv (fly, walk)* vers l'est; *(be situated)* à l'est; **in the ~ of England** à OR dans l'est de l'Angleterre; **the East** *(Asia)* l'Orient *m*.

eastbound ['i:stbaʊnd] *adj* en direction de l'est.

Easter ['i:stə^r] *n* Pâques *m*.

eastern ['i:stən] *adj* oriental(-e), est *(inv)* □ **Eastern** *adj (Asian)* oriental(-e).

Eastern Europe *n* l'Europe *f* de l'Est.

eastwards ['i:stwədz] *adv* vers l'est.

easy ['i:zɪ] *adj* facile; **to take it ~** ne pas s'en faire.

easygoing [,i:zɪ'gəʊn] *adj* facile à vivre.

eat [i:t] *(pt* ate, *pp* eaten ['i:tn]) *vt & vi* manger □ **eat out** *vi* manger dehors.

eating apple ['i:tɪŋ-] *n* pomme *f* à couteau.

ebony ['ebənɪ] *n* ébène *f*.

EC *n (abbr of European Community)* CE *f*.

eccentric [ɪk'sentrɪk] *adj* excentrique.

echo ['ekəʊ] *(pl* -es) *n* écho *m* ♦ *vi* résonner.

ecology [ɪ'kɒlədʒɪ] *n* écologie *f*.

economic [,i:kə'nɒmɪk] *adj* économique □ **economics** *n* économie *f*.

economical [,i:kə'nɒmɪkl] *adj (car, system)* économique; *(person)* économe.

economize [ɪ'kɒnəmaɪz] *vi* faire des économies.

economy [ɪ'kɒnəmɪ] *n* économie *f*.

economy class *n* classe *f* touriste.

economy size *adj* taille économique *(inv)*.

ecstasy ['ekstəsɪ] *n (great joy)* extase *f; (drug)* ecstasy *f*.

ECU ['ekju:] *n* ÉCU *m*.

eczema ['eksɪmə] *n* eczéma *m*.

edge [edʒ] *n* bord *m; (of knife)* tranchant *m*.

edible ['edɪbl] *adj* comestible.

Edinburgh ['edɪnbrə] *n* Édimbourg.

Edinburgh Festival *n:* the ~ le festival d'Édimbourg.

📖 EDINBURGH FESTIVAL

La capitale écossaise accueille chaque année en août un festival international de musique, de théâtre et de danse. Parallèlement aux représentations officielles, plus classiques, se déroule un festival «Fringe» composé de centaines de productions indépendantes se tenant dans de petites salles un peu partout dans la ville.

edition [ɪ'dɪʃn] *n (of book, newspaper)* édition *f; (of TV programme)* diffusion *f*.

editor ['edɪtər] *n (of newspaper, magazine)* rédacteur *m (-trice f)* en chef; *(of film)* monteur *m (-euse f)*.

editorial [,edɪ'tɔːrɪəl] *n* éditorial *m*.

educate ['edʒʊkeɪt] *vt* instruire.

education [,edʒʊ'keɪʃn] *n* éducation *f*.

EEC *n* CEE *f*.

eel [iːl] *n* anguille *f*.

effect [ɪ'fekt] *n* effet *m;* **to put sthg into ~** mettre qqch en application; **to take ~** prendre effet.

effective [ɪ'fektɪv] *adj* efficace; *(law, system)* en vigueur.

effectively [ɪ'fektɪvlɪ] *adv (successfully)* efficacement; *(in fact)* effectivement.

efficient [ɪ'fɪʃnt] *adj* efficace.

effort ['efət] *n* effort *m;* **to make an ~ to do sthg** faire un effort pour faire qqch; **it's not worth the ~** ça ne vaut pas la peine.

e.g. *adv* p. ex.

egg [eg] *n* œuf *m*.

egg cup *n* coquetier *m*.

egg mayonnaise *n* œuf *m* mayonnaise.

eggplant ['egplɑːnt] *n (Am)* aubergine *f*.

egg white *n* blanc *m* d'œuf.

egg yolk *n* jaune *m* d'œuf.

Egypt ['iːdʒɪpt] *n* l'Égypte *f*.

eiderdown ['aɪdədaʊn] *n* édredon *m*.

eight [eɪt] *num* huit, → six.

eighteen [,eɪ'tiːn] *num* dix-huit, → six.

eighteenth [,eɪ'tiːnθ] *num* dix-huitième, → sixth.

eighth [eɪtθ] *num* huitième, → sixth.

eightieth ['eɪtɪɪθ] *num* quatre-vingtième, → sixth.

eighty ['eɪtɪ] *num* quatre-vingt(s), → six.

Eire ['eərə] *n* l'Eire *f*, l'Irlande *f*.

Eisteddfod [aɪ'stedfəd] *n* festival culturel gallois.

📖 EISTEDDFOD

La langue et la culture du pays de Galles y sont célébrées chaque année au mois d'août, depuis le XIIe siècle, avec l'«Eisteddfod», grand concours de musique, de poésie, de théâtre et d'art.

either ['aɪðər, 'iːðər] adj: ~ book will do n'importe lequel de deux livres fera l'affaire ♦ pron: I'll take ~ (of them) je prendrai n'importe lequel; I don't like ~ (of them) je n'aime ni l'un ni l'autre ♦ adv: I can't ~ je ne peux pas non plus; ... or soit ... soit, ou ... ou; on ~ side des deux côtés.

eject [ɪ'dʒekt] vt (cassette) éjecter.

elaborate [ɪ'læbrət] adj compliqué(-e).

elastic [ɪ'læstɪk] n élastique m.

elastic band n (Br) élastique m.

elbow ['elbəʊ] n (of person) coude m.

elder ['eldər] adj aîné(-e).

elderly ['eldəlɪ] adj âgé(-e) ♦ npl: the ~ les personnes fpl âgées.

eldest ['eldɪst] adj aîné(-e).

elect [ɪ'lekt] vt élire; to ~ to do sthg (fml: choose) choisir de faire qqch.

election [ɪ'lekʃn] n élection f.

electric [ɪ'lektrɪk] adj électrique.

electrical goods [ɪ'lektrɪkl-] npl appareils mpl électriques.

electric blanket n couverture f chauffante.

electric drill n perceuse f électrique.

electric fence n clôture f électrifiée.

electrician [ɪlek'trɪʃn] n électricien m (-ienne f).

electricity [ɪlek'trɪsətɪ] n électricité f.

electric shock n décharge f électrique.

electrocute [ɪ'lektrəkjuːt] vt électrocuter.

electronic [ɪlek'trɒnɪk] adj électronique.

elegant ['elɪgənt] adj élégant(-e).

element ['elɪmənt] n élément m; (amount) part f; (of fire, kettle) résistance f; the ~s (weather) les éléments.

elementary [elɪ'mentərɪ] adj élémentaire.

elephant ['elɪfənt] n éléphant m.

elevator ['elɪveɪtər] n (Am) ascenseur m.

eleven [ɪ'levn] num onze, → six.

eleventh [ɪ'levnθ] num onzième, → sixth.

eligible ['elɪdʒəbl] adj admissible.

eliminate [ɪ'lɪmɪneɪt] vt éliminer.

Elizabethan [ɪˌlɪzə'biːθn] adj élisabéthain(-e) (deuxième moitié du XVIe siècle).

elm [elm] n orme m.

else [els] adv: I don't want anything ~ je ne veux rien d'autre; anything ~? désirez-vous autre chose?; everyone ~ tous les autres; nobody ~ personne d'autre; nothing ~ rien d'autre; somebody ~ quelqu'un d'autre; something ~ autre chose; somewhere ~ ailleurs; what ~? quoi d'autre?; what ~ is there to do? qu'est-ce qu'il y a d'autre à faire?; who ~? qui d'autre?; or ~ sinon.

elsewhere [els'weər] adv ailleurs.

embankment [ɪm'bæŋkmənt] n

(next to river) berge f; *(next to road, railway)* talus m.

embark [ɪm'bɑːk] vi *(board ship)* embarquer.

embarkation card [ˌembɑː-'keɪʃn-] n carte f d'embarquement.

embarrass [ɪm'bærəs] vt embarrasser.

embarrassed [ɪm'bærəst] adj embarrassé(-e).

embarrassing [ɪm'bærəsɪŋ] adj embarrassant(-e).

embarrassment [ɪm'bærəsmənt] n embarras m.

embassy ['embəsɪ] n ambassade f.

emblem ['embləm] n emblème m.

embrace [ɪm'breɪs] vt serrer dans ses bras.

embroidered [ɪm'brɔɪdəd] adj brodé(-e).

embroidery [ɪm'brɔɪdərɪ] n broderie f.

emerald ['emərəld] n émeraude f.

emerge [ɪ'mɜːdʒ] vi émerger.

emergency [ɪ'mɜːdʒənsɪ] n urgence f ♦ adj d'urgence; **in an ~** en cas d'urgence.

emergency exit n sortie f de secours.

emergency landing n atterrissage m forcé.

emergency services npl services mpl d'urgence.

emigrate ['emɪgreɪt] vi émigrer.

emit [ɪ'mɪt] vt émettre.

emotion [ɪ'məʊʃn] n émotion f.

emotional [ɪ'məʊʃənl] adj *(situation)* émouvant(-e); *(person)* émotif(-ive).

emphasis ['emfəsɪs] (pl -ases [-əsiːz]) n accent m.

emphasize ['emfəsaɪz] vt souligner.

empire ['empaɪəʳ] n empire m.

employ [ɪm'plɔɪ] vt employer.

employed [ɪm'plɔɪd] adj employé(-e).

employee [ɪm'plɔɪiː] n employé m (-e f).

employer [ɪm'plɔɪəʳ] n employeur m (-euse f).

employment [ɪm'plɔɪmənt] n emploi m.

employment agency n agence f de placement.

empty ['emptɪ] adj vide; *(threat, promise)* vain(-e) ♦ vt vider.

EMU n UEM f.

emulsion (paint) [ɪ'mʌlʃn-] n émulsion f.

enable [ɪ'neɪbl] vt: **to ~ sb to do sthg** permettre à qqn de faire qqch.

enamel [ɪ'næml] n émail m.

enclose [ɪn'kləʊz] vt *(surround)* entourer; *(with letter)* joindre.

enclosed [ɪn'kləʊzd] adj *(space)* clos(-e).

encounter [ɪn'kaʊntəʳ] vt rencontrer.

encourage [ɪn'kʌrɪdʒ] vt encourager; **to ~ sb to do sthg** encourager qqn à faire qqch.

encouragement [ɪn'kʌrɪdʒmənt] n encouragement m.

encyclopedia [ɪnˌsaɪkləʊ'piːdɪə] n encyclopédie f.

end [end] n *(furthest point)* bout m; *(of book, list, year, holiday)* fin f; *(purpose)* but m ♦ vt *(story, evening, holiday)* finir, terminer; *(war, prac-*

tice) mettre fin à ♦ *vi* finir, se terminer; **at the ~ of April** (à la) fin avril; **to come to an ~** se terminer; **to put an ~ to sthg** mettre fin à qqch; **for days on ~** (pendant) des journées entières; **in the ~** finalement; **to make ~s meet** arriver à joindre les deux bouts ❑ **end up** *vi* finir; **to ~ up doing sthg** finir par faire qqch.

endangered species [ɪn-'deɪndʒəd-] *n* espèce *f* en voie de disparition.

ending ['endɪŋ] *n* (of story, film, book) fin *f*; (GRAMM) terminaison *f*.

endive ['endaɪv] *n* (curly) frisée *f*; (chicory) endive *f*.

endless ['endlɪs] *adj* sans fin.

endorsement [ɪn'dɔːsmənt] *n* (of driving licence) contravention indiquée sur le permis de conduire.

endurance [ɪn'djʊərəns] *n* endurance *f*.

endure [ɪn'djʊə] *vt* endurer.

enemy ['enɪmɪ] *n* ennemi *m* (-e *f*).

energy ['enədʒɪ] *n* énergie *f*.

enforce [ɪn'fɔːs] *vt* (law) appliquer.

engaged [ɪn'geɪdʒd] *adj* (to be married) fiancé(-e); (Br: phone) occupé(-e); (toilet) occupé(-e); **to get ~** se fiancer.

engaged tone *n* (Br) tonalité *f* «occupé».

engagement [ɪn'geɪdʒmənt] *n* (to marry) fiançailles *fpl*; (appointment) rendez-vous *m*.

engagement ring *n* bague *f* de fiançailles.

engine ['endʒɪn] *n* (of vehicle) moteur *m*; (of train) locomotive *f*.

engineer [,endʒɪ'nɪə] *n* ingé-

nieur *m*.

engineering [,endʒɪ'nɪərɪŋ] *n* ingénierie *f*.

engineering works *npl* (on railway line) travaux *mpl*.

England ['ɪŋglənd] *n* l'Angleterre *f*.

English ['ɪŋglɪʃ] *adj* anglais(-e) ♦ *n* (language) anglais *m* ♦ *npl*: **the ~** les Anglais *mpl*.

English breakfast *n* petit déjeuner anglais traditionnel composé de bacon, d'œufs, de saucisses et de toasts, accompagnés de thé ou de café.

English Channel *n*: **the ~** la Manche.

Englishman ['ɪŋglɪʃmən] (*pl* -men [-mən]) *n* Anglais *m*.

Englishwoman ['ɪŋglɪʃ,wʊmən] (*pl* -women [-,wɪmɪn]) *n* Anglaise *f*.

engrave [ɪn'greɪv] *vt* graver.

engraving [ɪn'greɪvɪŋ] *n* gravure *f*.

enjoy [ɪn'dʒɔɪ] *vt* aimer; **to ~ doing sthg** aimer faire qqch; **to ~ o.s.** s'amuser; **~ your meal!** bon appétit!

enjoyable [ɪn'dʒɔɪəbl] *adj* agréable.

enjoyment [ɪn'dʒɔɪmənt] *n* plaisir *m*.

enlargement [ɪn'lɑːdʒmənt] *n* (of photo) agrandissement *m*.

enormous [ɪ'nɔːməs] *adj* énorme.

enough ['ɪnʌf] *adj* assez de ♦ *pron* & *adv* assez; **~ time** assez de temps; **is that ~?** ça suffit?; **it's not big ~** ça n'est pas assez gros; **to have had ~ (of)** en avoir assez (de).

enquire [ɪn'kwaɪə] *vi* se renseigner.

enquiry [ɪn'kwaɪərɪn] n (investigation) enquête f; **to make an ~** demander un renseignement; **"Enquiries"** «Renseignements».

enquiry desk n accueil m.

enrol [ɪn'rəʊl] vi (Br) s'inscrire.

enroll [ɪn'rəʊl] (Am) = **enrol**.

en suite bathroom [ɒn'swiːt] n salle f de bains particulière.

ensure [ɪn'ʃʊəʳ] vt assurer.

entail [ɪn'teɪl] vt entraîner.

enter ['entəʳ] vt entrer dans; (college) entrer à; (competition) s'inscrire à; (on form) inscrire ◆ vi entrer; (in competition) s'inscrire.

enterprise ['entəpraɪz] n entreprise f.

entertain [,entə'teɪn] vt (amuse) divertir.

entertainer [,entə'teɪnəʳ] n fantaisiste mf.

entertaining [,entə'teɪnɪŋ] adj amusant(-e).

entertainment [,entə'teɪnmənt] n divertissement m.

enthusiasm [ɪn'θjuːzɪæzm] n enthousiasme m.

enthusiast [ɪn'θjuːzɪæst] n passionné m (-e f).

enthusiastic [ɪn,θjuːzɪ'æstɪk] adj enthousiaste.

entire [ɪn'taɪəʳ] adj entier(-ière).

entirely [ɪn'taɪəlɪ] adv entièrement.

entitle [ɪn'taɪtl] vt: **to ~ sb to do sthg** autoriser qqn à faire qqch; **this ticket ~s you to a free drink** ce ticket vous donne droit à une consommation gratuite.

entrance ['entrəns] n entrée f.

entrance fee n entrée f.

entry ['entrɪ] n entrée f; (in competition) objet m soumis; **"no ~"** (sign on door) «entrée interdite»; (road sign) «sens interdit».

envelope ['envələʊp] n enveloppe f.

envious ['envɪəs] adj envieux (-ieuse).

environment [ɪn'vaɪərənmənt] n milieu m, cadre m; **the ~** l'environnement m.

environmental [ɪn,vaɪərən-'mentl] adj de l'environnement.

environmentally friendly [ɪn,vaɪərən'mentəlɪ-] adj qui préserve l'environnement.

envy ['envɪ] vt envier.

epic ['epɪk] n épopée f.

epidemic [,epɪ'demɪk] n épidémie f.

epileptic [,epɪ'leptɪk] adj épileptique; **~ fit** crise f d'épilepsie.

episode ['epɪsəʊd] n épisode m.

equal ['iːkwəl] adj égal(-e) ◆ vt égaler; **to be ~ to** être égal à.

equality [ɪ'kwɒlətɪ] n égalité f.

equalize ['iːkwəlaɪz] vi égaliser.

equally ['iːkwəlɪ] adv (pay, treat) pareil; (share) en parts égales; (at the same time) en même temps; **they're ~ good** ils sont aussi bons l'un que l'autre.

equation [ɪ'kweɪʒn] n équation f.

equator [ɪ'kweɪtəʳ] n: **the ~** l'équateur m.

equip [ɪ'kwɪp] vt: **to ~ sb/sthg with** équiper qqn/qqch de.

equipment [ɪ'kwɪpmənt] n équipement m.

equipped [ɪ'kwɪpt] adj: **to be ~ with** être équipé(-e) de.

equivalent [ɪ'kwɪvələnt] adj

équivalent(-e) ◆ *n* équivalent *m*.

erase [ɪ'reɪz] *vt* (letter, word) effacer, gommer.

eraser [ɪ'reɪzə'] *n* gomme *f*.

erect [ɪ'rekt] *adj* (person, posture) droit(-e) ◆ *vt* (tent) monter; (monument) élever.

ERM *n* mécanisme *m* de change (du SME).

erotic [ɪ'rɒtɪk] *adj* érotique.

errand ['erənd] *n* course *f*.

erratic [ɪ'rætɪk] *adj* irrégulier (-ière).

error ['erə'] *n* erreur *f*.

escalator ['eskəleɪtə'] *n* Escalator® *m*.

escalope ['eskələp] *n* escalope *f* panée.

escape [ɪ'skeɪp] *n* fuite *f* ◆ *vi* s'échapper; **to ~ from** (from prison) s'échapper de; (from danger) échapper à.

escort [*n* 'eskɔ:t, *vb* ɪ'skɔ:t] *n* (guard) escorte *f* ◆ *vt* escorter.

espadrilles ['espədrɪlz] *npl* espadrilles *fpl*.

especially [ɪ'speʃəlɪ] *adv* (in particular) surtout; (on purpose) exprès; (very) particulièrement.

esplanade [.esplə'neɪd] *n* esplanade *f*.

essay ['eseɪ] *n* (at school, university) dissertation *f*.

essential [ɪ'senʃl] *adj* essentiel(-ielle) ❑ **essentials** *npl*: **the ~s** l'essentiel; **the bare ~s** le strict minimum.

essentially [ɪ'senʃəlɪ] *adv* essentiellement.

establish [ɪ'stæblɪʃ] *vt* établir.

establishment [ɪ'stæblɪʃmənt] *n* établissement *m*.

estate [ɪ'steɪt] *n* (land in country) propriété *f*; (for housing) lotissement *m*; (Br: car) = **estate car**.

estate agent *n* (Br) agent *m* immobilier.

estate car *n* (Br) break *m*.

estimate [*n* 'estɪmət, *vb* 'estɪmeɪt] *n* (guess) estimation *f*; (from builder, plumber) devis *m* ◆ *vt* estimer.

estuary ['estjʊərɪ] *n* estuaire *m*.

ethnic minority ['eθnɪk-] *n* minorité *f* ethnique.

EU *n* (abbr of European Union) Union *f* européenne.

Eurocheque [.jʊərəʊ.tʃek] *n* eurochèque *m*.

Europe ['jʊərəp] *n* l'Europe *f*.

European [.jʊərə'pɪən] *adj* européen(-enne) ◆ *n* Européen *m* (-enne *f*).

European Community *n* Communauté *f* européenne.

evacuate [ɪ'vækjʊeɪt] *vt* évacuer.

evade [ɪ'veɪd] *vt* (person) échapper à; (issue, responsibility) éviter.

evaporated milk [ɪ'væpəreɪtɪd-] *n* lait *m* condensé (non sucré).

eve [i:v] *n*: **on the ~ of** à la veille de.

even ['i:vn] *adj* (uniform, flat) régulier(-ière); (equal) égal(-e); (number) pair(-e) ◆ *adv* même; (in comparisons) encore; **~s** encore plus grand; **to break ~** rentrer dans ses frais; **~ so** quand même; **~ though** même si.

evening ['i:vnɪŋ] *n* soir *m*; (event, period) soirée *f*; **good ~!** bonsoir!; **in the ~** le soir.

evening classes *npl* cours *mpl* du soir.

evening dress n (formal clothes) tenue f de soirée; (of woman) robe f du soir.

evening meal n repas m du soir.

event [ɪˈvent] n événement m; (SPORT) épreuve f; in the ~ of (fml) dans l'éventualité de.

eventual [ɪˈventʃʊəl] adj final(-e).

eventually [ɪˈventʃʊəli] adv finalement.

ever [ˈevəʳ] adv jamais; have you ~ been to Wales? êtes-vous déjà allé au pays de Galles?; he was ~ so angry il était vraiment en colère; for ~ (eternally) pour toujours; (for a long time) un temps fou; hardly ~ pratiquement jamais; ~ since adv depuis ♦ prep depuis ♦ conj depuis que.

every [ˈevrɪ] adj chaque; ~ day tous les jours, chaque jour; ~ other day un jour sur deux; one in ~ ten un sur dix; we make ~ effort ... nous faisons tout notre possible ...; ~ so often de temps en temps.

everybody [ˈevrɪˌbɒdɪ] = everyone.

everyday [ˈevrɪdeɪ] adj quotidien(-ienne).

everyone [ˈevrɪwʌn] pron tout le monde.

everyplace [ˈevrɪˌpleɪs] (Am) = everywhere.

everything [ˈevrɪθɪŋ] pron tout.

everywhere [ˈevrɪweəʳ] adv partout.

evidence [ˈevɪdəns] n preuve f.

evident [ˈevɪdənt] adj évident(-e).

evidently [ˈevɪdəntli] adv manifestement.

evil [ˈiːvl] adj mauvais(-e) ♦ n mal m.

ex [eks] n (inf: wife, husband, partner) ex mf.

exact [ɪgˈzækt] adj exact(-e); "~ fare ready please" «faites l'appoint».

exactly [ɪgˈzæktli] adv & excl exactement.

exaggerate [ɪgˈzædʒəreɪt] vt & vi exagérer.

exaggeration [ɪgˌzædʒəˈreɪʃn] n exagération f.

exam [ɪgˈzæm] n examen m; to take an ~ passer un examen.

examination [ɪgˌzæmɪˈneɪʃn] n examen m.

examine [ɪgˈzæmɪn] vt examiner.

example [ɪgˈzɑːmpl] n exemple m; for ~ par exemple.

exceed [ɪkˈsiːd] vt dépasser.

excellent [ˈeksələnt] adj excellent(-e).

except [ɪkˈsept] prep sauf, à part ♦ conj sauf, à part; ~ for sauf, à part; "~ for access" «sauf riverains»; "~ for loading" «sauf livraisons».

exception [ɪkˈsepʃn] n exception f.

exceptional [ɪkˈsepʃnəl] adj exceptionnel(-elle).

excerpt [ˈeksɜːpt] n extrait m.

excess [ɪkˈses, before nouns ˈekses] adj excédentaire ♦ n excès m.

excess baggage n excédent m de bagages.

excess fare n (Br) supplément m.

excessive [ɪkˈsesɪv] adj excessif(-ive).

exchange [ɪks'tʃeɪndʒ] n (of telephones) central m téléphonique; (of students) échange m scolaire ◆ vt échanger; **to ~ sthg for sthg** échanger qqch contre qqch; **to be on an ~** prendre part à un échange scolaire.

exchange rate n taux m de change.

excited [ɪk'saɪtɪd] adj excité(-e).

excitement [ɪk'saɪtmənt] n excitation f; (exciting thing) animation f.

exciting [ɪk'saɪtɪŋ] adj passionnant(-e).

exclamation mark [,eksklə'meɪʃn-] n (Br) point m d'exclamation.

exclamation point [,eksklə'meɪʃn-] (Am) = **exclamation mark**.

exclude [ɪk'sklu:d] vt exclure.

excluding [ɪk'sklu:dɪŋ] prep sauf, à l'exception de.

exclusive [ɪk'sklu:sɪv] adj (high-class) chic; (sole) exclusif(-ive) ◆ n exclusivité f; **~ of VAT** TVA non comprise.

excursion [ɪk'skɜːʃn] n excursion f.

excuse [n ɪk'skjuːs, vb ɪk'skjuːz] n excuse f ◆ vt (forgive) excuser; (let off) dispenser; **~ me!** excusez-moi!

ex-directory adj (Br) sur la liste rouge.

execute ['eksɪkjuːt] vt (kill) exécuter.

executive [ɪg'zekjʊtɪv] adj (room) pour cadres ◆ n (person) cadre m.

exempt [ɪg'zempt] adj: **~ from** exempt(-e) de.

exemption [ɪg'zempʃn] n exemption f.

exercise ['eksəsaɪz] n exercice m ◆ vi faire de l'exercice; **to do ~s** faire des exercices.

exercise book n cahier m.

exert [ɪg'zɜːt] vt exercer.

exhaust [ɪg'zɔːst] vt épuiser ◆ n: **~ (pipe)** pot m d'échappement.

exhausted [ɪg'zɔːstɪd] adj épuisé(-e).

exhibit [ɪg'zɪbɪt] n (in museum, gallery) objet m exposé ◆ vt exposer.

exhibition [,eksɪ'bɪʃn] n (of art) exposition f.

exist [ɪg'zɪst] vi exister.

existence [ɪg'zɪstəns] n existence f; **to be in ~** exister.

existing [ɪg'zɪstɪŋ] adj existant(-e).

exit ['eksɪt] n sortie f ◆ vi sortir.

exotic [ɪg'zɒtɪk] adj exotique.

expand [ɪk'spænd] vi se développer.

expect [ɪk'spekt] vt s'attendre à; (await) attendre; **to ~ to do sthg** compter faire qqch; **to ~ sb to do sthg** (require) attendre de qqn qu'il fasse qqch; **to be ~ing** (be pregnant) être enceinte.

expedition [,ekspɪ'dɪʃn] n expédition f.

expel [ɪk'spel] vt (from school) renvoyer.

expense [ɪk'spens] n dépense f; **at the ~ of** (fig) aux dépens de ❑ **expenses** npl (of business trip) frais mpl.

expensive [ɪk'spensɪv] adj cher (chère).

experience [ɪk'spɪərɪəns]

expérience *f* ◆ *vt* connaître.

experienced [ɪkˈspɪərɪənst] *adj* expérimenté(-e).

experiment [ɪkˈsperɪmənt] *n* expérience *f* ◆ *vi* expérimenter.

expert [ˈekspɜːt] *adj* (advice) d'expert ◆ *n* expert *m*.

expire [ɪkˈspaɪəʳ] *vi* expirer.

expiry date [ɪkˈspaɪərɪ-] *n* date *f* d'expiration.

explain [ɪkˈspleɪn] *vt* expliquer.

explanation [ˌekspləˈneɪʃn] *n* explication *f*.

explode [ɪkˈspləʊd] *vi* exploser.

exploit [ɪkˈsplɔɪt] *vt* exploiter.

explore [ɪkˈsplɔːʳ] *vt* (place) explorer.

explosion [ɪkˈspləʊʒn] *n* explosion *f*.

explosive [ɪkˈspləʊsɪv] *n* explosif *m*.

export [*n* ˈekspɔːt, *vb* ɪkˈspɔːt] *n* exportation *f* ◆ *vt* exporter.

exposed [ɪkˈspəʊzd] *adj* (place) exposé(-e).

exposure [ɪkˈspəʊʒəʳ] *n* (photograph) pose *f*; (MED) exposition *f* au froid; (to heat, radiation) exposition *f*.

express [ɪkˈspres] *adj* (letter, delivery) exprès; (train) express ◆ *n* (train) express *m* ◆ *vt* exprimer ◆ *adv* en exprès.

expression [ɪkˈspreʃn] *n* expression *f*.

expresso [ɪkˈspresəʊ] *n* expresso *m*.

expressway [ɪkˈspresweɪ] *n* (Am) autoroute *f*.

extend [ɪkˈstend] *vt* prolonger; (hand) tendre ◆ *vi* s'étendre.

extension [ɪkˈstenʃn] *n* (of build-ing) annexe *f*; (for phone) poste *m*; (for permit, essay) prolongation *f*.

extension lead *n* rallonge *f*.

extensive [ɪkˈstensɪv] *adj* (damage) important(-e); (area) vaste; (selection) large.

extent [ɪkˈstent] *n* (of damage, knowledge) étendue *f*; **to a certain ~** jusqu'à un certain point; **to what ~ ...?** dans quelle mesure ...?

exterior [ɪkˈstɪərɪəʳ] *adj* extérieur(-e) ◆ *n* extérieur *m*.

external [ɪkˈstɜːnl] *adj* externe.

extinct [ɪkˈstɪŋkt] *adj* (species) disparu(-e); (volcano) éteint(-e).

extinction [ɪkˈstɪŋkʃn] *n* extinction *f*.

extinguish [ɪkˈstɪŋgwɪʃ] *vt* éteindre.

extinguisher [ɪkˈstɪŋgwɪʃəʳ] *n* extincteur *m*.

extortionate [ɪkˈstɔːʃnət] *adj* exorbitant(-e).

extra [ˈekstrə] *adj* supplémentaire ◆ *n* (bonus) plus *m*; (optional thing) option *f* ◆ *adv* (especially) encore plus; **to pay ~** payer un supplément; **~ charge** supplément *m*; **~ large** XL ❑ **extras** *npl* (in price) suppléments *mpl*.

extract [*n* ˈekstrækt, *vb* ɪkˈstrækt] *n* extrait *m* ◆ *vt* extraire.

extractor fan [ɪkˈstræktə-] *n* (Br) ventilateur *m*.

extraordinary [ɪkˈstrɔːdnrɪ] *adj* extraordinaire.

extravagant [ɪkˈstrævəgənt] *adj* (wasteful) dépensier(-ière); (expensive) coûteux(-euse).

extreme [ɪkˈstriːm] *adj* extrême ◆ *n* extrême *m*.

extremely [ɪkˈstriːmlɪ] *adv*

extrêmement.

extrovert ['ekstrəvɜːt] n extraverti m (-e f).

eye [aɪ] n œil m; (of needle) chas m ♦ vt lorgner; **to keep an ~ on** surveiller.

eyebrow ['aɪbraʊ] n sourcil m.

eye drops npl gouttes fpl pour les yeux.

eyeglasses ['aɪɡlɑːsɪz] npl lunettes fpl.

eyelash ['aɪlæʃ] n cil m.

eyelid ['aɪlɪd] n paupière f.

eyeliner ['aɪˌlaɪnəʳ] n eye-liner m.

eye shadow n ombre f à paupières.

eyesight ['aɪsaɪt] n vue f.

eye test n examen m des yeux.

eyewitness ['aɪˌwɪtnɪs] n témoin m oculaire.

F

F (abbr of Fahrenheit) F.

fabric ['fæbrɪk] n tissu m.

fabulous ['fæbjʊləs] adj fabuleux(-euse).

facade [fə'sɑːd] n façade f.

face [feɪs] n visage m; (expression) mine f; (of cliff, mountain) face f; (of clock, watch) cadran m ♦ vt faire face à; (facts) regarder en face; **to be ~d with** vt fus être confronté à □ **face up to** vt fus faire face à.

facecloth ['feɪsklɒθ] n (Br) = gant m de toilette.

facial ['feɪʃl] n soins mpl du visage.

facilitate [fə'sɪlɪteɪt] vt (fml) faciliter.

facilities [fə'sɪlɪtiːz] npl équipements mpl.

facsimile [fæk'sɪmɪlɪ] n (fax) fax m.

fact [fækt] n fait m; **in ~** en fait.

factor ['fæktəʳ] n facteur m; (of suntan lotion) indice m (de protection); **~ ten suntan lotion** crème solaire indice dix.

factory ['fæktərɪ] n usine f.

faculty ['fæklti] n (at university) faculté f.

FA Cup n championnat anglais de football dont la finale se joue à Wembley.

fade [feɪd] vi (light, sound) baisser; (flower) faner; (jeans, wallpaper) se décolorer.

faded ['feɪdɪd] adj (jeans) délavé(-e).

fag [fæg] n (Br: inf: cigarette) clope f.

Fahrenheit ['færənhaɪt] adj Fahrenheit (inv).

fail [feɪl] vt (exam) rater, échouer à ♦ vi échouer; (engine) tomber en panne; **to ~ to do sthg** (not do) ne pas faire qqch.

failing ['feɪlɪŋ] n défaut m ♦ prep: **~ that** à défaut.

failure ['feɪljəʳ] n échec m; (person) raté m (-e f); (act of neglecting) manquement m.

faint [feɪnt] vi s'évanouir ♦ adj (sound) faible; (colour) pâle; (outline) vague; **to feel ~** se sentir mal; **I haven't the ~est idea** je n'en ai pas la moindre idée.

fair [feə^r] n (funfair) fête f foraine; (trade fair) foire f ♦ adj (just) juste; (quite good) assez bon (bonne); (skin) clair(-e); (person, hair) blond(-e); (weather) beau (belle); a ~ number of un nombre assez important de; ~ enough! d'accord!

fairground ['feəgraund] n champ m de foire.

fair-haired [-'heəd] adj blond(-e).

fairly ['feəlɪ] adv (quite) assez.

fairy ['feərɪ] n fée f.

fairy tale n conte m de fées.

faith [feɪθ] n (confidence) confiance f; (religious) foi f.

faithfully ['feɪθfəlɪ] adv: Yours ~ = veuillez agréer mes salutations distinguées.

fake [feɪk] n (painting etc) faux m ♦ vt imiter.

fall [fɔːl] (pt fell, pp fallen ['fɔːln]) vi tomber; (decrease) chuter ♦ n chute f; (Am: autumn) automne m; to ~ asleep s'endormir; to ~ ill tomber malade; to ~ in love tomber amoureux ❑ falls npl (waterfall) chutes fpl; fall behind vi (with work, rent) être en retard; fall down vi tomber; fall off vi tomber; fall out vi (hair, teeth) tomber; (argue) se brouiller; fall over vi tomber; fall through vi échouer.

false [fɔːls] adj faux (fausse).

false alarm n fausse alerte f.

false teeth npl dentier m.

fame [feɪm] n renommée f.

familiar [fə'mɪljə^r] adj familier(-ière); to be ~ with (know) connaître.

family ['fæmlɪ] n famille f ♦ adj (size) familial(-e); (film) tous publics; (holiday) en famille.

family planning clinic [-'plænɪŋ-] n centre m de planning familial.

family room n (at hotel) chambre f familiale; (at pub, airport) salle f réservée aux familles avec de jeunes enfants.

famine ['fæmɪn] n famine f.

famished ['fæmɪʃt] adj (inf) affamé(-e).

famous ['feɪməs] adj réputé(-e).

fan [fæn] n (held in hand) éventail m; (electric) ventilateur m; (enthusiast) fana mf; (supporter) fan mf.

fan belt n courroie f de ventilateur.

fancy ['fænsɪ] adj (elaborate) recherché(-e) ♦ vt (inf: feel like) avoir envie de; I ~ him il me plaît; ~ (that)! ça alors!

fancy dress n déguisement m.

fan heater n radiateur m soufflant.

fanlight ['fænlaɪt] n (Br) imposte f.

fantastic [fæn'tæstɪk] adj fantastique.

fantasy ['fæntəsɪ] n (dream) fantasme m.

far [fɑː^r] (compar further OR farther, superl furthest OR farthest) adv loin; (in degree) bien, beaucoup ♦ adj (end, side) autre; how ~ is it to Paris? à combien sommes-nous de Paris?; as ~ as (place) jusqu'à; as ~ as I'm concerned en ce qui me concerne; as ~ as I know pour autant que je sache; ~ better beaucoup mieux; by ~ de loin; so ~ (until now) jusqu'ici; to go too ~ (behave unacceptably) aller trop loin.

farce [fɑːs] n (ridiculous situation)

farce [fɑːs] n (on bus, train etc) tarif m; (fml: food) nourriture f ◆ vi se débrouiller.

Far East n: the ~ l'Extrême-Orient m.

fare stage n (Br) section f.

farm [fɑːm] n ferme f.

farmer ['fɑːmə'] n fermier m (-ière f).

farmhouse ['fɑːmhaus, pl -hauzɪz] n ferme f.

farming ['fɑːmɪŋ] n agriculture f.

farmland ['fɑːmlænd] n terres fpl cultivées.

farmyard ['fɑːmjɑːd] n cour f de ferme.

farther ['fɑːðə'] compar → far.

farthest ['fɑːðəst] superl → far.

fascinating ['fæsɪneɪtɪŋ] adj fascinant(-e).

fascination [ˌfæsɪ'neɪʃn] n fascination f.

fashion ['fæʃn] n (trend, style) mode f; (manner) manière f; to be in ~ être à la mode; to be out of ~ être démodé.

fashionable ['fæʃnəbl] adj à la mode.

fashion show n défilé m de mode.

fast [fɑːst] adv (quickly) vite; (securely) solidement ◆ adj rapide; to be ~ (clock) avancer; ~ asleep profondément endormi; a ~ train un (train) rapide.

fasten ['fɑːsn] vt attacher; (coat, door) fermer.

fastener ['fɑːsnə'] n (on jewellery) fermoir m; (zip) fermeture f Éclair®; (press stud) bouton-pression m.

fast food n fast-food m.

fat [fæt] adj (person) gros (grosse); (meat) gras (grasse) ◆ n (on body) graisse f; (on meat) gras m; (for cooking) matière f grasse; (chemical substance) lipides mpl.

fatal ['feɪtl] adj (accident, disease) mortel(-elle).

father ['fɑːðə'] n père m.

Father Christmas n (Br) père Noël.

father-in-law n beau-père m.

fattening ['fætnɪŋ] adj qui fait grossir.

fatty ['fætɪ] adj gras (grasse).

faucet ['fɔːsɪt] n (Am) robinet m.

fault ['fɔːlt] n (responsibility) faute f; (defect) défaut m; it's your ~ c'est de ta faute.

faulty ['fɔːltɪ] adj défectueux(-euse).

favor ['feɪvə'] (Am) = favour.

favour ['feɪvə'] n (Br: kind act) faveur f ◆ vt (prefer) préférer; to be in ~ of être en faveur de; to do sb a ~ rendre un service à qqn.

favourable ['feɪvrəbl] adj favorable.

favourite ['feɪvrɪt] adj préféré(-e) ◆ n préféré m (-e f).

fawn [fɔːn] adj fauve.

fax [fæks] n fax m ◆ vt (document) faxer; (person) envoyer un fax à.

fear [fɪə'] n peur f ◆ vt (be afraid of) avoir peur de; for ~ of de peur de.

feast [fiːst] n (meal) festin m.

feather ['feðə'] n plume f.

feature ['fiːtʃə'] n (characteristic) caractéristique f; (of face) trait m; (in newspaper) article m de fond; (on radio, TV) reportage m ◆ vt

fibre

(subj: film): "featuring ..." «avec ...».

feature film n long métrage m.

Feb [feb] *(abbr of February)* fév.

February ['februəri] n février m, → September.

fed [fed] *pt & pp →* feed.

fed up *adj*: **to be ~** avoir le cafard; **to be ~ with** en avoir assez de.

fee [fi:] n *(to doctor)* honoraires mpl; *(for membership)* cotisation f.

feeble ['fi:bəl] *adj* faible.

feed [fi:d] *(pt & pp fed)* vt nourrir; *(insert)* insérer.

feel [fi:l] *(pt & pp felt)* vt *(touch)* toucher; *(experience)* sentir; *(think)* penser ♦ n *(touch)* toucher m; **to ~** se sentir; **it ~s cold** il fait froid; **it ~s strange** ça fait drôle; **to ~** hot/cold avoir chaud/froid; **to ~** like sthg *(fancy)* avoir envie de qqch; **to ~ up to doing sthg** se sentir le courage de faire qqch.

feeling ['fi:lɪŋ] n *(emotion)* sentiment m; *(sensation)* sensation f; *(belief)* opinion f; **to hurt sb's ~s** blesser qqn.

feet [fi:t] *pl →* foot.

fell [fel] *pt →* fall ♦ vt *(tree)* abattre.

fellow ['feləu] n *(man)* homme m ♦ *adj*: **~ students** camarades mpl de classe.

felt [felt] *pt & pp →* feel ♦ n feutre m.

felt-tip pen n (stylo-)feutre m.

female ['fi:meɪl] *adj* féminin(-e); *(animal)* femelle ♦ n *(animal)* femelle f.

feminine ['femɪnɪn] *adj* fémi-nin(-e).

feminist ['femɪnɪst] n féministe mf.

fence [fens] n barrière f.

fencing ['fensɪŋ] n *(SPORT)* escrime f.

fend [fend] vi: **to ~ for o.s.** se débrouiller tout seul.

fender ['fendər] n *(for fireplace)* pare-feu m inv; *(Am: on car)* aile f.

fennel ['fenl] n fenouil m.

fern [fɜːn] n fougère f.

ferocious [fə'rəʊʃəs] *adj* féroce.

ferry ['feri] n ferry m.

fertile ['fɜːtaɪl] *adj (land)* fertile.

fertilizer ['fɜːtɪlaɪzər] n engrais m.

festival ['festəvl] n *(of music, arts etc)* festival m; *(holiday)* fête f.

feta cheese ['fetə-] n feta f.

fetch [fetʃ] vt *(object)* apporter; *(go and get)* aller chercher; *(be sold for)* rapporter.

fete [feɪt] n fête f.

fever ['fi:vər] n fièvre f; **to have a ~** avoir de la fièvre.

feverish ['fi:vərɪʃ] *adj* fié-vreux(-euse).

few [fju:] *adj* peu de ♦ *pron* peu; **the first ~ times** les premières fois; **a ~** quelques ♦ *pron* quelques-uns; **quite a ~ of them** pas mal d'entre eux.

fewer ['fju:ər] *adj* moins de ♦ *pron*: **~ than ten items** moins de dix articles.

fiancé [fɪ'ɒnseɪ] n fiancé m.

fiancée [fɪ'ɒnseɪ] n fiancée f.

fib [fɪb] n *(inf)* bobard m.

fiber ['faɪbər] *(Am)* = fibre.

fibre ['faɪbər] n *(Br)* fibre f; *(in food)* fibres fpl.

fibreglass [ˈfaɪbəglɑːs] n fibre f de verre.

fickle [ˈfɪkl] adj capricieux(-ieuse).

fiction [ˈfɪkʃn] n fiction f.

fiddle [ˈfɪdl] n (violin) violon m ♦ vi: to ~ with sthg tripoter qqch.

fidget [ˈfɪdʒɪt] vi remuer.

field [fiːld] n champ m; (for sport) terrain m; (subject) domaine m.

field glasses npl jumelles fpl.

fierce [fɪəs] adj féroce; (storm) violent(-e); (heat) torride.

fifteen [fɪfˈtiːn] num quinze, → six.

fifteenth [ˌfɪfˈtiːnθ] num quinzième, → sixth.

fifth [fɪfθ] num cinquième, → sixth.

fiftieth [ˈfɪftɪəθ] num cinquantième, → sixth.

fifty [ˈfɪftɪ] num cinquante, → six.

fig [fɪg] n figue f.

fight [faɪt] (pt & pp fought) n bagarre f; (argument) dispute f; (struggle) lutte f ♦ vt se battre avec OR contre; (combat) combattre ♦ vi se battre; (quarrel) se disputer; (struggle) lutter; to have a ~ with sb se battre avec qqn ❑ fight back vt sep se défendre; fight off vt sep (attacker) repousser; (illness) lutter contre.

fighting [ˈfaɪtɪŋ] n bagarre f; (military) combats mpl.

figure [Br ˈfɪgər, Am ˈfɪgjər] n (digit, statistic) chiffre m; (number) nombre m; (of person) silhouette f; (diagram) figure f ❑ figure out vt sep comprendre.

file [faɪl] n dossier m; (COMPUT) fichier m; (tool) lime f ♦ vt (complaint, petition) déposer; (nails) limer; in single ~ en file indienne.

filing cabinet [ˈfaɪlɪŋ-] n classeur m (meuble).

fill [fɪl] vt remplir; (tooth) plomber; to ~ sthg with remplir qqch de ❑ fill in vt sep (form) remplir; fill out vt sep = fill in; fill up vt sep remplir; ~ her up! (with petrol) le plein!

filled roll [fɪld-] n petit pain m garni.

fillet [ˈfɪlɪt] n filet m.

fillet steak n filet m de bœuf.

filling [ˈfɪlɪŋ] n (of cake, sandwich) garniture f; (in tooth) plombage m ♦ adj nourrissant(-e).

filling station n station-service f.

film [fɪlm] n (at cinema) film m; (for camera) pellicule f ♦ vt filmer.

film star n vedette f de cinéma.

filter [ˈfɪltər] n filtre m.

filthy [ˈfɪlθɪ] adj dégoûtant(-e).

fin [fɪn] n (of fish) nageoire f; (Am: of swimmer) palme f.

final [ˈfaɪnl] adj (last) dernier(-ière); (decision, offer) final(-e) ♦ n finale f.

finalist [ˈfaɪnəlɪst] n finaliste mf.

finally [ˈfaɪnəlɪ] adv enfin.

finance [n ˈfaɪnæns, vb faɪˈnæns] n (money) financement m; (profession) finance f ♦ vt financer ❑ finances npl finances fpl.

financial [fɪˈnænʃl] adj financier(-ière).

find [faɪnd] (pt & pp found) vt trouver; (find out) découvrir ♦ n trouvaille f; to ~ the time to do sthg trouver le temps de faire qqch ❑ find out vt sep (fact, truth)

découvrir n vi: to ~ out about sthg (learn) apprendre qqch; (get information) se renseigner sur qqch.

fine [faɪn] adv (thinly) fin; (well) très bien ◆ n amende f ◆ vt donner une amende à ◆ adj (good) excellent(-e); (weather, day) beau (belle); (satisfactory) bien; (thin) fin(-e); to be ~ (in health) aller bien.

fine art n beaux-arts mpl.

finger ['fɪŋgə¹] n doigt m.

fingernail ['fɪŋgəneɪl] n ongle m (de la main).

fingertip ['fɪŋgətɪp] n bout m du doigt.

finish ['fɪnɪʃ] n fin f; (of race) arrivée f; (on furniture) fini m ◆ vt finir, terminer ◆ vi finir, se terminer; (in race) finir; to ~ doing sthg finir de faire qqch □ **finish off** vt sep finir, terminer; **finish up** vi finir, terminer; to ~ up doing sthg finir par faire qqch.

Finland ['fɪnlənd] n la Finlande.

Finn [fɪn] n Finlandais m (-e f).

Finnan haddock ['fɪnən-] n (Scot) type de haddock écossais.

Finnish ['fɪnɪʃ] adj finlandais(-e) ◆ n (language) finnois m.

fir [fɜ:¹] n sapin m.

fire ['faɪə¹] n feu m; (out of control) incendie m; (device) appareil m de chauffage ◆ vt (gun) décharger; (bullet) tirer; (from job) renvoyer; **on** ~ en feu; to catch ~ prendre feu; to make a ~ faire du feu.

fire alarm n alarme f d'incendie.

fire brigade n (Br) pompiers mpl.

fire department (Am) = fire brigade.

fire engine n voiture f de pompiers.

fire escape n escalier m de secours.

fire exit n issue f de secours.

fire extinguisher n extincteur m.

fire hazard n: to be a ~ présenter un risque d'incendie.

fireman ['faɪəmən] (pl -men [-mən]) n pompier m.

fireplace ['faɪəpleɪs] n cheminée f.

fire regulations npl consignes fpl d'incendie.

fire station n caserne f de pompiers.

firewood ['faɪəwʊd] n bois m de chauffage.

firework display ['faɪəwɜ:k-] n feu m d'artifice.

fireworks ['faɪəwɜ:ks] npl (rockets) feux mpl d'artifice.

firm [fɜ:m] adj ferme; (structure) solide ◆ n société f.

first [fɜ:st] adj premier(-ière) ◆ adv (in order) en premier; (at the start) premièrement, d'abord; (for the first time) pour la première fois ◆ pron premier m (-ière f) ◆ n (event) première f; ~ (gear) première f; ~ thing (in the morning) à la première heure; for the ~ time pour la première fois; the ~ of January le premier janvier; at ~ au début; ~ of all premièrement, tout d'abord.

first aid n premiers secours mpl.

first-aid kit n trousse f de premiers secours.

first class n (mail) tarif m normal; (on train, plane, ship) première classe f.

first-class adj (stamp) au tarif normal; (ticket) de première classe; (very good) excellent(-e).

first floor n (Br) premier étage m; (Am) rez-de-chaussée m inv.

firstly ['fɜːstlɪ] adv premièrement.

First World War n: the ~ la Première Guerre mondiale.

fish [fɪʃ] (pl inv) n poisson m ♦ vi pêcher.

fish and chips n poisson m frit et frites.

i FISH AND CHIPS

P lat à emporter britannique par excellence, le poisson frit accompagné de frites est enveloppé dans du papier d'emballage puis du papier journal et souvent consommé directement, dans la rue. Les «fish and chip shops» que l'on trouve partout en Grande-Bretagne vendent également d'autres produits frits (saucisses, boudin, poulet) et de petits pâtés en croûte.

fishcake ['fɪʃkeɪk] n croquette f de poisson.

fisherman ['fɪʃəmən] (pl -men [-mən]) n pêcheur m.

fish farm n établissement m piscicole.

fish fingers npl (Br) bâtonnets mpl de poisson pané.

fishing ['fɪʃɪŋ] n pêche f; to go ~ aller à la pêche.

fishing boat n bateau m de pêche.

fishing rod n canne f à pêche.

fishmonger's ['fɪʃˌmʌŋɡəz] n (shop) poissonnerie f.

fish sticks (Am) = fish fingers.

fish supper n (Scot) poisson m frit et frites.

fist [fɪst] n poing m.

fit [fɪt] adj (healthy) en forme ♦ vt (subj: clothes, shoes) aller à; (a lock, kitchen, bath) installer; (insert) insérer ♦ vi aller ♦ n (of coughing, anger) crise f; (epileptic) crise f d'épilepsie; it's a good ~ (clothes) c'est la bonne taille; to be ~ for sthg (suitable) être bon pour qqch; ~ to eat comestible; it doesn't ~ (jacket, skirt) ça ne va pas; (object) ça ne rentre pas; to get ~ se remettre en forme; to keep ~ garder la forme ❑ **fit in** vt sep (find time to do) caser ♦ vi (belong) s'intégrer.

fitness ['fɪtnɪs] n (health) forme f.

fitted carpet [ˌfɪtəd-] n moquette f.

fitted sheet [ˌfɪtəd-] n drap-housse m.

fitting room ['fɪtɪŋ-] n cabine f d'essayage.

five [faɪv] num cinq, → six.

fiver ['faɪvər] n (Br) (inf) cinq livres fpl; (note) billet m de cinq livres.

fix [fɪks] vt (attach, decide on) fixer; (mend) réparer; (drink, food) préparer; (arrange) arranger ❑ **fix up** vt sep: to ~ sb up with sthg obtenir qqch pour qqn.

fixture ['fɪkstʃər] n (SPORT) rencontre f; ~s and fittings équipements mpl.

fizzy ['fɪzɪ] adj pétillant(-e).

flag [flæɡ] n drapeau m.

flake [fleɪk] n (of snow) flocon m ♦ vi s'écailler.

flame [fleɪm] n flamme f.

flammable ['flæməbl] *adj* inflammable.

flan [flæn] *n* tarte *f*.

flannel ['flænl] *n (material)* flanelle *f*; *(Br: for face)* = gant *m* de toilette ❏ **flannels** *npl* pantalon *m* de flanelle.

flap [flæp] *n* rabat *m* ◆ *vt (wings)* battre de.

flapjack ['flæpdʒæk] *n (Br)* pavé *m* à l'avoine.

flare [fleəʳ] *n (signal)* signal *m* lumineux.

flared [fleəd] *adj (trousers)* à pattes d'éléphant; *(skirt)* évasé(-e).

flash [flæʃ] *n (of light)* éclair *m*; *(for camera)* flash *m* ◆ *vi (lamp)* clignoter; **a ~ of lightning** un éclair; **to ~ one's headlights** faire un appel de phares.

flashlight ['flæʃlaɪt] *n* lampe *f* électrique, torche *f*.

flask [flɑːsk] *n (Thermos)* Thermos® *f*; *(hip flask)* flasque *f*.

flat [flæt] *adj* plat(-e); *(surface)* plan(-e); *(battery)* à plat; *(drink)* éventé(-e); *(rate, fee)* fixe ◆ *adv* à plat ◆ *n (Br: apartment)* appartement *m*; **a ~ (tyre)** un pneu à plat; **~ out** *(run)* à fond; *(work)* d'arrache-pied.

flatter ['flætəʳ] *vt* flatter.

flavor ['fleɪvər] *(Am)* = **flavour**.

flavour ['fleɪvəʳ] *n (Br)* goût *m*; *(of ice cream)* parfum *m*.

flavoured ['fleɪvəd] *adj* aromatisé(-e).

flavouring ['fleɪvərɪŋ] *n* arôme *m*.

flaw [flɔː] *n* défaut *m*.

flea [fliː] *n* puce *f*.

flea market *n* marché *m* aux puces.

fleece [fliːs] *n (material)* fourrure *f* polaire.

fleet [fliːt] *n* flotte *f*.

Flemish ['flemɪʃ] *adj* flamand(-e) ◆ *n (language)* flamand *m*.

flesh [fleʃ] *n* chair *f*.

flew [fluː] *pt* → **fly**.

flex [fleks] *n* cordon *m* électrique.

flexible ['fleksəbl] *adj* flexible.

flick [flɪk] *vt (a switch)* appuyer sur; *(with finger)* donner une chiquenaude à ❏ **flick through** *vt fus* feuilleter.

flies [flaɪz] *npl (of trousers)* braguette *f*.

flight [flaɪt] *n* vol *m*; **a ~ of stairs** une volée de marches.

flight attendant *n (female)* hôtesse *f* de l'air; *(male)* steward *m*.

flimsy ['flɪmzɪ] *adj (object)* fragile; *(clothes)* léger(-ère).

fling [flɪŋ] *(pt & pp flung)* *vt* jeter.

flint [flɪnt] *n (of lighter)* pierre *f*.

flip-flop [flɪp-] *n (Br: shoe)* tong *f*.

flipper ['flɪpəʳ] *n (Br: of swimmer)* palme *f*.

flirt [flɜːt] *vi*: **to ~ (with sb)** flirter (avec qqn).

float [fləʊt] *n (for swimming)* planche *f*; *(for fishing)* bouchon *m*; *(in procession)* char *m*; *(drink)* soda avec une boule de glace ◆ *vi* flotter.

flock [flɒk] *n (of sheep)* troupeau *m*; *(of birds)* vol *m* ◆ *vi (people)* affluer.

flood [flʌd] *n* inondation *f* ◆ *vt* inonder ◆ *vi* déborder.

floodlight ['flʌdlaɪt] *n* projecteur *m*.

floor [flɔːʳ] n (of room) plancher m, sol m; (storey) étage m; (of night-club) piste f.

floorboard [ˈflɔːbɔːd] n latte f (de plancher).

floor show n spectacle m de cabaret.

flop [flɒp] n (inf: failure) fiasco m.

floppy disk [flɒpɪ-] n disquette f.

floral [ˈflɔːrəl] adj (pattern) à fleurs.

Florida Keys [ˈflɒrɪdə-] npl îles au large de la Floride.

---

i FLORIDA KEYS

Cet ensemble de petites îles s'étendant sur plus de 150 kilomètres au large de la côte sud de la Floride comprend notamment les très populaires Key West et Key Largo. Un système de routes et de ponts, l'«Overseas Highway», relie les îles entre elles.

---

florist's [ˈflɒrɪsts] n (shop) fleuriste m.

flour [ˈflaʊəʳ] n farine f.

flow [fləʊ] n courant m ♦ vi couler.

flower [ˈflaʊəʳ] n fleur f.

flowerbed [ˈflaʊəbed] n parterre m de fleurs.

flowerpot [ˈflaʊəpɒt] n pot m de fleurs.

flown [fləʊn] pp → fly.

fl oz abbr = fluid ounce.

flu [fluː] n grippe f.

fluent [ˈfluːənt] adj: to be ~ in French, to speak ~ French parler couramment français.

fluff [flʌf] n (on clothes) peluches fpl.

fluid ounce [ˈfluːɪd-] n = 0,03 litre.

flume [fluːm] n toboggan m.

flung [flʌŋ] pt & pp → fling.

flunk [flʌŋk] vt (Am: inf: exam) rater.

fluorescent [flʊəˈresənt] adj fluorescent(-e).

flush [flʌʃ] vt: to ~ the toilet tirer la chasse d'eau.

flute [fluːt] n flûte f.

fly [flaɪ] (pt flew, pp flown) n (insect) mouche f; (of trousers) braguette f ♦ vt (plane, helicopter) piloter; (airline) voyager avec; (transport) transporter (par avion) ♦ vi voler; (passenger) voyager en avion; (pilot a plane) piloter; (flag) flotter.

fly-drive n formule f avion plus voiture.

flying [ˈflaɪɪŋ] n voyages mpl en avion.

flyover [ˈflaɪˌəʊvəʳ] n (Br) saut-de-mouton m.

flypaper [ˈflaɪˌpeɪpəʳ] n papier m tue-mouches.

flysheet [ˈflaɪʃiːt] n auvent m.

FM n FM f.

foal [fəʊl] n poulain m.

foam [fəʊm] n mousse f.

focus [ˈfəʊkəs] n (of camera) mise f au point ♦ vi (with camera, binoculars) faire la mise au point; in ~ net; out of ~ flou.

fog [fɒg] n brouillard m.

fogbound [ˈfɒgbaʊnd] adj bloqué(-e) par le brouillard.

foggy [ˈfɒgɪ] adj brumeux(-euse).

for

fog lamp n feu m de brouillard.

foil [fɔɪl] n (thin metal) papier m aluminium.

fold [fəʊld] n pli m ♦ vt plier; (wrap) envelopper; **to ~ one's arms** (se) croiser les bras ❑ **fold up** vi (chair, bed, bicycle) se plier.

folder ['fəʊldər] n chemise f (cartonnée).

foliage ['fəʊlɪdʒ] n feuillage m.

folk [fəʊk] npl (people) gens mpl ♦ n: ~ (music) folk m ❑ **folks** npl (inf: relatives) famille f.

follow ['fɒləʊ] vt & vi suivre; (be) (in time) suivi par OR de; **as ~s** comme suit ❑ **follow on** vi (come later) suivre.

follow on call n appel téléphonique permettant d'utiliser la monnaie restante d'un précédent appel.

following ['fɒləʊɪŋ] adj suivant(-e) ♦ prep après.

fond [fɒnd] adj: **to be ~ of** aimer beaucoup.

fondue ['fɒndu:] n (with cheese) fondue f (savoyarde); (with meat) fondue bourguignonne.

food [fu:d] n nourriture f; (type of food) aliment m.

food poisoning [-ˌpɔɪznɪŋ] n intoxication f alimentaire.

food processor [-ˌprəʊsesər] n robot m ménager.

foodstuffs ['fu:dstʌfs] npl denrées fpl alimentaires.

fool [fu:l] n (idiot) idiot m (-e f); (pudding) mousse f ♦ vt tromper.

foolish ['fu:lɪʃ] adj idiot(-e), bête.

foot [fʊt] (pl feet) n pied m; (of animal) patte f; (measurement) = 30,48 cm, pied; **by ~** à pied; **on ~** à pied.

football ['fʊtbɔːl] n (Br: soccer) football m; (Am: American football) football m américain; (ball) ballon m de football.

footballer ['fʊtbɔːlər] n (Br) footballeur m (-euse f).

football pitch n (Br) terrain m de football.

footbridge ['fʊtbrɪdʒ] n passerelle f.

footpath ['fʊtpɑːθ, pl -pɑːðz] n sentier m.

footprint ['fʊtprɪnt] n empreinte f de pas.

footstep ['fʊtstep] n pas m.

footwear ['fʊtweər] n chaussures fpl.

for [fɔː] prep **1.** (expressing purpose, reason, destination) pour; **this book is ~ you** ce livre est pour toi; **a ticket ~ Manchester** un billet pour Manchester; **a town famous ~ its wine** une ville réputée pour son vin; **what did you do that ~?** pourquoi as-tu fait ça?; **what's it ~?** ça sert à quoi?; **to go ~ a walk** aller se promener; **"~ sale"** «à vendre».

2. (during) pendant; **I've lived here ~ ten years** j'habite ici depuis dix ans, ça fait dix ans que j'habite ici; **we talked ~ hours** on a parlé pendant des heures.

3. (by, before) pour; **I'll do it ~ tomorrow** je le ferai pour demain.

4. (on the occasion of) pour; **I got socks ~ Christmas** on m'a offert des chaussettes pour Noël; **what's ~ dinner?** qu'est-ce qu'il y a pour OR à dîner?

5. (on behalf of) pour; **to do sthg ~ sb** faire qqch pour qqn.

6. (with time and space) pour; **there's**

no room ~ your suitcase il n'y a pas de place pour ta valise; **it's time ~ dinner** c'est l'heure du dîner; **have you got time ~ a drink?** tu as le temps de prendre un verre?
7. *(expressing distance)* pendant, sur; **road works ~ 20 miles** travaux sur 32 kilomètres.
8. *(expressing price):* **I bought it ~ five pounds** je l'ai payé cinq livres.
9. *(expressing meaning):* **what's the French ~ "boy"?** comment dit-on «boy» en français?
10. *(with regard to)* pour; **it's warm ~ November** il fait chaud pour novembre; **it's easy ~ you** c'est facile pour toi; **it's too far ~ to walk** c'est trop loin pour y aller à pied.

forbid [fə'bɪd] *(pt* -**bade** [-'beɪd], *pp* -**bidden)** *vt* interdire, défendre; **to ~ sb to do sthg** interdire OR défendre à qqn de faire qqch.

forbidden [fə'bɪdn] *adj* interdit(-e), défendu(-e).

force [fɔːs] *n* force *f* ♦ *vt (push)* mettre de force; *(lock, door)* forcer; **to ~ sb to do sthg** forcer qqn à faire qqch; **to ~ one's way through** se frayer un chemin; **the ~s** les forces armées.

ford [fɔːd] *n* gué *m.*

forecast ['fɔːkɑːst] *n* prévision *f.*

forecourt ['fɔːkɔːt] *n* devant *m.*

forefinger ['fɔːˌfɪŋgəʳ] *n* index *m.*

foreground ['fɔːgraʊnd] *n* premier plan *m.*

forehead ['fɔːhed] *n* front *m.*

foreign ['fɒrən] *adj* étranger(-ère); *(travel, visit)* à l'étranger.

foreign currency *n* devises

fpl (étrangères).

foreigner ['fɒrənəʳ] *n* étranger *m* (-ère *f*).

foreign exchange *n* change *m.*

Foreign Secretary *n (Br)* ministre *m* des Affaires étrangères.

foreman ['fɔːmən] *(pl* -**men** [-mən]) *n (of workers)* contremaître *m.*

forename ['fɔːneɪm] *n (fml)* prénom *m.*

foresee [fɔː'siː] *(pt* -**saw** [-'sɔː], *pp* -**seen** [-'siːn]) *vt* prévoir.

forest ['fɒrɪst] *n* forêt *f.*

forever [fə'revəʳ] *adv (eternally)* (pour) toujours; *(continually)* continuellement.

forgave [fə'geɪv] *pt → forgive.*

forge [fɔːdʒ] *vt (copy)* contrefaire.

forgery ['fɔːdʒərɪ] *n* contrefaçon *f.*

forget [fə'get] *(pt* -**got**, *pp* -**gotten)** *vt & vi* oublier; **to ~ about sthg** oublier qqch; **to ~ how to do sthg** oublier comment faire qqch; **to ~ to do sthg** oublier de faire qqch; **~ it!** laisse tomber!

forgetful [fə'getfʊl] *adj* distrait(-e).

forgive [fə'gɪv] *(pt* -**gave**, *pp* -**given** [-'gɪvn]) *vt* pardonner.

forgot [fə'gɒt] *pt → forget.*

forgotten [fə'gɒtn] *pp → forget.*

fork [fɔːk] *n (for eating with)* fourchette *f*; *(for gardening)* fourche *f*; *(of road, path)* embranchement *m.*

forks *npl (of bike, motorbike)* fourche *f.*

form [fɔːm] *n (type, shape)* forme

f; *(piece of paper)* formulaire *m*; *(SCH)* classe *f* ♦ *vt* being se former; **off ~** pas en forme; **on ~** en forme; **to ~ part of** faire partie de.

formal ['fɔːml] *adj (occasion)* officiel(-ielle); *(language, word)* soutenu(-e); *(person)* solennel(-elle); **~ dress** tenue *f* de soirée.

formality [fɔː'mælətɪ] *n* formalité *f*; **it's just a ~** ça n'est qu'une formalité.

format ['fɔːmæt] *n* format *m*.

former ['fɔːmə'] *adj (previous)* précédent(-e); *(first)* premier(-ière) ♦ *pron:* **the ~** celui-là (celle-là), le premier (la première).

formerly ['fɔːməlɪ] *adv* autrefois.

formula ['fɔːmjʊlə] *(pl* -**as** OR -**ae** [iː]*) n* formule *f*.

fort [fɔːt] *n* fort *m*.

forthcoming [fɔːθ'kʌmɪŋ] *adj (future)* à venir.

fortieth ['fɔːtɪɪθ] *num* quarantième, → **sixth**.

fortnight ['fɔːtnaɪt] *n (Br)* quinzaine *f*, quinze jours *mpl*.

fortunate ['fɔːtʃnət] *adj* chanceux(-euse).

fortunately ['fɔːtʃnətlɪ] *adv* heureusement.

fortune ['fɔːtʃuːn] *n (money)* fortune *f*; *(luck)* chance *f*; **it costs a ~** *(inf)* ça coûte une fortune.

forty ['fɔːtɪ] *num* quarante, → **six**.

forward ['fɔːwəd] *adv* en avant ♦ *n (SPORT)* avant *m* ♦ *vt (letter)* faire suivre; *(goods)* expédier; **to look ~ to sthg** attendre qqch avec impatience; **I'm looking ~ to seeing you** il me tarde de vous voir.

forwarding address ['fɔːwə-dɪŋ-] *n* adresse *f* de réexpédition.

fought [fɔːt] *pt & pp* → **fight**.

foul [faul] *adj (unpleasant)* infect(-e) ♦ *n* faute *f*.

found [faund] *pt & pp* → **find** ♦ *vt* fonder.

foundation (cream) [faun-'deɪʃn-] *n* fond de teint *m*.

foundations [faun'deɪʃnz] *npl* fondations *fpl*.

fountain ['fauntɪn] *n* fontaine *f*.

fountain pen *n* stylo *m* (à) plume.

four [fɔː'] *num* quatre, → **six**.

four-star (petrol) *n* super *m*.

fourteen [ˌfɔː'tiːn] *num* quatorze, → **six**.

fourteenth [ˌfɔː'tiːnθ] *num* quatorzième, → **sixth**.

fourth [fɔːθ] *num* quatrième, → **sixth**.

four-wheel drive *n* quatre-quatre *m inv*.

fowl [faul] *(pl inv) n* volaille *f*.

fox [fɒks] *n* renard *m*.

foyer ['fɔɪeɪ] *n* hall *m*.

fraction ['frækʃn] *n* fraction *f*.

fracture ['fræktʃə'] *n* fracture *f* ♦ *vt* fracturer.

fragile ['frædʒaɪl] *adj* fragile.

fragment ['frægmənt] *n* fragment *m*.

fragrance ['freɪgrəns] *n* parfum *m*.

frail [freɪl] *adj* fragile.

frame [freɪm] *n (of window, door)* encadrement *m*; *(of bicycle, bed, for photo)* cadre *m*; *(of glasses)* monture *f*; *(of tent)* armature *f* ♦ *vt (photo, picture)* encadrer.

France [frɑːns] n la France.

frank [fræŋk] adj franc (franche).

frankfurter ['fræŋkfɜːtəʳ] n saucisse f de Francfort.

frankly ['fræŋklɪ] adv franchement.

frantic ['fræntɪk] adj (person) fou (folle); (activity, pace) frénétique.

fraud [frɔːd] n (crime) fraude f.

freak [friːk] adj insolite ◆ n (inf: fanatic) fana mf.

freckles ['freklz] npl taches fpl de rousseur.

free [friː] adj libre; (costing nothing) gratuit(-e) ◆ vt (prisoner) libérer ◆ adv (without paying) gratuitement; **for ~, ~ of charge** gratuitement; **to be ~ to do sthg** être libre de faire qqch.

freedom ['friːdəm] n liberté f.

freefone ['friːfəʊn] n (Br) ≈ numéro m vert.

free gift n cadeau m.

free house n (Br) pub non lié à une brasserie particulière.

free kick n coup franc m.

freelance ['friːlɑːns] adj indépendant(-e), free-lance (inv).

freely ['friːlɪ] adv librement; **~ available** facile à se procurer.

free period n (SCH) heure f libre.

freepost ['friːpəʊst] n port m payé.

free-range adj (chicken) fermier(-ière); (eggs) de ferme.

free time n temps m libre.

freeway ['friːweɪ] n (Am) autoroute f.

freeze [friːz] (pt froze, pp frozen) vt (food) congeler; (prices) geler ◆ vi geler ◆ v impers: **it's freezing** il gèle.

freezer ['friːzəʳ] n (deep freeze) congélateur m; (part of fridge) freezer m.

freezing ['friːzɪŋ] adj (temperature, water) glacial(-e); (person, hands) gelé(-e).

freezing point n: **below ~** audessous de zéro.

freight [freɪt] n fret m.

French [frentʃ] adj français(-e) ◆ n (language) français m ◆ npl: **the ~** les Français mpl.

French bean n haricot m vert.

French bread n baguette f.

French dressing n (in UK) vinaigrette f; (in US) assaisonnement pour salade à base de mayonnaise et de ketchup.

French fries npl frites fpl.

Frenchman ['frentʃmən] (pl -men [-mən]) n Français m.

French toast n pain m perdu.

French windows npl portefenêtre f.

Frenchwoman ['frentʃˌwʊmən] (pl -women [-ˌwɪmɪn]) n Française f.

frequency ['friːkwənsɪ] n fréquence f.

frequent ['friːkwənt] adj fréquent(-e).

frequently ['friːkwəntlɪ] adv fréquemment.

fresh [freʃ] adj (food, flowers, weather) frais (fraîche); (refreshing) rafraîchissant(-e); (water) doux (douce); (recent) récent(-e); (new) nouveau(-elle); **to get some ~ air** prendre l'air.

fresh cream n crème f fraîche.

freshen ['freʃn]: **freshen up** vi se rafraîchir.

freshly ['freʃlɪ] adv fraîchement.

fresh orange (juice) n jus m d'orange.

Fri (abbr of Friday) ven.

Friday ['fraɪdɪ] n vendredi, → **Saturday**.

fridge [frɪdʒ] n réfrigérateur m.

fried egg [fraɪd-] n œuf m sur le plat.

fried rice [fraɪd-] n riz m cantonais.

friend [frend] n ami m (-e f); **to be ~s with sb** être ami avec qqn; **to make ~s with sb** se lier d'amitié avec qqn.

friendly ['frendlɪ] adj aimable; **to be ~ with sb** être ami avec qqn.

friendship ['frendʃɪp] n amitié f.

fries [fraɪz] = **French fries**.

fright [fraɪt] n peur f; **to give sb a ~** faire peur à qqn.

frighten ['fraɪtn] vt faire peur à.

frightened ['fraɪtnd] adj (scared) effrayé(-e); **to be ~ (that)...** (worried) avoir peur que... (+ subjunctive); **to be ~ of** avoir peur de.

frightening ['fraɪtnɪŋ] adj effrayant(-e).

frightful ['fraɪtfʊl] adj (very bad) horrible.

frilly ['frɪlɪ] adj à volants.

fringe [frɪndʒ] n frange f.

frisk [frɪsk] vt fouiller.

fritter ['frɪtə'] n beignet m.

fro [frəʊ] adv → **to**.

frog [frɒg] n grenouille f.

from [frɒm] prep 1. (expressing origin, source) de; **I'm ~ England** je suis anglais; **I bought it ~ a supermarket** je l'ai acheté dans un supermarket; **the train ~ Manchester** le train en provenance de Manchester.

2. (expressing removal, deduction) de; **away ~ home** loin de chez soi; **to take (sthg) (away) ~ sb** prendre qqch à qqn; **10% will be deducted ~ the total** 10 % seront retranchés du total.

3. (expressing distance) de; **five miles ~ London** à huit kilomètres de Londres; **it's not far ~ here** ce n'est pas loin (d'ici).

4. (expressing position) de; **~ here you can see the valley** d'ici on voit la vallée.

5. (expressing starting time) à partir de; **open ~ nine to five** ouvert de neuf heures à dix-sept heures; **~ next year** à partir de l'année prochaine.

6. (expressing change) de; **the price has gone up ~ £1 to £2** le prix est passé d'une livre à deux livres.

7. (expressing range) de; **tickets are ~ £10** les billets les moins chers commencent à dix livres; **it could take ~ two to six months** ça peut prendre de deux à six mois.

8. (as a result of) de; **I'm ~ tired ~ walking** je suis fatigué d'avoir marché.

9. (expressing protection) de; **sheltered ~ the wind** à l'abri du vent.

10. (in comparisons) different ~ différent de.

fromage frais [,frɒmɑːʒ'freɪ] n fromage m blanc.

front [frʌnt] adj (row, part) de devant; (seat, wheel) avant (inv) ◆ n (of dress, queue) devant m; (of car, train, plane) avant m; (of building) façade f; (of weather) front m; (by the sea) front m de mer; (in war) front m; (further forward) devant m; (in vehicle) à l'avant; **in ~ of** devant.

front door n porte f d'entrée.

frontier [frʌn'tɪəʳ] n frontière f.

front page n une f.

front seat n siège m avant.

frost [frɒst] n (on ground) givre m; (cold weather) gelée f.

frosty ['frɒstɪ] adj (morning, weather) glacial(-e).

froth [frɒθ] n (on beer) mousse f; (on sea) écume f.

frown [fraun] n froncement m de sourcils ♦ vi froncer les sourcils.

froze [frəuz] pt → **freeze**.

frozen [frəuzn] pp → freeze ♦ adj gelé(-e); (food) surgelé(-e).

fruit [fru:t] n (food) fruits mpl; (variety, single fruit) fruit m; **a piece of ~** un fruit; **~s of the forest** fruits des bois.

fruit cake n cake m.

fruiterer ['fru:tərəʳ] n (Br) marchand m (-e f) de fruits.

fruit juice n jus m de fruit.

fruit machine n (Br) machine f à sous.

fruit salad n salade f de fruits.

frustrating [frʌ'streɪtɪŋ] adj frustrant(-e).

frustration [frʌ'streɪʃn] n frustration f.

fry [fraɪ] vt (faire) frire.

frying pan ['fraɪɪŋ-] n poêle f (à frire).

ft abbr = **foot, feet**.

fudge [fʌdʒ] n caramel m.

fuel [fjuəl] n (petrol) carburant m; (coal, gas) combustible m.

fuel pump n pompe f d'alimentation.

fulfil [fulˈfɪl] vt (Br) remplir; (promise) tenir; (instructions) obéir à.

fulfill [fulˈfɪl] (Am) = **fulfil**.

full [ful] adj plein(-e); (hotel, train, name) complet(-ète); (maximum) maximum; (week) chargé(-e); (flavour) riche ♦ adv (directly) en plein; **I'm ~ (up)** je n'en peux plus; **at ~ speed** à toute vitesse; **in ~** (pay) intégralement; (write) en toutes lettres.

full board n pension f complète.

full-cream milk n lait m entier.

full-length adj (skirt, dress) long (longue).

full moon n pleine lune f.

full stop n point m.

full-time adj & adv à temps plein.

fully ['fulɪ] adv entièrement; (understand) tout à fait; **~ booked** complet.

fully-licensed adj habilité à vendre tous types d'alcools.

fumble ['fʌmbl] vi (search clumsily) farfouiller; (in the dark) tâtonner.

fun [fʌn] n: **it's good ~** c'est très amusant; **for ~** pour le plaisir; **to have ~** s'amuser; **to make ~ of** se moquer de.

function ['fʌŋkʃn] n (role) fonction f; (formal event) réception f ♦ vi fonctionner.

fund [fʌnd] n (of money) fonds m ♦ vt financer ❑ **funds** npl fonds mpl.

fundamental [fʌndəˈmentl] adj fondamental(-e).

funeral ['fju:nərəl] n enterrement m.

funfair ['fʌnfeəʳ] n fête f foraine.

funky ['fʌŋkɪ] adj (inf) funky (inv).

funnel ['fʌnl] *n (for pouring)* entonnoir *m*; *(on ship)* cheminée *f*.

funny ['fʌnɪ] *adj (amusing)* drôle; *(strange)* bizarre; **to feel** ~ *(ill)* ne pas être dans son assiette.

fur [fəːᵣ] *n* fourrure *f*.

fur coat *n* manteau *m* de fourrure.

furious ['fjʊərɪəs] *adj* furieux(-ieuse).

furnished ['fɜːnɪʃt] *adj* meublé(-e).

furnishings ['fɜːnɪʃɪŋz] *npl* mobilier *m*.

furniture ['fɜːnɪtʃəᵣ] *n* meubles *mpl*; **a piece of** ~ un meuble.

furry ['fɜːrɪ] *adj (animal)* à fourrure; *(toy)* en peluche; *(material)* pelucheux(-euse).

further ['fɜːðəᵣ] *compar* → **far** ♦ *adv* plus loin; *(more)* plus ♦ *adj (additional)* autre; **until** ~ **notice** jusqu'à nouvel ordre.

furthermore [ˌfɜːðə'mɔːᵣ] *adv* de plus.

furthest ['fɜːðɪst] *superl* → **far** ♦ *adj* le plus éloigné (la plus éloignée) ♦ *adv* le plus loin.

fuse [fjuːz] *n (of plug)* fusible *m*; *(on bomb)* détonateur *m* ♦ *vi*: **the plug has** ~**d** les plombs ont sauté.

fuse box *n* boîte *f* à fusibles.

fuss [fʌs] *n* histoires *fpl*.

fussy ['fʌsɪ] *adj (person)* difficile.

future ['fjuːtʃəᵣ] *n* avenir *m*; *(GRAMM)* futur *m* ♦ *adj* futur(-e); **in** ~ à l'avenir.

G

g *(abbr of gram)* g.

gable ['geɪbl] *n* pignon *m*.

gadget ['gædʒɪt] *n* gadget *m*.

Gaelic ['geɪlɪk] *n* gaélique *m*.

gag [gæg] *n (inf: joke)* histoire *f* drôle.

gain [geɪn] *vt* gagner; *(weight, speed, confidence)* prendre; *(subj: clock, watch)* avancer de ♦ *vi (benefit)* y gagner ♦ *n* gain *m*.

gale [geɪl] *n* grand vent *m*.

gallery ['gælərɪ] *n (public)* musée *m*; *(private, at theatre)* galerie *f*.

gallon ['gælən] *n (Br)* = 4,546 l, gallon *m*; *(Am)* = 3,79 l, gallon.

gallop ['gæləp] *vi* galoper.

gamble ['gæmbl] *n* coup *m* de poker ♦ *vi (bet money)* jouer.

gambling ['gæmblɪŋ] *n* jeu *m*.

game [geɪm] *n* jeu *m*; *(of football, tennis, cricket)* match *m*; *(of chess, cards, snooker)* partie *f*; *(wild animals, meat)* gibier *m* ♦ *games npl (SCH)* sport *m* □ **games** *npl (sporting event)* jeux *mpl*.

gammon ['gæmən] *n* jambon cuit, salé ou fumé.

gang [gæŋ] *n (of criminals)* gang *m*; *(of friends)* bande *f*.

gangster ['gæŋstəᵣ] *n* gangster *m*.

gangway ['gæŋweɪ] *n (for ship)* passerelle *f*; *(Br: in bus, aeroplane)* couloir *m*; *(Br: in theatre)* allée *f*.

gaol [dʒeɪl] *n (Br)* = **jail**.

gap [gæp] *n (space)* espace *m*; *(crack)* interstice *m*; *(of time)* intervalle *m*; *(difference)* fossé *m*.

garage ['gærɑːʒ, 'gærɪdʒ] *n* garage *m*; *(Br: for petrol)* station-service *f*.

garbage ['gɑːbɪdʒ] *n (Am: refuse)* ordures *fpl*.

garbage can *n (Am)* poubelle *f*.

garbage truck *n (Am)* camion-poubelle *m*.

garden ['gɑːdn] *n* jardin *m* ♦ *vi* faire du jardinage ❑ **gardens** *npl (public park)* jardin *m* public.

garden centre *n* jardinerie *f*.

gardener ['gɑːdnər] *n* jardinier *m* (-ière *f*).

gardening ['gɑːdnɪŋ] *n* jardinage *m*.

garden peas *npl* petits pois *mpl*.

garlic ['gɑːlɪk] *n* ail *m*.

garlic bread *n* pain aillé et beurré servi chaud.

garlic butter *n* beurre *m* d'ail.

garment ['gɑːmənt] *n* vêtement *m*.

garnish ['gɑːnɪʃ] *n (for decoration)* garniture *f*; *(sauce)* sauce servant à relever un plat ♦ *vt* garnir.

gas [gæs] *n* gaz *m inv*; *(Am: petrol)* essence *f*.

gas cooker *n (Br)* cuisinière *f* à gaz.

gas cylinder *n* bouteille *f* de gaz.

gas fire *n (Br)* radiateur *m* à gaz.

gasket ['gæskɪt] *n* joint *m* (d'étanchéité).

gas mask *n* masque *m* à gaz.

gasoline ['gæsəliːn] *n (Am)* essence *f*.

gasp [gɑːsp] *vi (in shock)* avoir le souffle coupé.

gas pedal *n (Am)* accélérateur *m*.

gas station *n (Am)* station-service *f*.

gas stove *(Br)* = **gas cooker**.

gas tank *n (Am)* réservoir *m* (à essence).

gasworks ['gæswɜːks] *(pl inv)* *n* usine *f* à gaz.

gate [geɪt] *n (to garden, at airport)* porte *f*; *(to building)* portail *m*; *(to field)* barrière *f*.

gâteau ['gætəʊ] *(pl* **-x** [-z]) *n (Br)* gros gâteau à la crème.

gateway ['geɪtweɪ] *n (entrance)* portail *m*.

gather ['gæðər] *vt (belongings)* ramasser; *(information)* recueillir; *(speed)* prendre; *(understand)* déduire ♦ *vi* se rassembler.

gaudy ['gɔːdɪ] *adj* voyant(-e).

gauge [geɪdʒ] *n* jauge *f*; *(of railway track)* écartement *m* ♦ *vt (calculate)* évaluer.

gauze [gɔːz] *n* gaze *f*.

gave [geɪv] *pt* → **give**.

gay [geɪ] *adj (homosexual)* homosexuel(-elle).

gaze [geɪz] *vi*: **to ~ at** regarder fixement.

GB *(abbr of Great Britain)* G-B.

GCSE *n* examen de fin de premier cycle.

GCSE

Les **GCSE** ont remplacé en 1986 les «O levels». Il s'agit d'examens destinés aux 15–16 ans en Angleterre et au pays de Galles. Pour pouvoir poursuivre dans le second cycle, il faut réussir au moins cinq de ces épreuves. Contrairement aux «O levels», la notation est fondée aussi bien sur le travail de l'année que sur les résultats finaux.

---

gear [gɪəʳ] n (wheel) roue f dentée; (speed) vitesse f; (belongings) affaires fpl; (equipment) équipement m; (clothes) tenue f; in ~ en prise.

gearbox ['gɪəbɒks] n boîte f de vitesses.

gear lever n levier m de vitesse.

gear shift (Am) = gear lever.

gear stick (Br) = gear lever.

geese [giːs] pl → goose.

gel [dʒel] n gel m.

gelatine [ˌdʒeləˈtiːn] n gélatine f.

gem [dʒem] n pierre f précieuse.

Gemini ['dʒemɪnaɪ] n Gémeaux mpl.

gender ['dʒendəʳ] n genre m.

general ['dʒenərəl] adj général(-e) ◆ n général m; in ~ en général.

general anaesthetic n anesthésie f générale.

general election n élections fpl législatives.

generally ['dʒenərəlɪ] adv généralement.

general practitioner [-prækˈtɪʃənəʳ] n (médecin) généraliste m.

general store n bazar m.

generate ['dʒenəreɪt] vt (cause) susciter; (electricity) produire.

generation [ˌdʒenəˈreɪʃn] n génération f.

generator ['dʒenəreɪtəʳ] n générateur m.

generosity [ˌdʒenəˈrɒsətɪ] n générosité f.

generous ['dʒenərəs] adj généreux(-euse).

genitals ['dʒenɪtlz] npl parties fpl génitales.

genius ['dʒiːnjəs] n génie m.

gentle ['dʒentl] adj doux (douce); (movement, breeze) léger(-ère).

gentleman ['dʒentlmən] (pl -men [-mən]) n monsieur m; (with good manners) gentleman m; "gentlemen" (men's toilets) «messieurs».

gently ['dʒentlɪ] adv (carefully) doucement.

gents [dʒents] n (Br) toilettes fpl pour hommes.

genuine ['dʒenjuɪn] adj (authentic) authentique; (sincere) sincère.

geographical [dʒɪəˈgræfɪkl] adj géographique.

geography [dʒɪˈɒgrəfɪ] n géographie f.

geology [dʒɪˈɒlədʒɪ] n géologie f.

geometry [dʒɪˈɒmətrɪ] n géométrie f.

Georgian ['dʒɔːdʒən] adj (architecture etc) géorgien(-ienne) (du règne des rois George I-IV, 1714-1830).

geranium [dʒɪˈreɪnjəm] n géranium m.

German ['dʒɜːmən] adj allemand(-e) ◆ n (person) Allemand m (-e f); (language) allemand m.

German measles n rubéole f.

Germany ['dʒɜːmənɪ] n l'Allemagne f.

germs [dʒɜːmz] npl germes mpl.

gesture ['dʒestʃəʳ] n (movement) geste m.

get [get] (pt & pp got, Am pp gotten) vt 1. (obtain) or

acheter; **she got a job** elle a trouvé un travail.

2. *(receive)* recevoir; **I got a book for Christmas** on m'a offert OR j'ai eu un livre pour Noël.

3. *(train, plane, bus etc)* prendre.

4. *(fetch)* aller chercher; **could you ~ me the manager?** *(in shop)* pourriez-vous m'appeler le directeur?; *(on phone)* pourriez-vous me passer le directeur?

5. *(illness)* attraper; **I've got a cold** j'ai un rhume.

6. *(cause to become)*: **to ~ sthg done** faire faire qqch; **can I ~ my car repaired here?** est-ce que je peux faire réparer ma voiture ici?

7. *(ask, tell)*: **to ~ sb to do sthg** faire faire qqch à qqn.

8. *(move)*: **I can't ~ it through the door** je n'arrive pas à le faire passer par la porte.

9. *(understand)* comprendre, saisir.

10. *(time, chance)* avoir; **we didn't ~ the chance to see everything** nous n'avons pas pu tout voir.

11. *(idea, feeling)* avoir.

12. *(phone)* répondre à.

13. *(in phrases)*: **you ~ a lot of rain here in winter** il pleut beaucoup ici en hiver, → **have.**

◆ vi **1.** *(become)*: **to ~ lost** se perdre; **to ~ ready** se préparer; **it's getting late** il se fait tard; **~ lost!** *(inf)* fiche le camp!

2. *(into particular state, position)*: **to**
... ttirer des ennuis;
... **Luton from here?**
... à Luton?; **to ~**
... ter dans la voi-

... **when does the**
... elle heure arrive

4. *(in phrases)*: **to ~ to do sthg** avoir l'occasion de faire qqch.

◆ *aux vb*: **to ~ delayed** être retardé; **to ~ killed** se faire tuer.

❏ **get back** *vi (return)* rentrer; **get in** *vi (arrive)* arriver; *(enter)* entrer; **get off** *vi (leave train, bus)* descendre; *(depart)* partir; **get on** *vi (enter train, bus)* monter; *(in relationship)* s'entendre; *(progress)*: **how are you getting on?** comment tu t'en sors?; **get out** *vi (of car, bus, train)* descendre; **get through** *vi (on phone)* obtenir la communication; **get up** *vi* se lever.

get-together *n (inf)* réunion *f*.

ghastly ['gɑːstlɪ] *adj (inf)* affreux(-euse).

gherkin ['gɜːkɪn] *n* cornichon *m*.

ghetto blaster ['getəʊˌblɑːstə^r] *n (inf)* grand radiocassette portatif.

ghost [gəʊst] *n* fantôme *m*.

giant ['dʒaɪənt] *adj* géant(-e) ◆ *n (in stories)* géant *m* (-e *f*).

giblets ['dʒɪblɪts] *npl* abats *mpl* de volaille.

giddy ['gɪdɪ] *adj*: **to feel ~** avoir la tête qui tourne.

gift [gɪft] *n* cadeau *m*; *(talent)* don *m*.

gifted ['gɪftɪd] *adj* doué(-e).

gift shop *n* boutique *f* de cadeaux.

gift voucher *n (Br)* chèque-cadeau *m*.

gig [gɪg] *n (inf: concert)* concert *m*.

gigantic [dʒaɪˈgæntɪk] *adj* gigantesque.

giggle ['gɪgl] *vi* glousser.

gill [dʒɪl] *n (measurement)* = 0,142 l, quart *m* de pinte.

gimmick ['gɪmɪk] n astuce f.

gin [dʒɪn] n gin m; ~ **and tonic** gin tonic.

ginger ['dʒɪndʒəʳ] n gingembre m ♦ adj (colour) roux (rousse).

ginger ale n boisson gazeuse non alcoolisée au gingembre, souvent utilisée en cocktail.

ginger beer n boisson gazeuse non alcoolisée au gingembre.

gingerbread ['dʒɪndʒəbred] n pain m d'épice.

gipsy ['dʒɪpsɪ] n gitan m (-e f).

giraffe [dʒɪ'rɑːf] n girafe f.

girdle ['gɜːdl] n gaine f.

girl [gɜːl] n fille f.

girlfriend ['gɜːlfrend] n copine f, amie f.

girl guide n (Br) éclaireuse f.

girl scout (Am) = **girl guide**.

giro ['dʒaɪrəʊ] n (system) virement m bancaire.

give [gɪv] (pt **gave**, pp **given** ['gɪvn]) vt donner; (a smile) faire; (a look) jeter; (speech) faire; (attention, time) consacrer; **to ~ sb sthg** donner qqch à qqn; (as present) offrir qqch à qqn; (news, message) transmettre qqch à qqn; **to ~ sthg a push** pousser qqch; **to ~ sb a kiss** embrasser qqn; **~ or take a few days** à quelques jours près; **"~ way"** «cédez le passage» ▯ **give away** vt sep (get rid of) donner; (reveal) révéler; **give back** vt sep rendre; **give in** vi céder; **give off** vt fus (smell) exhaler; (gas) émettre; **give out** vt sep (distribute) distribuer; **give up** vt sep (cigarettes, chocolate) renoncer à; (seat) laisser ♦ vi (admit defeat) abandonner; **to ~ up** (smoking) arrêter de fumer.

glacier ['glæsjəʳ] n glacier m.

glad [glæd] adj content(-e); **to be ~ to do sthg** faire qqch volontiers OR avec plaisir.

gladly ['glædlɪ] adv (willingly) volontiers, avec plaisir.

glamorous ['glæmərəs] adj (woman) séduisant(-e); (job, place) prestigieux(-ieuse).

glance [glɑːns] n coup m d'œil ♦ vi: **to ~ at** jeter un coup d'œil.

gland [glænd] n glande f.

glandular fever ['glændjʊlə-] n mononucléose f (infectieuse).

glare [gleəʳ] vi (person) jeter des regards mauvais; (sun, light) être éblouissant(-e).

glass [glɑːs] n verre m ♦ adj en verre; (door) vitré(-e) ▯ **glasses** npl lunettes fpl.

glassware ['glɑːsweəʳ] n verrerie f.

glen [glen] n (Scot) vallée f.

glider ['glaɪdəʳ] n planeur m.

glimpse [glɪmps] vt apercevoir.

glitter ['glɪtəʳ] vi scintiller.

global warming [,gləʊbl-'wɔːmɪŋ] n réchauffement m de la planète.

globe [gləʊb] n (with map) globe m (terrestre); **the ~** (Earth) le globe.

gloomy ['gluːmɪ] adj (room, day) lugubre; (person) triste.

glorious ['glɔːrɪəs] adj (weather, sight) splendide; (victory, history) glorieux(-ieuse).

glory ['glɔːrɪ] n gloire f.

gloss [glɒs] n (shine) brillant m, lustre m; **~ (paint)** peinture f brillante.

glossary ['glɒsərɪ] n glossaire m.

glossy ['glɒsɪ] adj sur papier glacé.

glove [glʌv] n gant m.

glove compartment n boîte f à gants.

glow [gləʊ] n lueur f ♦ vi briller.

glucose ['gluːkəʊs] n glucose m.

glue [gluː] n colle f ♦ vt coller.

gnat [næt] n moustique m.

gnaw [nɔː] vt ronger.

go [gəʊ] (pt went, pp gone, pl goes) vi 1. (move, travel) aller; to ~ for a walk aller se promener; to ~ and do sthg aller faire qqch.; to ~ home rentrer chez soi; to ~ to Spain aller en Espagne; to ~ by bus prendre le bus; to ~ swimming aller nager.

2. (leave) partir, s'en aller; when does the bus ~? quand part le bus?; ~ away! allez-vous-en!

3. (become) devenir; she went pale elle a pâli; the milk has gone sour le lait a tourné.

4. (expressing future tense): to be going to do sthg aller faire qqch.

5. (function) marcher; the car won't ~ la voiture ne veut pas démarrer.

6. (stop working) tomber en panne; (break) se casser; the fuse has gone les plombs ont sauté.

7. (time) passer.

8. (progress) aller, se passer; to ~ well aller bien, bien se passer.

9. (bell, alarm) se déclencher.

10. (match) aller bien ensemble; to ~ with aller (bien) avec; red wine doesn't ~ with fish le vin rouge ne va pas bien avec le poisson.

11. (be sold) se vendre; "everything must ~" «tout doit partir».

12. (fit) rentrer.

13. (lead) aller; where does this path ~? où va ce chemin?

14. (belong) aller.

15. (in phrases): to let ~ of sthg (drop) lâcher qqch.; to ~ (Am: to take away) à emporter; there are two weeks to ~ il reste deux semaines.

♦ n 1. (turn) tour m; it's your ~ c'est ton tour, c'est à toi.

2. (attempt) coup m; to have a ~ at sthg essayer qqch.; "50p a ~" (for game) «50p la partie».

❑ **go ahead** vi (begin) y aller; (take place) avoir lieu; **go back** vi (return) retourner; **go down** vi (decrease) baisser; (sun) se coucher; (tyre) se dégonfler; **go down with** vt fus (inf: illness) attraper; **go in** vi entrer; **go off** vi (alarm, bell) se déclencher; (food) se gâter; (milk) tourner; (light, heating) s'éteindre; **go on** vi (happen) se passer; (light, heating) s'allumer; (continue): **to ~ on doing sthg** continuer à faire qqch.; **go on!** allez!; **go out** vi (leave house) sortir; (light, fire, cigarette) s'éteindre; (have relationship): **to ~ out with sb** sortir avec qqn; **to ~ out for a meal** dîner dehors; **go over** vt fus (check) vérifier; **go round** vi (revolve) tourner; **go through** vt fus (experience) vivre; (spend) dépenser; (search) fouiller; **go up** vi (increase) augmenter; **go without** vt fus se passer de.

goal [gəʊl] n but m; (posts) buts mpl.

goalkeeper ['gəʊlˌkiːpəʳ] n gardien m (de but).

goalpost ['gəʊlpəʊst] n poteau m (de but).

goat [gəʊt] n chèvre f.

gob [gɒb] n (Br: inf: mouth) gueule f.

god [gɒd] n dieu m ❑ **God** n Dieu m.

goddaughter ['gɒd,dɔ:təʳ] n filleule f.

godfather ['gɒd,fɑ:ðəʳ] n parrain m.

godmother ['gɒd,mʌðəʳ] n marraine f.

gods [gɒdz] npl: **the ~** (Br: inf: in theatre) le poulailler.

godson ['gɒdsʌn] n filleul m.

goes [gəʊz] → **go**.

goggles ['gɒglz] npl (for swimming) lunettes fpl de natation; (for skiing) lunettes fpl de ski.

going ['gəʊɪŋ] adj (available) disponible; **the ~ rate** le tarif en vigueur.

go-kart ['-kɑ:t] n kart m.

gold [gəʊld] n or m ♦ adj en or.

goldfish ['gəʊldfɪʃ] (pl inv) n poisson m rouge.

gold-plated ['-pleɪtɪd] adj plaqué(-e) or.

golf [gɒlf] n golf m.

golf ball n balle f de golf.

golf club n club m de golf.

golf course n terrain m de golf.

golfer ['gɒlfəʳ] n joueur m (-euse f) de golf.

gone [gɒn] pp → **go** ♦ prep (Br: past): **it's ~ ten** il est dix heures passées.

good [gʊd] (compar **better**, superl **best**) adj bon (bonne); (kind) gentil(-ille); (well-behaved) sage ♦ n bien m; **the weather is ~** il fait beau; **to have a ~ time** s'amuser; **to be ~ at sthg** être bon en qqch; **a ~ ten minutes** dix bonnes minutes; **in ~ time** à temps; **to make ~** sthg (damage) payer qqch; (loss) compenser qqch; **for ~** pour de bon; **for the ~ of** pour le bien de;

to do sb ~ faire du bien à qqn; **it's no ~** (there's no point) ça ne sert à rien; **~ afternoon!** bonjour!; **~ evening!** bonsoir!; **~ morning!** bonjour!; **~ night!** bonne nuit! ❑ **goods** npl marchandises fpl.

goodbye [gʊd'baɪ] excl au revoir!

Good Friday n le Vendredi saint.

good-looking ['-lʊkɪŋ] adj beau (belle).

goods train [gʊdz-] n train m de marchandises.

goose [gu:s] (pl **geese**) n oie f.

gooseberry ['gʊzbərɪ] n groseille f à maquereau.

gorge [gɔ:dʒ] n gorge f.

gorgeous ['gɔ:dʒəs] adj (day, countryside) splendide; (meal) délicieux(-ieuse); (inf: good-looking) canon (inv).

gorilla [gə'rɪlə] n gorille m.

gossip ['gɒsɪp] vi (about someone) cancaner; (chat) bavarder ♦ n (about someone) commérages mpl; **to have a ~** (chat) bavarder.

gossip column n échos mpl.

got [gɒt] pt & pp → **get**.

gotten ['gɒtn] pp (Am) → **get**.

goujons ['gu:dʒɒnz] npl fines lamelles de poisson enrobées de pâte à crêpe et frites.

goulash ['gu:læʃ] n goulasch m.

gourmet ['gʊəmeɪ] n gourmet m ♦ adj (food, restaurant) gastronomique.

govern ['gʌvən] vt (country) gouverner; (city) administrer.

government ['gʌvnmənt] n gouvernement m.

gown [gaʊn] n (dress) robe f.

GP *abbr* = **general practitioner**.

grab [græb] *vt* saisir; *(person)* attraper.

graceful ['greɪsfʊl] *adj* gracieux(-ieuse).

grade [greɪd] *n (quality)* qualité *f*; *(in exam)* note *f*; *(Am: year at school)* année *f*.

gradient ['greɪdjənt] *n* pente *f*.

gradual ['grædʒʊəl] *adj* graduel(-elle), progressif(-ive).

gradually ['grædʒʊəlɪ] *adv* graduellement, progressivement.

graduate [*n* 'grædʒʊət, *vb* 'grædʒʊeɪt] *n (from university)* = licencié *m* (-e *f*); *(Am: from high school)* = bachelier *m* (-ière *f*) ♦ *vi (from university)* = obtenir sa licence; *(Am: from high school)* = obtenir son baccalauréat.

graduation [grædʒʊˈeɪʃn] *n* remise *f* des diplômes.

graffiti [grəˈfiːtɪ] *n* graffiti *mpl*.

grain [greɪn] *n* grain *m*; *(crop)* céréales *fpl*.

gram [græm] *n* gramme *m*.

grammar ['græmər] *n* grammaire *f*.

grammar school *n (in UK)* école secondaire publique, plus sélective et plus traditionelle que les autres.

gramme [græm] *n* = **gram**.

gramophone ['græməfəʊn] *n* gramophone *m*.

gran [græn] *n (Br: inf)* mamie *f*.

grand [grænd] *adj (impressive)* grandiose ♦ *n (inf)* (£1,000) mille livres *fpl*; ($1,000) mille dollars *mpl*.

grandchild ['græntʃaɪld] *(pl* -**children** [-ˌtʃɪldrən]*) n (boy)* petit-fils *m*; *(girl)* petite-fille *f*; **grand-**children petits-enfants *mpl*.

granddad ['grændæd] *n (inf)* papi *m*.

granddaughter ['grænˌdɔːtər] *n* petite-fille *f*.

grandfather ['grændˌfɑːðər] *n* grand-père *m*.

grandma ['grænmɑː] *n (inf)* mamie *f*.

grandmother ['grænˌmʌðər] *n* grand-mère *f*.

grandpa ['grænpɑː] *n (inf)* papi *m*.

grandparents ['grænˌpeərənts] *npl* grands-parents *mpl*.

grandson ['grænsʌn] *n* petit-fils *m*.

granite ['grænɪt] *n* granit *m*.

granny ['grænɪ] *n (inf)* mamie *f*.

grant [grɑːnt] *n (POL)* subvention *f*; *(for university)* bourse *f* ♦ *vt (fml: give)* accorder; **to take sthg for ~ed** considérer qqch comme un fait acquis; **he takes her for ~ed** il ne se rend pas compte de tout ce qu'elle fait pour lui.

grape [greɪp] *n* raisin *m*.

grapefruit ['greɪpfruːt] *n* pamplemousse *m*.

grapefruit juice *n* jus *m* de pamplemousse.

graph [grɑːf] *n* graphique *m*.

graph paper *n* papier *m* millimétré.

grasp [grɑːsp] *vt* saisir.

grass [grɑːs] *n* herbe *f*; **"keep off the ~"** «pelouse interdite».

grasshopper ['grɑːsˌhɒpər] *n* sauterelle *f*.

grate [greɪt] *n* grille *f* de foyer.

grated ['greɪtɪd] *adj* râpé(-e).

grateful ['greɪtfʊl] *adj* reconnaissant(-e).

grater ['greɪtər] n râpe f.

gratitude ['grætɪtjuːd] n gratitude f.

gratuity [grə'tjuːɪtɪ] n (fml) pourboire m.

grave[1] [greɪv] adj (mistake, news) grave; (concern) sérieux(-ieuse) ♦ n tombe f.

grave[2] [grɑːv] adj (accent) grave.

gravel ['grævl] n gravier m; (smaller) gravillon m.

graveyard ['greɪvjɑːd] n cimetière m.

gravity ['grævətɪ] n gravité f.

gravy ['greɪvɪ] n jus m de viande.

gray [greɪ] (Am) = **grey**.

graze [greɪz] vt (injure) égratigner.

grease [griːs] n graisse f.

greaseproof paper ['griːspruːf-] n (Br) papier m sulfurisé.

greasy ['griːsɪ] adj (tools, clothes) graisseux(-euse); (food, skin, hair) gras (grasse).

great [greɪt] adj grand(-e); (very good) super (inv), génial(-e); (that's) ~! (c'est) super OR génial!

Great Britain n la Grande-Bretagne.

great-grandfather n arrière-grand-père m.

great-grandmother n arrière-grand-mère m.

greatly ['greɪtlɪ] adv (a lot) beaucoup; (very) très.

Greece [griːs] n la Grèce.

greed [griːd] n (for food) gloutonnerie f; (for money) avidité f.

greedy ['griːdɪ] adj (for food) glouton(-onne); (for money) avide.

Greek [griːk] adj grec (grecque) ♦ n (person) Grec m (Grecque f); (language) grec m.

Greek salad n salade composée de laitue, tomates, concombre, feta et olives noires.

green [griːn] adj vert(-e); (person, product) écolo; (inf: inexperienced) jeune ♦ n (colour) vert m; (in village) terrain m communal; (on golf course) green m ◻ **greens** npl (vegetables) légumes mpl verts.

green beans npl haricots mpl verts.

green card n (Br: for car) carte f verte; (Am: work permit) carte f de séjour.

green channel n dans un port ou un aéroport, sortie réservée aux voyageurs n'ayant rien à déclarer.

greengage ['griːngeɪdʒ] n reine-claude f.

greengrocer's ['griːngrəʊsəz] n (shop) magasin m de fruits et de légumes.

greenhouse ['griːnhaʊs, pl -hauzɪz] n serre f.

greenhouse effect n effet m de serre.

green light n feu m vert.

green pepper n poivron m

Le terme de «Great Britain», ou simplement «Britain», désigne l'île qui réunit l'Angleterre, l'Écosse et le pays de Galles. À ne pas confondre avec le «United Kingdom», qui inclut l'Irlande du Nord, ou les «British Isles», dont font également partie la République d'Irlande, l'île de Man, les Orcades, les Shetlands et les îles Anglo-Normandes.

vert.

Greens [griːnz] npl: **the ~** les écologistes mpl.

green salad n salade f verte.

greet [griːt] vt saluer.

greeting [ˈgriːtɪŋ] n salut m.

grenade [grəˈneɪd] n grenade f.

grew [gruː] pt → **grow**.

grey [greɪ] adj gris(-e) ♦ n gris m; **to go ~** grisonner.

greyhound [ˈgreɪhaʊnd] n lévrier m.

grid [grɪd] n (grating) grille f; (on map etc) quadrillage m.

grief [griːf] n chagrin m; **to come to ~** (person) échouer.

grieve [griːv] vi être en deuil.

grill [grɪl] n (on cooker, over fire) gril m; (part of restaurant) grill m ♦ vt (faire) griller.

grille [grɪl] n (AUT) calandre f.

grilled [grɪld] adj grillé(-e).

grim [grɪm] adj (expression) sévère; (place, news) sinistre.

grimace [grɪˈmeɪs] n grimace f.

grimy [ˈgraɪmɪ] adj crasseux(-euse).

grin [grɪn] n grand sourire m ♦ vi faire un grand sourire.

grind [graɪnd] (pt & pp **ground**) vt (pepper, coffee) moudre.

grip [grɪp] n (hold) prise f; (of tyres) adhérence f; (handle) poignée f; (bag) sac m de voyage ♦ vt (hold) saisir.

gristle [ˈgrɪsl] n nerfs mpl.

groan [grəʊn] n (of pain) gémissement m ♦ vi (in pain) gémir; (complain) ronchonner.

groceries [ˈgrəʊsərɪz] npl épicerie f.

grocer's [ˈgrəʊsəz] n (shop) épi-

cerie f.

grocery [ˈgrəʊsərɪ] n (shop) épicerie f.

groin [grɔɪn] n aine f.

groove [gruːv] n rainure f.

grope [grəʊp] vi tâtonner.

gross [grəʊs] adj (weight, income) brut(-e).

grossly [ˈgrəʊslɪ] adv (extremely) extrêmement.

grotty [ˈgrɒtɪ] adj (Br: inf) minable.

ground [graʊnd] pt & pp → **grind** ♦ n (surface of earth) sol m; (soil) terre f; (SPORT) terrain m ♦ adj (coffee) moulu(-e) ♦ vt: **to be ~ed** (plane) être interdit de vol; (Am: electrical connection) être relié à la terre; **on the ~** par terre ❑ **grounds** npl (of building) terrain m; (of coffee) marc m; (reason) motif m.

ground floor n rez-de-chaussée m.

groundsheet [ˈgraʊndʃiːt] n tapis m de sol.

group [gruːp] n groupe m.

grouse [graʊs] (pl inv) n (bird) grouse f.

grovel [ˈgrɒvl] vi ramper.

grow [grəʊ] (pt **grew**, pp **grown**) vi (person, animal) grandir; (plant) pousser; (increase) augmenter; (become) devenir ♦ vt (plant, crop) cultiver; (beard) laisser pousser; **to ~ old** vieillir ❑ **grow up** vi grandir.

growl [graʊl] vi (dog) grogner.

grown [grəʊn] pp → **grow**.

grown-up adj adulte ♦ n adulte mf, grande personne f.

growth [grəʊθ] n (increase) augmentation f; (MED) grosseur f.

grub [grʌb] n (inf: food) bouffe f.

grubby [ˈgrʌbɪ] adj pas net (nette).

grudge [grʌdʒ] n rancune f ♦ vt: to ~ sb sthg envier qqch à qqn.

grueling ['gruəlɪŋ] (Am) = **gruelling**.

gruelling ['gruəlɪŋ] adj (Br) exténuant(-e).

gruesome ['gru:səm] adj macabre.

grumble ['grʌmbl] vi (complain) grommeler.

grumpy ['grʌmpɪ] adj (inf) grognon(-onne).

grunt [grʌnt] vi (pig) grogner; (person) pousser un grognement.

guarantee [,gærən'ti:] n garantie f ♦ vt garantir.

guard [gɑːd] n (of prisoner) gardien m (-ienne f); (of politician, palace) garde m; (Br: on train) chef m de train; (protective cover) protection f ♦ vt (watch over) garder; **to be on one's ~** être sur ses gardes.

guess [ges] vt & vi (essayer de) deviner ♦ n: **to have a ~ (at sthg)** (essayer de) deviner (qqch); **I ~ (so)** je suppose (que oui).

guest [gest] n invité m (-e f); (in hotel) client m (-e f).

guesthouse ['gesthaus, pl -hauzɪz] n pension f de famille.

guestroom ['gestrum] n chambre f d'amis.

guidance ['gaɪdəns] n conseils mpl.

guide [gaɪd] n (for tourists) guide mf; (guidebook) guide m (touristique) ♦ vt conduire ❑ **Guide** n (Br) = éclaireuse f.

guidebook ['gaɪdbuk] n guide m (touristique).

guide dog n chien m d'aveugle.

guided tour ['gaɪdɪd-] n visite f guidée.

guidelines ['gaɪdlaɪnz] npl lignes fpl directrices.

guilt [gɪlt] n culpabilité f.

guilty ['gɪltɪ] adj coupable.

guinea pig ['gɪnɪ-] n cochon m d'Inde.

guitar [gɪ'tɑː] n guitare f.

guitarist [gɪ'tɑːrɪst] n guitariste mf.

gulf [gʌlf] n (of sea) golfe m.

Gulf War n: **the ~** la guerre du Golfe.

gull [gʌl] n mouette f.

gullible ['gʌləbl] adj crédule.

gulp [gʌlp] n goulée f.

gum [gʌm] n (chewing gum) chewing-gum m; (bubble gum) chewing-gum avec lequel on peut faire des bulles; (adhesive) gomme ❑ **gums** npl (in mouth) gencives fpl.

gun [gʌn] n (pistol) revolver m; (rifle) fusil m; (cannon) canon m.

gunfire ['gʌnfaɪə] n coups mpl de feu.

gunshot ['gʌnʃɒt] n coup m de feu.

gust [gʌst] n rafale f.

gut [gʌt] n (inf: stomach) estomac m ❑ **guts** npl (inf) (intestines) boyaux mpl; (courage) cran m.

gutter ['gʌtə] n (beside road) rigole f; (of house) gouttière f.

guy [gaɪ] n (inf: man) type m ❑ **guys** npl (Am: inf: people): **you ~** vous.

Guy Fawkes Night [-'fɔːks-] n (Br) le 5 novembre.

ℹ️ GUY FAWKES NIGHT

Cette fête annuelle, également appelée «Bonfire Night», marque l'anniversaire de la découverte d'un complot catholique visant à assassiner le roi Jacques Ier en faisant sauter le Parlement britannique (1605). Les enfants ont pour coutume à cette occasion de confectionner des pantins de chiffon à l'effigie de l'un des conspirateurs, Guy Fawkes, et de les exhiber dans la rue en demandant de l'argent. Dans la soirée, on tire des feux d'artifice et les effigies sont brûlées dans de grands feux de joie.

---

guy rope n corde f de tente.

gym [dʒɪm] n gymnase m; (school lesson) gym f.

gymnast ['dʒɪmnæst] n gymnaste mf.

gymnastics [dʒɪm'næstɪks] n gymnastique f.

gym shoes npl tennis mpl en toile.

gynaecologist [gaɪnə'kɒlədʒɪst] n gynécologue mf.

gypsy ['dʒɪpsɪ] = **gipsy**.

H

H (abbr of hot) C; (abbr of hospital) H.

habit ['hæbɪt] n habitude f.

hacksaw ['hæksɔː] n scie f à métaux.

had [hæd] pt & pp → have.

haddock ['hædək] (pl inv) n églefin m.

hadn't ['hædnt] = had not.

haggis ['hægɪs] n plat typique écossais consistant en une panse de brebis farcie, le plus souvent accompagné de pommes de terre et de navets en purée.

haggle ['hægl] vi marchander.

hail [heɪl] n grêle f ♦ v impers grêler.

hailstone ['heɪlstəʊn] n grêlon m.

hair [heəʳ] n (on head) cheveux mpl; (on skin) poils mpl; (individual hair on head) cheveu m; (individual hair on skin, of animal) poil m; **to have one's ~ cut** se faire couper les cheveux.

hairband ['heəbænd] n bandeau m.

hairbrush ['heəbrʌʃ] n brosse f à cheveux.

hairclip ['heəklɪp] n barrette f.

haircut ['heəkʌt] n (style) coupe f (de cheveux); **to have a ~** se faire couper les cheveux.

hairdo ['heəduː] (pl -s) n coiffure f.

hairdresser ['heə,dresəʳ] n coiffeur m (-euse f); **~'s** (salon) salon m de coiffure; **to go to the ~'s** aller chez le coiffeur.

hairdryer ['heə,draɪəʳ] n sèche-cheveux m inv.

hair gel n gel m coiffant.

hairgrip ['heəgrɪp] n (Br) épingle f à cheveux.

hairnet ['heənet] n résille f.

hairpin bend ['heəpɪn-] n virage m en épingle à cheveux.

hair remover [-rɪ,muːvəʳ] n crème f dépilatoire.

hair rollers [-'rəʊləz] npl bigoudis mpl.

hair slide n barrette f.

hairspray ['heəspreɪ] n laque f.

hairstyle ['heəstaɪl] n coiffure f.

hairy ['heərɪ] adj poilu(-e).

half [Br hɑːf, Am hæf] (pl **halves**) n moitié f; (of match) mi-temps f inv; (half pint) = demi m; (child's ticket) demi-tarif m ◆ adv à moitié ◆ adj: ~ a day une demi-journée; ~ of them la moitié d'entre eux; **four and a** ~ quatre et demi; ~ **past seven** sept heures et demie; ~ **as big as** moitié moins grand que; **an hour and a** ~ une heure et demie; ~ **an hour** une demi-heure; **a** ~ **dozen** une demi-douzaine.

half board n demi-pension f.

half-day n demi-journée f.

half fare n demi-tarif m.

half portion n demi-portion f.

half-price adj à moitié prix.

half term n (Br) vacances fpl de mi-trimestre.

half time n mi-temps f inv.

halfway [hɑːf'weɪ] adv (in space) à mi-chemin; (in time) à la moitié.

halibut ['hælɪbət] (pl inv) n flétan m.

hall [hɔːl] n (of house) entrée f; (building, large room) salle f; (country house) manoir m.

hallmark ['hɔːlmɑːk] n (on silver, gold) poinçon m.

hallo [hə'ləʊ] = **hello**.

hall of residence n résidence f universitaire.

Halloween [,hæləʊ'iːn] n Halloween f.

HALLOWEEN

La nuit du 31 octobre est, selon la coutume, la nuit des fantômes et des sorcières. À cette occasion, les enfants se déguisent et font le tour des maisons du quartier en menaçant leurs voisins de leur jouer des tours s'ils ne leur donnent pas d'argent ou de sucreries (c'est le "trick or treat"). On confectionne des lampes en évidant des citrouilles, en y plaçant une bougie et, avec un découpant des yeux, un nez et une bouche.

halt [hɔːlt] vi s'arrêter ◆ n: **to come to a** ~ s'arrêter.

halve [Br hɑːv, Am hæv] vt (reduce) réduire de moitié; (cut) couper en deux.

halves [Br hɑːvz, Am hævz] pl → **half**.

ham [hæm] n (meat) jambon m.

hamburger ['hæmbɜːgə'] n steak m haché; (Am: mince) viande f hachée.

hamlet ['hæmlɪt] n hameau m.

hammer ['hæmə'] n marteau m ◆ vt (nail) enfoncer à coups de marteau.

hammock ['hæmək] n hamac m.

hamper ['hæmpə'] n panier m.

hamster ['hæmstə'] n hamster m.

hamstring ['hæmstrɪŋ] n tendon m du jarret.

hand [hænd] n main f; (of clock, watch, dial) aiguille f; **to give sb a** ~ donner un coup de main à qqn; **to get out of** ~ échapper à tout contrôle; **by** ~ à la main; **in** ~ (time) devant soi; **on the one** ~ d'un côté; **on the other** ~ d'un autre côté □ **hand in** vt sep remettre; **hand out** vt sep distribuer; **hand over** vt sep (give) remettre.

handbag ['hændbæg] n sac m à main.

handbasin ['hændbeɪsn] n lavabo m.

handbook ['hændbʊk] n guide m.

handbrake ['hændbreɪk] n frein m à main.

hand cream n crème f pour les mains.

handcuffs ['hændkʌfs] npl menottes fpl.

handful ['hændfʊl] n poignée f.

handicap ['hændɪkæp] n handicap m.

handicapped ['hændɪkæpt] adj handicapé(-e) ◆ npl: **the ~** les handicapés mpl.

handkerchief ['hæŋkətʃɪf] (pl -chiefs OR -chieves) n mouchoir m.

handle ['hændl] n (of door, window, suitcase) poignée f; (of knife, pan) manche m; (of cup) anse f ◆ vt (touch) manipuler; (deal with) s'occuper de; (crisis) faire face à; "~ with care" «fragile».

handlebars ['hændlbɑːz] npl guidon m.

hand luggage n bagages mpl à main.

handmade [ˌhænd'meɪd] adj fait à la main.

handout ['hændaʊt] n (leaflet) prospectus m.

handrail ['hændreɪl] n rampe f.

handset ['hændset] n combiné m; "please replace the ~" «raccrochez».

handshake ['hændʃeɪk] n poignée f de main.

handsome ['hænsəm] adj beau (belle).

handstand ['hændstænd] n équilibre m sur les mains.

handwriting ['hændˌraɪtɪŋ] n écriture f.

handy ['hændɪ] adj (useful) pratique; (person) adroit(-e); (near) tout près; **to come in ~** (inf) être utile.

hang [hæŋ] (pt & pp hung) vt suspendre, accrocher; (execute: pt & pp hanged) pendre ◆ vi pendre ◆ n: **to get the ~ of sthg** attraper le coup pour faire qqch □ **hang about** vi (Br: inf) traîner; **hang around** (inf) = **hang about**; **hang down** vi pendre; **hang on** vi (inf: wait) patienter; **hang out** vt sep (washing) étendre ◆ vi (inf) traîner; **hang up** vi (on phone) raccrocher.

hangar ['hæŋə'] n hangar m (à avions).

hanger ['hæŋə'] n cintre m.

hang gliding n deltaplane m.

hangover ['hæŋ,əʊvə'] n gueule f de bois.

hankie ['hæŋkɪ] n (inf) mouchoir m.

happen ['hæpən] vi arriver; **I happened to be there** je me trouvais là par hasard.

happily ['hæpɪlɪ] adv (luckily) heureusement.

happiness ['hæpɪnɪs] n bonheur m.

happy ['hæpɪ] adj heureux (-euse); **to be ~ about sthg** être content de qqch; **to be ~ to do sthg** (willing) être heureux de faire qqch; **to be ~ with sthg** être content de qqch; **Happy Birthday!** joyeux anniversaire!; **Happy Christmas!** joyeux Noël!; **Happy New Year!** bonne année!

happy hour n (inf) période, généralement en début de soirée, où les boissons sont moins chères.

harassment ['hærəsmənt] n harcèlement m.

harbor ['hɑːbər] (Am) = harbour.

harbour ['hɑːbər] n (Br) port m.

hard [hɑːd] adj dur(-e); (winter) rude; (water) calcaire ♦ adv (listen) avec attention; (work) dur; (hit, rain) fort; **to try ~** faire de son mieux.

hardback ['hɑːdbæk] n livre m relié.

hardboard ['hɑːdbɔːd] n panneau m de fibres.

hard-boiled egg [-bɔild-] n œuf m dur.

hard disk n disque m dur.

hardly ['hɑːdlɪ] adv à peine; ~ ever presque jamais.

hardship ['hɑːdʃɪp] n (conditions) épreuves fpl; (difficult circumstance) épreuve f.

hard shoulder n (Br) bande f d'arrêt d'urgence.

hard up adj (inf) fauché(-e).

hardware ['hɑːdweər] n (tools, equipment) quincaillerie f; (COMPUT) hardware m.

hardwearing [ˌhɑːdˈweərɪŋ] adj (Br) résistant(-e).

hardworking [ˌhɑːdˈwɜːkɪŋ] adj travailleur(-euse).

hare [heər] n lièvre m.

harm [hɑːm] n mal m ♦ vt (person) faire du mal à; (chances, reputation) nuire à; (fabric) endommager.

harmful ['hɑːmful] adj nuisible.

harmless ['hɑːmlɪs] adj inoffensif(-ive).

harmonica [hɑːˈmɒnɪkə] n harmonica m.

harmony ['hɑːmənɪ] n harmonie f.

harness ['hɑːnɪs] n harnais m.

harp [hɑːp] n harpe f.

harsh [hɑːʃ] adj (severe) rude; (cruel) dur(-e); (sound, voice) discordant(-e).

harvest ['hɑːvɪst] n (time of year, crops) récolte f; (of wheat) moisson f; (of grapes) vendanges fpl.

has [weak form həz, strong form hæz] → have.

hash browns [hæʃ-] npl (Am) croquettes fpl de pommes de terre aux oignons.

hasn't ['hæznt] = has not.

hassle ['hæsl] n (inf) embêtement m.

hastily ['heɪstɪlɪ] adv sans réfléchir.

hasty ['heɪstɪ] adj hâtif(-ive).

hat [hæt] n chapeau m.

hatch [hætʃ] n (for food) passe-plat m inv ♦ vi (egg) éclore.

hatchback ['hætʃbæk] n (car) cinq portes f.

hatchet ['hætʃɪt] n hachette f.

hate [heɪt] n haine f ♦ vt détester; **to ~ doing sthg** détester faire qqch.

hatred ['heɪtrɪd] n haine f.

haul [hɔːl] vt traîner ♦ n: **a long ~** un long trajet.

haunted ['hɔːntɪd] adj hanté(-e).

have [hæv] (pt & pp had) aux vb 1. (to form perfect tenses) avoir/être; **I ~ finished** j'ai terminé; **~ you been there? - No, I haven't** tu y es allé? - Non; **we had already left** nous étions déjà partis.

2. (must): **to ~ (got) to do sthg** devoir faire qqch; **I ~ to go** je dois y aller, il faut que j'y aille; **do you ~ to pay?** est-ce que c'est payant?

♦ **vt 1.** (possess): **to ~ (got) a double room?** avez-vous une chambre double?; **she has (got) brown hair** elle a les cheveux bruns, elle est brune.

2. (experience) avoir; **to ~ a cold** avoir un rhume, être enrhumé; **we had a great time** on s'est beaucoup amusés.

3. (replacing other verbs): **to ~ breakfast** prendre le petit déjeuner; **to ~ lunch** déjeuner; **to ~ a drink** boire OR prendre un verre; **to ~ a shower** prendre une douche; **to ~ a swim** nager; **to ~ a walk** faire une promenade.

4. (feel) avoir; **I ~ no doubt about it** je n'ai aucun doute là-dessus.

5. (cause to be): **to ~ sthg done** faire faire qqch; **to ~ one's hair cut** se faire couper les cheveux.

6. (be treated in a certain way): **I've had my wallet stolen** on m'a volé mon portefeuille.

haversack ['hævəsæk] n sac m à dos.

havoc ['hævək] n chaos m.

hawk [hɔːk] n faucon m.

hawker ['hɔːkə'] n démarcheur m (-euse f).

hay [heɪ] n foin m.

hay fever n rhume m des foins.

haystack ['heɪ,stæk] n meule f de foin.

hazard ['hæzəd] n risque m.

hazardous ['hæzədəs] adj dangereux(-euse).

hazard warning lights npl

(Br) feux mpl de détresse.

haze [heɪz] n brume f.

hazel ['heɪzl] adj noisette (inv).

hazelnut ['heɪzl,nʌt] n noisette f.

hazy ['heɪzɪ] adj (misty) brumeux(-euse).

he [hiː] pron il; **~'s tall** il est grand.

head [hed] n tête f; (of page) haut m; (of table) bout m; (of company, department) chef m; (head teacher) directeur m (d'école); (of beer) mousse f ♦ vt diriger ♦ vi se diriger; **£10 a ~** 10 livres par personne; **~s or tails?** pile ou face? ❑ **head for** vt fus se diriger vers.

headache ['hedeɪk] n (pain) mal m de tête; **to have a ~** avoir mal à la tête.

heading ['hedɪŋ] n titre m.

headlamp ['hedlæmp] (Br) = **headlight**.

headlight ['hedlaɪt] n phare m.

headline ['hedlaɪn] n (in newspaper) gros titre m; (on TV, radio) titre m.

headmaster [,hed'mɑːstə'] n directeur m (d'école).

headmistress [,hed'mɪstrɪs] n directrice f (d'école).

head of state n chef m d'État.

headphones ['hedfəʊnz] npl casque m (à écouteurs).

headquarters [,hed'kwɔːtəz] npl siège m.

headrest ['hedrest] n appui-tête m.

headroom ['hedrʊm] n hauteur f.

headscarf ['hedskɑːf] (pl -scarves [-skɑːvz]) n foulard m.

head start n longueur f

d'avance.

head teacher n directeur m (d'école).

head waiter n maître m d'hôtel.

heal [hi:l] vt (person) guérir; (wound) cicatriser ◆ vi cicatriser.

health [helθ] n santé f; **to be in good ~** être en bonne santé; **to be in poor ~** être en mauvaise santé; **your (very) good ~!** à la vôtre!

health centre n centre m médico-social.

health food n produits mpl diététiques.

health food shop n magasin m de produits diététiques.

health insurance n assurance f maladie.

healthy [helθɪ] adj (person) en bonne santé; (skin, food) sain(-e).

heap [hi:p] n tas m; **~s of** (inf) (people, objects) des tas de; (time, money) plein de.

hear [hɪə'] (pt & pp **heard** [hɜ:d]) vt entendre; (news) apprendre ◆ vi entendre; **to ~ about sth** entendre parler de qqch; **to ~ from sb** avoir des nouvelles de qqn; **to have heard of** avoir entendu parler de.

hearing [hɪərɪŋ] n (sense) ouïe f; (at court) audience f; **to be hard of ~** être dur d'oreille.

hearing aid n audiophone m.

heart [hɑ:t] n cœur m; **to know sthg (off) by ~** savoir OR connaître qqch par cœur; **to lose ~** perdre courage ❑ **hearts** npl (in cards) cœur m.

heart attack n crise f cardiaque.

heartbeat [hɑ:tbi:t] n batte-

ments mpl de cœur.

heartburn [hɑ:tbɜ:n] n brûlures fpl d'estomac.

heart condition n: **to have a ~** être cardiaque.

hearth [hɑ:θ] n foyer m.

hearty [hɑ:tɪ] adj (meal) copieux(-ieuse).

heat [hi:t] n chaleur f; (of oven) température f ❑ **heat up** vt sep réchauffer.

heater [hi:tə'] n (for room) appareil m de chauffage; (for water) chauffe-eau m inv.

heath [hi:θ] n lande f.

heather [heðə'] n bruyère f.

heating [hi:tɪŋ] n chauffage m.

heat wave n canicule f.

heave [hi:v] vt (push) pousser avec effort; (pull) tirer avec effort.

Heaven [hevn] n le paradis.

heavily [hevɪlɪ] adv (smoke, drink) beaucoup; (rain) à verse.

heavy [hevɪ] adj lourd(-e); (rain) battant(-e); **how ~ is it?** ça pèse combien?; **to be a ~ smoker** être un grand fumeur.

heavy cream n (Am) crème f fraîche épaisse.

heavy goods vehicle n (Br) poids lourd m.

heavy industry n industrie f lourde.

heavy metal n heavy metal m.

heckle [hekl] vt interrompre bruyamment.

hectic [hektɪk] adj mouvementé(-e).

hedge [hedʒ] n haie f.

hedgehog [hedʒhɒg] n hérisson m.

heel [hi:l] n talon m.

hefty ['hefti] adj (person) costaud; (fine) gros (grosse).

height [haɪt] n hauteur f; (of person) taille f; at the ~ of the season en pleine saison; what ~ is it? ça fait quelle hauteur?

heir [eəʳ] n héritier m.

heiress ['eəns] n héritière f.

held [held] pt & pp → hold.

helicopter ['helɪkɒptəʳ] n hélicoptère m.

he'll [hi:l] = he will.

Hell [hel] n l'enfer m.

hello [hə'ləʊ] excl (as greeting) bonjour!; (on phone) allô!; (to attract attention) ohé!

helmet ['helmɪt] n casque m.

help [help] n aide f ◆ vt aider ◆ vi être utile ◆ excl à l'aide!, au secours!; I can't ~ it je ne peux pas m'en empêcher; to ~ sb (to) do sthg aider qqn à faire qqch; to ~ o.s. (to sthg) se servir (de qqch); can I ~ you? (in shop) je peux vous aider? ❑ help out vi aider.

helper ['helpəʳ] n (assistant) aide mf; (Am: cleaning woman) femme f de ménage; (Am: cleaning man) agent m d'entretien.

helpful ['helpful] adj (person) serviable; (useful) utile.

helping ['helpɪŋ] n portion f.

helpless ['helplɪs] adj impuissant(-e).

hem [hem] n ourlet m.

hemophiliac [,hi:mə'fɪlɪæk] n hémophile m.

hemorrhage ['hemərɪdʒ] n hémorragie f.

hen [hen] n poule f.

hepatitis [,hepə'taɪtɪs] n hépatite f.

her [hɜːʳ] adj son (sa), ses (pl) ◆ pron la; (after prep) elle; I know ~ je la connais; it's ~ c'est elle; send it to ~ envoie-le lui; tell ~ dis-(le) lui; he's worse than ~ il est pire qu'elle.

herb [hɜːb] n herbe f; ~s fines herbes fpl.

herbal tea ['hɜːbl-] n tisane f.

herd [hɜːd] n troupeau m.

here [hɪəʳ] adv ici; ~'s your book voici ton livre; ~ you are voilà.

heritage ['herɪtɪdʒ] n patrimoine m.

heritage centre n ecomusée m.

hernia ['hɜːnjə] n hernie f.

hero ['hɪərəʊ] (pl -es) n héros m.

heroin ['herəʊɪn] n héroïne f.

heroine ['herəʊɪn] n héroïne f.

heron ['herən] n héron m.

herring ['herɪŋ] n hareng m.

hers [hɜːz] pron le sien (la sienne); these shoes are ~ ces chaussures sont à elle; a friend of ~ un ami à elle.

herself [hɜː'self] pron (reflexive) se; (after prep) elle; she did it ~ elle l'a fait elle-même.

hesitant ['hezɪtənt] adj hésitant(-e).

hesitate ['hezɪteɪt] vi hésiter.

hesitation [,hezɪ'teɪʃn] n hésitation f.

heterosexual [,hetərəʊ'sekʃʊəl] adj hétérosexuel(-elle) ◆ n hétérosexuel m (-elle f).

hey [heɪ] excl (inf) hé!

HGV abbr = heavy goods vehicle.

hi [haɪ] excl (inf) salut!

hiccup ['hɪkʌp] n: to have (the)

~s avoir le hoquet.

hide [haɪd] (*pt* hid [hɪd], *pp* hidden [hɪdn]) *vt* cacher ♦ *vi* se cacher ♦ *n* (*of animal*) peau *f*.

hideous ['hɪdɪəs] *adj* (*ugly*) hideux(-euse); (*unpleasant*) atroce.

hi-fi ['haɪfaɪ] *n* chaîne *f* (hi-fi).

high [haɪ] *adj* haut(-e); (*number, temperature, standard*) élevé(-e); (*speed*) grand(-e); (*risk*) important(-e); (*winds*) fort(-e); (*good*) bon (bonne); (*sound, voice*) aigu(-ë); (*inf: from drugs*) défoncé(-e) ♦ *n* (*weather front*) anticyclone *m* ♦ *adv* haut; **how ~ is it?** ça fait combien de haut?; **it's 10 metres ~** ça fait 10 mètres de haut OR de hauteur.

high chair *n* chaise *f* haute.

high-class *adj* de luxe.

Higher ['haɪəʳ] *n* examen de fin d'études secondaires en Écosse.

higher education *n* enseignement *m* supérieur.

high heels *npl* talons *mpl* hauts.

high jump *n* saut *m* en hauteur.

Highland Games ['haɪlənd-] *npl* jeux *mpl* écossais.

ⓘ HIGHLAND GAMES

Ces joutes sportives et musicales trouvent leur origine dans les rassemblements de clans des Highlands. Aujourd'hui elles comprennent des épreuves de course, saut en longueur, saut en hauteur, etc, ainsi que des concours de danses traditionnelles et de cornemuse. L'une des disciplines les plus originales est le «lancer de troncs», où, pour prouver leur force, les concurrents doivent projeter dans l'air des troncs de sapin de plus en plus lourds.

Highlands ['haɪləndz] *npl*: **the ~** les Highlands *fpl* (région montagneuse du nord de l'Écosse).

highlight ['haɪlaɪt] *n* (*best part*) temps *m* fort ♦ *vt* (*emphasize*) mettre en relief ❑ **highlights** *npl* (*of football match etc*) temps *mpl* forts; (*in hair*) mèches *fpl*.

highly ['haɪlɪ] *adv* (*extremely*) extrêmement; (*very well*) très bien; **to think ~ of sb** penser du bien de qqn.

high-pitched [-'pɪtʃt] *adj* aigu(-ë).

high-rise *adj*: **~ block of flats** tour *f*.

high school *n* établissement d'enseignement secondaire.

high season *n* haute saison *f*.

high-speed train *n* (*train*) rapide *m*.

high street *n* (*Br*) rue *f* principale.

high tide *n* marée *f* haute.

highway ['haɪweɪ] *n* (*Am: between towns*) autoroute *f*; (*Br: any main road*) route *f*.

Highway Code *n* (*Br*) code *m* de la route.

hijack ['haɪdʒæk] *vt* détourner.

hijacker ['haɪdʒækəʳ] *n* (*of plane*) pirate *m* de l'air.

hike [haɪk] *n* randonnée *f* ♦ *vi* faire une randonnée.

hiking ['haɪkɪŋ] *n*: **to go ~** faire de la randonnée.

hilarious [hɪ'leərɪəs] *adj* hilarant(-e).

hill [hɪl] *n* colline *f*.

hillwalking ['hɪlwɔːkɪŋ] *n* randonnée *f*.

hilly ['hɪlɪ] *adj* vallonné(-e).

him [hɪm] *pron* le; *(after prep)* lui; **I know ~** je le connais; **it's ~** c'est lui; **send it to ~** envoie-le lui; **tell ~ this** dis-(le) lui; **he did it ~** il l'a fait lui-même.

himself [hɪm'self] *pron (reflexive)* se; *(after prep)* lui; **he did it ~** il l'a fait lui-même.

hinder [ˈhɪndəʳ] *vt* gêner.

Hindu [ˈhɪnduː] *(pl* **-s)** *adj* hindou(-e) ◆ *n (person)* hindou *m* (-e *f*).

hinge [hɪndʒ] *n* charnière *f*; *(of door)* gond *m*.

hint [hɪnt] *n (indirect suggestion)* allusion *f*; *(piece of advice)* conseil *m*; *(slight amount)* soupçon *m* ◆ *vi*: **to ~ at sthg** faire allusion à qqch.

hip [hɪp] *n* hanche *f*.

hippopotamus [ˌhɪpəˈpɒtəməs] *n* hippopotame *m*.

hippy [ˈhɪpɪ] *n* hippie *mf*.

hire [ˈhaɪəʳ] *vt* louer; **for ~** *(boats)* à louer; *(taxi)* libre ❏ **hire out** *vt sep* louer.

hire car *n (Br)* voiture *f* de location.

hire purchase *n (Br)* achat *m* à crédit.

his [hɪz] *adj* son (sa), ses *(pl)* ◆ *pron* le sien (la sienne); **these shoes are ~** ces chaussures sont à lui; **a friend of ~** un ami à lui.

historical [hɪˈstɒrɪkəl] *adj* historique.

history [ˈhɪstərɪ] *n* histoire *f*; *(record)* antécédents *mpl*.

hit [hɪt] *(pt & pp* **hit)** *vt* frapper; *(collide with)* heurter; *(bang)* cogner; *(a target)* atteindre ◆ *n (record, play, film)* succès *m*.

hit-and-run *adj (accident)* avec délit de fuite.

hitch [hɪtʃ] *n (problem)* problème *m* ◆ *vi* faire du stop ◆ *vt*: **to ~ a lift** se faire prendre en stop.

hitchhike [ˈhɪtʃhaɪk] *vi* faire du stop.

hitchhiker [ˈhɪtʃhaɪkəʳ] *n* autostoppeur *m* (-euse *f*).

hive [haɪv] *n (of bees)* ruche *f*.

HIV-positive *adj* séropositif(-ive).

hoarding [ˈhɔːdɪŋ] *n (Br: for adverts)* panneau *m* publicitaire.

hoarse [hɔːs] *adj* enroué(-e).

hoax [həʊks] *n* canular *m*.

hob [hɒb] *n* plaque *f* (chauffante).

hobby [ˈhɒbɪ] *n* passe-temps *m inv*.

hock [hɒk] *n (wine)* vin blanc sec allemand.

hockey [ˈhɒkɪ] *n (on grass)* hockey *m* sur gazon; *(Am: ice hockey)* hockey *m* (sur glace).

hoe [həʊ] *n* binette *f*.

hold [həʊld] *(pt & pp* **held)** *vt* tenir; *(organize)* organiser; *(contain)* contenir; *(possess)* avoir ◆ *vi (weather, offer)* se maintenir; *(on telephone)* patienter ◆ *n (grip)* prise *f*; *(of ship, aircraft)* cale *f*; **to ~ sb prisoner** retenir qqn prisonnier; **~ the line, please** ne quittez pas, je vous prie ❏ **hold back** *vt sep (restrain)* retenir; *(keep secret)* cacher; **hold on** *vi (wait)* patienter; **to ~ on to sthg** *(grip)* s'accrocher à qqch; **hold out** *vt sep (hand)* tendre; **hold up** *vt sep (delay)* retarder.

holdall [ˈhəʊldɔːl] *n (Br)* fourretout *m inv*.

holder [ˈhəʊldəʳ] *n (of passport, licence)* titulaire *mf*.

holdup ['həʊldʌp] n (delay) retard m.

hole [həʊl] n trou m.

holiday ['hɒlɪdeɪ] n (Br: period of time) vacances fpl; (day) jour m férié ♦ vi (Br) passer les vacances; **to be on ~** être en vacances; **to go on ~** partir en vacances.

holidaymaker ['hɒlɪdɪˌmeɪkə'] n (Br) vacancier m (-ière f).

holiday pay n (Br) congés mpl payés.

Holland ['hɒlənd] n la Hollande.

hollow ['hɒləʊ] adj creux (creuse).

holly ['hɒlɪ] n houx m.

Hollywood ['hɒlɪwʊd] n Hollywood m.

ⓘ HOLLYWOOD

Hollywood est un quartier de Los Angeles devenu depuis 1911 le cœur de l'industrie cinématographique américaine, notamment dans les années 40 et 50. À cette époque, de grands studios tels que la 20th Century Fox, Paramount ou Warner Brothers produisaient chaque année des centaines de films. Hollywood est aujourd'hui l'une des attractions touristiques majeures des États-Unis.

---

holy ['həʊlɪ] adj saint(-e).

home [həʊm] n maison f; (own country) pays m natal; (own town) ville f natale; (for old people) maison f de retraite ♦ adv à la maison, chez soi ♦ adj (not foreign) national(-e); (cooking, life) familial(-e); **at ~** (in one's house) à la maison, chez soi; **to make o.s. at ~** faire comme chez soi; **to go ~** rentrer chez soi;

~ address adresse f personnelle; **~ number** numéro m personnel.

home economics n économie f domestique.

home help n (Br) aide f ménagère.

homeless ['həʊmlɪs] npl: **the ~** les sans-abri mpl.

homemade [ˌhəʊm'meɪd] adj (food) fait à la maison.

homeopathic [ˌhəʊmɪəʊ'pæθɪk] adj homéopathique.

Home Secretary n ministre de l'Intérieur britannique.

homesick ['həʊmsɪk] adj qui a le mal du pays.

homework ['həʊmwɜːk] n devoirs mpl.

homosexual [ˌhɒmə'sekʃʊəl] adj homosexuel(-elle) ♦ n homosexuel m (-elle f).

honest ['ɒnɪst] adj honnête.

honestly ['ɒnɪstlɪ] adv honnêtement.

honey ['hʌnɪ] n miel m.

honeymoon ['hʌnɪmuːn] n lune f de miel.

honor ['ɒnə'] (Am) = honour.

honour ['ɒnə'] n (Br) honneur m.

honourable ['ɒnrəbl] adj honorable.

hood [hʊd] n (of jacket, coat) capuche f; (on convertible car) capote f; (Am: car bonnet) capot m.

hoof [huːf] n sabot m.

hook [hʊk] n crochet m; (for fishing) hameçon m; **off the ~** (telephone) décroché.

hooligan ['huːlɪgən] n vandale m.

hoop [huːp] n cerceau m.

hoot [huːt] vi (driver) klaxonner.

Hoover® ['hu:və^r] n (Br) aspirateur m.

hop [hɒp] vi sauter.

hope [həʊp] n espoir m ♦ vt espérer; to ~ for sthg espérer qqch; to ~ to do sthg espérer faire qqch; I ~ so je l'espère.

hopeful ['həʊpfʊl] adj (optimistic) plein d'espoir.

hopefully ['həʊpfəlɪ] adv (with luck) avec un peu de chance.

hopeless ['həʊplɪs] adj (inf: useless) nul (nulle); (without any hope) désespéré(-e).

hops [hɒps] npl houblon m.

horizon [hə'raɪzn] n horizon m.

horizontal [ˌhɒrɪ'zɒntl] adj horizontal(-e).

horn [hɔ:n] n (of car) Klaxon® m; (on animal) corne f.

horoscope ['hɒrəskəʊp] n horoscope m.

horrible ['hɒrəbl] adj horrible.

horrid ['hɒrɪd] adj affreux(-euse).

horrific [hɒ'rɪfɪk] adj horrible.

hors d'oeuvre [hɔ:'dɜ:vrə] n hors-d'œuvre m inv.

horse [hɔ:s] n cheval m.

horseback ['hɔ:sbæk] n: on ~ à cheval.

horse chestnut n marron m d'Inde.

horse-drawn carriage n voiture f à chevaux.

horsepower ['hɔ:sˌpaʊə^r] n cheval-vapeur m.

horse racing n courses fpl (de chevaux).

horseradish (sauce) ['hɔ:sˌrædɪʃ] n sauce piquante au raifort accompagnant traditionnellement le rosbif.

horse riding n équitation f.

horseshoe ['hɔ:sʃu:] n fer m à cheval.

hose [həʊz] n tuyau m.

hosepipe ['həʊzpaɪp] n tuyau m.

hosiery ['həʊzɪərɪ] n bonneterie f.

hospitable [hɒ'spɪtəbl] adj accueillant(-e).

hospital ['hɒspɪtl] n hôpital m; in ~ à l'hôpital.

hospitality [ˌhɒspɪ'tælətɪ] n hospitalité f.

host [həʊst] n (of party, event) hôte m (qui reçoit); (of show, TV programme) animateur m (-trice f).

hostage ['hɒstɪdʒ] n otage m.

hostel ['hɒstl] n (youth hostel) auberge f de jeunesse.

hostess ['həʊstes] n hôtesse f.

hostile [Br 'hɒstaɪl, Am 'hɒstl] adj hostile.

hostility [hɒ'stɪlətɪ] n hostilité f.

hot [hɒt] adj chaud(-e); (spicy) épicé(-e); to be ~ (person) avoir chaud; it's ~ (weather) il fait chaud.

hot chocolate n chocolat m chaud.

hot-cross bun n petite brioche aux raisins et aux épices que l'on mange à Pâques.

hot dog n hot dog m.

hotel [həʊ'tel] n hôtel m.

hot line n ligne directe ouverte vingt-quatre heures sur vingt-quatre.

hotplate ['hɒtpleɪt] n plaque f chauffante.

hotpot ['hɒtpɒt] n ragoût de viande garni de pommes de terre en lamelles.

hot-water bottle n bouillotte f.

hour ['aʊə^r] n heure f; I've been

waiting for ~s ça fait des heures que j'attends.

hourly ['aʊəlɪ] *adv* toutes les heures ◆ *adj:* ~ **flights** un vol toute les heures.

house [*n* haʊs, *pl* 'haʊzɪz, *vb* haʊz] *n* maison *f*; (SCH) au sein d'un lycée, groupe d'élèves affrontant d'autres «houses», notamment dans des compétitions sportives ◆ *vt* (person) loger.

household ['haʊshəʊld] *n* ménage *m*.

housekeeping ['haʊsˌkiːpɪŋ] *n* ménage *m*.

House of Commons *n* (Br) Chambre *f* des communes.

House of Lords *n* (Br) Chambre *f* des lords.

Houses of Parliament *npl* Parlement *m* britannique.

ⓘ HOUSES OF PARLIAMENT

Le Palais de Westminster, à Londres, abrite le Parlement britannique, qui comprend la Chambre des communes et la Chambre des lords. Il est situé sur le bord de la Tamise. Les bâtiments actuels furent construits au milieu du XIXᵉ siècle pour remplacer l'ancien palais, endommagé dans un incendie en 1834.

housewife ['haʊswaɪf] (*pl* **-wives** [-waɪvz]) *n* femme *f* au foyer.

house wine *n* = vin *m* en pichet.

housework ['haʊswɜːk] *n* ménage *m*.

housing ['haʊzɪŋ] *n* logement *m*.

housing estate *n* (Br) cité *f*.

housing project (Am) = housing estate.

hovercraft ['hɒvəkrɑːft] *n* hovercraft *m*.

hoverport ['hɒvəpɔːt] *n* hoverport *m*.

how [haʊ] *adv* **1.** *(asking about way or manner)* comment; ~ **do you get there?** comment y va-t-on?; **tell me** ~ **to do it** dis-moi comment faire.

2. *(asking about health, quality)* comment; ~ **are you?** comment allez-vous?; ~ **are you doing?** comment ça va?; ~ **are things?** comment ça va?; ~ **do you do?** enchanté (de faire votre connaissance); ~ **is your room?** comment est la chambre?

3. *(asking about degree, amount)*; ~ **far is it?** c'est loin?; ~ **long have you been waiting?** ça fait combien de temps que vous attendez?; ~ **many ...?** combien de ...?; ~ **much is it?** combien est-ce que ça coûte?; ~ **old are you?** quel âge as-tu?

4. *(in phrases)*: ~ **about a drink?** si on prenait un verre?; ~ **lovely!** que c'est joli!

however [haʊ'evər] *adv* cependant; ~ **hard I try** malgré tous mes efforts.

howl [haʊl] *vi* hurler.

HP *abbr* = hire purchase.

HQ *n* (abbr of headquarters) QG *m*.

hub airport [hʌb-] *n* aéroport *m* important.

hubcap ['hʌbkæp] *n* enjoliveur *m*.

hug [hʌg] *vt* serrer dans ses bras ◆ *n:* **to give sb a** ~ serrer qqn dans ses bras.

huge [hjuːdʒ] *adj* énorme.

hull [hʌl] n coque f.

hum [hʌm] vi (machine) vrombir; (bee) bourdonner; (person) chantonner.

human ['hju:mən] adj humain(-e) ◆ n: ~ (being) (être) humain m.

humanities [hju:'mænətz] npl lettres fpl et sciences humaines.

human rights npl droits mpl de l'homme.

humble ['hʌmbl] adj humble.

humid ['hju:mɪd] adj humide.

humidity [hju:'mɪdətɪ] n humidité f.

humiliating [hju:'mɪlɪeɪtɪŋ] adj humiliant(-e).

humiliation [hju:mɪlɪ'eɪʃn] n humiliation f.

hummus ['hʌməs] n houmous m.

humor ['hju:mər] (Am) = humour.

humorous ['hju:mərəs] adj humoristique.

humour ['hju:mər] n humour m; a sense of ~ le sens de l'humour.

hump [hʌmp] n bosse f.

humpbacked bridge ['hʌmpbækt-] n pont m en dos d'âne.

hunch [hʌntʃ] n intuition f.

hundred ['hʌndrəd] num cent; a ~ cent, → six.

hundredth ['hʌndrətθ] num centième, → sixth.

hundredweight ['hʌndrədweɪt] n (in UK) = 50,8 kg; (in US) = 45,4 kg.

hung [hʌŋ] pt & pp → hang.

Hungarian [hʌŋ'geərɪən] adj hongrois(-e) ◆ n (person) Hongrois m (-e f); (language) hongrois m.

Hungary ['hʌŋgərɪ] n la Hongrie.

hunger ['hʌŋgər] n faim f.

hungry ['hʌŋgrɪ] adj: to be ~ avoir faim.

hunt [hʌnt] n (Br: for foxes) chasse f au renard ◆ vt & vi chasser; to ~ (for sthg) (search) chercher partout (qqch).

hunting ['hʌntɪŋ] n (for wild animals) chasse f; (Br: for foxes) chasse f au renard.

hurdle ['hɜ:dl] n (SPORT) haie f.

hurl [hɜ:l] vt lancer violemment.

hurricane ['hʌrɪkən] n ouragan m.

hurry ['hʌrɪ] vt (person) presser ◆ vi se dépêcher; to be in a ~ être pressé; to do sthg in a ~ faire qqch à la hâte ❏ hurry up vi se dépêcher.

hurt [hɜ:t] (pt & pp hurt) vt faire mal à; (emotionally) blesser ◆ vi faire mal; to ~ o.s. se faire mal; my head ~s j'ai mal à la tête; to ~ one's leg se blesser à la jambe.

husband ['hʌzbənd] n mari m.

hustle ['hʌsl] n: ~ and bustle agitation f.

hut [hʌt] n hutte f.

hyacinth ['haɪəsɪnθ] n jacinthe f.

hydrofoil ['haɪdrəfɔɪl] n hydrofoil m.

hygiene ['haɪdʒi:n] n hygiène f.

hygienic [haɪ'dʒi:nɪk] adj hygiénique.

hymn [hɪm] n hymne m.

hypermarket ['haɪpə,mɑ:kɪt] n hypermarché m.

hyphen ['haɪfn] n trait m d'union.

hypocrite ['hɪpəkrɪt] n hypocrite mf.

hypodermic needle [haɪpə'dɜːmɪk-] n aiguille f hypodermique.

hysterical [hɪs'terɪkl] adj (person) hystérique; (inf: very funny) tordant(-e).

I [aɪ] pron je, j'; (stressed) moi; **my friend and I** mon ami et moi.

ice [aɪs] n glace f; (on road) verglas m.

iceberg ['aɪsbɜːg] n iceberg m.

iceberg lettuce n laitue f iceberg.

icebox ['aɪsbɒks] n (Am: fridge) réfrigérateur m.

ice-cold adj glacé(-e).

ice cream n crème f glacée, glace f.

ice cube n glaçon m.

ice hockey n hockey m sur glace.

Iceland ['aɪslənd] n l'Islande f.

ice lolly n (Br) sucette f glacée.

ice rink n patinoire f.

ice skates npl patins mpl à glace.

ice-skating n patinage m (sur glace); **to go ~** faire du patinage.

icicle ['aɪsɪkl] n glaçon m.

icing ['aɪsɪŋ] n glaçage m.

icing sugar n sucre m glace.

icy ['aɪsɪ] adj (covered with ice) recouvert(-e) de glace; (road) verglacé(-e); (very cold) glacé(-e).

I'd [aɪd] = I would, I had.

ID abbr = identification.

ID card n carte f d'identité.

IDD code n international et indicatif du pays.

idea [aɪ'dɪə] n idée f; **I've no ~** je n'en ai aucune idée.

ideal [aɪ'dɪəl] adj idéal(-e) ♦ n idéal m.

ideally [aɪ'dɪəlɪ] adv idéalement; (in an ideal situation) dans l'idéal.

identical [aɪ'dentɪkl] adj identique.

identification [aɪˌdentɪfɪ'keɪʃn] n (document) pièce f d'identité.

identify [aɪ'dentɪfaɪ] vt identifier.

identity [aɪ'dentətɪ] n identité f.

idiom ['ɪdɪəm] n expression f idiomatique.

idiot ['ɪdɪət] n idiot m (-e f).

idle ['aɪdl] adj (lazy) paresseux(-euse); (not working) désœuvré(-e) ♦ vi (engine) tourner au ralenti.

idol ['aɪdl] n (person) idole f.

idyllic ['ɪdɪlɪk] adj idyllique.

i.e. (abbr of id est) c-à-d.

if [ɪf] conj si; **~ I were you** si j'étais toi; **~ not** (otherwise) sinon.

ignition [ɪg'nɪʃn] n (AUT) allumage m.

ignorant ['ɪgnərənt] adj ignorant(-e); (pej: stupid) idiot(-e).

ignore [ɪg'nɔː'] vt ignorer.

ill [ɪl] adj malade; (bad) mauvais(-e); **~ luck** malchance f.

I'll [aɪl] = I will, I shall.

illegal [ɪ'liːgl] adj illégal(-e).

illegible [ɪ'ledʒəbl] adj illisible.

illegitimate [ˌɪlɪ'dʒɪtɪmət] adj illégitime.

illiterate [ɪˈlɪtərət] adj illettré(-e).

illness [ˈɪlnɪs] n maladie f.

illuminate [ɪˈluːmɪneɪt] vt illuminer.

illusion [ɪˈluːʒn] n illusion f.

illustration [ˌɪləˈstreɪʃn] n illustration f.

I'm [aɪm] = I am.

image [ˈɪmɪdʒ] n image f.

imaginary [ɪˈmædʒɪnrɪ] adj imaginaire.

imagination [ɪˌmædʒɪˈneɪʃn] n imagination f.

imagine [ɪˈmædʒɪn] vt imaginer.

imitate [ˈɪmɪteɪt] vt imiter.

imitation [ˌɪmɪˈteɪʃn] n imitation f ♦ adj: ~ **leather** Skaï® m.

immaculate [ɪˈmækjʊlət] adj impeccable.

immature [ˌɪməˈtjʊəʳ] adj immature.

immediate [ɪˈmiːdjət] adj immédiat(-e).

immediately [ɪˈmiːdjətlɪ] adv (at once) immédiatement ♦ conj (Br) dès que.

immense [ɪˈmens] adj immense.

immersion heater [ɪˈmɜː.ʃn-] n chauffe-eau m inv électrique.

immigrant [ˈɪmɪgrənt] n immigré m (-e f).

immigration [ˌɪmɪˈgreɪʃn] n immigration f.

imminent [ˈɪmɪnənt] adj imminent(-e).

immune [ɪˈmjuːn] adj: to be ~ to (MED) être immunisé(-e) contre.

immunity [ɪˈmjuːnɪtɪ] n (MED) immunité f.

immunize [ˈɪmjuːnaɪz] vt immuniser.

impact [ˈɪmpækt] n impact m.

impair [ɪmˈpeəʳ] vt affaiblir.

impatient [ɪmˈpeɪʃnt] adj impatient(-e); to be ~ to do sthg être impatient de faire qqch.

imperative [ɪmˈperətɪv] n (GRAMM) impératif m.

imperfect [ɪmˈpɜːfɪkt] n (GRAMM) imparfait m.

impersonate [ɪmˈpɜːsəneɪt] vt (for amusement) imiter.

impertinent [ɪmˈpɜːtɪnənt] adj impertinent(-e).

implement [n ˈɪmplɪmənt, vb ˈɪmplɪment] n outil m ♦ vt mettre en œuvre.

implication [ˌɪmplɪˈkeɪʃn] n implication f.

imply [ɪmˈplaɪ] vt sous-entendre.

impolite [ˌɪmpəˈlaɪt] adj impoli(-e).

import [n ˈɪmpɔːt, vb ɪmˈpɔːt] n importation f ♦ vt importer.

importance [ɪmˈpɔːtns] n importance f.

important [ɪmˈpɔːtnt] adj important(-e).

impose [ɪmˈpəʊz] vt imposer; to ~ sthg on imposer qqch à ♦ vi abuser.

impossible [ɪmˈpɒsəbl] adj impossible.

impractical [ɪmˈpræktɪkl] adj irréaliste.

impress [ɪmˈpres] vt impressionner.

impression [ɪmˈpreʃn] n impression f.

impressive [ɪmˈpresɪv] adj impressionnant(-e).

improbable [ɪmˈprɒbəbl] adj improbable.

improper [ɪm'prɒpə'] *adj* (*incorrect*) mauvais(-e); (*illegal*) abusif(-ive); (*rude*) déplacé(-e).

improve [ɪm'pruːv] *vi* améliorer ♦ *vi* s'améliorer ∎ **improve on** *vt fus* améliorer.

improvement [ɪm'pruːvmənt] *n* amélioration *f*.

improvise ['ɪmprəvaɪz] *vi* improviser.

impulse ['ɪmpʌls] *n* impulsion *f*; **on ~** sur un coup de tête.

impulsive [ɪm'pʌlsɪv] *adj* impulsif(-ive).

in [ɪn] *prep* **1.** (*expressing place, position*) dans; **it comes ~ a box** c'est présenté dans une boîte; **~ the street** dans la rue; **~ hospital** à l'hôpital; **~ Scotland** en Écosse; **~ Sheffield** à Sheffield; **~ the rain** sous la pluie; **~ the middle** au milieu.
2. (*participating in*) dans; **who's ~ the play?** qui joue dans la pièce?
3. (*expressing arrangement*): **~ a row/circle** en rang/cercle; **they come ~ packs of three** ils sont vendus par paquets de trois.
4. (*during*): **~ April** en avril; **~ summer** en été; **~ the morning** le matin; **ten o'clock ~ the morning** dix heures (du matin); **~ 1994** en 1994.
5. (*within*) en; (*after*) dans; **she did it ~ ten minutes** elle l'a fait en dix minutes; **it'll be ready ~ an hour** ce sera prêt dans une heure.
6. (*expressing means*): **to write ~ ink** écrire à l'encre; **~ writing** par écrit; **they were talking ~ English** ils parlaient (en) anglais.
7. (*wearing*) en.
8. (*expressing state*) en; **~ a hurry** pressé; **to be ~ pain** souffrir; **~**

ruins en ruine.
9. (*with regard to*) de; **a rise ~ prices** une hausse des prix; **to be 50 metres ~ length** faire 50 mètres de long.
10. (*with numbers*): **one ~ ten** un sur dix.
11. (*expressing age*): **she's ~ her twenties** elle a une vingtaine d'années.
12. (*with colours*): **it comes ~ green or blue** nous l'avons en vert ou en bleu.
13. (*with superlatives*) de; **the best ~ the world** le meilleur du monde.
♦ *adv* **1.** (*inside*) dedans; **you can go ~ now** vous pouvez entrer maintenant.
2. (*at home, work*) là; **she's not ~** elle n'est pas là.
3. (*train, bus, plane*): **the train's not ~ yet** le train n'est pas encore arrivé.
4. (*tide*): **the tide is ~** la marée est haute.
♦ *adj* (*inf: fashionable*) à la mode.

inability [,ɪnə'bɪlɪtɪ] *n*: **~ (to do sthg)** incapacité *f* (à faire qqch).

inaccessible [,ɪnək'sesəbl] *adj* inaccessible.

inaccurate [ɪn'ækjʊrət] *adj* inexact(-e).

inadequate [ɪn'ædɪkwət] *adj* (*insufficient*) insuffisant(-e).

inappropriate [ɪnə'prəʊprɪət] *adj* inapproprié(-e).

inauguration [ɪ,nɔ:gjʊ'reɪʃn] *n* inauguration *f*.

incapable [ɪn'keɪpəbl] *adj*: **to be ~ of doing sthg** être incapable de faire qqch.

incense ['ɪnsens] *n* encens *m*.

incentive [ɪn'sentɪv] *n* motivation f.

inch [ɪntʃ] n = 2,5 cm, pouce m.

incident ['ɪnsɪdənt] n incident m.

incidentally [ˌɪnsɪ'dentəlɪ] adv à propos.

incline ['ɪnklaɪn] n pente f.

inclined [ɪn'klaɪnd] adj incliné(-e); to be ~ to do sthg avoir tendance à faire qqch.

include [ɪn'kluːd] vt inclure.

included [ɪn'kluːdɪd] adj (in price) compris(-e); to be ~ in sthg être compris dans qqch.

including [ɪn'kluːdɪŋ] prep y compris.

inclusive [ɪn'kluːsɪv] adj: from the 8th to the 16th ~ du 8 au 16 inclus; ~ of VAT TVA comprise.

income ['ɪnkʌm] n revenu m.

income support n (Br) allocation supplémentaire pour les faibles revenus.

income tax n impôt m sur le revenu.

incoming ['ɪnkʌmɪŋ] adj (train, plane) à l'arrivée; (phone call) de l'extérieur.

incompetent [ɪn'kɒmpɪtənt] adj incompétent(-e).

incomplete [ˌɪnkəm'pliːt] adj incomplet(-ète).

inconsiderate [ˌɪnkən'sɪdərət] adj qui manque de tact.

inconsistent [ˌɪnkən'sɪstənt] adj incohérent(-e).

incontinent [ɪn'kɒntɪnənt] adj incontinent(-e).

inconvenient [ˌɪnkən'viːnjənt] adj (place) mal situé(-e); (time): it's ~ ça tombe mal.

incorporate [ɪn'kɔːpəreɪt] vt incorporer.

incorrect [ˌɪnkə'rekt] adj incorrect(-e).

increase [n 'ɪnkriːs, vb ɪn'kriːs] n augmentation f ♦ vt & vi augmenter; an ~ in sthg une augmentation de qqch.

increasingly [ɪn'kriːsɪŋlɪ] adv de plus en plus.

incredible [ɪn'kredəbl] adj incroyable.

incredibly [ɪn'kredəblɪ] adv (very) incroyablement.

incur [ɪn'kɜː] vt (expenses) engager; (fine) recevoir.

indecisive [ˌɪndɪ'saɪsɪv] adj indécis(-e).

indeed [ɪn'diːd] adv (for emphasis) en effet; (certainly) certainement; **very big ~** vraiment très grand.

indefinite [ɪn'defɪnɪt] adj (time, number) indéterminé(-e); (answer, opinion) vague.

indefinitely [ɪn'defɪnətlɪ] adv (closed, delayed) indéfiniment.

independence [ˌɪndɪ'pendəns] n indépendance f.

independent [ˌɪndɪ'pendənt] adj indépendant(-e).

independently [ˌɪndɪ'pendəntlɪ] adv indépendamment.

independent school n (Br) école f privée.

index ['ɪndeks] n (of book) index m; (in library) fichier m.

index finger n index m.

India ['ɪndjə] n l'Inde f.

Indian ['ɪndjən] adj indien(-ienne) ♦ n Indien m (-ienne f); an ~ restaurant un restaurant m indien.

Indian Ocean n l'océan m Indien.

indicate ['ɪndɪkeɪt] vi (AUT) mettre son clignotant ♦ vt indiquer.

indicator [ˈɪndɪkeɪtəˈ] n (AUT) clignotant m.

indifferent [ɪnˈdɪfrənt] adj indifférent(-e).

indigestion [ˌɪndɪˈdʒestʃən] n indigestion f.

indigo [ˈɪndɪɡəʊ] adj indigo (inv).

indirect [ˌɪndɪˈrekt] adj indirect(-e).

individual [ˌɪndɪˈvɪdʒʊəl] adj individuel(-elle) ♦ n individu m.

individually [ˌɪndɪˈvɪdʒʊəlɪ] adv individuellement.

Indonesia [ˌɪndəˈniːzjə] n l'Indonésie f.

indoor [ˈɪndɔːˈ] adj (swimming pool) couvert(-e); (sports) en salle.

indoors [ˌɪnˈdɔːz] adv à l'intérieur.

indulge [ɪnˈdʌldʒ] vi: to ~ in se permettre.

industrial [ɪnˈdʌstrɪəl] adj industriel(-ielle).

industrial estate n (Br) zone f industrielle.

industry [ˈɪndəstrɪ] n industrie f.

inedible [ɪnˈedɪbl] adj (unpleasant) immangeable; (unsafe) non comestible.

inefficient [ˌɪnɪˈfɪʃnt] ♦ adj inefficace.

inequality [ˌɪnɪˈkwɒlɪtɪ] n inégalité f.

inevitable [ɪnˈevɪtəbl] adj inévitable.

inevitably [ɪnˈevɪtəblɪ] adv inévitablement.

inexpensive [ˌɪnɪkˈspensɪv] adj bon marché (inv).

infamous [ˈɪnfəməs] adj notoire.

infant [ˈɪnfənt] n (baby) nourris-

son m; (young child) jeune enfant m.

infant school n (Br) maternelle f (de 5 à 7 ans).

infatuated [ɪnˈfætjʊeɪtɪd] adj: to be ~ with être entiché(-e) de.

infected [ɪnˈfektɪd] adj infecté(-e).

infectious [ɪnˈfekʃəs] adj infectieux(-ieuse).

inferior [ɪnˈfɪərɪəˈ] adj inférieur(-e).

infinite [ˈɪnfɪnət] adj infini(-e).

infinitely [ˈɪnfɪnətlɪ] adv infiniment.

infinitive [ɪnˈfɪnɪtɪv] n infinitif m.

infinity [ɪnˈfɪnɪtɪ] n infini m.

infirmary [ɪnˈfɜːmərɪ] n (hospital) hôpital m.

inflamed [ɪnˈfleɪmd] adj (MED) enflammé(-e).

inflammation [ˌɪnfləˈmeɪʃn] n (MED) inflammation f.

inflatable [ɪnˈfleɪtəbl] adj gonflable.

inflate [ɪnˈfleɪt] vt gonfler.

inflation [ɪnˈfleɪʃn] n (of prices) inflation f.

inflict [ɪnˈflɪkt] vt infliger.

in-flight adj en vol.

influence [ˈɪnflʊəns] vt influencer ♦ n: ~ (on) influence f (sur).

inform [ɪnˈfɔːm] vt informer.

informal [ɪnˈfɔːml] adj (occasion, dress) simple.

information [ˌɪnfəˈmeɪʃn] n informations fpl, renseignements mpl; a piece of ~ une information.

information desk n bureau m des renseignements.

information office n bureau m des renseignements.

informative [ɪnˈfɔːmətɪv]

instructif(-ive).

infuriating [ɪn'fjʊəreɪtɪŋ] *adj* exaspérant(-e).

ingenious [ɪn'dʒi:njəs] *adj* ingénieux(-ieuse).

ingredient [ɪn'gri:djənt] *n* ingrédient *m*.

inhabit [ɪn'hæbɪt] *vt* habiter.

inhabitant [ɪn'hæbɪtənt] *n* habitant *m* (-e *f*).

inhale [ɪn'heɪl] *vi* inspirer.

inhaler [ɪn'heɪlə'] *n* inhalateur *m*.

inherit [ɪn'herɪt] *vt* hériter (de).

inhibition [ˌɪnhɪ'bɪʃn] *n* inhibition *f*.

initial [ɪ'nɪʃl] *adj* initial(-e) ◆ *vt* parapher ❏ **initials** *npl* initiales *fpl*.

initially [ɪ'nɪʃəlɪ] *adv* initialement.

initiative [ɪ'nɪʃətɪv] *n* initiative *f*.

injection [ɪn'dʒekʃn] *n* injection *f*.

injure ['ɪndʒə'] *vt* blesser; **to ~ one's arm** se blesser au bras; **to ~ o.s.** se blesser.

injured ['ɪndʒəd] *adj* blessé(-e).

injury ['ɪndʒərɪ] *n* blessure *f*.

ink [ɪŋk] *n* encre *f*.

inland [*adj* 'ɪnlənd, *adv* ɪn'lænd] *adj* intérieur(-e) ◆ *adv* vers l'intérieur des terres.

Inland Revenue *n* (Br) = fisc *m*.

inn [ɪn] *n* auberge *f*.

inner ['ɪnə'] *adj* intérieur(-e).

inner city *n* quartiers *proches du* centre, *généralement* synonymes de problèmes sociaux.

inner tube *n* chambre *f* à air.

innocence ['ɪnəsəns] *n* innocence *f*.

innocent ['ɪnəsənt] *adj* innocent(-e).

inoculate [ɪ'nɒkjʊleɪt] *vt*: **to ~ sb (against sthg)** vacciner qqn (contre qqch).

inoculation [ɪˌnɒkjʊ'leɪʃn] *n* vaccination *f*.

input ['ɪnpʊt] *vt* (COMPUT) entrer.

inquire [ɪn'kwaɪə'] = **enquire**.

inquiry [ɪn'kwaɪərɪ] = **enquiry**.

insane [ɪn'seɪn] *adj* fou (folle).

insect ['ɪnsekt] *n* insecte *m*.

insect repellent [-rə'pelənt] *n* produit *m* anti-insectes.

insensitive [ɪn'sensətɪv] *adj* insensible.

insert [ɪn'sɜ:t] *vt* introduire.

inside [ɪn'saɪd] *prep* à l'intérieur de, dans ◆ *adv* à l'intérieur ◆ *adj* (internal) intérieur(-e) ◆ *n*: **the ~** (interior) l'intérieur *m*; (AUT: in UK) la gauche; (AUT: in Europe, US) la droite; **to go ~** entrer; **~ out** (clothes) à l'envers.

inside lane *n* (AUT) (in UK) voie *f* de gauche; (in Europe, US) voie *f* de droite.

inside leg *n* hauteur *f* à l'entre-jambe.

insight ['ɪnsaɪt] *n* (glimpse) aperçu *m*.

insignificant [ˌɪnsɪg'nɪfɪkənt] *adj* insignifiant(-e).

insinuate [ɪn'sɪnjʊeɪt] *vt* insinuer.

insist [ɪn'sɪst] *vi* insister; **to ~ on doing sthg** tenir à faire qqch.

insole ['ɪnsəʊl] *n* semelle *f* intérieure.

insolent ['ɪnsələnt] *adj* insolent(-e).

insomnia [ɪn'sɒmnɪə] *n* insomnie f.

inspect [ɪn'spekt] vt (object) inspecter; (ticket, passport) contrôler.

inspection [ɪn'spekʃn] n (of object) inspection f; (of ticket, passport) contrôle m.

inspector [ɪn'spektə'] n (on bus, train) contrôleur m (-euse f); (in police force) inspecteur m (-trice f).

inspiration [ˌɪnspə'reɪʃn] n inspiration f.

instal [ɪn'stɔːl] (Am) = install.

install [ɪn'stɔːl] vt (Br) installer.

installment [ɪn'stɔːlmənt] (Am) = instalment.

instalment [ɪn'stɔːlmənt] n (payment) acompte m; (episode) épisode m.

instance ['ɪnstəns] n exemple m; for ~ par exemple.

instant ['ɪnstənt] adj (results, success) immédiat(-e); (food) instantané(-e) ♦ n (moment) instant m.

instant coffee n café m instantané OR soluble.

instead [ɪn'sted] adv plutôt; ~ of au lieu de; ~ of sb à la place de qqn.

instep ['ɪnstep] n cou-de-pied m.

instinct ['ɪnstɪŋkt] n instinct m.

institute ['ɪnstɪtjuːt] n institut m.

institution [ˌɪnstɪ'tjuːʃn] n institution f.

instructions [ɪn'strʌkʃnz] npl (for use) mode m d'emploi.

instructor [ɪn'strʌktə'] n moniteur m (-trice f).

instrument ['ɪnstrəmənt] n instrument m.

insufficient [ˌɪnsə'fɪʃnt] adj insuffisant(-e).

insulating tape ['ɪnsjʊleɪtɪŋ-] n

chatterton m.

insulation [ˌɪnsjʊ'leɪʃn] n (material) isolant m.

insulin ['ɪnsjʊlɪn] n insuline f.

insult [n 'ɪnsʌlt, vb ɪn'sʌlt] n insulte f ♦ vt insulter.

insurance [ɪn'ʃʊərəns] n assurance f.

insurance certificate n attestation f d'assurance.

insurance company n compagnie f d'assurance.

insurance policy n police f d'assurance.

insure [ɪn'ʃʊə'] vt assurer.

insured [ɪn'ʃʊəd] adj: to be ~ être assuré(-e).

intact [ɪn'tækt] adj intact(-e).

intellectual [ˌɪntə'lektjʊəl] adj intellectuel(-elle) ♦ n intellectuel m (-elle f).

intelligence [ɪn'telɪdʒəns] n intelligence f.

intelligent [ɪn'telɪdʒənt] adj intelligent(-e).

intend [ɪn'tend] vt: to ~ to do sthg avoir l'intention de faire qqch; to be ~ed to do sthg être destiné à faire qqch.

intense [ɪn'tens] adj intense.

intensity [ɪn'tensɪtɪ] n intensité f.

intensive [ɪn'tensɪv] adj intensif(-ive).

intensive care n réanimation f.

intent [ɪn'tent] adj: to be ~ on doing sthg être déterminé(-e) à faire qqch.

intention [ɪn'tenʃn] n intention f.

intentional [ɪn'tenʃənl] adj

intentionnel(-elle).

intentionally [ɪnˈtenʃənəlɪ] *adv* intentionnellement.

interchange [ˈɪntətʃeɪndʒ] *n* (*on motorway*) échangeur *m*.

Intercity® [ˌɪntəˈsɪtɪ] *n* (*Br*) système de trains rapides reliant les grandes villes en Grande-Bretagne.

intercom [ˈɪntəkɒm] *n* Interphone® *m*.

interest [ˈɪntrəst] *n* intérêt *m*; (*pastime*) centre *m* d'intérêt ♦ *vt* intéresser; **to take an ~ in sthg** s'intéresser à qqch.

interested [ˈɪntrəstɪd] *adj* intéressé(-e); **to be ~ in sthg** être intéressé par qqch.

interesting [ˈɪntrəstɪŋ] *adj* intéressant(-e).

interest rate *n* taux *m* d'intérêt.

interfere [ˌɪntəˈfɪə] *vi* (*meddle*) se mêler des affaires d'autrui; **to ~ with sthg** (*damage*) toucher à qqch.

interference [ˌɪntəˈfɪərəns] *n* (*on TV, radio*) parasites *mpl*.

interior [ɪnˈtɪərɪə] *adj* intérieur(-e) ♦ *n* intérieur *m*.

intermediate [ˌɪntəˈmiːdjət] *adj* intermédiaire.

intermission [ˌɪntəˈmɪʃn] *n* (*at cinema, theatre*) entracte *m*.

internal [ɪnˈtɜːnl] *adj* (*not foreign*) intérieur(-e); (*on the inside*) interne.

internal flight *n* vol *m* intérieur.

international [ˌɪntəˈnæʃənl] *adj* international(-e).

international flight *n* vol *m* international.

interpret [ɪnˈtɜːprɪt] *vi* servir d'interprète.

interpreter [ɪnˈtɜːprɪtə] *n* interprète *mf*.

interrogate [ɪnˈterəgeɪt] *vt* interroger.

interrupt [ˌɪntəˈrʌpt] *vt* interrompre.

intersection [ˌɪntəˈsekʃn] *n* (*of roads*) carrefour *m*, intersection *f*.

interval [ˈɪntəvl] *n* intervalle *m*; (*Br: at cinema, theatre*) entracte *m*.

intervene [ˌɪntəˈviːn] *vi* (*person*) intervenir; (*event*) avoir lieu.

interview [ˈɪntəvjuː] *n* (*on TV, in magazine*) interview *f*; (*for job*) entretien *m* ♦ *vt* (*on TV, in magazine*) interviewer; (*for job*) faire passer un entretien à.

interviewer [ˈɪntəvjuːə] *n* (*on TV, in magazine*) intervieweur *m* (-euse *f*).

intestine [ɪnˈtestɪn] *n* intestin *m*.

intimate [ˈɪntɪmət] *adj* intime.

intimidate [ɪnˈtɪmɪdeɪt] *vt* intimider.

into [ˈɪntʊ] *prep* (*inside*) dans; (*against*) dans, contre; (*concerning*) sur; **4 ~ 20 goes 5 (times)** 20 divisé par 4 égale 5; **to translate ~ French** traduire en français; **to change ~ sthg** se transformer en qqch; **to be ~ sthg** (*inf: like*) être un fan de qqch.

intolerable [ɪnˈtɒlrəbl] *adj* intolérable.

intransitive [ɪnˈtrænzətɪv] *adj* intransitif(-ive).

intricate [ˈɪntrɪkət] *adj* compliqué(-e).

intriguing [ɪnˈtriːgɪŋ] *adj* fascinant(-e).

introduce [ˌɪntrəˈdjuːs] *vt* présenter; **I'd like to ~ you to Fred**

j'aimerais vous présenter Fred.

introduction [ˌɪntrəˈdʌkʃn] n (to book, programme) introduction f; (to person) présentation f.

introverted [ˈɪntrəˌvɜːtɪd] adj introverti(-e).

intruder [ɪnˈtruːdəˀ] n intrus m (-e f).

intuition [ˌɪntjuːˈɪʃn] n intuition f.

invade [ɪnˈveɪd] vt envahir.

invalid [adj ɪnˈvælɪd, n ˈɪnvəlɪd] adj (ticket, cheque) non valable ♦ n invalide mf.

invaluable [ɪnˈvæljʊəbl] adj inestimable.

invariably [ɪnˈveərɪəblɪ] adv invariablement.

invasion [ɪnˈveɪʒn] n invasion f.

invent [ɪnˈvent] vt inventer.

invention [ɪnˈvenʃn] n invention f.

inventory [ˈɪnvəntrɪ] n (list) inventaire m; (Am: stock) stock m.

inverted commas [ɪnˈvɜːtɪd-] npl guillemets mpl.

invest [ɪnˈvest] vt investir ♦ vi: to ~ in sthg investir dans qqch.

investigate [ɪnˈvestɪgeɪt] vt enquêter sur.

investigation [ɪnˌvestɪˈgeɪʃn] n enquête f.

investment [ɪnˈvestmənt] n (of money) investissement m.

invisible [ɪnˈvɪzɪbl] adj invisible.

invitation [ˌɪnvɪˈteɪʃn] n invitation f.

invite [ɪnˈvaɪt] vt inviter; to ~ sb to do sthg (ask) inviter qqn à faire qqch; to ~ sb round inviter qqn chez soi.

invoice [ˈɪnvɔɪs] n facture f.

involve [ɪnˈvɒlv] vt (entail) impliquer; **what does it ~?** qu'est-ce que cela consiste?; **to be ~d in** sthg (scheme, activity) prendre part à qqch; (accident) être impliqué dans qqch.

involved [ɪnˈvɒlvd] adj: what's ~? qu'est-ce que cela implique?

inwards [ˈɪnwədz] adv vers l'intérieur.

IOU n reconnaissance f de dette.

IQ n QI m.

Iran [ɪˈrɑːn] n l'Iran m.

Iraq [ɪˈrɑːk] n l'Iraq m.

Ireland [ˈaɪələnd] n l'Irlande f.

iris [ˈaɪərɪs] (pl -es) n (flower) iris m.

Irish [ˈaɪrɪʃ] adj irlandais(-e) ♦ n (language) irlandais m ♦ npl: the ~ les Irlandais mpl.

Irish coffee n irish-coffee m.

Irishman [ˈaɪrɪʃmən] (pl -men [-mən]) n Irlandais m.

Irish stew n ragoût de mouton aux pommes de terre et aux oignons.

Irishwoman [ˈaɪrɪʃˌwʊmən] (pl -women [-ˌwɪmɪn]) n Irlandaise f.

iron [ˈaɪən] n fer m; (for clothes) fer m à repasser ♦ vt repasser.

ironic [aɪˈrɒnɪk] adj ironique.

ironing board [ˈaɪənɪŋ-] n planche f à repasser.

ironmonger's [ˈaɪənˌmʌŋɡəz] n (Br) quincaillier m.

irrelevant [ɪˈreləvənt] adj hors de propos.

irresistible [ˌɪrɪˈzɪstəbl] adj irrésistible.

irrespective [ˌɪrɪˈspektɪv]: **irrespective of** prep indépendamment de.

irresponsible [ˌɪrɪˈspɒnsəbl] adj irresponsable.

irrigation [ɪrɪˈgeɪʃn] n irrigation f.

irritable [ˈɪrɪtəbl] adj irritable.

irritate [ˈɪrɪteɪt] vt irriter.

irritating [ˈɪrɪteɪtɪŋ] adj irritant(-e).

IRS n (Am) = fisc m.

is [ɪz] → be.

Islam [ˈɪzlɑːm] n l'islam m.

island [ˈaɪlənd] n île f; (in road) refuge m.

isle [aɪl] n île f.

isolated [ˈaɪsəleɪtɪd] adj isolé(-e).

Israel [ˈɪzreɪəl] n Israël m.

issue [ˈɪʃuː] n (problem, subject) problème m; (of newspaper, magazine) numéro m ◆ vt (statement) faire; (passport, document) délivrer; (stamps, bank notes) émettre.

it [ɪt] pron 1. (referring to specific thing: subject) il (elle); (direct object) le (la), l'; (indirect object) lui; **~'s big** il est grand; **she missed ~** elle l'a manqué; **give ~ to me** donne-le moi; **tell me about ~** parlez-m'en; **we went to ~** nous y sommes allés.

2. (nonspecific) ce, c'; **~'s nice here** c'est joli ici; **~'s me** c'est moi; **who is ~?** qui est-ce?

3. (used impersonally): **~'s hot** il fait chaud; **~'s six o'clock** il est six heures; **~'s Sunday** nous sommes dimanche.

Italian [ɪˈtæljən] adj italien(-ienne) ◆ n (person) Italien m (-ienne f); (language) italien m; **an ~ restaurant** un restaurant italien.

Italy [ˈɪtəlɪ] n l'Italie f.

itch [ɪtʃ] vi: **my arm ~es** mon bras me démange.

item [ˈaɪtəm] n (object) article m, objet m; (of news, on agenda) ques-

tion f, point m.

itemized bill [ˈaɪtəmaɪzd-] n facture f détaillée.

its [ɪts] adj son (sa), ses (pl).

it's [ɪts] = it is, it has.

itself [ɪtˈself] pron (reflexive) se; (after prep) lui (elle); **the house ~ is fine** la maison elle-même n'a rien.

I've [aɪv] = I have.

ivory [ˈaɪvərɪ] n ivoire m.

ivy [ˈaɪvɪ] n lierre m.

J

jab [dʒæb] n (Br: inf: injection) piqûre f.

jack [dʒæk] n (for car) cric m; (playing card) valet m.

jacket [ˈdʒækɪt] n (garment) veste f; (of book) jaquette f; (Am: of record) pochette f; (of potato) peau f.

jacket potato n pomme de terre f en robe des champs.

jack-knife vi se mettre en travers de la route.

Jacuzzi® [dʒəˈkuːzɪ] n Jacuzzi® m.

jade [dʒeɪd] n jade m.

jail [dʒeɪl] n prison f.

jam [dʒæm] n (food) confiture f; (of traffic) embouteillage m; (inf: difficult situation) pétrin m ◆ vt (pack tightly) entasser ◆ vi (get stuck) se coincer; **the roads are jammed** les routes sont bouchées.

jam-packed ['-pækt] *adj (inf)* bourré(-e) à craquer.

Jan. [dʒæn] *(abbr of January)* janv.

janitor ['dʒænɪtə'] *n (Am & Scot)* concierge *mf*.

January ['dʒænjʊərɪ] *n* janvier *m*, → September.

Japan [dʒə'pæn] *n* le Japon.

Japanese [,dʒæpə'niːz] *adj* japonais(-e) ◆ *n (language)* japonais *m* ◆ *npl*: **the ~** les Japonais *mpl*.

jar [dʒɑːʳ] *n* pot *m*.

javelin ['dʒævlɪn] *n* javelot *m*.

jaw [dʒɔː] *n* mâchoire *f*.

jazz [dʒæz] *n* jazz *m*.

jealous ['dʒeləs] *adj* jaloux (-ouse).

jeans [dʒiːnz] *npl* jean *m*.

Jeep® [dʒiːp] *n* Jeep® *f*.

Jello® ['dʒeləʊ] *n (Am)* gelée *f*.

jelly ['dʒelɪ] *n* gelée *f*.

jellyfish ['dʒelɪfɪʃ] *(pl inv)* *n* méduse *f*.

jeopardize ['dʒepədaɪz] *vt* mettre en danger.

jerk [dʒɜːk] *n (movement)* secousse *f*; *(inf: idiot)* abruti *m* (-e *f*).

jersey ['dʒɜːzɪ] *(pl -s)* *n (garment)* pull *m*.

jet [dʒet] *n* jet *m*; *(for gas)* brûleur *m*.

jetfoil ['dʒetfɔɪl] *n* hydroglisseur *m*.

jet lag *n* décalage *m* horaire.

jet-ski *n* scooter *m* des mers.

jetty ['dʒetɪ] *n* jetée *f*.

Jew [dʒuː] *n* Juif *m* (-ive *f*).

jewel ['dʒuːəl] *n* joyau *m*, pierre *f* précieuse ❑ **jewels** *npl (jewellery)* bijoux *mpl*.

jeweler's ['dʒuːələz] *(Am)* = **jeweller's**.

jeweller's ['dʒuːələz] *n (Br)* bijouterie *f*.

jewellery ['dʒuːəlrɪ] *n (Br)* bijoux *mpl*.

jewelry ['dʒuːəlrɪ] *(Am)* = **jewellery**.

Jewish ['dʒuːɪʃ] *adj* juif (-ive).

jigsaw (puzzle) ['dʒɪgsɔː-] *n* puzzle *m*.

jingle ['dʒɪŋgl] *n (of advert)* jingle *m*.

job [dʒɒb] *n (regular work)* emploi *m*; *(task, function)* travail *m*; **to lose one's ~** perdre son travail.

job centre *n (Br)* agence *f* pour l'emploi.

jockey ['dʒɒkɪ] *(pl -s)* *n* jockey *m*.

jog [dʒɒg] *vt* pousser ◆ *vi* courir, faire du jogging ◆ *n*: **to go for a ~** faire du jogging.

jogging ['dʒɒgɪŋ] *n* jogging *m*; **to go ~** faire du jogging.

join [dʒɔɪn] *vt (club, organization)* adhérer à; *(fasten together)* joindre; *(other people)* rejoindre; *(connect)* relier; *(participate in)* participer à; **to ~ a queue** faire la queue ❑ **join in** *vt fus* participer à ◆ *vi* participer.

joint [dʒɔɪnt] *adj* commun(-e) ◆ *n (of body)* articulation *f*; *(Br: of meat)* rôti *m*; *(in structure)* joint *m*.

joke [dʒəʊk] *n* plaisanterie *f* ◆ *vi* plaisanter.

joker ['dʒəʊkəʳ] *n (playing card)* joker *m*.

jolly ['dʒɒlɪ] *adj (cheerful)* gai(-e) ◆ *adv (Br: inf: very)* drôlement.

jolt [dʒəʊlt] *n* secousse *f*.

jot [dʒɒt]: **jot down** *vt sep* noter.

journal ['dʒɜːnl] *n (professional magazine)* revue *f*; *(diary)* journal *m* (intime).

journalist ['dʒɜːnəlɪst] *n* journaliste *mf*.

journey ['dʒɜːnɪ] *(pl -s) n* voyage *m*.

joy [dʒɔɪ] *n* joie *f*.

joypad ['dʒɔɪpæd] *n (of video game)* boîtier de commandes de jeu vidéo.

joyrider ['dʒɔɪraɪdə*r*] *n* personne qui vole une voiture pour aller faire un tour.

joystick ['dʒɔɪstɪk] *n (of video game)* manette *f* (de jeux).

judge [dʒʌdʒ] *n* juge *m* ◆ *vt (competition)* arbitrer; *(evaluate)* juger.

judg(e)ment ['dʒʌdʒmənt] *n* jugement *m*.

judo ['dʒuːdəʊ] *n* judo *m*.

jug [dʒʌg] *n (for water)* carafe *f*; *(for milk)* pot *m*.

juggernaut ['dʒʌgənɔːt] *n (Br)* poids *m* lourd.

juggle ['dʒʌgl] *vi* jongler.

juice [dʒuːs] *n* jus *m*; *(fruit)* ~ jus *m* de fruit.

juicy ['dʒuːsɪ] *adj (food)* juteux(-euse).

jukebox ['dʒuːkbɒks] *n* juke-box *m inv*.

Jul. *(abbr of July)* juill.

July [dʒuː'laɪ] *n* juillet *m*, → September.

jumble sale ['dʒʌmbl-] *n (Br)* vente *f* de charité.

JUMBLE SALE

Les «jumble sales» sont des ventes à très bas prix de vêtements, de livres et d'objets ménagers d'occasion, généralement au profit d'une association caritative. Elles se tiennent le plus souvent dans des salles paroissiales ou municipales.

---

jumbo ['dʒʌmbəʊ] *adj (inf: big)* énorme.

jumbo jet *n* jumbo-jet *m*.

jump [dʒʌmp] *n* bond *m* ◆ *vi* sauter; *(with fright)* sursauter; *(increase)* faire un bond ◆ *vt (Am: train, bus)* prendre sans payer; **to ~ the queue** *(Br)* ne pas attendre son tour.

jumper ['dʒʌmpə*r*] *n (Br: pullover)* pull-over *m*; *(Am: dress)* robe *f* chasuble.

jump leads *npl* câbles *mpl* de démarrage.

junction ['dʒʌŋkʃn] *n* embranchement *m*.

June [dʒuːn] *n* juin *m*, → September.

jungle ['dʒʌŋgl] *n* jungle *f*.

junior ['dʒuːnjə*r*] *adj (of lower rank)* subalterne; *(Am: after name)* junior ◆ *n (younger person)* cadet *m* (-ette *f*).

junior school *n (Br)* école *f* primaire.

junk [dʒʌŋk] *n (inf: unwanted things)* bric-à-brac *m inv*.

junk food *n (inf)* cochonneries *fpl*.

junkie ['dʒʌŋkɪ] *n (inf)* drogué *m* (-e *f*).

junk shop *n* magasin *m* de brocante.

jury ['dʒʊərɪ] *n* jury *m*.

just [dʒʌst] *adj* & *adv* juste; **I'm ~ coming** j'arrive tout de suite; **we were ~ leaving** nous étions sur le point de partir; **to be ~ about to do sthg** être sur le point de faire qqch; **to have ~ done sthg** venir de faire qqch; **~ as good (as)** tout aussi bien (que); **~ about** (almost) pratiquement, presque; **only ~** tout juste; **~ a minute!** une minute!

justice ['dʒʌstɪs] n justice f.

justify ['dʒʌstɪfaɪ] vt justifier.

jut [dʒʌt]: **jut out** vi faire saillie.

juvenile ['dʒu:vənaɪl] adj (young) juvénile; (childish) enfantin(-e).

K

kangaroo [ˌkæŋgə'ru:] n kangourou m.

karaoke [ˌkærɪ'əʊkɪ] n karaoké m.

karate [kə'rɑ:tɪ] n karaté m.

kebab [kɪ'bæb] n: **(shish) ~** brochette f de viande; **(doner) ~** ≈ sandwich m grec (viande de mouton servie en tranches fines dans du pita, avec salade et sauce).

keel [ki:l] n quille f.

keen [ki:n] adj (enthusiastic) passionné(-e); (hearing) fin(-e); (eyesight) perçant(-e); **to be ~ on** aimer beaucoup; **to be ~ to do sthg** tenir à faire qqch.

keep [ki:p] (pt & pp **kept**) vt garder; (promise, record, diary) tenir; (delay) retarder ♦ vi (food) se conserver; (remain) rester; **to ~ (on) doing sthg** (continuously) continuer

à `faire qqch; (repeatedly) ne pas arrêter de faire qqch; **to ~ sb from doing sthg** empêcher qqn de faire qqch; **~ back!** n'approchez pas!; **"~ in lane!"** «conservez votre file»; **"~ left"** «serrez à gauche»; **"~ off the grass!"** «pelouse interdite»; **"~ out!"** «entrée interdite»; **"~ your distance!"** «gardez vos distances!» **to ~ clear (of)** ne pas s'approcher (de) ♦ **keep up** vt sep (maintain) maintenir; (continue) continuer ♦ vi: **to ~ up (with)** suivre.

keep-fit n (Br) gymnastique f.

kennel ['kenl] n niche f.

kept [kept] pt & pp → **keep**.

kerb [kɜ:b] n (Br) bordure f de trottoir.

kerosene ['kerəsi:n] n (Am) kérosène m.

ketchup ['ketʃəp] n ketchup m.

kettle ['ketl] n bouilloire f; **to put the ~ on** mettre la bouilloire à chauffer.

key [ki:] n clé f, clef f; (of piano, typewriter) touche f; (of map) légende f ♦ adj clé, clef.

keyboard ['ki:bɔ:d] n clavier m.

keyhole ['ki:həʊl] n serrure f.

keypad ['ki:pæd] n pavé m numérique.

key ring n porte-clefs m inv, porte-clés m inv.

kg (abbr of kilogram) kg.

kick [kɪk] n (of foot) coup m de pied ♦ vt (ball) donner un coup de pied dans; (person) donner un coup de pied à.

kickoff ['kɪkɒf] n coup m d'envoi.

kid [kɪd] n (inf) gamin m (-e f) ♦ vi (joke) blaguer.

kidnap ['kɪdnæp] vt kidnapper.

kidnaper ['kɪdnæpər] (Am) = kidnapper.

kidnapper ['kɪdnæpər] n (Br) kidnappeur m (-euse f).

kidney ['kɪdnɪ] (pl -s) n (organ) rein m; (food) rognon m.

kidney bean n haricot m rouge.

kill [kɪl] vt tuer; **my feet are ~ing me!** mes pieds me font souffrir le martyre!

killer ['kɪlər] n tueur m (-euse f).

kilo ['ki:ləʊ] (pl -s) n kilo m.

kilogram n ['kɪləgræm] kilogramme m.

kilometre ['kɪlə,mi:tər] n kilomètre m.

kilt [kɪlt] n kilt m.

kind [kaɪnd] adj gentil(-ille) ♦ n genre m; **~ of** (Am: inf) plutôt.

kindergarten ['kɪndə,gɑ:tn] n jardin m d'enfants.

kindly ['kaɪndlɪ] adv: **would you ~ ...?** auriez-vous l'amabilité de ...?

kindness ['kaɪndnɪs] n gentillesse f.

king [kɪŋ] n roi m.

kingfisher ['kɪŋ,fɪʃər] n martin-pêcheur m.

king prawn n gamba f.

king-size bed n = lit m en 160 cm.

kiosk ['ki:ɒsk] n (for newspapers etc) kiosque m; (Br: phone box) cabine f (téléphonique).

kipper ['kɪpər] n hareng m saur.

kiss [kɪs] n baiser m ♦ vt embrasser.

kiss of life n bouche-à-bouche m inv.

kit [kɪt] n (set) trousse f; (clothes) tenue f; (for assembly) kit m.

kitchen ['kɪtʃɪn] n cuisine f.

kitchen unit n élément m (de cuisine).

kite [kaɪt] n (toy) cerf-volant m.

kitten ['kɪtn] n chaton m.

kitty ['kɪtɪ] n (of money) cagnotte f.

kiwi fruit ['ki:wi:] n kiwi m.

Kleenex® ['kli:neks] n Kleenex® m.

km (abbr of kilometre) km.

km/h (abbr of kilometres per hour) km/h.

knack [næk] n: **to have the ~ of doing sthg** avoir le chic pour faire qqch.

knackered ['nækəd] adj (Br: inf) crevé(-e).

knapsack ['næpsæk] n sac m à dos.

knee [ni:] n genou m.

kneecap ['ni:kæp] n rotule f.

kneel [ni:l] (pt & pp knelt [nelt]) vi (be on one's knees) être à genoux; (go down on one's knees) s'agenouiller.

knew [nju:] pt → know.

knickers ['nɪkəz] npl (Br: underwear) culotte f.

knife [naɪf] (pl knives) n couteau m.

knight [naɪt] n (in history) chevalier m; (in chess) cavalier m.

knit [nɪt] vt tricoter.

knitted ['nɪtɪd] adj tricoté(-e).

knitting ['nɪtɪŋ] n tricot m.

knitting needle n aiguille f à tricoter.

knitwear ['nɪtweər] n lainages mpl.

knives [naɪvz] pl → knife.

knob [nɒb] n bouton m.

knock [nɒk] n (at door) coup m ◆ vt (hit) cogner ◆ vi (at door etc) frapper ❑ **knock down** vt sep (pedestrian) renverser; (building) démolir; (price) baisser; **knock out** vt sep (make unconscious) assommer; (of competition) éliminer; **knock over** vt sep renverser.

knocker ['nɒkə'] n (on door) heurtoir m.

knot [nɒt] n nœud m.

know [nəʊ] (pt knew, pp known) vt savoir; (person, place) connaître; to get to ~ sb faire connaissance avec qqn; to ~ about sthg (understand) s'y connaître en qqch; (have heard) être au courant de qqch; to ~ how to do sthg savoir (comment) faire qqch; to ~ of connaître; to be ~n as être appelé; to let sb ~ sthg informer qqn de qqch; **you** ~ (for emphasis) tu sais.

knowledge ['nɒlɪdʒ] n connaissance f; **to my** ~ pour autant que je sache.

known [nəʊn] pp → know.

knuckle ['nʌkl] n (of hand) articulation f du doigt; (of pork) jarret m.

Koran [kɒ'rɑːn] n: **the** ~ le Coran.

L

l (abbr of litre) l.

L (abbr of learner) en Grande-Bretagne, lettre apposée à l'arrière d'une voiture et signalant que le conducteur est en conduite accompagnée.

lab [læb] n (inf) labo m.

label ['leɪbl] n étiquette f.

labor ['leɪbər] (Am) = **labour**.

laboratory [Br lə'bɒrətrɪ, Am 'læbrə,tɔ:rɪ] n laboratoire m.

labour ['leɪbər] n (Br) travail m; **in** ~ (MED) en travail.

labourer ['leɪbərər] n ouvrier m (-ière f).

Labour Party n (Br) parti m travailliste.

labour-saving adj qui fait gagner du temps.

lace [leɪs] n (material) dentelle f; (for shoe) lacet m.

lace-ups npl chaussures fpl à lacets.

lack [læk] n manque m ◆ vt manquer de ◆ vi: **to be** ~ing faire défaut.

lacquer ['lækə'] n laque f.

lad [læd] n (inf: boy) gars m.

ladder ['lædə'] n échelle f; (Br: in tights) maille f filée.

ladies ['leɪdɪz] n (Br: toilet) toilettes fpl pour dames.

ladies room (Am) = **ladies**.

ladieswear ['leɪdɪz,weə'] n vêtements mpl pour femmes.

ladle ['leɪdl] n louche f.

lady ['leɪdɪ] n dame f.

ladybird ['leɪdɪbɜːd] n coccinelle f.

lag [læg] vi traîner; **to** ~ **behind** traîner.

lager ['lɑːgə'] n bière f blonde.

lagoon [lə'guːn] n lagune f.

laid [leɪd] pt & pp → lay.

lain [leɪn] pp → lie.

lake [leɪk] n lac m.

Lake District n: the ~ la région des lacs (au nord-ouest de l'Angleterre).

lamb [læm] n agneau m.

lamb chop n côtelette f d'agneau.

lame [leɪm] adj boiteux(-euse).

lamp [læmp] n lampe f; (in street) réverbère m.

lamppost ['læmpəʊst] n réverbère m.

lampshade ['læmpʃeɪd] n abat-jour m inv.

land [lænd] n terre f; (nation) pays m ◆ vi atterrir; (passengers) débarquer.

landing ['lændɪŋ] n (of plane) atterrissage m; (on stairs) palier m.

landlady ['lændˌleɪdɪ] n (of house) propriétaire f; (of pub) patronne f.

landlord ['lændlɔːd] n (of house) propriétaire m; (of pub) patron m.

landmark ['lændmɑːk] n point m de repère.

landscape ['lændskeɪp] n paysage m.

landslide ['lændslaɪd] n glissement m de terrain.

lane [leɪn] n (in town) ruelle f; (in country) chemin m; (on road, motorway) file f, voie f; **"get in ~"** panneau indiquant aux automobilistes de se placer dans la file appropriée.

language ['læŋgwɪdʒ] n (of a people, country) langue f; (system, words) langage m.

lap [læp] n (of person) genoux mpl; (of race) tour m (de piste).

lapel [lə'pel] n revers m.

lapse [læps] vi (passport) être

périmé(-e); (membership) prendre fin.

lard [lɑːd] n saindoux m.

larder ['lɑːdəʳ] n garde-manger m inv.

large [lɑːdʒ] adj grand(-e); (person, problem, sum) gros (grosse).

largely ['lɑːdʒlɪ] adv en grande partie.

large-scale adj à grande échelle.

lark [lɑːk] n alouette f.

laryngitis [ˌlærɪn'dʒaɪtɪs] n laryngite f.

lasagne [lə'zænjə] n lasagne(s) fpl.

laser ['leɪzəʳ] n laser m.

lass [læs] n (inf: girl) nana f.

last [lɑːst] adj dernier(-ière) ◆ adv (most recently) pour la dernière fois; (at the end) en dernier ◆ pron: the ~ to come le dernier arrivé; the ~ but one l'avant-dernier; the day before ~ avant-hier; ~ year l'année dernière; the ~ year la dernière année; at ~ enfin.

lastly ['lɑːstlɪ] adv enfin.

last-minute adj de dernière minute.

latch [lætʃ] n loquet m; the door is on the ~ la porte n'est pas fermée à clef.

late [leɪt] adj (not on time) en retard; (after usual time) tardif(-ive) ◆ adv (not on time) en retard; (after usual time) tard; in the ~ afternoon en fin d'après-midi; in ~ June fin juin; my ~ wife feue ma femme.

lately ['leɪtlɪ] adv dernièrement.

late-night adj (chemist, supermarket) ouvert(-e) tard.

later ['leɪtəʳ] adj (train) qui part plus tard ◆ adv: ~ (on) plus tard, ensuite; **at a ~ date** plus tard.

latest ['leɪtɪst] *adj* **the ~** (*in series*) le plus récent (la plus récente); **the ~ fashion** la dernière mode; **at the ~** au plus tard.

lather ['lɑːðər] *n* mousse *f*.

Latin ['lætɪn] *n* (*language*) latin *m*.

Latin America *n* l'Amérique *f* latine.

Latin American *adj* latino-américain(-e) ◆ *n* Latino-Américain *m* (-e *f*).

latitude ['lætɪtjuːd] *n* latitude *f*.

latter ['lætər] *n*: **the ~** ce dernier (cette dernière), celui-ci (celle-ci).

laugh [lɑːf] *n* rire *m* ◆ *vi* rire; **to have a ~** (*Br*: *inf*: *have fun*) s'éclater, rigoler □ **laugh at** *vt fus* se moquer de.

laughter ['lɑːftər] *n* rires *mpl*.

launch [lɔːntʃ] *vt* (*boat*) mettre à la mer; (*new product*) lancer.

laund(e)rette [lɔːn'dret] *n* laverie *f* automatique.

laundry ['lɔːndrɪ] *n* (*washing*) lessive *f*; (*shop*) blanchisserie *f*.

lavatory ['lævətrɪ] *n* toilettes *fpl*.

lavender ['lævəndər] *n* lavande *f*.

lavish ['lævɪʃ] *adj* (*meal*) abondant(-e); (*decoration*) somptueux(-euse).

law [lɔː] *n* loi *f*; (*study*) droit *m*; **to be against the ~** être illégal.

lawn [lɔːn] *n* pelouse *f*, gazon *m*.

lawnmower ['lɔːnˌməʊər] *n* tondeuse *f* (à gazon).

lawyer ['lɔːjər] *n* (*in court*) avocat *m* (-e *f*); (*solicitor*) notaire *m*.

laxative ['læksətɪv] *n* laxatif *m*.

lay [leɪ] (*pt* & *pp* **laid**) *pt* → **lie** ◆ *vt* (*place*) mettre, poser; (*egg*) pondre; **to ~ the table** mettre la table □ **lay**

lean

off *vt sep* (*worker*) licencier; **lay on** *vt sep* (*transport, entertainment*) organiser; (*food*) fournir; **lay out** *vt sep* (*display*) disposer.

lay-by (*pl* **lay-bys**) *n* aire *f* de stationnement.

layer ['leɪər] *n* couche *f*.

layman ['leɪmən] (*pl* **-men** [-mən]) *n* profane *m*.

layout ['leɪaʊt] *n* (*of building, streets*) disposition *f*.

lazy ['leɪzɪ] *adj* paresseux (-euse).

lb *abbr* = **pound**.

lead[1] [liːd] (*pt* & *pp* **led**) *vt* (*take*) conduire; (*team, company*) diriger; (*race, demonstration*) être en tête de ◆ *vi* (*be winning*) mener ◆ *n* (*for dog*) laisse *f*; (*cable*) cordon *m*; **to ~ sb to do sthg** amener qqn à faire qqch; **to ~ to** mener à; **to ~ the way** montrer le chemin; **to be in the ~** (*in race, match*) être en tête.

lead[2] [led] *n* (*metal*) plomb *m*; (*for pencil*) mine *f* ◆ *adj* en plomb.

leaded petrol ['ledɪd-] *n* essence *f* au plomb.

leader ['liːdər] *n* (*person in charge*) chef *m*; (*in race*) premier *m* (-ière *f*).

leadership ['liːdəʃɪp] *n* (*position*) direction *f*.

lead-free [led-] *adj* sans plomb.

leading ['liːdɪŋ] *adj* (*most important*) principal(-e).

lead singer [liːd-] *n* chanteur *m* (-euse *f*).

leaf [liːf] (*pl* **leaves**) *n* feuille *f*.

leaflet ['liːflɪt] *n* dépliant *m*.

league [liːg] *n* ligue *f*.

leak [liːk] *n* fuite *f* ◆ *vi* fuir.

lean [liːn] (*pt* & *pp* **leant** [lent] OR **-ed**) *adj* (*meat*) maigre; (*person, ani-*

leap

mal) mince ◆ *vi (person)* se pencher; *(object)* être penché ◆ *vt:* to ~ sthg against sthg appuyer qqch contre qqch; to ~ on s'appuyer sur; to ~ forward se pencher en avant; to ~ over se pencher.

leap [liːp] *(pt & pp* **leapt** [lept] OR **-ed)** *vi (jump)* sauter, bondir.

leap year *n* année *f* bissextile.

learn [lɜːn] *(pt & pp* **learnt** OR **-ed)** *vi* apprendre; to ~ (how) to do sthg apprendre à faire qqch; to ~ about sthg apprendre qqch.

learner (driver) [ˈlɜːnəʳ-] *n* conducteur *m* débutant (conductrice *f*) *(qui n'a pas encore son permis)*.

learnt [lɜːnt] *pt & pp* → **learn**.

lease [liːs] *n* bail *m* ◆ *vt* louer; to ~ sthg from sb louer qqch à qqn *(à un propriétaire)*; to ~ sthg to sb louer qqch à qqn *(à un locataire)*.

leash [liːʃ] *n* laisse *f*.

least [liːst] *adv (with verb)* le moins ◆ *adj* le moins de ◆ *pron:* **(the) ~** le moins; **at ~** au moins; **the ~ expensive** le moins cher *(la moins chère)*.

leather [ˈleðəʳ] *n* cuir *m* ❏ **leathers** *npl (of motorcyclist)* tenue *f* de motard.

leave [liːv] *(pt & pp* **left** *vt* laisser; *(place, person, job)* quitter ◆ *vi* partir ◆ *n (time off work)* congé *m*; to ~ a message laisser un message, → **left** ❏ **leave behind** *vt sep* laisser; **leave out** *vt sep* omettre.

leaves [liːvz] *pl* → **leaf**.

Lebanon [ˈlebənən] *n* le Liban.

lecture [ˈlektʃəʳ] *n (at conference)* exposé *m*; *(at university)* cours *m* *(magistral)*.

lecturer [ˈlektʃərəʳ] *n* conféren-

cier *m* (-ière *f*).

lecture theatre *n* amphithéâtre *m*.

led [led] *pt & pp* → **lead¹**.

ledge [ledʒ] *n* rebord *m*.

leek [liːk] *n* poireau *m*.

left [left] *pt & pp* → **leave** ◆ *adj (not right)* gauche ◆ *adv* à gauche ◆ *n* gauche *f*; **on the ~** *(direction)* à gauche; **there are none ~** il n'en reste plus.

left-hand *adj (lane)* de gauche; *(side)* gauche.

left-hand drive *n* conduite *f* à gauche.

left-handed [-ˈhændɪd] *adj (person)* gaucher(-ère).

left-luggage locker *n (Br)* consigne *f* automatique.

left-luggage office *n (Br)* consigne *f*.

left-wing *adj* de gauche.

leg [leg] *n (of person, trousers)* jambe *f*; *(of animal)* patte *f*; *(of table, chair)* pied *m*; ~ **of lamb** gigot *m* d'agneau.

legal [ˈliːgl] *adj (procedure, language)* juridique; *(lawful)* légal(-e).

legal aid *n* assistance *f* judiciaire.

legalize [ˈliːgəlaɪz] *vt* légaliser.

legal system *n* système *m* judiciaire.

legend [ˈledʒənd] *n* légende *f*.

leggings [ˈlegɪŋz] *npl* caleçon *m*.

legible [ˈledʒɪbl] *adj* lisible.

legislation [ˌledʒɪsˈleɪʃn] *n* législation *f*.

legitimate [lɪˈdʒɪtɪmət] *adj* légitime.

leisure [*Br* ˈleʒəʳ, *Am* ˈliːʒəʳ] *n* loisir *m*.

leisure centre *n* centre *m* de

loisirs.

leisure pool n piscine avec toboggans, vagues, etc.

lemon ['lemən] n citron m.

lemonade [,lemə'neɪd] n limonade f.

lemon curd [-kɜːd] n (Br) crème f au citron.

lemon juice n jus m de citron.

lemon sole n limande-sole f.

lemon tea n thé m au citron.

lend [lend] (pt & pp lent) vt prêter; **to ~ sb sthg** prêter qqch à qqn.

length [leŋθ] n longueur f; (in time) durée f.

lengthen ['leŋθən] vt allonger.

lens [lenz] n (of camera) objectif m; (of glasses) verre m; (contact lens) lentille f.

lent [lent] pt & pp → **lend**.

Lent [lent] n le carême.

lentils ['lentlz] npl lentilles fpl.

leopard ['lepəd] n léopard m.

leopard-skin adj léopard (inv).

leotard ['liːətɑːd] n justaucorps m.

leper ['lepər] n lépreux m (-euse f).

lesbian ['lezbɪən] adj lesbien(-ienne) ♦ n lesbienne f.

less [les] adj moins de ♦ adv & pron moins; **~ than 20** moins de 20.

lesson ['lesn] n (class) leçon f.

let [let] (pt & pp **let**) vt (allow) laisser; (rent out) louer; **to ~ sb do sthg** laisser qqn faire qqch; **to ~ go of sthg** lâcher qqch; **to ~ sb have sthg** donner qqch à qqn; **to ~ sb know sthg** prévenir qqch à qqn; **~'s go!** allons-y!; **"to ~"** (for rent) «à louer»

❑ **let in** vt sep (allow to enter) faire entrer; **let off** vt sep (excuse): **to ~ sb off sthg** dispenser qqn de qqch; **can you ~ me off at the station?** pouvez-vous me déposer à la gare?; **let out** vt sep (allow to go out) laisser sortir.

letdown ['letdaʊn] n (inf) déception f.

lethargic [lə'θɑːdʒɪk] adj léthargique.

letter ['letər] n lettre f.

letterbox ['letəbɒks] n (Br) boîte f aux lettres OR aux lettres.

lettuce ['letɪs] n laitue f.

leuk(a)emia [luː'kiːmɪə] n leucémie f.

level ['levl] adj (horizontal) horizontal(-e); (flat) plat(-e) ♦ n niveau m; **to be ~ with** être au même niveau que.

level crossing n (Br) passage m à niveau.

lever [Br 'liːvər, Am 'levər] n levier m.

liability [,laɪə'bɪlətɪ] n responsabilité f.

liable ['laɪəbl] adj: **to be ~ to do sthg** (likely) risquer de faire qqch; **to be ~ for sthg** (responsible) être responsable de qqch.

liaise [lɪ'eɪz] vi: **to ~ with** assurer la liaison avec.

liar ['laɪər] n menteur m (-euse f).

liberal ['lɪbərəl] adj libéral(-e).

Liberal Democrat Party n parti centriste britannique.

liberate ['lɪbəreɪt] vt libérer.

liberty ['lɪbətɪ] n liberté f.

librarian [laɪ'breərɪən] n bibliothécaire mf.

library ['laɪbrərɪ] n bibliothèque f.

Libya ['lıbıə] n la Libye.

lice [laıs] npl poux mpl.

licence ['laısəns] n (Br: official document) permis m, autorisation f; (for television) redevance f ◆ vt (Am) = **license**.

license ['laısəns] vt (Br) autoriser ◆ n (Am) = **licence**.

licensed ['laısənst] adj (restaurant, bar) autorisé(-e) à vendre des boissons alcoolisées.

licensing hours ['laısənsıŋ-] npl (Br) heures d'ouverture des pubs.

lick [lık] vt lécher.

lid [lıd] n couvercle m.

lie [laı] (pt lay, cont lying) n mensonge m ◆ vi (tell lie: pt & pp lied) mentir; (be horizontal) être allongé; (lie down) s'allonger; (be situated) se trouver; **to tell ~s** mentir, dire des mensonges; **to ~ about sthg** mentir sur qqch □ **lie down** vi (on bed, floor) s'allonger.

lieutenant [Br lefˈtenənt, Am luːˈtenənt] n lieutenant m.

life [laıf] (pl lives) n vie f.

life assurance n assurance-vie f.

life belt n bouée f de sauvetage.

lifeboat ['laıfbəut] n canot m de sauvetage.

lifeguard ['laıfgɑːd] n maître m nageur.

life jacket n gilet m de sauvetage.

lifelike ['laıflaık] adj ressemblant(-e).

life preserver [-prıˈzɜːvər] n (Am) (life belt) bouée f de sauvetage; (life jacket) gilet m de sauvetage.

life-size adj grandeur nature (inv).

lifespan ['laıfspæn] n espérance f de vie.

lifestyle ['laıfstaıl] n mode m de vie.

lift [lıft] n (Br: elevator) ascenseur m ◆ vt (raise) soulever ◆ vi se lever; **to give sb a ~** emmener qqn en voiture; **to ~ one's head** lever la tête □ **lift up** vt sep soulever.

light [laıt] (pt & pp lit OR -ed) adj léger(-ère); (not dark) clair(-e); (traffic) fluide ◆ n lumière f; (of car, bike) feu m; (headlight) phare m; (cigarette) cigarette f ◆ vt (fire, cigarette) allumer; (room, stage) éclairer; **have you got a ~?** (for cigarette) avez-vous du feu?; **to set ~ to sthg** mettre le feu à qqch □ **lights** (traffic lights) feu m rouge; **light up** vt sep (house, road) éclairer ◆ vi (inf: light a cigarette) allumer une cigarette.

light bulb n ampoule f.

lighter ['laıtər] n (for cigarettes) briquet m.

light-hearted [-ˈhɑːtıd] adj gai(-e).

lighthouse ['laıthaus, pl -hauzız] n phare m.

lighting ['laıtıŋ] n éclairage m.

light meter n posemètre m.

lightning ['laıtnıŋ] n foudre f; flash of ~ éclair m.

lightweight ['laıtweıt] adj (clothes, object) léger(-ère).

like [laık] vt aimer ◆ prep comme; it's not ~ him ça ne lui ressemble pas; **to ~ doing sthg** aimer faire qqch; what's it ~? c'est comment?; **to look ~ sb/sthg** ressembler à qqn/qqch; **I'd ~ to** sit down j'aimerais m'asseoir; **I'd ~ a double room** je voudrais une chambre double.

likelihood ['laɪklɪhʊd] n probabilité f.

likely ['laɪklɪ] adj probable.

likeness ['laɪknɪs] n ressemblance f.

likewise ['laɪkwaɪz] adv de même.

lilac ['laɪlək] adj lilas.

Lilo® ['laɪləʊ] (pl -s) n (Br) matelas m pneumatique.

lily ['lɪlɪ] n lis m.

lily of the valley n muguet m.

limb [lɪm] n membre m.

lime [laɪm] n (fruit) citron m vert; ~ (juice) jus m de citron vert.

limestone ['laɪmstəʊn] n calcaire m.

limit ['lɪmɪt] n limite f ◆ vt limiter.

limited ['lɪmɪtɪd] adj (restricted) limité(-e); (in company name) = SARL.

limp [lɪmp] adj mou (molle) ◆ vi boiter.

line [laɪn] n ligne f; (row) rangée f; (of vehicles, people) file f; (Am: queue) queue f; (of poem, song) vers m; (rope, string) corde f; (railway track) voie f; (of business, work) domaine m; (type of product) gamme f ◆ vt (coat, drawers) doubler; **in** ~ (aligned) aligné; **it's a bad** ~ (on phone) la communication est mauvaise; **the** ~ **is engaged** la ligne est occupée; **to drop sb a** ~ (inf) écrire un mot à qqn; **to stand in** ~ (Am) faire la queue ❏ **line up** vt sep (arrange) aligner ◆ vi s'aligner.

lined [laɪnd] adj (paper) réglé(-e).

linen ['lɪnɪn] n (cloth) lin m; (table-

cloths, sheets) linge m (de maison).

liner ['laɪnə^r] n (ship) paquebot m.

linesman ['laɪnzmən] (pl -men [-mən]) n juge m de touche.

linger ['lɪŋgə^r] vi s'attarder.

lingerie ['lænʒərɪ] n lingerie f.

lining ['laɪnɪŋ] n (of coat, jacket) doublure f; (of brake) garniture f.

link [lɪŋk] n (connection) lien m ◆ vt relier; (two cities) relier; ~ **road** ~ liaison f ferroviaire; **road** ~ liaison routière.

lino ['laɪnəʊ] n (Br) lino m.

lion ['laɪən] n lion m.

lioness ['laɪənes] n lionne f.

lip [lɪp] n lèvre f.

lip salve [-sælv] n pommade f pour les lèvres.

lipstick ['lɪpstɪk] n rouge m à lèvres.

liqueur [lɪ'kjʊə^r] n liqueur f.

liquid ['lɪkwɪd] n liquide m.

liquor ['lɪkə^r] n (Am) alcool m.

liquorice ['lɪkərɪs] n réglisse f.

lisp [lɪsp] n: **to have a** ~ zézayer.

list [lɪst] n liste f ◆ vt faire la liste de.

listen ['lɪsn] vi: **to** ~ **(to)** écouter.

listener ['lɪsnə^r] n (to radio) auditeur m (-trice f).

lit [lɪt] pt & pp → **light**.

liter ['liːtə^r] (Am) = **litre**.

literally ['lɪtərəlɪ] adv littéralement.

literary ['lɪtərərɪ] adj littéraire.

literature ['lɪtrətʃə^r] n littérature f; (printed information) documentation f.

litre ['liːtə^r] n (Br) litre m.

litter ['lɪtə^r] n (rubbish) détritus mpl.

litterbin ['lɪtəbɪn] n (Br) poubelle f.

little ['lɪtl] adj petit(-e); (not much) peu de ◆ pron & adv peu; **as ~ as possible** aussi peu que possible; **~ by ~** petit à petit, peu à peu; **a ~** un peu.

little finger n petit doigt m.

live¹ [lɪv] vi (have home) habiter; (be alive, survive) vivre; **I ~ in Luton** j'habite (à) Luton; **to ~ with sb** vivre avec qqn ☐ **live together** vi vivre ensemble.

live² [laɪv] adj (alive) vivant(-e); (performance) live (inv); (programme) en direct; (wire) sous tension ◆ adv en direct.

lively ['laɪvlɪ] adj (person) vif (vive); (place, atmosphere) animé(-e).

liver ['lɪvər] n foie m.

lives [laɪvz] pl → **life**.

living ['lɪvɪŋ] adj vivant(-e) ◆ n: **to earn a ~** gagner sa vie; **what do you do for a ~?** que faites-vous dans la vie?

living room n salle f de séjour.

lizard ['lɪzəd] n lézard m.

load [ləʊd] n chargement m ◆ vt charger; **~s of** (inf) des tonnes de.

loaf [ləʊf] (pl **loaves**) n: **a ~** (of bread) un pain.

loan [ləʊn] n (money given) prêt m; (money borrowed) emprunt m ◆ vt prêter.

loathe [ləʊð] vt détester.

loaves [ləʊvz] pl → **loaf**.

lobby ['lɒbɪ] n (hall) hall m.

lobster ['lɒbstər] n homard m.

local ['ləʊkl] adj local(-e) ◆ n (Br: inf: pub) bistrot m du coin; (Am: inf: train) omnibus m; (Am: inf: bus) bus m local; **the ~s** les gens mpl

du coin.

local anaesthetic n anesthésie f locale.

local call n communication f locale.

local government n l'administration f locale.

locate [Br ləʊˈkeɪt, Am ˈləʊkeɪt] vt (find) localiser; **to be ~d** se situer.

location [ləʊˈkeɪʃn] n emplacement m.

loch [lɒk] n (Scot) lac m.

lock [lɒk] n (on door, drawer) serrure f; (for bike) antivol m; (on canal) écluse f ◆ vt (door, window, car) verrouiller, fermer à clef; (keep safely) enfermer ◆ vi (become stuck) se bloquer ☐ **lock in** vt sep enfermer; **lock out** vt sep enfermer dehors; **lock up** vt sep (imprison) enfermer ◆ vi fermer à clef.

locker ['lɒkər] n casier m.

locker room n (Am) vestiaire m.

locket ['lɒkɪt] n médaillon m.

locomotive [ˌləʊkəˈməʊtɪv] n locomotive f.

locum ['ləʊkəm] n (doctor) remplaçant m (-e f).

locust ['ləʊkəst] n criquet m.

lodge [lɒdʒ] n (in mountains) chalet m ◆ vi (stay) loger; (get stuck) se loger.

lodger ['lɒdʒər] n locataire mf.

lodgings ['lɒdʒɪŋz] npl chambre f meublée.

loft [lɒft] n grenier m.

log [lɒg] n (piece of wood) bûche f.

logic ['lɒdʒɪk] n logique f.

logical ['lɒdʒɪkl] adj logique.

logo ['ləʊgəʊ] (pl **-s**) n logo m.

loin [lɔɪn] n filet m.

loiter ['lɔɪtə^r] vi traîner.

lollipop ['lɒlɪpɒp] n sucette f.

lolly ['lɒlɪ] n (inf) (lollipop) sucette f; (Br: ice lolly) Esquimau® m.

London ['lʌndən] n Londres.

Londoner ['lʌndənə^r] n Londonien m (-ienne f).

lonely ['ləʊnlɪ] adj (person) solitaire; (place) isolé(-e).

long [lɒŋ] adj long (longue) ♦ adv longtemps; **will you be ~?** en as-tu pour longtemps?; **it's 2 metres ~** cela fait 2 mètres de long; **it's two hours ~** ça dure deux heures; **how ~ is it?** (in length) ça fait combien de long?; (journey, film) ça dure combien?; **a ~ time** longtemps; **all day ~** toute la journée; **as ~ as** du moment que, tant que; **for ~** longtemps; **no ~er** ne ... plus; **I can't wait any ~er** je ne peux plus attendre; **so ~!** (inf) salut! ❑ **long for** vt fus attendre avec impatience.

long-distance adj (phone call) interurbain(-e).

long drink n long drink m.

long-haul adj long-courrier.

longitude ['lɒndʒɪtjuːd] n longitude f.

long jump n saut m en longueur.

long-life adj (milk, fruit juice) longue conservation (inv); (battery) longue durée (inv).

longsighted [ˌlɒŋ'saɪtɪd] adj hypermétrope.

long-term adj à long terme.

long wave n grandes ondes fpl.

longwearing [ˌlɒŋ'weərɪŋ] adj (Am) résistant(-e).

loo [luː] (pl -s) n (Br: inf) cabinets mpl.

look [lʊk] n (glance) regard m; (appearance) apparence f, air m ♦ vi regarder; (seem) avoir l'air; **to ~ onto** (building, room) donner sur; **to have a ~** regarder; (good) **~s** beauté f; **I'm just ~ing** je regarde; **~ out!** attention! ❑ **look after** vt fus s'occuper de; **look at** vt fus regarder; **look for** vt fus chercher; **look forward to** vt fus attendre avec impatience; **look out for** vt fus essayer de repérer; **look round** vt fus faire le tour de ♦ vi regarder; **look up** vt sep (in dictionary, phone book) chercher.

loony ['luːnɪ] n (inf) cinglé m (-e f).

loop [luːp] n boucle f.

loose [luːs] adj (joint, screw) lâche; (tooth) qui bouge; (sheets of paper) volant(-e); (sweets) en vrac; (clothes) ample; **to let sb/sthg ~** lâcher qqn/qqch.

loosen ['luːsn] vt desserrer.

lop-sided [-'saɪdɪd] adj de travers.

lord [lɔːd] n lord m.

lorry ['lɒrɪ] n (Br) camion m.

lorry driver n (Br) camionneur m.

lose [luːz] (pt & pp lost) vt perdre; (subj: watch, clock) retarder de ♦ vi perdre; **to ~ weight** perdre du poids.

loser ['luːzə^r] n (in contest) perdant m (-e f).

loss [lɒs] n perte f.

lost [lɒst] pt & pp → **lose** ♦ adj perdu(-e); **to get ~** (lose way) se perdre.

lost-and-found office (Am) = lost property office.

lost property office n (Br)

bureau m des objets trouvés.

lot [lɒt] n (group) paquet m; (at auction) lot m; (Am: car park) parking m; **the ~** (everything) tout; **a ~ (of)** beaucoup (de); **~s (of)** beaucoup (de).

lotion ['ləʊʃn] n lotion f.

lottery ['lɒtərɪ] n loterie f.

loud [laʊd] adj (voice, music, noise) fort(-e); (colour, clothes) voyant(-e).

loudspeaker [,laʊd'spi:kə^r] n haut-parleur m.

lounge [laʊndʒ] n (in house) salon m; (at airport) salle f d'attente.

lounge bar n (Br) salon dans un pub, plus confortable et plus cher que le «public bar».

lousy ['laʊzɪ] adj (inf: poor-quality) minable.

lout [laʊt] n brute f.

love [lʌv] n amour m; (in tennis) zéro m ♦ vt aimer; (sport, food, film etc) aimer beaucoup; **to be in ~ (with)** être amoureux (de); (with) **~ from** (in letter) affectueusement.

love affair n liaison f.

lovely ['lʌvlɪ] adj (very beautiful) adorable; (very nice) très agréable.

lover ['lʌvə^r] n (sexual partner) amant m (maîtresse f); (enthusiast) amoureux m (-euse f).

loving ['lʌvɪŋ] adj aimant(-e).

low [ləʊ] adj bas (basse); (level, speed, income) faible; (standard, quality, opinion) mauvais(-e); (depressed) déprimé(-e) ♦ n (area of low pressure) dépression f; **we're ~ on petrol** nous sommes à court d'essence.

low-alcohol adj à faible teneur en alcool.

low-calorie adj basses calories.

low-cut adj décolleté(-e).

lower ['ləʊə^r] adj inférieur(-e) ♦ vt abaisser, baisser.

lower sixth n (Br) = première f.

low-fat adj (crisps, yoghurt) allégé(-e).

low tide n marée f basse.

loyal ['lɔɪəl] adj loyal(-e).

loyalty ['lɔɪəltɪ] n loyauté f.

lozenge ['lɒzɪndʒ] n (sweet) pastille f.

LP n 33 tours m.

L-plate n (Br) plaque signalant que le conducteur du véhicule est en conduite accompagnée.

Ltd (abbr of limited) = SARL.

lubricate ['lu:brɪkeɪt] vt lubrifier.

luck [lʌk] n chance f; **bad ~** malchance f; **good ~!** bonne chance!; **with ~** avec un peu de chance.

luckily ['lʌkɪlɪ] adv heureusement.

lucky ['lʌkɪ] adj (person) chanceux(-euse); (event, situation, escape) heureux(-euse); (number, colour) porte-bonheur (inv); **to be ~** avoir de la chance.

ludicrous ['lu:dɪkrəs] adj ridicule.

lug [lʌg] vt (inf) traîner.

luggage ['lʌgɪdʒ] n bagages mpl.

luggage compartment n compartiment m à bagages.

luggage locker n casier m de consigne automatique.

luggage rack n (on train) filet m à bagages.

lukewarm ['lu:kwɔ:m] adj tiède.

lull [lʌl] n (in storm) accalmie f; (in

conversation) pause f.

lullaby ['lʌləbaɪ] n berceuse f.

lumbago [lʌm'beɪgəʊ] n lumbago m.

lumber ['lʌmbər] n (Am: timber) bois m.

luminous ['luːmɪnəs] adj lumineux(-euse).

lump [lʌmp] n (of mud, butter) motte f; (of sugar, coal) morceau m; (on body) bosse f; (MED) grosseur f.

lump sum n somme f globale.

lumpy ['lʌmpɪ] adj (sauce) grumeleux(-euse); (mattress) défoncé(-e).

lunatic ['luːnətɪk] n fou m (folle f).

lunch [lʌntʃ] n déjeuner m; to have ~ déjeuner.

luncheon ['lʌntʃən] n (fml) déjeuner m.

luncheon meat n sorte de mortadelle.

lunch hour n heure f du déjeuner.

lunchtime ['lʌntʃtaɪm] n heure f du déjeuner.

lung [lʌŋ] n poumon m.

lunge [lʌndʒ] vi: to ~ at se précipiter sur.

lurch [lɜːtʃ] vi (person) tituber; (car) faire une embardée.

lure [ljʊər] vt attirer.

lurk [lɜːk] vi (person) se cacher.

lush [lʌʃ] adj luxuriant(-e).

lust [lʌst] n désir m.

Luxembourg ['lʌksəmbɜːg] n le Luxembourg.

luxurious [lʌg'ʒʊərɪəs] adj luxueux(-euse).

luxury ['lʌkʃərɪ] adj de luxe ◆ n luxe m.

lying ['laɪɪŋ] cont → **lie**.

lyrics ['lɪrɪks] npl paroles fpl.

m (abbr of metre) m ◆ abbr = **mile**.

M (Br: abbr of motorway) = A; (abbr of medium) M.

MA n (abbr of Master of Arts) (titulaire d'une) maîtrise de lettres.

mac [mæk] n (Br: inf: coat) imper m.

macaroni [ˌmækə'rəʊnɪ] n macaronis mpl.

macaroni cheese n macaronis mpl au gratin.

machine [mə'ʃiːn] n machine f.

machinegun [mə'ʃiːngʌn] n mitrailleuse f.

machinery [mə'ʃiːnərɪ] n machinerie f.

machine-washable adj lavable en machine.

mackerel ['mækrəl] (pl inv) n maquereau m.

mackintosh ['mækɪntɒʃ] n (Br) imperméable m.

mad [mæd] adj fou (folle); (angry) furieux(-ieuse); to be ~ about (inf) être fou de; like ~ comme un fou.

Madam ['mædəm] n (form of address) Madame.

made [meɪd] pt & pp → **make**.

madeira [mə'dɪərə] n madère m.

made-to-measure adj sur mesure (inv).

madness ['mædnɪs] n folie f.

magazine [ˌmægəˈziːn] n magazine m, revue f.

maggot [ˈmægət] n asticot m.

magic [ˈmædʒɪk] n magie f.

magician [məˈdʒɪʃn] n (conjurer) magicien m (-ienne f).

magistrate [ˈmædʒɪstreɪt] n magistrat m.

magnet [ˈmægnɪt] n aimant m.

magnetic [mægˈnetɪk] adj magnétique.

magnificent [mægˈnɪfɪsənt] adj (very good) excellent(-e); (very beautiful) magnifique.

magnifying glass [ˈmægnɪfaɪɪŋ-] n loupe f.

mahogany [məˈhɒɡənɪ] n acajou m.

maid [meɪd] n domestique f.

maiden name [ˈmeɪdn-] n nom m de jeune fille.

mail [meɪl] n (letters) courrier m; (system) poste f ◆ vt (Am: parcel, goods) envoyer par la poste; (letter) poster.

mailbox [ˈmeɪlbɒks] n (Am) boîte f aux OR à lettres.

mailman [ˈmeɪlmən] (pl -men [-mən]) n (Am) facteur m.

mail order n vente f par correspondance.

main [meɪn] adj principal(-e).

main course n plat m principal.

main deck n (on ship) pont m principal.

mainland [ˈmeɪnlənd] n: the ~ le continent.

main line n (of railway) grande ligne f.

mainly [ˈmeɪnlɪ] adv principalement.

main road n grande route f.

mains [meɪnz] npl: the ~ le secteur.

main street n (Am) rue f principale.

maintain [meɪnˈteɪn] vt (keep) maintenir; (car, house) entretenir.

maintenance [ˈmeɪntənəns] n (of car, machine) entretien m; (money) pension f alimentaire.

maisonette [ˌmeɪzəˈnet] n (Br) duplex m.

maize [meɪz] n maïs m.

major [ˈmeɪdʒəʳ] adj (important) majeur(-e); (most important) principal(-e) ◆ n ◆ vi (Am): to ~ in se spécialiser en.

majority [məˈdʒɒrətɪ] n majorité f.

major road n route f principale.

make [meɪk] (pt & pp made) vt 1. (produce) faire; (manufacture) fabriquer; **to be made of** être en; **to ~ lunch/supper** préparer le déjeuner/le dîner; **made in Japan** fabriqué en Japon.
2. (perform, do) faire; (decision) prendre; **to ~ a mistake** faire une erreur, se tromper; **to ~ a phone call** passer un coup de fil.
3. (cause to be) rendre; **to ~ sthg better** améliorer qqch; **to ~ sb happy** rendre qqn heureux.
4. (cause to do, force) faire; **to ~ sb do sthg** faire faire qqch à qqn; **it made her laugh** ça l'a fait rire.
5. (amount to, total) faire; **that ~s £5** ça fait 5 livres.
6. (calculate): **I ~ it £4** d'après mes calculs, ça fait 4 livres; **I ~ it seven o'clock** il est sept heures (à mon

montre).

7. *(money)* gagner; *(profit)* faire.

8. *(inf: arrive in time for)*: **we didn't ~ the 10 o'clock train** nous n'avons pas réussi à avoir le train de 10 heures.

9. *(friend, enemy)* se faire.

10. *(have qualities for)* faire; **this would ~ a lovely bedroom** ça ferait une très jolie chambre.

11. *(bed)* faire.

12. *(in phrases)*: **to ~ do** se débrouiller; **to ~ good** *(damage)* compenser; **to ~ it** *(arrive in time)* arriver à temps; *(be able to go)* se libérer.

♦ *n (of product)* marque *f*.

❑ **make out** *vt sep (cheque, receipt)* établir; *(see, hear)* distinguer; **make up** *vt sep (invent)* inventer; *(comprise)* composer, constituer; *(difference)* apporter; **make up for** *vt fus* compenser.

makeshift ['meɪkʃɪft] *adj* de fortune.

make-up *n (cosmetics)* maquillage *m*.

malaria [mə'leərɪə] *n* malaria *f*.

Malaysia [mə'leɪzɪə] *n* la Malaysia.

male [meɪl] *adj* mâle ♦ *n* mâle *m*.

malfunction [mæl'fʌŋkʃn] *vi (fml)* mal fonctionner.

malignant [mə'lɪɡnənt] *adj (disease, tumour)* malin(-igne).

mall [mɔːl] *n (shopping centre)* centre *m* commercial.

ⓘ THE MALL

Le Mall est une succession d'espaces verts au cœur de Washington. Il s'étend du Capitole au Lincoln Memorial en passant par les musées du Smithsonian Institute, la Maison-Blanche, le Washington Memorial et le Jefferson Memorial. Le mur sur lequel sont gravés les noms des soldats tués pendant la guerre du Vietnam se trouve à l'extrémité ouest du Mall.

À Londres, le Mall est une longue avenue bordée d'arbres allant de Buckingham Palace à Trafalgar Square.

---

mallet ['mælɪt] *n* maillet *m*.

malt [mɔːlt] *n* malt *m*.

maltreat [,mæl'triːt] *vt* maltraiter.

malt whisky *n* whisky *m* au malt.

mammal ['mæml] *n* mammifère *m*.

man [mæn] *(pl* **men**) *n* homme *m* ♦ *vt (phones, office)* assurer la permanence de.

manage ['mænɪdʒ] *vt (company, business)* diriger; *(task)* arriver à faire ♦ *vi (cope)* y arriver, se débrouiller; **can you ~ Friday?** est-ce que vendredi vous irait?; **to do sthg** réussir à faire qqch.

management ['mænɪdʒmənt] *n* direction *f*.

manager ['mænɪdʒə*] *n (of business, bank, shop)* directeur *m* (-trice *f*); *(of sports team)* manager *m*.

manageress [,mænɪdʒə'res] *n (of business, bank, shop)* directrice *f*.

managing director ['mænɪdʒɪŋ-] *n* directeur *m* général (directrice générale *f*).

mandarin ['mændərɪn] *n* mandarine *f*.

mane [meɪn] *n* crinière *f*.

maneuver [mə'nu:vər] *(Am)* = **manoeuvre.**

mangetout [mɔnʒ'tu:] *n* mangetout *m inv.*

mangle ['mæŋgl] *vt* déchiqueter.

mango ['mæŋgəu] *(pl* **-es** OR **-s)** *n* mangue *f.*

Manhattan [mæn'hætən] *n* Manhattan *m.*

MANHATTAN

L'île de Manhattan, quartier central de New York, se divise en trois parties: Downtown, Midtown et Upper Manhattan. On y trouve des gratte-ciel mondialement connus comme l'Empire State Building ou le Chrysler Building, et des lieux aussi célèbres que Central Park, la cinquième avenue, Broadway et Greenwich Village.

---

manhole ['mænhəul] *n* regard *m.*

maniac ['meɪnɪæk] *n (inf)* fou *m* (folle *f*).

manicure ['mænɪkjuər] *n* soins *mpl* des mains.

manifold ['mænɪfəuld] *n (AUT)* tubulure *f.*

manipulate [mə'nɪpjuleɪt] *vt* manipuler.

mankind [ˌmæn'kaɪnd] *n* hommes *mpl,* humanité *f.*

manly ['mænlɪ] *adj* viril(-e).

man-made *adj (synthetic)* synthétique.

manner ['mænər] *n (way)* manière *f* ❏ **manners** *npl* manières *fpl.*

manoeuvre [mə'nu:vər] *n (Br)* manœuvre *f* ❖ *vt (Br)* manœuvrer.

manor ['mænər] *n* manoir *m.*

mansion ['mænʃn] *n* manoir *m.*

manslaughter ['mæn,slɔ:tər] *n* homicide *m* involontaire.

mantelpiece ['mæntlpi:s] *n* cheminée *f.*

manual ['mænjuəl] *adj* manuel(-elle) ❖ *n (book)* manuel *m.*

manufacture [ˌmænju'fæktʃər] *n* fabrication *f* ❖ *vt* fabriquer.

manufacturer [ˌmænju'fæktʃərər] *n* fabricant *m* (-e *f*).

manure [mə'njuər] *n* fumier *m.*

many ['menɪ] *(compar* **more,** *superl* **most)** *adj* beaucoup de ❖ *pron* beaucoup; **there aren't as ~ people this year** il n'y a pas autant de gens cette année; **I don't have ~** je n'en ai pas beaucoup; **how ~?** combien?; **how ~ beds are there?** combien y a-t-il de lits?; **so ~** tant de; **too ~** trop; **there are too ~ people** il y a trop de monde.

map [mæp] *n* carte *f.*

maple syrup ['meɪpl-] *n* sirop *m* d'érable.

Mar. *abbr* = **March.**

marathon ['mærəθn] *n* marathon *m.*

marble ['mɑ:bl] *n (stone)* marbre *m;* *(glass ball)* bille *f.*

march [mɑ:tʃ] *n (demonstration)* marche *f* ❖ *vi (walk quickly)* marcher d'un pas vif.

March [mɑ:tʃ] *n* mars *m,* → **September.**

mare [meər] *n* jument *f.*

margarine [ˌmɑ:dʒə'ri:n] *n* margarine *f.*

margin ['mɑ:dʒɪn] *n* marge *f.*

marina [mə'ri:nə] *n* marina *f.*

marinated ['mærɪneɪtɪd] *adj*

mariné(-e).

marital status ['mærɪtl-] n situation f de famille.

mark [mɑːk] n marque f; (SCH) note f ♦ vt marquer; (correct) noter; (gas) ~ five thermostat cinq.

marker pen ['mɑːkə-] n marqueur m.

market ['mɑːkɪt] n marché m.

marketing ['mɑːkɪtɪŋ] n marketing m.

marketplace ['mɑːkɪtpleɪs] n (place) place f du marché.

markings ['mɑːkɪŋz] npl (on road) signalisation f horizontale.

marmalade ['mɑːməleɪd] n confiture f d'oranges.

marquee [mɑːˈkiː] n grande tente f.

marriage ['mærɪdʒ] n mariage m.

married ['mærɪd] adj marié(-e); to get ~ se marier.

marrow ['mærəʊ] n (vegetable) courge f.

marry ['mærɪ] vt épouser ♦ vi se marier.

marsh [mɑːʃ] n marais m.

martial arts [ˌmɑːʃl-] npl arts mpl martiaux.

marvellous ['mɑːvələs] adj (Br) merveilleux(-euse).

marvelous ['mɑːvələs] (Am) = **marvellous**.

marzipan ['mɑːzɪpæn] n pâte f d'amandes.

mascara [mæsˈkɑːrə] n mascara m.

masculine ['mæskjʊlɪn] adj masculin(-e).

mashed potatoes [mæʃt-] npl purée f (de pommes de terre).

mask [mɑːsk] n masque m.

masonry ['meɪsnrɪ] n maçonnerie f.

mass [mæs] n (large amount) masse f; (RELIG) messe f; ~es (of) (inf: lots) des tonnes (de).

massacre ['mæsəkə'] n massacre m.

massage [Br 'mæsɑːʒ, Am məˈsɑːʒ] n massage m ♦ vt masser.

masseur [mæˈsɜːʳ] n masseur m.

masseuse [mæˈsɜːz] n masseuse f.

massive ['mæsɪv] adj massif(-ive).

mast [mɑːst] n mât m.

master ['mɑːstəʳ] n maître m ♦ vt (skill, language) maîtriser.

masterpiece ['mɑːstəpiːs] n chef-d'œuvre m.

mat [mæt] n (small rug) carpette f; (on table) set m de table.

match [mætʃ] n (for lighting) allumette f; (game) match m ♦ vt (in colour, design) aller avec; (be the same as) correspondre à; (be as good as) égaler ♦ vi (in colour, design) aller ensemble.

matchbox ['mætʃbɒks] n boîte f d'allumettes.

matching ['mætʃɪŋ] adj assorti(-e).

mate [meɪt] n (inf) (friend) pote m; (Br: form of address) mon vieux ♦ vi s'accoupler.

material [məˈtɪərɪəl] n matériau m; (cloth) tissu m ❑ **materials** npl (equipment) matériel m.

maternity leave [məˈtɜːnɪtɪ-] n congé m de maternité.

maternity ward [məˈtɜːnɪtɪ-] n maternité f.

math [mæθ] (Am) = maths.

mathematics [ˌmæθəˈmætɪks] n mathématiques fpl.

maths [mæθs] n (Br) maths fpl.

matinée [ˈmætɪneɪ] n matinée f.

matt [mæt] adj mat(-e).

matter [ˈmætər] n (issue, situation) affaire f; (physical material) matière f ♦ vi importer; **it doesn't ~** ça ne fait rien; **no ~ what happens** quoi qu'il arrive; **there's something the ~ with my car** ma voiture a quelque chose qui cloche; **what's the ~?** qu'est-ce qui se passe?; **as a ~ of course** naturellement; **as a ~ of fact** en fait.

mattress [ˈmætrɪs] n matelas m.

mature [məˈtjʊər] adj (person, behaviour) mûr(-e); (cheese) fait(-e); (wine) arrivé(-e) à maturité.

mauve [məʊv] adj mauve.

max. [mæks] (abbr of maximum) max.

maximum [ˈmæksɪməm] adj maximum ♦ n maximum m.

may [meɪ] aux vb 1. (expressing possibility): **it ~ be done as follows** on peut procéder comme suit; **it ~ rain** il se peut qu'il pleuve; **they ~ have got lost** ils se sont peut-être perdus.

2. (expressing permission) pouvoir; **~ I smoke?** est-ce que je peux fumer?; **you ~ sit, if you wish** vous pouvez vous asseoir, si vous voulez.

3. (when conceding a point): **it ~ be a long walk, but it's worth it** ça fait peut-être loin à pied, mais ça vaut le coup.

May [meɪ] n mai m, → September.

maybe [ˈmeɪbiː] adv peut-être.

mayonnaise [ˌmeɪəˈneɪz] n mayonnaise f.

mayor [meər] n maire m.

mayoress [ˈmeərɪs] n maire m.

maze [meɪz] n labyrinthe m.

me [miː] pron me; (after prep) moi; **she knows ~** elle me connaît; **it's ~** c'est moi; **send it to ~** envoie-le-moi; **tell ~** dis-moi; **he's worse than ~** il est pire que moi.

meadow [ˈmedəʊ] n pré m.

meal [miːl] n repas m.

mealtime [ˈmiːltaɪm] n heure f du repas.

mean [miːn] (pt & pp **meant**) adj (miserly, unkind) mesquin(-e) ♦ vt (signify, matter) signifier; (intend, subj: word) vouloir dire; **I don't ~ it** je ne le pense pas vraiment; **to ~ to do sthg** avoir l'intention de faire qqch; **to be meant to do sthg** être censé faire qqch; **it's meant to be good** il paraît que c'est bon.

meaning [ˈmiːnɪŋ] n (of word, phrase) sens m.

meaningless [ˈmiːnɪŋlɪs] adj qui n'a aucun sens.

means [miːnz] (pl inv) n moyen m ♦ npl (money) moyens mpl; **by all ~!** bien sûr!; **by ~ of** au moyen de.

meant [ment] pt & pp → **mean**.

meantime [ˈmiːntaɪm]: **in the meantime** adv pendant ce temps, entre-temps.

meanwhile [ˈmiːnwaɪl] adv (at the same time) pendant ce temps; (in the time between) en attendant.

measles [ˈmiːzlz] n rougeole f.

measure [ˈmeʒər] vt mesurer ♦ n mesure f; (of alcohol) dose f; **the room ~s 10 m²** la pièce fait 10 m².

measurement [ˈmeʒəmənt] n

mesure f.

meat [mi:t] n viande f; **red ~** viande rouge; **white ~** viande blanche.

meatball ['mi:tbɔ:l] n boulette f de viande.

mechanic [mɪˈkænɪk] n mécanicien m (-ienne f).

mechanical [mɪˈkænɪkl] adj (device) mécanique.

mechanism ['mekənɪzm] n mécanisme m.

medal [medl] n médaille f.

media ['mi:dja] n or npl: **the ~** les médias mpl.

medical ['medɪkl] adj médical(-e) ♦ n visite f médicale.

medication [medrˈkeɪʃn] n médicaments mpl.

medicine ['medsɪn] n (substance) médicament m; (science) médecine f.

medicine cabinet n armoire f à pharmacie.

medieval [medrˈiːvl] adj médiéval(-e).

mediocre [mi:drˈəʊkər] adj médiocre.

Mediterranean [medɪtəˈreɪnjən] n: **the ~** (region) les pays mpl méditerranéens; **the ~ (Sea)** la (mer) Méditerranée.

medium ['mi:djəm] adj moyen(-enne); (wine) demi-sec.

medium-dry adj demi-sec.

medium-sized [-saɪzd] adj de taille moyenne.

medley [medlɪ] n: **~ of seafood** plateau m de fruits de mer.

meet [mi:t] (pt & pp met) vt rencontrer; (by arrangement) retrouver; (go to collect) aller chercher; (need,

requirement) répondre à; (cost, expenses) prendre en charge ♦ vi se rencontrer; (by arrangement) se retrouver; (intersect) se croiser □ **meet up** vi se retrouver; **meet with** vt fus (problems, resistance) rencontrer; (Am: by arrangement) retrouver.

meeting ['mi:tɪŋ] n (for business) réunion f.

meeting point n (at airport, station) point m rencontre.

melody ['melədɪ] n mélodie f.

melon ['melən] n melon m.

melt [melt] vi fondre.

member ['membər] n membre m.

Member of Congress [-ˈkɒŋgres] n membre m du Congrès.

Member of Parliament n ≃ député m.

membership ['membəʃɪp] n adhésion f; (members) membres mpl.

memorial [mɪˈmɔ:rɪəl] n mémorial m.

memorize ['meməraɪz] vt mémoriser.

memory ['memərɪ] n mémoire f; (thing remembered) souvenir m.

men [men] pl → **man**.

menacing ['menəsɪŋ] adj menaçant(-e).

mend [mend] vt réparer.

menopause ['menəpɔ:z] n ménopause f.

men's room n (Am) toilettes fpl (pour hommes).

menstruate ['menstruet] vi avoir ses règles.

menswear ['menzweər] n vêtements mpl pour hommes.

mental ['mentl] adj mental(-e).

mental hospital n hôpital m psychiatrique.

mentally handicapped ['mentl̩ı-] adj handicapé(-e) mental(-e) ♦ npl: **the ~** les handicapés mpl mentaux.

mentally ill ['mentl̩ı-] adj malade (mentalement).

mention ['menʃn] vt mentionner; **don't ~ it!** de rien!

menu ['menjuː] n menu m; **children's ~** menu enfant.

merchandise ['mɜːtʃəndaız] n marchandises fpl.

merchant marine [,mɜːtʃənt-məˈriːn] (Am) = **merchant navy**.

merchant navy [,mɜːtʃənt-] (Br) marine f marchande.

mercury ['mɜːkjurı] n mercure m.

mercy ['mɜːsı] n pitié f.

mere [mıər] adj simple; **it costs a ~ £5** ça ne coûte que 5 livres.

merely ['mıəlı] adv seulement.

merge [mɜːdʒ] vi (rivers, roads) se rejoindre; **"merge"** (Am) panneau indiquant aux automobilistes débouchant d'une bretelle d'accès qu'ils doivent rejoindre la file de droite.

merger ['mɜːdʒər] n fusion f.

meringue [məˈræŋ] n (egg white) meringue f; (cake) petit gâteau meringué.

merit ['merıt] n mérite m; (in exam) = mention f bien.

merry ['merı] adj gai(-e); **Merry Christmas!** joyeux Noël!

merry-go-round n manège m.

mess [mes] n (untidiness) désordre m; (difficult situation) pétrin m; **in a ~** (untidy) en désordre ❑ **mess about** vi (inf) (have fun) s'amuser; (behave foolishly) faire l'imbécile; **to ~ about with sthg** (interfere) tripoter qqch; **mess up** vt sep (inf: ruin, spoil) ficher en l'air.

message ['mesıdʒ] n message m.

messenger ['mesındʒər] n messager m (-ère f).

messy ['mesı] adj en désordre.

met [met] pt & pp → **meet**.

metal ['metl] adj en métal ♦ n métal m.

metalwork ['metlwɜːk] n (craft) ferronnerie f.

meter ['miːtər] n (device) compteur m; (Am) = **metre**.

method ['meθəd] n méthode f.

methodical [mıˈθɒdıkl] adj méthodique.

meticulous [mıˈtıkjuləs] adj méticuleux(-euse).

metre ['miːtər] n (Br) mètre m.

metric ['metrık] adj métrique.

mews [mjuːz] (pl inv) n (Br) ruelle bordée d'anciennes écuries, souvent transformées en appartements de standing.

Mexican ['meksıkn] adj mexicain(-e) ♦ n Mexicain m (-e f).

Mexico ['meksıkəu] n le Mexique.

mg (abbr of milligram) mg.

miaow [miːˈau] vi (Br) miauler.

mice [maıs] pl → **mouse**.

microchip ['maıkrəutʃıp] n puce f.

microphone ['maıkrəfəun] n microphone m, micro m.

microscope ['maıkrəskəup] n microscope m.

microwave (oven) ['maıkrəweiv-] n four m à micro-ondes, micro-ondes m inv.

midday [,mɪd'deɪ] n midi m.

middle ['mɪdl] n milieu m ◆ adj (central) du milieu; **in the ~ of the road** au milieu de la route; **in the ~ of April** à la mi-avril; **to be in the ~ of doing sthg** être en train de faire qqch.

middle-aged adj d'âge moyen.

middle-class adj bourgeois(-e).

Middle East n: **the ~** le Moyen-Orient.

middle name n deuxième prénom m.

middle school n (in UK) école pour enfants de 8 à 13 ans.

midge [mɪdʒ] n moucheron m.

midget ['mɪdʒɪt] n nain m (naine f).

Midlands ['mɪdləndz] npl: **the ~** les comtés du centre de l'Angleterre.

midnight ['mɪdnaɪt] n (twelve o'clock) minuit m; (middle of the night) milieu m de la nuit.

midsummer ['mɪd'sʌməʳ] n: **in ~** en plein été.

midway [,mɪd'weɪ] adv (in space) à mi-chemin; (in time) au milieu.

midweek [adj 'mɪdwiːk, adv mɪdwiːk] adj de milieu de semaine ◆ adv en milieu de semaine.

midwife ['mɪdwaɪf] (pl -wives [-waɪvz]) n sage-femme f.

midwinter ['mɪd'wɪntəʳ] n: **in ~** en plein hiver.

might [maɪt] aux vb 1. (expressing possibility): **they ~ still come** il se peut qu'ils viennent; **they ~ have been killed** ils seraient peut-être morts.

2. (fml: expressing permission) pouvoir; **~ I have a few words?** puis-je vous parler un instant?

3. (when conceding a point): **it ~ be expensive, but it's good quality** c'est peut-être cher, mais c'est de la bonne qualité.

4. (would): **I hoped you ~ come too** j'espérais que vous viendriez aussi.

migraine ['miːgreɪn, 'maɪgreɪn] n migraine f.

mild [maɪld] adj doux (douce); (pain, illness) léger(-ère) ◆ n (Br: beer) bière moins riche en houblon et plus foncée que la «bitter».

mile [maɪl] n = 1,609 km, mile m; **it's ~s away** c'est à des kilomètres.

mileage ['maɪlɪdʒ] n = kilométrage m.

mileometer [maɪ'lɒmɪtəʳ] n = compteur m (kilométrique).

military ['mɪlɪtrɪ] adj militaire.

milk [mɪlk] n lait m ◆ vt (cow) traire.

milk chocolate n chocolat m au lait.

milkman ['mɪlkmən] (pl -men [-mən]) n laitier m.

milk shake n milk-shake m.

milky ['mɪlkɪ] adj (tea, coffee) avec beaucoup de lait.

mill [mɪl] n moulin m; (factory) usine f.

milligram ['mɪlɪgræm] n milligramme m.

millilitre ['mɪlɪ,liːtəʳ] n millilitre m.

millimetre ['mɪlɪ,miːtəʳ] n millimètre m.

million ['mɪljən] n million m; **~s of** (fig) des millions de.

millionaire [ˌmɪljəˈneəʳ] *n* millionnaire *mf*.

mime [maɪm] *vi* faire du mime.

min. [mɪn] *(abbr of minute)* min., mn; *(abbr of minimum)* min.

mince [mɪns] *n (Br)* viande *f* hachée.

mincemeat [ˈmɪnsmiːt] *n (sweet filling)* mélange de fruits secs et d'épices utilisé en pâtisserie; *(Am: mince)* viande *f* hachée.

mince pie *n* tartelette de Noël, fourrée avec un mélange de fruits secs et d'épices.

mind [maɪnd] *n* esprit *m*; *(memory)* mémoire *f* ♦ *vt* *(be careful of)* faire attention à; *(look after)* garder ♦ *vi*: **I don't** ~ ça m'est égal; **it slipped my** ~ ça m'est sorti de l'esprit; **to my** ~ à mon avis; **to bear sthg in** ~ garder qqch en tête; **to change one's** ~ changer d'avis; **to have sthg in** ~ avoir qqch en tête; **to have sthg on one's** ~ être préoccupé par qqch; **to make one's** ~ **up** se décider; **do you** ~ **waiting?** est-ce que ça vous gêne d'attendre?; **do you** ~ **if ...?** est-ce que ça vous dérange si ...?; **I wouldn't** ~ **a drink** je boirais bien quelque chose; **"~ the gap!"** *(on underground)* annonce indiquant aux usagers du métro de faire attention à l'espace entre le quai et la rame; **never** ~**!** *(don't worry)* ça ne fait rien!

mine[1] [maɪn] *pron* le mien (la mienne); **these shoes are** ~ ces chaussures sont à moi; **a friend of** ~ un ami à moi.

mine[2] [maɪn] *n (bomb, for coal etc)* mine *f*.

miner [ˈmaɪnəʳ] *n* mineur *m*.

mineral [ˈmɪnərəl] *n* minéral *m*.

mineral water *n* eau *f* minérale.

minestrone [ˌmɪnɪˈstrəʊnɪ] *n* minestrone *m*.

mingle [ˈmɪŋgl] *vi* se mélanger.

miniature [ˈmɪnɪtʃəʳ] *adj* miniature ♦ *n (bottle)* bouteille *f* miniature.

minibar [ˈmɪnɪbɑːʳ] *n* minibar *m*.

minibus [ˈmɪnɪbʌs] *(pl* -es) *n* minibus *m*.

minicab [ˈmɪnɪkæb] *n (Br)* radiotaxi *m*.

minimal [ˈmɪnɪml] *adj* minimal(-e).

minimum [ˈmɪnɪməm] *adj* minimum ♦ *n* minimum *m*.

miniskirt [ˈmɪnɪskɜːt] *n* minijupe *f*.

minister [ˈmɪnɪstəʳ] *n (in government)* ministre *m*; *(in church)* pasteur *m*.

ministry [ˈmɪnɪstrɪ] *n (of government)* ministère *m*.

minor [ˈmaɪnəʳ] *adj* mineur(-e) ♦ *n (fml)* mineur *m* (-e *f*).

minority [maɪˈnɒrɪtɪ] *n* minorité *f*.

minor road *n* route *f* secondaire.

mint [mɪnt] *n (sweet)* bonbon *m* à la menthe; *(plant)* menthe *f*.

minus [ˈmaɪnəs] *prep* moins; **it's** ~ **10 (degrees C)** il fait moins 10 (degrés Celsius).

minuscule [ˈmɪnəskjuːl] *adj* minuscule.

minute[1] [ˈmɪnɪt] *n* minute *f*; **any** ~ d'une minute à l'autre; **just a** ~**!** (une) minute!

minute[2] [maɪˈnjuːt] *adj* minuscule.

minute steak [ˌmɪnɪt-] *n* entre-côte *f* minute.

miracle ['mɪrəkl] *n* miracle *m*.

miraculous [mɪ'rækjuləs] *adj* miraculeux(-euse).

mirror ['mɪrəʳ] *n* miroir *m*, glace *f*; *(on car)* rétroviseur *m*.

misbehave [ˌmɪsbɪ'heɪv] *vi (person)* se conduire mal.

miscarriage [ˌmɪs'kærɪdʒ] *n* fausse couche *f*.

miscellaneous [ˌmɪsə'leɪnjəs] *adj* divers(-es).

mischievous ['mɪstʃɪvəs] *adj* espiègle.

misconduct [ˌmɪs'kɒndʌkt] *n* mauvaise conduite *f*.

miser ['maɪzəʳ] *n* avare *mf*.

miserable ['mɪzrəbl] *adj (unhappy)* malheureux(-euse); *(place, news)* sinistre; *(weather)* épouvantable; *(amount)* misérable.

misery ['mɪzərɪ] *n (unhappiness)* malheur *m*; *(poor conditions)* misère *f*.

misfire [ˌmɪs'faɪəʳ] *vi (car)* avoir des ratés.

misfortune [mɪs'fɔːtʃuːn] *n (bad luck)* malchance *f*.

mishap ['mɪshæp] *n* mésaventure *f*.

misjudge [ˌmɪs'dʒʌdʒ] *vt* mal juger.

mislay [ˌmɪs'leɪ] *(pt & pp* -laid) *vt* égarer.

mislead [ˌmɪs'liːd] *(pt & pp* -led) *vt* tromper.

miss [mɪs] *vt* rater; *(regret absence of)* regretter ♦ *vi* manquer son but; **I ~ him** il me manque ❏ **miss out** *vt sep (by accident)* oublier; *(deliberately)* omettre ♦ *vi* rater

quelque chose.

Miss [mɪs] *n* Mademoiselle.

missile [*Br* 'mɪsaɪl, *Am* 'mɪsl] *n (weapon)* missile *m*; *(thing thrown)* projectile *m*.

missing ['mɪsɪŋ] *adj (lost)* manquant(-e); **there are two ~** il en manque deux.

missing person *n* personne *f* disparue.

mission ['mɪʃn] *n* mission *f*.

missionary ['mɪʃənrɪ] *n* missionnaire *mf*.

mist [mɪst] *n* brume *f*.

mistake [mɪ'steɪk] *(pt* -took, *pp* -taken) *n* erreur *f* ♦ *vt (misunderstand)* mal comprendre; **by ~** par erreur; **to make a ~** faire une erreur; **to ~ sb/sthg for** prendre qqn/qqch pour.

Mister ['mɪstəʳ] *n* Monsieur.

mistook [mɪ'stʊk] *pt → mis-take*.

mistress ['mɪstrɪs] *n* maîtresse *f*.

mistrust [ˌmɪs'trʌst] *vt* se méfier de.

misty ['mɪstɪ] *adj* brumeux(-euse).

misunderstanding [ˌmɪsʌndə-'stændɪŋ] *n (misinterpretation)* malentendu *m*; *(quarrel)* discussion *f*.

misuse [ˌmɪs'juːs] *n* usage *m* abusif.

mitten ['mɪtn] *n* moufle *f*; *(without fingers)* mitaine *f*.

mix [mɪks] *vt* mélanger; *(drink)* préparer ♦ *n (for cake, sauce)* préparation *f*; **to ~ sthg with sthg** mélanger qqch avec OR et qqch ❏ **mix up** *vt sep (confuse)* confondre; *(put into disorder)* mélanger.

mixed [mɪkst] *adj (school)* mixte.

mixed grill n mixed grill m.

mixed salad n salade f mixte.

mixed vegetables npl légumes mpl variés.

mixer ['mɪksər] n (for food) mixe(u)r m; (drink) boisson accompagnant les alcools dans la préparation des cocktails.

mixture ['mɪkstʃər] n mélange m.

mix-up n (inf) confusion f.

ml (abbr of millilitre) ml.

mm (abbr of millimetre) mm.

moan [məʊn] vi (in pain, grief) gémir; (inf: complain) rouspéter.

moat [məʊt] n douves fpl.

mobile ['məʊbaɪl] adj mobile.

mobile phone n téléphone m mobile.

mock [mɒk] adj faux (fausse) ♦ vt se moquer de ♦ n (Br: exam) examen m blanc.

mode [məʊd] n mode m.

model ['mɒdl] n modèle m; (small copy) modèle m réduit; (fashion model) mannequin m.

moderate ['mɒdərət] adj modéré(-e).

modern ['mɒdən] adj moderne.

modernized ['mɒdənaɪzd] adj modernisé(-e).

modern languages npl langues fpl vivantes.

modest ['mɒdɪst] adj modeste.

modify ['mɒdɪfaɪ] vt modifier.

mohair ['məʊheər] n mohair m.

moist [mɔɪst] adj moite; (cake) moelleux(-euse).

moisture ['mɔɪstʃər] n humidité f.

moisturizer ['mɔɪstʃəraɪzər] n crème f hydratante.

molar ['məʊlər] n molaire f.

mold ['məʊld] (Am) = **mould**.

mole [məʊl] n (animal) taupe f; (spot) grain m de beauté.

molest [mə'lest] vt (child) abuser de; (woman) agresser.

mom [mɒm] n (Am: inf) maman f.

moment ['məʊmənt] n moment m; at the ~ en ce moment; for the ~ pour le moment.

Mon. abbr = **Monday**.

monarchy ['mɒnəkɪ] n: the ~ (royal family) la famille royale.

monastery ['mɒnəstrɪ] n monastère m.

Monday ['mʌndɪ] n lundi m, → **Saturday**.

money ['mʌnɪ] n argent m.

money belt n ceinture f portefeuille.

money order n mandat m.

mongrel ['mʌŋgrəl] n bâtard m.

monitor ['mɒnɪtər] n (computer screen) moniteur m ♦ vt (check, observe) contrôler.

monk [mʌŋk] n moine m.

monkey ['mʌŋkɪ] (pl monkeys) n singe m.

monkfish ['mʌŋkfɪʃ] n lotte f.

monopoly [mə'nɒpəlɪ] n monopole m.

monorail ['mɒnəʊreɪl] n monorail m.

monotonous [mə'nɒtənəs] adj monotone.

monsoon [mɒn'suːn] n mousson f.

monster ['mɒnstər] n monstre m.

month [mʌnθ] n mois m; every ~ tous les mois; in a ~'s time dans un mois.

monthly ['mʌnθlɪ] *adj* mensuel(-elle) ◆ *adv* tous les mois.

monument ['mɒnjʊmənt] *n* monument *m*.

mood [muːd] *n* humeur *f*; **to be in a (bad)** ~ être de mauvaise humeur; **to be in a good** ~ être de bonne humeur.

moody ['muːdɪ] *adj* (bad-tempered) de mauvaise humeur; (changeable) lunatique.

moon [muːn] *n* lune *f*.

moonlight ['muːnlaɪt] *n* clair *m* de lune.

moor [mɔːʳ] *n* lande *f* ◆ *vt* amarrer.

moose [muːs] *n* (*pl inv*) orignal *m*.

mop [mɒp] *n* (for floor) balai *m* à franges ◆ *vt* (floor) laver ❑ **mop up** *vt sep* (clean up) éponger.

moped ['məʊped] *n* Mobylette® *f*.

moral ['mɒrəl] *adj* moral(-e) ◆ *n* (lesson) morale *f*.

morality [mə'rælɪtɪ] *n* moralité *f*.

more [mɔːʳ] *adj* **1.** (a larger amount of) plus de, davantage; **there are** ~ **tourists than usual** il y a plus de touristes que d'habitude.

2. (additional) encore; **are there any** ~ **cakes?** est-ce qu'il y a encore des gâteaux?; **I'd like two** ~ **bottles** je voudrais deux autres bouteilles; **there's no** ~ **wine** il n'y a plus de vin.

3. (in phrases): ~ **and more** de plus en plus de.

◆ *adv* **1.** (in comparatives) plus; **it's** ~ **difficult than before** c'est plus difficile qu'avant; **speak** ~ **clearly** parlez plus clairement.

2. (to a greater degree) plus; **we ought to go to the cinema** ~ nous devrions aller plus souvent au cinéma.

3. (in phrases): **not ... any** ~ ne ... plus; **I don't go there any** ~ je n'y vais plus; **once** ~ encore une fois, une fois de plus; ~ **or less** plus ou moins; **we'd be** ~ **than happy to help** nous serions enchantés de vous aider.

◆ *pron* **1.** (a larger amount) plus, davantage; **I've got** ~ **than you** j'en ai plus que toi; ~ **than 20 types of pizza** plus de 20 sortes de pizza.

2. (an additional amount) encore; **is there any** ~? est-ce qu'il y en a encore?; **there's no** ~ il n'y en a plus.

moreover [mɔː'rəʊvəʳ] *adv* (fml) de plus.

morning ['mɔːnɪŋ] *n* matin *m*; (period) matinée *f*; **two o'clock in the** ~ deux heures du matin; **good** ~! bonjour!; **in the** ~ (early in the day) le matin; (tomorrow morning) demain matin.

morning-after pill *n* pilule *f* du lendemain.

morning sickness *n* nausées *fpl* matinales.

Morocco [mə'rɒkəʊ] *n* le Maroc.

moron ['mɔːrɒn] *n* (inf: idiot) abruti *m* (-e *f*).

Morse (code) [mɔːs] *n* morse *m*.

mortgage ['mɔːɡɪdʒ] *n* prêt *m* immobilier.

mosaic [mə'zeɪɪk] *n* mosaïque *f*.

Moslem ['mɒzləm] = **Muslim**.

mosque [mɒsk] *n* mosquée *f*.

mosquito [mə'skiːtəʊ] *n* (*pl* -es) moustique *m*.

mosquito net

mosquito net n moustiquaire f.

moss [mɒs] n mousse f.

most [məust] adj **1.** (the majority of) la plupart de; ~ **people agree** la plupart des gens sont d'accord. **2.** (the largest amount of) le plus de; **I drank (the)** ~ **beer** c'est moi qui ai bu le plus de bière. ◆ adv **1.** (in superlatives) le plus (la plus); **the** ~ **expensive hotel in town** l'hôtel le plus cher de la ville. **2.** (to the greatest degree) le plus; **I like this one** ~ c'est celui-ci que j'aime le plus. **3.** (fml: very) très; **they were** ~ **welcoming** ils étaient très accueillants. ◆ pron **1.** (the majority) la plupart; ~ **of the villages** la plupart des villages; ~ **of the journey** la plus grande partie du voyage. **2.** (the largest amount) le plus; **she earns (the)** ~ c'est elle qui gagne le plus. **3.** (in phrases): **at** ~ au plus, au maximum; **to make the** ~ **of sthg** profiter de qqch au maximum.

mostly ['məustlɪ] adv principalement.

MOT n (Br: test) = contrôle m technique (annuel).

motel [məu'tel] n motel m.

moth [mɒθ] n papillon m de nuit; (in clothes) mite f.

mother ['mʌðəʳ] n mère f.

mother-in-law n belle-mère f.

mother-of-pearl n nacre f.

motif [məu'ti:f] n motif m.

motion ['məuʃn] n mouvement m ◆ vi: **to** ~ **to sb** faire signe à qqn.

motionless ['məuʃənlɪs] adj immobile.

motivate ['məutɪveɪt] vt motiver.

motive ['məutɪv] n motif m.

motor ['məutəʳ] n moteur m.

Motorail® ['məutəreɪl] n train m autocouchette(s).

motorbike ['məutəbaɪk] n moto f.

motorboat ['məutəbəut] n canot m à moteur.

motorcar ['məutəkɑːʳ] n automobile f.

motorcycle ['məutə,saɪkl] n motocyclette f.

motorcyclist ['məutə,saɪklɪst] n motocycliste mf.

motorist ['məutərɪst] n automobiliste mf.

motor racing n course f automobile.

motorway ['məutəweɪ] n (Br) autoroute f.

motto ['mɒtəu] (pl -s) n devise f.

mould [məuld] n (Br) (shape) moule m; (substance) moisissure f ◆ vt (Br) mouler.

mouldy ['məuldɪ] adj (Br) moisi(-e).

mound [maund] n (hill) butte f; (pile) tas m.

mount [maunt] n (for photo) support m; (mountain) mont m ◆ vt monter ◆ vi (increase) augmenter.

mountain ['mauntɪn] n montagne f.

mountain bike n VTT m.

mountaineer [,mauntɪ'nɪəʳ] n alpiniste mf.

mountaineering [,mauntɪ-'nɪərɪŋ] n: **to go** ~ faire de l'alpinisme.

mountainous ['mauntɪnəs] adj

montagneux(-euse).

Mount Rushmore [-'rʌʃmɔːr] n le mont Rushmore.

i MOUNT RUSHMORE

Les visages géants de plusieurs présidents des États-Unis (Washington, Jefferson, Lincoln et Théodore Roosevelt) sont sculptés dans la roche sur le mont Rushmore, dans le Dakota du sud. Ce monument national est un site touristique populaire.

mourning ['mɔːnɪŋ] n: to be in ~ être en deuil.

mouse [maʊs] n (pl mice) n souris f.

moussaka [muːˈsɑːkə] n moussaka f.

mousse [muːs] n mousse f.

moustache [məˈstɑːʃ] n (Br) moustache f.

mouth [maʊθ] n bouche f; (of animal) gueule f; (of cave, tunnel) entrée f; (of river) embouchure f.

mouthful ['maʊθfʊl] n (of food) bouchée f; (of drink) gorgée f.

mouthorgan ['maʊθˌɔːgən] n harmonica m.

mouthpiece ['maʊθpiːs] n (of telephone) microphone m; (of musical instrument) embouchure f.

mouthwash ['maʊθwɒʃ] n bain m de bouche.

move [muːv] n (change of house) déménagement m; (movement) mouvement m; (in games) coup m; (turn to play) tour m; (course of action) démarche f ◆ vt (shift) déplacer; (arm, head) bouger; (emo-

tionally) émouvoir ◆ vi (shift) bouger; (person) se déplacer; to ~ (house) déménager; to make a ~ (leave) partir, y aller ◇ **move along** vi se déplacer; **move in** vi (to house) emménager; **move off** vi (train, car) partir; **move on** vi (after stopping) repartir; **move out** vi (from house) déménager; **move over** vi se pousser; **move up** vi se pousser.

movement ['muːvmənt] n mouvement m.

movie ['muːvɪ] n film m.

movie theater n (Am) cinéma m.

moving ['muːvɪŋ] adj (emotionally) émouvant(-e).

mow [məʊ] vt: to ~ the lawn tondre la pelouse.

mozzarella [ˌmɒtsəˈrelə] n mozzarella f.

MP n (abbr of Member of Parliament) = député m.

mph (abbr of miles per hour) miles à l'heure.

Mr ['mɪstər] abbr M.

Mrs ['mɪsɪz] abbr Mme.

Ms [mɪz] abbr titre que les femmes peuvent utiliser au lieu de madame ou mademoiselle pour éviter la distinction entre femmes mariées et célibataires.

MSc n (abbr of Master of Science) (titulaire d'une) maîtrise de sciences.

much [mʌtʃ] (compare **more**, superl **most**) adj beaucoup de; **I haven't got ~ money** je n'ai pas beaucoup d'argent; **as ~ food as you can eat** autant de nourriture que tu peux en avaler; **how ~ time is left?** combien de temps reste-t-il?; **they have so ~ money** ils ont tant d'argent; **we have too ~ work** nous avons

trop de travail.
♦ *adv* 1. *(to a great extent)* beaucoup, bien; **it's ~ better** c'est bien OR beaucoup mieux; **I like it very ~** j'aime beaucoup ça; **it's not ~ good** *(inf)* ce n'est pas terrible; **thank you very ~** merci beaucoup. 2. *(often)* beaucoup, souvent; **we don't go there ~** nous n'y allons pas souvent.
♦ *pron* beaucoup; **I haven't got ~** je n'en ai pas beaucoup; **as ~ as you like** autant que tu voudras; **how ~ is it?** c'est combien?

muck [mʌk] *n* (dirt) boue *f* ❑
muck about *vi* (Br) (inf) (have fun) s'amuser; (behave foolishly) faire l'imbécile; **muck up** *vt sep* (Br) (inf) saloper.

mud [mʌd] *n* boue *f*.

muddle ['mʌdl] *n*: **to be in a ~** (confused) ne plus s'y retrouver; (in a mess) être en désordre.

muddy ['mʌdɪ] *adj* boueux(-euse).

mudguard ['mʌdgɑːd] *n* garde-boue *m inv*.

muesli ['mjuːzlɪ] *n* muesli *m*.

muffin ['mʌfɪn] *n* (roll) petit pain rond; (cake) sorte de grosse madeleine ronde.

muffler ['mʌflə'] *n* (Am: silencer) silencieux *m*.

mug [mʌg] *n* (cup) grande tasse *f* ♦ *vt* (attack) agresser.

mugging ['mʌgɪŋ] *n* agression *f*.

muggy ['mʌgɪ] *adj* lourd(-e).

mule [mjuːl] *n* mule *f*.

multicoloured [,mʌltɪ'kʌləd] *adj* multicolore.

multiple ['mʌltɪpl] *adj* multiple.

multiplex cinema [,mʌltɪ-pleks-] *n* cinéma *m* multisalles.

multiplication [,mʌltɪplɪ'keɪʃn] *n* multiplication *f*.

multiply ['mʌltɪplaɪ] *vt* multiplier ♦ *vi* se multiplier.

multistorey (car park) [,mʌltɪ'stɔːrɪ-] *n* parking *m* à plusieurs niveaux.

mum [mʌm] *n* (Br: inf) maman *f*.

mummy ['mʌmɪ] *n* (Br: inf: mother) maman *f*.

mumps [mʌmps] *n* oreillons *mpl*.

munch [mʌntʃ] *vt* mâcher.

municipal [mjuː'nɪsɪpl] *adj* municipal(-e).

mural ['mjuːərəl] *n* peinture *f* murale.

murder ['mɜːdə'] *n* meurtre *m* ♦ *vt* assassiner.

murderer ['mɜːdərə'] *n* meurtrier *m* (-ière *f*).

muscle ['mʌsl] *n* muscle *m*.

museum [mjuː'ziːəm] *n* musée *m*.

mushroom ['mʌʃrʊm] *n* champignon *m*.

music ['mjuːzɪk] *n* musique *f*.

musical ['mjuːzɪkl] *adj* musical(-e); (person) musicien(-ienne) ♦ *n* comédie *f* musicale.

musical instrument *n* instrument *m* de musique.

musician [mjuː'zɪʃn] *n* musicien *m* (-ienne *f*).

Muslim ['mʊzlɪm] *adj* musulman(-e) ♦ *n* musulman *m* (-e *f*).

mussels ['mʌslz] *npl* moules *fpl*.

must [mʌst] *aux vb* devoir *n* (inf): **it's a ~** c'est un must; **I ~** **go** je dois y aller, il faut que j'y aille; **the room ~ be vacated by ten** la chambre doit être libérée avant dix heures; **you ~ have seen it** tu l'as sûrement vu; **you ~ see that film** il faut que tu voies ce film; **you ~ be joking!** tu plaisantes!

mustache ['mʌstæʃ] (Am) = moustache.

mustard ['mʌstəd] n moutarde f.

mustn't ['mʌsnt] = must not.

mutter ['mʌtə'] vt marmonner.

mutton ['mʌtn] n mouton m.

mutual ['mju:tʃʊəl] adj (feeling) mutuel(-elle); (friend, interest) commun(-e).

muzzle ['mʌzl] n (for dog) muselière f.

my [maɪ] adj mon (ma), mes (pl).

myself [maɪ'self] pron (reflexive) me; (after prep) moi; **I washed ~** je me suis lavé; **I did it ~** je l'ai fait moi-même.

mysterious [mɪ'stɪərɪəs] adj mystérieux(-ieuse).

mystery ['mɪstərɪ] n mystère m.

myth [mɪθ] n mythe m.

N

N (abbr of North) N.

nag [næg] vt harceler.

nail [neɪl] n (of finger, toe) ongle m; (metal) clou m ♦ vt (fasten) clouer.

nailbrush ['neɪlbrʌʃ] n brosse f à ongles.

nail file n lime f à ongles.

nail scissors npl ciseaux mpl à ongles.

nail varnish n vernis m à ongles.

nail varnish remover [-rə'mu:və'] n dissolvant m.

naive [naɪ'i:v] adj naïf(-ïve).

naked ['neɪkɪd] adj (person) nu(-e).

name [neɪm] n nom m ♦ vt nommer; (date, price) fixer; **first ~** prénom m; **last ~** nom de famille; **what's your ~?** comment vous appelez-vous?; **my ~ is ...** je m'appelle ...

namely ['neɪmlɪ] adv c'est-à-dire.

nan bread [næn-] n pain indien en forme de grande galette ovale, servi tiède.

nanny ['nænɪ] n (childminder) nurse f; (inf: grandmother) mamie f.

nap [næp] n: **to have a ~** faire un petit somme.

napkin ['næpkɪn] n serviette f (de table).

nappy ['næpɪ] n couche f.

nappy liner n protège-couches m inv.

narcotic [nɑ:'kɒtɪk] n stupéfiant m.

narrow ['nærəʊ] adj étroit(-e) ♦ vi se rétrécir.

narrow-minded [-'maɪndɪd] adj borné(-e).

nasty ['nɑ:stɪ] adj méchant(-e), mauvais(-e).

nation ['neɪʃn] n nation f.

national ['næʃənl] adj national(-e) ♦ n (person) ressortissant m (-e f).

national anthem n hymne m national.

National Health Service n ≃ Sécurité f sociale.

National Insurance n (Br)

nationality

cotisations *fpl* sociales.

nationality [ˌnæʃəˈnælətɪ] *n*
nationalité *f*.

national park *n* parc *m*
national.

NATIONAL PARK

Les parcs nationaux britanniques et américains sont des sites protégés en raison de leur beauté naturelle. En Grande-Bretagne, on peut citer ceux de Snowdonia, du Lake District et du Peak District. Aux États-Unis, les plus célèbres sont ceux de Yellowstone et Yosemite. Les parcs nationaux sont ouverts au public et offrent des possibilités de camping.

nationwide [ˈneɪʃənwaɪd] *adj*
national(-e).

native [ˈneɪtɪv] *adj* local(-e) ◆ *n* natif *m* (-ive *f*); **to be a ~ speaker of English** être anglophone; **my ~ country** mon pays natal.

NATO [ˈneɪtəʊ] *n* OTAN *f*.

natural [ˈnætʃrəl] *adj* naturel(-elle).

natural gas *n* gaz *m* naturel.

naturally [ˈnætʃrəlɪ] *adv* (of course) naturellement.

natural yoghurt *n* yaourt *m* nature.

nature [ˈneɪtʃəʳ] *n* nature *f*.

nature reserve *n* réserve *f* naturelle.

naughty [ˈnɔːtɪ] *adj* (child) vilain(-e).

nausea [ˈnɔːzɪə] *n* nausée *f*.

navigate [ˈnævɪgeɪt] *vi* naviguer; (in car) lire la carte.

navy [ˈneɪvɪ] *n* marine *f* ◆ *adj*: ~ (blue) (bleu) marine (inv).

NB (abbr of nota bene) NB.

near [nɪəʳ] *adv* près ◆ *adj* proche ◆ *prep*: ~ (to) près de; **in the ~ future** dans un proche avenir.

nearby [nɪəˈbaɪ] *adv* tout près, à proximité ◆ *adj* proche.

nearly [ˈnɪəlɪ] *adv* presque; **I ~ fell over** j'ai failli tomber.

neat [niːt] *adj* (room) rangé(-e); (writing, work) soigné(-e); (whisky etc) pur(-e).

neatly [ˈniːtlɪ] *adv* soigneusement.

necessarily [ˈnesəserɪlɪ, Br nesəˈserɪlɪ] *adv*: **not ~** pas forcément.

necessary [ˈnesəsrɪ] *adj* nécessaire; **it is ~ to do sthg** il faut faire qqch.

necessity [nɪˈsesətɪ] *n* nécessité *f* □ **necessities** *npl* strict minimum *m*.

neck [nek] *n* cou *m*; (of garment) encolure *f*.

necklace [ˈneklɪs] *n* collier *m*.

nectarine [ˈnektərɪn] *n* nectarine *f*.

need [niːd] *n* besoin *m* ◆ *vt* avoir besoin de; **to ~ to do sthg** avoir besoin de faire qqch; **we ~ to be back by ten** il faut que nous soyons rentrés pour dix heures.

needle [ˈniːdl] *n* aiguille *f*; (for record player) pointe *f*.

needlework [ˈniːdlwɜːk] *n* couture *f*.

needn't [ˈniːdənt] = **need not**.

needy [ˈniːdɪ] *adj* dans le besoin.

negative [ˈnegətɪv] *adj* négatif(-ive) ◆ *n* (in photography)

négatif m; (GRAMM) **négation** f.

neglect [nɪ'glekt] vt négliger.

negligence ['neglɪdʒəns] n négligence f.

negotiations [nɪ,gəʊʃɪ'eɪʃnz] npl négociations fpl.

negro ['niːgrəʊ] (pl **-es**) n nègre m (négresse f).

neighbor ['neɪbər] (Am) = **neighbour**.

neighbour ['neɪbər] n voisin m (-e f).

neighbourhood ['neɪbəhʊd] n (Br) voisinage m.

neighbouring ['neɪbərɪŋ] adj voisin(-e).

neither ['naɪðər, ˈniːðər] adj: ~ **bag is big enough** aucun des deux sacs n'est assez grand ♦ pron: ~ **of us** aucun de nous deux ♦ conj: ~ **do I** moi non plus; ~ ... **nor** ... ni ... ni ...

neon light ['niːɒn-] n néon m.

nephew ['nefjuː] n neveu m.

nerve [nɜːv] n nerf m; (courage) cran m; **what a ~!** quel culot!

nervous ['nɜːvəs] adj nerveux(-euse).

nervous breakdown n dépression f nerveuse.

nest [nest] n nid m.

net [net] n filet m ♦ adj net (nette).

netball ['netbɔːl] n sport féminin proche du basket-ball.

Netherlands ['neðələndz] npl: **the ~** les Pays-Bas mpl.

nettle ['netl] n ortie f.

network ['netwɜːk] n réseau m.

neurotic [,njʊə'rɒtɪk] adj névrosé(-e).

neutral ['njuːtrəl] adj neutre ♦ n

(AUT): **in ~** au point mort.

never ['nevər] adv (ne ...) jamais; **she's ~ late** elle n'est jamais en retard; **~ mind!** ça ne fait rien!

nevertheless [,nevəðə'les] adv cependant, pourtant.

new [njuː] adj nouveau(-elle); (brand new) neuf (neuve).

newly ['njuːlɪ] adv récemment.

new potatoes npl pommes de terre fpl nouvelles.

news [njuːz] n (information) nouvelle f, nouvelles fpl; (on TV, radio) informations fpl; **a piece of ~** une nouvelle.

newsagent ['njuːzeɪdʒənt] n marchand m de journaux.

newspaper ['njuːz,peɪpər] n journal m.

New Year n le nouvel an.

 NEW YEAR

La Saint Sylvestre est l'occasion, en Grande-Bretagne, de soirées entre amis ou de rassemblements publics où il est de coutume de chanter "Auld Lang Syne" aux douze coups de minuit. Cette fête a une importance toute particulière en Écosse, où elle porte le nom de «Hogmanay». Le lendemain, «New Year's Day», est un jour férié dans tout le pays.

New Year's Day n le jour de l'an.

New Year's Eve n la Saint-Sylvestre.

New Zealand [-'ziːlənd] n la Nouvelle-Zélande.

next [nekst] adj prochain(-e);

next door *(room, house)* d'à côté ◆ *adv* ensuite, après; *(on next occasion)* la prochaine fois; **when does the ~ bus leave?** quand part le prochain bus?; **the ~ week after** → dans deux semaines; **the ~ week** la semaine suivante; **~ to** *(by the side of)* à côté de.

next door *adv* à côté.

next of kin [-kɪn] *n* plus proche parent *m*.

NHS *abbr* = **National Health Service**.

nib [nɪb] *n* plume *f*.

nibble [ˈnɪbl] *vt* grignoter.

nice [naɪs] *adj (pleasant)* bon (bonne); *(pretty)* joli(-e); *(kind)* gentil(-ille); **to have a ~ time** se plaire; **~ to see you!** (je suis) content de te voir!

nickel [ˈnɪkl] *n (metal)* nickel *m*; *(Am: coin)* pièce *f* de cinq cents.

nickname [ˈnɪkneɪm] *n* surnom *m*.

niece [niːs] *n* nièce *f*.

night [naɪt] *n* nuit *f*; *(evening)* soir *m*; **at ~** la nuit; *(in agreement)* soir.

nightclub [ˈnaɪtklʌb] *n* boîte *f* (de nuit).

nightdress [ˈnaɪtdres] *n* chemise *f* de nuit.

nightie [ˈnaɪtɪ] *n (inf)* chemise *f* de nuit.

nightlife [ˈnaɪtlaɪf] *n* vie *f* nocturne.

nightly [ˈnaɪtlɪ] *adv* toutes les nuits; *(every evening)* tous les soirs.

nightmare [ˈnaɪtmeəʳ] *n* cauchemar *m*.

night safe *n* coffre *m* de nuit.

night school *n* cours *mpl* du soir.

nightshift [ˈnaɪtʃɪft] *n*: **to be on ~** travailler de nuit.

nil [nɪl] *n* zéro *m*.

Nile [naɪl] *n*: **the ~** le Nil.

nine [naɪn] *num* neuf, → **six**.

nineteen [ˌnaɪnˈtiːn] *num* dix-neuf; **~ ninety-five** dix-neuf cent quatre-vingt-quinze, → **six**.

nineteenth [ˌnaɪnˈtiːnθ] *num* dix-neuvième, → **sixth**.

ninetieth [ˈnaɪntɪəθ] *num* quatre-vingt-dixième, → **sixth**.

ninety [ˈnaɪntɪ] *num* quatre-vingt-dix, → **six**.

ninth [naɪnθ] *num* neuvième, → **sixth**.

nip [nɪp] *vt (pinch)* pincer.

nipple [ˈnɪpl] *n* mamelon *m*; *(of bottle)* tétine *f*.

nitrogen [ˈnaɪtrədʒən] *n* azote *m*.

no [nəu] *adv* non ◆ *adj* pas de, aucun(-e); **I've got ~ money left** je n'ai plus d'argent.

noble [ˈnəubl] *adj* noble.

nobody [ˈnəubədɪ] *pron* personne; **there's ~ in** il n'y a personne.

nod [nɒd] *vi (in agreement)* faire signe que oui.

noise [nɔɪz] *n* bruit *m*.

noisy [ˈnɔɪzɪ] *adj* bruyant(-e).

nominate [ˈnɒmɪneɪt] *vt* nommer.

nonalcoholic [ˌnɒnælkəˈhɒlɪk] *adj* non alcoolisé(-e).

none [nʌn] *pron* aucun *m* (-e *f*); **~ of us** aucun d'entre nous.

nonetheless [ˌnʌnðəˈles] *adv* néanmoins.

nonfiction [ˌnɒnˈfɪkʃn] *n* ouvrages *mpl* non romanesques.

non-iron *adj*: **"non-iron"** «repassage interdit».

noun

◆ **nonsense** ['nɒnsəns] *n* bêtises *fpl*.

nonsmoker [,nɒn'sməukə'] *n* non-fumeur *m* (-euse *f*).

nonstick [,nɒn'stɪk] *adj* (saucepan) antiadhésif(-ive).

nonstop [,nɒn'stɒp] *adj* (flight) direct; (talking, arguing) continuel(-elle) ◆ *adv* (fly, travel) sans escale; (rain) sans arrêt.

noodles ['nu:dlz] *npl* nouilles *fpl*.

noon [nu:n] *n* midi *m*.

no one ['nəuwʌn] = **nobody**.

nor [nɔ:'] *conj* ni; → **do I** moi non plus, → **neither**.

normal ['nɔ:ml] *adj* normal(-e).

normally ['nɔ:məlɪ] *adv* normalement.

north [nɔ:θ] *n* nord *m* ◆ *adv* (fly, walk) vers le nord; (be situated) au nord; **in the ~ of England** au OR dans le nord de l'Angleterre.

North America *n* l'Amérique *f* du Nord.

northbound ['nɔ:θbaund] *adj* en direction du nord.

northeast [,nɔ:θ'i:st] *n* nord-est *m*.

northern ['nɔ:ðən] *adj* du nord.

Northern Ireland *n* l'Irlande *f* du Nord.

North Pole *n* pôle *m* Nord.

North Sea *n* mer *f* du Nord.

northwards ['nɔ:θwədz] *adv* vers le nord.

northwest [,nɔ:θ'west] *n* nord-ouest *m*.

Norway ['nɔ:weɪ] *n* la Norvège *f*.

Norwegian [nɔ:'wi:dʒən] *adj* norvégien(-ienne) ◆ *n* (person) Norvégien *m* (-ienne *f*); (language) norvégien *m*.

nose [nəuz] *n* nez *m*.

nosebleed ['nəuzbli:d] *n*: **to have a ~** saigner du nez.

nostril ['nɒstrəl] *n* narine *f*.

nosy ['nəuzɪ] *adj* (trop) curieux(-ieuse).

not [nɒt] *adv* ne ... pas; **she's ~ there** elle n'est pas là; **~ yet** pas encore; **~ at all** (pleased, interested) pas du tout; (in reply to thanks) je vous en prie.

notably ['nəutəblɪ] *adv* (in particular) notamment.

note [nəut] *n* (message) mot *m*; (in music, comment) note *f*; (bank note) billet *m* ◆ *vt* (notice) remarquer; (write down) noter; **to take ~s** prendre des notes.

notebook ['nəutbuk] *n* calepin *m*, carnet *m*.

noted ['nəutɪd] *adj* célèbre, réputé(-e).

notepaper ['nəutpeɪpə'] *n* papier *m* à lettres.

nothing ['nʌθɪŋ] *pron* rien; **he did ~** il n'a rien fait; **new/interesting ~** rien de nouveau/d'intéressant; **for ~** pour rien.

notice ['nəutɪs] *vt* remarquer ◆ *n* avis *m*; **to take ~ of** faire OR prêter attention à; **to hand in one's ~** donner sa démission.

noticeable ['nəutɪsəbl] *adj* perceptible.

notice board *n* panneau *m* d'affichage.

notion ['nəuʃn] *n* notion *f*.

notorious [nəu'tɔ:rɪəs] *adj* notoire.

nougat ['nu:gɑ:] *n* nougat *m*.

nought [nɔ:t] *n* zéro *m*.

noun [naun] *n* nom *m*.

nourishment [ˈnʌrɪʃmənt] n nourriture f.

novel [ˈnɒvl] n roman m ◆ adj original(-e).

novelist [ˈnɒvəlɪst] n romancier m (-ière f).

November [nəˈvembəʳ] n novembre m, → **September**.

now [nau] adv (at this time) maintenant ◆ conj: ~ (that) maintenant que; **just** ~ en ce moment; **right** ~ (at the moment) en ce moment; (immediately) tout de suite; **by** ~ déjà, maintenant; **from** ~ **on** dorénavant, à partir de maintenant.

nowadays [ˈnauədeɪz] adv de nos jours.

nowhere [ˈnəuweəʳ] adv nulle part.

nozzle [ˈnɒzl] n embout m.

nuclear [ˈnjuːklɪəʳ] adj nucléaire; (bomb) atomique.

nude [njuːd] adj nu(-e).

nudge [nʌdʒ] vt pousser du coude.

nuisance [ˈnjuːsns] n: **it's a real** ~! c'est vraiment embêtant!; **he's such a** ~! il est vraiment casse-pieds!

numb [nʌm] adj engourdi(-e).

number [ˈnʌmbəʳ] n (numeral) chiffre m; (of telephone, house) numéro m; (quantity) nombre m ◆ vt numéroter.

numberplate [ˈnʌmbəpleɪt] n plaque f d'immatriculation.

numeral [ˈnjuːmərəl] n chiffre m.

numerous [ˈnjuːmərəs] adj nombreux(-euses).

nun [nʌn] n religieuse f.

nurse [nɜːs] n infirmière f ◆ vt (look after) soigner; **male** ~ infir-

mier m.

nursery [ˈnɜːsərɪ] n (in house) nursery f; (for plants) pépinière f.

nursery (school) n école f maternelle.

nursery slope n piste f pour débutants, = piste verte.

nursing [ˈnɜːsɪŋ] n métier m d'infirmière.

nut [nʌt] n (to eat) fruit m sec (noix, noisette etc); (of metal) écrou m.

nutcrackers [ˈnʌtˌkrækəz] npl casse-noix m inv.

nutmeg [ˈnʌtmeg] n noix f de muscade.

nylon [ˈnaɪlɒn] n Nylon® m ◆ adj en Nylon®.

o' [ə] abbr = **of**.

O n (zero) zéro m.

oak [əuk] n chêne m ◆ adj en chêne.

OAP abbr = **old age pensioner**.

oar [ɔːʳ] n rame f.

oatcake [ˈəutkeɪk] n galette f d'avoine.

oath [əuθ] n (promise) serment m.

oatmeal [ˈəutmiːl] n flocons mpl d'avoine.

oats [əuts] npl avoine f.

obedient [əˈbiːdjənt] adj obéissant(-e).

obey [əˈbeɪ] vt obéir à.

object [*n* 'ɒbdʒɪkt, *vb* ɒb'dʒekt] *n* (*thing*) objet *m*; (*purpose*) objet *m*; (*GRAMM*) complément *m* d'objet ♦ *vi*: to ~ (to) protester (contre).

objection [əb'dʒekʃn] *n* objection *f*.

objective [əb'dʒektɪv] *n* objectif *m*.

obligation [ˌɒblɪ'ɡeɪʃn] *n* obligation *f*.

obligatory [ə'blɪɡətrɪ] *adj* obligatoire.

oblige [ə'blaɪdʒ] *vt*: to ~ sb to do sthg obliger qqn à faire qqch.

oblique [ə'bliːk] *adj* oblique.

oblong ['ɒblɒŋ] *adj* rectangulaire ♦ *n* rectangle *m*.

obnoxious [əb'nɒkʃəs] *adj* (*person*) odieux(-ieuse); (*smell*) infect(-e).

oboe ['əʊbəʊ] *n* hautbois *m*.

obscene [əb'siːn] *adj* obscène.

obscure [əb'skjʊər] *adj* obscur(-e).

observant [əb'zɜːvnt] *adj* observateur(-trice).

observation [ˌɒbzə'veɪʃn] *n* observation *f*.

observatory [əb'zɜːvətrɪ] *n* observatoire *m*.

observe [əb'zɜːv] *vt* (*watch, see*) observer.

obsessed [əb'sest] *adj* obsédé(-e).

obsession [əb'seʃn] *n* obsession *f*.

obsolete ['ɒbsəliːt] *adj* obsolète.

obstacle ['ɒbstəkl] *n* obstacle *m*.

obstinate ['ɒbstənət] *adj* obstiné(-e).

obstruct [əb'strʌkt] *vt* obstruer.

obstruction [əb'strʌkʃn] *n* obstacle *m*.

obtain [əb'teɪn] *vt* obtenir.

obtainable [əb'teɪnəbl] *adj* que l'on peut obtenir.

obvious ['ɒbvɪəs] *adj* évident(-e).

obviously ['ɒbvɪəslɪ] *adv* (*of course*) évidemment; (*clearly*) manifestement.

occasion [ə'keɪʒn] *n* (*instance, opportunity*) occasion *f*; (*important event*) événement *m*.

occasional [ə'keɪʒənl] *adj* occasionnel(-elle).

occasionally [ə'keɪʒnəlɪ] *adv* occasionnellement.

occupant ['ɒkjupənt] *n* occupant *m* (-e *f*).

occupation [ˌɒkju'peɪʃn] *n* (*job*) profession *f*; (*pastime*) occupation *f*.

occupied ['ɒkjupaɪd] *adj* (*toilet*) occupé(-e).

occupy ['ɒkjupaɪ] *vt* occuper.

occur [ə'kɜːr] *vi* (*happen*) arriver, avoir lieu; (*exist*) exister.

occurrence [ə'kʌrəns] *n* événement *m*.

ocean ['əʊʃn] *n* océan *m*; the ~ (*Am: sea*) la mer.

o'clock [ə'klɒk] *adv*: three ~ trois heures.

Oct. (*abbr of October*) oct.

October [ɒk'təʊbər] *n* octobre *m*, → September.

octopus ['ɒktəpəs] *n* pieuvre *f*.

odd [ɒd] *adj* (*strange*) étrange, bizarre; (*number*) impair(-e); (*not matching*) dépareillé(-e); **I have the ~ cigarette** je fume de temps en temps; **60 ~ miles** environ 60 miles; **some ~ bits of paper** quelques bouts de papier; **~ jobs**

petits boulots *mpl*.

odds [ɒdz] *npl* (*in betting*) cote *f*; (*chances*) chances *fpl*; ~ **and ends** objets *mpl* divers.

odor ['əʊdər] (*Am*) = **odour**.

odour ['əʊdər] *n* (*Br*) odeur *f*.

of [ɒv] *prep* 1. (*gen*) de; **the handle** ~ **the door** la poignée de la porte; **a group** ~ **schoolchildren** un groupe d'écoliers; **a love** ~ **art** la passion de l'art.

2. (*referring amount*) de; **a piece** ~ **cake** un morceau de gâteau; **a fall** ~ **20%** une baisse de 20%; **a town** ~ **50,000 people** une ville de 50 000 habitants.

3. (*made from*) en; **a house** ~ **stone** une maison en pierre; **it's made** ~ **wood** c'est en bois.

4. (*referring to time*): **the summer** ~ **1969** l'été 1969; **the 26th** ~ **August** le 26 août.

5. (*indicating cause*): **he died** ~ **cancer** il est mort d'un cancer.

6. (*on the part of*) : **that's very kind** ~ **you** c'est très aimable à vous OR de votre part.

7. (*Am: in telling the time*): **it's ten** ~ **four** il est quatre heures moins dix.

off [ɒf] *adv* 1. (*away*): **to drive** ~ démarrer; **to get** ~ (*from bus, train, plane*) descendre; **we're** ~ **to Austria next week** nous partons pour l'Autriche la semaine prochaine.

2. (*expressing removal*): **to cut sthg** ~ couper qqch; **to take sthg** ~ enlever OR ôter qqch.

3. (*so as to stop working*): **to turn sthg** ~ (*TV, radio*) éteindre qqch; (*tap*) fermer; (*engine*) couper.

4. (*expressing distance or time away*): **it's 10 miles** ~ c'est à 16 kilo-

mètres; **it's two months** ~ c'est dans deux mois; **it's a long way** ~ c'est loin.

5. (*not at work*) en congé; **I'm taking a week** ~ je prends une semaine de congé.

♦ *prep* 1. (*away from*) de; **to get** ~ **sthg** descendre de qqch; ~ **the coast** au large de la côte; **just** ~ **the main road** tout près de la grand-route.

2. (*indicating removal*) de; **take the lid** ~ **the jar** enlève le couvercle du pot; **they've taken £20** ~ **the price** ils ont retranché 20 livres du prix normal.

3. (*absent from*): **to be** ~ **work** ne pas travailler.

4. (*inf: from*) à; **I bought it** ~ **her** je le lui ai acheté.

5. (*inf: no longer liking*): **I'm** ~ **my food** je n'ai pas d'appétit.

♦ *adj* 1. (*meat, cheese*) avarié(-e); (*milk*) tourné(-e); (*beer*) éventé(-e).

2. (*not working*) éteint(-e); (*engine*) coupé(-e).

3. (*cancelled*) annulé(-e).

4. (*not available*) pas disponible; **the soup's** ~ il n'y a plus de soupe.

offence [ə'fens] *n* (*Br*) (*crime*) délit *m*; **to cause sb** ~ (*upset*) offenser qqn.

offend [ə'fend] *vt* (*upset*) offenser.

offender [ə'fendər] *n* (*criminal*) délinquant *m* (-e *f*).

offense [ə'fens] (*Am*) = **offence**.

offensive [ə'fensɪv] *adj* (*language, behaviour*) choquant(-e); (*person*) très déplaisant(-e).

offer ['ɒfər] *n* offre *f* ♦ *vt* offrir; **on** ~ (*at reduced price*) en promotion; **to** ~ **to do sthg** offrir OR proposer de faire qqch; **to** ~ **sb sthg** offrir qqch à qqn.

office ['ɒfɪs] n (room) bureau m.

office block n immeuble m de bureaux.

officer ['ɒfɪsər] n (MIL) officier m; (policeman) agent m.

official [ə'fɪʃl] adj officiel(-ielle) ◆ n fonctionnaire mf.

officially [ə'fɪʃlɪ] adv officiellement.

off-licence n (Br) magasin autorisé à vendre des boissons alcoolisées à emporter.

off-peak adj (train, ticket) = de période bleue.

off sales npl (Br) vente à emporter de boissons alcoolisées.

off-season n basse saison f.

offshore ['ɒfʃɔːr] adj (breeze) de terre.

off side n (for right-hand drive) côté m droit; (for left-hand drive) côté gauche.

off-the-peg adj de prêt-à-porter.

often ['ɒfn, 'ɒftn] adv souvent; how ~ do you go to the cinema? tu vas souvent au cinéma?; how ~ do the buses run? quelle est la fréquence des bus?; every so ~ de temps en temps.

oh [əʊ] excl oh!

oil [ɔɪl] n huile f; (fuel) pétrole m; (for heating) mazout m.

oilcan ['ɔɪlkæn] n burette f (d'huile).

oil filter n filtre m à huile.

oil rig n plate-forme f pétrolière.

oily ['ɔɪlɪ] adj (cloth, hands) graisseux(-euse); (food) gras (grasse).

ointment ['ɔɪntmənt] n pommade f.

OK [əʊ'keɪ] adj (inf: of average qual-

ity) pas mal (inv) ◆ adv (inf) (expressing agreement) d'accord; (satisfactorily, well) bien; is everything ~? est-ce que tout va bien?; are you ~? ça va?

okay [əʊ'keɪ] = OK.

old [əʊld] adj vieux (vieille); (former) ancien(-ienne); how ~ are you? quel âge as-tu?; I'm 36 years ~; j'ai 36 ans; to get ~ vieillir.

old age n vieillesse f.

old age pensioner n retraité m (-e f).

O level n examen actuellement remplacé par le «GCSE».

olive ['ɒlɪv] n olive f.

olive oil n huile f d'olive.

Olympic Games [ə'lɪmpɪk-] npl jeux mpl Olympiques.

omelette ['ɒmlɪt] n omelette f; mushroom ~ omelette aux champignons.

ominous ['ɒmɪnəs] adj inquiétant(-e).

omit [ə'mɪt] vt omettre.

on [ɒn] prep 1. (expressing position, location) sur; it's ~ the table il est sur la table; ~ my right à OR sur ma droite; ~ the right à droite; we stayed ~ a farm nous avons séjourné dans une ferme; a hotel ~ the boulevard Saint-Michel un hôtel (sur le) boulevard Saint-Michel; the exhaust ~ the car l'échappement de la voiture.
2. (with forms of transport): ~ the train/plane dans le train/l'avion; to get ~ a bus monter dans un bus.
3. (expressing means, method): ~ foot à pied; ~ TV/the radio à la télé/la radio; ~ the piano au piano.
4. (using): it runs ~ unleaded petrol elle marche à l'essence sans

plomb; **to be ~ medication** être sous traitement.

5. (about) sur; **a book ~ Germany** un livre sur l'Allemagne.

6. (expressing time): **~ arrival** à mon/leur arrivée; **~ Tuesday** mardi; **~ 25th August** le 25 août.

7. (with regard to): **to spend time ~ sthg** consacrer du temps à qqch; **the effect ~ Britain** l'effet sur la Grande-Bretagne.

8. (describing activity, state) en; **~ holiday** en vacances; **~ offer** en réclame; **~ sale** en vente.

9. (in phrases): **do you have any money ~ you?** (inf) tu as de l'argent sur toi?; **the drinks are ~ me** c'est ma tournée.

♦ adv 1. (in place, covering): **to have sthg ~** (clothes, hat) porter qqch; **put the lid ~** mets le couvercle; **put one's clothes ~** s'habiller, mettre ses vêtements.

2. (film, play, programme): **the news is ~** il y a les informations à la télé; **what's ~ at the cinema?** qu'est-ce qui passe au cinéma?

3. (with transport): **to get ~** monter.

4. (functioning): **to turn sthg ~** (TV, radio) allumer; (tap) ouvrir; (engine) mettre en marche.

5. (taking place): **how long is the festival ~?** combien de temps dure le festival?

6. (further forward): **to drive ~** continuer à rouler.

7. (in phrases): **to have sthg ~** avoir qqch de prévu.

♦ adj (TV, radio, light) allumé(-e); (tap) ouvert(-e); (engine) en marche.

once [wʌns] adv (one time) une fois; (in the past) jadis ♦ conj une fois que, dès que; **at ~** (immediately) immédiatement; (at the same time) en même temps; **for ~** pour une fois; **~ more** une fois de plus.

oncoming ['ɒn,kʌmɪŋ] adj (traffic) venant en sens inverse.

one [wʌn] num (the number 1) un ♦ adj (only) seul(-e) ♦ pron (object, person) un (une f); (fml: you) on; **thirty-~** trente et un; **~ fifth** un cinquième; **I like that ~** j'aime bien celui-là; **I'll take this ~** je prends celui-ci; **which ~?** lequel?; **the ~ I told you about** celui dont je t'ai parlé; **~ of my friends** un de mes amis; **~ day** (in past, future) un jour.

one-piece (swimsuit) n maillot m de bain une pièce.

oneself [wʌn'self] pron (reflexive) se; (after prep) soi.

one-way adj (street) à sens unique; (ticket) aller (inv).

onion ['ʌnjən] n oignon m.

onion bhaji [-'bɑːdʒɪ] n beignet m à l'oignon (spécialité indienne généralement servie en hors-d'œuvre).

onion rings npl rondelles d'oignon en beignet.

only ['əʊnlɪ] adj seul(-e) ♦ adv seulement, ne ... que; **an ~ child** un enfant unique; **the ~ one** le seul (la seule); **I ~ want one** je n'en veux qu'un; **we've ~ just arrived** nous venons juste d'arriver; **there's ~ just enough** il y en a tout juste assez; **"members ~"** «réservé aux membres»; **not ~** non seulement.

onto ['ɒntuː] prep (with verbs of movement) sur; **to get ~ sb** (telephone) contacter qqn.

onward ['ɒnwəd] adv = **onwards** ♦ adj: **the ~ journey** la fin du parcours.

onwards ['ɒnwədz] adv (forwards) en avant; **from now ~** à partir de maintenant, dorénavant; **from October ~** à partir d'octobre.

opal ['əupl] n opale f.

opaque [əu'peɪk] adj opaque.

open ['əupn] adj ouvert(-e); (space) dégagé(-e); (honest) franc (franche) ♦ vt ouvrir ♦ vi (door, window, lock) s'ouvrir; (shop, office, bank) ouvrir; (start) commencer; **are you ~ at the weekend?** (shop) êtes-vous ouverts le week-end?; **wide ~** grand ouvert; **in the ~ (air)** en plein air □ **open onto** vt fus donner sur; **open up** vi ouvrir.

open-air adj en plein air.

opening ['əupnɪŋ] n (gap) ouverture f; (beginning) début m; (opportunity) occasion f.

opening hours npl heures fpl d'ouverture.

open-minded [-'maɪndɪd] adj tolérant(-e).

open-plan adj paysagé(-e).

open sandwich n canapé m.

opera ['ɒprə] n opéra m.

opera house n opéra m.

operate ['ɒpəreɪt] vt (machine) faire fonctionner ♦ vi (work) fonctionner; **to ~ on sb** opérer qqn.

operating room ['ɒpəreɪtɪŋ-] (Am) = operating theatre.

operating theatre ['ɒpəreɪtɪŋ-] n (Br) salle f d'opération.

operation [ˌɒpə'reɪʃn] n opération f; **to be in ~** (law, system) être appliqué; **to have an ~** se faire opérer.

operator ['ɒpəreɪtə'] n (on phone) opérateur m (-trice f).

opinion [ə'pɪnjən] n opinion f; **in my ~** à mon avis.

opponent [ə'pəunənt] n adversaire mf.

opportunity [ˌɒpə'tju:nətɪ] n occasion f.

oppose [ə'pəuz] vt s'opposer à.

opposed [ə'pəuzd] adj: **to be ~ to sthg** être opposé(-e) à qqch.

opposite ['ɒpəzɪt] adj opposé(-e); (building) d'en face ♦ prep en face de ♦ n: **the ~ (of)** le contraire (de).

opposition [ˌɒpə'zɪʃn] n opposition f; (SPORT) adversaire mf.

opt [ɒpt] vt: **to ~ to do sthg** choisir de faire qqch.

optician's [ɒp'tɪʃnz] n (shop) opticien m.

optimist ['ɒptɪmɪst] n optimiste mf.

optimistic [ˌɒptɪ'mɪstɪk] adj optimiste.

option ['ɒpʃn] n (alternative) choix m; (optional extra) option f.

optional ['ɒpʃənl] adj optionnel(-elle).

or [ɔ:'] conj ou; (after negative) ni.

oral ['ɔ:rəl] adj oral(-e) ♦ n (exam) oral m.

orange ['ɒrɪndʒ] adj orange (inv) ♦ n (fruit) orange f; (colour) orange m.

orange juice n jus m d'orange.

orange squash n (Br) orangeade f.

orbit ['ɔ:bɪt] n orbite f.

orbital (motorway) ['ɔ:bɪtl-] n (Br) rocade f.

orchard ['ɔ:tʃəd] n verger m.

orchestra ['ɔ:kɪstrə] n orchestre m.

ordeal [ɔːˈdiːl] n épreuve f.

order [ˈɔːdəˈ] n ordre m; (in restaurant, for goods) commande f ♦ vt (command) ordonner; (food, taxi, goods) commander ♦ vi (in restaurant) commander; **in ~ to do** sthg de façon à OR afin de faire qqch; **out of ~** (not working) en panne; **in working ~** en état de marche; **to ~ sb to do** sthg ordonner à qqn de faire qqch.

order form n bon m de commande.

ordinary [ˈɔːdənrɪ] adj ordinaire.

ore [ɔːˈ] n minerai m.

oregano [ˌɒrɪˈɡɑːnəʊ] n origan m.

organ [ˈɔːɡən] n (MUS) orgue m; (in body) organe m.

organic [ɔːˈɡænɪk] adj (food) biologique.

organization [ˌɔːɡənaɪˈzeɪʃn] n organisation f.

organize [ˈɔːɡənaɪz] vt organiser.

organizer [ˈɔːɡənaɪzəˈ] n (person) organisateur m (-trice f); (diary) agenda m.

oriental [ˌɔːrɪˈentl] adj oriental(-e).

orientate [ˈɔːrɪentet] vt: **to ~ o.s.** s'orienter.

origin [ˈɒrɪdʒɪn] n origine f.

original [əˈrɪdʒənl] adj (first) d'origine; (novel) original(-e).

originally [əˈrɪdʒənəlɪ] adv (formerly) à l'origine.

originate [əˈrɪdʒənet] vi: **to ~ from** venir de.

ornament [ˈɔːnəmənt] n (object) bibelot m.

ornamental [ˌɔːnəˈmentl] adj décoratif(-ive).

ornate [ɔːˈnet] adj orné(-e).

orphan [ˈɔːfn] n orphelin m (-e f).

orthodox [ˈɔːθədɒks] adj orthodoxe.

ostentatious [ˌɒstenˈteɪʃəs] adj ostentatoire.

ostrich [ˈɒstrɪtʃ] n autruche f.

other [ˈʌðəˈ] adj autre ♦ pron autre mf ♦ adv: **~ than** à part; **the ~ (one)** l'autre; **the ~ day** l'autre jour; **one after the ~** l'un après l'autre.

otherwise [ˈʌðəwaɪz] adv (or else) autrement, sinon; (apart from that) à part ça; (differently) autrement.

otter [ˈɒtəˈ] n loutre f.

ought [ɔːt] aux vb devoir; **you ~ to have gone** tu aurais dû y aller; **you ~ to see a doctor** tu devrais voir un médecin; **the car ~ to be ready by Friday** la voiture devrait être prête vendredi.

ounce [aʊns] n (unit of measurement) = 28,35 g, once f.

our [ˈaʊəˈ] adj notre, nos (pl).

ours [ˈaʊəz] pron le nôtre (la nôtre); **this is ~** c'est à nous; **a friend of ~** un ami à nous.

ourselves [aʊəˈselvz] pron (reflexive, after prep) nous; **we did it ~** nous l'avons fait nous-mêmes.

out [aʊt] adj (light, cigarette) éteint(-e).

♦ adv 1. (outside) dehors; **to get (of)** sortir (de); **to go ~ (of)** sortir (de); **it's cold ~** il fait froid dehors.
2. (not at home, work) dehors; **to be ~** être sorti; **to go ~** sortir.
3. (so as to be extinguished): **to turn** sthg **~** éteindre qqch; **put your cigarette ~** éteignez votre ciga-

rette.

4. *(expressing removal):* **to fall ~** tomber; **to take sthg ~ (of)** sortir qqch (de); *(money)* retirer qqch (de).

5. *(outwards):* **to stick ~** dépasser.

6. *(expressing distribution):* **to hand sthg ~** distribuer qqch.

7. *(wrong)* faux (fausse); **the bill's £10 ~** il y a une erreur de 10 livres dans l'addition.

8. *(in phrases):* **stay ~ of the sun** évitez le soleil; **made ~ of wood** en bois; **five ~ of ten women** cinq femmes sur dix; **I'm ~ of cigarettes** je n'ai plus de cigarettes.

outback ['aʊtbæk] *n:* **the ~** l'arrière-pays *m (en Australie).*

outboard (motor) ['aʊtbɔːd] *n* moteur *m* hors-bord.

outbreak ['aʊtbreɪk] *n (of disease)* épidémie *f.*

outburst ['aʊtbɜːst] *n* explosion *f.*

outcome ['aʊtkʌm] *n* résultat *m.*

outcrop ['aʊtkrɒp] *n* affleurement *m.*

outdated [,aʊt'deɪtɪd] *adj* démodé(-e).

outdo [,aʊt'duː] *vt* surpasser.

outdoor ['aʊtdɔːr] *adj (swimming pool)* en plein air; *(activities)* de plein air.

outdoors [,aʊt'dɔːz] *adv* en plein air, dehors; **to go ~** sortir.

outer ['aʊtər] *adj* extérieur(-e).

outer space *n* l'espace *m.*

outfit ['aʊtfɪt] *n (clothes)* tenue *f.*

outing ['aʊtɪŋ] *n* sortie *f.*

outlet ['aʊtlet] *n (pipe)* sortie *f;* **"no ~"** *(Am)* «voie sans issue».

outline ['aʊtlaɪn] *n (shape)* con-

tour *m; (description)* grandes lignes *fpl.*

outlook ['aʊtlʊk] *n (for future)* perspective *f; (of weather)* prévision *f; (attitude)* conception *f.*

out-of-date *adj (old-fashioned)* démodé(-e); *(passport, licence)* périmé(-e).

outpatients' (department) ['aʊt,peɪʃnts] *n* service *m* des consultations externes.

output ['aʊtpʊt] *n (of factory)* production *f; (COMPUT: printout)* sortie *f* papier.

outrage ['aʊtreɪdʒ] *n* atrocité *f.*

outrageous [aʊt'reɪdʒəs] *adj* scandaleux(-euse).

outright [,aʊt'raɪt] *adv (tell, deny)* franchement; *(own)* complètement.

outside [*adv* ,aʊt'saɪd, *adj, prep & n* 'aʊtsaɪd] *adv* dehors ◆ *prep* en dehors de; *(door)* de l'autre côté de; *(in front of)* devant ◆ *adj* extérieur(-e) ◆ *n:* **the ~** *(of building, car, container)* l'extérieur *m; (AUT: in UK)* la droite; *(AUT: in Europe, US)* la gauche; **an ~ line** une ligne extérieure; **~ of** *(Am)* en dehors de.

outside lane *n (AUT) (in UK)* voie *f* de droite; *(in Europe, US)* voie *f* de gauche.

outsize ['aʊtsaɪz] *adj (clothes)* grande taille *(inv).*

outskirts ['aʊtskɜːts] *npl (of town)* périphérie *f,* banlieue *f.*

outstanding [aʊt'stændɪŋ] *adj (remarkable)* remarquable; *(problem)* à régler; *(debt)* impayé(-e).

outward ['aʊtwəd] *adj (journey)* aller *(inv); (external)* extérieur(-e).

outwards ['aʊtwədz] *adv* vers l'extérieur.

oval ['əʊvl] *adj* ovale.

ovation [əʊ'veɪʃn] *n* ovation *f*.

oven ['ʌvn] *n* four *m*.

oven glove *n* gant *m* de cuisine.

ovenproof ['ʌvnpruːf] *adj* qui va au four.

oven-ready *adj* prêt(-e) à mettre au four.

over ['əʊvər] *prep* 1. (*above*) audessus de; **a bridge ~ the river** un pont sur la rivière.

2. (*across*) par-dessus; **to walk ~ sthg** traverser qqch (à pied); **it's just ~ the road** c'est juste de l'autre côté de la route; **a view ~ the square** une vue sur la place.

3. (*covering*) sur; **put a plaster ~ the wound** mettez un pansement sur la plaie.

4. (*more than*) plus de; **it cost ~ £1,000** ça a coûté plus de 1 000 livres.

5. (*during*) pendant; **~ the past two years** ces deux dernières années.

6. (*with regard to*) sur; **an argument ~ the price** une dispute au sujet du prix.

◆ *adv* 1. (*downwards*): **to fall ~** tomber; **to lean ~** se pencher.

2. (*referring to position, movement*): **to fly ~ to Canada** aller au Canada en avion; **~ here** ici; **~ there** là-bas.

3. (*round to other side*): **to turn sthg ~** retourner qqch.

4. (*more*): **children aged 12 and ~** les enfants de 12 ans et plus OR au-dessus.

5. (*remaining*): **how many are there (left) ~?** combien en reste-t-il?

6. (*to one's house*) chez soi; **to come ~** venir à la maison; **to invite sb ~ for dinner** inviter qqn à dîner (chez soi).

7. (*in phrases*): **all ~** (*finished*)

fini(-e), terminé(-e); **all ~ the world/pays** le monde entier/pays entier.

◆ *adj* (*finished*): **to be ~** être fini(-e), être terminé(-e).

overall [*adv* ,əʊvər'ɔːl, *n* 'əʊvərɔːl] ◆ *adv* (*in general*) en général ◆ *n* (Br: *coat*) blouse *f*; (Am: *boiler suit*) bleu *m* de travail; **how much does it cost ~?** combien est-ce que ça coûte en tout? □ **overalls** *npl* (Br: *boiler suit*) bleu *m* de travail; (Am: *dungarees*) salopette *f*.

overboard ['əʊvəbɔːd] *adv* pardessus bord.

overbooked [,əʊvə'bʊkt] *adj* surréservé(-e).

overcame [,əʊvə'keɪm] *pt* → **overcome**.

overcast [,əʊvə'kɑːst] *adj* couvert(-e).

overcharge [,əʊvə'tʃɑːdʒ] *vt* (*customer*) faire payer trop cher à.

overcoat ['əʊvəkəʊt] *n* pardessus *m*.

overcome [,əʊvə'kʌm] (*pt* -came, *pp* -come) *vt* vaincre.

overcooked [,əʊvə'kʊkt] *adj* trop cuit(-e).

overcrowded [,əʊvə'kraʊdɪd] *adj* bondé(-e).

overdo [,əʊvə'duː] (*pt* -did, *pp* -done) *vt* (*exaggerate*) exagérer; **to ~ it** se surmener.

overdone [,əʊvə'dʌn] *pp* → **overdo** ◆ *adj* (*food*) trop cuit(-e).

overdose ['əʊvədəʊs] *n* overdose *f*.

overdraft ['əʊvədrɑːft] *n* découvert *m*.

overdue [,əʊvə'djuː] *adj* en retard.

over easy *adj* (Am: *egg*) cuit(-e)

des deux côtés.

overexposed [,əʊvərɪk'spəʊzd] *adj* (*photograph*) surexposé(-e).

overflow [*vb* ,əʊvə'fləʊ, *n* 'əʊvəfləʊ] *vi* déborder ♦ *n* (*pipe*) tropplein *m*.

overgrown [,əʊvə'grəʊn] *adj* (*garden, path*) envahi(-e) par les mauvaises herbes.

overhaul [,əʊvə'hɔːl] *n* révision *f*.

overhead [*adj* 'əʊvəhed, *adv* ,əʊvə'hed] *adj* aérien(-ienne) ♦ *adv* au-dessus.

overhead locker *n* (*on plane*) compartiment *m* à bagages.

overhear [,əʊvə'hɪəʳ] (*pt & pp -heard*) *vt* entendre par hasard.

overheat [,əʊvə'hiːt] *vi* surchauffer.

overland ['əʊvəlænd] *adv* par voie de terre.

overlap [,əʊvə'læp] *vi* se chevaucher.

overleaf [,əʊvə'liːf] *adv* au verso, au dos.

overload [,əʊvə'ləʊd] *vt* surcharger.

overlook [*vb* ,əʊvə'lʊk, *n* 'əʊvəlʊk] *vt* (*subj: building, room*) donner sur; (*miss*) oublier ♦ *n*: (**scenic**) ~ (*Am*) point *m* de vue.

overnight [*adv* ,əʊvə'naɪt *adj* 'əʊvənaɪt] *adv* (*during the night*) pendant la nuit; (*until next day*) pour la nuit ♦ *adj* (*train, journey*) de nuit.

overnight bag *n* sac *m* de voyage.

overpass ['əʊvəpɑːs] *n* saut-de-mouton *m*.

overpowering [,əʊvə'paʊərɪŋ] *adj* (*heat*) accablant(-e); (*smell*) suffocant(-e).

oversaw [,əʊvə'sɔː] *pt* → oversee.

overseas [*adv* ,əʊvə'siːz, *adj* 'əʊvəsiːz] *adv* à l'étranger ♦ *adj* étranger(-ère); (*holiday*) à l'étranger.

oversee [,əʊvə'siː] (*pt -saw, pp -seen*) *vt* (*supervise*) superviser.

overshoot [,əʊvə'ʃuːt] (*pt & pp -shot*) *vt* (*turning, motorway exit*) manquer.

oversight ['əʊvəsaɪt] *n* oubli *m*.

oversleep [,əʊvə'sliːp] (*pt & pp -slept*) *vi* ne pas se réveiller à temps.

overtake [,əʊvə'teɪk] (*pt -took, pp -taken*) *vt & vi* doubler; "no overtaking" "dépassement interdit».

overtime ['əʊvətaɪm] *n* heures *fpl* supplémentaires.

overtook [,əʊvə'tʊk] *pt* → overtake.

overture [,əʊvə'tjʊəʳ] *n* ouverture *f*.

overturn [,əʊvə'tɜːn] *vi* se retourner.

overweight [,əʊvə'weɪt] *adj* trop gros (grosse).

overwhelm [,əʊvə'welm] *vt* (*with joy*) combler; (*with sadness*) accabler.

owe [əʊ] *vt* devoir; **to ~ sb sthg** devoir qqch à qqn; **owing to** en raison de.

owl [aʊl] *n* chouette *f*.

own [əʊn] *adj* propre ♦ *vt* avoir, posséder ♦ *pron*: **a room of my ~** une chambre pour moi tout seul; **on my ~** (*alone*) tout seul; **to get one's ~ back** prendre sa revanche ❑ **own up** *vi*: **to ~ up (to sthg)** avouer (qqch).

owner ['əʊnəʳ] *n* propriétaire *mf*.

ownership ['əʊnəʃɪp] n propriété f.

ox [ɒks] (pl **oxen** ['ɒksən]) n bœuf
m.

oxtail soup ['ɒksteɪl-] n soupe f
à la queue de bœuf.

oxygen ['ɒksɪdʒən] n oxygène m.

oyster ['ɔɪstəʳ] n huître f.

oz abbr = ounce.

ozone-friendly ['əʊzəʊn-] adj
qui préserve la couche d'ozone.

P

p (abbr of page) p. ♦ abbr = **penny,
pence**.

pace [peɪs] n (speed) vitesse f,
allure f; (step) pas m.

pacemaker ['peɪs,meɪkəʳ] n (for
heart) pacemaker m.

Pacific [pə'sɪfɪk] n: **the ~ (Ocean)**
le Pacifique, l'océan m Pacifique.

pacifier ['pæsɪfaɪəʳ] n (Am: for
baby) tétine f.

pacifist ['pæsɪfɪst] n pacifiste mf.

pack [pæk] n (packet) paquet m;
(Br: of cards) paquet, jeu m; (rucksack) sac m à dos ♦ vt emballer;
(suitcase, bag) faire ♦ vi (for journey)
faire ses valises; a ~ of lies un tissu
de mensonges; **to ~ sthg into sthg**
entasser qqch dans qqch; **to ~
one's bags** faire ses valises ❑ **pack
up** vi (pack suitcase) faire sa valise;
(tidy up) ranger; (Br: inf: machine,

car) tomber en rade.

package ['pækɪdʒ] n (parcel)
paquet m; (COMPUT) progiciel m ♦
vt emballer.

package holiday n voyage à
prix forfaitaire incluant transport et
hébergement.

package tour n voyage m
organisé.

packaging ['pækɪdʒɪŋ] n (material) emballage m.

packed [pækt] adj (crowded)
bondé(-e).

packed lunch n panier-repas
m.

packet ['pækɪt] n paquet m; **it
cost a ~** (Br: inf) ça a coûté un
paquet.

packing ['pækɪŋ] n (material)
emballage m; **to do one's ~** (for
journey) faire ses valises.

pad [pæd] n (of paper) bloc m; (of
cloth, cotton wool) tampon m; **knee ~**
genouillère f.

padded ['pædɪd] adj (jacket, seat)
rembourré(-e).

padded envelope n en-
veloppe f matelassée.

paddle ['pædl] n (pole) pagaie f ♦
vi (wade) barboter; (in canoe)
pagayer.

paddling pool ['pædlɪŋ-] n
pataugeoire f.

paddock ['pædək] n (at racecourse) paddock m.

padlock ['pædlɒk] n cadenas m.

page [peɪdʒ] n page f ♦ vt (call)
appeler (par haut-parleur); **"paging
Mr Hill"** «on demande M. Hill».

paid [peɪd] pt & pp → **pay** ♦ adj
(holiday, work) payé(-e).

pain [peɪn] n douleur f; **to be in ~**

(physical) souffrir; **he's such a ~!** *(inf)* il est vraiment pénible! ◻

pains *npl (trouble)* peine *f*.

painful ['peinful] *adj* douloureux(-euse).

painkiller ['pein,kilə'] *n* analgésique *m*.

paint [peint] *n* peinture *f* ◆ *vt & vi* peindre; **to ~ one's nails** se mettre du vernis à ongles.

paintbrush ['peintbrʌʃ] *n* pinceau *m*.

painter ['peintə'] *n* peintre *m*.

painting ['peintiŋ] *n* peinture *f*.

pair [peə'] *n (of two things)* paire *f*; **in ~s** par deux; **a ~ of pliers** une pince; **a ~ of scissors** une paire de ciseaux; **a ~ of shorts** un short; **a ~ of tights** un collant; **a ~ of trousers** un pantalon.

pajamas [pə'dʒɑ:məz] *(Am)* = **pyjamas**.

Pakistan [*Br* ,pɑ:ki'stɑ:n, *Am* ,pæki'stæn] *n* le Pakistan.

Pakistani [*Br* ,pɑ:ki'stɑ:ni, *Am* ,pæki'stæni] *adj* pakistanais(-e) ◆ *n (person)* Pakistanais *m* (-e *f*).

pakora [pə'kɔ:rə] *npl petits beignets de légumes épicés (spécialité indienne généralement servie en hors-d'œuvre avec une sauce elle-même épicée).*

pal [pæl] *n (inf)* pote *m*.

palace ['pælis] *n* palais *m*.

palatable ['pælətəbl] *adj (food, drink)* bon (bonne).

palate ['pælət] *n* palais *m*.

pale [peil] *adj* pâle.

pale ale *n* bière *f* blonde légère.

palm [pɑ:m] *n (of hand)* paume *f*; **~ (tree)** palmier *m*.

palpitations [,pælpi'teiʃnz] *npl* palpitations *fpl*.

pamphlet ['pæmflit] *n* brochure *f*.

pan [pæn] *n (saucepan)* casserole *f; (frying pan)* poêle *f*.

pancake ['pænkeik] *n* crêpe *f*.

pancake roll *n* rouleau *m* de printemps.

panda ['pændə] *n* panda *m*.

panda car *n (Br)* voiture *f* de patrouille.

pane [pein] *n (large)* vitre *f; (small)* carreau *m*.

panel ['pænl] *n (of wood)* panneau *m; (group of experts)* comité *m; (on TV, radio)* invités *mpl*.

paneling ['pænəliŋ] *(Am)* = **panelling**.

panelling ['pænəliŋ] *n (Br)* lambris *m*.

panic ['pænik] *(pt & pp -ked, cont -king)* *n* panique *f* ◆ *vi* paniquer.

panniers ['pæniəz] *npl (for bicycle)* sacoches *fpl*.

panoramic [,pænə'ræmik] *adj* panoramique.

pant [pænt] *vi* haleter.

panties ['pæntiz] *npl (inf)* culotte *f*.

pantomime ['pæntəmaim] *n (Br) spectacle de Noël.*

---

i **PANTOMIME**

Ces spectacles de Noël s'inspirant généralement de contes traditionnels sont des sortes de comédies musicales comiques destinées aux enfants. Le héros doit selon la tradition être joué par une jeune actrice alors que le rôle comique, celui de la vieille dame, est tenu par un acteur.

pantry ['pæntrɪ] n garde-manger m inv.

pants [pænts] npl (Br: underwear) slip m; (Am: trousers) pantalon m.

panty hose ['pæntɪ-] npl (Am) collant m.

papadum ['pæpədəm] n galette indienne très fine et croustillante.

paper ['peɪpər] n (material) papier m; (newspaper) journal m; (exam) épreuve f ◆ adj en papier; (cup, plate) en carton ◆ vt tapisser; a piece of ~ (sheet) une feuille de papier; (scrap) un bout de papier ❑ papers npl (documents) papiers mpl.

paperback ['peɪpəbæk] n livre m de poche.

paper bag n sac m en papier.

paperboy ['peɪpəbɔɪ] n livreur m de journaux.

paper clip n trombone m.

papergirl ['peɪpəgɜːl] n livreuse f de journaux.

paper handkerchief n mouchoir m en papier.

paper shop n marchand m de journaux.

paperweight ['peɪpəweɪt] n presse-papiers m inv.

paprika ['pæprɪkə] n paprika m.

par [pɑːr] n (in golf) par m.

paracetamol [ˌpærəˈsiːtəmɒl] n paracétamol m.

parachute ['pærəʃuːt] n parachute m.

parade [pəˈreɪd] n (procession) parade f; (of shops) rangée f de

magasins.

paradise ['pærədaɪs] n paradis m.

paraffin ['pærəfɪn] n paraffine f.

paragraph ['pærəɡrɑːf] n paragraphe m.

parallel ['pærəlel] adj: ~ (to) parallèle (à).

paralysed ['pærəlaɪzd] adj (Br) paralysé(-e).

paralyzed ['pærəlaɪzd] (Am) = **paralysed**.

paramedic [ˌpærəˈmedɪk] n aide-soignant m (-e f).

paranoid ['pærənɔɪd] adj paranoïaque.

parasite ['pærəsaɪt] n parasite m.

parasol ['pærəsɒl] n (above table, on beach) parasol m; (hand-held) ombrelle f.

parcel ['pɑːsl] n paquet m.

parcel post n: to send sthg by ~ envoyer qqch par colis postal.

pardon ['pɑːdn] excl: ~? pardon?; ~ (me)! pardon!, excusez-moi!; I beg your ~! (apologizing) je vous demande pardon!; I beg your ~? (asking for repetition) je vous demande pardon?

parent ['peərənt] n (father) père m; (mother) mère f; ~s parents mpl.

parish ['pærɪʃ] n (of church) paroisse f; (village area) commune f.

park [pɑːk] n parc m ◆ vt (vehicle) garer ◆ vi se garer.

park and ride n système de contrôle de la circulation qui consiste à se garer à l'extérieur des grandes villes, puis à utiliser des navettes pour aller au centre.

parking ['pɑːkɪŋ] n stationnement m; **"no ~"** «stationnement interdit», «défense de stationner».

parking brake n (Am) frein m à main.

parking lot n (Am) parking m.

parking meter n parcmètre m.

parking space n place f de parking.

parking ticket n contravention f (pour stationnement interdit).

parkway ['pɑːkweɪ] n (Am) voie principale dont le terre-plein central est planté d'arbres, de fleurs, etc.

parliament ['pɑːləmənt] n parlement m.

Parmesan (cheese) [pɑːmɪ'zæn-] n parmesan m.

parrot ['pærət] n perroquet m.

parsley ['pɑːslɪ] n persil m.

parsnip ['pɑːsnɪp] n panais m.

parson ['pɑːsn] n pasteur m.

part [pɑːt] n partie f; (of machine, car) pièce f; (in play, film) rôle m; (Am: in hair) raie f ♦ adv (partly) en partie ♦ vi (couple) se séparer; **in this ~ of France** dans cette partie de la France; **to form ~ of sthg** faire partie de qqch; **to play a ~ in sthg** jouer un rôle dans qqch; **to take ~ in sthg** prendre part à qqch; **for my ~** pour ma part; **for the most ~** dans l'ensemble; **in these ~s** dans cette région.

partial ['pɑːʃl] adj partiel(-ielle); **to be ~ to sthg** avoir un faible pour qqch.

participant [pɑː'tɪsɪpənt] n participant m (-e f).

participate [pɑː'tɪsɪpeɪt] vi: **to ~ (in)** participer (à).

particular [pə'tɪkjʊləʳ] adj particulier(-ière); (fussy) difficile; **in ~** en particulier; **nothing in ~** rien de particulier □ **particulars** npl (details) coordonnées fpl.

particularly [pə'tɪkjʊləlɪ] adv particulièrement.

parting ['pɑːtɪŋ] n (Br: in hair) raie f.

partition [pɑː'tɪʃn] n (wall) cloison f.

partly ['pɑːtlɪ] adv en partie.

partner ['pɑːtnəʳ] n (husband, wife) conjoint m (-e f); (lover) compagnon m (compagne f); (in game, dance) partenaire mf; (COMM) associé m (-e f).

partnership ['pɑːtnəʃɪp] n association f.

partridge ['pɑːtrɪdʒ] n perdrix f.

part-time adj & adv à temps partiel.

party ['pɑːtɪ] n (for fun) fête f; (POL) parti m; (group of people) groupe m; **to have a ~** organiser une fête.

pass [pɑːs] vt passer; (move past) passer devant; (person in street) croiser; (test, exam) réussir; (overtake) dépasser, doubler; (law) voter ♦ vi passer; (overtake) dépasser, doubler; (in test, exam) réussir ♦ n (document) laissez-passer m inv; (in mountain) col m; (in exam) mention f passable; (SPORT) passe f; **to ~ sb sthg** passer qqch à qqn □ **pass by** vt fus (building, window etc) passer devant ♦ vi passer; **pass on** vt sep (message) faire passer; **pass out** vi (faint) s'évanouir; **pass up** vt sep (opportunity) laisser passer.

passable ['pɑːsəbl] adj (road)

praticable; *(satisfactory)* passable.

passage ['pæsɪdʒ] *n* passage *m*; *(sea journey)* traversée *f*.

passageway ['pæsɪdʒweɪ] *n* passage *m*.

passenger ['pæsɪndʒəʳ] *n* passager *m* (-ère *f*).

passerby [ˌpɑːsə'baɪ] *n* passant *m* (-e *f*).

passing place ['pɑːsɪŋ-] *n* aire *f* de croisement.

passion ['pæʃn] *n* passion *f*.

passionate ['pæʃənət] *adj* passionné(-e).

passive ['pæsɪv] *n* (GRAMM) passif *m*.

passport ['pɑːspɔːt] *n* passeport *m*.

passport control *n* contrôle *m* des passeports.

passport photo *n* photo *f* d'identité.

password ['pɑːswɜːd] *n* mot *m* de passe.

past [pɑːst] *adj (earlier, finished)* passé(-e); *(last)* dernier(-ière); *(former)* ancien(-ienne) ♦ *prep (further than)* après; *(in front of)* devant ♦ *n (former time)* passé *m* ♦ *adv*: **to go ~** passer devant; **~ (tense)** (GRAMM) passé *m*; **the ~ month** le mois dernier; **the ~ few days** ces derniers jours; **twenty ~ four** quatre heures vingt; **she walked ~ the window** elle est passée devant la fenêtre; **in the ~** autrefois.

pasta ['pæstə] *n* pâtes *fpl*.

paste [peɪst] *n (spread)* pâte *f*; *(glue)* colle *f*.

pastel ['pæstl] *n* pastel *m*.

pasteurized ['pɑːstʃəraɪzd] *adj* pasteurisé(-e).

pastille ['pæstɪl] *n* pastille *f*.

pastime ['pɑːstaɪm] *n* passe-temps *m inv*.

pastry ['peɪstrɪ] *n (for pie)* pâte *f*; *(cake)* pâtisserie *f*.

pasture ['pɑːstʃəʳ] *n* pâturage *m*.

pasty ['pæstɪ] *n (Br)* friand *m*.

pat [pæt] *vt* tapoter.

patch [pætʃ] *n (for clothes)* pièce *f*; *(of colour, damp)* tache *f*; *(for skin)* pansement *m*; *(for eye)* bandeau *m*; **a bad ~** *(fig)* une mauvaise passe.

pâté ['pæteɪ] *n* pâté *m*.

patent [*Br* 'peɪtənt, *Am* 'pætənt] *n* brevet *m*.

path [pɑːθ] *n (in country)* sentier *m*; *(in garden, park)* allée *f*.

pathetic [pə'θetɪk] *adj (pej: useless)* minable.

patience ['peɪʃns] *n (quality)* patience *f*; *(Br: card game)* patience *f*, réussite *f*.

patient ['peɪʃnt] *adj* patient(-e) ♦ *n* patient *m* (-e *f*).

patio ['pætɪəʊ] *n* patio *m*.

patriotic [*Br* ˌpætrɪ'ɒtɪk, *Am* ˌpeɪtrɪ'ɒtɪk] *adj (person)* patriote; *(song)* patriotique.

patrol [pə'trəʊl] *vt* patrouiller dans ♦ *n (group)* patrouille *f*.

patrol car *n* voiture *f* de patrouille.

patron ['peɪtrən] *n (fml: customer)* client *m* (-e *f*); **"~s only"** «réservé aux clients».

patronizing ['pætrənaɪzɪŋ] *adj* condescendant(-e).

pattern ['pætn] *n* dessin *m*; *(for sewing)* patron *m*.

patterned ['pætənd] *adj* à motifs.

pause [pɔːz] n pause f ♦ vi faire une pause.

pavement ['peɪvmənt] n (Br: beside road) trottoir m; (Am: roadway) chaussée f.

pavilion [pə'vɪljən] n pavillon m.

paving stone ['peɪvɪŋ-] n pavé m.

paw [pɔː] n patte f.

pawn [pɔːn] vt mettre en gage ♦ n (in chess) pion m.

pay [peɪ] (pt & pp paid) vt & vi payer ♦ n (salary) paie f; **I paid £30 for these shoes** j'ai payé ces chaussures 30 livres; **to ~ sb for sthg** payer qqn pour qqch; **to ~ money into an account** verser de l'argent sur un compte; **to ~ attention (to)** faire attention (à); **to ~ sb a visit** rendre visite à qqn; **to ~ by credit card** payer OR régler par carte de crédit ❑ **pay back** vt sep rembourser; **pay for** vt fus (purchase) payer; **pay in** vt sep (cheque, money) déposer sur un compte; **pay out** vt sep (money) verser; **pay up** vi payer.

payable ['peɪəbl] adj payable; **~ to** (cheque) à l'ordre de.

payment ['peɪmənt] n paiement m.

payphone ['peɪfəʊn] n téléphone m public.

PC n (abbr of personal computer) PC m ♦ abbr (Br) = **police constable**.

PE n (abbr of physical education) EPS f.

pea [piː] n petit pois m.

peace [piːs] n (no anxiety) tranquillité f; (no war) paix f; **to leave sb in ~** laisser qqn tranquille; **~ and quiet** tranquillité f.

peaceful ['piːsfʊl] adj (place, day) tranquille; (demonstration) pacifique.

peach [piːtʃ] n pêche f.

peach melba [-'melbə] n pêche f Melba.

peacock ['piːkɒk] n paon m.

peak [piːk] n (of mountain) sommet m; (of hat) visière f; (fig: highest point) point m culminant.

peak hours npl (of traffic) heures fpl de pointe; (for telephone, electricity) période f de pointe.

peak rate n tarif m normal.

peanut ['piːnʌt] n cacah(o)uète f.

peanut butter n beurre m de cacah(o)uète.

pear [peə'] n poire f.

pearl [pɜːl] n perle f.

peasant ['peznt] n paysan m (-anne f).

pebble ['pebl] n galet m.

pecan pie ['piːkæn-] n tarte f aux noix de pécan.

peck [pek] vi picorer.

peculiar [pɪ'kjuːljə'] adj (strange) bizarre; **to be ~ to** (exclusive) être propre à.

peculiarity [pɪ,kjuːlɪ'ærətɪ] n (special feature) particularité f.

pedal ['pedl] n pédale f ♦ vi pédaler.

pedal bin n poubelle f à pédale.

pedalo ['pedələʊ] n pédalo m.

pedestrian [pɪ'destrɪən] n piéton m.

pedestrian crossing n passage m clouté, passage m (pour) piétons.

pedestrianized [pɪ'destrɪənaɪzd] adj piétonnier(-ière).

pedestrian precinct n (Br) zone f piétonnière.

pedestrian zone (Am) = **pedestrian precinct**.

pee [piː] vi (inf) faire pipi ♦ n: to have a ~ (inf) faire pipi.

peel [piːl] n (of banana) peau f; (of apple, onion) pelure f; (of orange, lemon) écorce f ♦ vt (fruit, vegetables) éplucher, peler ♦ vi (paint) s'écailler; (skin) peler.

peep [piːp] n: to have a ~ jeter un coup d'œil.

peer [pɪəʳ] vi regarder attentivement.

peg [peg] n (for tent) piquet m; (hook) patère f; (for washing) pince f à linge.

pelican crossing ['pelɪkən-] n (Br) passage clouté où l'arrêt des véhicules peut être commandé par les piétons en appuyant sur un bouton.

pelvis ['pelvɪs] n bassin m.

pen [pen] n (ballpoint pen) stylo m (à) bille; (fountain pen) stylo m (à) plume; (for animals) enclos m.

penalty ['penltɪ] n (fine) amende f; (in football) penalty m.

pence [pens] npl pence mpl; it costs 20 ~ ça coûte 20 pence.

pencil ['pensl] n crayon m.

pencil case n trousse f.

pencil sharpener n taille-crayon m.

pendant ['pendənt] n (on necklace) pendentif m.

pending ['pendɪŋ] prep (fml) en attendant.

penetrate ['penɪtreɪt] vt pénétrer dans.

penfriend ['penfrend] n correspondant m (-e f).

penguin ['pengwɪn] n pingouin m.

penicillin [penɪ'sɪlɪn] n pénicilline f.

peninsula [pə'nɪnsjulə] n péninsule f.

penis ['piːnɪs] n pénis m.

penknife ['pennaɪf] (pl -knives) n canif m.

penny ['penɪ] (pl pennies) n (in UK) penny m; (in US) cent m.

pension ['penʃn] n (for retired people) retraite f; (for disabled people) pension f.

pensioner ['penʃənəʳ] n retraité m (-e f).

penthouse ['penthaus, pl -hauzɪz] n appartement de luxe au dernier étage d'un immeuble.

penultimate [pe'nʌltɪmət] adj avant-dernier(-ière).

people ['piːpl] npl personnes fpl; (in general) gens mpl ♦ n (nation) peuple m; the ~ (citizens) la population; French ~ les Français mpl.

pepper ['pepəʳ] n (spice) poivre m; (sweet vegetable) poivron m; (hot vegetable) piment m.

peppercorn ['pepəkɔːn] n grain m de poivre.

peppermint ['pepəmɪnt] adj à la menthe ♦ n (sweet) bonbon m à la menthe.

pepper pot n poivrière f.

pepper steak n steak m au poivre.

Pepsi® ['pepsɪ] n Pepsi® m.

per [pɜːʳ] prep par; 80p ~ kilo 80 pence le kilo; ~ person par personne; three times ~ week trois fois par semaine; £20 ~ night 20 livres la nuit.

perceive [pə'siːv] vt percevoir.

per cent adv pour cent.

percentage [pə'sentɪdʒ] n pourcentage m.

perch [pɜːtʃ] n perchoir m.

percolator [pɜːkəleɪtəʳ] n cafetière f à pression.

perfect [adj & n 'pɜːfɪkt, vb pə'fekt] adj parfait(-e) ◆ vt perfectionner ◆ n: **the ~ (tense)** le parfait.

perfection [pə'fekʃn] n: **to do sthg to ~** faire qqch à la perfection.

perfectly ['pɜːfɪktlɪ] adv parfaitement.

perform [pə'fɔːm] vt (task, operation) exécuter; (play) jouer; (concert) donner ◆ vi (actor, band) jouer; (singer) chanter.

performance [pə'fɔːməns] n (of play) représentation f; (of film) séance f; (by actor, musician) interprétation f; (of car) performances fpl.

performer [pə'fɔːməʳ] n artiste mf.

perfume ['pɜːfjuːm] n parfum m.

perhaps [pə'hæps] adv peut-être.

perimeter [pə'rɪmɪtəʳ] n périmètre m.

period ['pɪərɪəd] n (of time) période f; (SCH) heure f; (menstruation) règles fpl; (of history) époque f; (Am: full stop) point m ◆ adj (costume, furniture) d'époque; **sunny ~s** éclaircies fpl.

periodic [,pɪərɪ'ɒdɪk] adj périodique.

period pains npl règles fpl douloureuses.

periphery [pə'rɪfərɪ] n péri-

phérie f.

perishable ['perɪʃəbl] adj périssable.

perk [pɜːk] n avantage m en nature.

perm [pɜːm] n permanente f ◆ vt: **to have one's hair ~ed** se faire faire une permanente.

permanent ['pɜːmənənt] adj permanent(-e).

permanent address n adresse f permanente.

permanently ['pɜːmənəntlɪ] adv en permanence.

permissible [pə'mɪsəbl] adj (fml) autorisé(-e).

permission [pə'mɪʃn] n permission f, autorisation f.

permit [vb pə'mɪt, n 'pɜːmɪt] vt (allow) permettre, autoriser ◆ n permis m; **to ~ sb to do sthg** permettre à qqn de faire qqch, autoriser qqn à faire qqch; **"~ holders only"** panneau ou inscription sur la chaussée indiquant qu'un parking n'est accessible que sur permis spécial.

perpendicular [,pɜːpən'dɪkjuləʳ] adj perpendiculaire.

persevere [,pɜːsɪ'vɪəʳ] vi persévérer.

persist [pə'sɪst] vi persister; **to ~ in doing sthg** persister à faire qqch.

persistent [pə'sɪstənt] adj persistant(-e); (person) obstiné(-e).

person ['pɜːsn] (pl **people**) n personne f; **she's an interesting ~** c'est quelqu'un d'intéressant; **in ~** en personne.

personal ['pɜːsənl] adj personnel(-elle); (life) privé(-e); (rude) désobligeant(-e); (question) indiscret (-ète); **a ~ friend** un ami intime.

personal assistant n secré-taire m particulier (secrétaire par-ticulière f).

personal belongings npl objets mpl personnels.

personal computer n PC m.

personality [ˌpɜːsəˈnælətɪ] n personnalité f.

personally [ˈpɜːsnəlɪ] adv per-sonnellement.

personal property n objets mpl personnels.

personal stereo n baladeur m, Walkman® m.

personnel [ˌpɜːsəˈnel] npl per-sonnel m.

perspective [pəˈspektɪv] n (of drawing) perspective f; (opinion) point m de vue.

Perspex® [ˈpɜːspeks] n (Br) = Plexiglas® m.

perspiration [ˌpɜːspəˈreɪʃn] n transpiration f.

persuade [pəˈsweɪd] vt: to ~ sb (to do sthg) persuader qqn (de faire qqch); to ~ sb that ... per-suader qqn que ...

persuasive [pəˈsweɪsɪv] adj per-suasif(-ive).

pervert [ˈpɜːvɜːt] n pervers m (-e f).

pessimist [ˈpesɪmɪst] n pessi-miste mf.

pessimistic [ˌpesɪˈmɪstɪk] adj pessimiste.

pest [pest] n (insect, animal) nuisi-ble m; (inf: person) casse-pieds mf inv.

pester [ˈpestər] vt harceler.

pesticide [ˈpestɪsaɪd] n pesticide m.

pet [pet] n animal m (domesti-

que); **the teacher's ~** le chouchou du professeur.

petal [ˈpetl] n pétale m.

pet food n nourriture f pour animaux (domestiques).

petition [pɪˈtɪʃn] n (letter) péti-tion f.

petrified [ˈpetrɪfaɪd] adj (fright-ened) pétrifié(-e) de peur.

petrol [ˈpetrəl] n (Br) essence f.

petrol can n (Br) bidon m à essence.

petrol cap n (Br) bouchon m du réservoir d'essence.

petrol gauge n (Br) jauge f à essence.

petrol pump n (Br) pompe f à essence.

petrol station n (Br) station-service f.

petrol tank n (Br) réservoir m d'essence.

pet shop n animalerie f.

petticoat [ˈpetɪkəʊt] n jupon m.

petty [ˈpetɪ] adj (pej: person, rule) mesquin(-e).

petty cash n caisse f des dépenses courantes.

pew [pjuː] n banc m (d'église).

pewter [ˈpjuːtər] adj en étain.

PG (abbr of parental guidance) sigle indiquant qu'un film peut être vu par des enfants sous contrôle de leurs parents.

pharmacist [ˈfɑːməsɪst] n phar-macien m (-ienne f).

pharmacy [ˈfɑːməsɪ] n (shop) pharmacie f.

phase [feɪz] n phase f.

PhD n doctorat m de troisième cycle.

pheasant [ˈfeznt] n faisan m.

phenomena [fɪ'nɒmɪnə] pl → phenomenon.

phenomenal [fɪ'nɒmɪnl] adj phénoménal(-e).

phenomenon [fɪ'nɒmɪnən] (pl **-mena**) n phénomène m.

Philippines ['fɪlɪpi:nz] npl: the ~ les Philippines fpl.

philosophy [fɪ'lɒsəfɪ] n philosophie f.

phlegm [flem] n glaire f.

phone [fəʊn] n téléphone m ◆ vt (Br) téléphoner à ◆ vi (Br) téléphoner; **to be on the ~** (talking) être au téléphone; (connected) avoir le téléphone ❑ **phone up** vt sep téléphoner à ◆ vi téléphoner.

phone book n annuaire m (téléphonique).

phone booth n cabine f téléphonique.

phone box n (Br) cabine f téléphonique.

phone call n coup m de téléphone.

phonecard ['fəʊnkɑ:d] n Télécarte® f.

phone number n numéro m de téléphone.

photo ['fəʊtəʊ] n photo f; **to take a ~ of sb/sthg** prendre qqn/qqch en photo.

photo album n album m (de) photos.

photocopier [,fəʊtəʊ'kɒpɪəʳ] n photocopieuse f.

photocopy ['fəʊtəʊ,kɒpɪ] n photocopie f ◆ vt photocopier.

photograph ['fəʊtəgrɑ:f] n photographie f ◆ vt photographier.

photographer [fə'tɒgrəfəʳ] n photographe mf.

photography [fə'tɒgrəfɪ] n photographie f.

phrase [freɪz] n expression f.

phrasebook ['freɪzbʊk] n guide m de conversation.

physical ['fɪzɪkl] adj physique ◆ n visite f médicale.

physical education n éducation f physique.

physically handicapped ['fɪzɪklɪ-] adj handicapé(-e) physique.

physics ['fɪzɪks] n physique f.

physiotherapy [,fɪzɪəʊ'θerəpɪ] n kinésithérapie f.

pianist ['pɪənɪst] n pianiste mf.

piano [pɪ'ænəʊ] (pl **-s**) n piano m.

pick [pɪk] vt (select) choisir; (fruit, flowers) cueillir ◆ n (pickaxe) pioche f; **to ~ a fight** chercher la bagarre; **to ~ one's nose** se mettre les doigts dans le nez; **to take one's ~** faire son choix ❑ **pick on** vt fus s'en prendre à; **pick out** vt sep (select) choisir; (see) repérer; **pick up** vt sep (fallen object) ramasser; (fallen person) relever; (collect) passer prendre; (skill, language) apprendre; (hitchhiker) prendre; (collect in car) aller chercher; (inf: woman, man) draguer ◆ vi (improve) reprendre.

pickaxe ['pɪkæks] n pioche f.

pickle ['pɪkl] n (Br: food) pickles mpl; (Am: gherkin) cornichon m.

pickled onion ['pɪkld-] n oignon m au vinaigre.

pickpocket ['pɪk,pɒkɪt] n pickpocket m.

pick-up (truck) n pick-up m inv.

picnic ['pɪknɪk] n pique-nique m.

picnic area n aire f de pique-nique.

picture ['pɪktʃəʳ] n (painting) tableau m; (drawing) dessin m; (photograph) photo f; (in book, on TV) image f; (film) film m ◆ **pictures** npl: **the ~s** (Br) le cinéma.

picture frame n cadre m.

picturesque [ˌpɪktʃə'resk] adj pittoresque.

pie [paɪ] n (savoury) tourte f; (sweet) tarte f.

piece [piːs] n morceau m; (component, in chess) pièce f; **a ~ of furniture** un meuble; **a 20p ~** une pièce de 20 pence; **a ~ of advice** un conseil; **to fall to ~s** tomber en morceaux; **in one ~** (intact) intact; (unharmed) sain et sauf.

pier [pɪəʳ] n jetée f.

pierce [pɪəs] vt percer; **to have one's ears ~d** se faire percer les oreilles.

pig [pɪɡ] n cochon m, porc m; (inf: greedy person) goinfre mf.

pigeon ['pɪdʒɪn] n pigeon m.

pigeonhole ['pɪdʒɪnhəʊl] n casier m.

pigskin ['pɪɡskɪn] adj peau f de porc.

pigtail ['pɪɡteɪl] n natte f.

pike [paɪk] n (fish) brochet m.

pilau rice ['paɪlaʊ-] n riz m pilaf.

pilchard ['pɪltʃəd] n pilchard m.

pile [paɪl] n (heap) tas m; (neat stack) pile f ◆ vt (neatly) empiler; **~s of** (inf: a lot) des tas de □ **pile up** vt (neatly) entasser; (untidily) empiler ◆ vi (accumulate) s'entasser.

piles [paɪlz] npl (MED) hémorroïdes fpl.

pileup ['paɪlʌp] n carambolage m.

pill [pɪl] n pilule f.

pillar ['pɪləʳ] n pilier m.

pillar box n (Br) boîte f aux lettres.

pillion ['pɪljən] n: **to ride ~** monter derrière.

pillow ['pɪləʊ] n (for bed) oreiller m; (Am: on chair, sofa) coussin m.

pillowcase ['pɪləʊkeɪs] n taie f d'oreiller.

pilot ['paɪlət] n pilote m.

pilot light n veilleuse f.

pimple ['pɪmpl] n bouton m.

pin [pɪn] n (for sewing) épingle f; (drawing pin) punaise f; (safety pin) épingle f de nourrice; (Am: brooch) broche f; (Am: badge) badge m ◆ vt épingler; **a two-~ plug** une prise à deux fiches; **to have ~s and needles** avoir les fourmis.

pinafore ['pɪnəfɔːʳ] n (apron) tablier m; (Br: dress) robe f chasuble.

pinball ['pɪnbɔːl] n flipper m.

pincers ['pɪnsəz] npl (tool) tenailles fpl.

pinch [pɪntʃ] vt (squeeze) pincer; (Br: inf: steal) piquer ◆ n (of salt) pincée f.

pine [paɪn] n pin m ◆ adj en pin.

pineapple ['paɪnæpl] n ananas m.

pink [pɪŋk] adj rose ◆ n rose m.

pinkie ['pɪŋkɪ] n (Am) petit doigt m.

PIN number n code m confidentiel.

pint [paɪnt] n (in UK) = 0,568 l, = demi-litre m; (in US) = 0,473 l, = demi-litre m.

plane

pip [pɪp] n pépin m.

pipe [paɪp] n (for smoking) pipe f; (for gas, water) tuyau m.

pipe cleaner n cure-pipe m.

pipeline ['paɪplaɪn] n (for gas) gazoduc m; (for oil) oléoduc m.

pipe tobacco n tabac m pour pipe.

pirate ['paɪrət] n pirate m.

Pisces ['paɪsiːz] n Poissons mpl.

piss [pɪs] vi (vulg) pisser ◆ n: to have a ~ (vulg) pisser; it's ~ing down (vulg) il pleut comme vache qui pisse.

pissed [pɪst] adj (Br: vulg: drunk) bourré(-e); (Am: vulg: angry) en rogne.

pissed off adj (vulg): to be ~ en avoir ras le bol.

pistachio [pɪ'stɑːʃɪəʊ] n pistache f ◆ adj (flavour) à la pistache.

pistol ['pɪstl] n pistolet m.

piston ['pɪstən] n piston m.

pit [pɪt] n (hole) trou m; (coalmine) mine f; (for orchestra) fosse f; (Am: in fruit) noyau m.

pitch [pɪtʃ] n (Br: SPORT) terrain m ◆ vt (throw) jeter; to ~ a tent monter une tente.

pitcher ['pɪtʃər] n (large jug) cruche f; (Am: small jug) pot m.

pitfall ['pɪtfɔːl] n piège m.

pith [pɪθ] n (of orange) peau f blanche.

pitta (bread) ['pɪtə-] n pita m.

pitted ['pɪtɪd] adj (olives) dénoyauté(-e).

pity ['pɪtɪ] n (compassion) pitié f; to have ~ on sb avoir pitié de qqn; it's a ~ (that) ... c'est dommage que ...; what a ~! quel dommage!

pivot ['pɪvət] n pivot m.

pizza ['piːtsə] n pizza f.

pizzeria [ˌpiːtsə'riːə] n pizzeria f.

Pl. (abbr of Place) Pl.

placard ['plækɑːd] n placard m.

place [pleɪs] n (location) endroit m; (house) maison f; (flat) appartement m; (seat, position, in race, list) place f; (at table) couvert m ◆ vt (put) placer; (an order) passer; at my ~ (house, flat) chez moi; in the first ~ premièrement; to take place avoir lieu; to take sb's ~ (replace) prendre la place de qqn; all over the ~ partout; in ~ of au lieu de; to ~ a bet parier.

place mat n set m (de table).

placement ['pleɪsmənt] n (work experience) stage m (en entreprise).

place of birth n lieu m de naissance.

plague [pleɪg] n peste f.

plaice [pleɪs] n carrelet m.

plain [pleɪn] adj (not decorated) uni(-e); (simple) simple; (yoghurt) nature (inv); (clear) clair(-e); (paper) non réglé(-e); (pej: not attractive) quelconque ◆ n plaine f.

plain chocolate n chocolat m à croquer.

plainly ['pleɪnlɪ] adv (obviously) manifestement; (distinctly) clairement.

plait [plæt] n natte f ◆ vt tresser.

plan [plæn] n plan m, projet m; (drawing) plan ◆ vt (organize) organiser; have you any ~s for tonight? as-tu quelque chose de prévu pour ce soir?; according to ~ comme prévu; to ~ to do sthg, to ~ on doing sthg avoir l'intention de faire qqch.

plane [pleɪn] n (aeroplane) avion

m; (tool) rabot *m*.

planet ['plænɪt] *n* planète *f*.

plank [plæŋk] *n* planche *f*.

plant [plɑːnt] *n* plante *f; (factory)* usine *f* ◆ *vt* planter; **"heavy ~ crossing**" «sortie d'engins».

plantation [plæn'teɪʃn] *n* plantation *f*.

plaque [plɑːk] *n (plate)* plaque *f; (on teeth)* plaque *f* dentaire.

plaster ['plɑːstə*] *n (Br: for cut)* pansement *m; (for walls)* plâtre *m;* in ~ *(arm, leg)* dans le plâtre.

plaster cast *n* plâtre *m*.

plastic ['plæstɪk] *n* plastique *m* ◆ *adj* en plastique.

plastic bag *n* sac *m* (en) plastique.

Plasticine® ['plæstɪsiːn] *n (Br)* pâte *f* à modeler.

plate [pleɪt] *n* assiette *f; (for serving food)* plat *m; (of metal, glass)* plaque *f*.

plateau ['plætəʊ] *n* plateau *m*.

plate-glass *adj* fait(-e) d'une seule vitre.

platform ['plætfɔːm] *n (at railway station)* quai *m; (raised structure)* plate-forme *f*.

platinum ['plætɪnəm] *n* platine *m*.

platter ['plætə*] *n (of food)* plateau *m*.

play [pleɪ] *vt (sport, game)* jouer à; *(musical instrument)* jouer de; *(piece of music, role)* jouer; *(opponent)* jouer contre; *(CD, tape, record)* passer ◆ *vi* jouer ◆ *n (in theatre)* pièce *f* (de théâtre); *(on TV)* dramatique *f; (button on CD, tape recorder)* bouton *m* de mise en marche ❑ **play back** *vt sep* repasser; **play up** *vi (machine,*

car) faire des siennes.

player ['pleɪə*] *n* joueur *m* (-euse *f*); piano ~ pianiste *mf*.

playful ['pleɪfʊl] *adj* joueur (-euse).

playground ['pleɪgraʊnd] *n (in school)* cour *f* de récréation; *(in park etc)* aire *f* de jeux.

playgroup ['pleɪgruːp] *n* jardin *m* d'enfants.

playing card ['pleɪɪŋ-] *n* carte *f* à jouer.

playing field ['pleɪɪŋ-] *n* terrain *m* de sport.

playroom ['pleɪrʊm] *n* salle *f* de jeux.

playschool ['pleɪskuːl] = **playgroup**.

playtime ['pleɪtaɪm] *n* récréation *f*.

playwright ['pleɪraɪt] *n* auteur *m* dramatique.

plc *(Br: abbr of public limited company)* = SARL.

pleasant ['pleznt] *adj* agréable.

please [pliːz] *adv* s'il te/vous plaît ◆ *vt* faire plaisir à; **yes ~!** oui, s'il te/vous plaît!; **whatever you ~** ce que vous voulez; **"~ shut the door**" «veuillez fermer la porte».

pleased [pliːzd] *adj* content(-e); **to be ~ with** être content de; **~ to meet you!** enchanté(-e)!

pleasure ['pleʒə*] *n* plaisir *m;* with ~ avec plaisir, volontiers; it's a ~! je vous en prie!

pleat [pliːt] *n* pli *m*.

pleated ['pliːtɪd] *adj* plissé(-e).

plentiful ['plentɪfʊl] *adj* abondant(-e).

plenty ['plentɪ] *pron:* there's ~ il y en a largement assez; ~ **of beau-**

coup de.

pliers ['plaɪəz] npl pince f.

plimsoll ['plɪmsɒl] n (Br) tennis m (chaussure).

plonk [plɒŋk] n (Br: inf: wine) pinard m.

plot [plɒt] n (scheme) complot m; (of story, film, play) intrigue f; (of land) parcelle f de terrain.

plough [plaʊ] n (Br) charrue f ♦ vt (Br) labourer.

ploughman's (lunch) ['plaʊmənz] n (Br) assiette composée de fromage et de pickles accompagnés de pain, généralement servie dans les pubs.

plow [plaʊ] (Am) = plough.

ploy [plɔɪ] n ruse f.

pluck [plʌk] vt (eyebrows) épiler; (chicken) plumer.

plug [plʌg] n (electrical) prise f (de courant); (for bath, sink) bonde f ▫ **plug in** vt sep brancher.

plughole ['plʌghəʊl] n bonde f.

plum [plʌm] n prune f.

plumber ['plʌmə'] n plombier m.

plumbing ['plʌmɪŋ] n (pipes) plomberie f.

plump [plʌmp] adj dodu(-e).

plunge [plʌndʒ] vi (fall, dive) plonger; (decrease) dégringoler.

plunge pool n petite piscine f.

plunger ['plʌndʒə'] n (for unblocking pipe) déboucher m à ventouse.

pluperfect (tense) [.plu:-'pɜ:fɪkt-] n: **the ~** le plus-que-parfait.

plural ['plʊərəl] n pluriel m; **in the ~** au pluriel.

plus [plʌs] prep plus ♦ adj: **30 ~** 30 ou plus.

plush [plʌʃ] adj luxueux(-euse).

plywood ['plaɪwʊd] n contreplaqué m.

p.m. (abbr of post meridiem): **3 ~** 15 h.

PMT n (abbr of premenstrual tension) syndrome m prémenstruel.

pneumatic drill [nju:'mætɪk-] n marteau m piqueur.

pneumonia [nju:'məʊnjə] n pneumonie f.

poached egg [pəʊtʃt-] n œuf m poché.

poached salmon [pəʊtʃt-] n saumon m poché.

poacher ['pəʊtʃə'] n braconnier m.

PO Box n (abbr of Post Office Box) BP f.

pocket [pɒkɪt] n poche f; (on car door) vide-poche m ♦ adj (camera, calculator) de poche.

pocketbook ['pɒkɪtbʊk] n (notebook) carnet m; (Am: handbag) sac m à main.

pocket money n (Br) argent m de poche.

podiatrist [pə'daɪətrɪst] n (Am) pédicure mf.

poem ['pəʊɪm] n poème m.

poet ['pəʊɪt] n poète m.

poetry ['pəʊɪtrɪ] n poésie f.

point [pɔɪnt] n point m; (tip) pointe f; (place) endroit m; (moment) moment m; (purpose) but m; (Br: for plug) prise f ♦ vi: **to ~ to** (with finger) montrer du doigt; (arrow, sign) pointer vers; **five ~ seven** virgule sept; **what's the ~?** à quoi bon?; **there's no ~** ça ne sert à rien; **to be on the ~ of doing sthg** être sur le point de faire qqch

❏ **points** npl (Br: on railway) aiguillage m; **point out** vt sep (object, person) montrer; (fact, mistake) signaler.

pointed ['pɔɪntɪd] adj (in shape) pointu(-e).

pointless ['pɔɪntlɪs] adj inutile.

point of view n point m de vue.

poison ['pɔɪzn] n poison m ◆ vt empoisonner.

poisoning ['pɔɪznɪŋ] n empoisonnement m.

poisonous ['pɔɪzənəs] adj (food, gas, substance) toxique; (snake, spider) venimeux(-euse); (plant, mushroom) vénéneux(-euse).

poke [pəʊk] vt pousser.

poker ['pəʊkə'] n (card game) poker m.

Poland ['pəʊlənd] n la Pologne.

polar bear ['pəʊlə-] n ours m blanc OR polaire.

Polaroid® ['pəʊlərɔɪd] n Polaroid® m.

pole [pəʊl] n poteau m.

Pole [pəʊl] n (person) Polonais m (-e f).

police [pə'liːs] npl: **the ~** la police.

police car n voiture f de police.

police force n police f.

policeman [pə'liːsmən] (pl **-men** [-mən]) n policier m.

police officer n policier m.

police station n poste m de police, commissariat m.

policewoman [pə'liːsˌwʊmən] (pl **-women** [-ˌwɪmɪn]) n femme f policier.

policy ['pɒləsɪ] n (approach, attitude) politique f; (for insurance) police f.

policy-holder n assuré m (-e f).

polio ['pəʊlɪəʊ] n polio f.

polish ['pɒlɪʃ] n (for shoes) cirage m; (for floor, furniture) cire f ◆ vt cirer.

Polish ['pəʊlɪʃ] adj polonais(-e) ◆ n (language) polonais m ◆ npl: **the ~** les Polonais mpl.

polite [pə'laɪt] adj poli(-e).

political [pə'lɪtɪkl] adj politique.

politician [ˌpɒlɪ'tɪʃn] n homme m politique (femme politique f).

politics ['pɒlətɪks] n politique f.

poll [pəʊl] n (survey) sondage m; **the ~s** (election) les élections.

pollen ['pɒlən] n pollen m.

Poll Tax n (Br) = impôts mpl locaux.

pollute [pə'luːt] vt polluer.

pollution [pə'luːʃn] n pollution f.

polo neck ['pəʊləʊ-] n (Br: jumper) pull m à col roulé.

polyester [ˌpɒlɪ'estə'] n polyester m.

polystyrene [ˌpɒlɪ'staɪriːn] n polystyrène m.

polytechnic [ˌpɒlɪ'teknɪk] n en Grande-Bretagne, établissement supérieur; depuis 1993, la plupart ont acquis le statut d'université.

polythene bag ['pɒlɪθiːn-] n sac m (en) plastique.

pomegranate ['pɒmɪˌɡrænɪt] n grenade f.

pompous ['pɒmpəs] adj prétentieux(-ieuse).

pond [pɒnd] n mare f; (in park) bassin m.

pontoon [pɒn'tuːn] n (Br:

game) vingt-et-un *m inv*.

pony ['pəʊnɪ] *n* poney *m*.

ponytail ['pəʊnɪteɪl] *n* queue-de-cheval *f*.

pony-trekking [-,trekɪŋ] *n* (Br) randonnée *f* à dos de poney.

poodle ['puːdl] *n* caniche *m*.

pool [puːl] *n* (for swimming) piscine *f*; (of water, blood, milk) flaque *f*; (small pond) mare *f*; (game) billard *m* américain □ **pools** *npl* (Br): **the ~s** = le loto sportif.

poor [pɔːʳ] *adj* pauvre; (bad) mauvais(-e) ♦ *npl*: **the ~** les pauvres *mpl*.

poorly ['pɔːlɪ] *adj* (Br: ill) malade ♦ *adv* mal.

pop [pɒp] *n* (music) pop *f* ♦ *vt* (inf: put) mettre ♦ *vi* (balloon) éclater; **my ears popped** mes oreilles se sont débouchées □ **pop in** *vi* (Br: visit) faire un saut.

popcorn ['pɒpkɔːn] *n* pop-corn *m inv*.

Pope [pəʊp] *n*: **the ~** le pape.

pop group *n* groupe *m* pop.

poplar (tree) ['pɒpləʳ-] *n* peuplier *m*.

pop music *n* pop *f*.

popper ['pɒpəʳ] *n* (Br) bouton-pression *m*.

poppy ['pɒpɪ] *n* coquelicot *m*.

Popsicle® ['pɒpsɪkl] *n* (Am) sucette *f* glacée.

pop socks *npl* mi-bas *mpl*.

pop star *n* pop star *f*.

popular ['pɒpjʊləʳ] *adj* populaire.

popularity [,pɒpjʊ'lærətɪ] *n* popularité *f*.

populated ['pɒpjʊleɪtɪd] *adj* peuplé(-e).

population [,pɒpjʊ'leɪʃn] *n* population *f*.

porcelain ['pɔːsəlɪn] *n* porcelaine *f*.

porch [pɔːtʃ] *n* (entrance) porche *m*; (Am: outside house) véranda *f*.

pork [pɔːk] *n* porc *m*.

pork chop *n* côte *f* de porc.

pork pie *n* petit pâté de porc en croûte.

pornographic [,pɔːnə'græfɪk] *adj* pornographique.

porridge ['pɒrɪdʒ] *n* porridge *m*.

port [pɔːt] *n* port *m*; (drink) porto *m*.

portable ['pɔːtəbl] *adj* portable.

porter ['pɔːtəʳ] *n* (at hotel, museum) portier *m*; (at station, airport) porteur *m*.

porthole ['pɔːthəʊl] *n* hublot *m*.

portion ['pɔːʃn] *n* portion *f*.

portrait ['pɔːtreɪt] *n* portrait *m*.

Portugal ['pɔːtʃʊgl] *n* le Portugal.

Portuguese [,pɔːtʃʊ'giːz] *adj* portugais(-e) ♦ *n* (language) portugais *m* ♦ *npl*: **the ~** les Portugais *mpl*.

pose [pəʊz] *vt* (problem) poser; (threat) représenter ♦ *vi* (for photo) poser.

posh [pɒʃ] *adj* (inf) chic.

position [pə'zɪʃn] *n* position *f*; (place, situation, job) situation *f*; "~ closed" (in bank, post office etc) «guichet fermé».

positive ['pɒzətɪv] *adj* positif(-ive); (certain, sure) certain(-e).

possess [pə'zes] *vt* posséder.

possession [pə'zeʃn] *n* possession *f*.

possessive [pə'zesɪv] *adj* possessif(-ive).

possibility [ˌpɒsəˈbɪlətɪ] n possibilité f.

possible [ˈpɒsəbl] adj possible; **it's ~ that we may be late** il se peut que nous soyons en retard; **would it be ~ ...?** serait-il possible ...?; **as much as ~** autant que possible; **if ~** si possible.

possibly [ˈpɒsəblɪ] adv (perhaps) peut-être.

post [pəʊst] n (system) poste f; (letters and parcels, delivery) courrier m; (pole) poteau m; (fml: job) poste m ♦ vt poster; **by ~** par la poste.

postage [ˈpəʊstɪdʒ] n affranchissement m; **~ and packing** frais de port et d'emballage; **~ paid** port payé.

postage stamp n (fml) timbre-poste m.

postal order [ˈpəʊstl-] n mandat m postal.

postbox [ˈpəʊstbɒks] n (Br) boîte f aux OR à lettres.

postcard [ˈpəʊstkɑːd] n carte f postale.

postcode [ˈpəʊstkəʊd] n (Br) code m postal.

poster [ˈpəʊstəʳ] n poster m; (for advertising) affiche f.

poste restante [ˌpəʊstrɛsˈtɑːnt] n (Br) poste f restante.

post-free adv en port payé.

postgraduate [ˌpəʊstˈɡrædʒʊət] n étudiant m, -e f de troisième cycle.

postman [ˈpəʊstmən] (pl -men [-mən]) n facteur m.

postmark [ˈpəʊstmɑːk] n cachet m de la poste.

post office n (building) bureau m de poste; **the Post Office** (Br) la poste.

postpone [ˌpəʊstˈpəʊn] vt reporter.

posture [ˈpɒstʃəʳ] n posture f.

postwoman [ˈpəʊstˌwʊmən] (pl -women [-ˌwɪmɪn]) n factrice f.

pot [pɒt] n (for cooking) marmite f; (for jam, paint) pot m; (for coffee) cafetière f; (for tea) théière f; (inf: cannabis) herbe f; **a ~ of tea** une théière.

potato [pəˈteɪtəʊ] (pl -es) n pomme f de terre.

potato salad n salade f de pommes de terre.

potential [pəˈtenʃl] adj potentiel(-ielle) ♦ n possibilités fpl.

pothole [ˈpɒthəʊl] n (in road) nid-de-poule m.

pot plant n plante f d'appartement.

pot scrubber [-ˈskrʌbəʳ] n tampon m à récurer.

potted [ˈpɒtɪd] adj (meat, fish) en terrine; (plant) en pot.

pottery [ˈpɒtərɪ] n (clay objects) poteries fpl; (craft) poterie f.

potty [ˈpɒtɪ] n pot m (de chambre).

pouch [paʊtʃ] n (for money) bourse f.

poultry [ˈpəʊltrɪ] n & npl (meat, animals) volaille f.

pound [paʊnd] n (unit of money) livre f; (unit of weight) = livre f, 453,6 grammes ♦ vi (heart) battre fort.

pour [pɔːʳ] vt verser ♦ vi (flow) couler à flot; **it's ~ing (with rain)** il pleut à verse ❑ **pour out** vt sep (drink) verser.

poverty [ˈpɒvətɪ] n pauvreté f.

powder [ˈpaʊdəʳ] n poudre f.

preferable

power ['pauǝ^r] n pouvoir m; (strength, force) puissance f; (energy) énergie f; (electricity) courant m ◆ vt faire marcher; **to be in ~** être au pouvoir.

power cut n coupure f de courant.

power failure n panne f de courant.

powerful ['pauǝful] adj puissant(-e).

power point n (Br) prise f de courant.

power station n centrale f électrique.

power steering n direction f assistée.

practical ['præktɪkl] adj pratique.

practically ['præktɪklɪ] adv pratiquement.

practice ['præktɪs] n (training) entraînement m; (of doctor) cabinet m; (of lawyer) étude f; (regular activity, custom) pratique f ◆ vt (Am) = **practise**; **to be out of ~** manquer d'entraînement.

practise ['præktɪs] vt (sport, technique) s'entraîner à; (music) s'exercer à ◆ vi (train) s'entraîner; (of music) s'exercer; (doctor, lawyer) exercer ◆ n (Am) = **practice**.

praise [preɪz] n éloge m ◆ vt louer.

pram [præm] n (Br) landau m.

prank [præŋk] n farce f.

prawn [prɔːn] n crevette f (rose).

prawn cocktail n hors-d'œuvre froid à base de crevettes et de mayonnaise au ketchup.

prawn cracker n beignet de crevette.

pray [preɪ] vi prier; **to ~ for good weather** prier pour qu'il fasse beau.

prayer [preǝ^r] n prière f.

precarious [prɪ'keǝrɪǝs] adj précaire.

precaution [prɪ'kɔːʃn] n précaution f.

precede [prɪ'siːd] vt (fml) précéder.

preceding [prɪ'siːdɪŋ] adj précédent(-e).

precinct ['priːsɪŋkt] n (Br: for shopping) quartier m; (Am: area of town) circonscription f administrative.

precious ['preʃǝs] adj précieux(-ieuse).

precious stone n pierre f précieuse.

precipice ['presɪpɪs] n précipice m.

precise [prɪ'saɪs] adj précis(-e).

precisely [prɪ'saɪslɪ] adv précisément.

predecessor ['priːdɪsesǝ^r] n prédécesseur m.

predicament [prɪ'dɪkǝmǝnt] n situation f difficile.

predict [prɪ'dɪkt] vt prédire.

predictable [prɪ'dɪktǝbl] adj prévisible.

prediction [prɪ'dɪkʃn] n prédiction f.

preface ['prefɪs] n préface f.

prefect ['priːfekt] n (Br: at school) élève choisi parmi les plus âgés pour prendre en charge la discipline.

prefer [prɪ'fɜː^r] vt: **to ~ sthg (to)** préférer qqch (à); **to ~ to do sthg** préférer faire qqch.

preferable ['prefrǝbl] adj préférable.

preferably ['prefrəblɪ] *adv* de préférence.

preference ['prefərəns] *n* préférence *f*.

prefix ['priːfɪks] *n* préfixe *m*.

pregnancy ['pregnənsɪ] *n* grossesse *f*.

pregnant ['pregnənt] *adj* enceinte.

prejudice ['predʒʊdɪs] *n* préjugé *m*.

prejudiced ['predʒʊdɪst] *adj* plein(-e) de préjugés.

preliminary [prɪ'lɪmɪnərɪ] *adj* préliminaire.

premature ['premə,tjʊəʳ] *adj* prématuré(-e).

premier ['premjəʳ] *adj* le plus prestigieux (la plus prestigieuse) ♦ *n* Premier ministre *m*.

premiere ['premɪeəʳ] *n* première *f*.

premises ['premɪsɪz] *npl* locaux *mpl*.

premium ['priːmjəm] *n* (for insurance) prime *f*.

premium-quality *adj* (meat) de première qualité.

preoccupied [priː'ɒkjʊpaɪd] *adj* préoccupé(-e).

prepacked [,priː'pækt] *adj* préemballé(-e).

prepaid ['priːpeɪd] *adj* (envelope) pré-timbré(-e).

preparation [,prepə'reɪʃn] *n* préparation *f* □ **preparations** *npl* (arrangements) préparatifs *mpl*.

preparatory school [prɪ'pærətrɪ-] *n* (in UK) école *f* primaire privée; (in US) école privée qui prépare à l'enseignement supérieur.

prepare [prɪ'peəʳ] *vt* préparer ♦ *vi* se préparer.

prepared [prɪ'peəd] *adj* prêt(-e); to be ~ to do sthg être prêt à faire qqch.

preposition [,prepə'zɪʃn] *n* préposition *f*.

prep school [prep-] = **preparatory school**.

prescribe [prɪ'skraɪb] *vt* prescrire.

prescription [prɪ'skrɪpʃn] *n* (paper) ordonnance *f*; (medicine) médicaments *mpl*.

presence ['prezns] *n* présence *f*; in sb's ~ en présence de qqn.

present [adj & n 'preznt, vb prɪ'zent] *adj* (in attendance) présent(-e); (current) actuel(-elle) ♦ *n* (gift) cadeau *m* ♦ *vt* présenter; (give) remettre; (problem) poser; the ~ (tense) (GRAMM) le présent; at ~ actuellement; the ~ le présent; to ~ sb to sb présenter qqn à qqn.

presentable [prɪ'zentəbl] *adj* présentable.

presentation [,prezn'teɪʃn] *n* présentation *f*; (ceremony) remise *f*.

presenter [prɪ'zentəʳ] *n* présentateur *m* (-trice *f*).

presently ['prezntlɪ] *adv* (soon) bientôt; (now) actuellement.

preservation [,prezə'veɪʃn] *n* conservation *f*.

preservative [prɪ'zɜːvətɪv] *n* conservateur *m*.

preserve [prɪ'zɜːv] *n* (jam) confiture *f* ♦ *vt* conserver; (peace, dignity) préserver.

president ['prezɪdənt] *n* président *m*.

press [pres] *vt* (push) presser,

print

appuyer sur; *(iron)* repasser ◆ *n*: the ~ la presse; **to ~ sb to do sthg** presser qqn de faire qqch.

press conference *n* conférence *f* de presse.

press-stud *n* bouton-pression *m*.

press-up *n* pompe *f*.

pressure ['preʃə'] *n* pression *f*.

pressure cooker *n* Cocotte-Minute® *f*.

prestigious [pre'stɪdʒəs] *adj* prestigieux(-ieuse).

presumably [prɪ'zju:məblɪ] *adv* vraisemblablement.

presume [prɪ'zju:m] *vt (assume)* supposer.

pretend [prɪ'tend] *vt*: **to ~ to do sthg** faire semblant de faire qqch.

pretentious [prɪ'tenʃəs] *adj* prétentieux(-ieuse).

pretty ['prɪtɪ] *adj (attractive)* joli(-e) ◆ *adv (inf) (quite)* assez; *(very)* très.

prevent [prɪ'vent] *vt* empêcher; **to ~ sb/sthg from doing sthg** empêcher qqn/qqch de faire qqch.

prevention [prɪ'venʃn] *n* prévention *f*.

preview ['pri:vju:] *n (of film)* avant-première *f*; *(short description)* aperçu *m*.

previous ['pri:vjəs] *adj (earlier)* antérieur(-e); *(preceding)* précédent(-e).

previously ['pri:vjəslɪ] *adv* auparavant.

price [praɪs] *n* prix *m* ◆ *vt*: **to be ~d at** coûter.

priceless ['praɪslɪs] *adj (expensive)* hors de prix; *(valuable)* inestimable.

price list *n* tarif *m*.

pricey ['praɪsɪ] *adj (inf)* chérot.

prick [prɪk] *vt* piquer.

prickly ['prɪklɪ] *adj (plant, bush)* épineux(-euse).

prickly heat *n* boutons *mpl* de chaleur.

pride [praɪd] *n (satisfaction)* fierté *f*; *(self-respect, arrogance)* orgueil *m* ◆ *vt*: **to ~ o.s. on sthg** être fier de qqch.

priest [pri:st] *n* prêtre *m*.

primarily ['praɪmərɪlɪ] *adv* principalement.

primary school ['praɪmən-] *n* école *f* primaire.

prime [praɪm] *adj (chief)* principal(-e); *(beef, cut)* de premier choix; **~ quality** qualité supérieure.

prime minister *n* Premier ministre *m*.

primitive ['prɪmɪtɪv] *adj* primitif(-ive).

primrose ['prɪmrəuz] *n* primevère *f*.

prince [prɪns] *n* prince *m*.

Prince of Wales *n* Prince *m* de Galles.

princess [prɪn'ses] *n* princesse *f*.

principal ['prɪnsəpl] *adj* principal(-e) ◆ *n (of school)* directeur *m* (-trice *f*); *(of university)* doyen *m* (-enne *f*).

principle ['prɪnsəpl] *n* principe *m*; **in ~** en principe.

print [prɪnt] *n (words)* caractères *mpl*; *(photo)* tirage *m*; *(of painting)* reproduction *f*; *(mark)* empreinte *f* ◆ *vt (book, newspaper)* imprimer; *(publish)* publier; *(write)* écrire (en caractères d'imprimerie); *(photo)* tirer; **out of ~** épuisé ❑ **print out**

vt sep imprimer.

printed matter ['prɪntɪd-] *n* imprimés *mpl*.

printer ['prɪntə*] *n (machine)* imprimante *f; (person)* imprimeur *m*.

printout ['prɪntaʊt] *n* sortie *f* papier.

prior ['praɪə*] *adj (previous)* précédent(-e); ~ **to** *(fml)* avant.

priority [praɪ'ɒrətɪ] *n* priorité *f*; to have ~ over avoir la priorité sur.

prison ['prɪzn] *n* prison *f*.

prisoner ['prɪznə*] *n* prisonnier *m* (-ière *f*).

prisoner of war *n* prisonnier *m* de guerre.

prison officer *n* gardien *m* de prison.

privacy ['prɪvəsɪ] *n* intimité *f*.

private ['praɪvɪt] *adj* privé(-e); *(bathroom, lesson)* particulier(-ière); *(confidential)* confidentiel(-elle); *(place)* tranquille ◆ *n (MIL)* (simple) soldat *m*; in ~ en privé.

private health care *n* assurance-maladie *f* privée.

private property *n* propriété *f* privée.

private school *n* école *f* privée.

privilege ['prɪvɪlɪdʒ] *n* privilège *m*; it's a ~! c'est un honneur!

prize [praɪz] *n* prix *m*.

prize-giving [-ɡɪvɪŋ] *n* remise *f* des prix.

pro [prəʊ] *(pl* -s) *n (inf: professional)* pro *mf* ❏ **pros** *npl*: the ~s and cons le pour et le contre.

probability [ˌprɒbə'bɪlətɪ] *n* probabilité *f*.

probable ['prɒbəbl] *adj* probable.

probably ['prɒbəblɪ] *adv* probablement.

probation officer [prə'beɪʃn-] *n* = agent *m* de probation.

procedure [prə'siːdʒə*] *n* procédure *f*.

proceed [prə'siːd] *vi (fml) (continue)* continuer; *(act)* procéder; *(advance)* avancer; "~ **with caution**" «ralentir».

proceeds ['prəʊsiːdz] *npl* recette *f*.

process ['prəʊses] *n (series of events)* processus *m; (method)* procédé *m*; to be in the ~ of doing sthg être en train de faire qqch.

processed cheese ['prəʊsest-] *n (for spreading)* fromage *m* à tartiner; *(in slices)* fromage en tranches.

procession [prə'seʃn] *n* procession *f*.

prod [prɒd] *vt (poke)* pousser.

produce [prə'djuːs] *vt* produire; *(cause)* provoquer ◆ *n* produits *mpl* (alimentaires).

producer [prə'djuːsə*] *n* producteur *m* (-trice *f*).

product ['prɒdʌkt] *n* produit *m*.

production [prə'dʌkʃn] *n* production *f*.

productivity [ˌprɒdʌk'tɪvətɪ] *n* productivité *f*.

profession [prə'feʃn] *n* profession *f*.

professional [prə'feʃənl] *adj* professionnel(-elle) ◆ *n* professionnel *m* (-elle *f*).

professor [prə'fesə*] *n (in UK)* professeur *m* (d'université); *(in*

proposal

= maître *m* de conférences.

profile ['prəʊfaɪl] *n* (*silhouette, outline*) profil *m*; (*description*) portrait *m*.

profit ['prɒfɪt] *n* profit *m* ◆ *vi*: to ~ **(from)** profiter (de).

profitable ['prɒfɪtəbl] *adj* profitable.

profiteroles [prə'fɪtərəʊlz] *npl* profiteroles *fpl*.

profound [prə'faʊnd] *adj* profond(-e).

program ['prəʊgræm] *n* (COMPUT) programme *m*; (*Am*) = **programme** ◆ *vt* (COMPUT) programmer.

programme ['prəʊgræm] *n* (*Br*) (*of events, booklet*) programme *m*; (*on TV, radio*) émission *f*.

progress [*n* 'prəʊgres, *vb* prə'gres] *n* (*improvement*) progrès *m*; (*forward movement*) progression *f* ◆ *vi* (*work, talks, student*) progresser; (*day, meeting*) avancer; to make ~ (*improve*) faire des progrès; (*in journey*) avancer; in ~ en progrès.

progressive [prə'gresɪv] *adj* (*forward-looking*) progressiste.

prohibit [prə'hɪbɪt] *vt* interdire; "smoking strictly ~ed" «défense absolue de fumer».

project ['prɒdʒekt] *n* projet *m*.

projector [prə'dʒektə'] *n* projecteur *m*.

prolong [prə'lɒŋ] *vt* prolonger.

prom [prɒm] *n* (*Am: dance*) bal *m* (d'étudiants).

promenade [,prɒmə'nɑ:d] *n* (*Br: by the sea*) promenade *f*.

prominent ['prɒmɪnənt] *adj* (*person*) important(-e); (*teeth, chin*) proéminent(-e).

promise ['prɒmɪs] *n* promesse *f*

◆ *vt* & *vi* promettre; to show ~ promettre; I ~ (that) I'll come je promets que je viendrai; to ~ sb sthg promettre qqch à qqn; to ~ to do sthg promettre de faire qqch.

promising ['prɒmɪsɪŋ] *adj* prometteur(-euse).

promote [prə'məʊt] *vt* promouvoir.

promotion [prə'məʊʃn] *n* promotion *f*.

prompt [prɒmpt] *adj* rapide ◆ *adv*: at six o'clock ~ à six heures pile.

prone [prəʊn] *adj*: to be ~ to sthg être sujet à qqch; to be ~ to do sthg avoir tendance à faire qqch.

prong [prɒŋ] *n* (*of fork*) dent *f*.

pronoun ['prəʊnaʊn] *n* pronom *m*.

pronounce [prə'naʊns] *vt* prononcer.

pronunciation [prə,nʌnsɪ'eɪʃn] *n* prononciation *f*.

proof [pru:f] *n* (*evidence*) preuve *f*; 12% ~ 12 degrés.

prop [prɒp]: **prop up** *vt sep* soutenir.

propeller [prə'pelə'] *n* hélice *f*.

proper ['prɒpə'] *adj* (*suitable*) adéquat(-e); (*correct*) bon (bonne); (*behaviour*) correct(-e).

properly ['prɒpəlɪ] *adv* correctement.

property ['prɒpətɪ] *n* propriété *f*.

proportion [prə'pɔ:ʃn] *n* (*part, amount*) partie *f*; (*ratio, in art*) portion *f*.

proposal [prə'pəʊzl] *n* proposition f.

propose [prə'pəʊz] vt proposer
♦ vi: **to ~ to sb** demander qqn en
mariage.

proposition [.prɒpə'zɪʃn] n proposition f.

proprietor [prə'praɪətəᵣ] n (fml)
propriétaire f.

prose [prəʊz] n (not poetry) prose
f; (SCH) thème m.

prosecution [.prɒsɪ'kjuːʃn] n
(JUR: charge) accusation f.

prospect [n 'prɒspekt] n (possibility) possibilité f; **I don't relish the
~** cette perspective ne m'en-
chante guère ❑ **prospects** npl
(for the future) perspectives fpl.

prospectus [prə'spektəs] n (pl -es)
n prospectus m.

prosperous ['prɒspərəs] adj
prospère.

prostitute ['prɒstɪtjuːt] n prostituée f.

protect [prə'tekt] vt protéger; **to
~ sb/sthg from** protéger qqn/qqch
contre OR de; **to ~ sb/sthg against**
protéger qqn/qqch contre OR de.

protection [prə'tekʃn] n protection f.

protection factor n (of suntan lotion) indice m de protection.

protective [prə'tektɪv] adj pro-
tecteur(-trice).

protein ['prəʊtiːn] n protéines
fpl.

protest [n 'prəʊtest, vb prə'test] n
(complaint) protestation f; (demonstration) manifestation f ♦ vt (Am:
protest against) protester contre ♦
vi: **to ~ (against)** protester (contre).

Protestant ['prɒtɪstənt] n protestant m (-e f).

protester [prə'testəᵣ] n manifestant m (-e f).

protractor [prə'træktəᵣ] n rapporteur m.

protrude [prə'truːd] vi dépasser.

proud [praʊd] adj fier (fière); **to
be ~ of** être fier de.

prove [pruːv] (pp -d OR **proven**
[pruːvn]) vt prouver; (turn out to be)
se révéler.

proverb ['prɒvɜːb] n proverbe m.

provide [prə'vaɪd] vt fournir; **to
~ sb with sthg** (information, equipment) fournir qqch à qqn ❑ **provide for** vt fus (person) subvenir
aux besoins de.

provided (that) [prə'vaɪdɪd-]
conj pourvu que.

providing (that) [prə'vaɪdɪŋ-]
= **provided (that)**.

province ['prɒvɪns] n province f.

provisional [prə'vɪʒənl] adj provisoire.

provisions [prə'vɪʒnz] npl provisions fpl.

provocative [prə'vɒkətɪv] adj
provocant(-e).

provoke [prə'vəʊk] vt provoquer.

prowl [praʊl] vi rôder.

prune [pruːn] n pruneau m ♦ vt
(tree, bush) tailler.

PS (abbr of postscript) P.-S.

psychiatrist [saɪ'kaɪətrɪst] n
psychiatre mf.

psychic ['saɪkɪk] adj doué(-e) de
seconde vue.

psychological [.saɪkə'lɒdʒɪkl]
adj psychologique.

psychologist [saɪ'kɒlədʒɪst] n
psychologue mf.

psychology [saɪ'kɒlədʒɪ] n psychologie f.

psychotherapist [ˌsaɪkəʊˈθerə-
pɪst] n psychothérapeute mf.

pt abbr = **pint**.

PTO (abbr of please turn over)
TSVP.

pub [pʌb] n pub m.

PUB

Véritable institution sociale, le
pub est au cœur de la vie com-
munautaire dans les villages britanniques. Soumis jusqu'à récemment à
une réglementation stricte quant
aux heures d'ouverture et aux conditions d'admission, les pubs sont actuellement ouverts, en règle générale, de 11 heures à 23 heures. Ils
offrent, en plus des boissons, un
choix de plats simples.

---

puberty ['pjuːbətɪ] n puberté f.

public ['pʌblɪk] adj public(-ique)
♦ n: the ~ le public; **in** ~ en public.

publican ['pʌblɪkən] n (Br)
patron m (-onne f) de pub.

publication [ˌpʌblɪˈkeɪʃn] n
publication f.

public bar n (Br) bar m (salle
moins confortable et moins chère que le
«lounge bar» ou le «saloon bar»).

public convenience n (Br)
toilettes fpl publiques.

public footpath n (Br) sentier m public.

public holiday n jour m férié.

public house n (Br: fml) pub m.

publicity [pʌbˈlɪsɪtɪ] n publicité
f.

public school n (in UK) école f

privée; (in US) école f publique.

public telephone n téléphone m public.

public transport n transports mpl en commun.

publish ['pʌblɪʃ] vt publier.

publisher ['pʌblɪʃəʳ] n (person)
éditeur m (-trice f); (company) maison f d'édition.

publishing ['pʌblɪʃɪŋ] n (industry) édition f.

pub lunch n repas de midi servi
dans un pub.

pudding ['pʊdɪn] n (sweet dish)
pudding m; (Br: course) dessert m.

puddle ['pʌdl] n flaque f.

puff [pʌf] vi (breathe heavily) souffler ♦ n (of air, smoke) bouffée f; **to**
~ **at** (cigarette, pipe) tirer sur.

puff pastry n pâte f à choux.

pull [pʊl] vt tirer; (trigger) appuyer
sur ♦ n tirer ♦ n: **to give sthg a** ~
tirer sur qqch; **to** ~ **a face** faire une
grimace; **to** ~ **a muscle** se froisser
un muscle; "**pull**" (on door) «tirez»
❑ **pull apart** vt sep (book) mettre
en pièces; (machine) démonter;
pull down vt sep (blind) baisser;
(demolish) démolir; **pull in** vi (train)
entrer en gare; (car) se ranger; **pull
out** vt sep (tooth, cork, plug) enlever
♦ vi (train) partir; (car) déboîter;
(withdraw) se retirer; **pull over** vi
(car) se ranger; **pull up** vt sep
(socks, trousers, sleeve) remonter ♦
vi (stop) s'arrêter.

pulley ['pʊlɪ] (pl **pulleys**) n poulie
f.

pull-out n (Am: beside road) aire
f de stationnement.

pullover ['pʊlˌəʊvəʳ] n
pull-(over) m.

pulpit ['pʊlpɪt] n chaire f.

pulse [pʌls] n (MED) pouls m.

pump [pʌmp] n pompe f ❑

pumps npl (sports shoes) tennis mpl; **pump up** vt sep gonfler.

pumpkin ['pʌmpkɪn] n potiron m.

pun [pʌn] n jeu m de mots.

punch [pʌntʃ] n (blow) coup m de poing; (drink) punch m ✦ vt (hit) donner un coup de poing à; (ticket) poinçonner.

Punch and Judy show ['dʒuːdɪ-] n ≃ guignol m.

punctual ['pʌŋktʃʊəl] adj ponctuel(-elle).

punctuation [,pʌŋktʃʊeɪʃn] n ponctuation f.

puncture ['pʌŋktʃər] n crevaison f ✦ vt crever.

punish ['pʌnɪʃ] vt: to ~ sb (for sthg) punir qqn (de OR pour qqch).

punishment ['pʌnɪʃmənt] n punition f.

punk [pʌŋk] n (person) punk mf; (music) punk m.

punnet ['pʌnɪt] n (Br) barquette f.

pupil ['pjuːpl] n (student) élève mf; (of eye) pupille f.

puppet ['pʌpɪt] n marionnette f.

puppy ['pʌpɪ] n chiot m.

purchase ['pɜːtʃəs] vt (fml) acheter ✦ n (fml) achat m.

pure [pjʊər] adj pur(-e).

puree ['pjʊəreɪ] n purée f.

purely ['pjʊəlɪ] adv purement.

purity ['pjʊərətɪ] n pureté f.

purple ['pɜːpl] adj violet(-ette).

purpose ['pɜːpəs] n (reason) motif m; (use) usage m; **on** ~ exprès.

purr [pɜːr] vi ronronner.

purse [pɜːs] n (Br: for money) porte-monnaie m inv; (Am: handbag) sac m à main.

pursue [pəˈsjuː] vt poursuivre.

pus [pʌs] n pus m.

push [pʊʃ] vt (shove) pousser; (button) appuyer sur, presser; (product) promouvoir ✦ vi pousser ✦ n: to give sb/sthg a ~ pousser qqn/qqch; to ~ sb into doing sthg pousser qqn à faire qqch; "push" (on door) «poussez» ☐ **push in** vi (in queue) se faufiler; **push off** vi (inf: go away) dégager.

push-button telephone n téléphone m à touches.

pushchair ['pʊʃtʃeər] n (Br) poussette f.

pushed [pʊʃt] adj (inf): to be ~ (for time) être pressé(-e).

push-ups npl pompes fpl.

put [pʊt] (pt & pp put) vt (place) poser, mettre; (responsibility) rejeter; (express) exprimer; (write) mettre, écrire; (a question) poser; (estimate) estimer; to ~ a child to bed mettre un enfant au lit; to ~ money into sthg mettre de l'argent dans qqch ☐ **put aside** vt sep (money) mettre de côté; **put away** vt sep (tidy up) ranger; **put back** vt sep (replace) remettre; (postpone) repousser; (clock, watch) retarder; **put down** vt sep (on floor, table) poser; (passenger) déposer; (Br: animal) piquer; (deposit) verser; **put forward** vt sep avancer; **put in** vt sep (insert) introduire; (install) installer; (in container, bags) mettre dedans; **put off** vt sep (postpone) reporter; (distract) distraire; (repel) dégoûter; (passenger) déposer; **put on** vt sep (clothes, make-up, CD) mettre; (weight) prendre; (television, light, radio) allumer; (play, show) monter; **to ~ on weight** grossir; **to ~ the kettle on** mettre la bouilloire à chauffer; **put out** vt sep (cigarette, fire, light) éteindre; (publish) publier; (arm, leg) étendre; (hand) tendre; (inconvenience) déranger; **to ~ one's back out** se déplacer une vertèbre; **put together** vt sep (assemble) monter; (combine) réunir; **put up** vt sep (building) construire; (statue) ériger; (tent) monter; (umbrella) ouvrir; (a notice) afficher; (price, rate) augmenter; (provide with accommodation) loger ♦ vi (Br: in hotel) descendre; **put up with** vt fus supporter.

putter [ˈpʌtə^r] n (club) putter m.

putting green [ˈpʌtɪŋ-] n green m.

putty [ˈpʌtɪ] n mastic m.

puzzle [ˈpʌzl] n (game) casse-tête m inv; (jigsaw) puzzle m; (mystery) énigme f ♦ vt rendre perplexe.

puzzling [ˈpʌzlɪŋ] adj déconcertant(-e).

pyjamas [pəˈdʒɑːməz] npl (Br) pyjama m.

pylon [ˈpaɪlən] n pylône m.

pyramid [ˈpɪrəmɪd] n pyramide f.

Pyrenees [ˌpɪrəˈniːz] npl: **the ~** les Pyrénées fpl.

Pyrex® [ˈpaɪreks] n Pyrex® m.

Q

quail [kweɪl] n caille f.

quail's eggs npl œufs mpl de caille.

quaint [kweɪnt] adj pittoresque.

qualification [ˌkwɒlɪfɪˈkeɪʃn] n (diploma) diplôme m; (ability) qualification f.

qualified [ˈkwɒlɪfaɪd] adj qualifié(-e).

qualify [ˈkwɒlɪfaɪ] vi (for competition) se qualifier; (pass exam) obtenir un diplôme.

quality [ˈkwɒlətɪ] n qualité f ♦ adj de qualité.

quarantine [ˈkwɒrəntiːn] n quarantaine f.

quarrel [ˈkwɒrəl] n dispute f ♦ vi se disputer.

quarry [ˈkwɒrɪ] n carrière f.

quart [kwɔːt] n (in UK) = 1,136 litres; ≃ litre m; (in US) = 0,946 litre, ≃ litre.

quarter [ˈkwɔːtə^r] n (fraction) quart m; (Am: coin) pièce f de 25 cents; (4 ounces) = 0,1134 kg, ≃ quart; (three months) trimestre m; (part of town) quartier m; **(a) ~ to five** (Br) cinq heures moins le quart; **(a) ~ of five** (Am) cinq heures moins le quart; **(a) ~ past five** (Br) cinq heures et quart; **(a) ~ after five** (Am) cinq heures et quart; **(a) ~ of an hour** un quart d'heure.

quarterpounder [ˌkwɔːtəˈpaʊndə^r] n steak haché épais.

quartet [kwɔːˈtet] n (group) quatuor m.

quartz [kwɔːts] adj (watch) à quartz.

quay [kiː] n quai m.

queasy [ˈkwiːzɪ] adj (inf): **to feel ~** avoir mal au cœur.

queen [kwiːn] n reine f; (in cards) dame f.

queer [kwɪə^r] adj (strange) bizarre; (inf: ill) patraque; (inf: homosexual) homo.

quench [kwentʃ] vt: **to ~ one's thirst** étancher sa soif.

query [ˈkwɪərɪ] n question f.

question [ˈkwestʃn] n question f ◆ vt (person) interroger; **it's out of the ~** c'est hors de question.

question mark n point m d'interrogation.

questionnaire [ˌkwestʃəˈneə^r] n questionnaire m.

queue [kjuː] n (Br) queue f ◆ vi (Br) faire la queue ☐ **queue up** vi (Br) faire la queue.

quiche [kiːʃ] n quiche f.

quick [kwɪk] adj rapide ◆ adv rapidement, vite.

quickly [ˈkwɪklɪ] adv rapidement, vite.

quid [kwɪd] (pl inv) n (Br: inf: pound) livre f.

quiet [ˈkwaɪət] adj silencieux(-ieuse); (calm, peaceful) tranquille ◆ n calme m; **in a ~ voice** à voix basse; **keep ~!** chut!, taisez-vous!; **to keep ~** (not say anything) se taire; **to keep ~ about sthg** ne pas parler de qqch.

quieten [ˈkwaɪətn]: **quieten down** vi se calmer.

quietly [ˈkwaɪətlɪ] adv silencieusement; (calmly) tranquillement.

quilt [kwɪlt] n (duvet) couette f; (eiderdown) édredon m.

quince [kwɪns] n coing m.

quirk [kwɜːk] n bizarrerie f.

quit [kwɪt] (pt & pp quit) vi (resign) démissionner; (give up) abandonner ◆ vt (Am: school, job) quitter; **to ~ doing sthg** arrêter de

faire qqch.

quite [kwaɪt] adv (fairly) assez; (completely) tout à fait; **not ~** pas tout à fait; **~ a lot (of)** pas mal (de).

quiz [kwɪz] (pl -zes) n jeu m (basé sur des questions de culture générale).

quota [ˈkwəʊtə] n quota m.

quotation [kwəʊˈteɪʃn] n (phrase) citation f; (estimate) devis m.

quotation marks npl guillemets mpl.

quote [kwəʊt] vt (phrase, writer) citer; (price) indiquer ◆ n (phrase) citation f; (estimate) devis m.

R

rabbit [ˈræbɪt] n lapin m.

rabies [ˈreɪbiːz] n rage f.

RAC n = ACF m.

race [reɪs] n (competition) course f; (ethnic group) race f ◆ vi (compete) faire la course; (go fast) aller à toute vitesse; (engine) s'emballer ◆ vt faire la course avec.

racecourse [ˈreɪskɔːs] n champ m de courses.

racehorse [ˈreɪshɔːs] n cheval m de course.

racetrack [ˈreɪstræk] n (for horses) champ m de courses.

racial [ˈreɪʃl] adj racial(-e).

racing [ˈreɪsɪŋ] n: **(horse) ~ courses** fpl (de chevaux).

racing car n voiture f de

course.

racism ['reɪsɪzm] n racisme m.

racist ['reɪsɪst] n raciste mf.

rack [ræk] n (for bottles) casier m; (for coats) portemanteau m; (for plates) égouttoir m; (luggage) ~ (on bike) porte-bagages m inv; (on car) galerie f; ~ of lamb carré m d'agneau.

racket ['rækɪt] n raquette f; (noise) raffut m.

racquet ['rækɪt] n raquette f.

radar ['reɪdɑ:ʳ] n radar m.

radiation [,reɪdɪ'eɪʃn] n radiations fpl.

radiator ['reɪdɪeɪtəʳ] n radiateur m.

radical ['rædɪkl] adj radical(-e).

radii ['reɪdɪaɪ] pl → radius.

radio ['reɪdɪəʊ] (pl -s) n radio f ♦ vt (person) appeler par radio; on the ~ à la radio.

radioactive [,reɪdɪəʊ'æktɪv] adj radioactif(-ive).

radio alarm n radio-réveil m.

radish ['rædɪʃ] n radis m.

radius ['reɪdɪəs] (pl radii) n rayon m.

raffle ['ræfl] n tombola f.

raft [rɑ:ft] n (of wood) radeau m; (inflatable) canot m pneumatique.

rafter ['rɑ:ftəʳ] n chevron m.

rag [ræg] n (old cloth) chiffon m.

rage [reɪdʒ] n rage f.

raid [reɪd] n (attack) raid m; (by police) descente f; (robbery) hold-up m inv ♦ vt (subj: police) faire une descente dans; (subj: thieves) faire un hold-up dans.

rail [reɪl] n (bar) barre f; (for curtain) tringle f; (on stairs) rampe f; (for train, tram) rail m ♦ adj (trans-port, network) ferroviaire; (travel) en train; by ~ en train.

railcard ['reɪlkɑ:d] n (Br) carte de réduction des chemins de fer pour jeunes et retraités.

railings ['reɪlɪŋz] npl grille f.

railroad ['reɪlrəʊd] (Am) = railway.

railway ['reɪlweɪ] n (system) chemin m de fer; (track) voie f ferrée.

railway line n (route) ligne f de chemin de fer; (track) voie f ferrée.

railway station n gare f.

rain [reɪn] n pluie f ♦ v impers pleuvoir; it's ~ing il pleut.

rainbow ['reɪnbəʊ] n arc-en-ciel m.

raincoat ['reɪnkəʊt] n imperméable m.

raindrop ['reɪndrɒp] n goutte f de pluie.

rainfall ['reɪnfɔ:l] n précipitations fpl.

rainy ['reɪnɪ] adj pluvieux(-ieuse).

raise [reɪz] vt (lift) lever; (increase) augmenter; (money) collecter; (child, animals) élever; (question, subject) soulever ♦ n (Am: pay increase) augmentation f.

raisin ['reɪzn] n raisin m sec.

rake [reɪk] n râteau m.

rally ['rælɪ] n (public meeting) rassemblement m; (motor race) rallye m; (in tennis, badminton, squash) échange m.

ram [ræm] n (sheep) bélier m ♦ vt percuter.

Ramadan [,ræmə'dæn] n Ramadan m.

ramble ['ræmbl] n randonnée f.

ramp [ræmp] n (slope) rampe f; (in road) ralentisseur m; (Am: to freeway) bretelle f d'accès; **"ramp"** (Br: bump) panneau annonçant une dénivellation due à des travaux.

ramparts ['ræmpɑ:ts] npl remparts mpl.

ran [ræn] pt → **run**.

ranch [rɑ:ntʃ] n ranch m.

ranch dressing n (Am) sauce mayonnaise liquide légèrement épicée.

rancid ['rænsɪd] adj rance.

random ['rændəm] adj (choice, number) aléatoire ◆ n: **at ~** au hasard.

rang [ræŋ] pt → **ring**.

range [reɪndʒ] n (of radio, telescope) portée f; (of prices, temperatures, ages) éventail m; (of goods, services) gamme f; (of hills, mountains) chaîne f; (for shooting) champ m de tir; (cooker) fourneau m ◆ vi (vary) varier.

ranger ['reɪndʒəʳ] n (of park, forest) garde m forestier.

rank [ræŋk] n grade m ◆ adj (smell, taste) ignoble.

ransom ['rænsəm] n rançon f.

rap [ræp] n (music) rap m.

rape [reɪp] n viol m ◆ vt violer.

rapid ['ræpɪd] adj rapide.
rapids npl rapides mpl.

rapidly ['ræpɪdlɪ] adv rapidement.

rapist ['reɪpɪst] n violeur m.

rare [reəʳ] adj rare; (meat) saignant(-e).

rarely ['reəlɪ] adv rarement.

rash [ræʃ] n éruption f cutanée ◆ adj imprudent(-e).

rasher ['ræʃəʳ] n tranche f.

raspberry ['rɑ:zbərɪ] n framboise f.

rat [ræt] n rat m.

ratatouille [ˌrætə'tu:ɪ] n ratatouille f.

rate [reɪt] n (level) taux m; (charge) tarif m; (speed) vitesse f ◆ vt (consider) considérer; (deserve) mériter; **~ of exchange** taux de change; **at any ~** en tout cas; **at this ~** à ce rythme-là.

rather ['rɑ:ðəʳ] adv plutôt; **I'd ~ stay in** je préférerais ne pas sortir; **I'd ~ not** j'aimerais mieux pas; **would you ~ ...?** préférerais-tu ...?; **~ a lot** pas mal de; **~ than** plutôt que.

ratio ['reɪʃɪəʊ] (pl -s) n rapport m.

ration ['ræʃn] n (share) ration f.
rations npl (food) vivres mpl.

rational ['ræʃnl] adj rationnel(-elle).

rattle ['rætl] n (of baby) hochet m ◆ vi faire du bruit.

rave [reɪv] n (party) soirée, soit privée soit dans une boîte de nuit, où l'on danse sur de la musique techno et où l'on consomme souvent de la drogue.

raven ['reɪvn] n corbeau m.

ravioli [ˌrævɪ'əʊlɪ] n ravioli(s) mpl.

raw [rɔ:] adj cru(-e); (sugar) non raffiné(-e); (silk) sauvage.

raw material n matière f première.

ray [reɪ] n rayon m.

razor ['reɪzəʳ] n rasoir m.

razor blade n lame f de rasoir.

Rd (abbr of Road) Rte.

re [ri:] prep concernant.

RE n (abbr of religious education) instruction f religieuse.

reach [ri:tʃ] vt atteindre; (contact) joindre; (agreement, decision) parvenir à ◆ n: **out of ~** hors de portée; **within ~ of the beach** à proximité de la plage □ **reach out** vi: to ~ **out (for)** tendre le bras (vers).

react [rɪ'ækt] vi réagir.

reaction [rɪ'ækʃn] n réaction f.

read [riːd] (pt & pp **read** [red]) vt lire; (subj: sign, note) dire; (subj: meter, gauge) indiquer ♦ vi lire; to ~ **about sthg** apprendre qqch dans les journaux □ **read out** vt sep lire à haute voix.

reader ['riːdə] n lecteur m (-trice f).

readily ['redɪlɪ] adv (willingly) volontiers; (easily) facilement.

reading ['riːdɪŋ] n (of books, papers) lecture f; (of meter, gauge) données fpl.

reading matter n lecture f.

ready ['redɪ] adj prêt(-e); to be ~ **for sthg** (prepared) être prêt pour qqch; to be ~ to do sthg être prêt à faire qqch; to get ~ se préparer; to get sthg ~ préparer qqch.

ready cash n liquide m.

ready-cooked [-kʊkt] adj précuit(-e).

ready-to-wear adj de prêt à porter.

real ['rɪəl] adj vrai(-e); (world) réel(-elle) ♦ adv (Am) vraiment, très.

real ale n (Br) bière rousse de fabrication traditionnelle, fermentée en fûts.

real estate n immobilier m.

realistic [rɪə'lɪstɪk] adj réaliste.

reality [rɪ'ælətɪ] n réalité f; in ~ en réalité.

realize ['rɪəlaɪz] vt (become aware of) se rendre compte de; (know) savoir; (ambition, goal) réaliser.

really ['rɪəlɪ] adv vraiment; not ~

pas vraiment.

realtor ['rɪəltər] n (Am) agent m immobilier.

rear [rɪə] adj arrière (inv) ♦ n (back) arrière m.

rearrange [ˌriːə'reɪndʒ] vt (room, furniture) réarranger; (meeting) déplacer.

rearview mirror ['rɪəvjuː-] n rétroviseur m.

rear-wheel drive n traction f arrière.

reason ['riːzn] n raison f; for some ~ pour une raison ou pour une autre.

reasonable ['riːznəbl] adj raisonnable.

reasonably ['riːznəblɪ] adv (quite) assez.

reasoning ['riːznɪŋ] n raisonnement m.

reassure [ˌriːə'ʃɔːr] vt rassurer.

reassuring [ˌriːə'ʃɔːrɪŋ] adj rassurant(-e).

rebate ['riːbeɪt] n rabais m.

rebel [n 'rebl] n rebelle mf ♦ vi se rebeller.

rebound [rɪ'baʊnd] vi (ball etc) rebondir.

rebuild [ˌriː'bɪld] (pt & pp rebuilt [ˌriː'bɪlt]) vt reconstruire.

rebuke [rɪ'bjuːk] vt réprimander.

recall [rɪ'kɔːl] vt (remember) se souvenir de.

receipt [rɪ'siːt] n reçu m; on ~ of à réception de.

receive [rɪ'siːv] vt recevoir.

receiver [rɪ'siːvə] n (of phone) combiné m.

recent ['riːsnt] adj récent(-e).

recently ['riːsntlɪ] adv récemment.

receptacle [rɪ'septəkl] n (fml) récipient m.

reception [rɪ'sepʃn] n réception f; (welcome) accueil m.

reception desk n réception f.

receptionist [rɪ'sepʃənɪst] n réceptionniste mf.

recess [rɪ:ses] n (in wall) renfoncement m; (Am: SCH) récréation f.

recession [rɪ'seʃn] n récession f.

recipe ['resɪpɪ] n recette f.

recite [rɪ'saɪt] vt (poem) réciter; (list) énumérer.

reckless ['reklɪs] adj imprudent(-e).

reckon ['rekn] vt (inf: think) penser ☐ **reckon on** vt fus compter sur; **reckon with** vt fus (expect) s'attendre à.

reclaim [rɪ'kleɪm] vt (baggage) récupérer.

reclining seat [rɪ'klaɪnɪŋ-] n siège m inclinable.

recognition [,rekəg'nɪʃn] n reconnaissance f.

recognize ['rekəgnaɪz] vt reconnaître.

recollect [,rekə'lekt] vt se rappeler.

recommend [,rekə'mend] vt recommander; to ~ sb to do sthg recommander à qqn de faire qqch.

recommendation [,rekəmen'deɪʃn] n recommandation f.

reconsider [,ri:kən'sɪdə[r]] vt reconsidérer.

reconstruct [,ri:kən'strʌkt] vt reconstruire.

record [n 'rekɔ:d, vb rɪ'kɔ:d] n (MUS) disque m; (best performance, highest level) record m; (account) rapport m ♦ vt enregistrer.

recorded delivery [rɪ'kɔ:dɪd-] n (Br): to send sthg (by) ~ envoyer qqch en recommandé.

recorder [rɪ'kɔ:də[r]] n (tape recorder) magnétophone m; (instrument) flûte f à bec.

recording [rɪ'kɔ:dɪŋ] n enregistrement m.

record player n tournedisque m.

record shop n disquaire m.

recover [rɪ'kʌvə[r]] vt & vi récupérer.

recovery [rɪ'kʌvərɪ] n (from illness) guérison f.

recovery vehicle n (Br) dépanneuse f.

recreation [,rekrɪ'eɪʃn] n récréation f.

recreation ground n terrain m de jeux.

recruit [rɪ'kru:t] n recrue f ♦ vt recruter.

rectangle ['rek,tæŋgl] n rectangle m.

rectangular [rek'tæŋgjʊlə[r]] adj rectangulaire.

recycle [,ri:'saɪkl] vt recycler.

red [red] adj rouge; (hair) roux (rousse) ♦ n (colour) rouge m; in the ~ (bank account) à découvert.

red cabbage n chou m rouge.

Red Cross n Croix-Rouge f.

redcurrant [,red'kʌrənt] n groseille f.

redecorate [,ri:'dekəreɪt] vt refaire.

redhead ['redhed] n rouquin m (-e f).

red-hot adj (metal) chauffé(-e) à blanc.

redial [,ri:'daɪəl] vi recomposer le

numéro.

redirect [ˌriːdɪˈrekt] *vt* (letter) réexpédier; (traffic, plane) dérouter.

red pepper *n* poivron *m* rouge.

reduce [rɪˈdjuːs] *vt* réduire; (make cheaper) solder ♦ *vi* (Am: slim) maigrir.

reduced price [rɪˈdjuːst-] *n* prix *m* réduit.

reduction [rɪˈdʌkʃn] *n* réduction *f*.

redundancy [rɪˈdʌndənsɪ] *n* (Br) licenciement *m*.

redundant [rɪˈdʌndənt] *adj* (Br): to be made ~ être licencié(-e).

red wine *n* vin *m* rouge.

reed [riːd] *n* (plant) roseau *m*.

reef [riːf] *n* écueil *m*.

reek [riːk] *vi* puer.

reel [riːl] *n* (of thread) bobine *f*; (on fishing rod) moulinet *m*.

refectory [rɪˈfektərɪ] *n* réfectoire *m*.

refer [rɪˈfɜːr]: **refer to** *vt fus* faire référence à; (consult) se référer à.

referee [ˌrefəˈriː] *n* (SPORT) arbitre *m*.

reference [ˈrefrəns] *n* (mention) allusion *f*; (letter for job) références *f* ♦ *adj* (book) de référence; **with ~ to** suite à.

referendum [ˌrefəˈrendəm] *n* référendum *m*.

refill [*n* ˈriːfɪl, *vb* ˌriːˈfɪl] *n* (for pen) recharge *f*; (inf: drink) autre verre *m* ♦ *vt* remplir.

refinery [rɪˈfaɪnərɪ] *n* raffinerie *f*.

reflect [rɪˈflekt] *vt & vi* réfléchir.

reflection [rɪˈflekʃn] *n* (image) reflet *m*.

reflector [rɪˈflektər] *n* réflecteur *m*.

reflex [ˈriːfleks] *n* réflexe *m*.

reflexive [rɪˈfleksɪv] *adj* réfléchi(-e).

reform [rɪˈfɔːm] *n* réforme *f* ♦ *vt* réformer.

refresh [rɪˈfreʃ] *vt* rafraîchir.

refreshing [rɪˈfreʃɪŋ] *adj* rafraîchissant(-e); (change) agréable.

refreshments [rɪˈfreʃmənts] *npl* rafraîchissements *mpl*.

refrigerator [rɪˈfrɪdʒəreɪtər] *n* réfrigérateur *m*.

refugee [ˌrefjʊˈdʒiː] *n* réfugié *m* (-e *f*).

refund [*n* ˈriːfʌnd, *vb* rɪˈfʌnd] *n* remboursement *m* ♦ *vt* rembourser.

refundable [rɪˈfʌndəbl] *adj* remboursable.

refusal [rɪˈfjuːzl] *n* refus *m*.

refuse¹ [rɪˈfjuːz] *vt & vi* refuser; **to ~ to do sthg** refuser de faire qqch.

refuse² [ˈrefjuːs] *n* (fml) ordures *fpl*.

refuse collection [ˈrefjuːs-] *n* (fml) ramassage *m* des ordures.

regard [rɪˈgɑːd] *vt* (consider) considérer ♦ *n*: **with ~ to** concernant; **as ~s** en ce qui concerne ❏ **regards** *npl* (in greetings) amitiés *fpl*; **give them my ~s** transmettez-leur mes amitiés.

regarding [rɪˈgɑːdɪŋ] *prep* concernant.

regardless [rɪˈgɑːdlɪs] *adv* quand même; **~ of** sans tenir compte de.

reggae [ˈregeɪ] *n* reggae *m*.

regiment [ˈredʒɪmənt] *n* régiment *m*.

region [ˈriːdʒən] *n* région *f*; **in the ~ of** environ.

regional [ˈriːdʒənl] adj régional(-e).

register [ˈredʒɪstə*] n (official list) registre m ♦ vt (record officially) enregistrer; (subj: machine, gauge) indiquer ♦ vi (at hotel) se présenter à la réception; (put one's name down) s'inscrire.

registered [ˈredʒɪstəd] adj (letter, parcel) recommandé(-e).

registration [ˌredʒɪsˈtreɪʃn] n (for course, at conference) inscription f.

registration (number) n (of car) numéro m d'immatriculation.

registry office [ˈredʒɪstrɪ-] n bureau m de l'état civil.

regret [rɪˈɡret] n regret m ♦ vt regretter; **to ~ doing sthg** regretter d'avoir fait qqch; **we ~ any inconvenience caused** nous vous prions de nous excuser pour la gêne occasionnée.

regrettable [rɪˈɡretəbl] adj regrettable.

regular [ˈreɡjʊlə*] adj régulier(-ière); (normal, in size) normal(-e) ♦ n (customer) habitué m (-e f).

regularly [ˈreɡjʊləlɪ] adv régulièrement.

regulate [ˈreɡjʊleɪt] vt régler.

regulation [ˌreɡjʊˈleɪʃn] n (rule) réglementation f.

rehearsal [rɪˈhɜːsl] n répétition f.

rehearse [rɪˈhɜːs] vt répéter.

reign [reɪn] n règne m ♦ vi (monarch) régner.

reimburse [ˌriːɪmˈbɜːs] vt (fml) rembourser.

reindeer [ˈreɪndɪə*] (pl inv) n

renne m.

reinforce [ˌriːɪnˈfɔːs] vt renforcer.

reinforcements [ˌriːɪnˈfɔːsmənts] npl renforts mpl.

reins [reɪnz] npl (for horse) rênes mpl; (for child) harnais m.

reject [rɪˈdʒekt] vt (proposal, request) rejeter; (applicant, coin) refuser.

rejection [rɪˈdʒekʃn] n (of proposal, request) rejet m; (of applicant) refus m.

rejoin [ˌriːˈdʒɔɪn] vt (motorway) rejoindre.

relapse [rɪˈlæps] n rechute f.

relate [rɪˈleɪt] vt (connect) lier ♦ vi: **to ~ to** (be connected with) être lié(-e); (concern) concerner.

related [rɪˈleɪtɪd] adj (of same family) apparenté(-e); (connected) lié(-e).

relation [rɪˈleɪʃn] n (member of family) parent m (-e f); (connection) lien m, rapport m; **in ~ to** au sujet de □ **relations** npl rapports mpl.

relationship [rɪˈleɪʃnʃɪp] n relations fpl; (connection) relation f.

relative [ˈrelətɪv] adj relatif(-ive) ♦ n parent m (-e f).

relatively [ˈrelətɪvlɪ] adv relativement.

relax [rɪˈlæks] vi se détendre.

relaxation [ˌriːlækˈseɪʃn] n détente f.

relaxed [rɪˈlækst] adj détendu(-e).

relaxing [rɪˈlæksɪŋ] adj reposant(-e).

relay [ˈriːleɪ] n (race) relais m.

release [rɪˈliːs] vt (set free) relâcher; (let go of) lâcher; (record, film) sortir; (brake, catch) desserrer ♦ n (record, film) nouveauté f.

relegate ['relɪgeɪt] vt: **to be ~d** (SPORT) être relégué à la division inférieure.

relevant ['reləvənt] adj (connected) en rapport; (important) important(-e); (appropriate) approprié(-e).

reliable [rɪ'laɪəbl] adj (person, machine) fiable.

relic ['relɪk] n relique f.

relief [rɪ'li:f] n (gladness) soulagement m; (aid) assistance f.

relief road n itinéraire m de délestage.

relieve [rɪ'li:v] vt (pain, headache) soulager.

relieved [rɪ'li:vd] adj soulagé(-e).

religion [rɪ'lɪdʒn] n religion f.

religious [rɪ'lɪdʒəs] adj religieux(-ieuse).

relish ['relɪʃ] n (sauce) condiment m.

reluctant [rɪ'lʌktənt] adj réticent(-e).

rely [rɪ'laɪ]: **rely on** vt fus (trust) compter sur; (depend on) dépendre de.

remain [rɪ'meɪn] vi rester ❑ **remains** npl restes mpl.

remainder [rɪ'meɪndə'] n reste m.

remaining [rɪ'meɪnɪŋ] adj restant(-e); **to be ~** rester.

remark [rɪ'mɑ:k] n remarque f ♦ vt faire remarquer.

remarkable [rɪ'mɑ:kəbl] adj remarquable.

remedy ['remədɪ] n remède m.

remember [rɪ'membə'] vt se rappeler, se souvenir de; (not forget) ne pas oublier ♦ vi se souve-

nir; **to ~ doing sthg** se rappeler avoir fait qqch; **to ~ to do sthg** penser à faire qqch.

remind [rɪ'maɪnd] vt: **to ~ sb of sthg** rappeler qqch à qqn; **to ~ sb to do sthg** rappeler à qqn de faire qqch.

reminder [rɪ'maɪndə'] n rappel m.

remittance [rɪ'mɪtns] n versement m.

remnant ['remnənt] n reste m.

remote [rɪ'məʊt] adj (isolated) éloigné(-e); (chance) faible.

remote control n télécommande f.

removal [rɪ'mu:vl] n enlèvement m.

removal van n camion m de déménagement.

remove [rɪ'mu:v] vt enlever.

renew [rɪ'nju:] vt (licence, membership) renouveler; (library book) prolonger l'emprunt de.

renovate ['renəveɪt] vt rénover.

renowned [rɪ'naʊnd] adj renommé(-e).

rent [rent] n loyer m ♦ vt louer.

rental ['rentl] n location f.

repaid [ri:'peɪd] pt & pp → repay.

repair [rɪ'peə'] vt réparer ♦ n: **in good ~** en bon état ❑ **repairs** npl réparations mpl.

repair kit n (for bicycle) trousse f à outils.

repay [ri:'peɪ] (pt & pp **repaid**) vt (money) rembourser; (favour, kindness) rendre.

repayment [ri:'peɪmənt] n remboursement m.

repeat [rɪ'pi:t] vt répéter ♦ n (on

TV, radio) rediffusion *f*.

repetition [ˌrepɪˈtɪʃn] *n* répétition *f*.

repetitive [rɪˈpetɪtɪv] *adj* répétitif(-ive).

replace [rɪˈpleɪs] *vt* remplacer; (*put back*) replacer.

replacement [rɪˈpleɪsmənt] *n* remplacement *m*.

replay [ˈriːpleɪ] *n* (*rematch*) match *m* rejoué; (*on TV*) ralenti *m*.

reply [rɪˈplaɪ] *n* réponse *f* ♦ *vi* répondre.

report [rɪˈpɔːt] *n* (*account*) rapport *m*; (*in newspaper, on TV, radio*) reportage *m*; (*Br: SCH*) bulletin *m* ♦ *vt* (*announce*) annoncer; (*theft, disappearance*) signaler; (*person*) dénoncer ♦ *vi* (*give account*) faire un rapport; (*for newspaper, TV, radio*) faire un reportage; **to ~ to sb** (*go to*) se présenter à qqn.

report card *n* bulletin *m* scolaire.

reporter [rɪˈpɔːtəʳ] *n* reporter *m*.

represent [ˌreprɪˈzent] *vt* représenter.

representative [ˌreprɪˈzentətɪv] *n* représentant *m* (-e *f*).

repress [rɪˈpres] *vt* réprimer.

reprieve [rɪˈpriːv] *n* (*delay*) sursis *m*.

reprimand [ˈreprɪmɑːnd] *vt* réprimander.

reproach [rɪˈprəʊtʃ] *vt*: **to ~ sb for sthg** reprocher qqch à qqn.

reproduction [ˌriːprəˈdʌkʃn] *n* reproduction *f*.

reptile [ˈreptaɪl] *n* reptile *m*.

republic [rɪˈpʌblɪk] *n* république *f*.

Republican [rɪˈpʌblɪkən]

républicain *m* (-e *f*) ♦ *adj* républicain(-e).

repulsive [rɪˈpʌlsɪv] *adj* repoussant(-e).

reputable [ˈrepjʊtəbl] *adj* qui a bonne réputation.

reputation [ˌrepjʊˈteɪʃn] *n* réputation *f*.

reputedly [rɪˈpjuːtɪdlɪ] *adv* à ce qu'on dit.

request [rɪˈkwest] *n* demande *f* ♦ *vt* demander; **to ~ sb to do sthg** demander à qqn de faire qqch; **available on ~** disponible sur demande.

request stop *n* (*Br*) arrêt *m* facultatif.

require [rɪˈkwaɪəʳ] *vt* (*subj: person*) avoir besoin de; (*subj: situation*) exiger; **to be ~d to do sthg** être tenu de faire qqch.

requirement [rɪˈkwaɪəmənt] *n* besoin *m*.

resat [ˌriːˈsæt] *pt & pp* → **resit**.

rescue [ˈreskjuː] *vt* secourir.

research [rɪˈsɜːtʃ] *n* (*scientific*) recherche *f*; (*studying*) recherches *fpl*.

resemblance [rɪˈzembləns] *n* ressemblance *f*.

resemble [rɪˈzembl] *vt* ressembler à.

resent [rɪˈzent] *vt* ne pas apprécier.

reservation [ˌrezəˈveɪʃn] *n* (*booking*) réservation *f*; (*doubt*) réserve *f*; **to make a ~** réserver.

reserve [rɪˈzɜːv] *n* (*SPORT*) remplaçant *m* (-e *f*); (*for wildlife*) réserve *f* ♦ *vt* réserver.

reserved [rɪˈzɜːvd] *adj* réservé(-e).

reservoir [ˈrezəvwɑːʳ] n réservoir m.

reset [ˌriːˈset] (pt & pp reset) vt (meter, device) remettre à zéro; (watch) remettre à l'heure.

reside [rɪˈzaɪd] vi (fml: live) résider.

residence [ˈrezɪdəns] n (fml) résidence f; place of ~ domicile m.

residence permit n permis de séjour.

resident [ˈrezɪdənt] n (of country) résident m (-e f); (of hotel) pensionnaire mf; (of area, house) habitant m (-e f); "~s only" (for parking) «réservé aux résidents».

residential [ˌrezɪˈdenʃl] adj résidentiel(-ielle).

residue [ˈrezɪdjuː] n restes mpl.

resign [rɪˈzaɪn] vi démissioner ◆ vt: to ~ o.s. to sthg se résigner à qqch.

resignation [ˌrezɪgˈneɪʃn] n (from job) démission f.

resilient [rɪˈzɪliənt] adj résistant(-e).

resist [rɪˈzɪst] vt résister à; I can't ~ cream cakes je ne peux pas résister aux gâteaux à la crème; to ~ doing sthg résister à l'envie de faire qqch.

resistance [rɪˈzɪstəns] n résistance f.

resit [ˌriːˈsɪt] (pt & pp resat) vt repasser.

resolution [ˌrezəˈluːʃn] n résolution f.

resolve [rɪˈzɒlv] vt résoudre.

resort [rɪˈzɔːt] n (for holidays) station f; as a last ~ en dernier recours ❑ **resort to** vt fus recourir à; to ~ to doing sthg en venir à faire qqch.

resource [rɪˈsɔːs] n ressource f.

resourceful [rɪˈsɔːsful] adj ingénieux(-ieuse).

respect [rɪˈspekt] n respect m; (aspect) égard m ◆ vt respecter; in some ~s à certains égards; with ~ to en ce qui concerne.

respectable [rɪˈspektəbl] adj respectable.

respective [rɪˈspektɪv] adj respectif(-ive).

respond [rɪˈspɒnd] vi répondre.

response [rɪˈspɒns] n réponse f.

responsibility [rɪˌspɒnsəˈbɪlətɪ] n responsabilité f.

responsible [rɪˈspɒnsəbl] adj responsable; to be ~ for (accountable) être responsable de.

rest [rest] n (relaxation) repos m; (support) appui m ◆ vi (relax) se reposer; the ~ (remainder) le restant, le reste; to have a ~ se reposer; to ~ against reposer contre.

restaurant [ˈrestərɒnt] n restaurant m.

restaurant car n (Br) wagon-restaurant m.

restful [ˈrestful] adj reposant(-e).

restless [ˈrestlɪs] adj (bored, impatient) impatient(-e); (fidgety) agité(-e).

restore [rɪˈstɔːʳ] vt restaurer.

restrain [rɪˈstreɪn] vt retenir.

restrict [rɪˈstrɪkt] vt restreindre.

restricted [rɪˈstrɪktɪd] adj restreint(-e).

restriction [rɪˈstrɪkʃn] n limitation f.

rest room n (Am) toilettes fpl.

result [rɪˈzʌlt] n résultat m ◆ vi: to ~ in aboutir à; as a ~ of à cause de.

resume [rɪ'zju:m] vi reprendre.

résumé ['rezju:meɪ] n (summary) résumé m; (Am: curriculum vitae) curriculum vitae m inv.

retail ['ri:teɪl] n détail m ♦ vt (sell) vendre au détail ♦ vi: to ~ at se vendre (à).

retailer ['ri:teɪlər] n détaillant m (-e f).

retail price n prix m de détail.

retain [rɪ'teɪn] vt (fml) conserver.

retaliate [rɪ'tælɪeɪt] vi riposter.

retire [rɪ'taɪər] vi (stop working) prendre sa retraite.

retired [rɪ'taɪəd] adj retraité(-e).

retirement [rɪ'taɪəmənt] n retraite f.

retreat [rɪ'tri:t] vi se retirer ♦ n (place) retraite f.

retrieve [rɪ'tri:v] vt récupérer.

return [rɪ'tɜ:n] n retour m; (Br: ticket) aller-retour m ♦ vt (put back) remettre; (give back) rendre; (ball, serve) renvoyer ♦ vi revenir; (go back) retourner ♦ adj (journey) de retour; to ~ sthg to sb (give back) rendre qqch à qqn; by ~ of post (Br) par retour du courrier; many happy ~s! bon anniversaire!; in ~ (for) en échange (de).

return flight n vol m retour.

return ticket n (Br) billet m aller-retour.

reunite [ri:ju:'naɪt] vt réunir.

reveal [rɪ'vi:l] vt révéler.

revelation [ˌrevə'leɪʃn] n révélation f.

revenge [rɪ'vendʒ] n vengeance f.

reverse [rɪ'vɜ:s] adj inverse ♦ n (AUT) marche f arrière; (of document)

verso m; (of coin) revers m ♦ vt (car) mettre en marche arrière; (decision) annuler ♦ vi (car, driver) faire marche arrière; **the ~** (opposite) l'inverse; **in ~ order** en ordre inverse; **to ~ the charges** (Br) téléphoner en PCV.

reverse-charge call n (Br) appel m en PCV.

review [rɪ'vju:] n (of book, record, film) critique f; (examination) examen m ♦ vt (Am: for exam) réviser.

revise [rɪ'vaɪz] vt & vi réviser.

revision [rɪ'vɪʒn] n (Br: for exam) révision f.

revive [rɪ'vaɪv] vt (person) ranimer; (economy, custom) relancer.

revolt [rɪ'vəʊlt] n révolte f.

revolting [rɪ'vəʊltɪŋ] adj dégoûtant(-e).

revolution [ˌrevə'lu:ʃn] n révolution f.

revolutionary [ˌrevə'lu:ʃnərɪ] adj révolutionnaire.

revolver [rɪ'vɒlvər] n revolver m.

revolving door [rɪ'vɒlvɪŋ-] n porte f à tambour.

revue [rɪ'vju:] n revue f.

reward [rɪ'wɔ:d] n récompense f ♦ vt récompenser.

rewind [ˌri:'waɪnd] (pt & pp rewound [ˌri:'waʊnd]) vt rembobiner.

rheumatism ['ru:mətɪzm] n rhumatisme m.

rhinoceros [raɪ'nɒsərəs] (pl inv OR -es) n rhinocéros m.

rhubarb ['ru:bɑ:b] n rhubarbe f.

rhyme [raɪm] n (poem) poème m ♦ vi rimer.

rhythm ['rɪðm] n rythme m.

rib [rɪb] n côte f.

ribbon ['rɪbən] n ruban m.

rice [rais] n riz m.

rice pudding n riz m au lait.

rich [rɪtʃ] adj riche ♦ npl: **the ~** les riches mpl; **to be ~ in** stg être riche en qqch.

ricotta cheese [rɪˈkɒtə-] n ricotta f.

rid [rɪd] vt: **to get ~ of** se débarrasser de.

ridden [ˈrɪdn] pp → ride.

riddle [ˈrɪdl] n (puzzle) devinette f; (mystery) énigme f.

ride [raɪd] (pt rode, pp ridden) n promenade f ♦ vt (horse) monter ♦ vi (on bike) aller en OR à vélo; (on horse) aller à cheval; (on bus) aller en bus; **can you ~ a bike?** est-ce que tu sais faire du vélo?; **to ~ horses** monter à cheval; **can you ~ (a horse)?** est-ce que tu sais monter à cheval?; **to go for a ~ (in car)** faire un tour en voiture.

rider [ˈraɪdər] n (on horse) cavalier m (-ière f); (on bike) cycliste mf; (on motorbike) motard m (-e f).

ridge [rɪdʒ] n (of mountain) crête f; (raised surface) arête f.

ridiculous [rɪˈdɪkjʊləs] adj ridicule.

riding [ˈraɪdɪŋ] n équitation f.

riding school n école f d'équitation.

rifle [ˈraɪfl] n carabine f.

rig [rɪg] n (oilrig at sea) plateforme f pétrolière; (on land) derrick m ♦ vt (fix) truquer.

right [raɪt] adj 1. (correct) bon (bonne); **to be ~ (person)** avoir raison; **to be ~ to do stg** avoir raison de faire qqch; **have you got the ~ time?** avez-vous l'heure exacte?; **is this the ~ way?** c'est la bonne route?; **that's ~!** c'est

exact!

2. (fair) juste; **that's not ~!** ce n'est pas juste!

3. (on the right) droit(-e); **the ~ side of the road** le côté droit de la route.

♦ n 1. (side): **the ~** la droite.

2. (entitlement) droit m; **to have the ~ to do stg** avoir le droit de faire qqch.

♦ adv 1. (towards the right) à droite.

2. (correctly) bien, comme il faut; **am I pronouncing it ~?** est-ce que je le prononce bien?

3. (for emphasis): **~ here** ici même; **~ at the top** tout en haut; **I'll be ~ back** je reviens tout de suite; **~ away** immédiatement.

right angle n angle m droit.

right-hand adj (side) droit(-e); (lane) de droite.

right-hand drive n conduite f à droite.

right-handed [-ˈhændɪd] adj (person) droitier(-ière); (implement) pour droitiers.

rightly [ˈraɪtlɪ] adv (correctly) correctement; (justly) à juste titre.

right of way n (AUT) priorité f; (path) chemin m public.

right-wing adj de droite.

rigid [ˈrɪdʒɪd] adj rigide.

rim [rɪm] n (of cup) bord m; (of glasses) monture f; (of wheel) jante f.

rind [raɪnd] n (of fruit) peau f; (of bacon) couenne f; (of cheese) croûte f.

ring [rɪŋ] (pt rang, pp rung) n (for finger, curtain) anneau m; (with gem) bague f; (circle) cercle m; (sound) sonnerie f; (on cooker) brûleur m; (electric) plaque f; (for boxing) ring *m; (in circus)* piste f ◆ *vt (Br: make phone call to)* appeler; *(church bell)* sonner ◆ *vi (bell, telephone)* sonner; *(Br: make phone call)* appeler; **to give sb a ~** *(phone call)* appeler; **to ~ the bell** *(of house, office)* sonner ❑ **ring back** *vt sep & vi (Br)* rappeler; **ring off** *vi (Br)* raccrocher; **ring up** *vt sep & vi (Br)* appeler.

ringing tone ['rɪŋɪŋ-] *n* sonnerie f.

ring road *n* boulevard *m* périphérique.

rink [rɪŋk] *n* patinoire f.

rinse [rɪns] *vt* rincer ❑ **rinse out** *vt sep* rincer.

riot ['raɪət] *n* émeute f.

rip [rɪp] *n* déchirure f ◆ *vt* déchirer ◆ *vi* se déchirer ❑ **rip up** *vt sep* déchirer.

ripe [raɪp] *adj* mûr(-e); *(cheese)* à point.

ripen ['raɪpn] *vi* mûrir.

rip-off ['rɪpɒf] *n* arnaque f.

rise [raɪz] *(pt* rose, *pp* risen ['rɪzn]) *vi (move upwards)* s'élever; *(sun, moon, stand up)* se lever; *(increase)* augmenter ◆ *n (increase)* augmentation f; *(Br: pay increase)* augmentation (de salaire); *(slope)* montée f, côte f.

risk [rɪsk] *n* risque *m* ◆ *vt* risquer; **to take a ~** prendre un risque; **at your own ~** à vos risques et périls; **to ~ doing sthg** prendre le risque de faire qqch; **to ~ it** tenter le coup.

risky ['rɪskɪ] *adj* risqué(-e).

risotto [rɪ'zɒtəʊ] *(pl* -s) *n* risotto *m*.

ritual ['rɪtʃʊəl] *n* rituel *m*.

rival ['raɪvl] *adj* rival(-e) ◆ *n* rival *m* (-e f).

river ['rɪvər] *n* rivière f; *(flowing into sea)* fleuve *m*.

river bank *n* berge f.

riverside ['rɪvəsaɪd] *n* berge f.

Riviera [ˌrɪvɪ'eərə] *n*: **the (French) ~** la Côte d'Azur.

roach [rəʊtʃ] *n (Am: cockroach)* cafard *m*.

road [rəʊd] *n* route f; *(in town)* rue f; **by ~** par la route.

road book *n* guide *m* routier.

road map *n* carte f routière.

road safety *n* sécurité f routière.

roadside ['rəʊdsaɪd] *n*: **the ~** le bord de la route.

road sign *n* panneau *m* routier.

road tax *n* = vignette f.

roadway ['rəʊdweɪ] *n* chaussée f.

road works *npl* travaux *mpl*.

roam [rəʊm] *vi* errer.

roar [rɔːr] *n (of aeroplane)* grondement *m; (of crowd)* hurlements *mpl* ◆ *vi (lion)* rugir; *(person)* hurler.

roast [rəʊst] *n* rôti *m* ◆ *vt* faire rôtir ◆ *adj* rôti(-e); **~ beef** rosbif *m*; **~ chicken** poulet *m* rôti; **~ lamb** rôti d'agneau; **~ pork** rôti de porc; **~ potatoes** pommes de terre *fpl* au four.

rob [rɒb] *vt (house, bank)* cambrioler; *(person)* voler; **to ~ sb of sthg** voler qqch à qqn.

robber ['rɒbər] *n* voleur *m* (-euse f).

robbery ['rɒbərɪ] *n* vol *m*.

robe [rəʊb] *n (Am: bathrobe)* peignoir *m*.

robin ['rɒbɪn] *n* rouge-gorge *m*.

robot ['rəʊbɒt] *n* robot *m*.

rock [rɒk] *n (boulder)* rocher *m*;

(Am: stone) pierre *f*; *(substance)* roche *f*; *(music)* rock *m*; *(Br: sweet)* sucre *m* d'orge ♦ *vt (baby, boat)* bercer; **on the ~s** *(drink)* avec des glaçons.

rock climbing *n* varappe *f*; **to go ~** faire de la varappe.

rocket ['rɒkɪt] *n (missile)* roquette *f*; *(space rocket, firework)* fusée *f*.

rocking chair ['rɒkɪŋ-] *n* rocking-chair *m*.

rock 'n' roll [,rɒkən'rəʊl] *n* rock *m*.

rocky ['rɒkɪ] *adj* rocheux(-euse).

rod [rɒd] *n (pole)* barre *f*; *(for fishing)* canne *f*.

rode [rəʊd] *pt* → **ride**.

roe [rəʊ] *n* œufs *mpl* de poisson.

role [rəʊl] *n* rôle *m*.

roll [rəʊl] *n (of bread)* petit pain *m*; *(of film, paper)* rouleau *m* ♦ *vi* rouler ♦ *vt* faire rouler; *(cigarette)* rouler ❑ **roll over** *vi* se retourner; **roll up** *vt sep (map, carpet)* rouler; *(sleeves, trousers)* remonter.

roller coaster ['rəʊlə,kəʊstə²] *n* montagnes *fpl* russes.

roller skate ['rəʊlə-] *n* patin *m* à roulettes.

roller-skating ['rəʊlə-] *n* patin *m* à roulettes; **to go ~** faire du patin à roulettes.

rolling pin ['rəʊlɪŋ-] *n* rouleau *m* à pâtisserie.

Roman ['rəʊmən] *adj* romain(-e) ♦ *n* Romain *m* (-e *f*).

Roman Catholic *n* catholique *mf*.

romance [rəʊ'mæns] *n (love)* amour *m*; *(love affair)* liaison *f*; *(novel)* roman *m* d'amour.

Romania [ru:'meɪnjə] *n* la Roumanie.

romantic [rəʊ'mæntɪk] *adj* romantique.

romper suit ['rɒmpə-] *n* barboteuse *f*.

roof [ru:f] *n* toit *m*; *(of cave, tunnel)* plafond *m*.

roof rack *n* galerie *f*.

room [ru:m, rʊm] *n (in building)* pièce *f*; *(larger)* salle *f*; *(bedroom, in hotel)* chambre *f*; *(space)* place *f*.

room number *n* numéro *m* de chambre.

room service *n* service *m* dans les chambres.

room temperature *n* température *f* ambiante.

roomy ['ru:mɪ] *adj* spacieux (-ieuse).

root [ru:t] *n* racine *f*.

rope [rəʊp] *n* corde *f* ♦ *vt* attacher avec une corde.

rose [rəʊz] *pt* → **rise** ♦ *n (flower)* rose *f*.

rosé ['rəʊzeɪ] *n* rosé *m*.

rosemary ['rəʊzmərɪ] *n* romarin *m*.

rot [rɒt] *vi* pourrir.

rota ['rəʊtə] *n* roulement *m*.

rotate [rəʊ'teɪt] *vi* tourner.

rotten ['rɒtn] *adj* pourri(-e); **I feel ~** *(ill)* je ne me sens pas bien du tout.

rouge [ru:ʒ] *n* rouge *m* (à joues).

rough [rʌf] *adj (surface, skin, cloth)* rugueux(-euse); *(road, ground)* accidenté(-e); *(sea, crossing)* agité(-e); *(person)* dur(-e); *(approximate)* approximatif(-ive); *(conditions)* rude; *(area, town)* mal fréquenté(-e); *(wine)* ordinaire ♦ *n (on golf course)* rough m; **to have a ~ time** en baver.

roughly ['rʌflɪ] *adv* (approximately) à peu près; (push, handle) rudement.

roulade [ruː'lɑːd] *n* roulade f.

roulette [ruː'let] *n* roulette f.

round [raʊnd] *adj* rond(-e).
♦ *n* **1.** (of drinks) tournée f; (of sandwiches) ensemble de sandwiches au pain de mie.
2. (of toast) tranche f.
3. (of competition) manche f.
4. (in golf) partie f; (in boxing) round m.
5. (of policeman, postman, milkman) tournée f.
♦ *adv* **1.** (in a circle): **to go ~** tourner; **to spin ~** pivoter.
2. (surrounding): **all (the way) ~** tout autour.
3. (near): **~ about** aux alentours.
4. (to someone's house): **to ask some friends ~** inviter des amis (chez soi); **we went ~ to her place** nous sommes allés chez elle.
5. (continuously): **all year ~** toute l'année.
♦ *prep* **1.** (surrounding, circling) autour de; **we walked ~ the lake** nous avons fait le tour du lac à pied; **to go ~ the corner** tourner au coin.
2. (visiting): **to go ~ a museum** visiter un musée; **to show sb ~ sthg** faire visiter qqch à qqn.
3. (approximately) environ; **~ (about) 100** environ 100; **~ ten o'clock** vers dix heures.
4. (near) aux alentours de; **~ here** par ici.
5. (in phrases): **it's just ~ the corner** (nearby) c'est tout près; **~ the clock** 24 heures sur 24.
❑ **round off** *vt sep* (meal, day) terminer.

roundabout ['raʊndəbaʊt] *n* (Br) (in road) rond-point m; (in playground) tourniquet m; (at fairground) manège m.

rounders ['raʊndəz] *n* (Br) sport proche du base-ball, pratiqué par les enfants.

round trip *n* aller-retour m.

route [ruːt] *n* (way) route f; (of bus, train, plane) trajet m ♦ *vt* (change course of) détourner.

routine [ruː'tiːn] *n* (usual behaviour) habitudes fpl; (pej: drudgery) routine f ♦ *adj* de routine.

row[1] [rəʊ] *n* rangée f ♦ *vt* (boat) faire avancer à la rame ♦ *vi* ramer; **in a ~** (in succession) à la file, de suite.

row[2] [raʊ] *n* (argument) dispute f; (inf: noise) raffut m; **to have a ~** se disputer.

rowboat ['rəʊbəʊt] (Am) = **rowing boat**.

rowdy ['raʊdɪ] *adj* chahuteur (-euse).

rowing ['rəʊɪŋ] *n* aviron m.

rowing boat *n* (Br) canot m à rames.

royal ['rɔɪəl] *adj* royal(-e).

royal family *n* famille f royale.

---

i **ROYAL FAMILY**

La famille royale britannique a actuellement à sa tête la reine Élisabeth. Les autres membres directs sont l'époux de la reine, le prince Philip, duc d'Édimbourg, ses enfants : les princes Charles (prince de Galles), Andrew et Edward, et la princesse Anne, ainsi que la reine mère. On joue l'hymne national lorsqu'ils assistent à une cérémonie officielle, et leur présence dans les résidences royales est signalée par le drapeau britannique.

royalty [ˈrɔɪəltɪ] n famille f royale.

RRP (abbr of recommended retail price) prix m conseillé.

rub [rʌb] vt & vi frotter; **to ~ one's eyes/arm** se frotter les yeux/le bras; **my shoes are rubbing** mes chaussures me font mal □ **rub in** vt sep (lotion, oil) faire pénétrer en frottant; **rub out** vt sep effacer.

rubber [ˈrʌbəʳ] adj en caoutchouc ◆ n (material) caoutchouc m; (Br: eraser) gomme f; (Am: inf: condom) capote f.

rubber band n élastique m.

rubber gloves npl gants mpl en caoutchouc.

rubber ring n bouée f.

rubbish [ˈrʌbɪʃ] n (refuse) ordures fpl; (inf: worthless thing) camelote f; (inf: nonsense) idioties fpl.

rubbish bin n (Br) poubelle f.

rubbish dump n (Br) décharge f.

rubble [ˈrʌbl] n décombres mpl.

ruby [ˈruːbɪ] n rubis m.

rucksack [ˈrʌksæk] n sac m à dos.

rudder [ˈrʌdəʳ] n gouvernail m.

rude [ruːd] adj grossier(-ière); (picture) obscène.

rug [rʌg] n carpette f; (Br: blanket) couverture f.

rugby [ˈrʌgbɪ] n rugby m.

ruin [ˈruːɪn] vt gâcher □ **ruins** npl (of building) ruines fpl.

ruined [ˈruːɪnd] adj (building) en ruines; (meal, holiday) gâché(-e); (clothes) abîmé(-e).

rule [ruːl] n règle f ◆ vt (country) diriger; **to be the ~** (normal) être la règle; **against the ~s** contre les règles; **as a ~** en règle générale □ **rule out** vt sep exclure.

ruler [ˈruːləʳ] n (of country) dirigeant m (-e f); (for measuring) règle f.

rum [rʌm] n rhum m.

rumor [ˈruːməʳ] (Am) = **rumour**.

rumour [ˈruːməʳ] n (Br) rumeur f.

rump steak [ˌrʌmp-] n rumsteck m.

run [rʌn] (pt ran, pp run) vi 1. (on foot) courir. 2. (train, bus) circuler; **the bus ~s every hour** il y a un bus toutes les heures; **the train is running an hour late** le train a une heure de retard. 3. (operate) marcher, fonctionner; **to ~ on sthg** marcher à qqch. 4. (liquid, tap, nose) couler. 5. (river, road) **to ~ through** (river, road) traverser; **the path ~s along the coast** le sentier longe la côte. 6. (play) se jouer; **"now running at the Palladium"** «actuellement au Palladium». 7. (colour, dye, clothes) déteindre. ◆ vt 1. (on foot) courir. 2. (compete in): **to ~ a race** participer à une course. 3. (business, hotel) gérer. 4. (bus, train): **they run a shuttle bus service** ils assurent une navette. 5. (take in car) conduire; **I'll ~ you home** je vais te ramener (en voiture). 6. (bath, water) faire couler.

runaway

◆ n 1. (on foot) course f; **to go for a** ~ courir.

2. (in car) tour m; **to go for a** ~ aller faire un tour (en voiture).

3. (for skiing) piste f.

4. (Am: in tights) maille f filée.

5. (in phrases): **in the long** ~ à la longue.

❑ **run away** vi s'enfuir; **run down** vt sep (run over) écraser; (criticize) critiquer ◆ vi (battery) se décharger; **run into** vt fus (meet) tomber sur; (in numbers) rentrer dans; (problem, difficulty) se heurter à; **run out** vi (supply) s'épuiser; **run out of** vt fus manquer de; **run over** vt sep (hit) écraser.

runaway ['rʌnəweɪ] n fugitif m (-ive f).

rung [rʌŋ] pp → **ring** ◆ n (of ladder) barreau m.

runner ['rʌnər] n (person) coureur m (-euse f); (for door, drawer) glissière f; (for sledge) patin m.

runner bean n haricot m à rames.

runner-up (pl **runners-up**) n second m (-e f).

running ['rʌnɪŋ] n (SPORT) course f; (management) gestion f ◆ adj: **three days** ~ trois jours d'affilée OR de suite; **to go** ~ courir.

running water n eau f courante.

runny ['rʌnɪ] adj (omelette) baveux(-euse); (sauce) liquide; (nose, eye) qui coule.

runway ['rʌnweɪ] n piste f.

rural ['rʊərəl] adj rural(-e).

rush [rʌʃ] n (hurry) précipitation f; (of crowd) ruée f ◆ vi se précipiter ◆ vt (meal, work) expédier; (goods) envoyer d'urgence; (injured person)

transporter d'urgence; **to be in a** ~ être pressé; **there's no** ~! rien ne presse!; **don't** ~ **me!** ne me bouscule pas!

rush hour n heure f de pointe.

Russia ['rʌʃə] n la Russie.

Russian ['rʌʃn] adj russe ◆ n (person) Russe mf; (language) russe m.

rust [rʌst] n rouille f ◆ vi rouiller.

rustic ['rʌstɪk] adj rustique.

rustle ['rʌsl] vi bruire.

rustproof ['rʌstpruːf] adj inoxydable.

rusty ['rʌstɪ] adj rouillé(-e).

RV n (Am: abbr of recreational vehicle) mobile home m.

rye [raɪ] n seigle m.

rye bread n pain m de seigle.

S

S (abbr of south, small) S.

saccharin ['sækərɪn] n saccharine f.

sachet ['sæʃeɪ] n sachet m.

sack [sæk] n (bag) sac m ◆ vt virer; **to get the** ~ se faire virer.

sacrifice ['sækrɪfaɪs] n sacrifice m.

sad [sæd] adj triste.

saddle ['sædl] n selle f.

saddlebag ['sædlbæg] n sacoche f.

sadly ['sædlɪ] adv (unfortunately) malheureusement; (unhappily) tristement.

sadness ['sædnɪs] n tristesse f.

s.a.e. n (Br: abbr of stamped addressed envelope) enveloppe timbrée avec adresse pour la réponse.

safari park [sə'fɑːrɪ-] n parc m animalier.

safe [seɪf] adj (activity, sport) sans danger; (vehicle, structure) sûr(-e); (after accident) sain et sauf (saine et sauve); (in safe place) en sécurité ◆ n (for money, valuables) coffre-fort m; (in a) ~ **place** un endroit sûr; (have a) ~ **journey!** bon voyage!; ~ **and sound** sain et sauf.

safe-deposit box n coffre m.

safely ['seɪflɪ] adv (not dangerously) sans danger; (arrive) sans encombre; (out of harm) en lieu sûr.

safety ['seɪftɪ] n sécurité f.

safety belt n ceinture f de sécurité.

safety pin n épingle f de nourrice.

sag [sæg] vi s'affaisser.

sage [seɪdʒ] n (herb) sauge f.

Sagittarius [,sædʒɪ'teərɪəs] n Sagittaire m.

said [sed] pt & pp → say.

sail [seɪl] n voile f ◆ vi naviguer; (depart) prendre la mer ◆ vt: **to ~ a boat** piloter un bateau; **to set ~** prendre la mer.

sailboat ['seɪlbəʊt] (Am) = **sailing boat.**

sailing ['seɪlɪŋ] n voile f; (departure) départ m; **to go ~** faire de la voile.

sailing boat n voilier m.

sailor ['seɪlər] n marin m.

saint [seɪnt] n saint m, -e f.

sake [seɪk] n: **for my/their ~** pour moi/eux; **for God's ~!** bon sang!

salad ['sæləd] n salade f.

salad bar n (Br: area in restaurant) dans un restaurant, buffet de salades en self-service; (restaurant) restaurant spécialisé dans les salades.

salad bowl n saladier m.

salad cream n (Br) mayonnaise liquide utilisée en assaisonnement pour salades.

salad dressing n vinaigrette f.

salami [sə'lɑːmɪ] n salami m.

salary ['sælərɪ] n salaire m.

sale [seɪl] n (selling) vente f; (at reduced prices) soldes mpl; **"for ~"** «à vendre»; **on ~** en vente □ **sales** npl (COMM) ventes fpl; **the ~s** (at reduced prices) les soldes.

sales assistant ['seɪlz-] n vendeur m (-euse f).

salesclerk ['seɪlzklɜːrk] (Am) = **sales assistant.**

salesman ['seɪlzmən] (pl -men [-mən]) n (in shop) vendeur m; (rep) représentant m.

sales rep(resentative) n représentant m (-e f).

saleswoman ['seɪlz,wʊmən] (pl -women [-,wɪmɪn]) n vendeuse f.

saliva [sə'laɪvə] n salive f.

salmon ['sæmən] (pl inv) n saumon m.

salon ['sælɒn] n (hairdresser's) salon m de coiffure.

saloon [sə'luːn] n (Br: car) berline f; (Am: bar) saloon m; ~ **(bar)** (Br) salon m (salle de pub, généralement plus confortable et plus chère que le «public bar».

salopettes [,sælə'pets] npl combinaison f de ski.

salt [sɔːlt, sɒlt] n sel m.

saltcellar ['sɔːlt,selər] n (Br) salière f.

salted peanuts ['sɔ:ltɪd] npl
cacahuètes fpl salées.

salt shaker [-ˌʃeɪkəʳ] (Am) =
saltcellar.

salty ['sɔ:ltɪ] adj salé(-e).

salute [səˈlu:t] n salut m ♦ vi
saluer.

same [seɪm] adj même ♦ pron:
the ~ (unchanged) le même (la
même); (in comparisons) la même
chose, pareil; **they dress the ~** ils
s'habillent de la même façon; **I'll
have the ~ as her** je prendrai la
même chose qu'elle; **you've got
the ~ book as me** tu as le même
livre que moi; **it's all the ~ to me**
ça m'est égal.

samosa [səˈməʊsə] n sorte de beignet triangulaire garni de légumes
et/ou de viande épicés (spécialité indienne).

sample ['sɑ:mpl] n échantillon m
♦ vt (food, drink) goûter.

sanctions ['sæŋkʃnz] npl (POL)
sanctions fpl.

sanctuary ['sæŋktʃʊərɪ] n (for
birds, animals) réserve f.

sand [sænd] n sable m ♦ vt (wood)
poncer ❏ **sands** npl (beach) plage f.

sandal ['sændl] n sandale f.

sandcastle ['sændˌkɑ:sl] n château m de sable.

sandpaper ['sændˌpeɪpəʳ] n papier m de verre.

sandwich ['sænwɪdʒ] n sandwich m.

sandwich bar n = snack(-bar)
m.

sandy ['sændɪ] adj (beach) de sable; (hair) blond(-e).

sang [sæŋ] pt → sing.

sanitary ['sænɪtrɪ] adj sanitaire;
(hygienic) hygiénique.

sanitary napkin (Am) = sanitary towel.

sanitary towel n (Br) serviette f hygiénique.

sank [sæŋk] pt → sink.

sapphire ['sæfaɪəʳ] n saphir m.

sarcastic [sɑ:ˈkæstɪk] adj sarcas-
tique.

sardine [sɑ:ˈdi:n] n sardine f.

SASE n (Am: abbr of self-addressed
stamped envelope) enveloppe timbrée
avec adresse pour la réponse.

sat [sæt] pt & pp → sit.

Sat. (abbr of Saturday) sam.

satchel ['sætʃəl] n cartable m.

satellite ['sætəlaɪt] n satellite m.

satellite dish n antenne f parabolique.

satellite TV n télé f par satellite.

satin ['sætɪn] n satin m.

satisfaction [ˌsætɪsˈfækʃn] n
satisfaction f.

satisfactory [ˌsætɪsˈfæktərɪ] adj
satisfaisant(-e).

satisfied ['sætɪsfaɪd] adj satis-
fait(-e).

satisfy ['sætɪsfaɪ] vt satisfaire.

satsuma [ˌsætˈsu:mə] n (Br) mandarine f.

saturate ['sætʃəreɪt] vt tremper.

Saturday ['sætədɪ] n samedi m;
it's ~ on est samedi; **~ morning**
samedi matin; **on ~** samedi; **on ~s**
le samedi; **last ~** samedi dernier;
this ~ samedi; **next ~** samedi
prochain; **~ week, a week on ~**
samedi en huit.

sauce [sɔ:s] n sauce f.

saucepan ['sɔ:spən] n casse-

role f.

saucer ['sɔ:sə'] n soucoupe f.

Saudi Arabia [,saʊdɪ'reɪbjə] n l'Arabie f Saoudite.

sauna ['sɔ:nə] n sauna m.

sausage ['sɒsɪdʒ] n saucisse f.

sausage roll n friand m à la saucisse.

sauté [Br 'səʊteɪ, Am səʊ'teɪ] adj sauté(-e).

savage ['sævɪdʒ] adj féroce.

save [seɪv] vt (rescue) sauver; (money) économiser; (time, space) gagner; (reserve) garder; (SPORT) arrêter; (COMPUT) sauvegarder ◆ n arrêt m ❑ **save up** vi: **to ~ up (for sthg)** économiser (pour qqch).

saver ['seɪvə'] n (Br: ticket) billet m à tarif réduit.

savings ['seɪvɪŋz] npl économies fpl.

savings and loan association n (Am) société d'investissements et de prêts immobiliers.

savings bank n caisse f d'épargne.

savory ['seɪvərɪ] (Am) = **savoury**.

savoury ['seɪvərɪ] adj (Br: not sweet) salé(-e).

saw [sɔ:] (Br pt -ed, pp sawn, Am pt & pp -ed) pt → **see** ◆ n (tool) scie f ◆ vt scier.

sawdust ['sɔ:dʌst] n sciure f.

sawn [sɔ:n] pp → **saw**.

saxophone ['sæksəfəʊn] n saxophone m.

say [seɪ] (pt & pp said) vt dire; (subj: clock, sign, meter) indiquer ◆ n: **to have a ~ in sthg** avoir son mot à dire dans qqch; **could you ~ that again?** tu pourrais répéter ça?; **~ we met at nine?** disons qu'on se

retrouve à neuf heures?; **what did you ~?** qu'avez-vous dit?

saying ['seɪŋ] n dicton m.

scab [skæb] n croûte f.

scaffolding ['skæfəldɪŋ] n échafaudage m.

scald [skɔ:ld] vt ébouillanter.

scale [skeɪl] n échelle f; (MUS) gamme f; (of fish, snake) écaille f; (in kettle) tartre m ❑ **scales** npl (for weighing) balance f.

scallion ['skæljən] n (Am) oignon m blanc.

scallop ['skɒləp] n coquille f Saint-Jacques.

scalp [skælp] n cuir m chevelu.

scampi ['skæmpɪ] n scampi mpl.

scan [skæn] vt (consult quickly) parcourir ◆ n (MED) scanner m.

scandal ['skændl] n (disgrace) scandale m; (gossip) ragots mpl.

Scandinavia [,skændɪ'neɪvjə] n la Scandinavie.

scar [skɑ:'] n cicatrice f.

scarce ['skeəs] adj rare.

scarcely ['skeəslɪ] adv (hardly) à peine.

scare ['skeə'] vt effrayer.

scarecrow ['skeəkrəʊ] n épouvantail m.

scared [skeəd] adj effrayé(-e).

scarf ['skɑ:f] (pl **scarves**) n écharpe f; (silk, cotton) foulard m.

scarlet ['skɑ:lət] adj écarlate.

scarves [skɑ:vz] pl → **scarf**.

scary ['skeərɪ] adj (inf) effrayant(-e).

scatter ['skætə'] vt éparpiller ◆ vi s'éparpiller.

scene [si:n] n (in play, film, book) scène f; (of crime, accident) lieux mpl; (view) vue f; **the music ~** le

monde de la musique; **to make a
~ faire une scène.
scenery** ['si:nərɪ] *n (countryside)*
paysage *m*; *(in theatre)* décor *m*.
scenic ['si:nɪk] *adj* pittoresque.
scent [sent] *n* odeur *f*; *(perfume)*
parfum *m*.
sceptical ['skeptɪkl] *adj (Br)*
sceptique.
schedule [*Br* 'ʃedju:l, *Am* 'skedʒul] *n (of work, things to do)* planning *m*; *(timetable)* horaire *m*; *(of prices)* barème *m* ♦ *vt (plan)* planifier; **according to ~** comme prévu; **behind ~** en retard; **on ~** *(at expected time)* à l'heure *(prévue)*; *(on expected day)* à la date prévue.
scheduled flight [*Br* 'ʃedju:ld-, *Am* 'skedʒuld-] *n* vol *m* régulier.
scheme [ski:m] *n (plan)* plan *m*; *(pej: dishonest plan)* combine *f*.
scholarship ['skɒləʃɪp] *n (award)* bourse *f* d'études.
school [sku:l] *n* école *f*; *(university department)* faculté *f*; *(Am: university)* université *f* ♦ *adj (age, holiday, report)* scolaire; **at ~** à l'école.
schoolbag ['sku:lbæg] *n* cartable *m*.
schoolbook ['sku:lbʊk] *n* manuel *m* scolaire.
schoolboy ['sku:lbɔɪ] *n* écolier *m*.
school bus *n* car *m* de ramassage scolaire.
schoolchild ['sku:ltʃaɪld] *(pl -children* [-tʃɪldrən]*) n* élève *mf*.
schoolgirl ['sku:lgɜ:l] *n* écolière *f*.
schoolmaster ['sku:lˌmɑ:stə*ʳ*] *n (Br)* maître *m* d'école, instituteur *m*.

schoolmistress ['sku:lˌmɪstrɪs] *n (Br)* maîtresse *f* d'école, institutrice *f*.
schoolteacher ['sku:lˌti:tʃə*ʳ*] *n* instituteur *m* (-trice *f*).
school uniform *n* uniforme *m* scolaire.
science ['saɪəns] *n* science *f*; *(SCH)* sciences *fpl*.
science fiction *n* science-fiction *f*.
scientific [ˌsaɪən'tɪfɪk] *adj* scientifique.
scientist ['saɪəntɪst] *n* scientifique *mf*.
scissors ['sɪzəz] *npl*: **(a pair of) ~** (une paire de) ciseaux *mpl*.
scold [skəʊld] *vt* gronder.
scone [skɒn] *n* petit gâteau rond, souvent aux raisins secs, que l'on mange avec du beurre et de la confiture.
scoop [sku:p] *n (for ice cream)* cuillère *f* à glace; *(of ice cream)* boule *f*; *(in media)* scoop *m*.
scooter ['sku:tə*ʳ*] *n (motor vehicle)* scooter *m*.
scope [skəʊp] *n (possibility)* possibilités *fpl*; *(range)* étendue *f*.
scorch [skɔ:tʃ] *vt* brûler.
score [skɔ:*ʳ*] *n* score *m* ♦ *vt (SPORT)* marquer; *(in test)* obtenir ♦ *vi (SPORT)* marquer.
scorn [skɔ:n] *n* mépris *m*.
Scorpio ['skɔ:pɪəʊ] *n* Scorpion *m*.
scorpion ['skɔ:pjən] *n* scorpion *m*.
Scot [skɒt] *n* Écossais *m* (-e *f*).
scotch [skɒtʃ] *n* scotch *m*.
Scotch broth *n* potage à base de mouton, de légumes et d'orge.

Scotch tape® n (Am) Scotch® m.

Scotland ['skɒtlənd] n l'Écosse f.

Scotsman ['skɒtsmən] (pl -men [-mən]) n Écossais m.

Scotswoman ['skɒtswʊmən] (pl -women [-ˌwɪmɪn]) n Écossaise f.

Scottish ['skɒtɪʃ] adj écossais(-e).

scout [skaʊt] n (boy scout) scout m.

SCOUTS

Les scouts britanniques sont membres d'une association fondée en 1908 par Lord Baden-Powell pour promouvoir l'esprit d'aventure et le sens des responsabilités chez les jeunes, notamment par l'apprentissage de techniques telles que le secourisme. Supervisés par un adulte, les garçons entre 11 et 16 ans sont organisés en petits groupes ayant chacun son responsable. Les garçons de moins de 11 ans peuvent adhérer aux «Cub Scouts», et il existe des organisations équivalentes pour les filles («Girl Guides» et «Brownies»).

---

scowl [skaʊl] vi se renfrogner.

scrambled eggs [ˌskræmbld-] npl œufs mpl brouillés.

scrap [skræp] n (of paper, cloth) bout m; (old metal) ferraille f.

scrapbook ['skræpbʊk] n album m (pour coupures de journaux, collages, etc).

scrape [skreɪp] vt (rub) gratter; (scratch) érafler.

scrap paper n (Br) brouillon m.

scratch [skrætʃ] n éraflure f ◆ vt érafler; (rub) gratter; **to be up to ~** être à la hauteur; **to start from ~** partir de zéro.

scratch paper (Am) = scrap paper.

scream [skri:m] n cri m perçant ◆ vi (person) hurler.

screen [skri:n] n écran m; (hall in cinema) salle f ◆ vt (film) projeter; (TV programme) diffuser.

screening ['skri:nɪŋ] n (of film) projection f.

screen wash n liquide m lave-glace.

screw [skru:] n vis f ◆ vt visser.

screwdriver ['skru:ˌdraɪvə'] n tournevis m.

scribble ['skrɪbl] vi gribouiller.

script [skrɪpt] n (of play, film) script m.

scrub [skrʌb] vt brosser.

scruffy ['skrʌfɪ] adj peu soigné(-e).

scrumpy ['skrʌmpɪ] n cidre à fort degré d'alcool typique du sud-ouest de l'Angleterre.

scuba diving ['sku:bə-] n plongée f (sous-marine).

sculptor ['skʌlptə'] n sculpteur m.

sculpture ['skʌlptʃə'] n sculpture f.

sea [si:] n mer f; **by ~** par mer; **by the ~** au bord de la mer.

seafood ['si:fu:d] n poissons mpl et crustacés.

seafront ['si:frʌnt] n front m de mer.

seagull ['si:gʌl] n mouette f.

seal [si:l] n (animal) phoque m; (on bottle, container) joint m d'étanchéité; *(official mark)* cachet m ♦ vt *(envelope)* cacheter; *(container)* fermer.

seam [siːm] n *(in clothes)* couture f.

search [sɜːtʃ] n recherche f ♦ vt fouiller ♦ vi: **to ~ for** chercher.

seashell ['siːʃel] n coquillage m.

seashore ['siːʃɔːʳ] n rivage m.

seasick ['siːsɪk] adj: **to be ~** avoir le mal de mer.

seaside ['siːsaɪd] n: **the ~** le bord de mer.

seaside resort n station f balnéaire.

season ['siːzn] n saison f ♦ vt *(food)* assaisonner; **in ~** *(fruit, vegetables)* de saison; *(holiday)* en saison haute; **out of ~** hors saison.

seasoning ['siːznɪŋ] n assaisonnement m.

season ticket n abonnement m.

seat [siːt] n siège m; *(in theatre, cinema)* fauteuil m; *(ticket, place)* place f ♦ vt *(subj: building, vehicle)* contenir; **"please wait to be ~ed"** «veuillez patienter et attendre que l'on vous installe».

seat belt n ceinture f de sécurité.

seaweed ['siːwiːd] n algues fpl.

secluded [sɪ'kluːdɪd] adj retiré(-e).

second ['sekənd] n seconde f ♦ num seconde(-e), deuxième, ; **sixth; ~ gear** seconde f ☐ **seconds** npl *(goods)* articles mpl de second choix; *(inf: of food)* rab m.

secondary school ['sekəndrɪ] n école secondaire comprenant collège et lycée.

second-class adj *(ticket)* de seconde (classe); *(stamp)* à tarif lent; *(inferior)* de qualité inférieure.

second-hand adj d'occasion.

Second World War n: **the ~** la Seconde Guerre mondiale.

secret ['siːkrɪt] adj secret(-ète) ♦ n secret m.

secretary [Br 'sekrətrɪ, Am 'sekrə,terɪ] n secrétaire mf.

Secretary of State n (Am) ministre m des Affaires étrangères; (Br) ministre m.

section ['sekʃn] n section f.

sector ['sektəʳ] n secteur m.

secure [sɪ'kjuəʳ] adj *(safe)* en sécurité; *(place, building)* sûr(-e); *(firmly fixed)* qui tient bien; *(free from worry)* sécurisé(-e) ♦ vt *(fix)* attacher; *(fml: obtain)* obtenir.

security [sɪ'kjuərɪtɪ] n sécurité f.

security guard n garde m.

sedative ['sedətɪv] n sédatif m.

seduce [sɪ'djuːs] vt séduire.

see [siː] *(pt saw, pp seen)* vt voir; *(accompany)* raccompagner ♦ vi voir; **I ~** *(understand)* je vois; **to ~ if** one can do sthg voir si on peut faire qqch; **to ~ to sthg** *(deal with)* s'occuper de qqch; *(repair)* réparer qqch; **~ you later!** à plus tard!; **~ you (soon)!** à bientôt!; **~ p 14** voir p. 14 ☐ **see off** vt sep *(say goodbye to)* dire au revoir à.

seed [siːd] n graine f.

seedy ['siːdɪ] adj miteux(-euse).

seeing (as) ['siːɪŋ-] conj vu que.

seek [siːk] *(pt & pp sought)* vt *(fml)* *(look for)* rechercher; *(request)* demander.

seem [siːm] vi sembler ♦ v impers: **it ~s (that)** ... il semble que ...;

she ~s nice elle a l'air sympathique.

seen [si:n] *pp* → **see**.

seesaw ['si:sɔ:] *n* bascule *f*.

segment ['segmənt] *n (of fruit)* quartier *m*.

seize [si:z] *vt* saisir ❑ **seize up** *vi (machine)* se gripper; *(leg)* s'ankyloser; *(back)* se bloquer.

seldom ['seldəm] *adv* rarement.

select [sɪ'lekt] *vt* sélectionner, choisir ♦ *adj* sélect(-e).

selection [sɪ'lekʃn] *n* choix *m*.

self-assured [,selfə'ʃʊəd] *adj* sûr(-e) de soi.

self-catering [,self'keɪtərɪŋ] *adj (flat)* indépendant(-e) *(avec cuisine)*; **a ~ holiday** des vacances *fpl* en location.

self-confident [,self-] *adj* sûr(-e) de soi.

self-conscious [,self-] *adj* mal à l'aise.

self-contained [,selfkən'teɪnd] *adj (flat)* indépendant(-e).

self-defence [,self-] *n* autodéfense *f*.

self-employed [,self-] *adj* indépendant(-e).

selfish ['selfɪʃ] *adj* égoïste.

self-raising flour [,self'reɪzɪŋ-] *n (Br)* farine *f* à gâteaux.

self-rising flour [,self'raɪzɪŋ-] *(Am)* = **self-raising flour**.

self-service [,self-] *adj* en self-service.

sell [sel] *(pt & pp* **sold**) *vt* vendre ♦ *vi* se vendre; **it ~s for £20** ça se vend 20 livres; **to ~ sb sthg** vendre qqch à qqn.

sell-by date *n* date *f* limite de vente.

seller ['selər] *n (person)* vendeur *m (-euse f)*.

Sellotape® ['seləteɪp] *n (Br)* = Scotch® *m*.

semester [sɪ'mestər] *n* semestre *m*.

semicircle ['semɪ,sɜ:kl] *n* demi-cercle *m*.

semicolon [,semɪ'kəʊlən] *n* point-virgule *m*.

semidetached [,semɪdɪ'tætʃt] *adj (houses)* jumeaux(-elles).

semifinal [,semɪ'faɪnl] *n* demi-finale *f*.

seminar ['semɪnɑ:r] *n* séminaire *m*.

semolina [,semə'li:nə] *n* semoule *f*.

send [send] *(pt & pp* **sent**) *vt* envoyer; **to ~ sthg to sb** envoyer qqch à qqn ❑ **send back** *vt sep* renvoyer; **send off** *vt sep (letter, parcel)* expédier; *(SPORT)* expulser ♦ *vi*: **to ~ off for sthg** commander qqch par correspondance.

sender ['sendər] *n* expéditeur *m (-trice f)*.

senile ['si:naɪl] *adj* sénile.

senior ['si:nɪər] *adj (high-ranking)* haut placé(-e); *(higher-ranking)* plus haut placé(-e) ♦ *n (Br: SCH)* grand *m (-e f)*; *(Am: SCH)* = élève *mf* de terminale.

senior citizen *n* personne *f* âgée.

sensation [sen'seɪʃn] *n* sensation *f*.

sensational [sen'seɪʃənl] *adj* sensationnel(-elle).

sense [sens] *n* sens *m*; *(common sense)* bon sens; *(usefulness)* utilité *f* ♦ *vt* sentir; **there's no ~ in waiting**

ça ne sert à rien d'attendre; **to make ~** avoir un ordre; **~ of direction** sens de l'orientation; **~ of humour** sens de l'humour.

sensible ['sensəbl] *adj (person)* sensé-e; *(clothes, shoes)* pratique.

sensitive ['sensɪtɪv] *adj* sensible.

sent [sent] *pt & pp* → **send**.

sentence ['sentəns] *n (GRAMM)* phrase *f*; *(for crime)* sentence *f* ♦ *vt* condamner.

sentimental [ˌsentɪ'mentl] *adj* sentimental(-e).

Sep. *(abbr of September)* sept.

separate [*adj* 'seprət, *vb* 'sepəreɪt] *adj* séparé(-e); *(different)* distinct(-e) ♦ *vt* séparer ♦ *vi* se séparer ❑ **separates** *npl (Br)* coordonnés *mpl*.

separately ['seprətlɪ] *adv* séparément.

separation [ˌsepə'reɪʃn] *n* séparation *f*.

September [sep'tembə*r*] *n* septembre *m*; **at the beginning of ~** début septembre; **at the end of ~** fin septembre; **during ~** en septembre; **every ~** tous les ans en septembre; **in ~** en septembre; **last ~** en septembre (dernier); **next ~** en septembre de l'année prochaine; **this ~** en septembre (prochain); **2 ~ 1994** *(in letters etc)* le 2 septembre 1994.

septic ['septɪk] *adj* infecté(-e).

septic tank *n* fosse *f* septique.

sequel ['siːkwəl] *n (to book, film)* suite *f*.

sequence ['siːkwəns] *n (series)* suite *f*; *(order)* ordre *m*.

sequin ['siːkwɪn] *n* paillette *f*.

sergeant ['sɑːdʒənt] *n (in police force)* brigadier *m*; *(in army)* ser-

gent *m*.

serial ['sɪərɪəl] *n* feuilleton *m*.

series ['sɪəriːz] *(pl inv)* *n* série *f*.

serious ['sɪərɪəs] *adj* sérieux(-ieuse); *(illness, injury)* grave.

seriously ['sɪərɪəslɪ] *adv* sérieusement; *(wounded, damaged)* gravement.

sermon ['sɜːmən] *n* sermon *m*.

servant ['sɜːvənt] *n* domestique *mf*.

serve [sɜːv] *vt & vi* servir ♦ *n (SPORT)* service *m*; **to ~ as** *(be used for)* servir de; **the town is ~d by two airports** la ville est desservie par deux aéroports; **"~s two"** *(on packaging, menu)* «pour deux personnes»; **it ~s you right** (c'est) bien fait pour toi.

service ['sɜːvɪs] *n* service *m*; *(of car)* révision *f* ♦ *vt (car)* réviser; **"out of ~"** «hors service»; **"~ included"** «service compris»; **"~ not included"** «service non compris»; **to be of ~ to sb** *(fml)* être utile à qqn ❑ **services** *npl (on motorway)* aire *f* de service.

service area *n* aire *f* de service.

service charge *n* service *m*.

service department *n* atelier *m* de réparation.

service station *n* station-service *f*.

serviette [ˌsɜːvɪ'et] *n* serviette *f* (de table).

serving ['sɜːvɪŋ] *n (helping)* part *f*.

serving spoon *n* cuillère *f* de service.

sesame seeds ['sesəmɪ-] *npl* graines *fpl* de sésame.

session ['seʃn] *n* séance *f*.

set [set] (*pt & pp* **set**) *adj* **1.** (*price, time*) fixe; **a ~ lunch** un menu. **2.** (*text, book*) au programme. **3.** (*situated*) situé(-e). ◆ *n* **1.** (*of keys, tools*) jeu *m*; **a chess ~** un jeu d'échecs. **2.** (*TV*): **a (TV) ~** un poste (de télé), une télé. **3.** (*in tennis*) set *m*. **4.** (*SCH*) groupe *m* de niveau. **5.** (*of play*) décor *m*. **6.** (*at hairdresser's*): **a shampoo and ~** un shampooing et mise en plis. ◆ *vt* **1.** (*put*) poser; **to ~ the table** mettre la table OR le couvert. **2.** (*cause to be*): **to ~ a machine going** mettre une machine en marche; **to ~ fire to sthg** mettre le feu à qqch. **3.** (*clock, alarm, controls*) régler; **~ the alarm for 7 a.m.** mets le réveil à (sonner pour) 7 h. **4.** (*price, time*) fixer. **5.** (*a record*) établir. **6.** (*homework, essay*) donner. **7.** (*play, film, story*): **to be ~** se passer, se dérouler. ◆ *vi* **1.** (*sun*) se coucher. **2.** (*glue, jelly*) prendre. ❑ **set down** *vt sep* (*Br: passengers*) déposer; **set off** *vt sep* (*alarm*) déclencher ◆ *vi* (*on journey*) se mettre en route; **set out** *vt sep* (*arrange*) disposer ◆ *vi* (*on journey*) se mettre en route; **set up** *vt sep* (*barrier*) mettre en place; (*equipment*) installer.

set meal *n* menu *m*.

set menu *n* menu *m*.

settee [se'ti:] *n* canapé *m*.

setting ['setɪŋ] *n* (*on machine*) réglage *m*; (*surroundings*) décor *m*.

settle ['setl] *vt* régler; (*stomach, nerves*) calmer ◆ *vi* (*start to live*) s'installer; (*come to rest*) se poser; (*sediment, dust*) se déposer ❑ **settle down** *vi* (*calm down*) se calmer; (*sit comfortably*) s'installer; **settle up** *vi* (*pay bill*) régler.

settlement ['setlmənt] *n* (*agreement*) accord *m*; (*place*) colonie *f*.

seven ['sevn] *num* sept, → **six**.

seventeen [,sevn'ti:n] *num* dix-sept, → **six**.

seventeenth [,sevn'ti:nθ] *num* dix-septième, → **sixth**.

seventh ['sevnθ] *num* septième, → **sixth**.

seventieth ['sevntjəθ] *num* soixante-dixième, → **sixth**.

seventy ['sevntɪ] *num* soixante-dix, → **six**.

several ['sevrəl] *adj & pron* plusieurs.

severe [sɪ'vɪə*r*] *adj* (*conditions, illness*) grave; (*person, punishment*) sévère; (*pain*) aigu(-uë).

sew [səʊ] (*pt* **sewed**, *pp* **sewn**) *vt & vi* coudre.

sewage ['su:ɪdʒ] *n* eaux *fpl* usées.

sewing ['səʊɪŋ] *n* couture *f*.

sewing machine *n* machine *f* à coudre.

sewn [səʊn] *pp* → **sew**.

sex [seks] *n* (*gender*) sexe *m*; (*sexual intercourse*) rapports *mpl* sexuels; **to have ~ with sb** coucher avec qqn.

sexist ['seksɪst] *n* sexiste *mf*.

sexual ['sekʃʊəl] *adj* sexuel(-elle).

sexy ['seksɪ] *adj* sexy (*inv*).

shabby ['ʃæbɪ] *adj* (*clothes, room*) miteux(-euse); (*person*) pauvrement vêtu(-e).

shade [ʃeɪd] *n* (*shadow*) ombre *f*; (*lampshade*) abat-jour *m inv*; (*of*

colour) teinte f ◆ vt (protect) abriter
❏ **shades** npl (inf: sunglasses)
lunettes fpl noires OR de soleil.

shadow ['ʃædəʊ] n ombre f.

shady ['ʃeɪdɪ] adj (place) ombragé(-e); (inf: person, deal) louche.

shaft [ʃɑːft] n (of machine) axe m; (of lift) cage f.

shake [ʃeɪk] (pt shook, pp shaken ['ʃeɪkn]) vt secouer ◆ vi trembler; **to ~ hands (with sb)** échanger une poignée de main (avec qqn); **to ~ one's head** secouer la tête.

shall [weak form ʃəl, strong form ʃæl] aux vb 1. (expressing future): **I ~** be ready soon je serai bientôt prêt. 2. (in questions): **~ I buy some wine?** j'achète du vin?; **~ we listen to the radio?** si on écoutait la radio?; **where ~ we go?** où est-ce qu'on va?
3. (fml: expressing order): **payment ~ be made within a week** le paiement devra être effectué sous huitaine.

shallot [ʃə'lɒt] n échalote f.

shallow ['ʃæləʊ] adj peu profond(-e).

shallow end n (of swimming pool) côté le moins profond.

shambles ['ʃæmblz] n désordre m.

shame [ʃeɪm] n honte f; **it's a ~** c'est dommage; **what a ~!** quel dommage!

shampoo [ʃæm'puː] (pl -s) n shampo(o)ing m.

shandy ['ʃændɪ] n panaché m.

shape [ʃeɪp] n forme f; **to be in good ~** être en forme; **to be in bad ~** ne pas être en forme.

share [ʃeəʳ] n (part) part f; (in company) action f ◆ vt partager ❏

share out vt sep partager.

shark [ʃɑːk] n requin m.

sharp [ʃɑːp] adj (knife, razor) aiguisé(-e); (pointed) pointu(-e); (clear) net (nette); (quick, intelligent) vif (vive); (rise, change, bend) brusque; (painful) aigu(-uë); (food, taste) acide ◆ adv: **at ten o'clock ~** à dix heures pile.

sharpen ['ʃɑːpn] vt (pencil) tailler; (knife) aiguiser.

shatter ['ʃætəʳ] vt (break) briser ◆ vi se fracasser.

shattered ['ʃætəd] adj (Br: inf: tired) crevé(-e).

shave [ʃeɪv] vt raser ◆ vi se raser ◆ n: **to have a ~** se raser; **to ~ one's legs** se raser les jambes.

shaver ['ʃeɪvəʳ] n rasoir m électrique.

shaver point n prise f pour rasoirs.

shaving brush ['ʃeɪvɪŋ-] n blaireau m.

shaving cream ['ʃeɪvɪŋ-] n crème f à raser.

shaving foam ['ʃeɪvɪŋ-] n mousse f à raser.

shawl [ʃɔːl] n châle m.

she [ʃiː] pron elle; **~'s tall** elle est grande.

sheaf [ʃiːf] (pl sheaves) n (of paper, notes) liasse f.

shears [ʃɪəz] npl sécateur m.

sheaves [ʃiːvz] pl → sheaf.

shed [ʃed] (pt & pp shed) n remise f ◆ vt (tears, blood) verser.

she'd [weak form ʃɪd, strong form ʃiːd] = she had, she would.

sheep [ʃiːp] (pl inv) n mouton m.

sheepdog ['ʃiːpdɒg] n chien m de berger.

sheepskin [ˈʃiːpskɪn] adj en peau de mouton.

sheer [ʃɪəʳ] adj (pure, utter) pur(-e); (cliff) abrupt(-e); (stockings) fin(-e).

sheet [ʃiːt] n (for bed) drap m; (of paper) feuille f; (of glass, metal, wood) plaque f.

shelf [ʃelf] (pl **shelves**) n étagère f; (in shop) rayon m.

shell [ʃel] n (of egg, nut) coquille f; (on beach) coquillage m; (of animal) carapace f; (bomb) obus m.

she'll [ʃiːl] = she will, she shall.

shellfish [ˈʃelfɪʃ] n (food) fruits mpl de mer.

shell suit n (Br) survêtement m (en synthétique froissé).

shelter [ˈʃeltəʳ] n abri m ◆ vt abriter ◆ vi s'abriter; **to take ~** s'abriter.

sheltered [ˈʃeltəd] adj abrité(-e).

shelves [ʃelvz] pl → shelf.

shepherd [ˈʃepəd] n berger m.

shepherd's pie [ˈʃepədz-] n = hachis m Parmentier.

sheriff [ˈʃerɪf] n (in US) shérif m.

sherry [ˈʃerɪ] n xérès m.

she's [ʃiːz] = she is, she has.

shield [ʃiːld] n bouclier m ◆ vt protéger.

shift [ʃɪft] n (change) changement m; (period of work) équipe f ◆ vt déplacer ◆ vi (move) se déplacer; (change) changer.

shin [ʃɪn] n tibia m.

shine [ʃaɪn] (pt & pp **shone**) vi briller ◆ vt (shoes) astiquer; (torch) braquer.

shiny [ˈʃaɪnɪ] adj brillant(-e).

ship [ʃɪp] n bateau m; (larger) navire m; **by ~** par bateau.

shipwreck [ˈʃɪprek] n (accident) naufrage m; (wrecked ship) épave f.

shirt [ʃɜːt] n chemise f.

shit [ʃɪt] n (vulg) merde f.

shiver [ˈʃɪvəʳ] vi frissonner.

shock [ʃɒk] n choc m ◆ vt (surprise) stupéfier; (horrify) choquer; **to be in ~** (MED) être en état de choc.

shock absorber [-əbˌzɔːbəʳ] n amortisseur m.

shocking [ˈʃɒkɪŋ] adj (very bad) épouvantable.

shoe [ʃuː] n chaussure f.

shoelace [ˈʃuːleɪs] n lacet m.

shoe polish n cirage m.

shoe repairer's [-rɪˌpeərəz] n cordonnerie f.

shoe shop n magasin m de chaussures.

shone [ʃɒn] pt & pp → shine.

shook [ʃʊk] pt → shake.

shoot [ʃuːt] (pt & pp **shot**) vt (kill) tuer; (injure) blesser; (gun) tirer un coup de; (arrow) décocher; (film) tourner ◆ vi (with gun) tirer; (SPORT) tirer ◆ n (of plant) pousse f ◆ vi tirer; **to ~ past** passer en trombe.

shop [ʃɒp] n magasin m; (small) boutique f ◆ vi faire les courses.

shop assistant n (Br) vendeur m (-euse f).

shop floor n atelier m.

shopkeeper [ˈʃɒpˌkiːpəʳ] n commerçant m (-e f).

shoplifter [ˈʃɒpˌlɪftəʳ] n voleur m (-euse f) à l'étalage.

shopper [ˈʃɒpəʳ] n acheteur m (-euse f).

shopping [ˈʃɒpɪŋ] n courses fpl, achats mpl; **to do the ~** faire les courses; **to go ~** aller faire des courses.

shopping bag n sac m à provisions.

shopping basket n panier m à provisions.

shopping centre n centre m commercial.

shopping list n liste f des courses.

shopping mall n centre m commercial.

shop steward n délégué m syndical (déléguée syndicale f).

shop window n vitrine f.

shore [ʃɔːʳ] n rivage m; **on ~** à terre.

short [ʃɔːt] adj court(-e); (not tall) petit(-e) ♦ adv (cut) court ♦ n (Br: drink) alcool m fort; (film) court-métrage m; **to be ~ of sthg** (time, money) manquer de qqch; **to be ~ for sthg** (be the abbreviation of) être l'abréviation de qqch; **to be ~ of breath** être hors d'haleine; **in ~** (en) bref ❑ **shorts** npl (short trousers) short m; (Am: underpants) caleçon m.

shortage [ʃɔːtɪdʒ] n manque m.

shortbread [ʃɔːtbred] n = sablé m au beurre.

short-circuit vi se mettre en court-circuit.

shortcrust pastry [ʃɔːtkrʌst-] n pâte f brisée.

short cut n raccourci m.

shorten [ʃɔːtn] vt (in time) écourter; (in length) raccourcir.

shorthand [ʃɔːthænd] n sténographie f.

shortly [ʃɔːtlɪ] adv (soon) bientôt; **~ before** peu avant.

shortsighted [ˌʃɔːtsaɪtɪd] adj myope.

short-sleeved [-sliːvd] adj à manches courtes.

short-stay car park n parking m courte durée.

short story n nouvelle f.

short wave n ondes fpl courtes.

shot [ʃɒt] pt & pp → shoot ♦ n (of gun) coup m de feu; (in football) tir m; (in tennis, golf etc) coup m; (photo) photo f; (in film) plan m; (inf: attempt) essai m; (drink) petit verre m.

shotgun [ʃɒtgʌn] n fusil m de chasse.

should [ʃʊd] aux vb 1. (expressing desirability): **we ~ leave now** nous devrions OR il faudrait partir maintenant.

2. (asking for advice): **~ I go too?** est-ce que je dois y aller aussi?

3. (expressing probability): **she ~ be home soon** elle devrait être bientôt rentrée.

4. (ought to): **they ~ have won the match** ils auraient dû gagner le match.

5. (fml: in conditionals): **~ you need anything, call reception** si vous avez besoin de quoi que ce soit, appelez la réception.

6. (fml: expressing wish): **I ~ like to come with you** j'aimerais bien venir avec vous.

shoulder [ʃəʊldəʳ] n épaule f; (Am: of road) bande f d'arrêt d'urgence.

shoulder pad n épaulette f.

shouldn't [ʃʊdnt] = should not.

should've [ʃʊdəv] = should have.

shout [ʃaʊt] n cri m ♦ vt & vi

crier □ **shout out** vt sep crier.

shove [ʃʌv] n (push) pousser; (put carelessly) flanquer.

shovel [ʃʌvl] n pelle f.

show [ʃəu] (pp -ed OR shown) n (on TV, radio) émission f; (at theatre) spectacle m; (exhibition) exposition f ◆ vt montrer; (accompany) accompagner; (film, TV programme) passer ◆ vi (be visible) se voir; (film) passer, être à l'affiche; **to ~ sth to sb** montrer qqch à qqn; **to ~ sb how to do sth** montrer à qqn comment faire qqch □ **show off** vi faire l'intéressant; **show up** vi (come along) arriver; (be visible) se voir.

shower [ʃauəʳ] n (for washing) douche f; (of rain) averse f ◆ vi prendre une douche; **to have a ~** prendre une douche.

shower gel n gel m douche.

shower unit n cabine f de douche.

showing [ʃəuɪŋ] n (of film) séance f.

shown [ʃəun] pp → show.

showroom [ʃəurum] n salle f d'exposition.

shrank [ʃræŋk] pt → shrink.

shrimp [ʃrɪmp] n crevette f.

shrine [ʃraɪn] n lieu m saint.

shrink [ʃrɪŋk] (pt shrank, pp shrunk) n (inf: psychoanalyst) psy mf ◆ vi (clothes) rapetisser.

shrub [ʃrʌb] n arbuste m.

shrug [ʃrʌg] n haussement m d'épaules ◆ vi hausser les épaules.

shrunk [ʃrʌŋk] pp → shrink.

shuffle [ʃʌfl] vt (cards) battre ◆ vi battre les cartes.

shut [ʃʌt] (pt & pp shut) adj

fermé(-e) ◆ vt fermer ◆ vi (door, mouth, eyes) se fermer; (shop, restaurant) fermer □ **shut down** vt sep fermer; **shut up** vi (inf: stop talking) la fermer.

shutter [ʃʌtəʳ] n (on window) volet m; (on camera) obturateur m.

shuttle [ʃʌtl] n navette f.

shuttlecock [ʃʌtlkɒk] n volant m.

shy [ʃaɪ] adj timide.

sick [sɪk] adj malade; **to be ~** (vomit) vomir; **to feel ~** avoir mal au cœur; **to be ~ of** (fed up with) en avoir assez de.

sick bag n sachet mis à la disposition des passagers malades sur les avions et les bateaux.

sickness [sɪknɪs] n maladie f.

sick pay n indemnité f de maladie.

side [saɪd] n côté m; (of hill) versant m; (of road, river, pitch) bord m; (of tape, record) face f; (team) camp m; (Br: TV channel) chaîne f; (page of writing) page f ◆ adj (door, pocket) latéral(-e); **at the ~ of** à côté de; (river, road) au bord de; **on the other ~** de l'autre côté; **on this ~** de ce côté; **~ by ~** côte à côte.

sideboard [saɪdbɔːd] n buffet m.

sidecar [saɪdkaːʳ] n side-car m.

side dish n garniture f.

side effect n effet m secondaire.

sidelight [saɪdlaɪt] n (Br: of car) feu m de position.

side order n portion f.

side salad n salade servie en garniture.

side street n petite rue f.

sidewalk ['saɪdwɔːk] n (Am) trottoir m.

sideways ['saɪdweɪz] adv de côté.

sieve [sɪv] n passoire f; (for flour) tamis m.

sigh [saɪ] n soupir m ♦ vi soupirer.

sight [saɪt] n (eyesight) vision f, vue f; (thing seen) spectacle m; at first ~ à première vue; to catch ~ of apercevoir; in ~ en vue; to lose ~ of perdre de vue; out of ~ hors de vue ☐ **sights** npl (of city, country) attractions fpl touristiques.

sightseeing ['saɪt,siːɪŋ] n: to go ~ faire du tourisme.

sign [saɪn] n (next to road, in shop, station) panneau m; (symbol, indication) signe m; (signal) signal m ♦ vt & vi signer; there's no ~ of her il n'y a aucune trace d'elle ☐ **sign in** vi (at hotel, club) signer le registre.

signal ['sɪgnl] n signal m; (Am: traffic lights) feux mpl de signalisation ♦ vi (in car) mettre son clignotant; (on bike) tendre le bras.

signature ['sɪgnətʃə^r] n signature f.

significant [sɪg'nɪfɪkənt] adj significatif(-ive).

signpost ['saɪnpəust] n poteau m indicateur.

Sikh [siːk] n Sikh mf.

silence ['saɪləns] n (quiet) silence m.

silencer ['saɪlənsə^r] n (Br: AUT) silencieux m.

silent ['saɪlənt] adj silencieux(-ieuse).

silk [sɪlk] n soie f.

sill [sɪl] n rebord m.

silly ['sɪlɪ] adj idiot(-e).

silver ['sɪlvə^r] n argent m; (coins) monnaie f ♦ adj en argent.

silver foil n papier m aluminium.

silver-plated [-'pleɪtd] adj plaqué(-e) argent.

similar ['sɪmɪlə^r] adj similaire; to be ~ to être semblable à.

similarity [,sɪmɪ'lærɪtɪ] n similitude f.

simmer ['sɪmə^r] vi mijoter.

simple ['sɪmpl] adj simple.

simplify ['sɪmplɪfaɪ] vt simplifier.

simply ['sɪmplɪ] adv simplement.

simulate ['sɪmjʊleɪt] vt simuler.

simultaneous [Br ,sɪməl'teɪnjəs, Am ,saɪməl'teɪnjəs] adj simultané(-e).

simultaneously [Br ,sɪməl'teɪnjəslɪ, Am ,saɪməl'teɪnjəslɪ] adv simultanément.

sin [sɪn] n péché m ♦ vi pécher.

since [sɪns] adv & prep depuis ♦ conj (in time) depuis que; (as) puisque; ~ we've been here depuis que nous sommes ici; ever ~ prep depuis ♦ conj depuis que.

sincere [sɪn'sɪə^r] adj sincère.

sincerely [sɪn'sɪəlɪ] adv sincèrement; Yours ~ veuillez agréer, Monsieur/Madame, mes sentiments les meilleurs.

sing [sɪŋ] (pt sang, pp sung) vt & vi chanter.

singer ['sɪŋə^r] n chanteur m (-euse f).

single ['sɪŋgl] adj (just one) seul(-e); (not married) célibataire ♦ n (Br: ticket) aller m simple; (record) 45 tours m inv; every ~ chaque ☐ **singles** n (SPORT) simple m ♦ adj (bar, club) pour célibataires.

single bed n petit lit m, lit m à

une place.

single cream n (Br) crème f fraîche liquide.

single parent n (father) père m célibataire; (mother) mère f célibataire.

single room n chambre f simple.

single track road n route f très étroite.

singular ['sɪŋgjʊləʳ] n singulier m; **in the ~** au singulier.

sinister ['sɪnɪstəʳ] adj sinistre.

sink [sɪŋk] (pt **sank**, pp **sunk**) n (in kitchen) évier m; (washbasin) lavabo m ♦ vi (in water) couler; (decrease) décroître.

sink unit n bloc-évier m.

sinuses ['saɪnəsɪz] npl sinus mpl.

sip [sɪp] n petite gorgée f ♦ vt siroter.

siphon ['saɪfn] n siphon m ♦ vt siphonner.

sir [sɜːʳ] n Monsieur; Dear Sir Cher Monsieur; Sir Richard Blair sir Richard Blair.

siren ['saɪərən] n sirène f.

sirloin steak [ˌsɜːlɔɪn-] n bifteck m d'aloyau.

sister ['sɪstəʳ] n sœur f; (Br: nurse) infirmière f en chef.

sister-in-law n belle-sœur f.

sit [sɪt] (pt & pp **sat**) vi s'asseoir; (be situated) être situé ♦ vt (Br: exam) passer; **to be sitting** être assis ❑ **sit down** vi s'asseoir; **to be sitting down** être assis; **sit up** vi (after lying down) se redresser; (stay up late) veiller.

site [saɪt] n site m; (building site) chantier m.

sitting room ['sɪtɪŋ-] n salon m.

situated ['sɪtjʊeɪtɪd] adj: **to be ~** être situé(-e).

situation [ˌsɪtjʊˈeɪʃn] n situation f; **"~s vacant"** «offres d'emploi».

six [sɪks] num adj & n six; **to be ~ (years old)** avoir six ans; **it's ~ (o'clock)** il est six heures; **a hundred and ~** cent six; **~ Hill St** 6 Hill St; **it's minus ~ (degrees)** il fait moins six.

sixteen [sɪksˈtiːn] num seize, → six.

sixteenth [sɪksˈtiːnθ] num seizième, → sixth.

sixth [sɪksθ] num adj & adv sixième ♦ num pron sixième mf ♦ num n (fraction) sixième m; **the ~ (of September)** le six (septembre).

sixth form n (Br) = terminale f.

sixth-form college n (Br) établissement préparant aux «A levels».

sixtieth ['sɪkstɪəθ] num soixantième, → sixth.

sixty ['sɪkstɪ] num soixante, → six.

size [saɪz] n taille f; (of shoes) pointure f; **what ~ do you take?** quelle taille/pointure faites-vous?; **what ~ is this?** c'est quelle taille?

sizeable ['saɪzəbl] adj assez important(-e).

skate [skeɪt] n patin m; (fish) raie f ♦ vi patiner.

skateboard ['skeɪtbɔːd] n skateboard m.

skater ['skeɪtəʳ] n patineur m (-euse f).

skating ['skeɪtɪŋ] n: **to go ~** (ice-skating) faire du patin (à glace); (roller-skating) faire du patin (à roulettes).

skeleton ['skelɪtn] n squelette m.

skeptical ['skeptɪkl] *(Am)* = sceptical.

sketch [sketʃ] *n (drawing)* croquis *m*; *(humorous)* sketch *m ♦ vt* dessiner.

skewer ['skjuːəʳ] *n* brochette *f*.

ski [skiː] *(pt & pp* skied, *cont* skiing) *n* ski *m ♦ vi* skier.

ski boots *npl* chaussures *fpl* de ski.

skid [skɪd] *n* dérapage *m ♦ vi* déraper.

skier ['skiːəʳ] *n* skieur *m* (-ieuse *f*).

skiing ['skiːɪŋ] *n* ski *m*; **to go ~** faire du ski; **to go on a ~ holiday** partir aux sports d'hiver.

skilful ['skɪlful] *adj (Br)* adroit (-e).

ski lift *n* remonte-pente *m*.

skill [skɪl] *n (ability)* adresse *f*; *(technique)* technique *f*.

skilled [skɪld] *adj (worker, job)* qualifié(-e); *(driver, chef)* expérimenté(-e).

skillful ['skɪlful] *(Am)* = skilful.

skimmed milk ['skɪmd-] *n* lait *m* écrémé.

skin [skɪn] *n* peau *f*.

skin freshener [-ˌfreʃnəʳ] *n* lotion *f* rafraîchissante.

skinny ['skɪnɪ] *adj* maigre.

skip [skɪp] *vi (with rope)* sauter à la corde; *(jump)* sauter *♦ vt (omit)* sauter *♦ n (container)* benne *f*.

ski pants *npl* fuseau *m*.

ski pass *n* forfait *m*.

ski pole *n* bâton *m* de ski.

skipping rope ['skɪpɪŋ-] *n* corde *f* à sauter.

skirt [skɜːt] *n* jupe *f*.

ski slope *n* piste *f* de ski.

ski tow *n* téléski *m*.

skittles ['skɪtlz] *n* quilles *fpl*.

skull [skʌl] *n* crâne *m*.

sky [skaɪ] *n* ciel *m*.

skylight ['skaɪlaɪt] *n* lucarne *f*.

skyscraper ['skaɪˌskreɪpəʳ] *n* gratte-ciel *m inv*.

slab [slæb] *n* dalle *f*.

slack [slæk] *adj (rope)* lâche; *(careless)* négligent(-e); *(not busy)* calme.

slacks [slæks] *npl* pantalon *m*.

slam [slæm] *vt & vi* claquer.

slander ['slɑːndəʳ] *n* calomnie *f*.

slang [slæŋ] *n* argot *m*.

slant [slɑːnt] *n* inclinaison *f ♦ vi* pencher.

slap [slæp] *n (smack)* claque *f ♦ vt (person on face)* gifler.

slash [slæʃ] *vt (cut)* entailler; *(fig: prices)* casser *♦ n (written symbol)* barre *f* oblique.

slate [sleɪt] *n* ardoise *f*.

slaughter ['slɔːtəʳ] *vt (animal)* abattre; *(people)* massacrer; *(fig: defeat)* battre à plates coutures.

slave [sleɪv] *n* esclave *mf*.

sled [sled] = **sledge**.

sledge [sledʒ] *n (for fun, sport)* luge *f*; *(for transport)* traîneau *m*.

sleep [sliːp] *(pt & pp* slept) *n* sommeil *m*; *(nap)* somme *m ♦ vi* dormir *♦ vt*: **the house ~s six** la maison permet de coucher six personnes; **did you ~ well?** as-tu bien dormi?; **I couldn't get to ~** je n'arrivais pas à m'endormir; **to go to ~** s'endormir; **to ~ with sb** coucher avec qqn.

sleeper ['sliːpəʳ] *n (train)* train-couchettes *m*; *(sleeping car)* wagon-lit *m*; *(Br: on railway track)* traverse *f*; *(Br: earring)* clou *m*.

sleeping bag ['sli:pɪŋ-] n sac m de couchage.

sleeping car ['sli:pɪŋ-] n wagon-lit m.

sleeping pill ['sli:pɪŋ-] n somnifère m.

sleeping policeman ['sli:pɪŋ-] n (Br) ralentisseur m.

sleepy ['sli:pɪ] adj: **to be ~** avoir sommeil.

sleet [sli:t] n neige f fondue ♦ v impers: **it's ~ing** il tombe de la neige fondue.

sleeve [sli:v] n manche f; (of record) pochette f.

sleeveless ['sli:vlɪs] adj sans manches.

slept [slept] pt & pp → **sleep**.

slice [slaɪs] n (of bread, meat) tranche f; (of cake, pizza) part f ♦ vt (bread, meat) couper en tranches; (cake) découper; (vegetables) couper en rondelles.

sliced bread [,slaɪst-] n pain m en tranches.

slide [slaɪd] (pt & pp slid [slɪd]) n (in playground) toboggan m; (of photograph) diapositive f; (Br: hair slide) barrette f ♦ vi (slip) glisser.

sliding door [,slaɪdɪŋ-] n porte f coulissante.

slight [slaɪt] adj léger(-ère); **the ~est** le moindre; **not in the ~est** pas le moins du monde.

slightly ['slaɪtlɪ] adv légèrement.

slim [slɪm] adj mince ♦ vi maigrir.

slimming ['slɪmɪŋ] n amaigrissement m.

sling [slɪŋ] (pt & pp slung) n écharpe f ♦ vt (inf: throw) balancer.

slip [slɪp] vi glisser ♦ n (mistake) erreur f; (form) coupon m; (petticoat)

jupon m; (from shoulders) combinaison f ❏ **slip up** vi (make a mistake) faire une erreur.

slipper ['slɪpə'] n chausson m.

slippery ['slɪpərɪ] adj glissant(-e).

slip road n (Br) bretelle f d'accès.

slit [slɪt] n fente f.

slob [slɒb] n (inf) (dirty) crado mf; (lazy) flemmard m (-e f).

slogan ['sləʊgən] n slogan m.

slope [sləʊp] n (incline) pente f; (hill) côte f; (for skiing) piste f ♦ vi être en pente.

sloping ['sləʊpɪŋ] adj en pente.

slot [slɒt] n (for coin) fente f; (groove) rainure f.

slot machine n (vending machine) distributeur m; (for gambling) machine f à sous.

Slovakia [slə'vækɪə] n la Slovaquie.

slow [sləʊ] adv lentement ♦ adj lent(-e); (business) calme; (clock, watch): **to be ~** retarder; **"slow"** (sign on road) «ralentir»; **a ~ train** un omnibus ❏ **slow down** vt sep & vi ralentir.

slowly ['sləʊlɪ] adv lentement.

slug [slʌg] n (animal) limace f.

slum [slʌm] n (building) taudis m ❏ **slums** npl (district) quartiers mpl défavorisés.

slung [slʌŋ] pt & pp → **sling**.

slush [slʌʃ] n neige f fondue.

sly [slaɪ] adj (cunning) malin(-igne); (deceitful) sournois(-e).

smack [smæk] n (slap) claque f ♦ vt donner une claque à.

small [smɔ:l] adj petit(-e).

small change n petite monnaie f.

smallpox ['smɔːlpɒks] n variole f.

smart [smɑːt] adj (elegant) élégant(-e); (clever) intelligent(-e); (posh) chic.

smart card n carte f à puce.

smash [smæʃ] n (SPORT) smash m; (inf: car crash) accident m ♦ vt (plate, window) fracasser ♦ vi (plate, vase etc) se fracasser.

smashing ['smæʃɪŋ] adj (Br: inf) génial(-e).

smear test ['smɪə-] n frottis m.

smell [smel] (pt & pp -ed OR smelt) n odeur f ♦ vt sentir ♦ vi (have odour) sentir; (have bad odour) puer; **it ~s of lavender/burning** ça sent la lavande/le brûlé.

smelly ['smelɪ] adj qui pue.

smelt [smelt] pt & pp → **smell**.

smile [smaɪl] n sourire m ♦ vi sourire.

smoke [sməʊk] n fumée f ♦ vt & vi fumer; **to have a ~** fumer une cigarette.

smoked [sməʊkt] adj fumé(-e).

smoked salmon n saumon m fumé.

smoker ['sməʊkər] n fumeur m (-euse f).

smoking ['sməʊkɪŋ] n: **"no ~"** «défense de fumer».

smoking area n zone f fumeurs.

smoking compartment n compartiment m fumeurs.

smoky ['sməʊkɪ] adj (room) enfumé(-e).

smooth [smuːð] adj (surface, skin, road) lisse; (takeoff, landing) en douceur; (life) calme; (journey) sans

incidents; (mixture, liquid) onctueux(-euse); (wine, beer) moelleux(-euse); (pej: suave) douceureux(-euse) ❑ **smooth down** vt sep lisser.

smother ['smʌðər] vt (cover) couvrir.

smudge [smʌdʒ] n tache f.

smuggle ['smʌgl] vt passer clandestinement.

snack [snæk] n casse-croûte m inv.

snack bar n snack-bar m.

snail [sneɪl] n escargot m.

snake [sneɪk] n (animal) serpent m.

snap [snæp] vt (break) casser net ♦ vi (break) se casser net ♦ n (inf: photo) photo f; (Br: card game) = bataille f.

snare [sneər] n (trap) piège m.

snatch [snætʃ] vt (grab) saisir; (steal) voler.

sneakers ['sniːkəz] npl (Am) tennis mpl.

sneeze [sniːz] n éternuement m ♦ vi éternuer.

sniff [snɪf] vt & vi renifler.

snip [snɪp] vt couper.

snob [snɒb] n snob mf.

snog [snɒg] vi (Br: inf) s'embrasser.

snooker ['snuːkər] n sorte de billard joué avec 22 boules.

snooze [snuːz] n petit somme m.

snore [snɔːr] vi ronfler.

snorkel ['snɔːkl] n tuba m.

snout [snaʊt] n museau m.

snow [snəʊ] n neige f ♦ v impers: **it's ~ing** il neige.

snowball ['snəʊbɔːl] n boule f de neige.

snowdrift ['snəʊdrɪft] n congère f.

snowflake ['snəʊfleɪk] n flocon m de neige.

snowman ['snəʊmæn] (pl -men [-men]) n bonhomme m de neige.

snowplough ['snəʊplaʊ] n chasse-neige m inv.

snowstorm ['snəʊstɔːm] n tempête f de neige.

snug [snʌg] adj (person) au chaud; (place) douillet(-ette).

so [səʊ] adv 1. (emphasizing degree) si, tellement; **it's ~ difficult (that …)** c'est si difficile (que …).
2. (referring back) **I don't think ~** je ne crois pas; **I'm afraid ~** j'en ai bien peur; **if ~** si c'est le cas.
3. (also): **~ do I** moi aussi.
4. (in this way) comme ça, ainsi.
5. (expressing agreement): **~ there is** en effet.
6. (in phrases): **or ~** environ; **~ as** afin de, pour; **~ that** afin OR pour que (+ subjunctive).
◆ conj 1. (therefore) donc, alors; **it might rain — ~ take an umbrella** il se pourrait qu'il pleuve, alors prends un parapluie.
2. (summarizing) alors; **~ what have you been up to?** alors, qu'est-ce que tu deviens?
3. (in phrases): **~ what?** (inf) et alors?, et après?; **~ there!** (inf) na!

soak [səʊk] vt (leave in water) faire tremper; (make very wet) tremper ◆ vi: **to ~ through sthg** s'infiltrer dans qqch ▫ **soak up** vt sep absorber.

soaked [səʊkt] adj trempé(-e).

soaking ['səʊkɪŋ] adj (very wet) trempé(-e).

soap [səʊp] n savon m.

soap opera n soap opera m.

soap powder n lessive f en poudre.

sob [sɒb] n sanglot m ◆ vi sangloter.

sober ['səʊbər] adj (not drunk) à jeun.

soccer ['sɒkər] n football m.

sociable ['səʊʃəbl] adj sociable.

social ['səʊʃl] adj social(-e).

social club n club m.

socialist ['səʊʃəlɪst] adj socialiste ◆ n socialiste mf.

social life n vie f sociale.

social security n aide f sociale.

social worker n assistant m social (assistante sociale f).

society [sə'saɪətɪ] n société f.

sociology [ˌsəʊsɪ'ɒlədʒɪ] n sociologie f.

sock [sɒk] n chaussette f.

socket ['sɒkɪt] n (for plug) prise f; (for light bulb) douille f.

sod [sɒd] n (Br: vulg) con m (conne f).

soda ['səʊdə] n (soda water) eau f de Seltz; (Am: fizzy drink) soda m.

soda water n eau f de Seltz.

sofa ['səʊfə] n sofa m, canapé m.

sofa bed n canapé-lit m.

soft [sɒft] adj (bed, food) mou (molle); (skin, fabric, voice) doux (douce); (touch, sound) léger(-ère).

soft cheese n fromage m à pâte molle.

soft drink n boisson f non alcoolisée.

software ['sɒftweər] n logiciel m.

soil [sɔɪl] n (earth) sol m.

solarium [səˈleərɪəm] n solarium m.

solar panel [ˈsəʊlə-] n panneau m solaire.

sold [səʊld] pt & pp → **sell**.

soldier [ˈsəʊldʒər] n soldat m.

sold out adj (product) épuisé(-e); (concert, play) complet(-ète).

sole [səʊl] adj (only) unique; (exclusive) exclusif(-ive) ◆ n (of shoe) semelle f; (of foot) plante f; (fish: pl inv) sole f.

solemn [ˈsɒləm] adj solennel(-elle).

solicitor [səˈlɪsɪtər] n (Br) notaire m.

solid [ˈsɒlɪd] adj solide; (not hollow) plein(-e); (gold, silver, oak) massif(-ive).

solo [ˈsəʊləʊ] (pl -s) n solo m; "~ m/cs" (traffic sign) signalisation sur chaussée indiquant qu'un parking est réservé aux deux-roues.

soluble [ˈsɒljʊbl] adj soluble.

solution [səˈluːʃn] n solution f.

solve [sɒlv] vt résoudre.

some [sʌm] adj 1. (certain amount of): ~ meat de la viande; ~ milk du lait; ~ money de l'argent; I had **difficulty getting here** j'ai eu quelque mal à arriver jusqu'ici.

2. (certain number of): des; ~ sweets des bonbons; I've known him for ~ years je le connais depuis pas mal d'années.

3. (not all) certains (certaines); ~ jobs are better paid than others certains emplois sont mieux payés que d'autres.

4. (in imprecise statements) quelconque; she married ~ Italian elle a épousé un Italien quelconque.

◆ pron 1. (certain amount): can I have ~? je peux en prendre?; ~ of the money une partie de l'argent.

2. (certain number) certains (certaines); can I have ~? je peux en prendre?; ~ (of them) left early quelques-uns (d'entre eux) sont partis tôt.

◆ adv (approximately) environ; there were ~ 7,000 people there il y avait environ 7 000 personnes.

somebody [ˈsʌmbədɪ] = **someone**.

somehow [ˈsʌmhaʊ] adv (some way or other) d'une manière ou d'une autre; (for some reason) pour une raison ou pour une autre.

someone [ˈsʌmwʌn] pron quelqu'un.

someplace [ˈsʌmpleɪs] (Am) = **somewhere**.

somersault [ˈsʌməsɔːlt] n saut m périlleux.

something [ˈsʌmθɪŋ] pron quelque chose; it's really ~! c'est vraiment quelque chose!; or ~ (inf) ou quelque chose comme ça; ~ like (approximately) quelque chose comme.

sometime [ˈsʌmtaɪm] adv: ~ in May en mai.

sometimes [ˈsʌmtaɪmz] adv quelquefois, parfois.

somewhere [ˈsʌmweər] adv quelque part; (approximately) environ.

son [sʌn] n fils m.

song [sɒŋ] n chanson f.

son-in-law n gendre m.

soon [suːn] adv bientôt; (early) tôt; how ~ can you do it? pour quand pouvez-vous le faire?; as ~ as I know dès que je le saurai; as ~ as possible dès que possible; ~

after peu après; **~er or later** tôt ou tard.

soot [sut] *n* suie *f*.

soothe [su:ð] *vt* calmer.

sophisticated [sə'fɪstɪkeɪtɪd] *adj* sophistiqué(-e).

sorbet ['sɔːbeɪ] *n* sorbet *m*.

sore [sɔːʳ] *adj* (painful) douloureux(-euse); (Am: inf: angry) fâché(-e) ♦ *n* plaie *f*; **to have a ~ throat** avoir mal à la gorge.

sorry ['sɒrɪ] *adj* désolé(-e); **I'm ~!** désolé!; **I'm ~ I'm late** je suis désolé d'être en retard; **~?** (asking for repetition) pardon?; **to feel ~ for sb** plaindre qqn; **to be ~ about sthg** être désolé de qqch.

sort [sɔːt] *n* sorte *f* ♦ *vt* trier; **~ of** plutôt □ **sort out** *vt sep* (classify) trier; (resolve) résoudre.

so-so *adj* (inf) quelconque ♦ *adv* (inf) couci-couça.

soufflé ['suːfleɪ] *n* soufflé *m*.

sought [sɔːt] *pt & pp* → **seek**.

soul [səʊl] *n* (spirit) âme *f*; (music) soul *f*.

sound [saʊnd] *n* bruit *m*; (volume) son *m* ♦ *vi* (alarm, bell) retentir; (seem to be) avoir l'air, sembler ♦ *adj* (in good condition) solide; (reliable) valable ♦ *vt*: **to ~ one's horn** klaxonner; **the engine ~s odd** le moteur fait un drôle de bruit; **you ~ cheerful** tu as l'air content; **to ~ like** (make a noise like) ressembler à; (seem to be) sembler être.

soundproof ['saʊndpruːf] *adj* insonorisé(-e).

soup [suːp] *n* soupe *f*.

soup spoon *n* cuillère *f* à soupe.

sour ['saʊəʳ] *adj* aigre; **to go ~** tourner.

source [sɔːs] *n* source *f*.

sour cream *n* crème *f* aigre.

south [saʊθ] *n* sud *m* ♦ *adj* du sud ♦ *adv* (fly, walk) vers le sud; (be situated) au sud; **the ~ of England** dans le sud de l'Angleterre.

South Africa *n* l'Afrique *f* du Sud.

South America *n* l'Amérique *f* du Sud.

southbound ['saʊθbaʊnd] *adj* en direction du sud.

southeast [,saʊθ'iːst] *n* sud-est *m*.

southern ['sʌðən] *adj* méridional(-e), du sud.

South Pole *n* pôle *m* Sud.

southwards ['saʊθwədz] *adv* vers le sud.

southwest [,saʊθ'west] *n* sud-ouest *m*.

souvenir [,suːvə'nɪəʳ] *n* souvenir *m* (objet).

Soviet Union [,səʊvɪət-] *n*: **the ~** l'Union *f* soviétique.

sow¹ [səʊ] (pp sown [səʊn]) *vt* (seeds) semer.

sow² [saʊ] *n* (pig) truie *f*.

soya ['sɔɪə] *n* soja *m*.

soya bean *n* graine *f* de soja.

soy sauce [,sɔɪ-] *n* sauce *f* au soja.

spa [spɑː] *n* station *f* thermale.

space [speɪs] *n* (room, empty place) place *f*; (gap, in astronomy etc) espace *m*; (period) intervalle *m* ♦ *vt* espacer.

spaceship ['speɪsʃɪp] *n* vaisseau *m* spatial.

space shuttle *n* navette *f* spatiale.

spacious ['speɪʃəs] *adj* spacieux(-ieuse).

spade [speɪd] n (tool) pelle f □
spades npl (in cards) pique m.

spaghetti [spəˈgetɪ] n spaghet-
ti(s) mpl.

Spain [speɪn] n l'Espagne f.

span [spæn] pt → spin ♦ n (of
time) durée f.

Spaniard [ˈspænjəd] n Espagnol
m (-e f).

spaniel [ˈspænjəl] n épagneul m.

Spanish [ˈspænɪʃ] adj espa-
gnol(-e) ♦ n (language) espagnol m.

spank [spæŋk] vt donner une
fessée à.

spanner [ˈspænəʳ] n clef f.

spare [speəʳ] adj (kept in reserve)
de réserve; (clothes) de rechange;
(not in use) disponible ♦ n (spare
part) pièce f de rechange; (spare
wheel) roue f de secours ♦ vt: to ~
sb sthg (money) donner qqch à
qqn; (time) consacrer qqch à qqn;
with ten minutes to ~ avec dix
minutes d'avance.

spare part n pièce f de rechange.

spare ribs npl travers m de
porc.

spare room n chambre f
d'amis.

spare time n temps m libre.

spare wheel n roue f de secours.

spark [spɑːk] n étincelle f.

sparkling [ˈspɑːklɪŋ] adj (mineral water, soft drink) pétillant(-e).

sparkling wine n mousseux
m.

spark plug n bougie f.

sparrow [ˈspærəʊ] n moineau m.

spat [spæt] pt & pp → spit.

speak [spiːk] (pt spoke, pp spoken) vt (language) parler; (say) dire
♦ vi parler; who's ~ing? (on phone)
qui est à l'appareil?; can I ~ to
Sarah? - ~ing! (on phone) pourrais-
je parler à Sarah? - c'est elle-
même!; to ~ to sb about sthg parler à qqn de qqch □ **speak up** vi
(more loudly) parler plus fort.

speaker [ˈspiːkəʳ] n (in public)
orateur m (-trice f); (loudspeaker)
haut-parleur m; (of stereo) enceinte
f; an English ~ un anglophone.

spear [spɪəʳ] n lance f.

special [ˈspeʃl] adj spécial(-e) ♦ n
(dish) spécialité f; today's ~ "plat
du jour».

special delivery n service
postal britannique garantissant la distribution du courrier sous 24 heures.

special effects npl effets mpl
spéciaux.

specialist [ˈspeʃəlɪst] n spécialiste mf.

speciality [ˌspeʃɪˈælətɪ] n spécialité f.

specialize [ˈspeʃəlaɪz] vi: to ~
(in) se spécialiser (en).

specially [ˈspeʃəlɪ] adv spécialement.

special offer n offre f spéciale.

special school n (Br) établissement m scolaire spécialisé.

specialty [ˈspeʃltɪ] (Am) = speciality.

species [ˈspiːʃiːz] n espèce f.

specific [spəˈsɪfɪk] adj (particular)
spécifique; (exact) précis(-e).

specification [ˌspesɪfɪˈkeɪʃn] n
(of machine, building etc) cahier m
des charges.

specimen [ˈspesɪmən] n (MED)
échantillon m; (example) spéci-

men *m*.

specs [speks] *npl (inf)* lunettes *fpl*.

spectacle ['spektəkl] *n* spectacle *m*.

spectacles ['spektəklz] *npl* lunettes *fpl*.

spectacular [spek'tækjulə'] *adj* spectaculaire.

spectator [spek'teɪtə'] *n* spectateur *m* (-trice *f*).

sped [sped] *pt & pp* → **speed**.

speech [spiːtʃ] *n (ability to speak)* parole *f*; *(manner of speaking)* élocution *f*; *(talk)* discours *m*.

speech impediment [-ɪm-ˌpedɪmənt] *n* défaut *m* d'élocution.

speed [spiːd] *n (pt & pp* -ed OR **sped**) *n* vitesse *f* ♦ *vi (move quickly)* aller à toute vitesse; *(drive too fast)* faire un excès de vitesse; **"reduce ~ now"** «ralentir» ❏ **speed up** *vi* accélérer.

speedboat ['spiːdbəʊt] *n* hors-bord *m inv*.

speeding ['spiːdɪŋ] *n* excès *m* de vitesse.

speed limit *n* limite *f* de vitesse.

speedometer [spɪ'dɒmɪtə'] *n* compteur *m* (de vitesse).

spell [spel] *(Br pt & pp* -ed OR **spelt**, *Am pt & pp* -ed) *vt (word, name)* orthographier; *(out loud)* épeler; *(subj: letters)* donner ♦ *n (period)* période *f*; *(magic)* sort *m*; **how do you ~ that?** comment ça s'écrit?; **sunny ~s** éclaircies *fpl*.

spelling ['spelɪŋ] *n* orthographe *f*.

spelt [spelt] *pt & pp (Br)* → **spell**.

spend [spend] *(pt & pp* **spent**

[spent]) *vt (money)* dépenser; *(time)* passer.

sphere [sfɪə'] *n* sphère *f*.

spice [spaɪs] *n* épice *f* ♦ *vt* épicer.

spicy ['spaɪsɪ] *adj* épicé(-e).

spider ['spaɪdə'] *n* araignée *f*.

spider's web *n* toile *f* d'araignée.

spike [spaɪk] *n* pointe *f*.

spill [spɪl] *(vt pt & pp* -ed OR **spilt**, *Am pt & pp* -ed) *vt* renverser ♦ *vi* se renverser.

spin [spɪn] *(vt pt & pp* **span** OR **spun**, *pp* **spun**) *vt (wheel)* faire tourner; *(washing)* essorer ♦ *n (on ball)* effet *m*; **to go for a ~** *(inf: in car)* faire un tour.

spinach ['spɪnɪdʒ] *n* épinards *mpl*.

spine [spaɪn] *n* colonne *f* vertébrale; *(of book)* dos *m*.

spinster ['spɪnstə'] *n* célibataire *f*.

spiral ['spaɪərəl] *n* spirale *f*.

spiral staircase *n* escalier *m* en colimaçon.

spire [spaɪə'] *n* flèche *f*.

spirit ['spɪrɪt] *n (soul, mood)* esprit *m*; *(energy)* entrain *m*; *(courage)* courage *m* □ **spirits** *npl (Br: alcohol)* spiritueux *mpl*.

spit [spɪt] *(Br pt & pp* **spat**, *Am pt & pp* **spit**) *vi (person)* cracher; *(fire, food)* grésiller ♦ *n (saliva)* crachat *m*; *(for cooking)* broche *f* ♦ *v impers*: **it's spitting** il pleuvine.

spite [spaɪt] □ **in spite of** *prep* en dépit de, malgré.

spiteful ['spaɪtful] *adj* malveillant(-e).

splash [splæʃ] *n (sound)* plouf *m* ♦ *vt* éclabousser.

splendid ['splendɪd] adj (beautiful) splendide; (very good) excellent(-e).

splint [splɪnt] n attelle f.

splinter ['splɪntə'] n (of wood) écharde f; (of glass) éclat m.

split [splɪt] (pt & pp split) n (tear) déchirure f; (crack, in skirt) fente f ♦ vt (wood, stone) fendre; (tear) déchirer; (bill, cost, profits, work) partager ♦ vi (wood, stone) se fendre; (tear) se déchirer ❑ **split up** vi (group, couple) se séparer.

spoil [spɔɪl] (pt & pp **-ed** OR spoilt) vt (ruin) gâcher; (child) gâter.

spoke [spəuk] pt → speak ♦ n (of wheel) rayon m.

spoken ['spəukn] pp → speak.

spokesman ['spəuksmən] (pl **-men** [-mən]) n porte-parole m inv.

spokeswoman ['spəuks,wumən] (pl **-women** [-,wimin]) n porte-parole m inv.

sponge [spʌndʒ] n (for cleaning, washing) éponge f.

sponge bag n (Br) trousse f de toilette.

sponge cake n génoise f.

sponsor ['spɒnsə'] n (of event, TV programme) sponsor m.

sponsored walk [spɒnsəd-] n marche destinée à rassembler des fonds.

spontaneous [spɒn'teɪnjəs] adj spontané(-e).

spoon [spu:n] n cuillère f.

spoonful ['spu:nful] n cuillerée f.

sport [spɔːt] n sport m.

sports car [spɔːts-] n voiture f de sport.

sports centre [spɔːts-] n centre m sportif.

sports jacket [spɔːts-] n veste f sport.

sportsman ['spɔːtsmən] (pl **-men** [-mən]) n sportif m.

sports shop [spɔːts-] n magasin m de sport.

sportswoman ['spɔːts,wumən] (pl **-women** [-,wimin]) n sportive f.

spot [spɒt] n (dot) tache f; (on skin) bouton m; (place) endroit m ♦ vt repérer; **on the ~** (at once) immédiatement; (at the scene) sur place.

spotless ['spɒtlɪs] adj impeccable.

spotlight ['spɒtlaɪt] n spot m.

spotty ['spɒtɪ] adj boutonneux(-euse).

spouse [spaus] n (fml) époux m (épouse f).

spout [spaut] n bec m (verseur).

sprain [spreɪn] vt fouler.

sprang [spræŋ] pt → spring.

spray [spreɪ] n (for aerosol, perfume) vaporisateur m; (droplets) gouttelettes fpl ♦ vt (surface, skin) asperger; (car) peindre à la bombe; (crops) pulvériser; (paint, water etc) vaporiser.

spread [spred] (pt & pp spread) vt étaler; (legs, fingers, arms) écarter; (news, disease) propager ♦ vi se propager ♦ n (food) pâte f à tartiner ❑ **spread out** vi (disperse) se disperser.

spring [sprɪŋ] (pt sprang, pp sprung) n (season) printemps m; (coil) ressort m; (in ground) source f ♦ vi (leap) sauter; **in (the) ~** au printemps.

springboard ['sprɪŋbɔːd] n tremplin m.

spring-cleaning [-'kliːnɪŋ] n nettoyage m de printemps.

stalk

spring onion n oignon m blanc.

spring roll n rouleau m de printemps.

sprinkle ['sprɪŋkl] vt: **to ~ sth with sugar** saupoudrer qqch de sucre; **to ~ sth with water** asperger qqch d'eau.

sprinkler ['sprɪŋklər] n (for fire) sprinkler m; (for grass) arroseur m.

sprint [sprɪnt] n sprint m ◆ vi (run fast) sprinter.

Sprinter® ['sprɪntər] n (Br: train) train couvrant de faibles distances.

sprout [spraut] n (vegetable) chou m de Bruxelles.

spruce [spruːs] n épicéa m.

sprung [sprʌn] pp → **spring** ◆ adj (mattress) à ressorts.

spud [spʌd] n (inf) patate f.

spun [spʌn] pt & pp → **spin**.

spur [spɜːr] n (for horse rider) éperon m; **on the ~ of the moment** sur un coup de tête.

spurt [spɜːt] vi jaillir.

spy [spaɪ] n espion m (-ionne f).

squall [skwɔːl] n bourrasque f.

squalor ['skwɒlər] n conditions fpl sordides.

square [skweər] adj (in shape) carré(-e) ◆ n (shape) carré m; (in town) place f; (on chessboard) case f; **2 ~ metres** 2 mètres carrés; **it's 2 metres ~** ça fait 2 mètres sur 2; **we're (all) ~ now** (not owing money) nous sommes quittes maintenant.

squash [skwɒʃ] n (game) squash m; (Br: orange drink) orangeade f; (Br: lemon drink) citronnade f; (Am: vegetable) courge f ◆ vt écraser.

squat [skwɒt] adj trapu(-e) ◆ vi

(crouch) s'accroupir.

squeak [skwiːk] vi couiner.

squeeze [skwiːz] vt presser ❑ **squeeze in** vi se caser.

squid [skwɪd] n calamar m.

squint [skwɪnt] vi plisser les yeux ◆ n: **to have a ~** loucher.

squirrel [Br 'skwɪrəl, Am 'skwɜːrəl] n écureuil m.

squirt [skwɜːt] vi gicler.

St (abbr of Street) r; (abbr of Saint) St (Ste).

stab [stæb] vt poignarder.

stable ['steɪbl] adj stable ◆ n écurie f.

stack [stæk] n (pile) tas m; **~s of** (inf: lots) des tas de.

stadium ['steɪdjəm] n stade m.

staff [stɑːf] n (workers) personnel m.

stage [steɪdʒ] n (phase) stade m; (in theatre) scène f.

stagger ['stægər] vt (arrange in stages) échelonner ◆ vi tituber.

stagnant ['stægnənt] adj stagnant(-e).

stain [steɪn] n tache f ◆ vt tacher.

stained glass [steɪnd-] n vitrail m.

stainless steel ['steɪnlɪs-] n acier m inoxydable.

staircase ['steəkeɪs] n escalier m.

stairs [steəz] npl escaliers mpl, escalier m.

stairwell ['steəwel] n cage f d'escalier.

stake [steɪk] n (share) intérêt m; (in gambling) mise f, enjeu m; (post) poteau m; **at ~** en jeu.

stale [steɪl] adj rassis(-e).

stalk [stɔːk] n (of flower, plant) tige f; (of fruit, leaf) queue f.

stall [stɔ:l] n (in market) étal m; (at exhibition) stand m ♦ vi (car, engine) caler ◻ **stalls** npl (Br: in theatre) orchestre m.

stamina ['stæmɪnə] n résistance f.

stammer ['stæmə'] vi bégayer.

stamp [stæmp] n (for letter) timbre m; (in passport, on document) cachet m ♦ vt (passport, document) tamponner ♦ vi: **to ~ one's foot** taper sur qqch.

stamp-collecting [-kəˌlektɪŋ] n philatélie f.

stamp machine n distributeur m de timbres.

stand [stænd] (pt & pp **stood**) vi (be on feet) se tenir debout; (be situated) se trouver; (get to one's feet) se lever ♦ vt (place) poser; (bear) supporter ♦ n (in stall) étalage m; (for umbrellas) porte-parapluies m inv; (for coats) portemanteau m; (at sports stadium) tribune f; (for bike, motorbike) béquille f; **to be ~ing** être debout; **to ~ sb a drink** offrir un verre à qqn; **"no ~ing"** (Am: AUT) «arrêt interdit» ◻ **stand back** vi reculer; **stand for** vt fus (mean) représenter; (tolerate) supporter; **stand in** vi: **to ~ in for sb** remplacer qqn; **stand out** vi se détacher; **stand up** vi (be on feet) être debout; (get to one's feet) se lever ♦ vt sep (inf: boyfriend, girlfriend etc) poser un lapin à; **stand up for** vt fus défendre.

standard ['stændəd] adj (normal) standard, normal(-e) ♦ n (level) niveau m; (point of comparison) norme f; **up to ~** de bonne qualité ◻ **standards** npl (principles) principes mpl.

standard-class adj (Br: on train) au tarif normal.

standby ['stændbaɪ] adj (ticket) stand-by (inv).

stank [stæŋk] pt → **stink**.

staple ['steɪpl] n (for paper) agrafe f.

stapler ['steɪplə'] n agrafeuse f.

star [stɑ:'] n étoile f; (famous person) star f ♦ vt (subj: film, play etc): **"starring ..."** «avec ...» ◻ **stars** npl (horoscope) horoscope m.

starboard ['stɑ:bəd] adj de tribord.

starch [stɑ:tʃ] n amidon m.

stare [steə'] vi: **to ~ (at)** regarder fixement.

starfish ['stɑ:fɪʃ] (pl inv) n étoile f de mer.

starling ['stɑ:lɪŋ] n étourneau m.

Stars and Stripes n: **the ~** la bannière étoilée.

STARS AND STRIPES

Ceci n'est que l'une des nombreuses appellations populaires du drapeau américain, au même titre que «Old Glory» ou «Stars and Bars». Les 50 étoiles représentent les 50 états actuels alors que les rayures rouges et blanches symbolisent les 13 états fondateurs de l'union. Les Américains sont très fiers de leur bannière étoilée et il n'est pas rare de la voir flotter devant des maisons particulières.

---

start [stɑ:t] n début m; (starting place) départ m ♦ vt commencer; (car, engine) faire démarrer; (business, club) monter ♦ vi commencer;

(car, engine) démarrer; *(begin journey)* partir; **prices ~ at** OR **from £5** les premiers prix sont à 5 livres; **to ~ doing sthg** OR **to do sthg** commencer à faire qqch; **to ~ with** *(in the first place)* d'abord; *(when ordering meal)* en entrée ❏ **start out** *vi (on journey)* partir; **to ~ out as** débuter comme; **start up** *vt sep (car, engine)* mettre en marche; *(business, shop)* monter.

starter ['stɑːtəʳ] *n (Br: of meal)* entrée f; *(of car)* démarreur m; **for ~s** *(in meal)* en entrée.

starter motor *n* démarreur m.

starting point ['stɑːtɪŋ-] *n* point m de départ.

startle ['stɑːtl] *vt* faire sursauter.

starvation [stɑːˈveɪʃn] *n* faim f.

starve [stɑːv] *vi (have no food)* être affamé; **I'm starving!** je meurs de faim!

state [steɪt] *n* état m ◆ *vt (declare)* déclarer; *(specify)* indiquer; **the State** l'État; **the States** les États-Unis *mpl.*

statement ['steɪtmənt] *n (declaration)* déclaration f; *(from bank)* relevé m (de compte).

state school *n* école f publique.

statesman ['steɪtsmən] *(pl -men [-mən])* *n* homme m d'État.

static ['stætɪk] *n (on radio, TV)* parasites *mpl.*

station ['steɪʃn] *n (for trains)* gare f; *(for underground, on radio)* station f; *(for buses)* gare f routière.

stationary ['steɪʃnərɪ] *adj* à l'arrêt.

stationer's ['steɪʃnəz] *n (shop)* papeterie f.

stationery ['steɪʃnərɪ] *n* papeterie f.

station wagon *n (Am)* break m.

statistics [stəˈtɪstɪks] *npl* statistiques *fpl.*

statue ['stætʃuːn] *n* statue f.

Statue of Liberty *n:* **the ~** la Statue de la Liberté.

STATUE OF LIBERTY

La Statue de la Liberté, représentant une femme portant un flambeau, se dresse sur une petite île à l'entrée du port de New-York. Elle fut offerte aux États-Unis par la France en 1884 et est ouverte au public.

---

status ['steɪtəs] *n* statut m; *(prestige)* prestige m.

stay [steɪ] *n (time spent)* séjour m ◆ *vi (remain)* rester; *(as guest, in hotel)* séjourner; *(Scot: reside)* habiter; **to ~ the night** passer la nuit ❏ **stay away** *vi (not attend)* ne pas aller; *(not go near)* ne pas s'approcher; **stay in** *vi* ne pas sortir; **stay out** *vi (from home)* rester dehors; **stay up** *vi* veiller.

STD code *n* indicatif m.

steady ['stedɪ] *adj* stable; *(gradual)* régulier(-ière) ◆ *vt* stabiliser.

steak [steɪk] *n* steak m; *(of fish)* darne f.

steak and kidney pie *n* tourte à la viande de bœuf et aux rognons.

steakhouse ['steɪkhaʊs, *pl* -hauzɪz] *n* grill m.

steal [stiːl] *(pt* stole, *pp* stolen) *vt*

voler; **to ~ sth from sb** voler qqch à qqn.

steam [stiːm] n vapeur f ♦ vt (food) faire cuire à la vapeur.

steamboat [ˈstiːmbəʊt] n bateau m à vapeur.

steam engine n locomotive f à vapeur.

steam iron n fer m à vapeur.

steel [stiːl] n acier m ♦ adj en acier.

steep [stiːp] adj (hill, path) raide; (increase, drop) fort(-e).

steeple [ˈstiːpl] n clocher m.

steer [ˈstɪəʳ] vt (car, boat) manœuvrer.

steering [ˈstɪərɪŋ] n direction f.

steering wheel n volant m.

stem [stem] n (of plant) tige f; (of glass) pied m.

step [step] n (of stairs, of stepladder) marche f; (of train) marchepied m; (pace) pas m; (measure) mesure f; (stage) étape f ♦ vi: **to ~ on sth** marcher sur qqch; **"mind the ~"** «attention à la marche» □ **steps** npl (stairs) escalier m, escaliers mpl; **step aside** vi (move aside) s'écarter; **step back** vi (move back) reculer.

step aerobics n step m.

stepbrother [ˈstepˌbrʌðəʳ] n demi-frère m.

stepdaughter [ˈstepˌdɔːtəʳ] n belle-fille f.

stepfather [ˈstepˌfɑːðəʳ] n beau-père m.

stepladder [ˈstepˌlædəʳ] n escabeau m.

stepmother [ˈstepˌmʌðəʳ] n belle-mère f.

stepsister [ˈstepˌsɪstəʳ] n demi-

sœur f.

stepson [ˈstepsʌn] n beau-fils m.

stereo [ˈstɛrɪəʊ] (pl -s) adj stéréo (inv) ♦ n (hi-fi) chaîne f stéréo; (stereo sound) stéréo f.

sterile [ˈstɛraɪl] adj stérile.

sterilize [ˈstɛrɪlaɪz] vt stériliser.

sterling [ˈstɜːlɪŋ] adj (pound) sterling (inv) ♦ n livres fpl sterling.

sterling silver n argent m fin.

stern [stɜːn] adj (strict) sévère ♦ n (of boat) poupe f.

stew [stjuː] n ragoût m.

steward [ˈstjʊəd] n (on plane, ship) steward m; (at public event) membre m du service d'ordre.

stewardess [ˈstjʊədɪs] n hôtesse f de l'air.

stewed [stjuːd] adj (fruit) cuit(-e).

stick [stɪk] n (of wood) bâton m; (for sport) crosse f; (of celery) branche f; (walking stick) canne f ♦ vt (glue) coller; (push, insert) mettre; (inf: put) mettre ♦ vi coller; (jam) se coincer □ **stick out** vi ressortir; **stick to** vt fus (decision) s'en tenir à; (promise) tenir; **stick up** vt sep (poster, notice) afficher ♦ vi dépasser; **stick up for** vt fus défendre.

sticker [ˈstɪkəʳ] n autocollant m.

sticking plaster [ˈstɪkɪŋ-] n sparadrap m.

stick shift n (Am: car) voiture f à vitesses manuelles.

sticky [ˈstɪkɪ] adj (substance, hands, sweets) poisseux(-euse); (label, tape) adhésif(-ive); (weather) humide.

stiff [stɪf] adj (cardboard, material) rigide; (brush, door, lock) dur(-e); (back, neck) raide ♦ adv: **to be**

bored ~ *(inf)* s'ennuyer à mourir; **to feel** ~ avoir des courbatures.

stile [stail] *n* échalier *m*.

stiletto heels [stɪ'letəʊ] *npl* talons *mpl* aiguilles.

still [stil] *adv (up to now, then)* toujours, encore; *(possibly, with comparisons)* encore; *(despite that)* pourtant ♦ *adj (motionless)* immobile; *(quiet, calm)* calme; *(not fizzy)* non gazeux(-euse); *(water)* plat(-e); **we've ~ got ten minutes** il nous reste encore dix minutes; ~ **more** encore plus; **to stand** ~ ne pas bouger.

Stilton ['stiltn] *n* stilton *m* (fromage bleu à saveur forte).

stimulate ['stimjuleit] *vt* stimuler.

sting [stiŋ] *(pt & pp* **stung**) *vt & vi* piquer.

stingy ['stindʒi] *adj (inf)* radin(-e).

stink [stiŋk] *(pt* **stank** OR **stunk**, *pp* **stunk**) *vi* puer.

stipulate ['stipjuleit] *vt* stipuler.

stir [stɜːʳ] *vt* remuer.

stir-fry *n* sauté *m* ♦ *vt* faire sauter.

stirrup ['stirəp] *n* étrier *m*.

stitch [stitʃ] *n (in sewing)* point *m*; *(in knitting)* maille *f*; **to have a ~** *(stomach pain)* avoir un point de côté □ **stitches** *npl (for wound)* points *mpl* de suture.

stock [stok] *n (of shop, supply)* stock *m*; *(FIN)* valeurs *fpl*; *(in cooking)* bouillon *m* ♦ *vt (have in stock)* avoir en stock; **in** ~ en stock; **out of** ~ épuisé.

stock cube *n* bouillon *m* cube.

Stock Exchange *n* Bourse *f*.

stocking ['stokiŋ] *n* bas *m*.

stock market *n* Bourse *f*.

stodgy ['stodʒi] *adj (food)* lourd(-e).

stole [stəʊl] *pt →* **steal**.

stolen ['stəʊln] *pp →* **steal**.

stomach ['stʌmək] *n (organ)* estomac *m*; *(belly)* ventre *m*.

stomachache ['stʌməkeik] *n* mal *m* au ventre.

stomach upset [-'ʌpset] *n* embarras *m* gastrique.

stone [stəʊn] *n (pl sense 3 inv)* pierre *f*; *(in fruit)* noyau *m*; *(measurement)* = 6,350 kg ♦ *adj* de OR en pierre.

stonewashed ['stəʊnwɒʃt] *adj* délavé(-e).

stood [stʊd] *pt & pp →* **stand**.

stool [stuːl] *n (for sitting on)* tabouret *m*.

stop [stop] *n* arrêt *m* ♦ *vt* arrêter ♦ *vi* s'arrêter; *(stay)* rester; **to ~ sb/sth from doing sth** empêcher qqn/qqch de faire qqch; **to ~ doing sth** arrêter de faire qqch; **to put a ~ to sth** mettre un terme à qqch; **"stop"** *(road sign)* «stop»; **"stopping at ..."** *(train, bus)* «dessert les gares de ...» □ **stop off** *vi* s'arrêter.

stopover ['stop,əʊvəʳ] *n* halte *f*.

stopper ['stopəʳ] *n* bouchon *m*.

stopwatch ['stopwotʃ] *n* chronomètre *m*.

storage ['stɔːrɪdʒ] *n* rangement *m*.

store [stɔːʳ] *n (shop)* magasin *m*; *(supply)* réserve *f* ♦ *vt* stocker.

storehouse ['stɔːhaʊs, *pl* -haʊzɪz] *n* entrepôt *m*.

storeroom ['stɔːruːm] *n (in*

house) débarras m; *(in shop)* réserve f.

storey ['stɔːr] *(pl* **-s)** *n (Br)* étage m.

stork [stɔːk] *n* cigogne f.

storm [stɔːm] *n* orage m.

stormy ['stɔːmɪ] *adj (weather)* orageux(-euse).

story ['stɔːrɪ] *n* histoire f; *(news item)* article m; *(Am)* = **storey**.

stout [staut] *adj (fat)* corpulent(-e) ♦ *n (drink)* stout m *(bière brune).*

stove [stəʊv] *n* cuisinière f.

straight [streɪt] *adj* droit(-e); *(hair)* raide; *(consecutive)* consécutif(-ive); *(drink)* sec (sèche) ♦ *adv* droit; *(without delay)* tout de suite; **~ ahead** droit devant; **~ away** immédiatement.

straightforward [,streɪt-ˈfɔːwəd] *adj (easy)* facile.

strain [streɪn] *n (force)* force f; *(nervous stress)* stress m; *(tension)* tension f; *(injury)* foulure f ♦ *vt (eyes)* fatiguer; *(food, tea)* passer; **to ~ one's back** se faire un tour de reins.

strainer ['streɪnə'] *n* passoire f.

strait [streɪt] *n* détroit m.

strange [streɪndʒ] *adj (unusual)* étrange; *(unfamiliar)* inconnu(-e).

stranger ['streɪndʒə'] *n (unfamiliar person)* inconnu m (-e f); *(person from different place)* étranger m (-ère f).

strangle ['stræŋgl] *vt* étrangler.

strap [stræp] *n (of bag)* bandoulière f; *(of watch)* bracelet m; *(of dress)* bretelle f; *(of camera)* courroie f.

strapless ['stræplɪs] *adj* sans bretelles.

strategy ['strætɪdʒɪ] *n* stratégie f.

Stratford-upon-Avon [,stræt-fədəpɒn'eɪvn] *n* Stratford-upon-Avon.

ⓘ STRATFORD-UPON-AVON

Cette ville du comté anglais du Warwickshire est célèbre pour avoir vu naître le poète et dramaturge William Shakespeare (1564-1616). Elle est aujourd'hui au centre du monde théâtral britannique puisque la Royal Shakespeare Company s'y est établie et y joue des œuvres de Shakespeare et d'autres auteurs.

---

straw [strɔː] *n* paille f.

strawberry ['strɔːbərɪ] *n* fraise f.

stray [streɪ] *adj (animal)* errant(-e) ♦ *vi* errer.

streak [striːk] *n (of paint, mud)* traînée f; *(period)* période f.

stream [striːm] *n (river)* ruisseau m; *(of traffic, people, blood)* flot m.

street [striːt] *n* rue f.

streetcar ['striːtkɑː'] *n (Am)* tramway m.

street light *n* réverbère m.

street plan *n* plan m de ville.

strength [streŋθ] *n* force f; *(of structure)* solidité f; *(influence)* puissance f; *(strong point)* point m fort.

strengthen ['streŋθn] *vt* renforcer.

stress [stres] *n (tension)* stress m;

(on word, syllable) accent m ◆ vt *(emphasize)* souligner; *(word, syllable)* accentuer.

stretch [stretʃ] n *(of land, water)* étendue f; *(of time)* période f ◆ vt étirer ◆ vi *(land, sea)* s'étendre; *(person, animal)* s'étirer; **to ~ one's legs** *(fig)* se dégourdir les jambes ❑ **stretch out** vt sep *(hand)* tendre ◆ vi *(lie down)* s'étendre.

stretcher ['stretʃər] n civière f.

strict [strɪkt] adj strict(-e).

strictly ['strɪktlɪ] adv strictement; **~ speaking** à proprement parler.

stride [straɪd] n enjambée f.

strike [straɪk] *(pt & pp struck)* n *(of employees)* grève f ◆ vt frapper; *(fml: hit)* frapper; *(fml: collide with)* percuter; *(a match)* gratter ◆ vi *(refuse to work)* faire grève; *(happen suddenly)* frapper; **the clock struck eight** la pendule sonna huit heures.

striking ['straɪkɪŋ] adj *(noticeable)* frappant(-e); *(attractive)* d'une beauté frappante.

string [strɪŋ] n ficelle f; *(of pearls, beads)* collier m; *(of musical instrument, tennis racket)* corde f; *(series)* suite f; **a piece of ~** un bout de ficelle.

strip [strɪp] n bande f ◆ vt *(paint)* décaper; *(wallpaper)* décoller ◆ vi *(undress)* se déshabiller.

stripe [straɪp] n rayure f.

striped [straɪpt] adj rayé(-e).

strip-search vt fouiller *(en déshabillant)*.

strip show n strip-tease m.

stroke [strəʊk] n *(MED)* attaque f; *(in tennis, golf)* coup m; *(swimming style)* nage f ◆ vt caresser; **a ~ of luck** un coup de chance.

stroll [strəʊl] n petite promenade f.

stroller ['strəʊlər] n *(Am: push-chair)* poussette f.

strong [strɒŋ] adj fort(-e); *(structure, bridge, chair)* solide; *(influential)* puissant(-e); *(effect, incentive)* puissant(-e).

struck [strʌk] pt & pp → **strike**.

structure ['strʌktʃər] n structure f; *(building)* construction f.

struggle ['strʌgl] vi *(fight)* lutter; *(in order to get free)* se débattre ◆ n: **to have a ~ to do sthg** avoir du mal à faire qqch; **to ~ to do sthg** s'efforcer de faire qqch.

stub [stʌb] n *(of cigarette)* mégot m; *(of cheque, ticket)* talon m.

stubble ['stʌbl] n *(on face)* barbe f de plusieurs jours.

stubborn ['stʌbən] adj *(person)* têtu(-e).

stuck [stʌk] pt & pp → **stick** ◆ adj bloqué(-e).

stud [stʌd] n *(on boots)* crampon m; *(fastener)* bouton-pression m; *(earring)* clou m.

student ['stjuːdnt] n *(at university, college)* étudiant m (-e f); *(at school)* élève mf.

student card n carte f d'étudiant.

students' union [,stjuː'dnts-] n *(place)* bureau m des étudiants.

studio ['stjuːdɪəʊ] *(pl -s)* n studio m.

studio apartment *(Am)* = **studio flat**.

studio flat *(Br)* n studio m.

study ['stʌdɪ] n étude f; *(room)* bureau m ◆ vt & vi étudier.

stuff [stʌf] n *(inf)* *(substance)* truc

m; *(things, possessions)* affaires fpl ♦ vt *(put roughly)* fourrer; *(fill)* bourrer.

stuffed [stʌft] adj *(food)* farci(-e); *(inf: full-up)* gavé(-e); *(dead animal)* empaillé(-e).

stuffing ['stʌfɪŋ] n *(food)* farce f; *(of pillow, cushion)* rembourrage m.

stuffy ['stʌfɪ] adj *(room, atmosphere)* étouffant(-e).

stumble ['stʌmbl] vi trébucher.

stump [stʌmp] n *(of tree)* souche f.

stun [stʌn] vt stupéfier.

stung [stʌŋ] pt & pp → **sting**.

stunk [stʌŋk] pt & pp → **stink**.

stunning ['stʌnɪŋ] adj *(very beautiful)* superbe; *(very surprising)* stupéfiant(-e).

stupid ['stjuːpɪd] adj *(foolish)* stupide; *(inf: annoying)* fichu(-e).

sturdy ['stɜːdɪ] adj solide.

stutter ['stʌtə*] vi bégayer.

sty [staɪ] n porcherie f.

style [staɪl] n style m; *(design)* modèle m ♦ vt *(hair)* coiffer.

stylish ['staɪlɪʃ] adj élégant(-e).

stylist ['staɪlɪst] n *(hairdresser)* coiffeur m *(-euse f)*.

sub [sʌb] n *(inf)* *(substitute)* remplaçant m *(-e f)*; *(Br: subscription)* cotisation f.

subdued [səb'djuːd] adj *(person)* abattu(-e); *(lighting, colour)* doux *(douce)*.

subject [n 'sʌbdʒekt, vb səb'dʒekt] n sujet m; *(at school, university)* matière f ♦ vt: to ~ sb to sthg soumettre qqn à qqch; "~ to availability" «dans la limite des stocks disponibles»; they are ~ to an additional charge un supplément

sera exigé.

subjunctive [səb'dʒʌŋktɪv] n subjonctif m.

submarine [ˌsʌbmə'riːn] n sous-marin m.

submit [səb'mɪt] vt soumettre ♦ vi *(give in)* se soumettre.

subordinate [sə'bɔːdɪnət] adj subordonné(-e).

subscribe [səb'skraɪb] vi s'abonner.

subscription [səb'skrɪpʃn] n *(to magazine)* abonnement m; *(to club)* cotisation f.

subsequent [ˈsʌbsɪkwənt] adj ultérieur(-e).

subside [səb'saɪd] vi *(ground)* s'affaisser; *(noise, feeling)* disparaître.

substance ['sʌbstəns] n substance f.

substantial [səb'stænʃl] adj substantiel(-ielle).

substitute ['sʌbstɪtjuːt] n *(replacement)* substitut m; *(SPORT)* remplaçant m *(-e f)*.

subtitles ['sʌbˌtaɪtlz] npl sous-titres mpl.

subtle ['sʌtl] adj subtil(-e).

subtract [səb'trækt] vt soustraire.

subtraction [səb'trækʃn] n soustraction f.

suburb ['sʌbɜːb] n banlieue f; the ~s la banlieue.

subway ['sʌbweɪ] n *(Br: for pedestrians)* souterrain m; *(Am: underground railway)* métro m.

succeed [sək'siːd] vi *(be successful)* réussir ♦ vt *(fml: follow)* succéder à; to ~ in doing sthg réussir à faire qqch.

success [sək'ses] n succès m, réussite f.

successful [sək'sesful] adj (plan, attempt) réussi(-e); (film, book etc) à succès; (businessman, politician) qui a réussi; (actor) qui a du succès; to be ~ (person) réussir.

succulent ['sʌkjulənt] adj succulent(-e).

such [sʌtʃ] adj tel (telle) ♦ adv: ~ a lot tellement; it's ~ a lovely day! c'est une si belle journée!; ~ good luck une telle chance, une chance pareille; ~ a thing should never have happened une telle chose n'aurait jamais dû se produire; ~ as tel que.

suck [sʌk] vt sucer; (nipple) téter.

sudden ['sʌdn] adj soudain(-e); all of a ~ tout à coup.

suddenly ['sʌdnlɪ] adv soudain, tout à coup.

sue [su:] vt poursuivre en justice.

suede [sweɪd] n daim m.

suffer ['sʌfəʳ] vt (defeat, injury) subir ♦ vi: to ~ (from) souffrir (de).

suffering ['sʌfrɪŋ] n souffrance f.

sufficient [sə'fɪʃnt] adj (fml) suffisant(-e).

sufficiently [sə'fɪʃntlɪ] adv (fml) suffisamment.

suffix ['sʌfɪks] n suffixe m.

suffocate ['sʌfəkeɪt] vi suffoquer.

sugar ['ʃugəʳ] n sucre m.

suggest [sə'dʒest] vt suggérer; to ~ doing sthg proposer de faire qqch.

suggestion [sə'dʒestʃn] n suggestion f; (hint) trace f.

suicide ['suɪsaɪd] n suicide m; to commit ~ se suicider.

suit [su:t] n (man's clothes) costume m; (woman's clothes) tailleur m; (in cards) couleur f; (JUR) procès m ♦ vt (subj: clothes, colour, shoes) aller bien à; (be convenient, appropriate for) convenir à; to be ~ed to être adapté à; pink doesn't ~ me le rose ne me va pas.

suitable ['su:təbl] adj adapté(-e). to be ~ for être adapté à.

suitcase ['su:tkeɪs] n valise f.

suite [swi:t] n (set of rooms) suite f; (furniture) ensemble m canapé-fauteuils.

sulk [sʌlk] vi bouder.

sultana [səl'tɑ:nə] n (Br) raisin m de Smyrne.

sultry ['sʌltrɪ] adj (weather, climate) lourd(-e).

sum [sʌm] n (in maths) opération f; (of money) somme f ❑ **sum up** vt sep résumer.

summarize ['sʌməraɪz] vt résumer.

summary ['sʌmərɪ] n résumé m.

summer ['sʌməʳ] n été m; in (the) ~ en été, l'été; ~ holidays vacances fpl d'été, grandes vacances.

summertime ['sʌmətaɪm] n été m.

summit ['sʌmɪt] n sommet m.

summon ['sʌmən] vt convoquer.

sumptuous ['sʌmptʃuəs] adj somptueux(-euse).

sun [sʌn] n soleil m ♦ vt: to ~ o.s. prendre un bain de soleil; to catch the ~ prendre un coup de soleil; in the ~ au soleil; out of the ~ à l'abri du soleil.

Sun. (abbr of Sunday) dim.

sunbathe ['sʌnbeɪð] vi prendre

un bain de soleil.

sunbed ['sʌnbed] n lit m à ultra-violets.

sun block n écran m total.

sunburn ['sʌnbɜːn] n coup m de soleil.

sunburnt ['sʌnbɜːnt] adj brûlé(-e) par le soleil.

sundae ['sʌndeɪ] n coupe f glacée à la Chantilly.

Sunday ['sʌndɪ] n dimanche m, → Saturday.

Sunday school n catéchisme m.

sundress ['sʌndres] n robe f bain de soleil.

sundries ['sʌndrɪz] npl (on bill) divers mpl.

sunflower ['sʌnˌflaʊər] n tournesol m.

sunflower oil n huile f de tournesol.

sung [sʌŋ] pt → sing.

sunglasses ['sʌnˌglɑːsɪz] npl lunettes fpl de soleil.

sunhat ['sʌnhæt] n chapeau m de soleil.

sunk [sʌŋk] pp → sink.

sunlight ['sʌnlaɪt] n lumière f du soleil.

sun lounger [-ˌlaʊndʒər] n chaise f longue.

sunny ['sʌnɪ] adj ensoleillé(-e); it's ~ il y a du soleil.

sunrise ['sʌnraɪz] n lever m de soleil.

sunroof ['sʌnruːf] n toit m ouvrant.

sunset ['sʌnset] n coucher m de soleil.

sunshine ['sʌnʃaɪn] n soleil m; in the ~ au soleil.

sunstroke ['sʌnstrəʊk] n insolation f.

suntan ['sʌntæn] n bronzage m.

suntan cream n crème f solaire.

suntan lotion n lait m solaire.

super ['suːpər] adj super (inv) ♦ n (petrol) super m.

superb [suːˈpɜːb] adj superbe.

superficial [ˌsuːpəˈfɪʃl] adj superficiel(-ielle).

superfluous [suːˈpɜːfluəs] adj superflu(-e).

Superglue® ['suːpəɡluː] n colle f forte.

superior [suːˈpɪərɪər] adj supérieur(-e) ♦ n supérieur m (-e f).

supermarket ['suːpəˌmɑːkɪt] n supermarché m.

supernatural [ˌsuːpəˈnætʃrəl] adj surnaturel(-elle).

Super Saver® n (Br: rail ticket) billet de train à tarif réduit, sous certaines conditions.

superstitious [ˌsuːpəˈstɪʃəs] adj superstitieux(-ieuse).

superstore ['suːpəstɔːr] n hypermarché m.

supervise ['suːpəvaɪz] vt surveiller.

supervisor ['suːpəvaɪzər] n (of workers) chef m d'équipe.

supper ['sʌpər] n dîner m; to have ~ dîner.

supple ['sʌpl] adj souple.

supplement [n 'sʌplɪmənt, vb 'sʌplɪment] n supplément m; (of diet) complément m ♦ vt compléter.

supplementary [ˌsʌplɪˈmentərɪ] adj supplémentaire.

supply [səˈplaɪ] n (store) réserve f; (providing) fourniture f; (of gas, tricity) alimentation f ◆ vt fournir; to ~ sb with sthg fournir qqch à qqn; (with gas, electricity) alimenter qqn en qqch ❑ supplies npl provisions fpl.

support [sə'pɔ:t] n (aid, encouragement) soutien m; (object) support m ◆ vt (aid, encourage) soutenir; (team, object) supporter; (financially) subvenir aux besoins de.

supporter [sə'pɔ:tə'] n (SPORT) supporter m; (of cause, political party) partisan m.

suppose [sə'pəuz] vt (assume) supposer; (think) penser ◆ conj = supposing; **I ~ so** je suppose que oui; **to be ~d to do sthg** être censé faire qqch.

supposing [sə'pəuzɪŋ] conj à supposer que.

supreme [su'pri:m] adj suprême.

surcharge ['sɜ:tʃɑ:dʒ] n surcharge f.

sure [ʃuə'] adv (inf: yes) bien sûr; (Am: inf: certainly) vraiment ◆ adj sûr(-e), certain(-e); **they are ~ to win** il est certain qu'ils vont gagner; **to be ~ of o.s.** être sûr de soi; **to make ~ (that) ...** s'assurer que ...; **for ~** c'est certain.

surely ['ʃuəlɪ] adv sûrement.

surf [sɜ:f] n écume f ◆ vi surfer.

surface ['sɜ:fɪs] n surface f.

surface area n surface f.

surface mail n courrier m par voie de terre.

surfboard ['sɜ:fbɔ:d] n surf m.

surfing ['sɜ:fɪŋ] n surf m; **to go ~** faire du surf.

surgeon ['sɜ:dʒən] n chirurgien m (-ienne f).

surgery ['sɜ:dʒərɪ] n (treatment) chirurgie f; (Br: building) cabinet m

médical; (Br: period) consultations fpl.

surname ['sɜ:neɪm] n nom m (de famille).

surplus ['sɜ:pləs] n surplus m.

surprise [sə'praɪz] n surprise f ◆ vt surprendre.

surprised [sə'praɪzd] adj surpris(-e).

surprising [sə'praɪzɪŋ] adj surprenant(-e).

surrender [sə'rendə'] vi se rendre ◆ vt (fml: hand over) remettre.

surround [sə'raʊnd] vt entourer; (encircle) encercler.

surrounding [sə'raʊndɪŋ] adj environnant(-e) ❑ **surroundings** npl environs mpl.

survey ['sɜ:veɪ] n (investigation) enquête f; (poll) sondage m; (of land) levé m; (Br: of house) expertise f.

surveyor [sə'veɪə'] n (Br: of houses) expert m; (of land) géomètre m.

survival [sə'vaɪvl] n survie f.

survive [sə'vaɪv] vi survivre ◆ vt survivre à.

survivor [sə'vaɪvə'] n survivant m (-e f).

suspect [vb sə'spekt, n & adj 'sʌspekt] vt (believe) soupçonner; (mistrust) douter de ◆ n suspect m (-e f) ◆ adj suspect(-e); **to ~ sb of sthg** soupçonner qqn de qqch.

suspend [sə'spend] vt suspendre; (from school) exclure.

suspender belt [sə'spendə-] n porte-jarretelles m inv.

suspenders [sə'spendəz] npl (Br: for stockings) jarretelles fpl; (Am: for trousers) bretelles fpl.

suspense [sə'spens] *n* suspense *m*.

suspension [sə'spenʃn] *n* suspension *f*; *(from school)* renvoi *m* temporaire.

suspicion [sə'spɪʃn] *n* soupçon *m*.

suspicious [sə'spɪʃəs] *adj (behaviour, situation)* suspect(-e); **to be ~ (of)** *(distrustful)* se méfier (de).

swallow ['swɒləʊ] *n (bird)* hirondelle *f* ◆ *vt & vi* avaler.

swam [swæm] *pt* → **swim**.

swamp [swɒmp] *n* marécage *m*.

swan [swɒn] *n* cygne *m*.

swap [swɒp] *vt* échanger; **to ~ sthg for sthg** échanger qqch contre qqch.

swarm [swɔːm] *n (of bees)* essaim *m*.

swear [sweər] *(pt* swore, *pp* sworn) *vt & vi* jurer; **to ~ to do sthg** jurer de faire qqch.

swearword ['sweəwɜːd] *n* gros mot *m*.

sweat [swet] *n* transpiration *f*, sueur *f* ◆ *vi* transpirer, suer.

sweater ['swetər] *n* pull *m*.

sweatshirt ['swetʃɜːt] *n* sweatshirt *m*.

swede [swiːd] *n (Br)* rutabaga *m*.

Swede [swiːd] *n* Suédois *m* (-e *f*).

Sweden ['swiːdn] *n* la Suède.

Swedish ['swiːdɪʃ] *adj* suédois(-e) ◆ *n (language)* suédois *m* ◆ *npl*: **the ~** les Suédois *mpl*.

sweep [swiːp] *(pt & pp* swept) *vt (with broom)* balayer.

sweet [swiːt] *adj (food, drink)* sucré(-e); *(smell)* doux (douce); *(person, nature)* gentil(-ille) ◆ *n (Br) (candy)* bonbon *m*; *(dessert)* dessert *m*.

sweet-and-sour *adj* aigredoux (aigre-douce).

sweet corn *n* maïs *m* doux.

sweetener ['swiːtnər] *n (for drink)* édulcorant *m*.

sweet potato *n* patate *f* douce.

sweet shop *n (Br)* confiserie *f*.

swell [swel] *(pp* swollen) *vi* enfler.

swelling ['swelɪŋ] *n* enflure *f*.

swept [swept] *pt & pp* → **sweep**.

swerve [swɜːv] *vi (vehicle)* faire une embardée.

swig [swɪg] *n (inf)* lampée *f*.

swim [swɪm] *(pt* swam, *pp* swum) *vi* nager ◆ *n*: **to go for a ~** aller nager.

swimmer ['swɪmər] *n* nageur *m* (-euse *f*).

swimming ['swɪmɪŋ] *n* natation *f*; **to go ~** nager, faire de la natation.

swimming baths *npl (Br)* piscine *f*.

swimming cap *n* bonnet *m* de bain.

swimming costume *n (Br)* maillot *m* de bain.

swimming pool *n* piscine *f*.

swimming trunks *npl* slip *m* de bain.

swimsuit ['swɪmsuːt] *n* maillot *m* de bain.

swindle ['swɪndl] *n* escroquerie *f*.

swing [swɪŋ] *(pt & pp* swung) *n (for children)* balançoire *f* ◆ *vt (from side to side)* balancer ◆ *vi (from side to side)* se balancer.

swipe [swaɪp] *vt (credit card etc)* passer dans un lecteur de cartes.

Swiss [swɪs] *adj* suisse ◆ *n (per-*

son) Suisse mf ♦ npl: **the ~ les Suisses** mpl.

Swiss cheese n gruyère m.

swiss roll n gâteau m roulé.

switch [swɪtʃ] n (for light, power) interrupteur m; (for television, radio) bouton m ♦ vi changer ♦ vt (exchange) échanger; **to ~ places** changer de place ▢ **switch off** vt sep (light, radio) éteindre; (engine) couper; **switch on** vt sep (light, radio) allumer; (engine) mettre en marche.

switchboard ['swɪtʃbɔːd] n standard m.

Switzerland ['swɪtsələnd] n la Suisse.

swivel ['swɪvl] vi pivoter.

swollen ['swəʊlən] pp → **swell** ♦ adj (ankle, arm etc) enflé(-e).

swop [swɒp] = **swap**.

sword [sɔːd] n épée f.

swordfish ['sɔːdfɪʃ] (pl inv) n espadon m.

swore [swɔːʳ] pt → **swear**.

sworn [swɔːn] pp → **swear**.

swum [swʌm] pp → **swim**.

swung [swʌŋ] pt & pp → **swing**.

syllable ['sɪləbl] n syllabe f.

syllabus ['sɪləbəs] n programme m.

symbol ['sɪmbl] n symbole m.

sympathetic [ˌsɪmpəˈθetɪk] adj (understanding) compréhensif(-ive).

sympathize ['sɪmpəθaɪz] vi (feel sorry) compatir; (understand) comprendre; **to ~ with sb** (feel sorry for) plaindre qqn; (understand) comprendre qqn.

sympathy ['sɪmpəθɪ] n (understanding) compréhension f.

symphony ['sɪmfənɪ] n symphonie f.

symptom ['sɪmptəm] n symptôme m.

synagogue ['sɪnəgɒg] n synagogue f.

synthesizer ['sɪnθəsaɪzəʳ] n synthétiseur m.

synthetic [sɪnˈθetɪk] adj synthétique.

syringe [sɪˈrɪndʒ] n seringue f.

syrup ['sɪrəp] n sirop m.

system ['sɪstəm] n système m; (for gas, heating etc) installation f; (hi-fi) chaîne f.

T

ta [tɑː] excl (Br: inf) merci!

tab [tæb] n (of cloth, paper etc) étiquette f; (bill) addition f, note f; **put it on my ~** mettez-le sur ma note.

table ['teɪbl] n table f; (of figures etc) tableau m.

tablecloth ['teɪblklɒθ] n nappe f.

tablemat ['teɪblmæt] n dessous-de-plat m inv.

tablespoon ['teɪblspuːn] n cuillère f à soupe.

tablet ['tæblɪt] n (pill) cachet m; (of chocolate) tablette f; **a ~ of soap** une savonnette.

table tennis n ping-pong m.

table wine n vin m de table.

tabloid

tabloid ['tæblɔɪd] n tabloïd(e) m.

tack [tæk] n (nail) clou m.

tackle ['tækl] n (in football) tacle m; (in rugby) plaquage m; (for fishing) matériel m ◆ vt (in football) tacler; (in rugby) plaquer; (deal with) s'attaquer à.

tacky ['tækɪ] adj (inf) ringard(-e).

taco ['tækəʊ] (pl -s) n crêpe de maïs farcie, très fine et croustillante (spécialité mexicaine).

tact [tækt] n tact m.

tactful ['tæktful] adj plein(-e) de tact.

tactics ['tæktɪks] npl tactique f.

tag [tæg] n (label) étiquette f.

tagliatelle [,tæglɪə'telɪ] n tagliatelles fpl.

tail [teɪl] n queue f □ **tails** n (of coin) pile f ◆ npl (formal dress) queue-de-pie f.

tailgate ['teɪlgeɪt] n (of car) hayon m.

tailor ['teɪlər] n tailleur m.

Taiwan [,taɪ'wɑːn] n Taïwan.

take [teɪk] (pt took, pp taken) vt 1. (gen) prendre; to ~ a bath/shower prendre un bain/une douche; to ~ an exam passer un examen; to ~ a walk faire une promenade.
2. (carry) emporter.
3. (drive) emmener.
4. (time) prendre; (patience, work) demander; how long will it ~? combien de temps ça va prendre?
5. (size in clothes, shoes) faire; what size do you ~? (clothes) quelle taille faites-vous?; (shoes) quelle pointure faites-vous?
6. (subtract) ôter.
7. (accept) accepter; do you ~ traveller's cheques? acceptez-vous les traveller's checks?; to ~ sb's advice suivre les conseils de qqn.
8. (contain) contenir.
9. (tolerate) supporter.
10. (assume): I ~ it that ... je suppose que ...
11. (rent) louer.
□ **take apart** vt sep (dismantle) démonter; **take away** vt sep (remove) enlever; (subtract) ôter; **take back** vt sep (something borrowed) rapporter; (person) ramener; (statement) retirer; **take down** vt sep (picture, decorations) enlever; **take in** vt sep (include) englober; (understand) comprendre; (deceive) tromper; (clothes) reprendre; **take off** vi (plane) décoller ◆ vt sep (remove) enlever, ôter; (as holiday): to ~ a week off prendre une semaine de congé; **take out** vt sep sortir; (loan, insurance policy) souscrire; (go out with) emmener; **take over** vi prendre le relais; **take up** vt sep (begin) se mettre à; (use up) prendre; (trousers, dress) raccourcir.

takeaway ['teɪkə,weɪ] n (Br) (shop) magasin qui vend des plats à emporter; (food) plat m à emporter.

taken ['teɪkn] pp → **take**.

takeoff ['teɪkɒf] n (of plane) décollage m.

takeout ['teɪkaʊt] (Am) = **takeaway**.

takings ['teɪkɪŋz] npl recette f.

talcum powder ['tælkəm-] n talc m.

tale [teɪl] n (story) conte m; (account) récit m.

talent ['tælənt] n talent m.

talk [tɔːk] n (conversation) conversation f; (speech) exposé m ◆ vi parler; to ~ to sb (about sthg) parler à qqn (de qqch); to ~ with sb parler avec qqn □ **talks** *npl* négociations *fpl*.

talkative [ˈtɔːkətɪv] *adj* bavard(-e).

tall [tɔːl] *adj* grand(-e); **how ~ are you?** combien mesures-tu?; **I'm five and a half feet ~** je fais 1,65 mètres, je mesure 1,65 mètres.

tame [teɪm] *adj (animal)* apprivoisé(-e).

tampon [ˈtæmpɒn] *n* tampon *m*.

tan [tæn] *n (suntan)* bronzage *m* ♦ *vi* bronzer ♦ *adj (colour)* brun clair.

tangerine [ˌtændʒəˈriːn] *n* mandarine *f*.

tank [tæŋk] *n (container)* réservoir *m*; *(vehicle)* tank *m*.

tanker [ˈtæŋkəʳ] *n (truck)* camion-citerne *m*.

tanned [tænd] *adj* bronzé(-e).

tap [tæp] *n (for water)* robinet *m* ♦ *vt (hit)* tapoter.

tape [teɪp] *n (cassette, video)* cassette *f*; *(in cassette)* bande *f*; *(adhesive material)* ruban *m* adhésif; *(strip of material)* ruban *m* ♦ *vt (record)* enregistrer; *(stick)* scotcher.

tape measure *n* mètre *m* (ruban).

tape recorder *n* magnétophone *m*.

tapestry [ˈtæpɪstrɪ] *n* tapisserie *f*.

tap water *n* eau *f* du robinet.

tar [tɑːʳ] *n (for roads)* goudron *m*; *(in cigarettes)* goudrons *mpl*.

target [ˈtɑːgɪt] *n* cible *f*.

tariff [ˈtærɪf] *n (price list)* tarif *m*; *(Br: menu)* menu *m*; *(at customs)* tarif *m* douanier.

tarmac [ˈtɑːmæk] *n (at airport)*

piste *f* □ **Tarmac®** *n (on road)* macadam *m*.

tarpaulin [tɑːˈpɔːlɪn] *n* bâche *f*.

tart [tɑːt] *n* tarte *f*.

tartan [ˈtɑːtn] *n* tartan *m*.

tartare sauce [ˌtɑːtə-] *n* sauce *f* tartare.

task [tɑːsk] *n* tâche *f*.

taste [teɪst] *n* goût *m* ♦ *vt (sample)* goûter; *(detect)* sentir ♦ *vi*: **to ~ of sthg** avoir un goût de qqch; **it ~s bad** ça a mauvais goût; **it ~s good** ça a bon goût; **to have a ~ of sthg** *(food, drink)* goûter (à) qqch; *(fig: experience)* avoir un aperçu de qqch.

tasteful [ˈteɪstful] *adj* de bon goût.

tasteless [ˈteɪstlɪs] *adj (food)* insipide; *(comment, decoration)* de mauvais goût.

tasty [ˈteɪstɪ] *adj* délicieux(-ieuse).

tattoo [təˈtuː] *n (pl -s) (on skin)* tatouage *m*; *(military display)* défilé *m* (militaire).

taught [tɔːt] *pt & pp → teach*.

Taurus [ˈtɔːrəs] *n* Taureau *m*.

taut [tɔːt] *adj* tendu(-e).

tax [tæks] *n (on income)* impôts *mpl*; *(on import, goods)* taxe *f* ♦ *vt (goods)* taxer; *(person)* imposer.

tax disc *n (Br)* vignette *f* automobile.

tax-free *adj* exonéré(-e) d'impôts.

taxi [ˈtæksɪ] *n* taxi *m* ♦ *vi (plane)* rouler.

taxi driver *n* chauffeur *m* de taxi.

taxi rank *n (Br)* station *f* de taxis.

taxi stand (Am) = taxi rank.

T-bone steak n steak m dans l'aloyau.

tea [tiː] n thé m; (herbal) tisane f; (evening meal) dîner m.

tea bag n sachet m de thé.

teacake [ˈtiːkeɪk] n petit pain brioché aux raisins secs.

teach [tiːtʃ] (pt & pp taught) vt (subject) enseigner; (person) enseigner à ♦ vi enseigner; **to ~ sb sthg, to ~ sthg to sb** enseigner qqch à qqn; **to ~ sb (how) to do sthg** apprendre à qqn à faire qqch.

teacher [ˈtiːtʃər] n professeur m, enseignant m (-e f).

teaching [ˈtiːtʃɪŋ] n enseignement m.

tea cloth = tea towel.

teacup [ˈtiːkʌp] n tasse f à thé.

team [tiːm] n équipe f.

teapot [ˈtiːpɒt] n théière f.

tear¹ [teər] (pt tore, pp torn) vt (rip) déchirer ♦ vi se déchirer ♦ n déchirure f ◻ **tear up** vt sep déchirer.

tear² [tɪər] n larme f.

tearoom [ˈtiːrʊm] n salon m de thé.

tease [tiːz] vt taquiner.

tea set n service m à thé.

teaspoon [ˈtiːspuːn] n cuillère f à café; (amount) teaspoonful.

teaspoonful [ˈtiːspuːnˌfʊl] n cuillerée f à café.

teat [tiːt] n (animal) tétine f.

teatime [ˈtiːtaɪm] n heure f du thé.

tea towel n torchon m.

technical [ˈteknɪkl] adj technique.

technical drawing n dessin

m industriel.

technicality [ˌteknɪˈkælətɪ] n (detail) détail m technique.

technician [tekˈnɪʃn] n technicien m (-ienne f).

technique [tekˈniːk] n technique f.

technological [ˌteknəˈlɒdʒɪkl] adj technologique.

technology [tekˈnɒlədʒɪ] n technologie f.

teddy (bear) [ˈtedɪ-] n ours m en peluche.

tedious [ˈtiːdjəs] adj ennuyeux(-euse).

tee [tiː] n (peg) tee m; (area) point m de départ.

teenager [ˈtiːnˌeɪdʒər] n adolescent m (-e f).

teeth [tiːθ] pl → tooth.

teethe [tiːð] vi: **to be teething** faire ses dents.

teetotal [tiːˈtəʊtl] adj qui ne boit jamais.

telegram [ˈtelɪgræm] n télégramme m.

telegraph [ˈtelɪgrɑːf] n télégraphe m ♦ vt télégraphier.

telegraph pole n poteau m télégraphique.

telephone [ˈtelɪfəʊn] n téléphone m ♦ vt (person, place) téléphoner à ♦ vi téléphoner; **to be on the ~** (talking) être au téléphone; (connected) avoir le téléphone.

telephone booth n cabine f téléphonique.

telephone box n cabine f téléphonique.

telephone call n appel m téléphonique.

telephone directory n annuaire m (téléphonique).

telephone number n numéro m de téléphone.

telephonist [tɪ'lefənɪst] n (Br) téléphoniste mf.

telephoto lens [,telɪ'fəʊtəʊ-] n téléobjectif m.

telescope ['telɪskəʊp] n télescope m.

television ['telɪ,vɪʒn] n télévision f; **on (the) ~ (broadcast)** à la télévision.

telex ['teleks] n télex m.

tell [tel] (pt & pp **told**) vt (inform) dire à; (story, joke) raconter; (truth, lie) dire; (distinguish) voir ♦ vi: **I can ~ ça se voit; can you ~ me the time?** pouvez-vous me dire l'heure?; **to ~ sb sthg** dire qqch à qqn; **to ~ sb about sthg** raconter qqch à qqn; **to ~ sb how to do sthg** dire à qqn comment faire qqch; **to ~ sb to do sthg** dire à qqn de faire qqch ❑ **tell off** vt sep gronder.

teller ['telər] n (in bank) caissier m (-ière f).

telly ['telɪ] n (Br: inf) télé f.

temp [temp] n intérimaire mf ♦ vi faire de l'intérim.

temper ['tempər] n: **to be in a ~** être de mauvaise humeur; **to lose one's ~** se mettre en colère.

temperature ['temprətʃər] n température f; **to have a ~** avoir de la température.

temple ['templ] n (building) temple m; (of forehead) tempe f.

temporary ['tempərərɪ] adj temporaire.

tempt [tempt] vt tenter; **to be ~ed to do sthg** être tenté de faire qqch.

temptation [temp'teɪʃn] n ten-

tation f.

tempting ['temptɪŋ] adj tentant(-e).

ten [ten] num dix, → **six**.

tenant ['tenənt] n locataire mf.

tend [tend] vi: **to ~ to do sthg** avoir tendance à faire qqch.

tendency ['tendənsɪ] n tendance f.

tender ['tendər] adj tendre; (sore) douloureux(-euse) ♦ vt (fml: pay) présenter.

tendon ['tendən] n tendon m.

tenement ['tenəmənt] n immeuble m.

tennis ['tenɪs] n tennis m.

tennis ball n balle f de tennis.

tennis court n court m de tennis.

tennis racket n raquette f de tennis.

tenpin bowling ['tenpɪn-] n (Br) bowling m.

tenpins ['tenpɪnz] n (Am) = **tenpin bowling**.

tense [tens] adj tendu(-e) ♦ n (GRAMM) temps m.

tension ['tenʃn] n tension f.

tent [tent] n tente f.

tenth [tenθ] num dixième, → **sixth**.

tent peg n piquet m de tente.

tepid ['tepɪd] adj tiède.

tequila [tɪ'kiːlə] n tequila f.

term [tɜːm] n (word, expression) terme m; (at school, university) trimestre m; **in the long ~** à long terme; **in the short ~** à court terme; **in ~s of** du point de vue de, en ce qui concerne; **in business ~s** d'un point de vue commercial ❑ **terms** npl (of contract) termes mpl; (price) conditions *fpl*.

terminal ['tɜːmɪnl] *adj (illness)* mortel(-elle) ♦ *n (for buses)* terminus *m; (at airport)* terminal *m*, aérogare *f; (COMPUT)* terminal.

terminate ['tɜːmɪneɪt] *vi (train, bus)* arriver à son terminus.

terminus ['tɜːmɪnəs] *n* terminus *m*.

terrace ['terəs] *n (patio)* terrasse *f;* **the ~s** *(at football ground)* les gradins *mpl*.

terraced house ['terəst-] *n (Br)* maison attenante aux maisons voisines.

terrible ['terəbl] *adj* terrible; *(very ill)* très mal.

terribly ['terəblɪ] *adv* terriblement; *(very badly)* terriblement mal.

terrier ['terɪə'] *n* terrier *m*.

terrific [tə'rɪfɪk] *adj (inf) (very good)* super *(inv); (very great)* terrible.

terrified ['terɪfaɪd] *adj* terrifié(-e).

territory ['terɪtrɪ] *n* territoire *m*.

terror ['terə'] *n* terreur *f*.

terrorism ['terərɪzm] *n* terrorisme *m*.

terrorist ['terərɪst] *n* terroriste *mf*.

terrorize ['terəraɪz] *vt* terroriser.

test [test] *n (exam, medical)* examen *m; (at school, on machine, car)* contrôle *m; (of intelligence, personality)* test *m; (of blood)* analyse *f* ♦ *vt (check)* tester; *(give exam to)* interroger; *(dish, drink)* goûter (à).

testicles ['testɪklz] *npl* testicules *mpl*.

tetanus ['tetənəs] *n* tétanos *m*.

text [tekst] *n* texte *m*.

textbook ['tekstbʊk] *n* manuel *m*.

textile ['tekstaɪl] *n* textile *m*.

texture ['tekstʃə'] *n* texture *f*.

Thai [taɪ] *adj* thaïlandais(-e).

Thailand ['taɪlænd] *n* la Thaïlande.

Thames [temz] *n*: **the ~** la Tamise.

than [weak form ðən, strong form ðæn] *prep & conj* que; **you're better ~ me** tu es meilleur que moi; **I'd rather stay in ~** go out je préférerais rester à la maison (plutôt) que sortir; **more ~** ten plus de dix.

thank [θæŋk] *vt*: **to ~ sb (for sthg)** remercier qqn (de OR pour qqch) ❏ **thanks** *npl* remerciements *mpl* ♦ *excl* merci!; **~s to** grâce à; **many ~s** mille mercis.

Thanksgiving ['θæŋks,gɪvɪŋ] *n* fête nationale américaine.

ⓘ THANKSGIVING

Le quatrième jeudi de novembre, jour férié, les Américains commémorent l'action de grâce rendue en 1621 par les colons britanniques après leur première récolte. Le repas traditionnel de Thanksgiving se compose de dinde rôtie à la sauce aux airelles et de tarte au potiron.

---

thank you *excl* merci!; **~ very much!** merci beaucoup!; **no ~!** non merci!

that [ðæt, *weak form of pron senses* 3, 4, 5 & *conj* ðət] *(pl* those) *adj* 1. *(referring to thing, person mentioned)* ce (cette), cet *(before vowel or mute "h")*, ces *(pl)*; ~ **film was very good** ce film était très bien; **those chocolates are delicious** ces chocolats sont délicieux.

2. *(referring to thing, person further away)* ce ...-là *(cette ...-là)* *(before vowel or mute "h")*, ces ...-là *(pl)*; **I prefer** ~ **book** je préfère ce livre-là; **I'll have** ~ **one** je prends celui-là.

♦ *pron* **1.** *(referring to thing mentioned)* ce, cela, ça; **what's** ~? qu'est-ce que c'est que ça?; ~'**s interesting** c'est intéressant; **who's** ~? qui est-ce?; **is** ~ **Lucy?** c'est Lucy?

2. *(referring to thing, person further away)* celui-là *(celle-là)*, ceux-là *(celles-là)* *(pl)*.

3. *(introducing relative clause: subject)* qui; **a shop** ~ **sells antiques** un magasin qui vend des antiquités.

4. *(introducing relative clause: object)* que; **the film** ~ **I saw** le film que j'ai vu.

5. *(introducing relative clause: after prep)*: **the person that I bought it for** la personne pour laquelle je l'ai acheté; **the place** ~ **I'm looking for** l'endroit que je cherche.

♦ *adv* si; **it wasn't** ~ **bad/good** ce n'était pas si mauvais/bon (que ça).

♦ *conj* que; **tell him** ~ **I'm going to be late** dis-lui que je vais être en retard.

thatched [θætʃt] *adj (roof)* de chaume; *(cottage)* au toit de chaume.

that's [ðæts] = **that is**.

thaw [θɔː] *vi (snow, ice)* fondre ♦ *vt (frozen food)* décongeler.

the [weak form ðə, before vowel ðɪ, strong form ðiː] *définite article* **1.** *(gen)* le (la), les *(pl)*; **the book**, ~

man l'homme; ~ **woman** la femme; ~ **girls** les filles; ~ **Wilsons** les Wilson.

2. *(with an adjective to form a noun)*: ~ **British** les Britanniques; ~ **young** les jeunes.

3. *(in dates)*: ~ **twelfth** le douze; ~ **forties** les années quarante.

4. *(in titles)*: **Elizabeth** ~ **Second** Élisabeth II.

theater [ˈθɪətəʳ] *n (Am) (for plays, drama)* = **theatre**; *(for films)* cinéma *m*.

theatre [ˈθɪətəʳ] *n (Br)* théâtre *m*.

theft [θeft] *n* vol *m*.

their [ðeəʳ] *adj* leur, leurs *(pl)*.

theirs [ðeəz] *pron* le leur *(la leur)*, les leurs *(pl)*; **a friend of** ~ un de leurs amis.

them [weak form ðəm, strong form ðem] *pron (direct)* les; *(indirect)* leur; *(after prep)* eux *(elles f)*; **I know** ~ je les connais; **it's** ~ ce sont OR c'est eux; **send it to** ~ envoyez-le-leur; **tell** ~ dites-leur; **he's worse than** ~ il est pire qu'eux.

theme [θiːm] *n* thème *m*.

theme park *n* parc *m* à thème.

themselves [ðəmˈselvz] *pron (reflexive)* se; *(after prep)* eux, eux-mêmes; **they did it** ~ ils l'ont fait eux-mêmes.

then [ðen] *adv (at time in past, in that case)* alors; *(at time in future)* ensuite; *(next)* puis, ensuite; **from** ~ **on** depuis ce moment-là; **until** ~ jusque-là.

theory [ˈθɪərɪ] *n* théorie *f*; **in** ~ en théorie.

therapist [ˈθerəpɪst] *n* thérapeute *mf*.

therapy [ˈθerəpɪ] *n* thérapie *f*.

there [ðeəʳ] *adv* là, là-bas ♦ *pron*:

~ is il y a; **~ are** il y a; **is anyone ~?** il y a quelqu'un?; **is Bob ~, please?** (on phone) est-ce que Bob est là, s'il vous plaît?; **we're going ~** tomorrow nous y allons demain; **over ~** là-bas; **~ you are** (when giving) voilà.

thereabouts [ˌðɛərəˈbaʊts] adv: **or ~** environ.

therefore [ˈðɛəfɔːr] adv donc, par conséquent.

there's [ðɛəz] = **there is**.

thermal underwear [ˈθɜːml-] n sous-vêtements mpl en thermolactyl.

thermometer [θəˈmɒmɪtər] n thermomètre m.

Thermos (flask)® [ˈθɜːməs-] n Thermos® f.

thermostat [ˈθɜːməstæt] n thermostat m.

these [ðiːz] pl → **this**.

they [ðeɪ] pron ils (elles f).

thick [θɪk] adj épais(-aisse); (inf: stupid) bouché(-e); **it's 1 metre ~** ça fait 1 mètre d'épaisseur.

thicken [ˈθɪkn] vt épaissir.

thickness [ˈθɪknɪs] n épaisseur f.

thief [θiːf] (pl **thieves** [θiːvz]) n voleur m (-euse f).

thigh [θaɪ] n cuisse f.

thimble [ˈθɪmbl] n dé m à coudre.

thin [θɪn] adj (in size) fin(-e); (person) mince; (soup, sauce) peu épais(-aisse).

thing [θɪŋ] n chose f; **the ~ is** le problème, c'est que ❑ **things** npl (clothes, possessions) affaires fpl; **how are ~s?** (inf) comment ça va?

thingummyjig [ˈθɪŋəmɪdʒɪɡ] n (inf) truc m.

think [θɪŋk] (pt & pp **thought**) vt penser ♦ vi réfléchir; **what do you ~ of this jacket?** qu'est-ce que tu penses de cette veste?; **to ~ that** penser que; **to ~ about** penser à; **to ~ of** penser à; (remember) se souvenir de; **to ~ of doing sthg** songer à faire qqch; **I ~ so** je le pense (que oui); **I don't ~ so** je ne pense pas; **do you ~ you could ...?** pourrais-tu ...?; **to ~ highly of sb** penser beaucoup de bien de qqn ❑ **think over** vt sep réfléchir à; **think up** vt sep imaginer.

third [θɜːd] num troisième, → **sixth**.

third party insurance n assurance f au tiers.

Third World n: **the ~** le tiers-monde.

thirst [θɜːst] n soif f.

thirsty [ˈθɜːstɪ] adj: **to be ~** avoir soif.

thirteen [ˌθɜːˈtiːn] num treize, → **six**.

thirteenth [ˌθɜːˈtiːnθ] num treizième, → **sixth**.

thirtieth [ˈθɜːtɪəθ] num trentième, → **sixth**.

thirty [ˈθɜːtɪ] num trente, → **six**.

this [ðɪs] (pl **these**) adj **1.** (referring to thing, person mentioned) ce (cette), cet (before vowel or mute "h") ces (pl); **these chocolates are delicious** ces chocolats sont délicieux; **~ morning** ce matin; **~ week** cette semaine.

2. (referring to thing, person nearer) ce ...-ci (cette ...-ci), cet ...-ci (before vowel or mute "h"), ces ...-ci (pl); **I prefer ~ book** je préfère ce livre-ci; **I'll have ~ one** je prends celui-ci.

3. (*inf: used when telling a story*): there was ~ man ... il y avait un bonhomme ...

♦ **pron 1.** (*referring to thing mentioned*) ce, ceci; **~ is for you** c'est pour vous; **what are these?** qu'est-ce que c'est?; **~ is David Gregory** (*introducing someone*) je vous présente David Gregory; (*on telephone*) David Gregory à l'appareil.

2. (*referring to thing, person nearer*) celui-ci (celle-ci), ceux-ci (celles-ci) (*pl*).

♦ **adv**: **it was ~ big** c'était grand comme ça.

thistle [ˈθɪsl] *n* chardon *m*.

thorn [θɔːn] *n* épine *f*.

thorough [ˈθʌrə] *adj* minutieux(-ieuse).

thoroughly [ˈθʌrəlɪ] *adv* (*check, clean*) à fond.

those [ðəʊz] *pl* → **that**.

though [ðəʊ] *conj* bien que (+ subjunctive) ♦ *adv* pourtant; **even ~** bien que (+ subjunctive).

thought [θɔːt] *pt & pp* → **think** ♦ *n* (*idea*) idée *f*; (*thinking*) pensées *fpl*; (*careful*) réflexion *f* ◻ **thoughts** *npl* (*opinion*) avis *m*, opinion *f*.

thoughtful [ˈθɔːtful] *adj* (*serious*) pensif(-ive); (*considerate*) prévenant(-e).

thoughtless [ˈθɔːtlɪs] *adj* indélicat(-e).

thousand [ˈθaʊznd] *num* mille; **a** OR **one ~** mille; **~s of** des milliers de, → **six**.

thrash [θræʃ] *vt* (*inf: defeat*) battre à plate(s) couture(s).

thread [θred] *n* (*of cotton etc*) fil *m* ♦ *vt* (*needle*) enfiler.

threadbare [ˈθredbeəʳ] *adj* usé(-e) jusqu'à la corde.

threat [θret] *n* menace *f*.

threaten [ˈθretn] *vt* menacer; **to ~ to do sthg** menacer de faire qqch.

threatening [ˈθretnɪŋ] *adj* menaçant(-e).

three [θriː] *num* trois, → **six**.

three-D *n*: **in ~** en relief.

three-piece suite *n* ensemble *m* canapé-deux fauteuils.

three-quarters [ˌˈkwɔːtəz] *n* trois quarts *mpl*; **~ of an hour** trois quarts d'heure.

threshold [ˈθreʃhəʊld] *n* (*fml*) seuil *m*.

threw [θruː] *pt* → **throw**.

thrifty [ˈθrɪftɪ] *adj* économe.

thrilled [θrɪld] *adj* ravi(-e).

thriller [ˈθrɪləʳ] *n* thriller *m*.

thrive [θraɪv] *vi* (*plant, animal, person*) s'épanouir; (*business, tourism*) être florissant(-e).

throat [θrəʊt] *n* gorge *f*.

throb [θrɒb] *vi* (*noise, engine*) vibrer; **my head is throbbing** j'ai un mal de tête lancinant.

throne [θrəʊn] *n* trône *m*.

throttle [ˈθrɒtl] *n* (*of motorbike*) poignée *f* des gaz.

through [θruː] *prep* (*to other side of*) à travers; (*hole, window*) par; (*by means of*) par; (*because of*) grâce à; (*during*) pendant ♦ *adv* (*to other side*) à travers ♦ *adj*: **to be ~** (**with sthg**) (*finished*) avoir fini (qqch); **you're ~** (*on phone*) vous êtes en ligne; **Monday ~ Thursday** (*Am*) de lundi à jeudi; **to let sb ~** laisser passer qqn; **I slept ~ until nine** j'ai dormi d'une traite jusqu'à neuf heures; **~ traffic** circulation se dirigeant vers un autre endroit.

s'arrêter; **a ~ train** un train direct;
"no ~ road" (Br) «voie sans issue».

throughout [θruː'aʊt] *prep*
(day, morning, year) tout au long de;
(place, country, building) partout
dans ♦ *adv* (all the time) tout le
temps; (everywhere) partout.

throw [θrəʊ] (*pt* threw, *pp*
thrown [θrəʊn]) *vt* jeter, lancer;
(ball, javelin, dice) lancer; (person)
projeter; (a switch) actionner; **to ~
sthg in the bin** jeter qqch à la poubelle ❑ **throw away** *vt sep* (get rid
of) jeter ❑ **throw out** *vt sep* (get rid
of) jeter; (person) jeter dehors;
throw up *vi* (inf: vomit) vomir.

thru [θruː] (Am) = **through**.

thrush [θrʌʃ] *n* (bird) grive *f*.

thud [θʌd] *n* bruit *m* sourd.

thug [θʌg] *n* voyou *m*.

thumb [θʌm] *n* pouce *m* ♦ *vt:* **to
~ a lift** faire de l'auto-stop.

thumbtack ['θʌmtæk] *n* (Am)
punaise *f*.

thump [θʌmp] *n* (punch) coup *m*;
(sound) bruit *m* sourd ♦ *vt* cogner.

thunder ['θʌndə'] *n* tonnerre *m*.

thunderstorm ['θʌndəstɔːm] *n*
orage *m*.

Thurs. (abbr of Thursday) jeu.

Thursday ['θɜːzdɪ] *n* jeudi *m*, →
Saturday.

thyme [taɪm] *n* thym *m*.

tick [tɪk] *n* (written mark) coche *f*;
(insect) tique *f* ♦ *vt* cocher ♦ *vi*
(clock, watch) faire tic-tac ❑ **tick off**
vt sep (mark off) cocher.

ticket ['tɪkɪt] *n* billet *m*; (for bus,
underground) ticket *m*; (label) étiquette *f*; (for speeding, parking) contravention *f*.

ticket collector *n* (at barrier)

contrôleur *m* (-euse *f*).

ticket inspector *n* (on train)
contrôleur *m* (-euse *f*).

ticket machine *n* billetterie *f*
automatique.

ticket office *n* guichet *m*.

tickle ['tɪkl] *vt & vi* chatouiller.

ticklish ['tɪklɪʃ] *adj* chatouil-
leux(-euse).

tick-tack-toe *n* (Am) morpion
m.

tide [taɪd] *n* marée *f*.

tidy ['taɪdɪ] *adj* (room, desk) ran-
gé(-e); (person, hair) soigné(-e) ❑
tidy up *vt sep* ranger.

tie [taɪ] (*pt & pp* tied, *cont* tying) *n*
(around neck) cravate *f*; (draw)
match *m* nul; (Am: on railway track)
traverse *f* ♦ *vt* attacher; (knot) faire
♦ *vi* (at end of competition) terminer
à égalité; (at end of match) faire
match nul ❑ **tie up** *vt sep* attacher;
(delay) retenir.

tiepin ['taɪpɪn] *n* épingle *f* de cravate.

tier [tɪə'] *n* (of seats) gradin *m*.

tiger ['taɪgə'] *n* tigre *m*.

tight [taɪt] *adj* serré(-e); (drawer,
tap) dur(-e); (rope, material) ten-
du(-e); (chest) oppressé(-e); (inf:
drunk) soûl(-e) ♦ *adv* (hold) bien.

tighten ['taɪtn] *vt* serrer, resserrer.

tightrope ['taɪtrəʊp] *n* corde *f*
raide.

tights [taɪts] *npl* collant(s) *m(pl)*;
a pair of ~ un collant, des collants.

tile [taɪl] *n* (for roof) tuile *f*; (for
floor, wall) carreau *m*.

till [tɪl] *n* (for money) caisse *f* ♦
prep jusqu'à ♦ *conj* jusqu'à ce que.

tiller ['tɪlə'] *n* barre *f*.

tilt [tɪlt] *vt* pencher ♦ *vi* se pencher.

timber ['tɪmbəʳ] *n* (wood) bois *m*; (of roof) poutre *f*.

time [taɪm] *n* temps *m*; (measured by clock) heure *f*; (moment) moment *m*; (occasion) fois *f*; (in history) époque *f* ♦ *vt* (measure) chronométrer; (arrange) prévoir; **I haven't got the ~** je n'ai pas le temps; **it's ~ to go** il est temps OR l'heure de partir; **what's the ~?** quelle heure est-il?; **two ~s two** deux fois deux; **five ~s as much** cinq fois plus; **in a month's ~** dans un mois; **to have a good ~** bien s'amuser; **all the ~** tout le temps; **every ~** chaque fois; **from ~ to ~** de temps en temps; **for the ~ being** pour l'instant; **in** (arrive) à l'heure; **in good ~** en temps voulu; **last ~** la dernière fois; **most of the ~** la plupart du temps; **on ~** à l'heure; **some of the ~** parfois; **this ~** cette fois.

time difference *n* décalage *m* horaire.

time limit *n* délai *m*.

timer ['taɪməʳ] *n* (machine) minuteur *m*.

time share *n* logement *m* en multipropriété.

timetable ['taɪmˌteɪbl] *n* horaire *m*; (SCH) emploi *m* du temps; (of events) calendrier *m*.

time zone *n* fuseau *m* horaire.

timid ['tɪmɪd] *adj* timide.

tin [tɪn] *n* (metal) étain *m*; (container) boîte *f* ♦ *adj* en étain.

tinfoil ['tɪnfɔɪl] *n* papier *m* aluminium.

tinned food [tɪnd-] *n* (Br) conserves *fpl*.

tin opener [-ˌəʊpnəʳ] *n* (Br)

ouvre-boîtes *m inv*.

tinsel ['tɪnsl] *n* guirlandes *fpl* de Noël.

tint [tɪnt] *n* teinte *f*.

tinted glass [ˌtɪntɪd-] *n* verre *m* teinté.

tiny ['taɪnɪ] *adj* minuscule.

tip [tɪp] *n* (of pen, needle) pointe *f*; (of finger, cigarette) bout *m*; (to waiter, taxi driver etc) pourboire *m*; (piece of advice) tuyau *m*; (rubbish dump) décharge *f* ♦ *vt* (waiter, taxi driver etc) donner un pourboire à; (tilt) incliner; (pour) verser ❑ **tip over** *vt sep* renverser ♦ *vi* se renverser.

tire ['taɪəʳ] *vi* se fatiguer ♦ *n* (Am) = **tyre**.

tired ['taɪəd] *adj* fatigué(-e); **to be ~ of** (fed up with) en avoir assez de.

tired out *adj* épuisé(-e).

tiring ['taɪərɪŋ] *adj* fatigant(-e).

tissue ['tɪʃuː] *n* (handkerchief) mouchoir *m* en papier.

tissue paper *n* papier *m* de soie.

tit [tɪt] *n* (vulg: breast) nichon *m*.

title ['taɪtl] *n* titre *m*.

T-junction *n* intersection *f* en T.

to [unstressed before consonant tə, unstressed before vowel tu, stressed tu:] *prep* **1.** (indicating direction) à; **to go ~ the States** aller aux États-Unis; **to go ~ France** aller en France; **to go ~ school** aller à l'école.

2. (indicating position): **~ one side** sur le côté; **~ the left/right** à gauche/droite.

3. (expressing indirect object) à; **to give sthg ~ sb** donner qqch à qqn; **to listen ~ the radio** écouter la radio.

4. (indicating reaction, effect) à; **~ my**

surprise à ma grande surprise.

5. *(until)* jusqu'à; **to count ~ ten** compter jusqu'à dix; **we work from nine ~ five** nous travaillons de neuf heures à dix-sept heures.

6. *(indicating change of state)*: **to turn ~ sthg** se transformer en qqch; **it could lead ~ trouble** ça pourrait causer des ennuis.

7. *(Br: in expressions of time)*: **it's ten ~ three** il est trois heures moins dix; **at quarter ~ seven** à sept heures moins le quart.

8. *(in ratios, rates)*: **40 miles ~ the gallon** = 7 litres au cent; **there are eight francs to the pound** la livre vaut huit francs.

9. *(of, for)*: **the key ~ the car** la clef de la voiture; **a letter ~ my daughter** une lettre à ma fille.

10. *(indicating attitude)* avec, envers; **to be rude ~ sb** se montrer impoli envers qqn.

◆ *with infinitive* **1.** *(forming simple infinitive)*: **~ walk** marcher; **~ laugh** rire.

2. *(following another verb)*: **to begin ~ do sthg** commencer à faire qqch; **to try ~ do sthg** essayer de faire qqch.

3. *(following an adjective)*: **difficult ~ do** difficile à faire; **pleased ~ meet you** enchanté de faire votre connaissance; **ready ~ go** prêt à partir.

4. *(indicating purpose)* pour; **we came here ~ look at the castle** nous sommes venus (pour) voir le château.

toad [təʊd] *n* crapaud *m*.

toadstool ['təʊdstuːl] *n* champignon *m* vénéneux.

toast [təʊst] *n* (*bread*) pain *m* grillé; (*when drinking*) toast ◆ *vt* faire griller; **a piece** OR **slice of ~**

un toast, une tranche de pain grillé.

toasted sandwich ['təʊstɪd-] *n* sandwich *m* grillé.

toaster ['təʊstər] *n* grille-pain *m inv.*

toastie ['təʊstɪ] = **toasted sandwich**.

tobacco [tə'bækəʊ] *n* tabac *m*.

tobacconist's [tə'bækənɪsts] *n* bureau *m* de tabac.

toboggan [tə'bɒgən] *n* luge *f*.

today [tə'deɪ] *n* & *adv* aujourd'hui.

toddler ['tɒdlər] *n* tout-petit *m*.

toe [təʊ] *n* doigt *m* de pied, orteil *m*.

toe clip *n* cale-pied *m*.

toenail ['təʊneɪl] *n* ongle *m* du pied.

toffee ['tɒfɪ] *n* caramel *m*.

together [tə'geðər] *adv* ensemble; **~ with** ainsi que.

toilet ['tɔɪlɪt] *n* (*room*) toilettes *fpl*; (*bowl*) W-C *mpl*; **to go to the ~** aller aux toilettes; **where's the ~?** où sont les toilettes?

toilet bag *n* trousse *f* de toilette.

toilet paper *n* papier *m* toilette OR hygiénique.

toiletries ['tɔɪlɪtrɪz] *npl* articles *mpl* de toilette.

toilet roll *n* rouleau *m* de papier toilette.

toilet water *n* eau *f* de toilette.

token ['təʊkən] *n* (*metal disc*) jeton *m*.

told [təʊld] *pt* & *pp* → **tell**.

tolerable ['tɒlərəbl] *adj* tolérable.

tolerant ['tɒlərənt] *adj* tolérant(-e).

tolerate ['tɒləreɪt] *vt* tolérer.

toll [təʊl] *n* (*for road, bridge*)

péage m.

tollbooth [ˈtəʊlbuːθ] n péage m.

toll-free adj (Am): ~ **number** = numéro m vert.

tomato [Br təˈmɑːtəʊ, Am təˈmeɪtəʊ] (pl **-es**) n tomate f.

tomato juice n jus m de tomate.

tomato ketchup n ketchup m.

tomato puree n purée f de tomate.

tomato sauce n sauce f tomate.

tomb [tuːm] n tombe f.

tomorrow [təˈmɒrəʊ] n & adv demain m; **the day after** ~ après-demain; ~ **afternoon** demain après-midi; ~ **morning** demain matin; ~ **night** demain soir.

ton [tʌn] n (in UK) = 1016 kg; (in US) = 907,2 kg; (metric tonne) tonne f; ~**s of** (inf) des tonnes de.

tone [təʊn] n ton m; (on phone) tonalité f.

tongs [tɒŋz] npl (for hair) fer m à friser; (for sugar) pince f.

tongue [tʌŋ] n langue f.

tonic [ˈtɒnɪk] n (tonic water) = Schweppes® m; (medicine) tonique m.

tonic water n = Schweppes® m.

tonight [təˈnaɪt] n & adv ce soir; (later) cette nuit.

tonne [tʌn] n tonne f.

tonsillitis [ˌtɒnsɪˈlaɪtɪs] n amygdalite f.

too [tuː] adv trop; (also) aussi; it's not ~ good ce n'est pas extraordinaire; it's ~ late to go out il est trop tard pour sortir; ~ **many** trop

de; ~ **much** trop de.

took [tʊk] pt → take.

tool [tuːl] n outil m.

tool kit n trousse f à outils.

tooth [tuːθ] (pl **teeth**) n dent f.

toothache [ˈtuːθeɪk] n rage f de dents.

toothbrush [ˈtuːθbrʌʃ] n brosse f à dents.

toothpaste [ˈtuːθpeɪst] n dentifrice m.

toothpick [ˈtuːθpɪk] n cure-dents m inv.

top [tɒp] adj (highest) du haut; (best, most important) meilleur(-e) ◆ n (garment, of stairs, page, road) haut m; (of mountain, tree) cime f; (of table, head) dessus m; (of class, league) premier m (-ière f); (of bottle, tube, pen) bouchon m; (of box, jar) couvercle m; **at the** ~ **(of)** en haut (de); **on** ~ sur; (in addition to) en plus de; **at** ~ **speed** à toute vitesse; ~ **gear** = cinquième f ▢ **top up** vt sep (glass) remplir ◆ vi (with petrol) faire le plein.

top floor n dernier étage m.

topic [ˈtɒpɪk] n sujet m.

topical [ˈtɒpɪkl] adj d'actualité.

topless [ˈtɒplɪs] adj: **to go** ~ faire du monokini.

topped [tɒpt] adj: ~ **with** (food) garni(-e) de.

topping [ˈtɒpɪŋ] n garniture f.

torch [tɔːtʃ] n (Br: electric light) lampe f de poche ou électrique.

tore [tɔː] pt → tear¹.

torment [tɔːˈment] vt tourmenter.

torn [tɔːn] pp → tear¹ ◆ adj (ripped) déchiré(-e).

tornado [tɔːˈneɪdəʊ] (pl **-es** ou

-s) n tornade f.

torrential rain [təˌrenʃl-] n pluie f torrentielle.

tortoise ['tɔːtəs] n tortue f.

tortoiseshell ['tɔːtəʃel] n écaille f (de tortue).

torture ['tɔːtʃəʳ] n torture f ◆ vt torturer.

Tory ['tɔːri] n membre du parti conservateur britannique.

toss [tɒs] vt (throw) jeter; (salad, vegetables) remuer; **to ~ a coin** jouer à pile ou face.

total ['təutl] adj total(-e) ◆ n total m; **in ~** au total.

touch [tʌtʃ] n (sense) toucher m; (detail) détail m ◆ vt toucher ◆ vi se toucher; **(just) a ~** (of milk, wine) (juste) une goutte; (of sauce, salt) (juste) un soupçon; **to get in ~ (with sb)** entrer en contact (avec qqn); **to keep in ~ (with sb)** rester en contact (avec qqn) ❑ **touch down** vi (plane) atterrir.

touching ['tʌtʃɪŋ] adj touchant(-e).

tough [tʌf] adj dur(-e); (resilient) résistant(-e).

tour [tuəʳ] n (journey) voyage m; (of city, castle etc) visite f; (of pop group, theatre company) tournée f ◆ vt visiter; **cycling ~** randonnée f à vélo; **walking ~** randonnée à pied; **on ~** en tournée.

tourism ['tuərɪzm] n tourisme m.

tourist ['tuərɪst] n touriste mf.

tourist class n classe f touriste.

tourist information office n office m de tourisme.

tournament ['tɔːnəmənt] n tournoi m.

tour operator n tour-opérateur m.

tout [taut] n revendeur m (-euse f) de billets (au marché noir).

tow [təu] vt remorquer.

toward [tə'wɔːd] (Am) = **towards**.

towards [tə'wɔːdz] prep (Br) vers; (with regard to) envers; (to help pay for) pour.

towaway zone ['təuəwei-] n (Am) zone de stationnement interdit sous peine de mise à la fourrière.

towel ['tauəl] n serviette f (de toilette).

toweling ['tauəlɪŋ] (Am) = **towelling**.

towelling ['tauəlɪŋ] n (Br) tissu-éponge m.

towel rail n porte-serviettes m inv.

tower ['tauəʳ] n tour f.

tower block n (Br) tour f.

Tower Bridge n Tower Bridge.

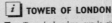

i TOWER BRIDGE

Construit au XIXᵉ siècle sur la Tamise dans le style néogothique, Tower Bridge est un pont basculant qui permet le passage des bateaux plus hauts.

Tower of London n: **the ~** la Tour de Londres.

i TOWER OF LONDON

La Tour de Londres, sur la rive nord de la Tamise, est une forteresse datant du XIe siècle. Palais royal jusqu'au XVIIe siècle, elle est aujourd'hui ouverte au public et abrite un musée.

town [taun] n ville f.

town centre n centre-ville m.

town hall n mairie f.

towpath ['təupɑːθ, pl -pɑːðz] n chemin m de halage.

towrope ['təurəup] n câble m de remorque.

tow truck n (Am) dépanneuse f.

toxic ['tɒksɪk] adj toxique.

toy [tɔɪ] n jouet m.

toy shop n magasin m de jouets.

trace [treɪs] n trace f ◆ vt (find) retrouver.

tracing paper ['treɪsɪŋ-] n papier-calque m.

track [træk] n (path) chemin m; (of railway) voie f; (SPORT) piste f; (song) plage f □ **track down** vt sep retrouver.

tracksuit ['træksuːt] n survêtement m.

tractor ['træktər] n tracteur m.

trade [treɪd] n (COMM) commerce m; (job) métier m ◆ vt échanger ◆ vi faire du commerce.

trade-in n reprise f.

trademark ['treɪdmɑːk] n marque f déposée.

trader ['treɪdər] n commerçant m (-e f).

tradesman ['treɪdzmən] (pl -men [-mən]) n (deliveryman) livreur m; (shopkeeper) marchand m.

trade union n syndicat m.

tradition [trə'dɪʃn] n tradition f.

traditional [trə'dɪʃənl] adj traditionnel(-elle).

traffic ['træfɪk] (pt & pp -ked) n trafic m, circulation f ◆ vi: to ~ in faire le trafic de.

traffic circle n (Am) rond-point m.

traffic island n refuge m.

traffic jam n embouteillage m.

traffic lights npl feux mpl (de signalisation).

traffic warden n (Br) contractuel m (-elle f).

tragedy ['trædʒədɪ] n tragédie f.

tragic ['trædʒɪk] adj tragique.

trail [treɪl] n (path) sentier m; (marks) piste f ◆ vi (be losing) être mené.

trailer ['treɪlər] n (for boat, luggage) remorque f; (Am: caravan) caravane f; (for film, programme) bande-annonce f.

train [treɪn] n train m ◆ vt (teach) former; (animal) dresser ◆ vi (SPORT) s'entraîner; by ~ en train.

train driver n conducteur m (-trice f) de train.

trainee [treɪ'niː] n stagiaire mf.

trainer ['treɪnər] n (of athlete etc) entraîneur m □ **trainers** npl (Br: shoes) tennis mpl.

training ['treɪnɪŋ] n (instruction) formation f; (exercises) entraînement m.

training shoes npl (Br) tennis mpl.

tram [træm] n (Br) tramway m.

tramp [træmp] n clochard m (-e f).

trampoline ['træmpəliːn] n trampoline m.

trance [trɑːns] n transe f.

tranquilizer [ˈtræŋkwɪlaɪzər]
(Am) = tranquilizer.

tranquillizer [ˈtræŋkwɪlaɪzəʳ]
(Br) tranquillisant m.

transaction [trænˈzækʃn] n
transaction f.

transatlantic [ˌtrænzətˈlæntɪk]
adj transatlantique.

transfer [n ˈtrænsfəːʳ, vb trænsˈfəːʳ]
n transfert m; (picture) décalcomanie f; (Am: ticket) billet m donnant droit
à la correspondance ◆ vt transférer ◆
vi (change bus, plane etc) changer;
"~s" (in airport) «passagers en transit».

transfer desk n (in airport)
comptoir m de transit.

transform [trænsˈfɔːm] vt transformer.

transfusion [trænsˈfjuːʒn] n
transfusion f.

transistor radio [trænˈzɪstəʳ]
n transistor m.

transit [ˈtrænzɪt]: **in transit** adv
en transit.

transitive [ˈtrænzɪtɪv] adj transitif(-ive).

transit lounge n salle f de
transit.

translate [trænsˈleɪt] vt traduire.

translation [trænsˈleɪʃn] n traduction f.

translator [trænsˈleɪtəʳ] n traducteur m (-trice f).

transmission [trænzˈmɪʃn] n
(broadcast) émission f.

transmit [trænzˈmɪt] vt transmettre.

transparent [trænsˈpærənt] adj
transparent(-e).

transplant [ˈtrænsplɑːnt] n
greffe f.

transport [n ˈtrænspɔːt, vb
trænsˈpɔːt] n transport m ◆ vt transporter.

transportation [ˌtrænspɔː-
ˈteɪʃn] n (Am) transport m.

trap [træp] n piège m ◆ vt: **to be
trapped** (stuck) être coincé.

trapdoor [ˌtræpˈdɔːʳ] n trappe f.

trash [træʃ] n (Am: waste material)
ordures fpl.

trashcan [ˈtræʃkæn] n (Am) poubelle f.

trauma [ˈtrɔːmə] n traumatisme
m.

traumatic [trɔːˈmætɪk] adj traumatisant(-e).

travel [ˈtrævl] n voyages mpl ◆ vt
(distance) parcourir ◆ vi voyager.

travel agency n agence f de
voyages.

travel agent n employé m (-e
f) d'une agence de voyages; ~'s
(shop) agence f de voyages.

Travelcard [ˈtrævlkɑːd] n forfait
d'une journée sur les transports publics
dans Londres et sa région.

travel centre n (in railway, bus
station) bureau d'information et de
vente de billets.

traveler [ˈtrævlər] (Am) = traveller.

travel insurance n assurance-
voyage f.

traveller [ˈtrævlər] n (Br) voyageur m (-euse f).

traveller's cheque n traveller's cheque m.

travelsick [ˈtrævlsɪk] adj: **to be
~** avoir le mal des transports.

trawler [ˈtrɔːlər] n chalutier m.

tray [treɪ] n plateau m.

treacherous [ˈtretʃərəs] adj

traître.

treacle ['tri:kl] *n* (Br) mélasse *f*.

tread [tred] (*pt* **trod**, *pp* **trodden**) *n* (of tyre) bande *f* de roulement ◆ *vi*: **to ~ on sthg** marcher sur qqch.

treasure ['treʒər] *n* trésor *m*.

treat [tri:t] *vt* traiter ◆ *n* gâterie *f*; **to ~ sb to sthg** offrir qqch à qqn.

treatment ['tri:tmənt] *n* traitement *m*.

treble ['trebl] *adj* triple.

tree [tri:] *n* arbre *m*.

trek [trek] *n* randonnée *f*.

tremble ['trembl] *vi* trembler.

tremendous [trɪ'mendəs] *adj* (*very large*) énorme; (*inf: very good*) formidable.

trench [trentʃ] *n* tranchée *f*.

trend [trend] *n* tendance *f*.

trendy ['trendɪ] *adj* (*inf*) branché(-e).

trespasser ['trespəsər] *n* intrus *m* (-e *f*); "~s will be prosecuted" «défense d'entrer sous peine de poursuites».

trial ['traɪəl] *n* (*JUR*) procès *m*; (*test*) essai *m*; **a ~ period** une période d'essai.

triangle ['traɪæŋgl] *n* triangle *m*.

triangular [traɪ'æŋgjʊlər] *adj* triangulaire.

tribe [traɪb] *n* tribu *f*.

tributary ['trɪbjʊtrɪ] *n* affluent *m*.

trick [trɪk] *n* tour *m* ◆ *vt* jouer un tour à.

trickle ['trɪkl] *vi* (*liquid*) couler.

tricky ['trɪkɪ] *adj* difficile.

tricycle ['traɪsɪkl] *n* tricycle *m*.

trifle ['traɪfl] *n* (*dessert*) = diplomate *m*.

trigger ['trɪgər] *n* gâchette *f*.

trim [trɪm] *n* (*haircut*) coupe *f* (de cheveux) ◆ *vt* (*hair*) couper; (*beard, hedge*) tailler.

trinket ['trɪŋkɪt] *n* babiole *f*.

trio ['tri:əʊ] (*pl* -s) *n* trio *m*.

trip [trɪp] *n* (*journey*) voyage *m*; (*short*) excursion *f* ◆ *vi* trébucher ❑ **trip up** *vi* trébucher.

triple ['trɪpl] *adj* triple.

tripod ['traɪpɒd] *n* trépied *m*.

triumph ['traɪəmf] *n* triomphe *m*.

trivial ['trɪvɪəl] *adj* (*pej*) insignifiant(-e).

trod [trɒd] *pt* → **tread**.

trodden ['trɒdn] *pp* → **tread**.

trolley ['trɒlɪ] (*pl* -s) *n* (Br: in supermarket, at airport) chariot *m*; (Br: for food, drinks) table *f* roulante; (Am: tram) tramway *m*.

trombone [trɒm'bəʊn] *n* trombone *m*.

troops [tru:ps] *npl* troupes *fpl*.

trophy ['trəʊfɪ] *n* trophée *m*.

tropical ['trɒpɪkl] *adj* tropical(-e).

trot [trɒt] *vi* (*horse*) trotter ◆ *n*: **on the ~** (*inf*) d'affilée.

trouble ['trʌbl] *n* problèmes *mpl*, ennuis *mpl* ◆ *vt* (*worry*) inquiéter; (*bother*) déranger; **to be in ~** avoir des problèmes OR des ennuis; **to get into ~** s'attirer des ennuis; **to take the ~** to prendre la peine de faire qqch; **it's no ~** ça ne me dérange pas; (*in reply to thanks*) je vous en prie.

trough [trɒf] *n* (*for food*) mangeoire *f*; (*for drink*) abreuvoir *m*.

trouser press ['traʊzər-] *n* presse *f* à pantalons.

trousers ['traʊzəz] *npl* pantalon

m; **a pair of ~** un pantalon.

trout [traʊt] (*pl inv*) *n* truite *f*.

trowel ['traʊəl] *n* (*for gardening*) déplantoir *m*.

truant ['truːənt] *n*: **to play ~** faire l'école buissonnière.

truce [truːs] *n* trêve *f*.

truck [trʌk] *n* camion *m*.

true [truː] *adj* vrai(-e); (*genuine, actual*) véritable.

truly ['truːlɪ] *adv*: **yours ~** veuillez agréer l'expression de mes sentiments respectueux.

trumpet ['trʌmpɪt] *n* trompette *f*.

trumps [trʌmps] *npl* atout *m*.

truncheon ['trʌntʃən] *n* matraque *f*.

trunk [trʌŋk] *n* (*of tree*) tronc *m*; (*Am: of car*) coffre *m*; (*case, box*) malle *f*; (*of elephant*) trompe *f*.

trunk call *n* (*Br*) communication *f* interurbaine.

trunk road *n* (*Br*) route *f* nationale.

trunks [trʌŋks] *npl* (*for swimming*) slip *m* de bain.

trust [trʌst] *n* (*confidence*) confiance *f* ♦ *vt* (*have confidence in*) avoir confiance en; (*fml: hope*) espérer.

trustworthy ['trʌst,wɜːðɪ] *adj* digne de confiance.

truth [truːθ] *n* vérité *f*.

truthful ['truːθfʊl] *adj* (*statement, account*) fidèle à la réalité; (*person*) honnête.

try [traɪ] *n* essai *m* ♦ *vt* essayer; (*food*) goûter (à); (*JUR*) juger ♦ *vi* essayer; **to have a ~** essayer; **to ~ to do sthg** essayer de faire qqch ❏ **try on** *vt sep* (*clothes*) essayer; **try**

out *vt sep* essayer.

T-shirt *n* T-shirt *m*.

tub [tʌb] *n* (*of margarine etc*) barquette *f*; (*small*) pot *m*; (*inf: bath*) baignoire *f*.

tube [tjuːb] *n* tube *m*; (*Br: inf: underground*) métro *m*; **by ~** en métro.

tube station *n* (*Br: inf*) station *f* de métro.

tuck [tʌk]: **tuck in** *vt sep* (*shirt*) rentrer; (*child, person*) border ♦ *vi* (*inf: start eating*) attaquer.

tuck shop *n* (*Br*) petite boutique qui vend bonbons, gâteaux, *etc*.

Tudor ['tjuːdə'] *adj* Tudor (*inv*) (XVIe siècle).

Tues. (*abbr of Tuesday*) mar.

Tuesday ['tjuːzdɪ] *n* mardi *m*, → **Saturday**.

tuft [tʌft] *n* touffe *f*.

tug [tʌg] *vt* tirer ♦ *n* (*boat*) remorqueur *m*.

tuition [tjuːˈɪʃn] *n* cours *mpl*.

tulip ['tjuːlɪp] *n* tulipe *f*.

tumble-dryer ['tʌmbldraɪə'] *n* sèche-linge *m inv*.

tumbler ['tʌmblə'] *n* (*glass*) verre *m* haut.

tummy ['tʌmɪ] *n* (*inf*) ventre *m*.

tummy upset *n* (*inf*) embarras *m* gastrique.

tumor ['tuːmər] (*Am*) = **tumour**.

tumour ['tjuːmə'] *n* (*Br*) tumeur *f*.

tuna (fish) [*Br* 'tjuːnə, *Am* 'tuːnə] *n* thon *m*.

tuna melt *n* (*Am*) toast au thon et au fromage fondu.

tune [tjuːn] *n* air *m* ♦ *vt* (*radio, TV, engine*) régler; (*instrument*) accorder; **in ~** juste; **out of ~** faux.

tunic ['tjuːnɪk] n tunique f.

Tunisia [tjuːˈnɪzɪə] n la Tunisie.

tunnel ['tʌnl] n tunnel m.

turban ['tɜːbən] n turban m.

turbo ['tɜːbəʊ] (pl -s) n turbo m.

turbulence ['tɜːbjʊləns] n turbulence f.

turf [tɜːf] n (grass) gazon m.

Turk [tɜːk] n Turc m, Turque f.

turkey ['tɜːkɪ] (pl -s) n dinde f.

Turkey ['tɜːkɪ] n la Turquie.

Turkish ['tɜːkɪʃ] adj turc (turque)
♦ n (language) turc m ♦ npl: **the ~**
les Turcs mpl.

Turkish delight n loukoum
m.

turn [tɜːn] n (in road) tournant m;
(of knob, key, in game) tour m ♦ vi
tourner; (person) se tourner ♦ vt
tourner; (corner, bend) prendre;
(become) devenir; **to ~ into sthg** devenir qqch; **to ~ sthg black**
noircir qqch; **to ~ into sthg** (become) devenir qqch; **to ~ sthg into
sthg** transformer qqch en qqch; **to
~ left/right** tourner à gauche/à
droite; **it's your ~** c'est à ton tour;
at the ~ of the century au début
du siècle; **to take it in ~s to do**
sthg faire qqch à tour de rôle; **to ~
sthg inside out** retourner qqch ▷
turn back vt sep (person, car)
refouler ♦ vi faire demi-tour; **turn
down** vt sep (radio, volume, heating)
baisser; (offer, request) refuser;
turn off vt sep (light, TV) éteindre;
(engine) couper; (water, gas, tap) fermer ♦ vi (leave road) tourner; **turn
on** vt sep (light, TV) allumer; (engine)
mettre en marche; (water, gas, tap)
ouvrir; **turn out** vt sep (light, fire)
éteindre ♦ vi (come) venir ♦ vt fus:
to ~ out to be sthg se révéler être
qqch; **turn over** vt sep retourner ♦

vi (in bed) se retourner; (Br: change
channels) changer de chaîne; **turn
round** vt sep (table etc) tourner ♦ vi
(person) se retourner; **turn up** vt
sep (radio, volume, heating) monter
♦ vi (come) venir.

turning ['tɜːnɪŋ] n (off road)
embranchement m.

turnip ['tɜːnɪp] n navet m.

turn-up n (Br: on trousers) revers
m.

turps [tɜːps] n (Br: inf) térében-
thine f.

turquoise ['tɜːkwɔɪz] adj turquoise (inv).

turtle ['tɜːtl] n tortue f (de mer).

turtleneck ['tɜːtlnek] n pull m à
col montant.

tutor ['tjuːtə^r] n (teacher) professeur m particulier.

tuxedo [tʌkˈsiːdəʊ] (pl -s) n (Am)
smoking m.

TV n télé f; **on ~** à la télé.

tweed [twiːd] n tweed m.

tweezers ['twiːzəz] npl pince f à
épiler.

twelfth [twelfθ] num douzième,
→ **sixth**.

twelve [twelv] num douze, →
six.

twentieth ['twentɪəθ] num vingtième; **the ~ century** le vingtième
siècle, → **sixth**.

twenty ['twentɪ] num vingt, →
six.

twice [twaɪs] adv deux fois; **it's ~
as good** c'est deux fois meilleur.

twig [twɪg] n brindille f.

twilight ['twaɪlaɪt] n crépuscule
m.

twin [twɪn] n jumeau m (-elle f).

twin beds npl lits mpl jumeaux.

twine [twaɪn] n ficelle f.

twin room n chambre f à deux lits.

twist [twɪst] vt tordre; (bottle top, lid, knob) tourner; **to ~ one's ankle** se tordre la cheville.

twisting ['twɪstɪŋ] adj (road, river) en lacets.

two [tuː] num deux, → **six**.

two-piece adj (swimsuit, suit) deux-pièces.

type [taɪp] n (kind) type m, sorte f ♦ vt & vi taper.

typewriter ['taɪp,raɪtəʳ] \ n machine f à écrire.

typhoid ['taɪfɔɪd] n typhoïde f.

typical ['tɪpɪkl] adj typique.

typist ['taɪpɪst] n dactylo mf.

tyre ['taɪəʳ] n (Br) pneu m.

U

U adj (Br: film) pour tous.

UFO n (abbr of unidentified flying object) OVNI m.

ugly ['ʌglɪ] adj laid(-e).

UHT adj (abbr of ultra heat treated) UHT.

UK n: **the ~** le Royaume-Uni.

ulcer ['ʌlsəʳ] n ulcère m.

ultimate ['ʌltɪmət] adj (final) dernier(-ière); (best, greatest) idéal(-e).

ultraviolet [ʌltrə'vaɪələt] adj ultra-violet(-ette).

umbrella [ʌm'brelə] n para-

pluie m.

umpire ['ʌmpaɪəʳ] n arbitre m.

UN n (abbr of United Nations): **the ~** l'ONU f.

unable [ʌn'eɪbl] adj: **to be ~ to do sthg** ne pas pouvoir faire qqch.

unacceptable [ʌnək'septəbl] adj inacceptable.

unaccustomed [ʌnə'kʌstəmd] adj: **to be ~ to sthg** ne pas être habitué(-e) à qqch.

unanimous [juː'nænɪməs] adj unanime.

unattended [ʌnə'tendɪd] adj (baggage) sans surveillance.

unattractive [ʌnə'træktɪv] adj (person, place) sans charme; (idea) peu attrayant(-e).

unauthorized [ʌn'ɔːθəraɪzd] adj non autorisé(-e).

unavailable [ʌnə'veɪləbl] adj non disponible.

unavoidable [ʌnə'vɔɪdəbl] adj inévitable.

unaware [ʌnə'weəʳ] adj: **to be ~ that** ignorer que; **to be ~ of sthg** être inconscient de qqch; (facts) ignorer qqch.

unbearable [ʌn'beərəbl] adj insupportable.

unbelievable [ʌnbɪ'liːvəbl] adj incroyable.

unbutton [ʌn'bʌtn] vt déboutonner.

uncertain [ʌn'sɜːtn] adj incertain(-e).

uncertainty [ʌn'sɜːtntɪ] n incertitude f.

uncle [ʌŋkl] n oncle m.

unclean [ʌn'kliːn] adj sale.

unclear [ʌn'klɪəʳ] adj pas clair(-e); (not sure) pas sûr(-e).

uncomfortable [ʌnˈkʌmftəbl] adj (chair, bed) inconfortable; **to feel ~** (person) se sentir mal à l'aise.

uncommon [ʌnˈkɒmən] adj (rare) rare.

unconscious [ʌnˈkɒnʃəs] adj inconscient(-e).

unconvincing [ʌnkənˈvɪnsɪŋ] adj peu convaincant(-e).

uncooperative [ʌnkəʊˈɒpərətɪv] adj peu coopératif(-ive).

uncork [ʌnˈkɔːk] vt déboucher.

uncouth [ʌnˈkuːθ] adj grossier(-ière).

uncover [ʌnˈkʌvər] vt découvrir.

under [ˈʌndər] prep (beneath) sous; (less than) moins de; (according to) selon; (in classification) dans; **children ~ ten** les enfants de moins de dix ans; **~ the circumstances** dans ces circonstances; **~ construction** en construction; **to be ~ pressure** être sous pression.

underage [ʌndərˈeɪdʒ] adj mineur(-e).

undercarriage [ˈʌndəˌkærɪdʒ] n train m d'atterrissage.

underdone [ʌndəˈdʌn] adj (accidentally) pas assez cuit(-e); (steak) saignant(-e).

underestimate [ʌndərˈestɪmeɪt] vt sous-estimer.

underexposed [ʌndərɪkˈspəʊzd] adj sous-exposé(-e).

undergo [ʌndəˈgəʊ] (pt -went, pp -gone) vt subir.

undergraduate [ʌndəˈgrædjʊət] n étudiant m (-e f) (en licence).

underground [ˈʌndəgraʊnd] adj souterrain(-e); (secret) clandestin(-e) ♦ n (Br: railway) métro m.

undergrowth [ˈʌndəgrəʊθ] n sous-bois m.

underline [ʌndəˈlaɪn] vt souligner.

underneath [ʌndəˈniːθ] prep au-dessous de ♦ adv au-dessous ♦ n dessous m.

underpants [ˈʌndəpænts] npl slip m.

underpass [ˈʌndəpɑːs] n route f en contrebas.

undershirt [ˈʌndəʃɜːt] n (Am) maillot m de corps.

underskirt [ˈʌndəskɜːt] n jupon m.

understand [ʌndəˈstænd] (pt & pp -stood) vt comprendre; (believe) croire ♦ vi comprendre; **I don't ~** je ne comprends pas; **to make o.s. understood** se faire comprendre.

understanding [ʌndəˈstændɪŋ] adj compréhensif(-ive) ♦ n (agreement) entente f; (knowledge, sympathy) compréhension f; (interpretation) interprétation f.

understatement [ʌndəˈsteɪtmənt] n: **that's an ~** c'est peu dire.

understood [ʌndəˈstʊd] pt & pp → **understand**.

undertake [ʌndəˈteɪk] (pt -took, pp -taken) vt entreprendre; **to ~ to do sthg** s'engager à faire qqch.

undertaker [ˈʌndəˌteɪkər] n ordonnateur m des pompes funèbres.

undertaking [ʌndəˈteɪkɪŋ] n (promise) promesse f; (task) entreprise f.

undertook [ʌndəˈtʊk] pt → **undertake**.

underwater [ʌndəˈwɔːtər] adj

sous-marin(-e) ♦ adv sous l'eau.

underwear [ˈʌndəweəʳ] n sous-vêtements mpl.

underwent [ʌndəˈwent] pt → undergo.

undesirable [ʌndɪˈzaɪərəbl] adj indésirable.

undo [ʌnˈduː] (pt -did, pp -done) vt défaire.

undone [ʌnˈdʌn] adj défait(-e).

undress [ʌnˈdres] vi se déshabiller ♦ vt déshabiller.

undressed [ʌnˈdrest] adj déshabillé(-e); **to get ~** se déshabiller.

uneasy [ʌnˈiːzɪ] adj mal à l'aise.

uneducated [ʌnˈedjukeɪtɪd] adj sans éducation.

unemployed [ʌnɪmˈplɔɪd] adj au chômage ♦ npl: **the ~** les chômeurs mpl.

unemployment [ʌnɪmˈplɔɪmənt] n chômage m.

unemployment benefit n allocation f de chômage.

unequal [ʌnˈiːkwəl] adj inégal(-e).

uneven [ʌnˈiːvn] adj inégal(-e); (speed, beat, share) irrégulier(-ière).

uneventful [ʌnɪˈventful] adj sans histoires.

unexpected [ʌnɪkˈspektɪd] adj inattendu(-e).

unexpectedly [ʌnɪkˈspektɪdlɪ] adv inopinément.

unfair [ʌnˈfeəʳ] adj injuste.

unfairly [ʌnˈfeəlɪ] adv injustement.

unfaithful [ʌnˈfeɪθful] adj infidèle.

unfamiliar [ʌnfəˈmɪljəʳ] adj peu familier(-ière); **to be ~ with** mal connaître.

unfashionable [ʌnˈfæʃnəbl] adj démodé(-e).

unfasten [ʌnˈfɑːsn] vt (seatbelt) détacher; (knot, laces, belt) défaire.

unfavourable [ʌnˈfeɪvrəbl] adj défavorable.

unfinished [ʌnˈfɪnɪʃt] adj inachevé(-e).

unfit [ʌnˈfɪt] adj (not healthy) pas en forme; **to be ~ for sthg** (not suitable) ne pas être adapté à qqch.

unfold [ʌnˈfəʊld] vt déplier.

unforgettable [ʌnfəˈgetəbl] adj inoubliable.

unforgivable [ʌnfəˈgɪvəbl] adj impardonnable.

unfortunate [ʌnˈfɔːtʃnət] adj (unlucky) malchanceux(-euse); (regrettable) regrettable.

unfortunately [ʌnˈfɔːtʃnətlɪ] adv malheureusement.

unfriendly [ʌnˈfrendlɪ] adj inamical(-e), hostile.

unfurnished [ʌnˈfɜːnɪʃt] adj non meublé(-e).

ungrateful [ʌnˈgreɪtful] adj ingrat(-e).

unhappy [ʌnˈhæpɪ] adj (sad) malheureux(-euse), triste; (not pleased) mécontent(-e); **to be ~ about sthg** être mécontent de qqch.

unharmed [ʌnˈhɑːmd] adj indemne.

unhealthy [ʌnˈhelθɪ] adj (person) en mauvaise santé; (food, smoking) mauvais(-e) pour la santé.

unhelpful [ʌnˈhelpful] adj (person) peu serviable; (advice, instructions) peu utile.

unhurt [ʌnˈhɜːt] adj indemne.

unhygienic [ʌnhaɪˈdʒiːnɪk] adj

antihygiénique.

unification [,juːnɪfɪˈkeɪʃn] n unification f.

uniform [ˈjuːnɪfɔːm] n uniforme m.

unimportant [ˌʌnɪmˈpɔːtənt] adj sans importance.

unintelligent [ˌʌnɪnˈtelɪdʒənt] adj inintelligent(-e).

unintentional [ˌʌnɪnˈtenʃənl] adj involontaire.

uninterested [ʌnˈɪntrəstɪd] adj indifférent(-e).

uninteresting [ʌnˈɪntrəstɪŋ] adj inintéressant(-e).

union [ˈjuːnjən] n (of workers) syndicat m.

Union Jack n: the ~ le drapeau britannique.

unique [juːˈniːk] adj unique; to be ~ to être propre à.

unisex [ˈjuːnɪseks] adj unisexe.

unit [ˈjuːnɪt] n (measurement, group) unité f; (department) service m; (of furniture) élément m; (machine) appareil m.

unite [juːˈnaɪt] vt unir ♦ vi s'unir.

United Kingdom [juːˈnaɪtɪd-] n: the ~ le Royaume-Uni.

United Nations [juːˈnaɪtɪd-] npl: the ~ les Nations fpl Unies.

United States (of America) [juːˈnaɪtɪd-] npl: the ~ les États-Unis mpl (d'Amérique).

unity [ˈjuːnɪtɪ] n unité f.

universal [ˌjuːnɪˈvɜːsl] adj universel(-elle).

universe [ˈjuːnɪvɜːs] n univers m.

university [ˌjuːnɪˈvɜːsətɪ] n université f.

unjust [ʌnˈdʒʌst] adj injuste.

unkind [ʌnˈkaɪnd] adj méchant(-e).

unknown [ʌnˈnəʊn] adj inconnu(-e).

unleaded (petrol) [ʌnˈledɪd-] n sans plomb m.

unless [ənˈles] conj à moins que (+ subjunctive); ~ it rains à moins qu'il (ne) pleuve.

unlike [ʌnˈlaɪk] prep à la différence de; that's ~ him cela ne lui ressemble pas.

unlikely [ʌnˈlaɪklɪ] adj peu probable; we're ~ to arrive before six il est peu probable que nous arrivions avant six heures.

unlimited [ʌnˈlɪmɪtɪd] adj illimité(-e); ~ mileage kilométrage illimité.

unlisted [ʌnˈlɪstɪd] adj (Am: phone number) sur la liste rouge.

unload [ʌnˈləʊd] vt (goods, vehicle) décharger.

unlock [ʌnˈlɒk] vt déverrouiller.

unlucky [ʌnˈlʌkɪ] adj (unfortunate) malchanceux(-euse); (bringing bad luck) qui porte malheur.

unmarried [ʌnˈmærɪd] adj célibataire.

unnatural [ʌnˈnætʃrəl] adj (unusual) anormal(-e); (behaviour, person) peu naturel(-elle).

unnecessary [ʌnˈnesəsərɪ] adj inutile.

unobtainable [ˌʌnəbˈteɪnəbl] adj (product) non disponible; (phone number) pas en service.

unoccupied [ʌnˈɒkjʊpaɪd] adj (place, seat) libre.

unofficial [ˌʌnəˈfɪʃl] adj non officiel(-ielle).

unpack [ʌnˈpæk] vt défaire ♦ vi défaire ses valises.

unpleasant [ʌnˈpleznt] adj désagréable.

unplug [ʌnˈplʌg] vt débrancher.

unpopular [ʌnˈpɒpjʊləʳ] adj impopulaire.

unpredictable [ʌnprɪˈdɪktəbl] adj imprévisible.

unprepared [ʌnprɪˈpeəd] adj mal préparé(-e).

unprotected [ʌnprəˈtektɪd] adj sans protection.

unqualified [ʌnˈkwɒlɪfaɪd] adj (person) non qualifié(-e).

unreal [ʌnˈrɪəl] adj irréel(-elle).

unreasonable [ʌnˈriːznəbl] adj déraisonnable.

unrecognizable [ʌnrekəgˈnaɪzəbl] adj méconnaissable.

unreliable [ʌnrɪˈlaɪəbl] adj peu fiable.

unrest [ʌnˈrest] n troubles mpl.

unroll [ʌnˈrəʊl] vt dérouler.

unsafe [ʌnˈseɪf] adj (dangerous) dangereux(-euse); (in danger) en danger.

unsatisfactory [ʌnsætɪsˈfæktərɪ] adj peu satisfaisant(-e).

unscrew [ʌnˈskruː] vt (lid, top) dévisser.

unsightly [ʌnˈsaɪtlɪ] adj laid(-e).

unskilled [ʌnˈskɪld] adj (worker) non qualifié(-e).

unsociable [ʌnˈsəʊʃəbl] adj sauvage.

unsound [ʌnˈsaʊnd] adj (building, structure) peu solide; (argument) peu pertinent(-e).

unspoiled [ʌnˈspɔɪlt] adj (place, beach) qui n'est pas défiguré(-e).

unsteady [ʌnˈstedɪ] adj instable; (hand) tremblant(-e).

unstuck [ʌnˈstʌk] adj: to come ~

(label, poster etc) se décoller.

unsuccessful [ʌnsəkˈsesful] adj (person) malchanceux(-euse); (attempt) infructueux(-euse).

unsuitable [ʌnˈsuːtəbl] adj inadéquat(-e).

unsure [ʌnˈʃɔːʳ] adj: to be ~ (about) ne pas être sûr(e) (de).

unsweetened [ʌnˈswiːtnd] adj sans sucre.

untidy [ʌnˈtaɪdɪ] adj (person) désordonné(-e); (room, desk) en désordre.

untie [ʌnˈtaɪ] (cont untying [ʌnˈtaɪɪŋ]) vt (person) détacher; (knot) défaire.

until [ənˈtɪl] prep jusqu'à ♦ conj jusqu'à ce que (+ subjunctive); it won't be ready ~ Thursday ce ne sera pas prêt avant jeudi.

untrue [ʌnˈtruː] adj faux (fausse).

untrustworthy [ʌnˈtrʌstˌwɜːðɪ] adj pas digne de confiance.

unusual [ʌnˈjuːʒl] adj inhabituel(-elle).

unusually [ʌnˈjuːʒlɪ] adv (more than usual) exceptionnellement.

unwell [ʌnˈwel] adj: to be ~ ne pas aller très bien; to feel ~ ne pas se sentir bien.

unwilling [ʌnˈwɪlɪŋ] adj: to be ~ to do sthg ne pas vouloir faire qqch.

unwind [ʌnˈwaɪnd] (pt & pp unwound [ʌnˈwaʊnd]) vt dérouler ♦ vi (relax) se détendre.

unwrap [ʌnˈræp] vt déballer.

unzip [ʌnˈzɪp] vt défaire la fermeture de.

up [ʌp] adv 1. (towards higher position) vers le haut; to go ~ monter; we walked ~ to the top nous sommes montés jusqu'en haut; **to pick sthg** ~ ramasser qqch.

2. *(in higher position)* en haut; she's ~ **in her bedroom** elle est en haut dans sa chambre; ◆ **there** là-haut.

3. *(into upright position):* **to stand** ~ se lever; **to sit** ~ *(from lying position)* s'asseoir; *(sit straight)* se redresser.

4. *(to increased level):* **prices are going** ~ les prix augmentent.

5. *(northwards):* ~ **in Scotland** en Écosse.

6. *(in phrases):* **to walk** ~ **and down** faire les cent pas; **to jump** ~ **and down** sauter; ~ **to ten people** jusqu'à dix personnes; **are you** ~ **to travelling?** tu te sens en état de voyager?; **what are you** ~ **to?** qu'est-ce que tu mijotes?; **it's** ~ **to you** *(c'est)* à vous de voir; ~ **until ten o'clock** jusqu'à dix heures.

◆ **prep 1.** *(towards higher point):* **to walk** ~ **a hill** grimper sur une colline; **I went** ~ **the stairs** j'ai monté l'escalier.

2. *(in higher position)* en haut de; ~ **a hill** en haut d'une colline; ~ **a ladder** sur une échelle.

3. *(at end of):* **they live** ~ **the road from us** ils habitent un peu plus haut que nous.

◆ **adj 1.** *(out of bed)* levé(-e).

2. *(at an end):* **time's** ~ c'est l'heure.

3. *(rising):* **the** ~ **escalator** l'Escalator® pour monter.

◆ **n:** ~**s and downs** des hauts et des bas *mpl*.

update [ʌp'deɪt] *vt* mettre à jour.

uphill [ʌp'hɪl] *adv:* **to go** ~ monter.

upholstery [ʌp'həʊlstərɪ] *n* rembourrage *m*.

upkeep ['ʌpkiːp] *n* entretien *m*.

up-market *adj* haut de gamme *(inv)*.

upon [ə'pɒn] *prep (fml: on)* sur; ~ **hearing the news ...** en apprenant la nouvelle ...

upper ['ʌpə'] *adj* supérieur(-e) ◆ *n (of shoe)* empeigne *f*.

upper class *n* haute société *f*.

uppermost ['ʌpəməʊst] *adj (highest)* le plus haut (la plus haute).

upper sixth *n (Br)* = terminale *f*.

upright ['ʌpraɪt] *adj* droit(-e) ◆ *adv* droit.

upset [ʌp'set] *(pt & pp* **upset***) adj (distressed)* peiné(-e) ◆ *vt (distress)* peiner; *(plans)* déranger; *(knock over)* renverser; **to have an** ~ **stomach** avoir un embarras gastrique.

upside down [ʌpsaɪd-] *adj & adv* à l'envers.

upstairs [ʌp'steəz] *adj* du haut ◆ *adv (on a higher floor)* en haut, à l'étage; **to go** ~ monter.

up-to-date *adj (modern)* moderne; *(well-informed)* au courant.

upwards ['ʌpwədz] *adv* vers le haut; ~ **of 100 people** plus de 100 personnes.

urban ['ɜːbən] *adj* urbain(-e).

urban clearway [-'klɪəweɪ] *n (Br)* route *f* à stationnement interdit.

Urdu ['ʊəduː] *n* ourdou *m*.

urge [ɜːdʒ] *vt:* **to** ~ **sb to do sthg** presser qqn de faire qqch.

urgent ['ɜːdʒənt] *adj* urgent(-e).

urgently ['ɜːdʒəntlɪ] *adv (immediately)* d'urgence.

urinal [juə'raɪnl] *n (fml)* urinoir *m*.

urinate [ˈjʊərɪneɪt] vi *(fml)* uriner.

urine [ˈjʊərɪn] n urine f.

us [ʌs] pron nous; **they know ~ ils** nous connaissent; **it's ~ c'est** nous; **send it to ~ envoyez-le** nous; **tell ~ dites-nous; they're worse than ~ ils** sont pires que nous.

US n *(abbr of United States)*: **the ~** les USA *mpl*.

USA n *(abbr of United States of America)*: **the ~** les USA *mpl*.

usable [ˈjuːzəbl] adj utilisable.

use [n juːs, vb juːz] n utilisation f, emploi m ♦ vt utiliser, se servir de; **to be of ~ être** utile; **to have the ~ of sthg** avoir l'usage de qqch; **to make ~ of sthg** utiliser qqch; *(time, opportunity)* mettre qqch à profit; **"out of ~"** «hors service»; **to be in ~ être** en usage; **it's no ~ ça** ne sert à rien; **what's the ~?** à quoi bon?; **to ~ sthg as sthg** utiliser qqch comme qqch; **"~ before ..."** *(food, drink)* «à consommer avant ...» ❑ **use up** vt sep épuiser.

used [adj juːzd, aux vb juːst] adj *(towel, glass etc)* sale; *(car)* d'occasion ♦ aux vb: **I ~ to live near here** j'habitais près d'ici autrefois; **I ~ to go there every day** j'y allais tous les jours; **to be ~ to sthg** avoir l'habitude de qqch; **to get ~ to sthg** s'habituer à qqch.

useful [ˈjuːsful] adj utile.

useless [ˈjuːslɪs] adj inutile; *(inf: very bad)* nul (nulle).

user [ˈjuːzəʳ] n utilisateur m (-trice f).

usher [ˈʌʃəʳ] n *(at cinema, theatre)* ouvreur m.

usherette [ˌʌʃəˈret] n ouvreuse f.

---

urinate
296

USSR n: **the (former) ~** l'(ex-)URSS f.

usual [ˈjuːʒəl] adj habituel(-elle); **as ~ comme** d'habitude.

usually [ˈjuːʒəlɪ] adv d'habitude.

utensil [juːˈtensl] n ustensile m.

utilize [ˈjuːtəlaɪz] vt utiliser.

utmost [ˈʌtməʊst] adj le plus grand (la plus grande) ♦ n: **to do one's ~ faire** tout son possible.

utter [ˈʌtəʳ] adj total(-e) ♦ vt prononcer; *(cry)* pousser.

utterly [ˈʌtəlɪ] adv complètement.

U-turn n *(in vehicle)* demi-tour m.

V

vacancy [ˈveɪkənsɪ] n *(job)* offre f d'emploi; **"vacancies"** «chambres à louer»; **"no vacancies"** «complet».

vacant [ˈveɪkənt] adj libre.

vacate [vəˈkeɪt] vt *(fml: room, house)* libérer.

vacation [vəˈkeɪʃn] n *(Am)* vacances fpl ♦ vi *(Am)* passer les vacances; **to go on ~ partir** en vacances.

vacationer [vəˈkeɪʃənəʳ] n *(Am)* vacancier m (-ière f).

vaccination [ˌvæksɪˈneɪʃn] n vaccination f.

vaccine [Br ˈvæksiːn, Am vækˈsiːn] n vaccin m.

vacuum [ˈvækjʊəm] vt passer

l'aspirateur dans.

vacuum cleaner *n* aspirateur *m*.

vague [veɪg] *adj* vague.

vain [veɪn] *adj* (*pej: conceited*) vaniteux(-euse); **in ~** en vain.

Valentine card [ˈvælətaɪn-] *n* carte *f* de la Saint-Valentin.

Valentine's Day [ˈvæləntaɪnz-] *n* la Saint-Valentin.

valet [ˈvæleɪ, ˈvælɪt] *n* (*in hotel*) valet *m* de chambre.

valet service *n* (*in hotel*) pressing *m*; (*for car*) nettoyage *m* complet.

valid [ˈvælɪd] *adj* (*ticket, passport*) valide.

validate [ˈvælɪdeɪt] *vt* (*ticket*) valider.

Valium® [ˈvælɪəm] *n* Valium® *m*.

valley [ˈvælɪ] *n* vallée *f*.

valuable [ˈvæljʊəbl] *adj* (*jewellery, object*) de valeur; (*advice, help*) précieux(-ieuse) □ **valuables** *npl* objets *mpl* de valeur.

value [ˈvæljuː] *n* valeur *f*; (*usefulness*) intérêt *m*; **a ~ pack** un paquet économique; **to be good ~ (for money)** être d'un bon rapport qualité-prix.

valve [vælv] *n* soupape *f*; (*of tyre*) valve *f*.

van [væn] *n* camionnette *f*.

vandal [ˈvændl] *n* vandale *m*.

vandalize [ˈvændəlaɪz] *vt* saccager.

vanilla [vəˈnɪlə] *n* vanille *f*.

vanish [ˈvænɪʃ] *vi* disparaître.

vapor [ˈveɪpər] (*Am*) = **vapour**.

vapour [ˈveɪpər] *n* vapeur *f*.

variable [ˈveərɪəbl] *adj* variable.

varicose veins [ˈværɪkəʊs-] *npl*

varices *fpl*.

varied [ˈveərɪd] *adj* varié(-e).

variety [vəˈraɪətɪ] *n* variété *f*.

various [ˈveərɪəs] *adj* divers(-es).

varnish [ˈvɑːnɪʃ] *n* vernis *m* ◆ *vt* vernir.

vary [ˈveərɪ] *vi* varier ◆ *vt* (faire) varier; **to ~ from sthg to sthg** varier de qqch à qqch; **"prices ~"** «prix variables».

vase [*Br* vɑːz, *Am* veɪz] *n* vase *m*.

Vaseline® [ˈvæsɪliːn] *n* vaseline *f*.

vast [vɑːst] *adj* vaste.

vat [væt] *n* cuve *f*.

VAT [væt, viːeɪˈtiː] *n* (*abbr of value added tax*) TVA *f*.

vault [vɔːlt] *n* (*in bank*) salle *f* des coffres; (*in church*) caveau *m*.

VCR *n* (*abbr of video cassette recorder*) magnétoscope *m*.

VDU *n* (*abbr of visual display unit*) moniteur *m*.

veal [viːl] *n* veau *m*.

veg [vedʒ] *abbr* = **vegetable**.

vegan [ˈviːgən] *adj* végétalien(-ienne) ◆ *n* végétalien *m* (-ienne *f*).

vegetable [ˈvedʒtəbl] *n* légume *m*.

vegetable oil *n* huile *f* végétale.

vegetarian [ˌvedʒɪˈteərɪən] *adj* végétarien(-ienne) ◆ *n* végétarien *m* (-ienne *f*).

vegetation [ˌvedʒɪˈteɪʃn] *n* végétation *f*.

vehicle [ˈviːəkl] *n* véhicule *m*.

veil [veɪl] *n* voile *m*.

vein [veɪn] *n* veine *f*.

Velcro® [ˈvelkrəʊ] *n* Velcro® *m*.

velvet [ˈvelvɪt] *n* velours *m*.

vending machine ['vendɪŋ-] *n* distributeur *m* (automatique).

venetian blind [vɪˌniːʃn-] *n* store *m* vénitien.

venison ['venɪzn] *n* chevreuil *m*.

vent [vent] *n* (for air, smoke etc) grille *f* d'aération.

ventilation [ˌventɪ'leɪʃn] *n* ventilation *f*.

ventilator ['ventɪleɪtə*r*] *n* ventilateur *m*.

venture ['ventʃə*r*] *n* entreprise *f* ◆ *vi* (go) s'aventurer.

venue ['venjuː] *n* (for show) salle *f* (de spectacle); (for sport) stade *m*.

veranda [və'rændə] *n* véranda *f*.

verb [vɜːb] *n* verbe *m*.

verdict ['vɜːdɪkt] *n* verdict *m*.

verge [vɜːdʒ] *n* (of road, lawn) bord *m*; "**soft ~s**" "accotements non stabilisés».

verify ['verɪfaɪ] *vt* vérifier.

vermin ['vɜːmɪn] *n* vermine *f*.

vermouth [vɜː'muːθ] *n* vermouth *m*.

versa → vice versa.

versatile ['vɜːsətaɪl] *adj* polyvalent(-e).

verse [vɜːs] *n* (of poem) strophe *f*; (of song) couplet *m*; (poetry) vers *mpl*.

version ['vɜːʃn] *n* version *f*.

versus ['vɜːsəs] *prep* contre.

vertical ['vɜːtɪkl] *adj* vertical(-e).

vertigo ['vɜːtɪgəʊ] *n* vertige *m*.

very ['verɪ] *adv* très ◆ *adj*: at the ~ bottom tout au fond; ~ much beaucoup; not ~ pas très; my own room is my ~ own chambre; it's the ~ thing I need c'est juste ce dont j'ai besoin.

vessel ['vesl] *n* (fml: ship) vaisseau *m*.

vest [vest] *n* (Br: underwear) maillot *m* de corps; (Am: waistcoat) gilet *m* (sans manches).

vet [vet] *n* (Br) vétérinaire *mf*.

veteran ['vetrən] *n* (of war) ancien combattant *m*.

veterinarian [ˌvetərɪ'neərɪən] (Am) = **veterinary surgeon**.

veterinary surgeon ['vetərɪnrɪ-] (Br: fml) = **vet**.

VHF *n* (abbr of very high frequency) VHF *f*.

VHS *n* (abbr of video home system) VHS *m*.

via [vaɪə] *prep* (place) en passant par; (by means of) par.

viaduct ['vaɪədʌkt] *n* viaduc *m*.

vibrate [vaɪ'breɪt] *vi* vibrer.

vibration [vaɪ'breɪʃn] *n* vibration *f*.

vicar ['vɪkə*r*] *n* pasteur *m*.

vicarage ['vɪkərɪdʒ] *n* = presbytère *m*.

vice [vaɪs] *n* (fault) vice *m*.

vice-president *n* vice-président *m* (-e *f*).

vice versa [ˌvaɪsɪ'vɜːsə] *adv* vice versa.

vicinity [vɪ'sɪnətɪ] *n*: in the ~ dans les environs.

vicious ['vɪʃəs] *adj* (attack) violent(-e); (animal, comment) méchant(-e).

victim ['vɪktɪm] *n* victime *f*.

Victorian [vɪk'tɔːrɪən] *adj* victorien(-ienne) (deuxième moitié du XIXe siècle).

victory ['vɪktərɪ] *n* victoire *f*.

video ['vɪdɪəʊ] (pl -s) *n* vidéo *f*; (video recorder) magnétoscope *m* ◆ *vt* (using video recorder) magnétoscoper; (using camera) filmer; **on ~** en vidéo.

video camera n caméra f vidéo.

video game n jeu m vidéo.

video recorder n magnétoscope m.

video shop n vidéoclub m.

videotape ['vɪdəʊteɪp] n cassette f vidéo.

Vietnam [Br ˌvjetˈnæm, Am ˌvjetˈnɑːm] n le Vietnam.

view [vjuː] n vue f; (opinion) opinion f; (attitude) vision f ◆ vt (look at) visionner; **in my ~** à mon avis; **in ~ of** (considering) étant donné; **to come into ~** apparaître.

viewer ['vjuːəʳ] n (of TV) téléspectateur m (-trice f).

viewfinder ['vjuːˌfaɪndəʳ] n viseur m.

viewpoint ['vjuːpɔɪnt] n point de vue m.

vigilant ['vɪdʒɪlənt] adj (fml) vigilant(-e).

villa ['vɪlə] n (in countryside, by sea) villa f; (Br: in town) pavillon m.

village ['vɪlɪdʒ] n village m.

villager ['vɪlɪdʒəʳ] n villageois m (-e f).

villain ['vɪlən] n (of book, film) méchant m (-e f); (criminal) bandit m.

vinaigrette [ˌvɪnɪˈɡret] n vinaigrette f.

vine [vaɪn] n vigne f.

vinegar ['vɪnɪɡəʳ] n vinaigre m.

vineyard ['vɪnjəd] n vignoble m.

vintage ['vɪntɪdʒ] adj (wine) de grand cru ◆ n (year) millésime m.

vinyl ['vaɪnɪl] n vinyle m.

viola [vɪˈəʊlə] n alto m.

violence ['vaɪələns] n violence f.

violent ['vaɪələnt] adj violent(-e).

violet ['vaɪələt] adj violet(-ette) ◆ n (flower) violette f.

violin [ˌvaɪəˈlɪn] n violon m.

VIP n (abbr of very important person) personnalité f.

virgin ['vɜːdʒɪn] n: **to be a ~** être vierge.

Virgo ['vɜːɡəʊ] (pl -s) n Vierge f.

virtually ['vɜːtʃʊəlɪ] adv pratiquement.

virtual reality ['vɜːtʃʊəl-] n réalité f virtuelle.

virus ['vaɪrəs] n virus m.

visa ['viːzə] n visa m.

viscose ['vɪskəʊs] n viscose f.

visibility [ˌvɪzɪˈbɪlɪtɪ] n visibilité f.

visible ['vɪzəbl] adj visible.

visit ['vɪzɪt] vt (person) rendre visite à; (place) visiter ◆ n visite f.

visiting hours ['vɪzɪtɪŋ-] npl heures fpl de visite.

visitor ['vɪzɪtəʳ] n visiteur m (-euse f).

visitor centre n centre d'information touristique.

visitors' book n livre m d'or.

visitor's passport n (Br) passeport m temporaire.

visor ['vaɪzəʳ] n visière f.

vital ['vaɪtl] adj vital(-e).

vitamin [Br 'vɪtəmɪn, Am 'vaɪtəmɪn] n vitamine f.

vivid ['vɪvɪd] adj (of colour) vif (vive); (description) vivant(-e); (memory) précis(-e).

V-neck n (design) col m en V.

vocabulary [vəˈkæbjʊlərɪ] n vocabulaire m.

vodka ['vɒdkə] n vodka f.

voice [vɔɪs] *n* voix *f*.

volcano [vɒlˈkeɪnəʊ] (*pl* **-es** OR **-s**) *n* volcan *m*.

volleyball [ˈvɒlɪbɔːl] *n* volley(-ball) *m*.

volt [vəʊlt] *n* volt *m*.

voltage [ˈvəʊltɪdʒ] *n* voltage *m*.

volume [ˈvɒljuːm] *n* volume *m*.

voluntary [ˈvɒləntrɪ] *adj* volontaire; (*work*) bénévole.

volunteer [ˌvɒlənˈtɪəʳ] *n* volontaire *mf* ♦ *vt*: **to ~ to do sthg** se porter volontaire pour faire qqch.

vomit [ˈvɒmɪt] *n* vomi *m* ♦ *vi* vomir.

vote [vəʊt] *n* (*choice*) voix *f*; (*process*) vote *m* ♦ *vi*: **to ~ (for)** voter (pour).

voter [ˈvəʊtəʳ] *n* électeur *m* (-trice *f*).

voucher [ˈvaʊtʃəʳ] *n* bon *m*.

vowel [ˈvaʊəl] *n* voyelle *f*.

voyage [ˈvɔɪɪdʒ] *n* voyage *m*.

vulgar [ˈvʌlgəʳ] *adj* vulgaire.

vulture [ˈvʌltʃəʳ] *n* vautour *m*.

W (*abbr of west*) O.

wad [wɒd] *n* (*of paper, bank notes*) liasse *f*; (*of cotton*) tampon *m*.

waddle [ˈwɒdl] *vi* se dandiner.

wade [weɪd] *vi* patauger.

wading pool [ˈweɪdɪŋ-] *n* (*Am*) pataugeoire *f*.

wafer [ˈweɪfəʳ] *n* gaufrette *f*.

waffle [ˈwɒfl] *n* (*to eat*) gaufre *f* ♦ *vi* (*inf*) parler pour ne rien dire.

wag [wæg] *vt* remuer.

wage [weɪdʒ] *n* salaire *m* ❑ **wages** *npl* salaire *m*.

wagon [ˈwægən] *n* (*vehicle*) chariot *m*; (*Br: of train*) wagon *m*.

waist [weɪst] *n* taille *f*.

waistcoat [ˈweɪskəʊt] *n* gilet *m* (*sans manches*).

wait [weɪt] *n* attente *f* ♦ *vi* attendre; **to ~ for sb to do sthg** attendre que qqn fasse qqch; **I can't ~ to get there!** il me tarde d'arriver! ❑ **wait for** *vt fus* attendre.

waiter [ˈweɪtəʳ] *n* serveur *m*, garçon *m*.

waiting room [ˈweɪtɪŋ-] *n* salle *f* d'attente.

waitress [ˈweɪtrɪs] *n* serveuse *f*.

wake [weɪk] (*pt* woke, *pp* woken) *vt* réveiller ♦ *vi* se réveiller ❑ **wake up** *vt sep* réveiller ♦ *vi* se réveiller.

Waldorf salad [ˈwɔːldɔːf-] *n* salade *f* Waldorf (*pommes, céleri et noix avec mayonnaise légère*).

Wales [weɪlz] *n* le pays de Galles.

walk [wɔːk] *n* (*hike*) marche *f*; (*stroll*) promenade *f*; (*path*) chemin *m* ♦ *vi* marcher; (*stroll*) se promener; (*as hobby*) faire de la marche ♦ *vt* (*distance*) faire à pied; (*dog*) promener; **to go for a ~** aller se promener; **to take the dog for a ~** sortir le chien; **"walk"** (*Am*) message lumineux indiquant aux piétons qu'ils peuvent traverser; **"don't ~"** (*Am*) message lumineux indiquant aux piétons qu'ils ne doivent pas traverser ❑ **walk away** *vi* partir; **walk in** *vi* entrer; **walk out** *vi* partir.

walker ['wɔːkər] *n* promeneur *m* (-euse *f*); *(hiker)* marcheur *m* (-euse *f*).

walking boots ['wɔːkɪŋ-] *npl* chaussures *fpl* de marche.

walking stick ['wɔːkɪŋ-] *n* canne *f*.

Walkman® ['wɔːkmən] *n* baladeur *m*, Walkman® *m*.

wall [wɔːl] *n* mur *m*; *(of tunnel, cave)* paroi *f*.

wallet ['wɒlɪt] *n* portefeuille *m*.

wallpaper ['wɔːlˌpeɪpər] *n* papier *m* peint.

wally ['wɒlɪ] *n* (Br: inf) andouille *f*.

walnut ['wɔːlnʌt] *n* noix *f*.

waltz [wɔːls] *n* valse *f*.

wander ['wɒndər] *vi* errer.

want [wɒnt] *vt* vouloir; *(need)* avoir besoin de; **to ~ to do sthg** vouloir faire qqch; **to ~ sb to do sthg** vouloir que qqn fasse qqch.

war [wɔːr] *n* guerre *f*.

ward [wɔːd] *n* (in hospital) salle *f*.

warden ['wɔːdn] *n* (of park) gardien *m* (-ienne *f*); (of youth hostel) directeur *m* (-trice *f*).

wardrobe ['wɔːdrəub] *n* penderie *f*.

warehouse ['weəhaʊs, pl -haʊzɪz] *n* entrepôt *m*.

warm [wɔːm] *adj* chaud(-e); *(friendly)* chaleureux(-euse) ♦ *vt* chauffer; **to be ~** avoir chaud; **it's ~** il fait chaud ♦ *vt sep* réchauffer ♦ *vi* se réchauffer; *(do exercises)* s'échauffer; *(machine, engine)* chauffer.

war memorial *n* monument *m* aux morts.

warmth [wɔːmθ] *n* chaleur *f*.

warn [wɔːn] *vt* avertir; **to ~ sb about sthg** avertir qqn de qqch; **to ~ sb not to do sthg** déconseiller à qqn de faire qqch.

warning ['wɔːnɪŋ] *n* (of danger) avertissement *m*; **to give sb ~** prévenir qqn.

warranty ['wɒrəntɪ] *n* (fml) garantie *f*.

warship ['wɔːʃɪp] *n* navire *m* de guerre.

wart [wɔːt] *n* verrue *f*.

wash [wɒʃ] *vt* laver ♦ *vi* se laver ♦ *n*: **to give sthg a ~** laver qqch; **to have a ~** se laver; **to ~ one's hands** se laver les mains ❑ **wash up** *vi* (Br: do washing-up) faire la vaisselle; (Am: clean o.s.) se laver.

washable ['wɒʃəbl] *adj* lavable.

washbasin ['wɒʃˌbeɪsn] *n* lavabo *m*.

washbowl ['wɒʃbəul] *n* (Am) lavabo *m*.

washer ['wɒʃər] *n* (for bolt, screw) rondelle *f*; (of tap) joint *m*.

washing ['wɒʃɪŋ] *n* lessive *f*.

washing line *n* corde *f* à linge.

washing machine *n* machine *f* à laver.

washing powder *n* lessive *f*.

washing-up *n* (Br): **to do the ~** faire la vaisselle.

washing-up bowl *n* (Br) bassine dans laquelle on fait la vaisselle.

washing-up liquid *n* (Br) liquide *m* vaisselle.

washroom ['wɒʃrum] *n* (Am) toilettes *fpl*.

wasn't [wɒznt] = was not.

wasp [wɒsp] *n* guêpe *f*.

waste [weɪst] *n* (rubbish) déchets

mpl ♦ *vt (money, energy)* gaspiller; *(time)* perdre; **a ~ of money** de l'argent gaspillé; **a ~ of time** une perte de temps.

wastebin ['weistbin] *n* poubelle *f*.

waste ground *n* terrain *m* vague.

wastepaper basket ['weist-'peipə²-] *n* corbeille *f* à papier.

watch [wɒtʃ] *n (wristwatch)* montre *f* ♦ *vt* regarder; *(spy on)* observer; *(be careful)* faire attention à ❑ **watch out** *vi (be careful)* faire attention; **to ~ out for** *(look for)* guetter.

watchstrap ['wɒtʃstræp] *n* bracelet *m* de montre.

water ['wɔːtə²] *n* eau *f* ♦ *vt (plants, garden)* arroser ♦ *vi (eyes)* pleurer; **to make sb's mouth ~** mettre l'eau à la bouche de qqn.

water bottle *n* gourde *f*.

watercolour ['wɔːtəkʌlə²] *n* aquarelle *f*.

watercress ['wɔːtəkres] *n* cresson *m*.

waterfall ['wɔːtəfɔːl] *n* chutes *fpl* d'eau, cascade *f*.

watering can ['wɔːtərɪŋ-] *n* arrosoir *m*.

watermelon ['wɔːtəmelən] *n* pastèque *f*.

waterproof ['wɔːtəpruːf] *adj (clothes)* imperméable; *(watch)* étanche.

water purification tablets [-pjuənfɪˈkeɪʃn-] *npl* pastilles *fpl* pour la clarification de l'eau.

water skiing *n* ski *m* nautique.

watersports ['wɔːtəspɔːts] *npl* sports *mpl* nautiques.

water tank *n* citerne *f* d'eau.

watertight ['wɔːtətaɪt] *adj* étanche.

watt [wɒt] *n* watt *m*; **a 60-~ bulb** une ampoule 60 watts.

wave [weɪv] *n (in hair)* vague *f*; *(in hair)* ondulation *f*; *(of light, sound etc)* onde *f* ♦ *vi (with hand)* faire signe (de la main).

wavelength ['weɪvlenθ] *n* longueur *f* d'onde.

wavy ['weɪvɪ] *adj (hair)* ondulé(-e).

wax [wæks] *n* cire *f*; *(in ears)* cérumen *m*.

way [weɪ] *n (manner)* façon *f*, manière *f*; *(means)* moyen *m*; *(route)* route *f*, chemin *m*; *(distance)* trajet *m*; **which ~ is the station** dans quelle direction est la gare? **the town is out of our ~** la ville n'est pas sur notre chemin; **to be in the ~** gêner; **to be on the ~** *(coming)* être en route; **to get out of the ~** s'écarter; **to get under ~** démarrer; **a long ~ (away)** loin; **to lose one's ~** se perdre; **on the ~ back** sur le chemin du retour; **on the ~ there** pendant le trajet; **that ~** *(like that)* comme ça; *(in that direction)* par là; **this ~** *(like this, comme ceci; (in this direction)* par ici; **"give ~"** «cédez le passage»; **"~ in"** «entrée»; **"~ out"** «sortie»; **no ~!** *(inf)* pas question!

WC *n (abbr of water closet)* W-C *mpl*.

we [wiː] *pron* nous.

weak [wiːk] *adj* faible; *(structure, fragile; (drink, drug)* léger(-ère).

weaken ['wiːkn] *vt* affaiblir.

weakness ['wiːknɪs] *n* faiblesse *f*.

wealth [welθ] *n* richesse *f*.

wealthy [welθɪ] *adj* riche.

weapon [wepən] *n* arme *f*.

wear [weə^r] (*pt* wore, *pp* worn) *vt* porter ♦ *n* (clothes) vêtements *mpl*; **~ and tear** usure *f* □ **wear off** *vi* disparaître; **wear out** *vi* s'user.

weary [wɪərɪ] *adj* fatigué(-e).

weasel [wiːzl] *n* belette *f*.

weather [weðə^r] *n* temps *m*; **what's the ~ like?** quel temps fait-il?; **to be under the ~** (*inf*) être patraque.

weather forecast *n* prévisions *fpl* météo.

weather forecaster [-fɔːkɑːstə^r] *n* météorologiste *mf*.

weather report *n* bulletin *m* météo.

weather vane [-veɪn] *n* girouette *f*.

weave [wiːv] (*pt* wove, *pp* woven) *vt* tisser.

web [web] *n* (of spider) toile *f* (d'araignée).

Wed. (*abbr of* Wednesday) mer.

wedding [wedɪŋ] *n* mariage *m*.

wedding anniversary *n* anniversaire *m* de mariage.

wedding dress *n* robe *f* de mariée.

wedding ring *n* alliance *f*.

wedge [wedʒ] *n* (of cake) part *f*; (of wood etc) coin *m*.

Wednesday [wenzdɪ] *n* mercredi *m*, → **Saturday**.

wee [wiː] *adj* (Scot) petit(-e) ♦ *n* (inf) pipi *m*.

weed [wiːd] *n* mauvaise herbe *f*.

week [wiːk] *n* semaine *f*; **a ~'s** dans une semaine; **in a ~'s time** dans une semaine.

weekday [wiːkdeɪ] *n* jour *m* de (la) semaine.

weekend [ˌwiːkˈend] *n* week-end *m*.

weekly [wiːklɪ] *adj* hebdomadaire ♦ *adv* chaque semaine ♦ *n* hebdomadaire *m*.

weep [wiːp] (*pt & pp* wept) *vi* pleurer.

weigh [weɪ] *vt* peser; **how much does it ~?** combien ça pèse?

weight [weɪt] *n* poids *m*; **to lose ~** maigrir; **to put on ~** grossir.

weightlifting [weɪtˌlɪftɪŋ] *n* haltérophilie *f*.

weight training *n* musculation *f*.

weir [wɪə^r] *n* barrage *m*.

weird [wɪəd] *adj* bizarre.

welcome [welkəm] *n* accueil *m* ♦ *vt* accueillir; (opportunity) se réjouir de ♦ *excl* bienvenue! ♦ *adj* bienvenu(-e); **you're ~ to help yourself** n'hésitez pas à vous servir; **to make sb feel ~** mettre qqn à l'aise; **you're ~!** il n'y a pas de quoi!

weld [weld] *vt* souder.

welfare [welfeə^r] *n* bien-être *m*; (Am: money) aide *f* sociale.

well [wel] (*compar* better, *superl* best) *adj* (healthy) en forme (inv) ♦ *adv* bien ♦ *n* (for water) puits *m*; **to get ~** se remettre; **to go ~** aller bien; **~ done!** bien joué!; **it may happen** ça pourrait très bien arriver; **it's ~ worth it** ça en vaut bien la peine; **as ~** (in addition) aussi; **as ~ as** (in addition to) ainsi que.

we'll [wiːl] = we shall, we will.

well-behaved [-brˈheɪvd] *adj* bien élevé(-e).

well-built *adj* bien bâti(-e).

well-done *adj (meat)* bien cuit(-e).

well-dressed [-'drest] *adj* bien habillé(-e).

wellington (boot) ['welɪŋtən-] *n* botte *f* en caoutchouc.

well-known *adj* célèbre.

well-off *adj (rich)* aisé(-e).

well-paid *adj* bien payé(-e).

welly ['welɪ] *n (Br: inf)* botte *f* en caoutchouc.

Welsh [welʃ] *adj* gallois(-e) ♦ *n (language)* gallois *m* ♦ *npl*: **the ~** les Gallois *mpl*.

Welshman ['welʃmən] *(pl* **-men** [-mən]) *n* Gallois *m*.

Welsh rarebit [-'reəbɪt] *n* toast *m* au fromage fondu.

Welshwoman ['welʃ,wumən] *(pl* **-women** [-,wɪmɪn]) *n* Galloise *f*.

went [went] *pt →* go.

wept [wept] *pt & pp →* weep.

were [wɜːʳ] *pt →* be.

we're [wɪəʳ] = we are.

weren't [wɜːnt] = were not.

west [west] *n* ouest *m* ♦ *adj* occidental(-e), ouest *(inv)* ♦ *adv (fly, walk)* vers l'ouest; *(be situated)* à l'ouest; **in the ~ of England** à OR dans l'ouest de l'Angleterre.

westbound ['westbaund] *adj* en direction de l'ouest.

West Country *n*: **the ~** le sud-ouest de l'Angleterre, comprenant les comtés de Cornouailles, Devon et Somerset.

West End *n*: **the ~** quartier des grands magasins et des théâtres à Londres.

western ['westən] *adj* occidental(-e) ♦ *n (film)* western *m*.

West Indies [-'ɪndiːz] *npl* Antilles *fpl*.

Westminster ['westmɪnstəʳ] *n* quartier du centre de Londres.

WESTMINSTER

Le quartier londonien de Westminster, près de la Tamise, abrite les bâtiments du Parlement britannique et l'abbaye de Westminster. Le terme désigne également, par extension, le Parlement lui-même.

Westminster Abbey *n* l'abbaye *f* de Westminster.

WESTMINSTER ABBEY

C'est dans l'abbaye de Westminster, dans le quartier londonien du même nom, qu'a lieu la cérémonie de couronnement du souverain britannique. Plusieurs personnages célèbres y sont enterrés et une partie de l'église, le «Poets' Corner» «coin des poètes», abrite les tombes de grands poètes et écrivains tels que Chaucer, Dickens ou Hardy.

westwards ['westwədz] *adv* vers l'ouest.

wet [wet] *(pt & pp* **wet** OR **-ted)** *adj* mouillé(-e); *(rainy)* pluvieux(-ieuse) ♦ *vt* mouiller; **to get ~** se mouiller; **"~ paint"** «peinture fraîche».

wet suit *n* combinaison *f* de plongée.

we've [wiːv] = we have.

whale [weɪl] *n* baleine *f*.

wharf [wɔ:f] (pl -s OR wharves [wɔ:vz]) n quai m.

what [wɒt] adj 1. (in questions) quel (quelle); ~ colour is it? c'est de quelle couleur?; he asked me ~ colour it was il m'a demandé de quelle couleur c'était.
2. (in exclamations): ~ a surprise! quelle surprise!; ~ a beautiful day! quelle belle journée!
♦ pron 1. (in direct questions: subject) qu'est-ce qui; ~ is going on? qu'est-ce qui se passe?
2. (in direct questions: object) qu'est-ce que, que; ~ are they doing? qu'est-ce qu'ils font?, que font-ils?; ~ is that? qu'est-ce que c'est?; ~ is it called? comment ça s'appelle?
3. (in direct questions: after prep) quoi; ~ are they talking about? de quoi parlent-ils?; ~ is it for? à quoi ça sert?
4. (in indirect questions, relative clauses: subject) ce qui; she asked me ~ had happened elle m'a demandé ce qui s'était passé; I don't know ~'s wrong je ne sais pas ce qui ne va pas.
5. (in indirect questions, relative clauses: object) ce que; she asked me ~ I had seen elle m'a demandé ce que j'avais vu; I didn't hear ~ she said je n'ai pas entendu ce qu'elle a dit.
6. (in indirect questions: after prep) quoi; she asked me ~ I was thinking about elle m'a demandé à quoi je pensais.
7. (in phrases): ~ for? pour quoi faire?; ~ about going out for a meal? si on allait manger au restaurant?
♦ excl quoi!

whatever [wɒt'evər] pron: take

~ you want prends ce que tu veux; ~ I do, I'll lose quoi que je fasse, je perdrai.

wheat [wi:t] n blé m.

wheel [wi:l] n roue f; (steering wheel) volant m.

wheelbarrow ['wi:l,bærəʊ] n brouette f.

wheelchair ['wi:l,tʃeər] n fauteuil m roulant.

wheelclamp [,wi:l'klæmp] n sabot m de Denver.

wheezy ['wi:zɪ] adj: to be ~ avoir la respiration sifflante.

when [wen] adv quand ♦ conj quand, lorsque; (although, seeing as) alors que; ~ it's ready quand ce sera prêt; ~ I've finished quand j'aurai terminé.

whenever [wen'evər] conj quand.

where [weər] adv & conj où; this is ~ you will be sleeping c'est ici que vous dormirez.

whereabouts ['weərəbaʊts] adv où ♦ npl: his ~ are unknown personne ne sait où il se trouve.

whereas [weər'æz] conj alors que.

wherever [weər'evər] conj où que (+ subjunctive); go ~ you like va où tu veux.

whether ['weðər] conj si; you like it or not que ça te plaise ou non.

which [wɪtʃ] adj (in questions) quel (quelle); ~ room do you want? quelle chambre voulez-vous?; ~ one? lequel (laquelle)?; she asked me ~ room I wanted elle m'a demandé quelle chambre je voulais.
♦ pron 1. (in direct, indirect questions)

lequel (laquelle f); ~ **is the cheapest?** lequel est le moins cher?; ~ **do you prefer?** lequel préférez-vous?; **he asked me ~ was the best** il m'a demandé lequel était le meilleur; **he asked me ~ I preferred** il m'a demandé lequel je préférais; **he asked me ~ I was talking about** il m'a demandé duquel je parlais.
2. *(introducing relative clause: subject)* qui; **the house ~ is on the corner** la maison qui est au coin de la rue.
3. *(introducing relative clause: object)* que; **the television ~ I bought** le téléviseur que j'ai acheté.
4. *(introducing relative clause: after prep)* lequel (laquelle f); **the settee on ~ I'm sitting** le canapé sur lequel je suis assis; **the book about ~ we were talking** le livre dont nous parlions.
5. *(referring back: subject)* ce qui; **he's late, ~ annoys me** il est en retard, ce qui m'ennuie.
7. *(referring back: object)* ce que; **he's always late, ~ I don't like** il est toujours en retard, ce que je n'aime pas.

whichever [wɪtʃ'evaʳ] *pron* celui que (celle que f) ♦ *adj:* ~ **seat you prefer** la place que tu préfères; ~ **way you do it** quelle que soit la façon dont tu t'y prennes.

while [waɪl] *conj* pendant que; *(although)* bien que (+ subjunctive); *(whereas)* alors que ♦ *n:* **a ~** un moment; **for a ~** pendant un moment; **in a ~** dans un moment.

whim [wɪm] *n* caprice *m*.

whine [waɪn] *vi* gémir; *(complain)* pleurnicher.

whip [wɪp] *n* fouet *m* ♦ *vt* fouetter.

whipped cream [wɪpt-] *n*

crème *f* fouettée.

whirlpool [ˈwɜːlpuːl] *n (Jacuzzi)* bain *m* à remous.

whisk [wɪsk] *n (utensil)* fouet *m* ♦ *vt (eggs, cream)* battre.

whiskers [ˈwɪskəz] *npl (of person)* favoris *mpl*; *(of animal)* moustaches *fpl*.

whiskey [ˈwɪskɪ] *(pl -s) n* whisky *m*.

whisky [ˈwɪskɪ] *n* whisky *m*.

$\boxed{i}$ WHISKY

La boisson nationale écossaise est obtenue à partir d'orge et de malt et vieillie en fûts de bois. Les caractéristiques de chaque whisky dépendent des méthodes d'élaboration et du type d'eau utilisé. Le whisky pur malt, habituellement produit par de petites distilleries régionales, est jugé supérieur aux variétés «blended» (coupées), qui sont aussi moins chères.

---

whisper [ˈwɪspəʳ] *vt & vi* chuchoter.

whistle [ˈwɪsl] *n (instrument)* sifflet *m*; *(sound)* sifflement *m* ♦ *vi* siffler.

white [waɪt] *adj* blanc (blanche); *(coffee, tea)* au lait ♦ *n* blanc *m*; *(person)* Blanc *m* (Blanche f).

white bread *n* pain *m* blanc.

White House *n:* **the ~** la Maison-Blanche.

white sauce *n* sauce *f* béchamel.

white spirit *n* white-spirit *m*.

whitewash [ˈwaɪtwɒʃ] *vt* blanchir à la chaux.

white wine n vin m blanc.

whiting ['waɪtɪŋ] (pl inv) n merlan m.

Whitsun ['wɪtsn] n la Pentecôte.

who [hu:] pron qui.

whoever [hu:'evə'] pron (whichever person) quiconque; ~ **it is** qui que ce soit.

whole [həʊl] adj entier(-ière); (undamaged) intact(-e) ◆ n: **the ~ of the journey** tout le trajet; **on the ~** dans l'ensemble; **the ~ day** toute la journée; **the ~ time** tout le temps.

wholefoods ['həʊlfu:dz] npl aliments mpl complets.

wholemeal bread ['həʊlmi:l-] n (Br) pain m complet.

wholesale ['həʊlseɪl] adv (COMM) en gros.

wholewheat bread ['həʊl,wi:t-] (Am) = **wholemeal bread**.

whom [hu:m] pron (fml: in questions) qui; (in relative clauses) que; **to ~** à qui.

whooping cough ['hu:pɪŋ-] n coqueluche f.

whose [hu:z] adj & pron: ~ **jumper is this?** à qui est ce pull?; **she asked ~ bag it was** elle a demandé à qui était le sac; **the woman ~ daughter I know** la femme dont je connais la fille; ~ **is this?** à qui est-ce?

why [waɪ] adv & conj pourquoi; ~ **don't we go swimming?** si on allait nager?; ~ **not?** pourquoi pas?; ~ **not have a rest?** pourquoi ne pas te reposer?

wick [wɪk] n (of candle, lighter) mèche f.

wicked ['wɪkɪd] adj (evil) mauvais(-e); (mischievous) mali-

cieux(-ieuse).

wicker ['wɪkə'] adj en osier.

wide [waɪd] adj large ◆ adv: **to open sthg ~** ouvrir qqch en grand; **how ~ is the road?** quelle est la largeur de la route?; **it's 12 metres ~** ça fait 12 mètres de large; ~ **open** grand ouvert.

widely ['waɪdlɪ] adv (known, found) généralement; (travel) beaucoup.

widen ['waɪdn] vt élargir ◆ vi s'élargir.

widespread ['waɪdspred] adj répandu(-e).

widow ['wɪdəʊ] n veuve f.

widower ['wɪdəʊə'] n veuf m.

width [wɪdθ] n largeur f.

wife [waɪf] (pl **wives**) n femme f.

wig [wɪg] n perruque f.

wild [waɪld] adj sauvage; (crazy) fou (folle); **to be ~ about** (inf) être dingue de.

wild flower n fleur f des champs.

wildlife ['waɪldlaɪf] n la faune et la flore.

will[1] [wɪl] aux vb 1. (expressing future tense): **I ~ go next week** j'irai la semaine prochaine; ~ **you be here next Friday?** est-ce que tu seras là vendredi prochain?; **yes I ~** oui; **no I won't** non.

2. (expressing willingness): **I won't do it** je refuse de le faire.

3. (expressing polite question): ~ **you have some more tea?** prendrez-vous un peu plus de thé?

4. (in commands, requests): ~ **you please be quiet!** veux-tu te taire!; **close that window, ~ you?** ferme cette fenêtre, veux-tu?

will[2] [wɪl] n (document) testament

m; **against my ~** contre ma volonté.

willing [ˈwɪlɪŋ] *adj*: **to be ~ to do sthg** être disposé(-e) à faire qqch.

willingly [ˈwɪlɪŋlɪ] *adv* volontiers.

willow [ˈwɪləʊ] *n* saule *m*.

win [wɪn] (*pt & pp* **won**) *n* victoire *f* ◆ *vt* gagner ◆ *vi* gagner; *(be ahead)* être en tête.

wind[1] [wɪnd] *n* vent *m*; *(in stomach)* gaz *mpl*.

wind[2] [waɪnd] (*pt & pp* **wound**) *vi* *(road, river)* serpenter ◆ *vt*: **to ~ sthg round sthg** enrouler qqch autour de qqch ❑ **wind up** *vt sep* *(Br: inf: annoy)* faire marcher; *(car window, clock, watch)* remonter.

windbreak [ˈwɪndbreɪk] *n* écran *m* coupe-vent.

windmill [ˈwɪndmɪl] *n* moulin *m* à vent.

window [ˈwɪndəʊ] *n* fenêtre *f*; *(of car)* vitre *f*; *(of shop)* vitrine *f*.

window box *n* jardinière *f*.

window cleaner *n* laveur *m* (-euse *f*) de carreaux.

windowpane [ˈwɪndəʊpeɪn] *n* vitre *f*.

window seat *n* siège *m* côté fenêtre.

window-shopping *n* lèche-vitrines *m*.

windowsill [ˈwɪndəʊsɪl] *n* appui *m* de (la) fenêtre.

windscreen [ˈwɪndskriːn] *n* *(Br)* pare-brise *m inv*.

windscreen wipers *npl* *(Br)* essuie-glaces *mpl*.

windshield [ˈwɪndʃiːld] *n* *(Am)* pare-brise *m inv*.

Windsor Castle [ˈwɪnzə] *n* le château de Windsor.

 WINDSOR CASTLE

Le château de Windsor est situé dans la ville du même nom, dans le comté anglais du Berkshire. Sa construction fut entamée au XIᵉ siècle par Guillaume le Conquérant. C'est aujourd'hui l'une des résidences officielles du souverain britannique; une partie du château est néanmoins ouverte au public.

windsurfing [ˈwɪndsɜːfɪŋ] *n* planche *f* à voile; **to go ~** faire de la planche à voile.

windy [ˈwɪndɪ] *adj* venteux(-euse); **it's ~** il y a du vent.

wine [waɪn] *n* vin *m*.

wine bar *n* *(Br)* bar *m* à vin.

wineglass [ˈwaɪnglɑːs] *n* verre *m* à vin.

wine list *n* carte *f* des vins.

wine tasting [-ˈteɪstɪŋ] *n* dégustation *f* de vins.

wine waiter *n* sommelier *m*.

wing [wɪŋ] *n* aile *f* ❑ **wings** *npl*: **the ~** *(in theatre)* les coulisses *fpl*.

wink [wɪŋk] *vi* faire un clin d'œil.

winner [ˈwɪnər] *n* gagnant *m* (-e *f*).

winning [ˈwɪnɪŋ] *adj* gagnant(-e).

winter [ˈwɪntər] *n* hiver *m*; **in (the) ~** en hiver.

wintertime [ˈwɪntətaɪm] *n* hiver *m*.

wipe [waɪp] *vt* essuyer; **to ~ one's hands/feet** s'essuyer les mains/pieds ❑ **wipe up** *vt sep* *(liquid, dirt)* essuyer ◆ *vi* *(dry the dishes)* essuyer la vaisselle.

wiper ['waɪpəʳ] n (AUT) essuie-glace m.

wire ['waɪəʳ] n fil m de fer; (electrical wire) fil m électrique ♦ vt (plug) connecter les fils de.

wireless ['waɪəlɪs] n TSF f.

wiring ['waɪərɪŋ] n installation f électrique.

wisdom tooth ['wɪzdəm-] n dent f de sagesse.

wise ['waɪz] adj sage.

wish [wɪʃ] n souhait m ♦ vt souhaiter; best ~es meilleurs vœux; I ~ it was sunny! si seulement il faisait beau!; I ~ I hadn't done that je regrette d'avoir fait ça; I ~ he would hurry up j'aimerais bien qu'il se dépêche; to ~ for souhaiter qqch; to ~ to do sthg (fml) souhaiter faire qqch; to ~ sb luck/happy birthday souhaiter bonne chance/bon anniversaire à qqn; if you ~ (fml) si vous le désirez.

witch [wɪtʃ] n sorcière f.

with [wɪð] prep 1. (gen) avec; come ~ me viens avec moi; a man ~ a beard un barbu; a room ~ a bathroom une chambre avec salle de bains; to argue ~ sb se disputer avec qqn.

2. (at house of) chez; we stayed ~ friends nous avons séjourné chez des amis.

3. (indicating emotion) de; to tremble ~ fear trembler de peur.

4. (indicating covering, contents) de; to fill sthg ~ sthg remplir qqch de qqch; topped ~ cream nappé de crème.

withdraw [wɪð'drɔː] (pt -drew, pp -drawn) vt retirer ♦ vi se retirer.

withdrawal [wɪð'drɔːəl] n retrait m.

withdrawn [wɪð'drɔːn] pp → withdraw.

withdrew [wɪð'druː] pt → withdraw.

wither ['wɪðəʳ] vi se faner.

within [wɪ'ðɪn] prep (inside) à l'intérieur de; (not exceeding) dans les limites de ♦ adv à l'intérieur; ~ 10 miles of ... à moins de 15 kilomètres de ...; the beach is ~ walking distance on peut aller à la plage à pied; it arrived ~ a week c'est arrivé en l'espace d'une semaine; ~ the next week au cours de la semaine prochaine.

without [wɪð'aʊt] prep sans; ~ doing sthg sans faire qqch.

withstand [wɪð'stænd] (pt & pp -stood) vt résister à.

witness ['wɪtnɪs] n témoin m ♦ vt (see) être témoin de.

witty ['wɪtɪ] adj spirituel(-elle).

wives [waɪvz] pl → wife.

wobbly ['wɒblɪ] adj (table, chair) branlant(-e).

wok [wɒk] n poêle à bords hauts utilisée dans la cuisine chinoise.

woke [wəʊk] pt → wake.

woken ['wəʊkn] pp → wake.

wolf [wʊlf] (pl wolves [wʊlvz]) n loup m.

woman ['wʊmən] (pl women) n femme f.

womb [wuːm] n utérus m.

women ['wɪmɪn] pl → woman.

won [wʌn] pt & pp → win.

wonder ['wʌndəʳ] vt (ask o.s.) se demander ♦ n (amazement) émerveillement m; I ~ if I could ask you a favour? cela vous ennuierait-il de me rendre un service?

wonderful [ˈwʌndəfʊl] *adj* merveilleux(-euse).

won't [wəʊnt] = **will not.**

wood [wʊd] *n* bois *m*.

wooden [ˈwʊdn] *adj* en bois.

woodland [ˈwʊdlənd] *n* forêt *f*.

woodpecker [ˈwʊdˌpekəʳ] *n* pic-vert *m*.

woodwork [ˈwʊdwɜːk] *n* (SCH) travail *m* du bois.

wool [wʊl] *n* laine *f*.

woolen [ˈwʊlən] (Am) = **woollen.**

woollen [ˈwʊlən] *adj* (Br) en laine.

woolly [ˈwʊlɪ] *adj* en laine.

wooly [ˈwʊlɪ] (Am) = **woolly.**

Worcester sauce [ˈwʊstəʳ-] *n* sauce très relevée.

word [wɜːd] *n* mot *m*; (promise) parole *f*; **in other ~s** en d'autres termes; **to have a ~ with sb** parler à qqn.

wording [ˈwɜːdɪŋ] *n* termes *mpl*.

word processing [-ˈprəʊsesɪŋ] *n* traitement de texte.

word processor [-ˈprəʊsesəʳ] *n* machine *f* à traitement de texte.

wore [wɔːʳ] *pt* → **wear.**

work [wɜːk] *n* travail *m*; (painting, novel etc) œuvre *f* ♦ *vi* travailler; (operate, have desired effect) marcher; (take effect) faire effet ♦ *vt* (machine, controls) faire marcher; **out of ~** sans emploi; **to be at ~** être au travail; **to be off ~** (on holiday) être en congé; (ill) être en congé-maladie; **the ~s** (inf: everything) tout le tralala; **how does it ~?** comment ça marche?; **it's not ~ing** ça ne marche pas ☐ **work out** *vt*

sep (price, total) calculer; (solution, plan) trouver; (understand) comprendre ♦ *vi* (result, be successful) marcher; (do exercise) faire de l'exercice; **it ~s out at £20 each** (bill, total) ça revient à 20 livres chacun.

worker [ˈwɜːkəʳ] *n* travailleur *m* (-euse *f*).

working class [ˈwɜːkɪŋ-] *n*: **the ~** la classe ouvrière.

working hours [ˈwɜːkɪŋ-] *npl* heures *fpl* de travail.

workman [ˈwɜːkmən] (*pl* -men [-mən]) *n* ouvrier *m*.

work of art *n* œuvre *f* d'art.

workout [ˈwɜːkaʊt] *n* série *f* d'exercices.

work permit *n* permis *m* de travail.

workplace [ˈwɜːkpleɪs] *n* lieu *m* de travail.

workshop [ˈwɜːkʃɒp] *n* (for repairs) atelier *m*.

work surface *n* plan *m* de travail.

world [wɜːld] *n* monde *m* ♦ *adj* mondial(-e); **the best in the ~** le meilleur du monde.

worldwide [ˌwɜːldˈwaɪd] *adv* dans le monde entier.

worm [wɜːm] *n* ver *m*.

worn [wɔːn] *pp* → **wear** ♦ *adj* (clothes, carpet) usé(-e).

worn-out *adj* (clothes, shoes etc) usé(-e); (tired) épuisé(-e).

worried [ˈwʌrɪd] *adj* inquiet(-iète).

worry [ˈwʌrɪ] *n* souci *m* ♦ *vt* inquiéter ♦ *vi*: **to ~ (about)** s'inquiéter (pour).

worrying [ˈwʌrɪɪŋ] *adj* inquiétant(-e).

worse [wɜːs] adj pire; (more ill) plus mal ♦ adv pire; **to get** ~ empirer; (more ill) aller plus mal; ~ **off** (in worse position) en plus mauvaise posture; (poorer) plus pauvre.

worsen [wɜːsn] vi empirer.

worship [wɜːʃɪp] n (church service) office m ♦ vt adorer.

worst [wɜːst] adj pire ♦ adv le plus mal ♦ n: **the** ~ le pire (la pire).

worth [wɜːθ] adj pire; **how much is it** ~? combien ça vaut?; **it's** ~ £50 ça vaut 50 livres; **it's** ~ **seeing** ça vaut la peine d'être vu; **it's not** ~ **it** ça ne vaut pas la peine; **£50** ~ **of traveller's cheques** des chèques de voyage pour une valeur de 50 livres.

worthless [wɜːθlɪs] adj sans valeur.

worthwhile [ˌwɜːθˈwaɪl] adj qui vaut la peine.

worthy [wɜːðɪ] adj (cause) juste; **to be a** ~ **winner** mériter de gagner; **to be** ~ **of sthg** être digne de qqch.

would [wʊd] aux vb **1.** (in reported speech): **she said she** ~ **come** elle a dit qu'elle viendrait.

2. (indicating condition): **what** ~ **you do?** qu'est-ce que tu ferais?; **what** ~ **you have done?** qu'est-ce que tu aurais fait?; **I** ~ **be most grateful** je vous en serais très reconnaissant.

3. (indicating willingness): **she** ~**n't go** elle refusait d'y aller; **he** ~ **do anything for her** il ferait n'importe quoi pour elle.

4. (in polite questions): ~ **you like a drink?** voulez-vous boire quelque chose?; ~ **you mind closing the window?** cela vous ennuierait de

fermer la fenêtre?

5. (indicating inevitability): **he** ~ **say that** ça ne m'étonne pas qu'il ait dit ça.

6. (giving advice): **I** ~ **report it if I were you** si j'étais vous, je le signalerais.

7. (expressing opinions): **I** ~ **prefer** je préférerais; **I** ~ **have thought (that)** ... j'aurais pensé que ...

wound[1] [wuːnd] n blessure f ♦ vt blesser.

wound[2] [waʊnd] pt & pp → **wind**[1].

wove [wəʊv] pt → **weave**.

woven [wəʊvn] pp → **weave**.

wrap [ræp] vt (package) emballer; **to** ~ **sthg round sthg** enrouler qqch autour de qqch ♦ **wrap up** vt sep (package) emballer ♦ vi (dress warmly) s'emmitoufler.

wrapper [ræpəʳ] n (for sweet) papier m.

wrapping [ræpɪŋ] n (material) emballage m.

wrapping paper n papier m d'emballage.

wreath [riːθ] n couronne f.

wreck [rek] n épave f; (Am: crash) accident m ♦ vt (destroy) détruire; (spoil) gâcher; **to be** ~**ed** (ship) faire naufrage.

wreckage [rekɪdʒ] n (of plane, car) débris mpl; (of building) décombres mpl.

wrench [rentʃ] n (Br: monkey wrench) clé f anglaise; (Am: spanner) clé f.

wrestler [resləʳ] n lutteur m (-euse f).

wrestling [reslɪŋ] n lutte f.

wretched [retʃɪd] adj (miserable) misérable; (very bad) affreux

wring

(-euse).

wring [rɪŋ] (*pt & pp* **wrung**) *vt* (*clothes, cloth*) essorer.

wrinkle ['rɪŋkl] *n* ride *f*.

wrist [rɪst] *n* poignet *m*.

wristwatch ['rɪstwɒtʃ] *n* montre-bracelet *f*.

write [raɪt] (*pt* **wrote**, *pp* **written**) *vt* écrire; (*cheque, prescription*) faire; (*Am: send letter to*) écrire à ♦ *vi* écrire; **to ~ to sb** (*Br*) écrire à qqn ❑ **write back** *vi* répondre; **write down** *vt sep* noter; **write off** *vt sep* (*Br: inf: car*) bousiller ♦ *vi:* **to ~ off for sthg** écrire pour demander qqch; **write out** *vt sep* (*list, essay*) rédiger; (*cheque, receipt*) faire.

write-off *n* (*vehicle*) épave *f*.

writer ['raɪtər] *n* (*author*) écrivain *m*.

writing ['raɪtɪŋ] *n* écriture *f*; (*written words*) écrit *m*.

writing desk *n* secrétaire *m*.

writing pad *n* bloc-notes *m*.

writing paper *n* papier *m* à lettres.

written ['rɪtn] *pp* → **write**.

wrong [rɒŋ] *adj* mauvais(-e); (*bad, immoral*) mal (*inv*) ♦ *adv* mal; **to be ~** (*person*) avoir tort; **what's ~?** qu'est-ce qui ne va pas?; **something's ~ with the car** la voiture a un problème; **to be in the ~** être dans son tort; **to get sthg ~** se tromper sur qqch; **to go ~** (*machine*) se détraquer; **"~ way"** (*Am*) panneau indiquant un sens unique.

wrongly ['rɒŋlɪ] *adv* mal.

wrong number *n* faux numéro *m*.

wrote [rəʊt] *pt* → **write**.

wrought iron [rɔːt] *n* fer *m*

forgé.

wrung [rʌŋ] *pt & pp* → **wring**.

xing (*Am: abbr of crossing*): "**ped ~**" panneau signalant un passage clouté.

XL (*abbr of extra-large*) XL.

Xmas ['eksməs] *n* (*inf*) Noël *m*.

X-ray [eks'reɪ] *n* (*picture*) radio(graphie) *f* ♦ *vt* radiographier; **to have an ~** passer une radio.

yacht [jɒt] *n* (*for pleasure*) yacht *m*; (*for racing*) voilier *m*.

yard [jɑːd] *n* (*unit of measurement*) = 91,44 cm, yard *m*; (*enclosed area*) cour *f*; (*Am: behind house*) jardin *m*.

yard sale *n* (*Am*) vente d'objets d'occasion par un particulier devant sa maison.

yarn [jɑːn] *n* (*thread*) fil *m*.

yawn [jɔːn] *vi* (*person*) bâiller.

yd *abbr* = **yard**.

yeah [jeə] *adv* (*inf*) ouais.

year [jɪər] *n* an *m*, année *f*; (*at school*) année; **next ~** l'année prochaine; **this ~** cette année; **I'm 15**

~s old j'ai 15 ans; **I haven't seen her for ~s** (inf) ça fait des années que je ne l'ai pas vue.

yearly ['jɪəlɪ] adj annuel(-elle).

yeast [jiːst] n levure f.

yell [jel] vi hurler.

yellow ['jeləʊ] adj jaune ◆ n jaune m.

yellow lines npl bandes fpl jaunes.

YELLOW LINES

En Grande-Bretagne, des bandes simples, simples ou doubles, peintes sur le bord de la chaussée, indiquent que le stationnement à cet endroit est réglementé : stationnement interdit de 8 h à 18 h 30 les jours ouvrables si c'est une bande simple, stationnement totalement interdit si c'est une bande double.

Yellow Pages® n: **the ~** les Pages fpl Jaunes.

yes [jes] adv oui.

yesterday ['jestədɪ] n & adv hier; **the day before ~** avant-hier; **~ afternoon** hier après-midi; **~ morning** hier matin.

yet [jet] adv encore ◆ conj pourtant; **have they arrived ~?** est-ce qu'ils sont déjà arrivés?; **not ~** pas encore; **I've ~ to do it** je ne l'ai pas encore fait; **~ again** encore une fois; **~ another drink** encore un autre verre.

yew [juː] n if m.

yield [jiːld] vt (profit, interest) rapporter ◆ vi (break, give way) céder; **"yield"** (Am: AUT) «cédez le passage».

YMCA n association chrétienne de jeunes gens (proposant notamment des services d'hébergement).

yob [jɒb] n (Br: inf) loubard m.

yoga ['jəʊgə] n yoga m.

yoghurt ['jɒgət] n yaourt m.

yolk [jəʊk] n jaune m d'œuf.

York Minster [jɔːkˈmɪnstəʳ] n la cathédrale de York.

YORK MINSTER

La cathédrale de la cité romaine fortifiée de York, dans le nord de l'Angleterre, date du XIIe siècle. Elle est célèbre pour sa pierre de couleur claire et sa rosace. Elle a été restaurée après avoir été gravement endommagée par la foudre en 1984.

Yorkshire pudding ['jɔːkʃəʳ] n petit soufflé en pâte à crêpe servi avec le rosbif.

you [juː] pron 1. (subject: singular) tu; (subject: polite form, plural) vous; **~ French** vous autres Français. 2. (object: singular) te; (object: polite form, plural) vous. 3. (after prep: singular) toi; (after prep: polite form, plural) vous; **I'm shorter than ~** je suis plus petit que toi/vous. 4. (indefinite use: subject) on; (indefinite use: object) te, vous; **~ never know** on ne sait jamais.

young [jʌŋ] adj jeune ◆ npl: **the ~** les jeunes mpl.

younger ['jʌŋgəʳ] adj plus jeune.

youngest ['jʌŋgəst] adj le plus jeune (la plus jeune).

youngster ['jʌŋstəʳ] n jeune mf.

your [jɔːʳ] adj 1. (singular subject)

yours ton (ta), tes (pl); (singular subject: polite form) votre, vos (pl); (plural subject) votre, vos (pl); ~ **dog** ton/votre chien; ~ **house** ta/votre maison; ~ **children** tes/vos enfants.

2. (indefinite subject): it's good for ~ health c'est bon pour la santé.

yours [jɔːz] pron (singular subject) le tien (la tienne f); (singular subject, polite form) le vôtre (la vôtre f); a **friend of** ~ un ami à toi, un de tes amis; **are these** ~? ils sont à toi/vous?

yourself [jɔːˈself] (pl **-selves**) pron 1. (reflexive: singular) te; (reflexive: plural, polite form) vous.

2. (after prep: singular) toi; (after prep: plural, polite form) vous; **did you do it** ~? (singular) tu l'as fait toi-même?; (polite form) vous l'avez fait vous-même?; **did you do it yourselves?** vous l'avez fait vous-mêmes?

youth [juːθ] n jeunesse f; (young man) jeune m.

youth club n ≃ maison f des jeunes.

youth hostel n auberge f de jeunesse.

Yugoslavia [ˌjuːɡəˈslɑːvɪə] n la Yougoslavie.

yuppie [ˈjʌpɪ] n yuppie mf.

YWCA n association chrétienne de jeunes filles (proposant notamment des services d'hébergement).

Z

zebra [Br ˈzebrə, Am ˈziːbrə] n zèbre m.

zebra crossing n (Br) passage m pour piétons.

zero [ˈzɪərəʊ] (pl **-es**) n zéro m; **five degrees below** ~ cinq degrés au-dessous de zéro.

zest [zest] n (of lemon, orange) zeste m.

zigzag [ˈzɪɡzæɡ] vi zigzaguer.

zinc [zɪŋk] n zinc m.

zip [zɪp] n (Br) fermeture f Éclair® ◆ vt fermer ❑ **zip up** vt sep fermer.

zip code n (Am) code m postal.

zipper [ˈzɪpər] n (Am) fermeture f Éclair®.

zit [zɪt] n (inf) bouton m.

zodiac [ˈzəʊdɪæk] n zodiaque m.

zone [zəʊn] n zone f.

zoo [zuː] (pl **-s**) n zoo m.

zoom (lens) [zuːm-] n zoom m.

zucchini [zuːˈkiːnɪ] n (pl inv) (Am) courgette f.

Quel temps fait-il ?

What's the weather like ?

- Il fait très beau aujourd'hui.
- It's a lovely day.

- Il fait beau.
- It's nice.
- Le soleil brille.
- The sun is shining.
- Il fait mauvais.
- It isn't very nice.
- Il pleut.
- It's raining.
- Il neige.
- It's snowing.
- Le ciel est couvert.
- It's cloudy.
- La météo annonce de la pluie pour demain.
- The forecast is for rain tomorrow.
- Quel temps épouvantable !
- What terrible OU awful weather!
- Il fait (très) chaud/froid.
- It's (very) hot/cold.

Dire ce qu'on aime et ce qu'on n'aime pas

Expressing likes and dislikes

- Ça me plaît.
- I like it.
- Ça ne me plaît pas.
- I don't like it.
- Voulez-vous boire quelque chose ?
- Would you like something to drink?
- Oui, volontiers.
- Yes, please.
- Non, merci.
- No, thanks.
- As-tu envie de nous accompagner au parc ?
- Would you like to come to the park with us?
- Oui, avec grand plaisir.
- Yes, I'd love to.

guide de conversation

Je voudrais louer une voiture.

- Avec une assurance tous risques.
- Pourrais-je rendre la voiture à l'aéroport ?
- Votre permis de conduire, s'il vous plaît.

Prendre un taxi

- Pourriez-vous m'appeler un taxi, s'il vous plaît ?
- À la gare/à l'aéroport, s'il vous plaît.
- Arrêtez-vous ici/au feu/au coin de la rue.
- Pourriez-vous m'attendre ?
- Combien vous dois-je ?
- Je voudrais une fiche.
- Gardez la monnaie.

I'd like to rent OU hire (*Br*) a car.

- With comprehensive insurance.
- Can I leave the car at the airport?
- Can I see your driving licence (*Br*) OU driver's license (*Am*), please?

Taking a taxi (*Br*) OU cab (*Am*)

- Could you order me a taxi (*Br*) OU cab (*Am*), please?
- To the station/airport, please.
- Stop here/at the lights/at the corner, please.
- Can you wait for me?
- How much is it?
- I'd like a receipt.
- Keep the change.

Prendre le train

- Quand partira le prochain train pour Paris ?
- De quel quai part-il ?

- Excusez-moi, cette place est-elle libre ?
- Où est la voiture-restaurant ?
- Votre titre de transport, s'il vous plaît.

À l'aéroport

- Où se trouve le terminal 1/la porte 2 ?
- Où dois-je enregistrer mes bagages ?
- Je voudrais une place côté couloir/côté fenêtre.
- Avez-vous votre carte d'embarquement ?
- Où dois-je aller récupérer mes bagages ?

Taking the train

- What time is the next train to Paris?
- Which platform does it go from?

- Excuse me, is this seat free?
- Where is the restaurant car?
- Tickets, please.

At the airport

- Where is terminal 1/gate number 2?
- Where is the check-in desk?
- I'd like an aisle seat/a window seat.

- Do you have your boarding card?
- Where is the baggage reclaim?

À l'hôtel

- Nous voudrions une chambre double/deux chambres simples.
- J'ai réservé une chambre au nom de Jones.
- Avec une douche ou une salle de bains ?
- À quelle heure est le petit déjeuner/dîner ?
- Pourriez-vous me réveiller à sept heures ?

At the hotel

- We'd like a double room/two single rooms.
- I have a reservation in the name of Jones.
- With shower or bath?
- What time is breakfast/dinner served?
- Could I have a wake-up call at seven a.m.?

Dans une boutique

- Je peux vous aider ?
- Non, merci. Je ne fais que regarder.
- Combien ça coûte ?
- Quelle taille faites-vous ?
- Je fais du 38.

- Est-ce que je peux essayer ce manteau ?
- Est-il possible de l'échanger ?

At the shops

- Can I help you?
- No, thanks. I'm just looking.
- How much is this?
- What size are you?
- I take size 38. [chaussures]
  I'm size 38. [vêtements]
- Can I try this coat on?
- Can it be exchanged?

At the café

- Is this table/seat free?

- Excuse me!
- Two black coffees/white coffees (*Br*) OU coffees with cream (*Am*), please.
- Can I have another beer, please?

... e/place est-

... ous plaît !

... ux cafés noirs/crème, ... il vous plaît.

- Une autre bière, s'il vous plaît.

Au restaurant

- Je voudrais réserver une table pour ce soir.
- Pouvons-nous voir la carte/la carte des vins ?
- Avez-vous un menu à prix fixe/un menu enfant ?
- Que désirez-vous boire ?
- Quelle cuisson souhaitez-vous?
- Saignant/à point/bien cuit, s'il vous plaît.
- L'addition, s'il vous plaît.

At the restaurant

- I'd like to reserve a table for tonight.
- Can we see the menu/the wine list?
- Do you have a set menu/a children's menu?
- What would you like to drink?
- How would you like your meat?
- Rare/medium/well done, please.
- Can I have the bill (*Br*) OU the check (*Am*), please?

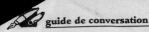

guide de conversation

À la banque

- Je voudrais changer
  500 FF en livres sterling.
- En petites coupures,
  s'il vous plaît.
- À combien est
  le franc ?
- En euros, cela fait
  combien ?
- Acceptez-vous les
  chèques de voyage ?
- Nous prenons 1% de
  commission.

Au bureau de poste

- C'est combien pour
  envoyer une lettre/
  carte postale pour
  l'Angleterre/la France ?
- Je voudrais dix timbres
  pour le Canada.
- Je voudrais envoyer
  ce paquet en
  recommandé.
- Combien de temps
  mettra la lettre ?

At the bank

- I'd like to
  500 francs in
- In small
  denominations, p
- What is the rate for
  the French franc?
- How much is that
  in euros?
- Do you take traveller's
  cheques?
- We charge 1%
  commission.

At the post office

- How much is it to
  send a letter/postcard
  to England/France?

- I'd like ten *stamps* for
  Canada.
- I'd like to send this
  parcel by registered
  post (*Br*) OU mail (*Am*).
- How long will it take
  for the letter to arrive?

Chez le médecin

- Je ne me sens pas bien et j'ai la diarrhée.
- J'ai mal à la tête/à la gorge/au ventre.

- Mon fils tousse et a de la fièvre.
- Êtes-vous allergique à la pénicilline ?
- Un comprimé deux fois par jour pendant les repas.

À la pharmacie

- Je voudrais un médicament contre les maux de tête/le mal de gorge/la diarrhée.
- Je voudrais de l'aspirine /des sparadraps.

- Pourriez-vous me recommander un médecin ?

At the doctor's

- I don't feel well and I have diarrhoea.
- I have a headache/a sore throat/stomach ache.

- My son has a cough and is running a fever.
- Are you allergic to penicillin?
- One tablet twice a day with meals.

At the chemist's (*Br*) OU drugstore (*Am*)

- I'd like something for a headache/a sore throat/diarrhoea.

- I'd like some aspirin/some sticking plasters (*Br*) OU Band-Aid® (*Am*).
- Could you recommend a doctor?

Au téléphone

- Allô ?
- Jean Brown à l'appareil.
- Je voudrais parler à Jack Adams.
- Ne quittez pas.
- Son poste ne répond pas.
- La ligne est occupée.

- Rappelez dans dix minutes, s'il vous plaît.
- Voulez-vous lui laisser un message ?
- Vous faites erreur.

Telephoning

- Hello.
- Jean Brown speaking.
- I'd like to speak to Jack Adams.
- Hold the line.
- There's no answer.
- The line's engaged (*Br*) ou busy (*Am*).
- Can you call back in ten minutes?
- Would you like to leave a message?
- You have the wrong number.

Exprimer ses vœux

- Bonne chance.
- Amuse-toi bien.

- Bon appétit.
- Bon anniversaire.
- Joyeuses Pâques.
- Joyeux Noël.

- Bonne année.
- Bon week-end.

Wishes and greetings

- Good luck!
- Have fun! Enjoy yourself!
- Enjoy your meal!
- Happy Birthday!
- Happy Easter!
- Happy ou Merry Christmas!
- Happy New Year!
- Have a good weekend!

MINI PLUS

Remercier
- Merci (beaucoup).
- Merci, vous de même.

- Je vous remercie de votre aide.

Saying thank you
- Thank you (very much).
- Thank you. The same to you too.
- Thank you for your help.

Répondre à des remerciements
- De rien.
- Pas de quoi.
- Je t'en prie. [to a friend]
- Je vous en prie. [polite form]

Replying to thanks
- Don't mention it.
- Not at all.
- You're welcome.
- You're welcome.

Présenter ses excuses
- Excusez-moi.

- Pardon.

- Je suis désolé/désolée d'être en retard/de vous déranger.
- Je suis (vraiment) désolé/désolée.

Apologizing
- Excuse me.
  I'm sorry.
- Sorry!
  Pardon me.
- I'm sorry I'm late/to bother you.
- I'm (terribly OU awfully) sorry.

Accepter des excuses
- Ce n'est pas grave.
- Ça ne fait rien.
- Il n'y a pas de mal.
- Ce sont des choses qui arrivent.

Accepting an apology
- It doesn't matter.
- That's all right.
- No harm done.
- These things happen.